Marcel Robert
Jacques Tondreau

L'ÉCOLE QUÉBÉCOISE

Débats, enjeux et pratiques sociales

Une analyse sociale de l'éducation
pour la formation des maîtres

LES ÉDITIONS
CEC
QUEBECOR MEDIA

8101, boul. Métropolitain Est, Anjou (Québec) Canada H1J 1J9
Téléphone : (514) 351-6010 • Télécopieur : (514) 351-3534

Directeur de l'édition
Pierre-Marie Paquin

Directrice de la production
Lucie Plante-Audy

Réviseure
Ginette Duphilly

Relecture d'épreuves
Pierre Phaneuf

Réalisation graphique
Typo Litho Composition inc.

Page couverture
Conception et réalisation graphique : Michel Allard

Dépôt légal : 3e trimestre 1997
Bibliothèque nationale du Québec
Bibliothèque nationale du Canada

ISBN 978-2-7617-1452-5
ISBN 2-7617-1452-0

Imprimé au Canada
6 7 8 9 09 08 07

Table des matières

PREMIÈRE PARTIE
LES ENJEUX SOCIAUX DE LA SCOLARISATION DANS LA CONJONCTURE

CHAPITRE 1
La situation scolaire avant la réforme des années 60

CHAPITRE 2
La réforme scolaire des années 60 au Québec
Au nom de la justice sociale, de la démocratie et du développement économique

Remerciements

Pendant les années de révision du cours à l'origine du présent ouvrage, et d'expérimentation en classe de nouveaux contenus et de nouvelles approches pédagogiques, nous avons sollicité et obtenu le financement de trois projets de développement et d'innovation pédagogique, l'un auprès de l'ex-département d'Administration et de politiques scolaires de l'Université Laval, et les deux autres auprès du Programme d'innovation pédagogique du Vice-rectorat à l'enseignement de la même université. Nous sommes donc redevables à ces organismes pour la réalisation de projets qui visaient d'abord l'amélioration de la qualité de la formation des étudiants et la production d'outils pédagogiques nouveaux, mais ils ont aussi d'une certaine façon influencé indirectement la restructuration des contenus et finalement l'élaboration des textes de cet ouvrage.

Nos remerciements s'adressent aussi à :

Messieurs Pierre W. Bélanger et Claude Trottier, sociologues et professeurs à la Faculté des sciences de l'éducation de l'Université Laval

Madame Thérèse Hamel et monsieur Marc-André Deniger, professeure et professeur

Madame Lynda Gosselin, chargée d'enseignement

Madame Diane Veillette, chargée d'enseignement

Madame Élaine Drolet, auxiliaire d'enseignement

Messieurs Jean-François Broudehoux et Éric Meunier, auxiliaires d'enseignement

Madame Rita DeGuise Robert

Madame Sylvette Deguin

Présentation

Les intentions
à la base de ce manuel

Le présent ouvrage trouve son ancrage dans une tradition d'enseignement des sciences sociales de l'éducation qui préconise une approche multidisciplinaire, propre à développer une capacité intellectuelle accrue de compréhension des phénomènes sociaux chez les étudiantes et les étudiants en formation des maîtres. Les auteurs souhaitent ainsi contribuer au développement du sens critique des futurs maîtres en ce qui a trait aux rapports entre l'école et la société et aux situations éducatives de leur pratique quotidienne. Cette tradition de formation vise également à sensibiliser les futurs maîtres aux aspects sociaux de l'éducation et à stimuler leur capacité d'analyser des phénomènes sociaux contemporains. Elle se donne enfin comme objectif de faire découvrir aux étudiantes et aux étudiants les rapports sociaux dans lesquels sont inscrits les comportements des acteurs ainsi que le fonctionnement des systèmes de relations sociales dans lesquels ils interagissent.

Ce volume s'inscrit dans l'entreprise de renouvellement de cet enseignement dans lequel s'était engagé un groupe de professeurs de l'Université Laval à la veille de l'élaboration des nouveaux programmes de formation des maîtres au début des années 90. Dans cet effort de rénovation, les objectifs des programmes et leurs grandes orientations, de même que les intentions pédagogiques de la contribution des sciences sociales à la formation des maîtres, ont primé sur l'initiation systématique et approfondie (au surcroît irréaliste) des étudiantes et des étudiants aux quatre disciplines des sciences sociales, soit la sociologie, l'économique, le politique, l'anthropologie.

À la suite d'un travail de réflexion, d'écriture et d'expérimentation[1] échelonné sur plusieurs années, ce volume veut apporter des réponses concrètes aux problèmes qui perdurent depuis le tout début de l'enseignement de l'analyse sociale de l'éducation dans le cadre des programmes de formation des maîtres. Il cherche à donner une priorité aux besoins de formation ciblés par les programmes plutôt qu'à la transmission de contenus propres aux sciences sociales de l'éducation. Il met l'accent sur l'exigence d'une formation fondamentale par l'acquisition du langage des sciences sociales, l'intégration de ces savoirs dans une démarche multidisciplinaire, l'importance d'une pratique réflexive en ce qui concerne le développement professionnel de l'enseignante et de l'enseignant et enfin le développement d'attitudes de rigueur et de capacités d'observation chez les futurs maîtres.

La pertinence de l'ouvrage dans le champ de la formation des maîtres

Ce volume est un outil qui intègre les objectifs de la plupart des nouveaux programmes de formation des maîtres, c'est-à-dire ceux qui concernent les compétences sociales à développer chez les enseignantes et les enseignants. Il se présente non seulement comme une contribution à une formation fondamentale chez les futurs maîtres mais également comme l'ancrage de la culture professionnelle dans la compréhension des rapports sociaux sous l'angle de la pratique scolaire et dans le développement de façons efficaces et critiques d'agir comme citoyens, étudiants et étudiantes, et futurs maîtres. On conçoit donc l'apprentissage non comme une simple information ou un savoir-faire, mais surtout comme une capacité de faire des liens et de développer des compétences durables, polyvalentes et transférables.

Précisons que ce manuel est centré sur la construction *progressive* d'une culture professionnelle commune par la maîtrise des langages, des modèles et des outils des sciences sociales appliquées à la compréhension des situations éducatives et à l'intervention efficace dans des systèmes d'action sociale. La professionnalisation de l'enseignement ne pourra jamais se faire *sans* le développement d'une culture (intellectuelle et professionnelle) commune partagée.

---

1. De 1992 à 1997, une double démarche fut suivie : développer un nouveau texte et de nouveaux dispositifs d'apprentissage et en faire immédiatement l'utilisation et l'expérimentation dans des groupes d'étudiants. Ainsi se sont modifiés progressivement les orientations et les contenus du cours de 1992 à 1996 dans le cadre de neuf sections d'enseignement composées d'environ 700 étudiantes et étudiants. Dans ce contexte, une évaluation exhaustive s'imposait : on donna un questionnaire d'environ 80 questions fermées et une dizaine de questions ouvertes (évaluation formative et une autre sommative) dans les neuf sections de cours. Les résultats furent concluants sur le plan de l'intérêt et de la prise de conscience des aspects sociaux de l'éducation, sur le plan de la pertinence des thèmes et des problématiques, et sur le plan de la satisfaction générale des étudiants et des étudiantes quant au contenu du cours et de l'enseignement réalisé.

C'est autour de la production et de la gestion de l'identité sociale, individuelle ou collective de l'enseignante et de l'enseignant, et ce, tout au long des étapes du métier d'étudiant au métier d'enseignant, que gravitent les efforts d'analyse et les appels à la réflexivité. Le développement de compétences sociales en matière d'analyse sociale de l'éducation, de pratique réflexive de l'apprentissage et de l'enseignement, a comme objet principal le développement de l'identité et de la compétence professionnelles. La compréhension des contextes de la pratique enseignante et la réflexivité de l'acteur social (étudiant et étudiante, enseignant et enseignante) sur son action et son intervention ne s'improvisent pas : c'est le fruit d'une habitude et d'un investissement de l'acteur en situation.

Enfin, les auteurs veulent faciliter le passage du métier d'étudiant au métier d'enseignant en mobilisant la contribution des sciences sociales à la formation fondamentale des maîtres, en ciblant l'expérience sociale comme élément de compréhension de la socialisation et des pratiques sociales. De même, les rapports entre compréhension et action, entre théorie et pratique contribuent à la pertinence et à l'importance de cette contribution à la formation des maîtres.

Développé dans le cadre de la formation des enseignants à la compréhension des rapports sociaux de l'éducation et de la contribution des sciences sociales à l'analyse sociale de l'éducation et à la pratique réflexive de l'apprentissage et de l'enseignement, ce volume répond aux objectifs généraux et spécifiques d'une formation universitaire dans ce domaine. Il contribue à des objectifs couramment visés par une formation universitaire de premier cycle et à des objectifs spécifiques des programmes de formation des enseignants et des enseignantes du primaire et du secondaire.

Destiné à la formation des futurs enseignantes et enseignants d'abord, cet ouvrage s'adresse plus globalement à tous les partenaires de la formation, c'est-à-dire les maîtres associés, les maîtres de formation pratique et les étudiants-stagiaires, et toute personne qui cherche à ancrer sa compréhension des défis et des enjeux de l'éducation au Québec dans son contexte sociohistorique et dans l'examen des pratiques sociales actuelles des acteurs au primaire et au secondaire.

Les contenus du manuel

Le manuel est divisé en deux parties. Dans la première partie, les auteurs analysent les enjeux sociaux de l'éducation au Québec en l'inscrivant dans une démarche sociohistorique. Dans la seconde partie, ils traitent des pratiques scolaires concrètes dans les écoles primaires et secondaires du Québec.

Les cinq chapitres de la première partie sont consacrés à une analyse sociohistorique de l'éducation au Québec. On y met l'accent sur l'évolution des idées sur l'école et l'éducation depuis le milieu du xxe siècle jusqu'aux années 90.

Dans le premier chapitre, on trace un portrait très général de la situation de l'éducation avant la réforme des années 60. Dans les chapitres 2, 3 et 4, respectivement consacrés aux années 60, aux années 70 et aux années 80, on analyse les rapports entre l'école et la société québécoise en montrant l'évolution des inégalités scolaires dans les conjonctures sociales, le rôle des théories sociologiques sur lesquelles se fondent les fonctions et les rôles de l'école dans la société, les enjeux sociaux et économiques de la profession enseignante. Dans le chapitre 5, on traite des débats sur l'école, en situant les problèmes de l'institution scolaire dans les nouvelles transformations sociales. On propose également une démarche critique face aux interprétations diverses et contradictoires des acteurs sociaux sur la mission de l'école.

Dans la deuxième partie, il est question des réalités scolaires dans la perspective des processus concrets dans lesquels sont engagés les acteurs de l'école. Cette analyse est menée à la lumière des activités d'enseignement, d'apprentissage et d'interactions sociales qui contribuent à la construction quotidienne de la réalité sociale de l'école. On y aborde donc les thèmes de la culture, de la socialisation et de l'expérience sociale et scolaire des acteurs de l'école.

Dans le chapitre 6, on précise les éléments des rapports des étudiantes et des étudiants en formation des maîtres à leur programme de formation, principalement sous l'angle de la construction de l'identité et de la compétence sociales et professionnelles. On propose d'en faire à la fois un objet d'analyse sociale et une pratique réflexive. Le chapitre 7 s'ouvre sur les conséquences à tirer des théories sociologiques de la première partie. Il s'agit de cerner à la fois la notion de culture et celle de socialisation scolaire. Enfin, on propose l'étude de la socialisation scolaire sous l'angle de la notion d'expérience sociale.

Dans les chapitres 8, 9 et 10, on présente les trois logiques d'action autour desquelles l'acteur articule son expérience sociale. Chaque chapitre privilégie comme point d'entrée dans l'expérience sociale un registre particulier de l'action sociale. Dans le chapitre 8, on traite de la logique d'intégration en abordant les thèmes de la diversité culturelle, ethnique, linguistique et religieuse. Dans le chapitre 9, la logique stratégique est présentée sous l'angle des pratiques et des problèmes reliés à la relation pédagogique. Dans le chapitre 10, on expose la logique de subjectivation à la lumière des rapports des acteurs aux savoirs et aux valeurs à travers les pratiques d'enseignement et d'évaluation qui constituent les modes de construction sociale de la réussite et de l'échec scolaires. Enfin, dans le chapitre 11, on invite le lecteur à tirer les conséquences de la réflexion sur la socialisation et à prendre acte des problèmes de l'école comme institution scolaire à laquelle on demande de plus en plus. On l'invite également à considérer la capacité de l'école de créer une action concertée chez les partenaires, action qui constitue un préalable à l'apprentissage et à la réussite, et non un résultat.

Introduction

L'analyse sociale de l'éducation est aujourd'hui confrontée à de nouvelles questions. L'école est-elle encore une institution ? Plus précisément, l'école peut-elle institutionnaliser des valeurs ? Y a-t-il encore une certaine harmonie entre les trois grandes fonctions de l'école, c'est-à-dire l'éducation, l'instruction et la préparation au marché du travail ? Les analyses courantes du comportement des acteurs sociaux et scolaires peuvent-elles rendre compte encore des processus, des mécanismes, des enjeux et des luttes de pouvoir dans le système d'éducation, dans l'école et même dans la classe ?

Et si l'école n'est plus une institution, si elle éprouve de plus en plus de difficultés à régler efficacement les problèmes d'incohérence et de contradictions entre ses fonctions, alors dorénavant son défi essentiel n'est-il pas l'action concertée, c'est-à-dire la coopération entre les acteurs concernés ? On ne peut donc parler d'éducation et de formation, de scolarisation et de socialisation sans poser le problème du passage de l'action individuelle à l'action collective, non pas à la façon d'une addition des comportements individuels ou de leur multiplication, mais d'une manière telle que soit construite une action sociale adaptée aux conditions locales et spécifiques du contexte dans lequel s'inscrit l'action des acteurs de l'école d'aujourd'hui.

Ces quelques interrogations, et plusieurs autres, sont au cœur de ce manuel. Destiné à la formation des maîtres, aux partenaires de l'éducation et à tous ceux et celles qui s'intéressent de près ou de loin à l'analyse de l'éducation, ce manuel est le fruit d'un travail de réflexion et de recherche touchant d'une part les transformations sociales et la formation des maîtres et, d'autre part, le sens et la portée de l'analyse sociale dans le champ de l'éducation. De plus, il propose un dispositif pédagogique adapté à la formation des maîtres qui s'insère dans une démarche réflexive d'acquisition des compétences, pouvant être mis à profit tant dans la pratique étudiante que dans la pratique enseignante.

Transformations sociales et formation des maîtres

Depuis la constitution des systèmes modernes d'enseignement et la création d'organismes internationaux comme l'UNESCO, l'OCDE, et plus récemment au Québec du Conseil supérieur de l'éducation, qui étudient les problèmes liés à l'éducation et à la scolarisation formelle des populations, l'école comme institution d'éducation, de socialisation et de qualification a été l'objet d'analyses, de diagnostics et de perspectives de développement. De plus, comme les enseignantes et les enseignants sont les agents premiers de l'éducation dans les écoles d'une part, les dépositaires des savoirs, des valeurs communes et de leurs modes de transmission dans les classes d'autre part, ces organismes ont régulièrement proposé des orientations et des objectifs de formation des maîtres. Il ressort de ces études la constante préoccupation de l'adaptation fonctionnelle de l'école aux impératifs sociaux et, dans son sillage, la révision constante qu'exigent les nouveaux défis et enjeux de l'école dans la formation des maîtres.

Or, depuis les années 80, les rapports traditionnels entre l'école et la société sont perturbés par une nouvelle conjoncture mondiale. Le refrain est connu : la société a changé, donc les transformations sociales bousculent les institutions, font des pressions sur les acteurs et questionnent leurs pratiques. Il faut, par ricochet, changer le système d'éducation, son mode de fonctionnement et même son financement, et renouveler les pratiques éducatives.

Ce discours sur la nécessité d'adaptation fonctionnelle de l'école occulte plusieurs dimensions importantes des rapports entre l'école et la société. Il sépare la crise de l'école de la transformation de la société ; il réduit les dimensions sociales de l'école aux besoins des diverses clientèles ; il isole l'école des autres institutions sociales en exagérant sa capacité d'institutionnaliser des valeurs supposées communes et partagées, libérant ainsi trop facilement les autres secteurs et groupes de la société de leur part de responsabilité à l'égard des valeurs communes et de la citoyenneté.

Cette tendance à considérer les problèmes de l'école comme une crise scolaire a beaucoup de conséquences sur les conduites et les actions des acteurs sociaux. Comme le souligne Wieviorka, «plus on pense qu'il y a une crise, plus on se tourne vers le gestionnaire politique de la collectivité nationale, c'est-à-dire l'État, et l'on traite donc sur un mode politique des problèmes qui sont davantage des problèmes sociaux (Wieviorka, 1987 : 32)». En effet, faire de la crise de l'école la cible des débats conduit souvent les acteurs sociaux à faire de l'école le bouc émissaire de la société ou à considérer les caractéristiques bureaucratiques de l'école comme les premières causes de l'incapacité de cette dernière à réaliser ses missions dans la conjoncture sociale actuelle. Et c'est surtout se détourner de l'obligation de prendre conscience des forces ayant contribué à transformer, depuis quelques années, toutes les sociétés occidentales avancées. C'est enfin renoncer à aborder lucidement les nouvelles réalités sociales et leurs conséquences sur la crise des valeurs, l'accentuation des inégalités sociales et la complexité des défis posés à l'école (Conseil supérieur de l'éducation, 1995 : 4).

L'examen de ces grandes mutations et des répercussions qu'elles sont susceptibles d'avoir sur l'ensemble des secteurs de la société, y compris l'éducation, s'impose donc en priorité ou du moins en parallèle à l'examen des problèmes posés à l'école par les demandes des populations, par un fonctionnement inadéquat ou par des modes inappropriés d'interactions entre les partenaires de l'école. À cet égard, l'Organisation de coopération et de développement économique (OCDE) soulève plusieurs interrogations sur les incidences des grandes transformations sociales sur les populations et surtout sur les écarts sans cesse grandissants entre ceux qui consolident leurs positions et leurs richesses et ceux qui sont exclus (OCDE, 1996 : 74).

L'enjeu fondamental de toute réforme scolaire demeurera toujours le modèle de société auquel renvoient les grandes mutations qui la bouleversent. Cependant, l'école court le risque d'être la cible première des débats et des attaques. Désigner l'école comme grande responsable des problèmes et parler de sa crise d'adaptation évitent d'aborder les conflits qui alimentent la fracture sociale de l'ensemble. On remarque ici un paradoxe. On voudrait que l'école s'adapte à la société. Or, la société est précisément en mutation ; la société est même écrasée par des forces qui lui sont souvent extérieures. Dans ce contexte, le premier débat ne consiste-t-il pas à réfléchir sur ces transformations qui font d'abord pression sur l'ensemble de la société et, en particulier, sur l'institution scolaire ?

On ne cesse d'énumérer le nombre considérable de « réalités nouvelles » qui s'imposeraient à l'école : l'éclatement des connaissances à l'ouverture nécessaire des acteurs sociaux sur un monde pluraliste et interdépendant ; l'accès généralisé des populations à la révolution des nouvelles technologies de l'information ; l'inquiétude suscitée face à l'intolérance, à la violence et au racisme. Cependant, de toutes ces réalités sociales que l'on évoque pour décrire les caractéristiques de la nouvelle société en train de se construire (comme si elle nous échappait, comme si elle se faisait sans l'intervention des humains) et à laquelle l'école doit s'adapter, celles qui sont relatives aux objectifs et aux orientations économiques de la société occupent une place dominante dans les discours de tous les acteurs, et ce, depuis bon nombre d'années.

« Il faut que l'école s'adapte » : voilà la phrase qu'on entend depuis une quinzaine d'années. C'est au nom de la « nouvelle donne économique », comme aiment à le dire les analystes, que les entreprises du pays doivent améliorer leur productivité et leur compétitivité, que l'État doit favoriser cet objectif en y consacrant les ressources nécessaires, que les entreprises doivent disposer de toute la souplesse nécessaire pour gérer leur personnel, que l'école doit préparer des travailleurs plus souples, capables de s'adapter à des conditions de travail difficiles (bas salaires, travail à temps partiel, insécurité, chômage, etc.). On constate, en fait, que le *primum mobile* de tout changement scolaire important pour une réforme d'une certaine envergure est souvent lié à un impératif d'adaptation de l'école aux modifications du secteur de l'économie.

Toutefois, dans la volonté de réforme et les exigences de changement et d'adaptation de l'école, les demandes et les besoins des citoyens sont également en cause. Depuis quinze ans, la société québécoise, suivant en cela une tendance générale de plusieurs pays occidentaux, assiste à une augmentation impressionnante des demandes et des attentes de ses citoyens face aux missions de l'école. Ces demandes s'expriment à travers les rapports problématiques, souvent ambigus et conflictuels à la culture scolaire de plusieurs segments de la population. On les perçoit également chez plusieurs organismes qui veulent augmenter la part de responsabilité de l'école en matière de garde et de socialisation. On les retrouve enfin dans certaines réformes ciblant des populations scolaires particulièrement à risque. Dans tous les cas, ces demandes ont pour effet global un élargissement du rôle de l'école et, par conséquent, de celui des maîtres, de leurs tâches et de leurs responsabilités.

En proposant quelques balises pour construire concrètement une formation initiale des enseignantes et des enseignants, il faut rappeler que le mouvement de professionnalisation de l'enseignement, les pratiques de formation dans les universités et les écoles et, par conséquent, les conditions concrètes du développement de l'identité professionnelle, de la compétence intellectuelle et professionnelle, n'ont de sens et de portée véritables que si on les relie aux finalités et aux conditions de l'éducation des jeunes dans une société en changement rapide.

La formation des enseignants est au carrefour des enjeux sociaux et institutionnels de l'éducation dans notre société. Dans la mesure où le récipiendaire premier des prestations de l'enseignement est l'élève du primaire et du secondaire, que les maîtres doivent les aider à vivre en société, nombre de priorités de leur formation s'inscrivent tout naturellement au titre du développement de certaines compétences générales. Ainsi, dans une société complexe, il s'agit de pouvoir cerner les savoirs clefs, apprivoiser l'interdisciplinarité ; dans une société exigeante, s'entraîner aux compétences de base qui formeront des personnes capables d'apprendre toute leur vie et de façon efficace ; dans une société en évolution, développer l'esprit de recherche qui caractérise une démarche réflexive, augmenter la capacité à résoudre des problèmes, chercher, innover et créer ; dans une société démocratique, confrontée à des défis de survie (violence, environnement, éthique, médias, santé, éducation), devenir des acteurs sociaux lucides et engagés, capables d'analyse critique et d'engagement dans l'objectif de la réussite de tous ; enfin, dans une société de communications et d'individualisme, apprendre à communiquer de façon efficace, construire un développement de soi, une identité professionnelle, établir avec les autres des relations d'aide et de coopération (Paquay, 1993 : 133).

Toutefois, au moment de la révision des programmes de formation des maîtres au Québec, au début des années 90, on a peu fait état des enjeux profonds de l'école dans la société. On a évoqué les « aspects sociaux », surtout pour montrer comment les enseignants et les enseignantes devaient pouvoir mieux répondre aux besoins des différents groupes présents à l'école. Or, les aspects sociaux de l'éducation pour des professeurs dépassent de beaucoup ces seuls éléments. Il devient impératif de présenter ces cadres d'analyse que fournissent les sciences sociales appliquées à l'éducation, notamment la sociologie, pour permettre une meilleure compréhension des rapports sociaux dans lesquels s'inscrivent les pratiques sociale de l'école, y compris celles des enseignants et des enseignantes.

Utilisation de la sociologie dans le cadre de ce manuel

Décrire, expliquer et comprendre les rapports entre l'école et la société et les pratiques des acteurs dans l'institution scolaire, c'est prendre conscience de l'éclatement de la notion classique de société qui définissait souvent l'acteur social comme un être déterminé par la société. Selon le savoir sociologique, positif et critique, l'acteur est toujours présenté en fonction des besoins du système social. Dans les théories de la sociologie classique, l'individu apparaît comme une menace ou un résidu.

> Cette sociologie qui parlait de la société, et qui avait le pouvoir normatif de définir notre expérience, ne nous parle plus. [...] On a beau affirmer qu'elle reste vraie, rappeler qu'il y a plus que jamais des rapports sociaux, et des classes sociales, que nos pratiques s'inscrivent toujours dans des logiques de champs, elle a perdu de son pouvoir corrosif, se dissolvant dans la « réflexivité » des individus et la « complexité » du social. C'est-à-dire que d'une part, les individus revendiquent réflexivement leur expérience comme propre et personnelle, que d'autre part, la « société » se laisse moins facilement réduire de façon unitaire à un espace de positions socioculturelles, à un terrain de jeu et de stratégies, à une scène historique, ou à un quadrillage d'appareils idéologiques d'État (Franssen, 1996 : 101 et 102).

Dans ce manuel, on privilégie une analyse sociologique qui s'attache à l'étude du sujet social, partie négligée des modèles de la sociologie classique. S'il existe aujourd'hui un champ où l'on cherche à favoriser une telle approche, c'est bien le secteur de l'éducation et, en particulier, celui de la formation des maîtres. Ce champ est traversé par des appels à la professionnalisation du métier : l'enseignant est interpellé comme acteur et non plus comme agent, un acteur qui construit ses connaissances par la réflexivité *dans* et *sur* l'action pédagogique, un acteur qui transforme son action en expérience et l'expérience en savoirs professionnels. En somme, c'est un acteur qui construit son savoir pratique par sa capacité d'analyse et de réflexion. Quel est l'apport des sciences sociales et, en particulier, de la sociologie, dans l'analyse de la constitution du sujet social ?

L'analyse sociologique en formation des maîtres

À la faveur du courant de professionnalisation de l'enseignement, certains ont eu tendance à réviser le rôle que jouait l'analyse sociologique dans la formation des maîtres. Pour eux, aborder cet enjeu par une question comme celle de la contribution des sciences sociales à la formation des maîtres constituerait maintenant une approche trop générale. La pertinence des sciences sociales dans la formation, selon les nouveaux concepteurs de programmes en formation des maîtres, serait plutôt déterminée par leur capacité d'accroître sensiblement et visiblement l'efficacité pédagogique en classe.

Or, dans le contexte québécois d'une formation universitaire en enseignement, qui situe le recrutement après le cégep, l'utilisation des sciences sociales et même une initiation à la recherche se justifient comme mode d'appropriation active de connaissances de base en sciences humaines et comme préparation à l'utilisation des résultats de la recherche en éducation. Cette utilisation se justifie également comme élément de formation générale et de culture professionnelle. Mais plus encore, le virage professionnel et réflexif mis de l'avant par les concepteurs des programmes de formation des maîtres exige que toutes les ressources disponibles soient mises à contribution par les partenaires de la formation. Or, parmi ces ressources, le potentiel de connaissance et d'action qu'apporte la sociologie incite à vouloir reconstruire l'analyse sociale de l'éducation à partir des contributions des différents courants théoriques de la production et de la gestion sociale de l'identité sociale et professionnelle des enseignants et des enseignantes.

Les contenus, les approches et les démarches pédagogiques proposés dans ce manuel gravitent donc autour de l'idée du développement de l'identité sociale et professionnelle des candidats en enseignement comme médiation des rapports du sujet aux logiques d'action. Par le choix des contenus et des approches, on veut rendre compte de la profonde mutation des catégories sociales dans le champ de la sociologie, en tentant de dépasser les limites des théories sociologiques classiques, mais aussi d'éviter les écueils d'une sociologie trop centrée sur la subjectivité des individus, sur leurs opinions ou sur leurs émotions. En bref, il s'agit d'éviter les écueils d'une sociologie du sujet.

> Pour ce faire, le travail sociologique peut s'appuyer sur une double tradition critique et herméneutique, visant à la fois à une conscience accrue des logiques de production et de gestion sociale des identités individuelles et collectives, et à une compréhension de la manière dont les individus se construisent comme sujets dans une société en mutation (Franssen, 1996 : 99).

Il est particulièrement pertinent pour le champ de l'éducation, traversé par le discours de la professionnalisation de l'enseignement, que cette compréhension passe par un effort accru d'analyse des rapports des candidats à l'apprentissage (métier d'étudiant) et à l'enseignement (métier d'enseignant) et à la construction de leur identité sociale et professionnelle. On évitera ainsi de se réfugier dans des discours normatifs ou des activités cliniques complexes pour faire surgir, derrière les subjectivités éparses, les rapports sociaux qui s'y cachent.

Les étudiants en formation des maîtres : acteurs et sujets de leur formation

Le développement de l'identité sociale et professionnelle des enseignantes et des enseignants présuppose une définition non fermée du sujet social, en continuelle auto-interprétation et en construction d'identité. Cette identité sociale et professionnelle est conçue comme un enjeu des rapports sociaux. Toutefois, pour le sociologue, une question doit rester ouverte : comment les transformations identitaires dans les mutations culturelles actuelles (sur le plan des idéologies, des représentations et des images du sujet socialement construites par les enseignants et les enseignantes) sont en relation avec la mise en place matérielle de dispositifs de formation et de socialisation professionnelles ?

Ainsi, le travail sociologique est double. D'une part, il est critique : il analyse la production et la gestion sociales des identités individuelles et collectives ; d'autre part, il est herméneutique dans la mesure où l'identité personnelle d'une personne n'est pas une suite ininterrompue de faits objectifs, mais plutôt le fruit d'une continuelle auto-interprétation. On rejoint donc ici le travail de l'acteur qui se produit comme sujet social à travers son histoire en tentant de décrypter l'expérience dans lequel chacun tente d'exister socialement et individuellement (Franssen, 1996 : 106).

La contribution de la recherche sociologique à la formation des maîtres est évidente. Il appartient aux partenaires de la formation de la mettre en œuvre. Dans le cadre de cet ouvrage, on propose une reconstruction des rapports entre le sujet et les logiques d'action dans lesquelles s'inscrivent les pratiques sociales. Le projet d'une telle démarche sociologique consiste à comprendre la vie qui est faite à l'acteur (le contrôle social et la dépendance) à partir de la vie que l'acteur social se fait (par sa capacité de distanciation et de critique).

En somme, il importe d'entrer dans l'école pour y observer les pratiques sociales dans la classe. C'est la notion d'expérience sociale qui servira de guide pour isoler et décrire les registres de l'action dans l'école primaire et secondaire, pour comprendre l'articulation des différentes logiques d'action de l'élève dans ses expériences scolaires et sociales. De là, l'analyse conduit à remonter jusqu'aux rapports sociaux dans lesquels s'inscrivent les pratiques des acteurs de l'école.

Dès lors, on peut s'interroger sur le type d'identité sociale que produit la formation des maîtres à la lumière des nouveaux programmes de formation, la manière dont cette identité est vécue, appropriée, rejetée, instrumentalisée, subvertie à l'intérieur et à l'extérieur (dans les milieux scolaires) par l'intermédiaire des différents dispositifs de socialisation (exigences du métier d'étudiant, insertion dans les milieux de pratique, éclatement des savoirs, rapport au travail scolaire, etc.).

Présentation des orientations pédagogiques

Même lorsqu'ils s'adressent à des étudiants universitaires, les professeurs situent leur enseignement dans le cadre des objectifs de formation proposés par les programmes. Dans la première partie de l'introduction, le lecteur a compris en quoi les grandes orientations des nouveaux programmes de formation ont guidé les choix des auteurs pour la structuration et la présentation de ce manuel. À ce stade-ci, il importe d'évoquer certains éléments d'une théorie de l'apprentissage qui a influencé ces choix et de préciser les intentions pédagogiques dans les deux parties du manuel. La sélection des thèmes et leur développement s'inspire de cette approche pédagogique, et le dispositif pédagogique global permet d'aborder l'ensemble des chapitres de chaque partie.

Éléments d'une théorie de l'apprentissage

Il est difficile de présenter les contenus et les démarches qui visent à favoriser l'apprentissage des étudiants et des étudiantes – fussent-ils universitaires – sans évoquer la conception de l'apprentissage sous-jacente à ce manuel. Apprendre a plusieurs sens et comporte plusieurs niveaux. La formation universitaire, surtout en formation des maîtres, ne saurait se limiter à l'acquisition de l'information, même à propos de problèmes complexes. Elle doit viser le développement d'habiletés intellectuelles, à un niveau d'autant plus élevé que la formation est de niveau universitaire, mais aussi parce qu'elle vise la formation de personnes dont le métier est d'enseigner et de faire apprendre. Enfin, un enseignement digne de ce nom vise également la compréhension des choses, des rapports entre les choses et les situations, bref, la compréhension de la complexité des situations humaines et sociales auxquelles sont confrontés l'enseignante et l'enseignant. Les éléments retenus sont issus d'une approche cognitive et constructiviste de l'apprentissage et se résument dans les cinq points ci-dessous[2].

1. La connaissance et le savoir ne se transmettent pas directement, même si on se plaît à dire que l'objectif de l'école et de l'université consiste à diffuser des connaissances.

2. Celui qui apprend a déjà des schèmes (des représentations) à travers lesquels il perçoit la réalité. Ces schèmes varient d'une personne à l'autre.

---

2. Une grande partie des idées énoncées ici ont été empruntées à Develay (1992).

3. Apprendre, c'est élargir, diversifier ces schèmes de connaissances. Pour qu'il y ait développement d'une nouvelle compréhension, l'étudiant ou l'étudiante doit transformer ces schèmes. Pour qu'il y ait développement de nouveaux raisonnements, l'étudiant ou l'étudiante doit être actif. De nouveaux schèmes doivent être élaborés. Ceux-ci sont intérieurs, ils n'appartiennent qu'à celui ou celle qui les développe.

4. Ainsi, la connaissance doit être reconstruite par celui ou celle qui apprend, elle ne se transmet pas telle quelle. C'est pour cette raison que tout apprentissage est le résultat de la mise en œuvre d'une habileté cognitive par l'étudiant ou l'étudiante.

5. Enfin, apprendre, c'est aussi la capacité de transférer cette habileté cognitive et de la mobiliser sur d'autres objets à connaître.

Ces principes inspirent plusieurs questions proposées après chaque chapitre, de même que le cheminement de lecture suggéré pour chacune des deux parties de l'ouvrage. La première partie du manuel est une initiation à une approche socio-historique des faits éducatifs ; la seconde partie, une initiation à l'analyse des pratiques concrètes des acteurs dans l'école et la classe.

Présentation de la première partie du manuel : « Les enjeux sociaux de l'éducation dans la conjoncture »

La première partie du manuel (chapitres 1 à 5) s'inscrit dans la poursuite d'objectifs de formation générale et de développement d'une culture professionnelle ; elle cherche à susciter chez les étudiantes et les étudiants une prise de conscience des différentes représentations sociales de l'éducation. Chaque chapitre vise à mettre au jour les différentes représentations de l'éducation, dont sont porteurs tous et chacun, à partir d'une analyse sociale des rapports entre l'école et la société depuis 40 ans.

Dans « Les enjeux sociaux de l'éducation dans la conjoncture », on vise donc une compréhension du monde de l'éducation au niveau global des rapports sociaux entre l'école et les autres secteurs de la société, en permettant d'acquérir les outils intellectuels nécessaires au développement de :

- la capacité de comprendre comment et en quoi le système d'éducation et l'école sont des réalités enracinées dans une conjoncture sociale qui structure et influence à la fois les ressources dont disposent les actrices et acteurs sociaux et la dynamique des systèmes d'action auxquels ils participent ;
- la capacité d'expliquer les interrelations entre les individus et l'école comme institution sociale ;
- la capacité d'expliquer les principes d'évolution et de transformation de l'école comme institution sociale.

Lorsque l'on tient compte des visées de formation générale des programmes de formation des maîtres au Québec, on remarque que l'identité sociale et professionnelle des enseignants est tributaire de l'évolution des rapports sociaux depuis les années 60. Dans la première partie du volume, on réserve donc une part importante à l'analyse sociale de l'éducation sous l'angle des rapports entre la société globale et l'institution scolaire depuis le milieu du xxe siècle. L'analyse des enjeux sociaux de l'éducation dans les différentes conjonctures sociales permet de prendre conscience de la nature prégnante des rapports sociaux dans l'évolution de l'école québécoise moderne. Cette analyse touche également le corps enseignant : son développement, son grand rôle dans la société, la scolarisation des jeunes et la constitution d'une identité professionnelle collective pour les enseignants comme pour les candidats à l'enseignement primaire et secondaire.

C'est à la fin des années 50 (chapitre 1) et pendant toute la décennie des années 60 qu'émerge au Québec le discours fonctionnaliste de l'éducation. Il s'agit des appels à une scolarisation plus généralisée, à un accès plus démocratique à l'école, des effets bénéfiques escomptés en ce qui a trait à la mobilité sociale et au retour sur l'investissement en capital humain que constitue l'éducation (chapitre 2). Au cours des années 70, on utilise largement l'analyse marxiste pour rendre compte des rapports de l'école et de la société. On effectue notamment une critique radicale de la théorie fonctionnaliste tout en soulignant les limites d'une réforme qui semblait vouloir faire de l'école la rédemptrice d'une société inégalitaire du fait qu'on lui confiait, de façon irréaliste, la tâche d'égaliser les chances (chapitre 3). Le syndicalisme enseignant a joué alors un rôle prépondérant dans cette interprétation de la fonction de l'école comme reproductrice des inégalités sociales. Même si les approches interactionnistes et actionnalistes en sociologie ne datent pas des années 80, c'est durant ces années que l'individualisme méthodologique de Boudon et sa contribution à l'analyse des rapports entre l'école et la société, émergent comme un nouveau cadre d'analyse. Sa critique de la mobilité sociale, attribuée à l'école chez les fonctionnalistes, et de la reproduction sociale selon les théories conflictualistes, ouvrait une voie pédagogiquement intéressante à la compréhension de la tendance sociologique dominante des années 80, soit « le retour de l'acteur » en sociologie de l'éducation et l'intérêt pour les explications des processus concrets de la scolarisation, des pratiques des acteurs et de leurs effets sur l'apprentissage et l'enseignement (chapitre 4).

À travers les conjonctures sociales des décennies étudiées, les différents acteurs sociaux ont repris à leur compte, selon leurs représentations de la société, de l'école et de leurs rapports respectifs, l'une ou l'autre des interprétations sociologiques proposées. Même si aucune des grandes théories sociologiques ne peut expliquer toute la réalité sociale, les différents acteurs les invoquent néanmoins pour conforter leurs propres représentations et idéologies. Chacune de ces interprétations sociologiques de la réalité scolaire met donc en lumière un type privilégié de rapports sociaux (rap-

ports d'autorité, de conformité, de subordination, d'intégration sociale, d'appartenance identitaire avec l'interprétation fonctionnaliste ; rapports de production, de
consommation, d'assujettissement, de domination et d'aliénation avec l'interprétation marxiste ; rapports de concurrence, de compétition, d'ajustement mutuel,
d'interaction et d'interdépendance avec l'interprétation interactionniste de l'individualisme méthodologique).

Dans la première partie du manuel, le lecteur est amené à prendre conscience
des rapports sociaux qui traversent à la fois le développement du système d'éducation, la production et la gestion des identités sociales des différents groupes – y compris les enseignants – et à connaître les bases de savoirs particuliers. Ces savoirs
permettent de construire une compréhension des rapports entre l'école et la société
tout en faisant émerger une attitude critique par rapport au champ de l'éducation.
Les théories sociologiques apparaissent alors comme étant, elles aussi, contingentes
aux éléments de la conjoncture et de leur évolution, s'inscrivant dans les structures
sociales tout autant que dans les politiques et les stratégies des acteurs sociaux, individuels ou collectifs (chapitre 5).

Cette analyse sociale de l'éducation met en évidence l'insuffisance de chacune
des théories sociales à expliquer la totalité de la réalité sociale, tout en montrant la part
de chacune à la compréhension des rapports sociaux. Au fil des chapitres, il apparaîtra
de plus en plus que l'action sociale s'inscrit à la fois dans un espace d'intégration
sociale, dans un espace d'interdépendance entre des acteurs en concurrence et dans un
espace où les individus cherchent à choisir leurs propres valeurs, à être critiques et à se
distancier par rapport au système de production, de consommation et de domination
qui s'exerce sur eux.

Comment cheminer dans la lecture de la première partie

La recherche de la vérité et celle de l'objectivité scientifique sont deux des valeurs
promues *par* et *dans* la formation universitaire. On ne peut les atteindre sans
acquérir, développer et maîtriser les outils de la démarche scientifique. Cette
démarche doit permettre aux professionnels de l'éducation de décrire et de comprendre les phénomènes éducatifs et favoriser une intervention et une action efficaces dans le domaine de l'enseignement et de l'apprentissage. Comprendre et agir
étant les deux grandes préoccupations fondamentales de toute activité humaine, il
est logique qu'elles constituent les deux grandes questions générales de toute
recherche scientifique.

La science étudie les phénomènes, les objets ou les situations qui constituent un
obstacle à la compréhension de la réalité et un obstacle à l'intervention *dans* et *sur* le
réel. À cet égard, le grand obstacle à la compréhension du monde et à l'efficacité de
l'action ne serait pas l'ignorance, mais le fait qu'on croit savoir, par le biais de nos

préjugés, de nos idées reçues et du sens commun. C'est pourquoi il importe d'ancrer l'apprentissage de l'analyse sociale de l'éducation dans la prise de conscience des représentations sociales de l'école dont chacun est porteur.

Il est donc nécessaire de réaliser qu'un certain nombre de savoirs issus de l'analyse sociale de l'éducation vont à l'encontre des représentations, des opinions et des interprétations les plus courantes des phénomènes éducatifs. À titre d'illustration d'un cheminement possible dans la première partie, nous proposons la grille d'analyse ci-dessous.

Grille d'analyse n° 1
Les enjeux sociaux de la scolarisation dans la conjoncture

Conjonctures / Indicateurs	Avant 1960 Chapitre 1	Les années 60 Chapitre 2	Les années 70 Chapitre 3	Les années 80 Chapitre 4
Caractéristiques de la conjoncture				
Principales inégalités scolaires dans cette période				
Théories explicatives dominantes des rapports entre l'école et la société ou le rapport des inégalités scolaires aux inégalités sociales				
Les enjeux sociaux relatifs à l'école				
Les enjeux économiques de la scolarisation				
La profession enseignante dans la conjoncture				

Cette grille présente une mise en situation pour chacune des conjonctures sociales étudiées à partir des thèmes suivants : les principales inégalités scolaires, les éléments de la conjoncture, la principale théorie explicative des rapports entre l'école et la société, les enjeux sociaux de l'éducation, les enjeux économiques, le développement de l'identité sociale et professionnelle des enseignants. Dans les questions à la fin des chapitres, on reprend ces thèmes en précisant le sens, la portée et les conséquences pour les partenaires de l'éducation. Le simple fait d'évoquer ces éléments, pour chacune des décennies, laisse entendre qu'ils diffèrent d'une décennie à l'autre : on voit déjà apparaître plusieurs façons de cheminer dans le manuel.

Pour une décennie donnée, on pourra étudier les différents éléments en les mettant en rapport les uns avec les autres ; il s'agit là d'une analyse synchronique. En quoi les inégalités scolaires des années 60 entretiennent-elles un rapport avec la réforme de l'éducation ? Quel rôle joue la conception fonctionnaliste de la société dans la réforme scolaire des années 60 ? Quelles conséquences entraîne cette interprétation sur la perception des enjeux sociaux de l'éducation ? À la lumière des faits et des arguments en présence, l'interprétation fonctionnaliste rend-elle compte adéquatement de la réalité sociale ? Quels liens peut-on établir entre la conjoncture sociale et la profession enseignante, les caractéristiques de ses membres et l'importance des enseignants dans la période étudiée ?

On pourra aussi se demander en quoi les inégalités scolaires se sont modifiées, d'une conjoncture à l'autre. Il s'agit ici d'une analyse diachronique. Quels sont les événements qui semblent avoir modifié la conjoncture sociale et quelles sont les caractéristiques de la nouvelle conjoncture sociale ? Comment les acteurs sociaux du temps interprètent-ils les rapports entre l'école et la société comparativement à la période précédente ? En quoi alors les fonctions de l'école ou les enjeux sociaux de l'école ont-ils changé ?

D'autres questions se posent naturellement à la fin du trajet. Y a-t-il une interprétation sociologique qui rend compte de toute la réalité sociale de l'éducation ? Y a-t-il une explication qui ne rend compte de rien ou qui est inutile ? Trente ans après la réforme scolaire, peut-on dire que le système scolaire a progressé et que des améliorations significatives ont été apportées à l'éducation ?

Cette analyse favorise le développement de meilleures capacités d'analyse et de questionnement, conduit à une plus grande compréhension des enjeux sociaux de l'éducation, de leur évolution dans le temps, du rôle des acteurs sociaux et de l'importance des rapports sociaux mis au jour par les explications sociologiques.

Présentation de la deuxième partie :
« Expérience sociale, socialisation et pratiques scolaires »

Dans la deuxième partie du manuel (chapitres 6 à 11), on traite de la notion polysémique d'acteur social, qui émerge des différentes théories sociologiques, et du thème de la scolarisation effective des jeunes dans l'école. On précise également certains dispositifs de socialisation que cherche à mettre en œuvre l'institution scolaire à travers les pratiques sociales de l'enseignement et de l'apprentissage dans la classe et dans l'école. L'objectif de cette deuxième partie est la compréhension des enjeux actuels de la socialisation dans l'école primaire et secondaire par l'examen des pratiques des acteurs de l'école, principalement les enseignants et les enseignantes, les élèves et les parents. En outre, l'étudiante et l'étudiant sont invités à s'approprier des outils intellectuels leur permettant de problématiser ces pratiques et d'en tirer des bénéfices comme futurs enseignants et enseignantes. À titre d'illustration, voici quelques objectifs de formation poursuivis par l'analyse et la démarche proposées dans cette deuxième partie :

- décoder et évaluer de façon critique les mécanismes et les enjeux de la socialisation scolaire dans la vie quotidienne de l'école, comme dans une classe concrète ;

- prendre conscience du caractère éclaté de la socialisation dans la société moderne et, par conséquent, tenir compte des autres secteurs de socialisation (la famille, la culture, les loisirs, le travail) dans la compréhension des phénomènes et des problèmes de scolarisation ;

- prendre conscience des orientations, des intérêts et des attitudes du personnel enseignant en matière d'éducation et évaluer le rôle des enseignantes et des enseignants comme agents de socialisation en milieu scolaire ;

- utiliser l'éclairage nouveau fourni par ses connaissances des dimensions sociales des phénomènes scolaires pour mieux comprendre les caractéristiques variées des clientèles scolaires, pour agir adéquatement comme agente et agent de socialisation et pour mieux apprécier les conséquences des actions posées sur les jeunes dans le cadre de l'enseignement ;

- tirer profit de cet éclairage nouveau pour réinterpréter et réévaluer sa situation dans l'école et la classe.

Cette démarche pédagogique tire profit de certains outils d'analyse réflexive dont dispose la sociologie. Développer son identité et sa compétence professionnelles et devenir des actrices et des acteurs sociaux, conscients, engagés et capables de comprendre les réalités sociales tout en intervenant dans ces réalités constituent pour les étudiantes et les étudiants en formation des maîtres des objectifs qui se répondent, se conjuguent, s'articulent et se réalisent grâce à une double démarche d'analyse sociale des réalités scolaires et de pratique réflexive de leur expérience scolaire et sociale.

Le « devenir enseignant » (chapitre 6) est alors abordé comme une pratique sociale *et* comme un objet d'étude. Dans le contexte actuel du mouvement de professionnalisation de l'enseignement, on comprendra aisément que vouloir faire partager cette préoccupation par l'ensemble des partenaires de la formation n'a rien d'impérialiste. L'approche est centrée sur la personne de l'étudiante ou de l'étudiant et le travail de transformation de cette personne, et non sur un moment particulier qui en constitue d'ailleurs plutôt le résultat, tout autant problématique, contingent et imprévisible, c'est-à-dire la pratique professionnelle.

C'est pourquoi, dans le cadre d'une sensibilisation et d'une compréhension des phénomènes éducatifs et des rapports dans lesquels ils s'inscrivent, le « devenir enseignant» est abordé sous le double aspect d'une pratique réflexive et d'une analyse sociale : la première focalise sur la posture proposée à l'étudiante ou à l'étudiant face à sa formation ; la seconde, sur sa démarche d'analyse sociale ; la première cherche la maîtrise d'une action pratique (le passage du métier d'étudiant à celui d'enseignant), la seconde poursuit l'analyse et la compréhension des contextes d'action dans lesquels s'inscrit ce passage ; dans la première on cherche à lever les obstacles à l'efficacité de l'action et de l'intervention de l'étudiant dans son devenir, dans la seconde, on cherche à lever les obstacles à la connaissance et à la compréhension des contextes de son action.

Ces deux aspects de l'apprentissage sont en interaction, en interdépendance et même en rapports dialectiques. La réflexivité de l'acteur sur sa pratique et l'analyse qu'il fait des contextes (sociaux) de son action se répondent, se conjuguent, s'articulent à travers son expérience scolaire et sociale.

Si l'action sociale ne peut se réduire à aucun des grands récits de la sociologie (fonctionnalisme, marxisme, individualisme méthodologique), on ne peut non plus adhérer à la conception de la socialisation scolaire de ces grands courants sociologiques pour rendre compte de la scolarisation et de sa contribution à la socialisation. Pour l'étude de la socialisation (chapitre 7), il faut donc en tirer les conséquences. L'acteur social est mû par plusieurs rationalités et l'expérience sociale qu'il construit à partir de son action est tributaire de la façon dont il articulera les différentes logiques de l'action. C'est donc la notion d'expérience sociale et plus particulièrement d'expérience scolaire qui permettra la réflexion des étudiants sur la socialisation scolaire au primaire et au secondaire (chapitres 8, 9 et 10).

Comment cheminer dans la lecture de la deuxième partie

Dans la deuxième partie, la notion d'expérience sociale servira de guide pour isoler et décrire les registres de l'action des acteurs de l'école primaire et secondaire, pour comprendre comment chacun articule, à travers ses expériences scolaires et sociales, les différentes logiques d'action afin de remonter jusqu'aux rapports sociaux dans lesquels s'inscrivent les pratiques des acteurs de l'école.

Pour favoriser une analyse qui soit synonyme de compréhension, chaque chapitre aborde certains problèmes particuliers de la scolarisation à partir des différentes logiques d'action. La grille d'analyse (*grille d'analyse n° 2*) de l'étude de la socialisation se réfère à trois chapitres différents correspondant à la logique d'intégration (chapitre 8), à la logique stratégique (chapitre 9), à la logique de subjectivation (chapitre 10), logiques auxquelles renvoie l'expérience sociale.

Grille d'analyse n° 2

La socialisation scolaire : logiques d'action et expérience sociale

Logiques d'action	Problématisation des pratiques scolaires et contraintes de la logique d'action concernée Section 1	Quelles sont les pratiques observées ? Section 2	Répercussions pour les enseignantes et les enseignants Section 3	Expérience sociale comme articulation des logiques d'action (rapports sociaux) Travail-réflexion
Valeurs communes et logique d'intégration Chapitre 8				
Relation pédagogique et logique stratégique Chapitre 9				
Savoirs et modes d'organisation et logique de subjectivation Chapitre 10				

Dans chaque chapitre, on privilégie une logique d'action, mais on ne s'y limite pas du fait que l'acteur est indissociable de son expérience. Pour des raisons à la fois d'analyse sociologique et de didactique, si l'attention est centrée sur une logique d'action particulière, c'est tout de même l'expérience de l'acteur social dans son ensemble qui est analysée.

Les problèmes posés par la diversité culturelle, ethnique, religieuse et socioculturelle sont abordés sous l'angle de la logique d'intégration (chapitre 8). Cette logique met en lumière les comportements et les conduites dans le registre des appartenances identitaires de l'acteur, des rôles à jouer, des normes et des valeurs, du contrôle social, des règles à suivre, des contraintes et des dispositifs sociaux (famille, travail, etc.) et éducatifs. Adhésion, conformité, adaptation, intériorisation des valeurs de l'école, autorité : voilà la nature des rapports sociaux d'intégration.

Les problèmes liés à la relation pédagogique sont abordés sous l'angle de la logique stratégique (chapitre 9). Cette logique met l'accent sur les comportements, les conduites et les pratiques sociales de l'acteur dans le registre de ses intérêts et de ses préférences, des contraintes de la situation, des objectifs qu'il poursuit, des atouts dont il dispose, des ressources et du pouvoir à partir desquels s'élaborent ses stratégies dans les jeux entre acteurs dans les différentes situations de la vie sociale et scolaire. Les rapports sociaux se jouent dans cette logique à travers les jeux de la compétition, de la concurrence, de l'interdépendance des acteurs, etc.

Les rapports des élèves et des enseignants aux savoirs, aux modes d'organisation de l'école, aux pratiques d'enseignement et d'évaluation, bref les problèmes relatifs à la réussite et à l'échec scolaires sont abordés sous l'angle de la logique de subjectivation (chapitre 10). Cette logique met l'emphase sur la capacité d'autodéfinition du sujet. D'abord, le sujet prend conscience des caractéristiques et des orientations culturelles dominantes de la société véhiculées à travers les institutions, les politiques et les pratiques sociales. La conscience des rapports sociaux dans lesquels s'inscrit l'action sociale inclut les conflits de valeurs, la critique des orientations culturelles du système de production, de consommation et de domination. On y trouve aussi la capacité de réponse aux logiques (d'intégration et stratégique) par la distance, la capacité critique, la résistance, la créativité et l'engagement.

De plus, dans chaque chapitre, une démarche permet de décrire et d'illustrer les caractéristiques et les contraintes propres à la logique d'action étudiée (section 1), de mettre à jour, à partir d'études et de recherches, les pratiques sociales des enseignantes et des enseignants, des étudiants et des parents dans ce registre particulier de l'action sociale (section 2), et d'inviter à une réflexion sur les répercussions de la logique en cause sur le travail des enseignants comme médiateurs de la socialisation (section 3).

Le travail de réflexion est toujours possible pour chaque chapitre. De plus, pour faciliter un travail de synthèse sur l'expérience sociale comme articulation par l'acteur social des logiques d'action, on peut analyser la reconstruction de l'expérience scolaire et sociale des élèves du primaire et du secondaire en s'inspirant du thème suivant : « La vie que l'élève se fait » (*qui révèle le sujet attaché à sa propre identité par la conscience ou la connaissance de soi*) « ...à partir de la vie que les autres lui font » (*qui révèle le sujet social soumis à l'autre par le contrôle, la dépendance et l'interdépendance*). Ainsi, le travail de réflexion ne s'arrête par sur une logique en particulier, mais sur l'ensemble des dimensions de l'expérience sociale ou scolaire. La réflexion peut également s'alimenter des questions suivantes : Comment l'élève construit-il son expérience scolaire ? Quels sont les rapports sociaux dans lesquels s'inscrit cette expérience ? Quelles répercussions ces faits ont-ils sur l'école, sur les enseignants et les enseignantes ?

Au terme de la présentation des deux parties de ce manuel, il importe de soulever la question de l'action concertée et du partenariat en milieu scolaire (chapitre 11). En fait, la question est ici celle du rôle du conflit et de la coopération dans l'action organisée dans l'école et dans les relations que celle-ci entretient avec ses partenaires. Cette action organisée pose aussi un problème dans la relation pédagogique même, dans cette relation qui n'est pas donnée d'avance et qu'il est nécessaire de reconstruire régulièrement. Plus généralement, l'action concertée est un problème qui se pose à tous les niveaux du système d'enseignement, de la simple situation éducative jusqu'aux structures décisionnelles du ministère de l'Éducation, en passant bien sûr par l'équipe pédagogique et par l'école.

De plus, on invite les lecteurs à une réflexion sur les demandes sociales des citoyens et du système scolaire à propos de la mission d'éducation, de préparation aux rôles sociaux et de socialisation de l'école. On explique comment il est devenu difficile pour l'école d'institutionnaliser des valeurs ou d'établir une hiérarchie dans les fonctions de l'école face à la propension des parents à vouloir choisir l'école qui correspond le mieux à leurs préférences. Dans ce contexte, la fonction première de l'école comme établissement d'éducation ne serait-elle pas de relever avec les enseignants le défi de l'action concertée, qui constitue toujours un préalable à l'apprentissage et à la réussite plutôt que leur conséquence ?

PREMIÈRE PARTIE

Les enjeux sociaux de la scolarisation dans la conjoncture

Contenu

Introduction

« Pour enraciner son sentiment de constituer une société politique et pour éclairer son avenir, une collectivité part à la recherche de ses origines. »

Nicole Gagnon et Jean Hamelin,
L'Homme historien (1979).

Les historiens et les historiennes nous ont appris que les événements doivent être situés dans le temps et localisés dans l'espace afin d'être compris. À ce titre, comme le mentionnait George Lincoln Burr, l'histoire a deux yeux : la chronologie et la géographie (Lane, 1985 : 16). Dans cette partie, qui correspond aux chapitres socio-historiques, on aborde principalement la chronologie afin de dégager les principaux événements significatifs qui ont marqué le système d'éducation québécois du milieu du XIXe siècle jusqu'à nos jours. L'histoire offre des avantages non négligeables. Elle permet d'abord de reconstituer la genèse des problèmes actuels en éducation. Elle autorise ensuite l'attribution d'un poids relatif aux événements contemporains en éducation. Enfin, elle fournit les matériaux nécessaires à une lecture critique des débats et des enjeux du moment en éducation. La partie traitant des aspects socio-historiques est divisée en cinq chapitres (chapitres 1, 2, 3, 4 et 5).

Dans le chapitre 1, on décrit la situation scolaire avant la réforme des années 60 en s'appuyant sur les principaux événements à partir desquels le système d'enseignement de la province se constitue au XIXe siècle. Cette description met en lumière succinctement l'évolution du champ de l'éducation au Québec jusqu'à l'aube des années 60 ainsi que les principaux événements qui favoriseront la réforme scolaire au Québec au début des années 60.

Dans le chapitre 2, la conjoncture des années 60 constitue le cadre d'analyse des phénomènes éducatifs. Le projet de démocratisation de l'enseignement prend alors une forme concrète avec la mise sur pied de la Commission royale d'enquête sur l'enseignement (1961) et la création du ministère de l'Éducation (1964). Cette réforme est aussi l'expression de la volonté des Québécois et des Québécoises de prendre en main leur devenir collectif. Il va sans dire que dans ce contexte, la réforme scolaire est hautement politique et devra s'appuyer sur un ensemble de justifications scientifiques et politiques afin de s'imposer comme la voie la plus prometteuse dans le développement social et économique du Québec.

Les années 70, durant lesquelles surgit une critique radicale de l'école, feront l'objet du chapitre 3. Dans cette conjoncture aussi riche en événements que la précédente, la démocratisation de l'enseignement, qui s'est concrétisée auparavant, est sujette à de vives critiques en provenance des milieux étudiants et syndicaux principalement. Les discours radicaux s'inscrivent dans une conjoncture de remise en question culturelle. Ils visent à dénoncer la teneur hautement idéologique de l'idée d'égalité des chances devant l'école, idée qui camouflerait, selon les groupes de la gauche québécoise, l'inégalité des chances dans l'école.

Dans le chapitre 4, il est question de la problématique des années 80. L'école semble alors emportée tout à la fois par une dérive marchande et par une volonté de retour aux sources. Les idéaux de démocratie et de justice sociale à la base de la réforme scolaire des années 60 semblent se perdre dans les multiples discours de tendances néo-libérale et néo-conservatrice qui prédominent. Les nouvelles demandes envers l'école s'expriment dans une volonté de revoir la mission de l'école à l'aune des impératifs économiques et des valeurs conservatrices qui tiennent le haut du pavé durant cette décennie.

Les débats et les enjeux actuels en éducation, comme les luttes et les rapports de force entre les groupes, sont les résultats concrets des avancées et des reculs de la volonté de démocratisation de l'enseignement. Dans chacune des conjonctures analysées, on peut isoler une idéologie sociopolitique et un discours scientifique sur l'école. Le concept d'égalité des chances sera le fil conducteur de l'analyse proposée, dans la mesure où c'est autour de cette idée maîtresse que se polarisent les forces sociales en éducation depuis une quarantaine d'années.

De manière plus précise, dans chacune des conjonctures étudiées, nous dégagerons les principales caractéristiques de cette conjoncture, les enjeux économiques et sociaux qui polarisent les groupes dans la période analysée, les principales inégalités scolaires et les groupes touchés par ces inégalités, les principaux modèles d'explication des rapports entre l'école et la société, et le rôle de l'école dans la réduction des inégalités sociales (mobilité sociale) ou encore dans la reproduction de ces inégalités (reproduction sociale).

Le chapitre 5 constitue un point culminant de la démarche d'analyse sociohistorique et invite aux débats. Ce chapitre met en lumière, à travers les discours des acteurs sociaux, la représentation que se font les individus et les groupes du rôle et des fonctions de l'école dans la société. Dans une société démocratique, c'est particulièrement à l'occasion de débats, tels ceux des États généraux sur l'éducation

(1995-1996), qu'apparaissent les enjeux véritables de l'éducation et de l'école pour l'ensemble des partenaires sociaux. Mais au-delà du débat sur l'école et sa mission, ce sont les grandes orientations de la société qui sont en cause aujourd'hui, au moment où toutes les sociétés sont traversées par des mouvements qui ont l'allure de chocs : qu'il s'agisse de la mondialisation des économies et des marchés ou de l'évolution des sciences et des technologies, particulièrement celles de l'information et des communications. Dans ce contexte, les enseignantes et les enseignants ont l'obligation non seulement de participer à ces débats et d'y faire une analyse rigoureuse des enjeux sociaux de l'éducation, mais aussi d'assumer la défense du rôle que joue l'école comme institution sociale dans une société démocratique.

CHAPITRE I

La situation scolaire avant la réforme des années 60

Table des matières

Sommaire

Ce chapitre

- décrit comment le système d'éducation québécois prend racine au XIXe siècle dans les conditions d'un rapport de force entre les francophones et les anglophones de la province ;

- permet de dégager le rôle dominant qu'a joué l'Église catholique dans la structuration, l'évolution et la dynamique du système d'éducation, dans son projet de défense de la foi catholique et de la langue française à l'encontre de la bourgeoisie marchande anglaise et du libéralisme ambiant ;

- met en lumière les principales caractéristiques du système d'éducation avant la réforme scolaire des années 60, notamment en ce qui touche au caractère éclaté du système et au manque de coordination entre ses différentes composantes ;

- dégage les principales inégalités scolaires dans les années 50, notamment celles qui sont liées au statut socio-économique, au sexe et à la langue ;

- met en place les éléments de la conjoncture des années 50 susceptibles d'éclairer l'analyse des conditions et des facteurs sociaux qui favoriseront la Révolution tranquille et la réforme scolaire au Québec.

La situation scolaire
avant la réforme des années 60

> « L'école est le lieu de projection d'une collectivité ;
> c'est aussi ce que cette collectivité perçoit comme étant le levier
> principal de sa propre survivance et de son épanouissement.
> D'autres institutions culturelles peuvent sembler facultatives, mais
> l'école, par sa fonction d'acculturation des éléments les plus fragiles
> d'un groupe, les enfants, est un rempart minimal. »
>
> Lise Bissonnette (1981).

Remonter aux origines d'un système scolaire est une entreprise beaucoup trop vaste pour que l'on puisse imaginer en rendre partiellement les nuances et les paradoxes dans un court texte. La nécessité d'une reconstitution historique n'est peut-être pas justifiée, dans la mesure où l'histoire de l'éducation au Québec jouit d'une production intéressante depuis plusieurs décennies de la part des historiens et des historiennes (Audet, 1964, 1968, 1971 ; Dumont, 1986 ; Turcotte, 1988 ; Fahmy-Eid, 1978 ; Heap, 1986 ; Jones, 1982 ; Thivierge, 1980 ; Charland, 1982, 1987). Il s'agit plutôt ici de tracer à grands traits le portrait de la situation scolaire de 1837 à 1960, à travers les principaux événements qui jalonnent l'évolution du système d'enseignement. Il importe de décrire, entre autres, le rôle des principaux acteurs dans la définition du système scolaire québécois dans la période analysée, leur manière de gérer ce système, les progrès que ce dernier permet de faire mais aussi les inégalités qu'il crée et qu'il entretient. Ce portrait serait incomplet sans une description de la place des principaux artisans de ce système, soit les enseignantes et les enseignants.

Pour nombre d'analystes du système d'enseignement québécois, l'école avant la réforme scolaire des années 60 peut être comparée à une école « vieille Europe », c'est-à-dire un système qui offre « les rudiments d'un enseignement primaire pour le peuple, un enseignement secondaire pour l'élite » (Dandurand, 1990 : 39). Dans cette école fonctionnant selon les principes d'une autre époque, la sélection s'effectue principalement selon l'appartenance de classe. D'autres clivages sociaux s'expriment aussi dans l'école québécoise d'alors. Ainsi, peu de filles ont accès aux études secondaires et lorsqu'elles poursuivent leur scolarité, c'est dans les ghettos de l'enseignement ménager ou dans les sciences infirmières qu'elles se retrouvent majoritairement. La configuration sociale particulière au Québec, dans laquelle on trouve une majorité francophone tournée vers l'agriculture et une minorité anglophone orientée vers les affaires industrielles, contribue à façonner une école adaptée aux besoins de chacun des groupes. Pour les premiers, cette école fonctionne selon un modèle éducatif théocratique (Berthelot, 1994 : 46) : les enfants du peuple se voient exclus rapidement après le primaire alors que les enfants de la bourgeoisie peuvent espérer, dans de plus grandes proportions, faire des études secondaires. Chez les seconds, le modèle éducatif est beaucoup plus libéral et favorise une scolarisation plus poussée des enfants.

Dans les années 50, les critiques de plus en plus nombreuses envers le système d'enseignement ont pour but de dénoncer les discriminations en porte-à-faux avec les idéaux de justice sociale et de démocratie prenant forme à ce moment-là. En outre, pour un nombre appréciable d'intervenants dans le champ scolaire, la désuétude du système d'enseignement ralentit le développement socio-économique de la société québécoise d'alors. Dans ce contexte, plusieurs voix se font entendre en faveur d'un réaménagement en profondeur du système d'éducation.

Bien sûr, il faut être moderne

Le système d'enseignement des années 50 s'est constitué historiquement entre 1841 et 1867. Appelé à répondre à des besoins précis de formation des élites, comme de formation technique, ce système évolue de manière éclatée pendant une centaine d'années, jusqu'au moment où les changements qui s'effectuent dans la société québécoise obligent à revoir de fond en comble ses structures et son financement. La réforme qui s'impose à la fin des années 50 ne se fait pas sans heurts. C'est en fait un véritable chambardement des rapports de force entre les différents groupes sociaux qui composent la société québécoise d'alors. C'est dans le sillage d'une modernisation politique du Québec, qui aboutit à la Révolution tranquille du début des années 60, que se dessine le nouveau système scolaire.

Quand l'Église veillait au grain

Le quasi-monopole de l'Église catholique dans le champ éducatif québécois avant les années 60 prend ses racines dans l'échec de la rébellion de 1837-1838, alors qu'une partie de la population francophone du Bas-Canada (le Québec d'aujourd'hui à peu de choses près) tente, par les armes, de se défaire de la domination anglaise qui prévaut depuis la conquête britannique de 1760. Ne pouvant plus espérer une libération par la voie politique, les francophones délèguent à leurs chefs religieux un pouvoir global sur la société afin de contrer les visées assimilatrices des Anglais, notamment celles qui sont portées par la bourgeoisie marchande anglaise (Monière, 1977 : 88-89). C'est donc par la voie religieuse que le salut est désormais attendu. Progressivement, l'Église catholique prend en main tous les secteurs de la vie sociale allant de l'enseignement à la « gestion du sacré » en passant par les services de santé et l'aide sociale, tout en encadrant strictement la famille, cellule de base de la vie religieuse chrétienne. Les élites religieuses remplacent dans le cœur des francophones les élites petites-bourgeoises qui avaient eu jusqu'alors un rôle hégémonique depuis la Conquête (1760) dans la société, tout en se faisant les défenseurs du peuple (Monière, 1977 : 156-157). L'Église joue dorénavant ce rôle dans la société canadienne-française.

Le projet éducatif qui prend forme à ce moment sous l'égide de l'Église s'appuie sur une base triple : la religion, la langue et la nation (Berthelot, 1994 : 25 ; Turcotte, 1988 : 32-33). C'est en fait un nationalisme ethnique qui est promu par l'Église, nationalisme s'appuyant sur une élite formée aux humanités et aux affaires, afin de préserver la langue et favoriser « une reconquête politico-économique » de la nation (Turcotte, 1988 : 28). Les buts sont clairs. Il s'agit d'une part de faire échec au protestantisme et au libéralisme marchand portés par les Anglais et, d'autre part, de favoriser la propagation de la langue française et de la foi catholique sur un continent anglo-saxon. Ne pouvant concurrencer les Anglais dans le domaine industriel, notamment en raison des capitaux manquants mais nécessaires et de la méfiance envers l'esprit marchand, c'est dans la voie agricole que le peuple canadien-français s'engage, fortement encouragé en cela par un clergé omniprésent dans les campagnes. C'est d'ailleurs dans les milieux ruraux que l'Église appuie son pouvoir dans la deuxième moitié du XIXe siècle et jusqu'au milieu du XXe siècle. La philosophie sociale de l'Église, telle qu'elle s'exprime au début de ce siècle au Québec, se résume en partie dans les idées avancées par Mgr Louis-Alphonse Pâquet en 1902 : « Notre mission est moins de manier des capitaux que de remuer des idées ; elle consiste moins à allumer le feu des usines qu'à entretenir et à faire rayonner au loin le foyer lumineux de la religion et de la pensée » (Lamonde, 1972, dans Gérin-Lajoie, 1989 : 50).

Cette stratégie « de la survivance ethnique », comme la nomme Paul-André Turcotte (1988), ne peut résister à l'industrialisation croissante et à son corollaire, l'urbanisation. En effet, la base principale du pouvoir clérical, qui est constituée par la population et les élites rurales, s'effrite graduellement alors que l'industrie se développe dans les villes, drainant ainsi vers les centres urbains une bonne partie de la population rurale en quête de meilleures conditions de vie. La ville favorise une transformation des mœurs qui modifie profondément la pratique religieuse des Québécois et des Québécoises après la Seconde Guerre mondiale. Par exemple, en 1948, les catholiques montréalais vont à la messe du dimanche dans une proportion variant entre 30 % et 50 % (Linteau *et al.*, tome II, 1989 : 336). Afin de contrer ces tendances lourdes et d'endiguer les idées modernes qui se font entendre de plus en plus, même au sein de la hiérarchie ecclésiastique, l'Église catholique québécoise se rabat après la guerre sur des positions conservatrices auxquelles fera écho l'Union nationale de Maurice Duplessis, qui bénéficie des mêmes appuis dans la population rurale que l'Église. Avec l'appui de cette dernière, Duplessis, communément dénommé le « Chef », dirige la province d'une main de fer dans les années 50, matant syndicats, religions minoritaires ou toute idée pouvant déstabiliser l'ordre établi. Ricard (1992), à sa manière, rend compte de ce phénomène :

> Sans reprendre le cliché qui consisterait à ne voir dans le Québec d'avant la Révolution tranquille qu'une communauté monolithique et réactionnaire repliée sur elle-même et complètement réfractaire au changement, on doit néanmoins admettre que, sur le plan des institutions et des formes de la vie sociale, sinon sur celui des opinions et des mœurs, cette communauté se caractérisait, non certes par l'immobilité, mais en tout cas par une certaine lenteur ou une certaine prudence face aux transformations et aux nouveaux modèles que proposait ce qu'on nomme, plus ou moins confusément, la modernité. À force de se perpétuer en dépit des pressions venues autant de l'intérieur que de l'extérieur, cette domination au moins relative des forces de conservation avait pu endiguer dans une bonne mesure les changements de valeurs et de mentalités qui se produisaient dans d'autres pays depuis le début du siècle [...]. (Ricard, 1992 : 51).

Malgré ses appuis politiques et ses ressources appréciables, l'Église catholique peut de moins en moins faire face à la croissance de la demande d'éducation qui se fait pressante à mesure que les enfants issus du *baby-boom* sont prêts pour la scolarisation (*voir l'encadré 1.1*). Comme le soulignent Hamelin et Provencher, l'Église catholique, dont le rôle avait été important dans de nombreux secteurs de la vie sociale avant les années 50, « se voit distancée par d'autres forces sociales. Devant l'ampleur des changements, elle ne dispose plus de ressources financières suffisantes pour bien remplir les tâches qui lui avaient été dévolues » (Hamelin et Provencher, 1981 : 137).

Le déclassement de l'Église catholique dans ses champs traditionnels d'action, notamment dans le champ de l'éducation, la désuétude du système d'enseignement, son manque de coordination, ses innombrables difficultés à s'adapter aux changements qui ont cours dans les années 50, le manque d'enseignantes et d'enseignants qualifiés et en nombre suffisant sont parmi les principaux éléments qui feront partie du débat sur l'école à l'aube des années 60.

Encadré 1.1
La scolarisation

« J.-P. Briand, J.-M. Chapoulie et H. Péretz ont cependant prêté au concept de scolarisation et à son analyse une définition et une envergure beaucoup plus larges, auxquelles nous adhérons en bonne partie et dont nous reprenons ici l'essentiel. Ils font d'abord remarquer que le sens du terme scolarisation varie selon le lieu où l'on se trouve par rapport à l'institution scolaire. Ainsi, pour les observateurs extérieurs à celle-ci, écrivent-ils, la scolarisation désigne la fréquentation de l'école par une partie de la population sans qu'il y ait "a priori aucune régularité déterminée de ce processus". En revanche, pour l'institution scolaire, le processus de scolarisation se manifeste "sous la forme des élèves potentiels à recruter et des élèves présents à traiter".

« Pour ces auteurs, la scolarisation est avant tout régie par l'offre institutionnelle, en d'autres termes par ce qu'ils nomment les déterminants matériels et financiers d'accès à la scolarisation : locaux, postes d'enseignants, mode d'implantation des établissements, mode de gestion et de rétribution du personnel. La durée des programmes d'études, la promiscuité sociale, l'entassement spatial, l'adéquation des enseignements aux attentes des familles, le coût des études, l'éloignement des écoles, la publicité et le comportement des professeurs jouent également un rôle prépondérant dans la scolarisation.

« À ces facteurs, vus comme les "pratiques effectives des agents de l'institution scolaire", il faut ajouter les comportements et les intérêts de la population scolarisable, c'est-à-dire la situation économique des différentes classes sociales, la structure des familles, le rapport à l'avenir, etc. »

Extrait de André Dufour,
Tous à l'école (1996 : 24-25).

Le caractère éclaté du système d'éducation avant la réforme

Sur le plan des structures scolaires, le Québec compose avant la réforme avec un système d'enseignement éclaté ne possédant pas de véritable centre. C'est le Département de l'Instruction publique avec ses deux assemblées non électives, soit le Comité catholique et le Comité protestant, qui prend en main les écoles publiques, sur les plans administratif et pédagogique.

La confessionnalité du système d'éducation

La création du Comité catholique et du Comité protestant en 1869 revêt une importance considérable dans la mesure où elle rend compte du rapport de force dans cette période entre les francophones catholiques et les anglophones protestants qui, comme groupes et chacun à sa façon, entendent défendre leurs prérogatives sur le système d'éducation. La confessionnalité du système d'enseignement qui découle de ce partage des responsabilités entre anglophones et francophones fait toujours l'objet de luttes dans les années 90. Quel est l'enjeu de cette confessionnalité ? En quoi peut-elle constituer un rapport de force tel qu'il perdure depuis plus de cent ans ? Pour répondre succinctement à cette question, il est nécessaire de remonter à la situation scolaire au tournant du XIXe siècle au Québec.

Avec les lois de 1845-1846, les commissions scolaires sont mises sur pied. Composées de commissaires élus et ayant le droit de prélever un impôt foncier aux fins d'éducation, ces commissions scolaires étaient tenues de recevoir tous les enfants sans distinction de religion. Toutefois, ces lois prévoyaient que les personnes habitant une municipalité et qui se réclamaient d'une confession différente de la majorité pouvaient constituer une autre corporation scolaire et ouvrir des écoles pour leurs enfants. Ces corporations de syndic, comme on les nommait à l'époque, n'étaient pas obligées, comme les corporations de commissaires, d'accepter tous les enfants. Ce droit particulier, appelé « droit de dissidence », fut favorable au développement d'un double réseau d'écoles, celui des protestants et celui des catholiques. Dans la réalité scolaire d'alors, ce droit s'est traduit par un double réseau scolaire où l'identité religieuse et l'identité linguistique se confondent :

> Les écoles du Québec accueillent tous les élèves de leur territoire ; lorsque ceux-ci sont francophones, les écoles sont généralement catholiques ; lorsque les élèves sont anglophones, les écoles sont généralement protestantes. Cette symétrie entre la langue et la religion est nettement proclamée dans les faits, surtout en dehors des villes de Québec et de Montréal, où les deux communautés ethniques sont souvent géographiquement isolées. La confessionnalité *de fait* apparaît comme un signe *d'identité culturelle*, chèrement défendue dans chaque communauté linguistique par de fidèles promoteurs [...] (Conseil supérieur de l'éducation, 1981 : 41).

Lors de la Confédération (1867), les catholiques comme les protestants ont voulu s'assurer que leurs droits scolaires seraient reconnus dans la nouvelle Constitution qui prévaudra à partir de ce moment. Dans ce nouvel univers politique, les deux groupes tentent de s'aménager une place qui leur est favorable : d'un côté, des francophones catholiques ne voulant en aucun cas que leurs écoles tombent sous la juridiction fédérale et, d'un autre côté, des anglophones protestants craignant d'être acculturés dans un Québec devenu province à majorité francophone. L'Acte de l'Amérique du Nord britannique (AANB), qui institue la fédération canadienne, contourne la difficulté en laissant aux provinces impliquées dans le processus constitutionnel le droit exclusif de l'enseignement sur leur territoire, ce qui est de nature à rassurer les francophones catholiques du Québec, tout en indiquant que les droits acquis des minorités religieuses dans le champ éducatif devraient être respectés, ce que souhaite la minorité protestante de la province[1]. L'article 93 de l'AANB évoque précisément ces droits :

---

1. Les tractations entourant la mise en place de la fédération canadienne montrent que, sur le plan scolaire, les anglophones du Québec ont agi « stratégiquement » afin de se voir garantir leurs droits dans le Canada qui prend naissance. Le droit des législatures provinciales à formuler les lois relatives à l'enseignement était une condition essentielle pour que le Québec accepte le projet de constitution. Les anglophones, se sachant désormais minoritaires dans une province à majorité francophone, feront tout en leur pouvoir afin de faire inscrire dans la nouvelle constitution des garanties supplémentaires visant à protéger leurs droits. C'est par l'entremise de Alexander T. Galt, député de Sherbrooke, que leurs réclamations sont acheminées jusqu'à Londres, où est accepté l'Acte de l'Amérique du Nord britannique (AANB). En effet, lors de la conférence constitutionnelle qui se tient dans la capitale britannique, Galt réussit à proposer une nouvelle version, fort avantageuse pour les protestants, de l'article relatif à la juridiction des provinces sur l'enseignement (Conseil supérieur de l'éducation, 1981 : 42-43).

Dans chaque province, la législature pourra exclusivement décréter des lois relatives à l'éducation, sujettes et conformes aux dispositions suivantes : [...] Rien dans ces lois ne devra porter préjudice à aucun droit ou privilège conféré, lors de l'union, par la loi à aucune classe particulière de personnes dans la province, relativement aux écoles séparées... (cité dans Jones, 1982 : 100).

Le contrôle effectif des catholiques francophones et des protestants anglophones sur leur portion respective du système d'enseignement se renforce en 1869, alors qu'une loi établit clairement la confessionnalité catholique et protestante en créant au sein du Conseil de l'instruction publique deux comités, l'un catholique et l'autre protestant. En ce qui concerne particulièrement le comité catholique, celui-ci a une influence très importante dans tout ce qui concerne l'éducation des catholiques francophones dans la province. En fait, dans la conception que s'en font les membres du comité catholique, l'école doit être un lieu privilégié de socialisation à la religion. Par exemple, en 1899, ce comité affirmait : « L'enseignement de la religion doit tenir le premier rang parmi les matières du programme des études et doit se donner dans toutes les écoles » (Comité catholique, cité dans Gauthier et Belzile, 1993 : 27). Cette emprise de l'Église sur le système d'enseignement – à partir de 1875, tous les évêques de la province deviennent d'office membres du Comité catholique – ne se relâche plus jusqu'à la Révolution tranquille des années 60. Et encore à ce moment-là, l'État, qui cherche à s'imposer comme le seul grand gestionnaire du champ scolaire, trouve sur sa route un adversaire de taille et peu enclin à battre en retraite.

Si la formation générale des cycles secondaire et supérieur est sous le contrôle presque exclusif de l'Église, la formation professionnelle, de son côté, est sous la responsabilité de plusieurs ministères. Par exemple, les Instituts de technologie et les écoles de métiers[2], qui se développent particulièrement à partir des années 30, sont sous l'égide du ministère de la Jeunesse alors que la gestion et le financement des écoles d'agriculture relèvent du ministère de l'Agriculture[3]. En somme, les écoles de formation générale et les écoles professionnelles évoluaient indépendamment les unes des autres, sans lien sur le plan pratique.

Au moment de la réforme scolaire, on comptait 1714 commissions scolaires locales, catholiques ou protestantes dans tout le Québec. Entre elles, n'existait à peu près pas de coordination tant sur le plan du système d'imposition et des normes de dépenses que sur celui du traitement des instituteurs et des institutrices. Il en résultait des inégalités dans la qualité des services offerts d'une commission scolaire à l'autre (Tremblay, 1969 : 3-11).

---

2. Pour une description détaillée de la place et du rôle des écoles de métiers, on peut consulter Jean-Pierre Charland (1982).
3. Sur la création et l'évolution des écoles d'agriculture, on peut consulter Hamel, Morisset, Tondreau et Hébert (1994).

L'enseignement privé pour l'élite

Le clivage du système d'éducation québécois avant la réforme des années 60, sur le plan de la confessionnalité, est accompagné d'un autre clivage tout aussi important entre l'enseignement public, essentiellement primaire avant 1920, et l'enseignement privé, principalement secondaire et ouvrant les portes d'accès à l'enseignement supérieur. Rappelons que sous le Régime français, c'est-à-dire des débuts de la colonie jusqu'en 1760, l'enseignement est complètement privé et sous le contrôle de l'Église. Avec le timide développement du système de 1760 jusqu'au début du xxe siècle, quand ce n'est pas un recul comme dans la période qui suit l'insurrection de 1837-1838, les écoles primaires augmentent principalement en nombre à partir de 1866. Alors qu'en 1842 on dénombre 804 écoles primaires recevant 4935 élèves sur une population scolarisable de 111 224 enfants (âgés de 5 à 14 ans), en 1866, on compte 3589 écoles primaires fréquentées par 178 961 élèves. De leur côté, les maisons d'enseignement de type secondaire ne reçoivent que 27 859 élèves (Linteau *et al.*, tome I, 1989 : 267).

Au début du xxe siècle, la fréquentation scolaire ne s'est guère améliorée pour l'ensemble de la population scolarisable. Vers les années 1890, la plus grande part des élèves quittent l'école entre 10 et 11 ans, n'ayant fait que quatre ou cinq années d'études. En 1926, une commission d'enquête révèle que 94 % des enfants catholiques quittent l'école après une sixième année d'études seulement. De son côté, l'enseignement professionnel, le collège et l'université sont réservés à 6 % de l'ensemble des jeunes (Gérin-Lajoie, 1989 : 67). À titre d'exemple, l'origine sociale des élèves inscrits au Séminaire de Québec entre 1881 et 1891 montre bien les écarts d'accès à l'éducation entre ceux qui proviennent de milieux sociaux aisés et les autres. (*Voir le tableau 1.*)

Tableau 1

Origine sociale des élèves du Séminaire de Québec par rapport à la population du Québec, 1881-1891

	Séminaire de Québec (1881-1891)	Province de Québec (recensement de 1891)
Propriétaires, administrateurs et professions libérales	45,6 %	7,4 %
Employés de bureau et de magasin	5,4 %	4,2 %
Gens de métier et ouvriers spécialisés	22,9 %	20,6 %
Ouvriers non spécialisés	3,8 %	18,6 %
Monde rural et de la forêt	22,3 %	48,9 %

Source : Claude Galarneau (1978 : 144).

Ce n'est qu'au début des années 20 qu'un enseignement secondaire public est rendu accessible à un plus grand nombre de personnes. Sous l'impulsion de frères éducateurs progressistes dans le domaine éducatif, un cours primaire supérieur (en fait, le secondaire) est développé afin de « [...] doter la communauté francophone montréalaise d'un enseignement secondaire à la portée des enfants doués, indépendamment de la fortune des parents, et préparant aux études supérieures [...] » (Turcotte, 1988 : 35-36). Ce nouvel enseignement vise à concurrencer les collèges classiques qui offraient essentiellement les humanités classiques et qui contrôlaient la presque totalité de l'enseignement secondaire. Il va sans dire que ce projet dérange pendant longtemps le Comité catholique, qui voyait dans cette initiative une concurrence aux collèges classiques, et la bourgeoisie établie, qui considérait le cours offert par les frères éducateurs comme une « menace à son prestige social » (Turcotte, 1988 : 47).

Du début du xxᵉ siècle jusqu'aux années 60, le réseau primaire connaît une augmentation importante. Il y avait, en effet, à l'aube de la réforme scolaire, un réseau complet constitué d'un très grand nombre de petites écoles desservant des territoires restreints. En 1960-1961, environ 925 000 enfants étaient scolarisés dans 7000 de ces petites écoles. La même année, on compte 11 769 élèves au préscolaire, ce qui constitue à toutes fins utiles un secteur inexistant.

Au secondaire, la réalité est passablement différente. Si l'on considère le nombre d'institutions privées et publiques dispensant l'enseignement secondaire chez les catholiques, on peut penser que le Québec est relativement bien pourvu sur le plan de l'enseignement secondaire. On dénombre, en 1960-1961, 2108 écoles publiques et 363 écoles privées desservant principalement les grandes régions urbaines et les villages d'une certaine importance. Or, la moyenne des élèves dans chacune de ces institutions est d'environ 80. À cela, il faut ajouter 400 institutions diverses (collèges classiques, séminaires, juvénats, écoles normales, écoles de métiers, instituts familiaux). Le réseau protestant comptait beaucoup moins d'écoles mais accueillait en revanche 200 élèves en moyenne par école. La dispersion du réseau d'enseignement à la fin des années 50 est énorme et demande, dans l'esprit de nombre d'intervenants dans le champ éducatif, des transformations majeures (*voir le tableau 2*).

En somme, trois caractéristiques rendent compte de la structure du système d'enseignement québécois d'avant la réforme :

1. Ce système est d'abord confessionnel, où coexistent deux réseaux autonomes, soit celui des catholiques et celui des protestants.

2. Un grand nombre d'institutions privées souvent concurrentes aux institutions publiques.

3. Un manque de coordination entre les différents éléments du système (Linteau, *et al.*, tome II, 1989 : 99).

Tableau 2
Dispersion du réseau d'enseignement après le cours primaire, 1959[4]

Divers types d'établissements et d'enseignement publics	Instances responsables
1. Cours secondaire général Cours primaire supérieur Cours commercial Cours industriel	1. Quelques commissions scolaires sous le contrôle du Département de l'instruction publique
2. Sections classiques des écoles publiques	2. Quelques commissions scolaires, sous le contrôle académique du petit séminaire local
3. Écoles d'agriculture	3. Ministère de l'Agriculture
4. Écoles de métier et écoles techniques	4. Ministère de la Jeunesse
5. Centre d'apprentissage de nombreux métiers	5. Comités paritaires d'employeurs et syndicats, et ministère du Travail
6. Écoles ménagères et instituts familiaux pour filles	6. Diverses communautés religieuses, sous le contrôle du ministère de l'Agriculture et, plus tard, du D.I.P.
7. Écoles normales	7. Diverses communautés religieuses et le D.I.P.
8. Écoles d'infirmières	8. Hôpitaux
9. Conservatoire de musique et d'art dramatique	9. Secrétariat de la province

Source : Paul Gérin-Lajoie (1989 : 78-79).

Les principales inégalités scolaires dans les années 50

Les mutations sociales qui s'annoncent dans les années 50 et qui mènent à la Révolution tranquille ne font toutefois pas oublier que le système d'éducation, dans la période analysée, est une expression des grandes fractures observables dans la société québécoise. Le système scolaire d'alors tend en effet à reproduire en bonne partie les discriminations entre les riches et les pauvres d'abord, entre les femmes et les hommes ensuite, entre les francophones et les anglophones enfin. Ces trois ordres de la réalité sociale sont particulièrement perceptibles dans les taux de scolarisation des jeunes.

---

4. Ce n'est qu'une partie de la liste des établissements et de leur instance dirigeante. Pour la liste complète, voir Gérin-Lajoie (1989 : 78-79).

Regardons d'abord les taux de scolarisation dans l'ensemble avant la réforme scolaire. La fréquentation scolaire pour les jeunes de 5 à 19 ans est de 67 % en 1930 et de 69 % en 1945. Somme toute, il n'y a pas d'évolution de ce côté (Linteau *et al.*, tome II, 1989 : 101). En 1961-1962, le taux de scolarisation des groupes d'âge correspondant au niveau d'enseignement élémentaire était très élevé, atteignant les 95 % et plus. Les groupes des jeunes âgés de 15 à 20 ans, donc les jeunes en âge d'étudier au secondaire et au collégial, présentent toutefois une baisse importante et une décroissance continue alors qu'ils avancent en âge (*voir le tableau 3*).

Tableau 3
Taux de scolarisation des 15-20 ans, 1961-1962

Âge	Taux
15 ans	74,6 %
16 ans	50,9 %
17 ans	31,0 %
18 ans	17,5 %
19 ans	10,4 %
20 ans	7,3 %

Source : Arthur Tremblay (1969 : 6).

C'est donc une minorité de jeunes qui avaient accès à l'éducation secondaire au moment de la réforme scolaire au Québec. En regardant les données disponibles sur la fréquentation scolaire avant les années 60, on note que cette minorité provient de classes socio-économiques aisées et qu'elle est en très grande majorité masculine. De plus, toutes proportions gardées, les protestants scolarisent plus longtemps leurs jeunes.

Riches et pauvres

La scolarisation des enfants a toujours constitué une charge financière importante pour les familles, notamment pour les familles pauvres en milieux urbain et rural. Arrivés à l'adolescence, les jeunes issus de ces familles sont encouragés à travailler dans les usines ou encore dans les champs, afin de diminuer la charge financière des parents.

La situation est fort différente pour les familles aisées qui peuvent supporter les frais d'une scolarité prolongée et le manque à gagner qu'occasionne cette scolarité. Cette réalité se traduit dans les pourcentages des étudiants inscrits dans les collèges classiques, voie royale ouvrant les portes de l'université (*voir l'encadré 1.2*). Globalement, pour 1954, sur un total de 35 200 jeunes scolarisables en 8ᵉ année, seulement

4231 sont inscrits en classe d'Éléments latins, ce qui représente 12 % du total. L'origine sociale des élèves inscrits dans les collèges classiques pour la même année montre clairement les disproportions entre les familles aisées économiquement et celles qui sont moins bien nanties (Gérin-Lajoie, 1989 : 33).

Encadré 1.2
L'idéologie des collèges classiques

L'idéologie des collèges classiques « repose sur la notion d'humanisme, de la culture générale par le grec et le latin. Conception qui a pour but de préparer des esprits supérieurs suivant les règles établies dans l'art de bien penser et de bien écrire. [...] Un tel enseignement privilégie d'abord et avant tout les aspects formels des langues anciennes et modernes, dont l'apprentissage offre la meilleure gymnastique intellectuelle qui soit » (Galarneau, 1978 : 233-234). Comme le souligne Galarneau, l'humanisme est l'idéologie d'un groupe particulier dans la société, soit une aristocratie intellectuelle qui s'identifie à la bourgeoisie et à la classe moyenne constituée par les professions libérales. Cette idéologie prend forme dans les collèges classiques à tra-vers le clergé puisque l'enseignement classique est une affaire « de prêtres au dévouement sans borne ». « Et si la société est une abstraction dans une telle idéologie, on peut en dégager certains éléments sous-jacents. La nation est corrélative de la famille et de l'Église. Le cœur en est l'aristocratie intellectuelle, le clergé en tête, les littérateurs, les historiens, les orateurs et les philosophes ensuite. Les commerçants et les industriels, tout en étant au second plan, doivent aussi passer par la formation humaniste parce que conducteurs d'hommes. Au bas de l'échelle gît la masse informe et indifférente. » (Galarneau, 1978 : 236).

D'après Claude Galarneau,
Les collèges classiques au Canada français (1978).

Tableau 4
Provenance sociale des élèves des collèges classiques de garçons, 1954

	Pourcentage des élèves dans les collèges	Pourcentage des enfants dans la province
Familles de professionnels et d'administrateurs	46 %	14 %
Familles d'employés de bureau, de commerce, etc.	11 %	10 %
Familles d'ouvriers et de cultivateurs	43 %	76 %
Total	100 %	100 %

Source : Paul Gérin-Lajoie (1989 : 34).

Considérons les données du tableau 4. Les enfants provenant de familles aisées sont surreprésentés par rapport au pourcentage des enfants en âge d'être scolarisés issus des mêmes couches socio-économiques, soit 46 % d'inscrits dans les collèges classiques pour 14 % des enfants scolarisables dans l'ensemble de la population. La situation est tout autre pour les enfants issus de familles moins nanties qui forment 43 % des inscrits dans les collèges classiques pour 1954, alors que le groupe des enfants scolarisables qui leur correspond dans l'ensemble de la population représente 76 % du total. La situation à l'université est tout aussi discriminante puisqu'une minorité de jeunes issus de milieux économiquement faibles y ont accès. C'est pourquoi le système d'éducation d'avant la réforme est dit élitiste, privilégiant grandement ceux qui étaient déjà favorisés sur le plan des ressources matérielles.

Filles et garçons

Ce système n'était pas qu'élitiste, c'est-à-dire départageant les personnes sur une base financière, il était aussi sexiste, à savoir qu'il discriminait en fonction de l'appartenance sexuelle. La sélection sévère qui s'opérait à l'entrée des collèges classiques au détriment des enfants de milieux socio-économiquement faibles prévalait aussi pour les filles. En fait, comme le souligne Dandurand (1990), il y a un double réseau de scolarisation : un réseau réservé en majeure partie aux garçons, un autre, pour les filles. Dans l'ensemble, les filles suivaient la filière des écoles ménagères, des instituts familiaux et des écoles normales, bref un ensemble de voies ne conduisant pas à l'université.

Tableau 5
Clientèles comparées de garçons et de filles dans les études secondaires et collégiales au Québec, 1940-1960

	1940-1941		1950-1951		1960-1961	
	Garçons	Filles	Garçons	Filles	Garçons	Filles
Cours complémentaire public (8e-9e)	50 %	50 %	45,6 %	54,4 %	49,5 %	50,5 %
Cours primaire supérieur public (10e-11e-12e)	63,3 %	36,6 %	52 %	48 %	50,8 %	49,2 %
Écoles normales	7 %	93 %	4 %	96 %	19,2 %	80,8 %
Cours *Lettres-Sciences* et classes de grammaire du cours classique	56 %	44 %	72 %	28 %	73 %	27 %
Second cycle du cours classique	94,5 %	5,5 %	90 %	10 %	82 %	18 %

Source : Micheline Dumont (1986 : 27).

Les données du tableau 5 montrent clairement que les garçons et les filles n'ont pas le même cheminement scolaire. Si l'on s'en tient strictement à ce qui constitue la porte d'entrée pour l'université chez les francophones, soit le second cycle du cours classique, on note qu'en 1940-1941 les filles y sont présentes dans une faible proportion de 5,5 % alors que les garçons représentent 94,5 % des élèves inscrits. Encore en 1960-1961, malgré l'évolution sociale, les filles ne représentent que 18 % des élèves inscrits au second cycle du cours classique contre 82 % pour les garçons. C'est aussi le nombre de collèges classiques privés qui est à l'avantage des garçons. Par exemple, ces collèges connaissent une expansion importante de 1945 à 1960 avec 135 nouvelles fondations. Dans l'ensemble, les garçons peuvent s'inscrire dans deux fois plus de collèges que les filles (Linteau *et al.*, tome II, 1989 : 340-341). Même pour celles qui peuvent faire des études universitaires, le double réseau de scolarisation demeure une réalité. Ainsi, pour 1958-1959, les inscriptions dans les facultés universitaires de langue française montrent que les garçons se retrouvent dans les filières ouvrant les portes des emplois les plus prestigieux et les mieux rémunérés dans la société d'alors. (*Voir le tableau 6.*)

Tableau 6
Inscriptions des garçons et des filles dans les facultés des universités de langue française, 1958-1959

Faculté	Garçons	Filles
Droit	541	31
Médecine	1241	556
Sciences	1948	126
Polytechnique	1521	5
Arpentage	260	0
Sciences économiques, politiques et sociales	3267	409
Lettres	661	546
Infirmiers/infirmières	6	4035
Cours classique 2ᵉ degré	9160	2771

Source : Paul Gérin-Lajoie (1989 : 40).

Anglophones et francophones

Sur le plan de la fréquentation scolaire, la situation n'est guère reluisante pour les francophones après la Seconde Guerre mondiale, même si on note une amélioration substantielle dans la persévérance des jeunes au primaire. Ainsi, après la guerre, 46 % des élèves catholiques se rendent jusqu'en 7ᵉ année, 25 % atteignent la 8ᵉ année, 17 %, la

9ᵉ année et 2 % seulement, la 12ᵉ année. Les écoles protestantes, de leur côté, ont des taux de scolarisation plus élevés, retenant 80 % de leurs élèves jusqu'en 8ᵉ année, 34 % jusqu'en 11ᵉ année et même 7 % jusqu'en 12ᵉ année (Linteau *et al.*, tome II, 1989 : 101). En 1951, le taux de scolarisation des 15-19 ans est à peine de 30 % au Québec alors qu'il se situe à 44 % en Ontario et à 70 % aux États-Unis (Dandurand, 1990 : 41).

Ces données montrent tout le retard que doit combler le Québec à l'aube des années 60 en matière de scolarisation des francophones. C'est principalement à partir de la 8ᵉ année que les jeunes de ce groupe quittent massivement le système scolaire, alors que les jeunes anglophones du Québec poursuivent leurs études encore pour un bon moment. Le tableau 7 montre bien comment la scolarisation des francophones, de la maternelle à la 7ᵉ année, est relativement élevée de 1946 à 1953, quoique plus faible que celle des anglophones. C'est dans la scolarisation prolongée que les francophones perdent beaucoup de terrain par rapport aux anglophones.

Tableau 7

Taux de fréquentation scolaire des catholiques (garçons seulement) et des protestants de 1946-1947 à 1952-1953 au Québec[5]

	Maternelle à 7ᵉ année		De 8ᵉ à 9ᵉ année		De 10ᵉ à 11ᵉ année	
	Catholique	Protestant	Catholique	Protestant	Catholique	Protestant
1946-1947	82,6	87,5	38,2	83,5	16,2	49,2
1947-1948	82,5	87,3	39,0	82,2	16,8	48,3
1948-1949	82,3	86,9	39,3	83,1	17,4	46,8
1949-1950	82,2	87,8	40,4	85,4	17,9	47,8
1950-1951	81,6	88,7	43,1	85,3	18,2	50,0
1951-1952	82,1	91,0	43,1	87,6	18,3	51,0
1952-1953	82,6	–	43,4	–	18,8	–

Source : Arthur Tremblay (1955 : 20-23).

Lui aussi, il vivait à l'ombre de la modernité : le personnel enseignant

En suivant l'analyse que fait M'hammed Mellouki (1991) de l'évolution de la profession enseignante au Québec, on note que depuis un bon moment les enseignantes et les enseignants tentent de faire valoir « l'utilité sociale de leur mission et la nécessité,

---

5. Le taux de scolarisation des catholiques et des protestants correspond, à peu de choses près, à celui des francophones et des anglophones dans les années 40 et 50. Toutefois, il faut garder à l'esprit que des catholiques anglophones et des protestants francophones sont aussi présents dans le système d'enseignement québécois.

pour la nation et pour les gouvernants, d'améliorer leur situation socio-économique» (Mellouki, 1991b: 45). En fait, depuis le xixᵉ siècle, les instituteurs et les institutrices laïques mettent de l'avant des revendications qui tournent autour de trois pôles, soit: 1) leur regroupement dans une organisation professionnelle; 2) leur participation aux instances décisionnelles; et 3) la hausse du degré de leur qualification (Mellouki, 1991b: 45). Au cours des années 30 et 40, les institutrices et les instituteurs se dotent effectivement d'une organisation syndicale qui demeure toutefois soumise, jusqu'aux années 50, à «l'encadrement idéologique de l'Église[6]».

C'est à partir des années 30 et 40 que les institutrices et les instituteurs catholiques réussissent à fonder une organisation professionnelle. Cette organisation obtient sa reconnaissance officielle en 1946 par voie législative. Deux ans plus tôt, le droit de grève avait été supprimé pour les instituteurs et les institutrices en milieu rural. En 1946, c'est aussi le droit à l'arbitrage qui est aboli pour ce groupe. En 1946 et en 1953, les instituteurs et les institutrices en milieu urbain subissent le même sort. En somme, sous le règne du gouvernement de Maurice Duplessis, la nouvelle organisation syndicale a les pieds et les mains liés.

Dans la période de 1930 à 1945, la profession enseignante est encore largement dominée par les femmes, soit 80 % des effectifs. Les laïques représentent 55 % des effectifs alors que les religieux et les religieuses constituent 45 % du corps enseignant. Dans le même temps, on note une pénurie d'instituteurs et d'institutrices. Il faut dire que les conditions de travail et de rémunération ne favorisent guère un recrutement adéquat et suffisant pour remplacer ceux et celles qui quittent la profession. Trois éléments aident à comprendre la situation des institutrices et des instituteurs à ce moment, soit la formation déficiente des futurs maîtres d'abord, qui est l'objet de très sérieuses critiques, les salaires insuffisants ensuite, les mauvaises conditions de travail enfin.

Ainsi, on observe une formation déficiente chez les institutrices et les instituteurs: une minorité passe par les écoles normales. En 1930, environ 80 % des institutrices catholiques ne possèdent pas de préparation pédagogique. Au début des années 60, plus de 100 000 enfants sont confiés à des institutrices et des instituteurs non diplômés (Gérin-Lajoie, 1989: 36). Tout comme le reste du système d'enseignement d'avant la réforme scolaire, la formation des maîtres s'effectue, de manière éclatée, dans divers types d'institutions de formation dont les écoles normales d'État, les écoles normales privées, les scolasticat-écoles et les écoles para-universitaires. Encore en 1961-1962, on dénombre 106 écoles normales dont 11 écoles normales d'État,

---

6. C'est presque tout le syndicalisme québécois qui est soumis à l'encadrement de l'Église du début du xxᵉ siècle jusqu'aux années 50. Seuls les syndicats internationaux (donc ceux qui sont régis à l'extérieur du Québec) échappent plus ou moins à cette emprise. On peut consulter sur le sujet l'ouvrage de Jacques Rouillard (1989).

70 écoles normales de filles et 25 scolasticats regroupant ensemble près de 13 000 élèves (Hamel, 1991 : 32-33). Les très nombreuses critiques dont fait l'objet la formation des maîtres mènent à une réforme en 1953. À ce moment, un brevet A est institué ; ce dernier équivaut à un baccalauréat et permet de mettre l'accent sur une véritable formation professionnelle qui avait été peu valorisée au profit de l'apprentissage des matières à enseigner. Cette réforme ne semble toutefois pas régler les problèmes liés à la formation des institutrices et des instituteurs puisque, au moment de la Commission Tremblay (du nom du juge Thomas Tremblay) en 1953-1956, on remet à l'ordre du jour la nécessité d'une réforme en profondeur du système de formation des maîtres. On souhaite une véritable formation universitaire pour les futurs instituteurs et institutrices et, si cela est nécessaire, l'abolition des écoles normales.

Les conditions salariales adéquates font également défaut. En ce domaine, on peut clairement établir les inégalités qui traversent la société québécoise d'alors (*voir le tableau 8*).

Tableau 8
Salaires annuels moyens du personnel enseignant (en $)

	1930-1931	1932-1933	1934-1935	1936-1937	1938-1939
Religieux	585	584	565	565	589
Religieuses	386	379	359	360	389
Instituteurs catholiques	1647	1603	1459	1666	1752
Instituteurs protestants	2596	2543	2034	2008	2169
Institutrices catholiques	402	361	315	337	409
Institutrices protestantes	1127	1125	980	980	1060

Source : Paul-André Linteau *et al.*, tome II (1989 : 103).

Encore en 1959-1960, les traitements annuels moyens des instituteurs et des institutrices, catholiques et protestants, montrent des disparités qui indiquent les principales discriminations dans la rémunération du corps enseignant. Ainsi, pour la période analysée, un instituteur protestant gagne 5994 $ alors que son homologue catholique touche 4790 $. Pour l'institutrice protestante, le traitement annuel moyen s'élève à 3987 $ alors que pour sa consœur catholique, c'est une somme de 2258 $ qui est allouée comme salaire. À la même époque, les instituteurs de l'Ontario gagnent de 4300 $ à 8700 $ (Gérin-Lajoie, 1989 : 35).

Enfin, le personnel enseignant doit faire face à des conditions de travail difficiles, notamment une absence de sécurité d'emploi et un surpeuplement des classes par manque de locaux (Linteau *et al.*, tome II, 1989 : 102-103). Mentionnons également l'insuffisance de manuels scolaires. Les manuels disponibles ne permettent pas de voir l'ensemble du programme scolaire. Dans certaines écoles, les élèves n'avaient même pas accès à une grammaire française (Gérin-Lajoie, 1989 : 35-36).

Sous le gouvernement de Paul Sauvé (1959), la Corporation générale des instituteurs et institutrices catholiques de la province de Québec (CIC) obtient une clause d'adhésion automatique dans les écoles catholiques francophones et retrouve son droit d'arbitrage et de conciliation lors de différends entre instituteurs et institutrices et commissaires scolaires ou syndics d'école dans les municipalités rurales (Tremblay, 1989 : 100). Dans les années 60, en partie grâce à ces nouveaux droits acquis, le syndicalisme enseignant prend des forces et devient un acteur important que le ministère de l'Éducation, qui s'établit en 1964, doit respecter.

Une Révolution tranquille, mais drôlement rapide

Les grands courants modernisateurs en éducation avant la réforme scolaire trouvent leurs racines dans les années 40, mais ne peuvent véritablement s'exprimer que dans les années 50. Outre les problèmes liés à l'éducation soulevés par la Commission Tremblay, par la Conférence de l'Institut canadien des affaires publiques (1956), par les « États généraux sur l'éducation » de 1958 et par le réquisitoire du frère Untel en 1960, c'est tout le Québec des années 50 qui se transforme rapidement dans toutes les sphères d'activités. Lorsque le Parti libéral arrive au pouvoir en 1960, on adopte un ensemble de mesures réformistes, qui constituent le début de la Révolution tranquille, c'est-à-dire ce grand mouvement de modernisation politique, économique et sociale de toute la société québécoise.

Les préludes à une révolution : courants de pensée modernisateurs

Arthur Tremblay (1989) fait remonter à la Commission d'enquête sur les problèmes constitutionnels et fiscaux (Commission Tremblay) le début du questionnement important quant aux structures supérieures du système d'enseignement du Québec. En fait, depuis 1940, des voix se sont élevées afin de dénoncer principalement le faible niveau de scolarité de la population francophone et les incohérences du système d'éducation (Langlois *et al.*, 1990 : 295). La Commission Tremblay, mise sur pied à la demande de Maurice Duplessis afin d'analyser l'importance de plus en plus grande du gouvernement fédéral dans les champs de compétence provinciale, est de manière inattendue un lieu important d'analyse et de critique du système d'enseignement québécois. Sur les 240 mémoires présentés à la Commission, 140 traitent à divers degrés de la situation scolaire au Québec. Les positions les plus tranchées concernent le réaménagement en profondeur des structures supérieures du système d'enseignement. Les pressions en faveur de la création d'un ministère de l'Éducation nationale se font sentir avec vigueur, notamment par la Ligue d'action nationale. La Société Saint-Jean-Baptiste de Montréal fait également valoir la nécessité de créer un département de l'Éducation nationale. Les syndicats de l'époque font aussi des propositions novatrices dans le contexte des années 50 (Tremblay, 1989 : 50-59). Arthur Tremblay (1989) conclut, sur le rôle inattendu de cette commission, en ces termes : « [...] la Commission Tremblay devient, pour les groupes les plus divers, le forum où s'expriment les aspirations et les besoins du Québec en éducation. »

La Commission Tremblay est également l'occasion de revendiquer le droit de chacun à une instruction selon ses aptitudes, un enseignement secondaire public véritable, l'accès aux études supérieures, une meilleure formation des maîtres, la plus grande présence des laïques dans le champ éducatif et le prolongement de la scolarité obligatoire jusqu'à 16 ans (Gérin-Lajoie, 1989 : 145). En somme, cette commission est un prélude aux changements majeurs qui prévalent en éducation au moment de la Révolution tranquille.

Cet intérêt marqué pour les questions d'éducation continue d'alimenter le débat social tout au long des années 50. Ainsi, en 1956, l'Institut canadien des affaires publiques tient sa conférence annuelle sur le thème de l'éducation. C'est la démocratisation de l'enseignement qui est le fil conducteur de cette conférence à laquelle participent des personnes venant d'horizons divers. C'est l'occasion pour tous ceux et celles qui sont présents de prendre conscience de l'émergence d'un large consensus semblant s'être fait dans la société québécoise en ce qui concerne la nécessité de revoir en profondeur tous les aspects du système d'éducation d'alors.

Au printemps 1958, la Fédération des sociétés Saint-Jean-Baptiste organise une conférence portant « sur l'enseignement au Québec face aux problèmes contemporains ». Lors de cette conférence, trois idées principales ressortent des débats : 1) un large consensus sur la nécessité de créer un ministère de l'Éducation ; 2) une volonté de conserver le comité catholique à côté du nouveau ministère ; 3) le souhait que les membres laïques de ce comité soient désignés par les organismes du milieu de l'éducation et non plus par les autorités en place au sein du comité catholique. La Conférence recommande même, compte tenu des besoins de changements urgents en éducation, que soit constituée une Commission royale d'enquête sur les problèmes d'éducation (Tremblay, 1989 : 80).

La critique du système d'enseignement avant la réforme se poursuit et atteint un haut degré de virulence à la publication, en 1960, des *Insolences du frère Untel*. Jean-Paul Desbiens (frère Untel), membre de la communauté des frères maristes, écrit une lettre au *Devoir* en 1959, dans laquelle il discute longuement des problèmes de la langue française et de la spiritualité au Québec. À travers cette discussion, Desbiens aborde « l'échec de notre système d'enseignement » et propose la fermeture du Département de l'Instruction publique «car enfin, dit-il, le départe-ment a fait à loisir la preuve par neuf de son incompétence et de son irresponsabi-lité». La critique du système d'enseignement ne venait plus seulement de l'extérieur, particulièrement des laïques du milieu de l'éducation. Elle se faisait désormais de l'intérieur, au sein même de l'Église. Le réquisitoire du frère Untel devait répondre à un besoin puisque *Les insolences* connurent un immense succès de librairie à l'époque[7].

En somme, la Commission Tremblay (1953-1956), la conférence de 1956 de l'Institut canadien des affaires publiques, la conférence de 1958 de la Fédération des sociétés Saint-Jean-Baptiste et *Les insolences du frère Untel* sont autant de signes que des changements devaient être opérés dans le système d'éducation au début des années 60. Comme le souligne Arthur Tremblay (1989) : «de tels signes, [...], don-nent à penser que la Révolution tranquille ne fut pas une génération spontanée ; qu'en matière d'éducation, à tout le moins, les "bouleversements" des années 60 se préparaient déjà depuis de nombreuses années» (Tremblay, 1989 : 113-114).

Le « Chef » est mort, vive l'État

Même s'ils trouvaient des échos favorables dans de larges couches de la population, les débats d'idées qui ont lieu dans les années 50 en matière d'éducation ne peuvent devenir des actions concrètes en raison du régime politique de Maurice Duplessis (*voir l'encadré 1.3*), qui «règne» sur le Québec depuis 1944. Le parti de l'Union nationale qu'il dirige est profondément conservateur ; il trouve ses principaux appuis dans les milieux ruraux, auprès des élites traditionnelles et du clergé. Les grandes politiques du gouvernement Duplessis ont visé en bonne partie le maintien des valeurs religieuses, la mise en place d'une conception de la société axée sur l'ordre éta-bli et la préservation des privilèges traditionnels de l'Église, notamment en éducation et dans les affaires sociales (Linteau *et al.*, tome II, 1989 : 361-363).

Le thème dominant des idées politiques de Duplessis se résume au respect de l'ordre et de l'autorité établie. Par exemple, il déclarait en 1949 : «Le problème n'est pas de réformer mais de rétablir l'ordre. Les inventions modernes n'ont pas changé un seul grand principe» (cité dans Monière, 1977 : 300). Alors qu'aux États-Unis et dans le Canada anglais l'État-providence – c'est-à-dire un État qui prend en main les principaux secteurs de la vie sociale – est déjà bien établi, Duplessis considère qu'au Québec l'État doit intervenir le moins possible.

Dans le même ordre d'idées, le «Chef» considère que le système d'enseigne-ment, tel qu'il est constitué dans les années 40 et 50, n'a pas besoin de modifications,

---

7. Depuis 1960, il y eu 28 nouvelles éditions de ce livre et 130 000 exemplaires vendus (Gérin-Lajoie, 1989 : 149).

Encadré 1.3
Le duplessisme

« À Québec, l'Union nationale, portée au pouvoir en 1944 à la suite d'élections vivement contestées, remporte ensuite des victoires faciles en 1948, 1952 et 1956. Le premier ministre Maurice Duplessis conserve le pouvoir jusqu'à sa mort en 1959. [...] Le gouvernement de Duplessis affiche un profond conservatisme en matière économique, sociale et politique. Défendant l'entreprise privée, il appuie le grand capital, américain et canadien-anglais, auquel il laisse le soin de développer le Québec, en mettant surtout l'accent sur l'exploitation des ressources naturelles. Refusant les orientations nouvelles de l'État-providence, il s'oppose à l'accroissement de l'intervention étatique. Défenseur de l'ordre établi, Duplessis combat le militantisme syndical et affuble de l'étiquette "communistes" les agents de changement social. Il s'appuie sur les élites traditionnelles et le clergé pour encadrer la population. Ses dis-cours chantent les valeurs traditionnelles et le monde rural. [...] Le duplessisme ne peut pas s'expliquer par la personnalité d'un seul homme. Les idées de Duplessis sont largement partagées par une partie des élites traditionnelles et du clergé, dont l'emprise sur la société québécoise est menacée par le processus de modernisation. L'Église catholique, avec son armée de prêtres, de sœurs et de frères, conserve la main haute sur l'éducation, la santé et les services sociaux. Mais, débordée par la demande consécutive au *baby-boom*, à l'urbanisation et à la hausse du niveau de vie, elle doit de plus en plus faire appel à des laïcs qui veulent un nouveau partage du pouvoir. »

Extrait de Paul-André Linteau *et al.*,
Histoire du Québec contemporain, tome II
(1989 : 207-209).

---

malgré ce qu'en pensent nombre de personnes. Selon Duplessis, ce système est « aussi bon sinon meilleur que dans le reste du pays », et les droits des parents en matière d'éducation sont inaliénables ; c'est à eux d'en assumer les coûts. En ce sens, il n'est pas question pour lui de parler de gratuité scolaire.

Le rôle dévolu aux enseignantes et aux enseignants sous le régime de Duplessis est très clair. Pour le « Chef », l'école doit contribuer au maintien de l'ordre et, à ce titre, elle est chargée de diffuser les valeurs dominantes tout en socialisant les jeunes à l'ordre social régnant. Dans ce cadre, le corps enseignant doit montrer l'exemple en respectant l'ordre et l'autorité.

Le conservatisme du régime de Duplessis, comme celui de l'Église d'ailleurs, notamment dans le domaine de l'éducation, ne favorise pas le changement dans les structures du système d'enseignement. En fait, la confessionnalité du système d'éducation québécois, telle qu'elle a évolué depuis la Confédération (1867), est favorisée par le gouvernement de Duplessis. « Aucun système d'éducation ne peut être bon sans religion », selon le « Chef ».

Toutefois, compte tenu des besoins sociaux qui évoluent rapidement après 1945, l'Église est débordée de toutes parts, et l'État doit tenir compte des nouvelles demandes provenant d'une population plus nombreuse et qui se sent en mesure d'investir des sommes plus considérables dans l'éducation de ses enfants. C'est donc par la porte arrière que l'État est amené à assumer les charges sociales menant lentement vers un État-providence comme il s'est développé en Amérique du Nord. Maurice Duplessis meurt à Schefferville en septembre 1959. Son successeur, Paul Sauvé, met en place les conditions nécessaires à un renouveau politique. Parmi ses grands projets, un ensemble de lois favorisent l'émergence d'un système d'enseignement moderne. Toutefois, le nouveau premier ministre meurt quelques mois après son assermentation. Bon nombre de ses projets ne se réalisent que plus tard, au moment où le parti libéral prend le pouvoir en 1960.

La Grande charte de l'éducation et la Commission Parent

Le gouvernement Sauvé, par son style de gestion politique tournée vers l'avenir, se démarque du précédent gouvernement entièrement orienté vers la tradition. Ce qui nous intéresse particulièrement, ce sont les lois scolaires élaborées lors du court séjour de Sauvé au pouvoir, lois qui seront effectives sous le gouvernement de Lesage de 1960 à 1962. Parmi ces lois, notons celle qui est relative à la taxe de vente municipale et à la taxe scolaire, qui établit à 2 % la taxe de vente dont les revenus serviront à l'éducation, une autre concernant la généralisation des subventions gouvernementales aux institutions d'enseignement et, enfin, la loi qui généralise les subventions aux corporations scolaires afin d'aider au paiement des traitements du personnel enseignant (Tremblay, 1989 : 97-98).

Cependant, ce n'est qu'avec l'arrivée au pouvoir des libéraux le 22 juin 1960 que les problèmes en éducation vont trouver des solutions rapides. Dès le 6 juillet, lors de la première réunion du Conseil des ministres, le Département de l'instruction publique passe sous l'égide du ministre de la Jeunesse, Paul Gérin-Lajoie. Au printemps 1961, est mise en place la Commission royale d'enquête sur l'enseignement (Commission Parent), dont le mandat est de revoir dans son ensemble l'organisation et le financement de tout le système d'éducation et de faire les recommandations qui s'imposent. Entre-temps, le nouveau ministre de la Jeunesse ne perd pas de temps et fait passer un ensemble de douze lois, connu sous l'appellation de « Grande charte de l'éducation »[8]. Ces lois novatrices visent à pallier les besoins les

---

8. Cette charte visait à concrétiser les promesses des libéraux en matière d'éducation faites lors de la campagne électorale de 1960. Ces promesses sont au nombre de neuf : 1) gratuité scolaire à tous les niveaux de l'enseignement ; 2) gratuité des manuels scolaires dans toutes les écoles des commissions scolaires ; 3) fréquentation scolaire obligatoire jusqu'à l'âge de 16 ans ; 4) prise en charge de toutes les dettes scolaires par le gouvernement ; 5) abolition des octrois discrétionnaires aux commissions scolaires et établissement de subventions statutaires ; 6) création d'une commission provinciale des universités ; 7) allocation de soutien aux étudiants universitaires ; 8) adaptation de l'enseignement technique aux conditions nouvelles dans l'industrie ; 9) création d'une commission royale d'enquête sur l'éducation (Gérin-Lajoie, 1989 : 181).

plus urgents en éducation au début des années 60, sans toutefois toucher aux structures de l'éducation, point névralgique du système. Le tableau 9 montre dans quel secteur de l'enseignement la Grande charte favorise des changements majeurs qui reposent, selon son principal promoteur, sur une idée fondamentale : « Le droit absolu de tout enfant à recevoir l'éducation de son choix indépendamment de toute considération matérielle. Dans l'esprit de la loi, l'enfant cessait d'être victime du manque de capacités financières de ses parents » (Gérin-Lajoie, 1963 : 50).

Tableau 9
Grande charte de l'éducation de 1961

1. Fréquentation scolaire obligatoire jusqu'à l'âge de quinze ans comme première étape vers la fréquentation scolaire jusqu'à seize ans.
2. Gratuité scolaire et gratuité des livres de classe dans les écoles des commissions scolaires.
3. Allocations scolaires mensuelles pour les jeunes de seize et dix-sept ans qui fréquentent une institution d'enseignement.
4. Bourses d'études accordées aux étudiants des classes supérieures des collèges classiques au même titre que les étudiants universitaires.
5. Droit conféré aux parents d'être élus commissaires d'écoles et de voter aux élections scolaires.
6. Formation universitaire du personnel enseignant et bourses de recherche.
7. Obligation faite aux commissions scolaires de dispenser l'enseignement primaire et secondaire complet jusqu'à la onzième année.
8. Organisation des commissions scolaires régionales pour l'enseignement secondaire.
9. Régime de subventions statutaires aux commissions scolaires.
10. Assistance financière particulière pour l'organisation de classes maternelles et de classes spéciales pour certains enfants, ainsi que pour le transport des élèves et l'organisation des bibliothèques scolaires.
11. Subventions aux écoles secondaires indépendantes.
12. Programme de financement quinquennal pour l'expansion des universités et des collèges.

Source : Paul Gérin-Lajoie (1989 : 210).

Quoique novatrice et répondant à des besoins urgents en éducation, la Charte de l'éducation ne remet nullement en cause les prérogatives de l'Église dans le champ de l'enseignement. Ce n'est qu'au moment du dépôt de la première tranche du rapport de la Commission Parent (1963) et de la présentation du Bill 60, visant la création d'un ministère de l'Éducation, que le niveau des débats entourant la réforme du système scolaire s'élève d'un cran.

Résumé

Les inégalités scolaires dans les années 50 sont le résultat concret du fonctionnement du système scolaire et des valeurs éducatives des élites d'alors. Ce système, qui prend racine au milieu du XIXᵉ siècle, présente plusieurs traits caractéristiques des rapports de force entre les groupes sociaux dans la société d'avant la Révolution tranquille. De plus, il est bicéphale, c'est-à-dire qu'il présente un réseau d'écoles pour les francophones et un autre pour les anglophones, soit deux réseaux scolaires distincts.

C'est d'abord un système élitiste. On donne des rudiments d'un enseignement primaire pour le peuple et une formation secondaire et supérieure pour l'élite. Les collèges classiques, institutions privées et sous le contrôle de l'Église, sont l'instrument privilégié de la formation de cette élite. En contrepartie, pour la majorité de la population, c'est la scolarisation dans les réseaux primaire et public qui prévaut. Enfant pauvre du système scolaire jusqu'aux années 60, le réseau public n'offre un enseignement secondaire qu'à partir des années 20 ; il croît lentement par la suite.

C'est ensuite un système sexiste. Les femmes sont exclues rapidement des études secondaires et supérieures. Pour celles qui réussissent à passer les barrières sociales qui se dressent devant elles, dans la volonté de pousser plus loin leurs études, on note une orientation scolaire dirigée principalement vers les ghettos de la formation féminine, soit les écoles ménagères, les instituts familiaux et les autres écoles réservées aux filles. Une petite minorité de ces filles, issues elles-mêmes de l'élite, a accès aux collèges classiques et peut espérer faire des études universitaires. Même là, elles choisissent en bonne partie les lettres et les sciences infirmières, voies de scolarisation ne menant pas à des postes de pouvoir dans la société.

C'est enfin un système confessionnel qui, en raison de la configuration sociodémographique du Québec, sépare le système entre catholiques francophones et protestants anglophones. Le modèle éducatif qui prend place dans le réseau francophone peut être qualifié de théocratique, mettant de l'avant les valeurs religieuses catholiques, s'appuyant sur la défense de la langue française et glorifiant le mode de vie agricole pour le peuple. Dans ces conditions, il n'est pas nécessaire, dans l'esprit des principaux promoteurs de ce réseau, de scolariser la population outre mesure. Une telle conception de l'école n'a pas favorisé la scolarisation des francophones. Dans le réseau anglophone, le modèle éducatif est beaucoup plus libéral et tend à encourager une scolarisation beaucoup plus longue des élèves avec, pour résultat, une population plus instruite et plus apte à faire face aux changements sociaux importants qui se profilent dans le Québec d'après-guerre.

L'évolution du système d'enseignement du XIXe siècle jusqu'aux années 60 s'est faite de manière éclatée. On trouve un grand nombre d'institutions d'enseignement diverses qui donnent des formations très différentes. Même la formation des institutrices et des instituteurs est confrontée à une grande dispersion dans différents centres de formation. Les conséquences les plus immédiates de cette décentralisation du système d'enseignement sont les inégalités dans la qualité de la formation des maîtres comme dans celle de l'éducation offerte aux différents groupes sociaux dans la société.

Le projet de démocratisation de l'enseignement qui prend forme alors ne se fait pas sans remettre en question les privilèges des élites traditionnelles et de l'Église. La réforme scolaire des années 60 vise à fournir justement aux francophones et aux filles des possibilités accrues d'accès à une scolarisation plus poussée. Pour cela, il faut redéfinir les rapports de force des groupes dans la société en mettant en place un État fort et un ministère de l'Éducation capable de centraliser les décisions et de fournir un financement adéquat de toutes les composantes du système d'enseignement. Toutefois, même en perte de vitesse au moment de la réforme scolaire, ces deux grands acteurs sociaux (l'Église et les élites traditionnelles) réussissent à faire valoir leurs principaux intérêts dans la nouvelle structure éducative qui se met en place. Ainsi, la confessionnalité, les institutions privées et l'influence du comité catholique dans le nouveau ministère de l'Éducation sont préservées malgré les grands idéaux réformistes qui s'expriment à cette époque.

Conclusion

À l'aube des années 60, c'est tout le système d'enseignement qui est remis en cause dans ses structures tant administratives et pédagogiques que locales. On souhaite réaménager l'ensemble du champ de l'enseignement de façon à pouvoir s'adapter aux nouvelles exigences économiques et sociales prenant forme dans la société québécoise. Les débats publics autour de l'école laissent présager des changements majeurs qui modifieront les rapports de force entre les grands acteurs dans le champ éducatif. Parmi les idées maîtresses qui font leur chemin dans les enjeux se profilant sur la scène éducative, c'est la démocratisation de l'enseignement qui ressort avec le plus de force. Celle-ci n'est pas possible sans une extension de l'enseignement secondaire, la gratuité scolaire et un financement adéquat de l'ensemble des composantes du système scolaire, mais surtout sans un ministère de l'Éducation capable de centraliser les décisions et les actions, et soutenu par un État fort et légitime.

Le projet politique qui s'élabore à ce moment est favorable à ce que les francophones du Québec prennent en main tous les secteurs de la vie sociale, par l'entremise d'un État fort et en pleine expansion. La Révolution tranquille prend donc la forme d'une modernisation de la société québécoise, issue en partie du nationalisme expansionniste présent dans le Québec d'alors. Le champ de l'éducation bénéficie des effets les plus concrets de cette modernisation de la société, alors qu'une proportion de plus en plus importante de francophones ont la possibilité de préparer une carrière dans le milieu des affaires et de l'administration publique. Outre la création de nombreuses sociétés d'État (Caisse de dépôt et placement du Québec, Hydro-Québec, etc.), qui favorise la mise en place d'une technocratie francophone éduquée, on note la présence de plusieurs étoiles montantes qui feront leur marque dans la finance (Paul Desmarais), l'édition (Pierre Péladeau), les services personnels, l'immobilier, etc. Ce sont aussi les nouveaux diplômés des sciences sociales, notamment les sociologues et les économistes, qui prennent le haut du pavé et qui commencent à influencer de façon significative les politiques de l'État québécois.

Face à des élites traditionnelles en perte de vitesse et à une Église en crise de légitimité, ces nouvelles élites francophones se donneront une école adaptée aux nouveaux besoins de la société québécoise et, surtout, adaptée à leurs propres intérêts. Dans ces conditions, il n'est pas étonnant que la réforme scolaire s'appuie, entre autres choses, sur la nécessité de former une main-d'œuvre capable de relever les défis de la nouvelle société en émergence, et que cette nécessité soit justifiée par les discours économique et sociologique.

QUESTIONS

1. Comment expliquez-vous l'importance du rôle que jouait l'Église catholique, encore jusque dans les années 50, dans la société québécoise francophone et dans l'éducation ?

2. Quels facteurs semblent expliquer le « déclassement » de la hiérarchie catholique au cours de cette période en faveur de l'expansion du rôle de l'État dans un secteur comme l'éducation où pourtant il n'avait jamais auparavant assumé ses responsabilités ?

3. En s'inspirant des différents tableaux, montrez comment se traduisent en inégalités scolaires les inégalités sociales entre anglophones et francophones, entre garçons et filles, entre riches et pauvres. En d'autres mots, comment se manifestait, avant la réforme scolaire, la sélection scolaire en fonction de la langue d'enseignement, du sexe et du statut socio-économique ?

4. Comment se caractérisait la profession enseignante au Québec, vers le milieu du XXe siècle ?

5. La réforme scolaire du Québec des années 60 n'est pas le fruit d'une génération spontanée. Décrivez les événements et les caractéristiques de la conjoncture qui ont joué un rôle important dans son émergence, ses orientations et ses justifications.

CHAPITRE 2
La réforme scolaire
des années 60 au Québec
Au nom de la justice sociale, de la démocratie et du développement économique

Table des matières

Sommaire

Ce chapitre

- met en place les principaux facteurs sociaux de la conjoncture des années 60 favorables à l'émergence de la Révolution tranquille ;

- dégage les grands enjeux autour de la création du ministère de l'Éducation en 1964 et les débats engagés alors entre l'Église, gestionnaire traditionnelle de l'éducation au Québec, et l'État, qui cherchait à occuper un espace politique légitime ;

- permet de saisir les bouleversements qui toucheront les enseignants et les enseignantes au moment où se met en place la nouvelle structure éducative du Québec ;

- met en lumière les principaux éléments du discours sociologique sur les rapports entre l'école et la société, notamment en ce qui touche à la notion d'égalité des chances devant l'école ;

- dégage les fonctions de l'école dans le cadre de la théorie fonctionnaliste ;

- présente les principaux éléments de recherche en économie de l'éducation qui ont servi à justifier, dans les années 60, le slogan « Qui s'instruit s'enrichit ».

La réforme scolaire des années 60 au Québec

Au nom de la justice sociale, de la démocratie et du développement économique

« A-t-on songé que ce système scolaire, tout défectueux qu'il soit, est intimement lié à notre état social, qu'il répond exactement à la conception que notre population possède du travail et de la vie, et qu'avant de penser à réformer sérieusement les écoles, il va falloir opérer le changement des mœurs et des idées ? »

Léon Gérin (1892).

L'analyse que fait Léon Gérin du système d'éducation du Québec à la fin du XIXe siècle pourrait aisément rendre compte de l'état de l'éducation au moment de la réforme scolaire des années 60. Dans la perspective critique des intellectuels et des syndicalistes de la décennie précédente, dans le sillage d'une remise en question des structures et des institutions sociales (telles l'organisation du travail, l'éducation, la santé) et, surtout, dans un mouvement sans précédent de modernisation politique, s'amorce au Québec une période de réforme qui, par son ampleur, prendra l'allure d'une Révolution tranquille.

L'éducation se présente alors comme le fer de lance de cette affirmation de l'État pour et par les Québécois (francophones). La réforme de l'éducation constitue à plusieurs égards une rupture par rapport au passé, et le discours dominant, surtout pendant le débat sur le Bill 60, illustre comment les hommes politiques du temps percevaient la réforme de l'éducation : le symbole en même temps que le gage de la justice sociale et du développement économique. Comme le souligne Bédard, « La réforme scolaire du Québec a aussi constitué un moyen indirect d'établir un nouvel équilibre social, d'instituer de nouveaux rapports entre les forces sociales et de faire naître de nouvelles aspirations chez les Québécois » (Bédard, 1981 : 119).

La volonté de démocratisation de l'enseignement passera notamment par une reconnaissance des particularités des enfants provenant des milieux socio-économiques faibles qui sont toujours, malgré l'accès généralisé à l'école dans les années 60, ceux qui profitent le moins du système scolaire. Dans cette « lutte contre la pauvreté » et dans la croisade contre le décrochage scolaire des enfants des milieux défavorisés, l'idéal d'égalité des chances prendra une grande importance. L'action du ministère de l'Éducation dans ce domaine se concrétisera dans la création et le développement d'un réseau de maternelles.

Les acteurs sociaux et politiques, pour justifier cette réforme en profondeur du système d'éducation et pour appuyer leurs décisions en ce sens, ont puisé dans les interprétations de la sociologie fonctionnaliste, fort importante aux États-Unis dans cette période, et dans la théorie du capital humain, qui s'impose comme la conception économique dominante au début des années 60[1]. Pour les fonctionnalistes, l'école est comprise à la fois comme une instance de socialisation aux valeurs de la société et comme un lieu de sélection en vue de la formation d'une main-d'œuvre qualifiée[2]. Pour les tenants de la théorie du capital humain, il est nécessaire de considérer dorénavant les sommes allouées, collectivement ou individuellement, non plus comme des dépenses mais bien comme des investissements profitables à la fois aux individus et à la société.

C'est donc un changement sinon radical, tout au moins fort libéral dans ses orientations, que la société québécoise s'apprête à faire à l'aube des années 60. Et l'éducation, dans cette nouvelle conjoncture sociopolitique (*voir l'encadré 2.1*), constituera la pierre d'assise du nouveau projet de modernité de la société québécoise. Ce nouveau projet éducatif qui prend forme puisera ses mots d'ordre dans les valeurs dominantes de la période analysée. Pour traduire l'idéal de démocratie et de justice sociale, on parlera d'égalité des chances devant l'éducation ou, en d'autres termes, d'égalité d'accès à l'éducation. Afin de rendre compte de l'apport supplémentaire de revenu et de bien-être tant individuel que collectif que peut procurer l'éducation, on utilisera le slogan « Qui s'instruit s'enrichit ».

---

1. Ces acteurs sociaux et politiques ne peuvent puiser leur inspiration dans les recherches en sciences sociales au Québec puisqu'elles sont peu nombreuses à l'époque. Les travaux en sociologie de l'éducation au début des années 60, par exemple, sont à peu près inexistants au Québec (Bélanger et Rocher, 1975a : 11 ; Dumont et Falardeau, 1960 : 3 ; Bélanger *et al.*, 1973 : 3-7).
2. Dans une perspective plus critique, le projet de réforme scolaire « consacre ce branchement de l'éducation sur les exigences d'un projet de développement (rattrapage) économique : celui-ci passe par la production d'une main-d'œuvre hautement qualifiée, les spécialistes, les experts » (Garon, 1979 : 8).

Encadré 2.1
La conjoncture sociale

Les valeurs de référence, les ressources dont disposent les acteurs de même que les enjeux des interactions sociales ne sont pas indépendants des conditions temporelles dans lesquelles se trouvent les acteurs sociaux.

De même, la culture véhiculée par l'école à travers les contenus des apprentissages et les modes d'action des acteurs et à travers les règles par lesquelles sont organisées les conditions d'apprentissage et d'enseignement (qu'on pourrait appeler les structures ou les politiques d'institutions) ne sont pas intemporelles. Quand nous parlons des acteurs de l'école, nous ne parlons pas d'êtres abstraits, ce sont des personnes qui vivent dans le temps. Il faut retenir que le rapport au temps définit de façon inéluctable la situation des acteurs sociaux. L'école des années 90 n'est pas l'école des années 30.

Quand les sociologues décrivent ou expliquent un fait social particulier, ils n'explicitent pas toujours tous les éléments du contexte ou de l'environnement plus ou moins lointain de l'action, mais leur analyse doit toujours tenir compte de cet espace-temps pertinent à l'action des acteurs. Quand l'analyse porte sur des phénomènes qui s'étendent sur une longue durée, il faut souvent découper ce temps en périodes plus courtes pour situer adéquatement les éléments qui conditionnent l'action des acteurs. L'analyste situe alors le phénomène en question dans la conjoncture sociale.

Le Petit Larousse définit la conjoncture comme « un ensemble d'éléments qui déterminent la situation sociale, économique, etc. à un moment donné », et qui structurent, conditionnent et influencent les pratiques des acteurs sociaux.

Les enjeux et les justifications de la réforme scolaire

Au moment où se met en place le ministère de l'Éducation, l'État assume définitivement la responsabilité du système d'enseignement dans la province et il peut alors réaliser les principaux objectifs politiques et sociaux qu'il s'est fixés. Cette nouvelle création ne s'est pas faite sans heurts. Elle a dû s'appuyer sur un ensemble de justifications propres à convaincre l'ensemble des groupes sociaux en éducation, comme la population en général, de la nécessité de renouveler l'organisation et le financement du système d'enseignement.

Les grands principes de la réforme scolaire se sont basés, d'une part, sur une conception moderne de la démocratie, de la justice sociale, du développement socio-économique et, d'autre part, sur une analyse des besoins futurs en éducation et dans le système économique. Comme le soulignait la Commission Parent dans le premier tome de son rapport, dans la société moderne, le système d'enseignement poursuit trois buts : « donner à chacun la possibilité de s'instruire ; rendre accessibles à chacun les études les mieux adaptées à ses aptitudes et à ses goûts ; préparer l'individu à la vie en société » (Rapport Parent, tome 1, 1963 : 83).

Un enjeu et un rapport de force entre l'État et l'Église : le Bill 60 et la création du ministère de l'Éducation

Devant l'éventualité imminente de la création d'un ministère de l'Éducation, comme le recommande la Commission Parent, l'Assemblée des évêques du Québec met en action l'ensemble de ses ressources afin de s'assurer qu'elle ne perde pas sa place dominante dans le système d'éducation et qu'on ne touche pas «aux droits de l'Église sur les écoles catholiques», comme l'affirmait Mgr Roy dans une lettre adressée à Jean Lesage en 1963 (cité dans Gérin-Lajoie, 1989 : 249). Les évêques souhaitent des changements au Bill 60 et font retarder son adoption par l'Assemblée législative.

En fait, c'est une véritable lutte de pouvoir qui se joue au moment où l'État entend gérer et développer l'ensemble du système d'éducation. Les adversaires de la création d'un ministère de l'Éducation avancent deux arguments afin de démontrer le bien-fondé de leurs inquiétudes :

1. Un tel ministère mènera à l'école neutre, c'est-à-dire non confessionnelle.
2. Un tel ministère favorisera le «contrôle étatique» dans le champ de l'éducation, avec le danger de faire entrer la politique dans l'éducation (Tremblay, 1989 : 122).

Afin de vendre politiquement l'idée et la nécessité d'un ministère de l'Éducation, Paul Gérin-Lajoie, alors titulaire du ministère de la Jeunesse, fait une tournée du Québec au début de l'automne 1963, multipliant les conférences et les rencontres avec divers organismes du milieu. Il publie, au mois d'octobre de la même année, un livre intitulé *Pourquoi le Bill 60*, qui reprend les thèmes qu'il a exploités pendant sa tournée dans la province. Il semble bien que le débat autour du Bill 60 constitue, pour la première fois dans le Québec, un grand exercice de démocratie politique et une occasion de débats populaires sans précédent. Il faut admettre que l'enjeu est de taille. Pour une population habituée à un enseignement religieux depuis fort longtemps, familière au rôle de l'Église en éducation, peu accoutumée aux changements sociaux brusques, la création du ministère de l'Éducation représentait une mutation importante par rapport au passé. Et comme les faits évoluent généralement plus vite que les mentalités (Moliner, 1992), il fallait convaincre cette population de la nécessité de remettre l'éducation entre les mains de l'État, de l'importance de laïciser une partie du champ de l'éducation et de l'urgence d'une refonte en profondeur du système d'enseignement.

Le gouvernement présente de nouveau le Bill 60 en février 1964 – et le ministère sera finalement créé le 13 mai 1964 – non sans y avoir apporté quelques modifications de nature à garantir la confessionnalité des écoles publiques, l'intégrité des institutions privées d'enseignement et les pouvoirs des comités catholique et protestant du Conseil supérieur de l'Éducation dans le système d'enseignement. Ce sont là les principales revendications des évêques du Québec. En fait, les deux grandes confessions dans le système scolaire québécois, les catholiques et les protestants, loin de voir diminuer leur pouvoir dans la nouvelle structure scolaire qui se met en place à la création du ministère de l'Éducation, obtiennent des garanties et des ressources appréciables alors que dans la logique du projet de démocratisation de l'enseignement, c'est l'école commune et ouverte à tous qui aurait dû prévaloir. Il semble bien que l'État n'a pu instaurer son ministère de l'Éducation qu'au prix de la reconnaissance et de la protection accrue des privilèges des confessions catholique et protestante dans le nouveau système scolaire.

Pour bien situer l'enjeu et les débats entourant la présentation du Bill 60 et la création du ministère de l'Éducation, il importe de mettre en ordre chronologique les étapes cruciales de la lutte qui se joue à ce moment entre l'État, porteur d'un nouveau projet social, et l'Église, ouverte à des changements mais tout de même intransigeante quant aux pouvoirs qu'elle entend garder dans la nouvelle structure scolaire proposée. Le 23 avril 1963, la première tranche du Rapport Parent est déposée. Dans ce document, il est recommandé de créer un ministère de l'Éducation et un Conseil supérieur de l'Éducation. Dans l'ensemble, les différents groupes sociaux intéressés de près ou de loin à l'éducation accueillent assez bien ces recommandations. Le gouvernement peut donc procéder sans difficulté. Le 26 juin 1963, il présente à cette fin le Bill 60, qui concrétise les recommandations de la Commission Parent. Or, de manière assez inattendue, le dépôt du Bill suscite de fortes réactions qui forcent le gouvernement à le retirer le 8 juillet 1963. Selon Dion (1966) et Gélinas (1976), cette réaction peut s'expliquer en partie par le fait que les recommandations de la Commission Parent ne constituaient pas en soi un danger alors qu'un texte de loi avait une portée beaucoup plus grande et pouvait entraîner des changements irréversibles. Qui est en faveur de la loi telle qu'elle se présente et qui souhaiterait la voir modifiée ou tout simplement disparaître? En compilant dans deux colonnes les « pour » et les « contre » (*voir le tableau 1*), on observe nettement que les « contre » représentent plutôt une tendance progressiste alors que les « pour » proviennent généralement des milieux plus conservateurs. Au-delà de cette observation, on peut établir deux constats à partir de ce tableau : 1) le poids numérique de ceux qui souhaitent le retrait du Bill 60 est plus élevé que celui des personnes en faveur de son maintien ; 2) le poids politique de ceux qui désirent conserver le Bill 60 tel que présenté à l'Assemblée nationale est beaucoup plus faible que celui des personnes souhaitant son retrait.

Toutefois, selon l'analyse que fait Dion (1966 ; 1967) du débat sur le Bill 60, il y a tout lieu de croire que ce n'est pas l'ensemble des réactions des individus ou des associations qui a obligé le gouvernement à le retirer temporairement, mais bien « des évêques qui seraient privément et secrètement intervenus afin de forcer la main au premier ministre » (Dion, 1966 : 27). Le 16 juillet 1963, donc huit jours après le

Tableau 1

Les associations et les individus pour ou contre le retrait du Bill 60

Pour	Contre
Fédération des collèges classiques	1. Fédération des étudiants libéraux du Québec
Fédération des Sociétés Saint-Jean-Baptiste	2. Association des professeurs de l'Université de Montréal
Corporation des instituteurs et institutrices catholiques du Québec	3. Association générale des étudiants de l'Université de Montréal
Fédération des Commissions scolaires catholiques	4. Presse étudiante nationale, Confédération des syndicats nationaux
Quebec Association of Protestant School Administrators	5. Fédération des travailleurs du Québec
François-Albert Angers	6. Paul-Gérin Lajoie
Yves Prévost	7. Père Henri Bradet
Daniel Johnson (père)	8.
Mgr Cabana	9.
Mgr Maurice Roy	10.
Cardinal Paul-Émile Léger	11.

retrait du Bill 60, le premier ministre Jean Lesage donne avis aux associations et aux individus intéressés qu'ils ont jusqu'au 1er septembre pour lui transmettre leurs suggestions. La campagne du Bill 60, comme on l'a nommée à l'époque, débutera peu de temps après. Devant les protestations au Bill 60, qui sont exprimées un peu partout dans les médias et qui semblent prendre de l'ampleur, le ministre de la Jeunesse et futur titulaire du nouveau ministère de l'Éducation, Paul-Gérin Lajoie, entreprend une tournée du Québec entre le 3 août et le 10 octobre 1963 afin de défendre le bien-fondé du Bill 60.

Avant que le Bill 60 ne soit représenté le 5 février 1964 à l'Assemblée nationale et adopté le 13 mai de la même année, nombre de groupes suggèrent des modifications au Bill afin d'y inclure des garanties touchant la confessionnalité des écoles, les droits des parents, les pouvoirs de l'Église dans la nouvelle structure scolaire et les institutions privées. Toutefois, ce sont les modifications suggérées par l'Assemblée des évêques et des archevêques catholiques de la province de Québec dans une déclaration faite le 29 août 1963, donc à la limite du temps fixé par le premier ministre pour faire des suggestions, qui seront retenues dans la nouvelle version du Bill 60. En fait, ces modifications prendront la forme, pour l'essentiel, d'un préambule à la loi qui confère des garanties aux opposants à la création d'un ministère de l'Éducation, particulièrement à l'Église et aux élites :

> ATTENDU que les parents ont le droit de choisir les institutions qui, selon leur conviction, assurent le mieux le respect des droits de leurs enfants ;

> ATTENDU que les personnes et les groupes ont le droit de créer des institutions d'enseignement autonomes et, les exigences du bien commun étant sauves, de bénéficier des moyens administratifs et financiers nécessaires à la poursuite de leurs fins ;

> ATTENDU qu'il importe d'instituer, suivant ces principes, un ministère de l'Éducation dont les pouvoirs soient en relation avec les attributions reconnues à un Conseil supérieur de l'Éducation, à ses comités catholique et protestant ainsi qu'à ses commissions.

Il importe d'examiner ces trois « attendu » afin de comprendre le rapport de force qui se joue entre l'État et l'Église au moment de la création du ministère de l'Éducation.

- En premier lieu, il est question des droits des parents de choisir les institutions selon leur conviction. Ce principe vise essentiellement à garantir le caractère confessionnel des écoles catholiques. En définitive, c'est un argument idéologique avancé par les évêques pour faire progresser leur cause. En effet, dans l'ancien système scolaire, ces droits des parents comptent pour peu dans le champ éducatif ; ils n'étaient représentés nulle part dans le système d'éducation. Or, le projet de loi qui est présenté par le gouvernement donne justement plus d'occasions de participation aux parents en de nombreux endroits dans le système scolaire.

- Le préambule mentionne également qu'il est possible pour des groupes ou des personnes de créer des institutions d'enseignement autonomes pouvant « bénéficier des moyens administratifs et financiers nécessaires à la poursuite de leurs fins ». On vise ici à protéger et à garantir la pérennité des maisons d'enseignement privé catholiques qui demeurent importantes pour certaines élites assez près idéologiquement de l'Église. Ce principe sera d'ailleurs « largement utilisé par la suite pour justifier le financement public de l'enseignement privé » (Berthelot, 1994 : 54).

- Enfin, dans la dernière partie du préambule, les comités catholique et protestant voient confirmer de manière explicite leur influence sur les écoles, particulièrement « sur les aspects religieux des programmes et la reconnaissance du statut confessionnel des écoles » (Berthelot, 1994 : 54).

En somme, malgré une volonté de modernisation de l'ancien système scolaire, le gouvernement se voit dans l'obligation d'accepter des modifications au projet de loi initial de manière à garantir le caractère catholique des écoles, l'intégrité des écoles privées et le pouvoir de l'Église grâce, en particulier, à la création de comités confessionnels (catholique et protestant) disposant de pouvoirs et de responsabilités propres en matière de religion. Ce réaménagement stratégique dans les plans initiaux du gouvernement aura des conséquences à long terme puisque la confessionnalité des écoles et les institutions privées sont toujours des réalités que les différents groupes dans la société tentent d'aménager selon leur intérêts.

Comment rendre compte de la modification de la première version du Bill 60 dans le sens des recommandations de l'Assemblée des évêques du Québec ? Dans une société qui aspire résolument à entrer dans une phase de modernisation accélérée, quels pouvoirs l'Assemblée des évêques pouvait-elle avoir pour faire pencher la balance en sa faveur ? En fait, peu d'explications peuvent être avancées pour expliquer ce recul politique de l'Assemblée nationale face aux évêques. Tout au plus, des hypothèses permettent d'envisager une certaine compréhension du phénomène. Comme le souligne Gélinas (1976) :

> On peut invoquer plusieurs phénomènes psychologiques susceptibles d'éclairer ce problème, comme un attachement beaucoup plus fort que l'on croyait généralement aux institutions traditionnelles, la crainte des aventures sociales ou encore un affrontement entre « conservatistes » et « progressistes », en entendant par « conservatistes » les défenseurs des valeurs établies et par « progressistes » les partisans de l'innovation, des institutions nouvelles, des valeurs modernes. Mais cette théorie ne rendrait pas compte du fait que la population, dans son ensemble, acceptait un ministère de l'Éducation, reconnaissait à l'État un certain rôle à jouer dans le champ de l'éducation, voulait bien que l'Église exerce une influence moindre en matière d'éducation ; pourtant, elle refusait le projet de loi destiné à instituer un ministère de l'Éducation, elle rejetait le Bill 60. D'où provient cette apparente contradiction ? Elle naît d'une interprétation différente des termes de la loi. Là où le législateur croit respecter les droits des parents, se montrer généreux envers l'Église, s'attribuer un pouvoir nécessaire et limité, les adversaires du Bill voient une violation de ces mêmes droits, une limitation de l'action de l'Église et une concentration de pouvoirs dictatoriaux aux mains de l'État. (Gélinas, 1976 : 117).

Dion (1966) va sensiblement dans le même sens pour rendre compte de la forte capacité de l'Assemblée des évêques dans leurs démarches auprès du gouvernement, en insistant sur la crainte et le respect qu'imposait encore en 1963 cette Assemblée, tant auprès de la population que de ceux qui prenaient des décisions importantes pour la société d'alors. Le gouvernement aurait-il surestimé l'importance que la population accordait à l'idée qu'il était nécessaire de faire des changements majeurs en éducation ? On ne peut répondre clairement à cette question. Toutefois, on peut affirmer que le gouvernement s'attendait à une réaction des évêques au Bill 60 dans la mesure où il entrait de plain-pied dans un champ qui avait été, depuis cent ans, la chasse gardée de l'Église catholique. De son côté, cette même Église n'entendait pas s'opposer véritablement à la création du ministère de l'Éducation dans la mesure où on ne touchait pas au caractère confessionnel des écoles catholiques. Entre la première version du Bill 60 et la seconde, peu de modifications sont apparues dans le projet. En somme, comme le souligne Gélinas (1976), les « deux parties s'entendent facilement sur les termes définitifs du projet de loi ; aucune ne souhaite un affrontement dur ou public. L'Église intervient en des termes respectueux ; le gouvernement s'empresse d'accéder aux demandes des évêques parce qu'il s'y attendait et les jugeait recevables » (Gélinas, 1976 : 152). La « querelle du Bill 60 » réglée, le gouvernement peut continuer son plan de réforme scolaire qu'il justifiera largement en se fondant sur les analyses effectuées par la Commission Parent de 1963 à 1966.

L'enseignement face au développement social et économique

La force de l'analyse de la Commission Parent au début des années 60 réside dans sa capacité à montrer que le système d'enseignement du Québec, tel qu'il s'était constitué depuis le XIXe siècle, ne peut plus répondre aux besoins de la société québécoise des années 60, notamment en raison des nouveaux impératifs de la société industrielle et urbanisée qu'est devenu le Québec.

Le premier grand constat de la Commission Parent touche à l'industrialisation et à la tertiarisation du Québec, et aux nouvelles qualifications qui seront demandées de plus en plus aux travailleurs et aux travailleuses dans un avenir rapproché. En effet, la transformation du monde du travail au début des années 60 laisse entrevoir des changements importants dans les types d'emplois qui seront disponibles dans les années subséquentes. On note, entre autres, que le secteur primaire (activités agricoles et minières) prend de moins en moins de place dans l'ensemble des secteurs d'activités économiques. Le secteur secondaire (transformations), quoique fort important en ce qui a trait aux emplois dans la période analysée, connaît une décroissance en faveur du secteur tertiaire, c'est-à-dire le secteur des services. Or, chacun de ces secteurs fournit des emplois particuliers qui exigent des qualifications précises.

Dans cette société en mutation sur le plan de l'emploi, il s'avère nécessaire de former des individus pouvant occuper les emplois qui seront disponibles lors de leur insertion sur le marché du travail. Ces emplois demandant plus de connaissances scientifiques et des aptitudes à travailler dans un monde où la technologie évolue rapidement. La Commission Parent tire les conséquences de cette évolution en ces termes : « Il faut donc assurer à l'ensemble de la population un niveau d'instruction assez élevé, préparer des cadres pour tous les secteurs et se préoccuper surtout de donner une formation poussée à cette fraction croissante de la population destinée à servir dans le secteur tertiaire » (Rapport Parent, tome 1, 1963 : 70).

Dans ces conditions, si le Québec ne prépare pas les ressources humaines nécessaires aux emplois de demain, c'est tout le développement économique qui risque d'être retardé. C'est pourquoi, parmi les ardents défenseurs d'un système d'enseignement renouvelé, on avance que les dépenses en éducation doivent être considérées comme des investissements qui garantiront le progrès économique et social de la province. Lors de sa tournée du Bill 60 à l'automne de 1963, Paul Gérin-Lajoie utilise cet argument : « Les dépenses en éducation […] ne sont pas du gaspillage. On s'est rendu compte que l'éducation est le moteur de la croissance économique et que toute parcimonie en ce domaine est un pas vers la ruine » (Gérin-Lajoie, 1963 : 34).

Le second grand constat de la Commission Parent touche à l'urbanisation du Québec qui va croissante depuis les années 20. De 1941 à 1961, la population urbaine de la province a doublé. Au moment où la Commission fait son analyse de la situation, trois personnes sur quatre au Québec vivent dans les villes. Pour les commissaires, ce nouvel état social comporte certains dangers que l'éducation plus poussée de la population sera à même de neutraliser. Ainsi, la ville offre un style de vie très différent de celui de la campagne en favorisant de nouveaux modes de relations humaines, des loisirs et des activités particulières, inédites dans la société d'alors. Mais surtout, dans la vision de la Commission, les populations urbaines sont soumises plus que jamais à la publicité, qui stimule la consommation, et au crédit, qui procure les moyens immédiats de consommer. Dans ces conditions, le futur citoyen que le système d'enseignement formera devra être en mesure de faire la part des choses afin d'éviter les écueils de ces réalités nouvelles. Et les commissaires concluent : « C'est dans la mesure seulement où s'élève le degré d'éducation et de culture de toute la population que la publicité peut devenir, selon la conception idéale qu'on peut s'en faire, un grand moyen d'information, et le crédit, un mode rationnel de financement » (Rapport Parent, tome 1, 1963 : 72).

L'explosion scolaire : les effets concrets du *baby-boom*

Outre l'évolution sociale, économique, scientifique et technologique du Québec des années 60, les problèmes concrets liés à la démographie et aux changements dans les mentalités soulèvent des difficultés majeures dans le cadre du système scolaire d'avant la réforme. Deux facteurs se conjuguent alors : 1) une poussée démographique très forte dans l'après-guerre ; 2) une demande accrue chez les parents pour une scolarité prolongée de leurs enfants. Ces deux aspects combinés exigent le développement des équipements scolaires et l'augmentation du financement de l'éducation dans les années 60.

La société québécoise d'après-guerre connaît, comme un certain nombre de pays industrialisés, une explosion démographique, un *baby-boom*[3], qui se traduit

---

3. Selon Ricard (1992), « le *baby-boom* se met en branle dès le moment où les taux de natalité, après avoir connu une baisse substantielle pendant une douzaine d'années [1930-1942], commencent à grimper de façon rapide et marquée, atteignant des niveaux comparables à ceux d'avant la crise [des années 30]. Un tel renversement se produit bel et bien pendant la guerre, plus précisément durant la seconde moitié de celle-ci, aux alentours de 1942-1943. C'est à ce moment-là que le mouvement prend son élan, pourrait-on dire, et qu'éclate cette sorte de prodige démographique qui va durer près de vingt ans » (Ricard, 1992 : 28).

dans les faits par un taux de natalité fort important. Ce taux atteint son niveau le plus élevé en 1947 avec 31,1 naissances pour 1000 habitants (Rapport Parent, tome 1, 1963 : 64). Même s'il diminue de façon constante par la suite, le nombre de naissances en chiffres absolus continue d'augmenter jusqu'en 1960. Ainsi, en 1951, on dénombre 123 000 naissances dans la province et 144 000 en 1959. Ce n'est qu'à partir de 1960 qu'une baisse constante des naissances se fait sentir (Langlois *et al.*, 1990 : 129)[4].

L'explosion démographique aura des conséquences sur le système scolaire, qui connaîtra une expansion considérable. Deux raisons principales sont à retenir pour comprendre ce phénomène. La première, plus évidente, tient au fait qu'un nombre beaucoup plus considérable de jeunes sont susceptibles d'être scolarisés. Ainsi, entre 1960 et 1970, 1 200 000 Québécoises et Québécois atteignent l'âge de 14 ans (Linteau *et al.*, tome II, 1989 : 439). La deuxième raison relève du changement dans le niveau de vie de la population du Québec en général qui voit augmenter, après la guerre, sa capacité de dépenser. En même temps, les mentalités évoluent en ce qui concerne la prolongation des études. De plus en plus de parents envisagent sous un jour plus favorable la scolarité prolongée de leurs enfants, considérant qu'elle est porteuse d'un avenir meilleur que le leur. Dans ces conditions, plusieurs familles se sentent prêtes à investir dans une scolarité prolongée et laisseront leurs enfants à l'école pour le cours secondaire. Ces deux facteurs créent une pression à la hausse sur la demande d'éducation[5].

L'accroissement important des effectifs scolaires au Québec dans les années 60 montre bien concrètement comment se traduisent ces facteurs dans la réalité du système d'enseignement. De 1960-1961 à 1968-1969, ces effectifs passent de 1 266 700 à 1 744 000, soit une hausse de 38 %. Ce sont les effectifs non soumis à la fréquentation scolaire obligatoire qui se sont particulièrement accrus : maternelle, 796 % ; collégial, 193 %. Le taux de scolarisation selon l'âge traduit également les changements qui s'effectuent sur le plan de la fréquentation scolaire dans la période de la réforme scolaire. (*Voir le tableau 2.*)

Ainsi un nombre beaucoup plus considérable d'élèves peuvent effectuer des études secondaires dans les années 60, notamment ceux des milieux socio-économiques faibles, qui semblent profiter du mouvement de démocratisation de l'éducation. Un

---

4. En 1988, par exemple, le Québec enregistre seulement 91 000 naissances.
5. Une étude effectuée en 1964 indique que plus de la moitié des chefs de famille salariés du Québec, comptant en moyenne une 8e année de scolarité, estiment que la 11e ou la 12e année sera nécessaire à un adolescent pour se soustraire au chômage et améliorer sa condition de vie (Fortin et Tremblay, 1964 : 227, cités dans Dandurand, Fournier et Bernier, 1980 : 117).

Tableau 2
Taux de scolarisation selon l'âge, 1961-1962–1966-1967

Âge	Taux	
	1961-1962	1966-1967
5 ans et -	3,8 %	16,6 %
5 ans	52,2 %	73,1 %
14 ans	92,4 %	93,7 %
15 ans	74,6 %	86,0 %
16 ans	50,9 %	68,6 %
17 ans	31,0 %	45,1 %
18 ans	17,5 %	27,1 %
19 ans	10,4 %	16,7 %

Source : Arthur Tremblay (1969 : 27-29).

autre groupe de personnes peu présentes dans le système scolaire d'avant la réforme bénéficie des changements liés à cette réforme. En effet, les filles sont beaucoup plus nombreuses à poursuivre des études secondaires (*voir le tableau 3*).

Tableau 3
Taux de scolarisation par âge et par sexe, 1966 et 1975

Âge	1966		1975	
	masculin	féminin	masculin	féminin
14 ans	94,6	92,8	99,0	99,0
15 ans	87,1	84,8	97,0	97,0
16 ans	72,2	64,9	81,0	81,0
17 ans	51,1	39,0	60,0	62,0
18 ans	32,6	21,6	42,0	38,0
19 ans	20,4	13,3	23,0	19,0
20 ans	10,7	5,7	10,0	7,0
21 ans	5,9	2,2	5,0	3,0
22 ans	2,7	1,0	4,0	2,0
23 ans	1,3	0,6	3,0	1,0
24 ans	0,6	0,3	8,0	4,0

Source : Mireille Lévesque (1979 : 35).

Pour la justice sociale et la démocratie

La réforme scolaire au Québec est guidée par le grand principe de l'accessibilité de tous, jeunes et adultes, à l'école. Pour ce faire, il faut mettre en place « un système d'éducation adapté à la fois aux capacités et aux aspirations des individus, et aux exigences du développement socio-économique et culturel du Québec contemporain » (Tremblay, 1969 : 12). De ce grand principe découlent deux objectifs majeurs de la réforme : 1) la démocratisation du système d'éducation et de son fonctionnement afin d'éliminer graduellement les inégalités de richesse, de situation géographique et d'origine socioculturelle ; 2) la préparation des jeunes et des adultes à la vie par le développement d'un système éducatif adapté aux exigences du développement économique, social et culturel du Québec d'alors.

De manière plus précise, la démocratisation de l'enseignement s'est appuyée sur trois dimensions principales :

1. Assurer à tous, jeunes et adultes, le maximum de formation qu'ils désirent.
2. Tenir compte des aptitudes et des aspirations diverses des personnes.
3. Permettre à chacun un cheminement personnel indépendamment de sa fortune, de sa situation géographique et de son origine sociale.

Ces conditions nouvelles impliquaient une profonde révision du système d'éducation qui avait jusqu'alors favorisé principalement une élite sociale[6]. Bref, le nouveau système d'éducation devait donner à tous des chances égales d'accès à une formation, et ce, jusqu'au niveau universitaire (Tremblay, 1969 : 12-14).

Le système d'enseignement élitiste et sexiste du Québec d'avant la réforme scolaire ne peut donc plus répondre aux exigences de la société qui se met en place dans les années 60, notamment en raison des transformations du marché du travail, de l'explosion scolaire, de la demande accrue de scolarisation de la part des parents, de la transformation des mentalités qui s'exprime, entre autres, à travers les revendications des syndicats et du mouvement des femmes. Outre ces phénomènes, la réforme scolaire au Québec s'est effectuée sur la base de la justice sociale et dans une optique démocratique. La Commission Parent est claire sur ce point : « Le droit de chacun à l'instruction, idée moderne, réclame que l'on dispense l'enseignement à tous les enfants, sans distinction de classe, de race, de croyance ; et cela, de l'école primaire jusqu'à l'université » (Rapport Parent, tome 1, 1963 : 78). Ce droit de tous à une

---

6. Jean-Jacques Simard (1982) parle avec ironie de cette élite sociale formée dans les collèges classiques de l'époque : « Le cours classique prétendait s'adresser à une élite naturelle. Il s'agissait plutôt, on s'en doute bien, d'une minorité sélectionnée pour jouir des privilèges refusés au grand nombre. Attention à l'ordre établi si vous excitez dans le peuple tout entier les virtualités d'épanouissement, de responsabilité, d'autonomie et d'esprit critique ! [...] Puis, au bout du corridor, automatiquement, il y avait l'université et les corporations professionnelles, le noviciat et le clergé, la niche garantie : c'était, enfin, le mode d'emploi » (Simard, 1982 : 420).

instruction ne pouvait se faire sans une démocratisation de l'enseignement, c'est-à-dire un accès à l'enseignement public secondaire et la mise en place de la gratuité des études afin de favoriser la scolarisation des enfants provenant des milieux socio-économiques plus faibles.

Cette redistribution des richesses entre les différents groupes sociaux constituant la société québécoise, puisque c'est cela dont il est question, ne pouvait être possible sans l'intervention d'un État fort et d'un ministère de l'Éducation capable de centraliser et de coordonner efficacement le système d'enseignement, tout en assurant un financement de plus en plus important du champ de l'éducation. De plus, et ce point n'est pas à négliger, il faut revoir en profondeur les modes d'action pédagogique afin de tenir compte des enfants provenant des milieux défavorisés qui constituent une clientèle éprouvant de sérieux problèmes scolaires dans la décennie. L'État, représenté ici par les agents pédagogiques, c'est-à-dire les enseignants et les enseignantes, cherche de nouveaux moyens de «gestion» de ces clientèles dites difficiles. Les «inadaptés», comme on les nomme à l'époque, sont l'objet d'une attention soutenue, mais surtout d'un contrôle jamais vu auparavant par l'entremise d'un «nouveau mode de production pédagogique», qui fait une place très grande à l'élève comme individu responsable.

L'accès généralisé et gratuit à l'école secondaire constitue la première et la plus importante des mesures en faveur des milieux défavorisés dans les années 60. Par là, on vise à contrer les écarts de richesse entre les groupes sociaux afin de rendre matériellement possible la scolarisation prolongée des enfants provenant de ces milieux. La deuxième mesure, tout aussi importante, vise à développer un réseau de maternelles dont la fonction est «de compenser les carences dues à l'origine sociale des enfants et d'amener les élèves à un point de départ relativement équivalent au moment d'entreprendre la course à l'instruction que représente la scolarité primaire» (Hohl, 1980 : 138)[7]. La barrière financière étant levée et les écarts culturels contrôlés, il n'est plus possible, dans l'esprit de certains, d'invoquer ces arguments pour montrer le ca-

---

7. Les «carences dues à l'origine sociale» (ou le handicap socioculturel), même si le langage peut paraître choquant aujourd'hui, constituent un pas important dans la compréhension des milieux défavorisés dans les années 60. C'est un pas en avant puisque les enfants provenant de ces milieux étaient jadis considérés par les mieux nantis comme génétiquement inférieurs ; ils étaient assimilés aux «tarés» dont parle le sociologue Warner en 1963 (*voir pages 83-84*). Dans les années 60, on passe d'une conception biologique des «déficiences scolaires» à une conception sociale, qui s'exprime dans la lutte contre la pauvreté. Les sociologues et les économistes jouent un rôle important dans la mise en évidence de la pauvreté, surtout celle de la population montréalaise, dans les années 60. Grâce au document appelé *Opération : rénovation sociale* (1966), on est en mesure dorénavant de tracer un portrait «scientifiquement» crédible de la pauvreté. Ce document a deux répercussions majeures : 1) il constitue le passage d'une conception morale de la pauvreté à une autre dite scientifique, c'est le passage en somme de la Saint-Vincent-de-Paul aux Affaires sociales, comme le souligne justement Hohl (1980) ; 2) il sert à mieux connaître le rendement scolaire de l'ensemble de la population de la Commission des écoles catholiques de Montréal

ractère sélectif de l'école. Dans la même période, se met en place une valorisation très forte de l'individualité de l'élève qui doit devenir le maître d'œuvre de sa scolarité.

L'action de l'école en milieux défavorisés est surtout le fait de la Commission des écoles catholiques de Montréal (CECM) qui développe, en 1965, le Projet d'action sociale et scolaire (PASS), inspiré fortement par les expériences américaines en milieux défavorisés (*Head Start* et *Follow Through*) (Houle *et al.*, 1985 : 31). Graduellement, la CECM élabore une politique d'action dans les milieux défavorisés qui mène au document intitulé *Politiques de la CECM en milieux défavorisés* (1969) et à la mise en place de la stratégie d'intervention appelée *Opération Renouveau* (Ruimy et Van Dromme, 1978 : 4). Cette opération vise à fournir aux enfants provenant des milieux défavorisés un enseignement compensatoire afin de diminuer les échecs scolaires massifs de ce groupe. L'enseignement compensatoire que l'on entend mettre de l'avant est en fait « une série d'interventions axées sur une approche individualisée de l'enseignement et des "troubles" » (Hohl, 1985 : 79). Concrètement, on met en place l'approche des rythmes scolaires qui permet de classer l'élève selon ses faiblesses et ses forces et, surtout, selon ses aptitudes.

Dans ces conditions, la sélection qui s'effectuait auparavant avant l'entrée à l'école se fait dorénavant au sein même de l'institution scolaire, qui organise de nombreuses filières scolaires répondant aux aptitudes et aux motivations de chacun et de chacune. Comme le souligne Hohl (1980), les nouveaux mécanismes de sélection prennent la forme de voies d'intensité d'apprentissage différenciées (groupes faibles/ groupes forts au primaire ; voie normale, allégée ou enrichie au secondaire ; filière générale ou professionnelle au collégial, etc.).

Dans ce nouvel idéal de l'égalité des chances, se profile un déplacement des formes de sélection auparavant extérieures à l'école vers l'intérieur de celle-ci, où l'élève est désormais responsable de sa scolarité :

> Chaque individu se retrouve ainsi directement investi de la responsabilité de réussir dans un système qui ne semble plus ségrégué socialement. L'« égalité des chances », les « aptitudes individuelles », la « responsabilité personnelle » apparaissent donc comme des corollaires immédiats de la transformation des structures d'accès que signifie pour le système scolaire la volonté politique de démocratisation. Celle-ci va

---

(CECM) en fonction des zones socio-économiques (Hohl, 1980 : 145). Dans cette nouvelle conception « scientifique » de la pauvreté, les familles sont dorénavant scrutées à la loupe. On croit trouver dans les valeurs véhiculées par ces dernières la cause de l'échec scolaire des enfants. En somme, la responsabilité de l'échec scolaire dans cette période incombe désormais à la famille et à l'élève (Lévesque, 1979 : 13). La psychologie aidant, on tente de modifier à grande échelle les valeurs des familles par des ouvrages de vulgarisation comme *Tout se joue avant six ans*, de Fitzhugh, *Votre enfant de 0 à 15 ans : le Dr Spock parle aux mamans*, du Dr Spock ou encore *Parents efficaces* (1976, version anglaise 1970), qui visent à modeler les valeurs des familles sur un modèle scientifique d'éducation des enfants.

directement de pair avec le développement de l'idéologie des « aptitudes », mais aussi des « inaptitudes » et des « inadaptations », leur mise en évidence scientifique et leur consécration institutionnelle par les instruments de la psychologie scolaire. (Hohl, 1980 : 138)[8].

Malgré les intentions louables de ces mesures en faveur des enfants des milieux défavorisés, le classement des élèves selon leurs aptitudes, selon le nouveau mode de production pédagogique en vigueur à ce moment, ne semble pas pouvoir favoriser une réduction des inégalités sociales. Même sur le plan social, il n'encourage pas la mobilité sociale des jeunes issus de ces milieux. Dans les années 70, de nombreux intervenants dans le monde de l'éducation, notamment la CEQ, critiquent fortement ce nouveau mode de production pédagogique.

Le personnel enseignant a-t-il vécu sa Révolution tranquille ?

Tout comme le reste du système d'enseignement au début des années 60, la formation des maîtres est critiquée par nombre d'intervenants dans le champ de l'éducation. On souhaite des changements majeurs afin d'adapter cette formation aux besoins nouveaux de la société qui se met en place. Dans ce domaine, le rôle de la Commission Parent est très important. Pour les commissaires, qui reprennent en cela les critiques des années 40 et 50, notamment celles qui sont faites lors de la Commission Tremblay (1953-1956), on doit transférer la formation des maîtres aux universités afin de rehausser la qualité de la formation des institutrices et des instituteurs.

Le brevet A, équivalent d'un baccalauréat, institué à la suite de la réforme de la formation des maîtres de 1953, ne semble pas avoir résolu les carences dans la préparation intellectuelle et pédagogique des futurs instituteurs et institutrices. C'est le constat de la Commission Parent qui critique particulièrement les écoles normales de filles, qui ne sont pas en mesure de donner un enseignement de qualité en raison de leur dispersion sur le territoire québécois, de leur petite taille et de leur clientèle trop restreinte. Selon les commissaires, au moins la moitié des écoles normales de filles n'offrent tout au plus que le brevet B (Hamel, 1991 : 45). On souhaite, en fait, développer une formation des maîtres sur le modèle américain et sur celui des anglo-

---

8. La mise en place de « l'idéologie des aptitudes » au moment de la réforme scolaire est une conception qui remonte loin dans le temps. C'est lors de la Révolution française (1789) que se développe une conception des aptitudes qui prend forme autour de l'idéal d'égalité. Comme le souligne Bisseret (1971) : « [...] on constate que c'est à partir du XVIIIe siècle que la notion d'aptitude prend de l'importance, au moment où elle s'articule avec les notions de mérite et de responsabilité individuelle, éléments de l'idéologie égalitaire. [...] la notion d'aptitude sert alors progressivement de support à la justification des inégalités sociales maintenues et des inégalités scolaires qui les traduisent et les perpétuent. La nouvelle société et les institutions scolaires étant en effet posées comme égalitaires, la cause des inégalités ne peut alors être rapportée qu'à un donné « naturel ». Cette idéologie justificatrice se renforcera peu à peu en s'appuyant sur les découvertes scientifiques (anthropométrie, première moitié du XIXe siècle ; biologie, deuxième moitié du XIXe siècle ; sciences humaines, à partir de la fin du XIXe siècle) [...] » (Bisseret, 1971 : 317).

protestants de la province, où le caractère universitaire de la formation des maîtres est privilégié, d'une part, et la spécialisation des enseignantes et des enseignants du primaire et du secondaire favorisée, d'autre part.

La réforme scolaire des années 60 est aussi l'occasion de mettre en place une nouvelle conception du rôle des maîtres dans l'enseignement. La Commission Parent fait état de trois aspects qui doivent être présents dans la pratique enseignante. En premier lieu, on tient à mettre l'accent, dans la formation des futurs maîtres, sur l'aspect scientifique de cette formation afin d'éviter la transmission de recettes toutes faites comme c'était souvent le cas auparavant. Dans ces conditions, on veut aussi que le futur maître s'initie «aux méthodes de recherche et d'expérimentation en sciences de l'éducation» (Mellouki, 1989 : 277) : en ce sens, c'est un nouveau savoir-faire que l'on souhaite fournir aux instituteurs et aux institutrices.

Dans la nouvelle conception du maître qui s'instaure, on souhaite en faire «un interprète du système normatif auquel devront se conformer les jeunes» pour qu'il devienne le promoteur de la «hiérarchie de valeurs» de la société (Mellouki, 1989 : 279). La formation universitaire que l'on vise à donner dorénavant aux instituteurs et aux institutrices devrait permettre, entre autres, de rehausser le prestige de la pratique enseignante. On veut en faire un véritable métier au même titre que bien d'autres professions dans la société. Cependant, la Commission Parent exhorte les instituteurs et les institutrices à démontrer que leur formation, leurs pratiques pédagogiques et leur rayonnement social sont à la hauteur du statut professionnel qu'ils réclament (Mellouki, 1989 : 282). Dans cette nouvelle conjoncture, la qualification prend beaucoup d'importance. La mise en place du Règlement n° 4, sur la formation et la certification du personnel enseignant, montre bien les nouveaux enjeux professionnels et sociaux de la qualification pour les instituteurs et les institutrices.

Dans la foulée des réformes scolaires qui se poursuivent après la création du ministère de l'Éducation, l'État met sur pied différents comités pour conseiller le ministre de l'Éducation. Parmi ces comités, le plan de la formation des maîtres est celui où se concrétise pendant un certain temps un rapprochement entre la Corporation des institutrices et instituteurs catholiques (CIC) et l'État[9]. Ce comité s'occupait de redéfinir, entre autres, la certification de maîtres, les critères de reconnaissance des institutions de formation des maîtres et le financement des programmes de formation et de perfectionnement pour les maîtres (Mellouki, 1991b : 51). Tous les syndicats d'enseignants, notamment la CIC, sont très actifs au sein de ce comité, ce qui ne

---

9. Jean-Claude Tardif, dans sa contribution à l'histoire de la CEQ, parle d'une phase d'intégration de la CIC à l'État : en ce qui «concerne la période de 1959-1967, les avis sont unanimes. La C.I.C. s'est intégrée à l'État, aux réformes proposées par le Parti libéral et aux recommandations de la Commission Parent» (Tardif, 1990 : 45).

manque pas de créer une nouvelle dynamique inédite entre les syndicats et l'État. Comme le souligne Mellouki (1991b) :

> Pour la première fois dans leur histoire, les enseignants voient leur travail apprécié et valorisée l'image de leur rôle et de leur statut aux yeux de la société et des gouvernants. On les consulte sur presque tous les aspects de la réforme en cours. On organise pour eux des cours et des stages de formation et de perfectionnement un peu partout dans la province. On tente, en fait, par tous les moyens, de les intéresser, de les mettre dans le coup, de les faire participer à la modernisation des institutions scolaires, des programmes et de la pédagogie. (Mellouki, 1991b : 53).

Cette lune de miel entre l'État et la CIC est toutefois de courte durée. Deux aspects doivent être mis en parallèle pour comprendre la dégradation des relations entre ces deux acteurs dans le débat sur la qualification des maîtres. En premier lieu, en 1966, l'État s'immisce graduellement dans le champ de la négociation collective entre les commissions scolaires et les syndicats des instituteurs et institutrices de la province en imposant ses règles du jeu. La prise de contrôle souhaitée par l'État heurte de front tant les commissions scolaires que la CIC. Cette dernière réagit d'ailleurs fortement par des mouvements de grève.

En second lieu, à partir de 1965, un nouveau groupe de jeunes syndicalistes prend la direction de la CIC avec, à sa tête, Raymond Laliberté. Cette nouvelle faction au sein du syndicat réagit au coup de force de l'État en matière de négociation collective, en développant graduellement un discours radical sur les relations syndicat et État. En fait, ce groupe, au sein de la CIC, fait appel à quelques professeurs de sciences sociales de l'Université Laval afin de les initier à l'analyse sociopolitique de type marxiste.

L'escalade des affrontements entre la CIC et l'État amène ce dernier à adopter, en 1967, le Bill 25 qui suspend le droit de grève et de négociation des enseignantes et enseignants, les oblige à retourner en classe, leur impose une échelle unique de traitement et établit que dans l'avenir la négociation se fera sur un plan provincial, non plus local ni régional comme c'était le cas auparavant (Mellouki, 1991b : 57). Dans ces conditions, la nouvelle tendance au sein de la CIC s'oriente de plus en plus vers la radicalisation. En 1967, la CIC se déconfessionnalise pour devenir la Corporation des enseignantes et des enseignants du Québec (CEQ) et se rapproche du mouvement ouvrier (Anadon, 1989 : 11).

L'analyse de l'école et de la société que fait la CEQ à partir de ce moment la mène à la conclusion que « toutes les tentatives de réformes internes à l'école étaient vouées à l'échec en terme d'équité sociale si elles n'étaient pas accompagnées d'un changement social préalable » (Raymond Laliberté, 1990, cité dans Mellouki, 1991b : 58). Cette pensée mène la CEQ vers une vision critique de l'école qui s'exprimera principalement dans les années 70. Mais surtout, au-delà de son action syndicale, la CEQ développe une action politique visant à aider « les secteurs défavorisés et sans voix de la société » (Anadon, 1989 : 13). L'action pédagogique en faveur des enfants issus des milieux socio-économiques faibles constituera un des champs d'action importants de la CEQ dans les années 70.

Il faut préciser toutefois que cette action politique entre en quelque sorte dans les visées de l'État en ce qui concerne l'action pédagogique auprès des clientèles défavorisées sur le plan scolaire. Il suffit de rappeler le rôle du « nouveau mode de production pédagogique » mis en place à partir de 1965 par l'État qui vise à contrer les échecs scolaires massifs et l'exclusion scolaire des enfants provenant des milieux défavorisés (Hohl, 1980 : 136).

La sociologie et la réforme scolaire

Le nouveau projet de société qui se met en place lors de la réforme scolaire, notamment à travers la modernisation de l'État et la réforme du système scolaire, est largement justifié sur le plan politique à travers les mots d'ordre suivants : démocratie, justice sociale et développement économique. Ce projet plonge ses racines dans les discours scientifiques qui traversent l'Amérique du Nord dans son ensemble et est porté par les nouveaux « mandarins » de l'État québécois. En effet, le gouvernement Lesage, qui veut moderniser l'État au début des années 60, fait appel aux diplômés formés aux sciences sociales. Ces derniers sont nommés à des postes clefs de la fonction publique (Linteau *et al.*, tome II, 1989 : 693). Quel type de société souhaite-t-on alors mettre en place ? Où seront puisés les idées et les modèles qui inspireront les nouveaux gestionnaires de la société ? Et que veut-on changer dans les faits ?

Sociologie et politique sociale

Pour bien mettre en perspective les changements voulus au moment de la Révolution tranquille, il importe de rappeler à quoi ressemble la société québécoise avant les années 60. Comme l'ont montré amplement les sociologues, la société québécoise avant les transformations de la décennie des années 60 se présente comme relativement fermée : on y constate une reproduction étroite des élites, laissant peu de chances aux individus moins bien nantis sur le plan des ressources sociales et économiques de se faire un chemin en vue d'obtenir de meilleures conditions de vie et une place plus enviable dans la société pour ce qui est des revenus et du prestige. Certes, après la guerre, le niveau de vie de la population rurale et urbaine augmente de manière appréciable, mais dans l'ensemble, il demeure difficile pour le fils ou la fille du cultivateur d'embrasser une carrière politique, scientifique ou une carrière dans l'administration publique.

L'école « vieille Europe » d'alors correspondait bien à une société pouvant être qualifiée aisément de la même façon. Comme le disait Émile Durkheim au début du siècle, à « telle société, telle éducation » (Petitat, 1982 : 7). Les élites du temps s'étaient donné une école à leur image, où on retrouvait des rudiments d'un enseignement primaire pour le peuple et un enseignement secondaire et supérieur pour l'élite. Seul ce deuxième type d'enseignement pouvait ouvrir les portes de l'université et donner accès à des positions sociales prestigieuses, lucratives et procurant du pouvoir. En somme, dans cette société, la mobilité sociale (*voir l'encadré 2.2*) des personnes est faible, voire inexistante pour certaines catégories de la population. Un certain nombre d'individus provenant des milieux socio-économiques faibles peuvent, grâce aux bons soins du curé de la paroisse et des communautés religieuses, faire des études et s'élever au-dessus de leur condition d'origine. Pour les autres, l'origine sociale modeste marque pour la vie leurs conditions d'existence et leur style de vie. En définitive, dans cette société, la réussite sociale était fortement influencée par l'origine sociale qui ne favorise pas la circulation des individus d'une position sociale à une autre. En d'autres termes, à la société fermée de l'époque correspondait une école fermée, c'est-à-dire une école favorable aux enfants des classes au pouvoir qui pouvaient espérer faire des études supérieures, et défavorable aux enfants des classes exclues du pouvoir qui n'avaient droit généralement qu'à des rudiments de formation élémentaire.

Encadré 2.2
La mobilité sociale

« Au niveau le plus général, convenons d'entendre par mobilité sociale tout *trajet* accompli dans *l'espace social* par des *individus* isolés ou formant des groupes. Loin donc que d'être un banal changement de catégorie à l'intérieur d'une classification, elle renvoie dans son principe au système de relations unissant acteurs et système social ; les comportements régis par les valeurs des premiers, leurs stratégies, fonctions de leur appréciation des circonstances, y interagissent avec la structure sociale en s'inscrivant dans sa complexe hiérarchie. Dans toute société, il existe en effet une hiérarchie organisée des positions détenues par les individus et les groupes sociaux. De cette structure des différences sont issues les inégalités sociales. »

Extrait de Pierre Weiss,
La Mobilité sociale (1986 : 8-9).

Plus concrètement, la mobilité sociale est donc le passage effectué par un individu (ou un groupe) d'un statut socio-économique ou socio-professionnel à un autre, et ce, surtout grâce à l'acquisition des comportements, des biens prestigieux, de l'échelle de valeurs propres à cette nouvelle position dans l'échelle de la stratification sociale (Boudon, 1973a : 7). On parle alors de mobilité ascendante pour indiquer une amélioration du statut social et de mobilité descendante pour indiquer une détérioration.

Ex : un enfant de parents ouvriers qui deviendrais medecin mais ce n'est pas necessairement individuelle mais peux être collectif.

Le projet de modernisation de la société québécoise se fait donc contre ce type de société fermée. Vu sous un autre angle, c'est un idéal d'égalité entre les membres de la société qui est promu. On souhaite mettre en place une société ouverte qui commande, par conséquent, une école ouverte, accessible à tous. La Commission Parent, face à ce problème, circonscrit un des rôles importants de l'école dans la nouvelle société que l'on veut aménager. En effet, pour les membres de la Commission :

> L'idéal d'égalité entre les citoyens rencontre des obstacles de milieu, de classe ; des barrières sont inscrites dans les structures économiques, politiques et sociales. La conscience moderne refuse de plus en plus que ces inégalités et ces barrières subsistent, et surtout qu'elles soient en quelque sorte consacrées dans les structures de l'enseignement. Dans le passé, les systèmes d'enseignement ont presque toujours et partout favorisé une petite portion de la population, accentuant plus encore les différences sociales et économiques pré-existantes. Mais l'éducation apparaît aujourd'hui comme un des moyens de réaliser cet idéal d'égalité entre les hommes. (Rapport Parent, tome 4, 1966 : 13).

Ici comme ailleurs, les idées et les modèles qui servent à ce renouvellement des structures sociales et scolaires ne relèvent pas de la génération spontanée. Ils sont en bonne partie élaborés à partir des influences venues de l'extérieur, notamment de la société américaine qui, sur le plan de la démocratie sociale et scolaire, connaît depuis déjà les années 50 des avancées substantielles. Le modèle de société américaine constitue une des principales références de la société québécoise. À quoi ressemble cette société américaine dans les années 50 et 60 ?

C'est bien connu, les Américains ont une vision idéalisée de leur société. Et les sociologues américains, qui ont une influence importante sur les décisions politiques et économiques dans leur communauté respective depuis les années 30[10], se font les

---

10. Lorsque la Western Electric de Chicago connaît des problèmes de productivité dans les années 20 et 30, on fait appel à des sociologues et à des psychosociologues. Sous la direction d'Elton Mayo, les recherches qui sont menées à ce moment, plus connues sous l'appellation d'« études Hawthorne », servent de base au développement du courant des relations humaines dans les milieux de travail dans les années 40 et 50. Les résultats de ces études ont fait l'objet d'une publication importante, *Management and the Worker* (1939), par F. J. Roethlisberger et W. J. Dickson (Etzioni, 1971 : 64-65). Après la Seconde Guerre mondiale, lorsque le gouvernement américain se demande comment traiter les Japonais après leur défaite, il commande une étude sociologique qui mène à la publication du livre de Ruth Benedict, *Le Chrysanthème et le Sabre* (Aron, 1959 : 60). Lorsque l'administration militaire américaine cherche à mieux comprendre ses troupes, c'est encore à des sociologues que la tâche est confiée. Les résultats de recherche mènent à une importante publication, *Le Soldat américain* (Aron, 1959 : 61). Lorsqu'en 1963 l'armée américaine tente de développer un programme contre-révolutionnaire visant à contrer les tendances marxistes croissantes en Amérique latine, nombre de sociologues, parmi les plus prestigieux de surcroît, sont sollicités. Connue sous le nom de « projet Camelot », cette tentative est finalement abandonnée en raison de l'imbroglio politique qu'elle crée lorsque les sociologues de la gauche sud-américaine (les Chiliens notamment) découvrent le projet (Herpin, 1973 : 148). Les idées maîtresses de la sociologie ne restent pas enfermées dans les grandes arcanes du savoir des universités. Il existe une littérature aux États-Unis pour « public cultivé », sous la rubrique *Non-Fiction*, qui exploite des thèmes empruntés aux sciences humaines en général et à la sociologie en particulier. On peut penser, entre autres, aux livres d'Alvin Toffler, *Le Choc du futur* ; Vance Packard, *Les arrivistes* ; Michel Crozier, *Le Mal américain*, etc. (Herpin, 1973 : 48).

meilleurs traducteurs de cet idéalisme. Dans la représentation dominante de la société américaine, on note l'idéal d'une *société ouverte* garantissant *l'égalité des chances* à tous et où chacun a la possibilité d'accéder à la *réussite sociale* (Cuin, 1993 : 40). L'essentiel des valeurs américaines, l'*American Creed*, se trouve dans ces trois notions. C'est cette représentation que les sociologues fonctionnalistes, dominants dans la sociologie américaine des années 40 et 50, vont légitimer scientifiquement à grands renforts d'études et de modèles théoriques[11].

Les inégalités sociales et l'égalité des chances devant l'éducation

Pour la sociologie fonctionnaliste, il n'existe pas de société sans stratification (*voir l'encadré 2.3*), c'est-à-dire sans un système d'inégalités de prestige et d'estime entre les individus composant une collectivité. Ces inégalités sont dites nécessaires parce qu'elles assurent la survie du système social et qu'elles favorisent son bon fonctionnement. En conséquence, toute société doit, d'une part, trouver les moyens d'attribuer à ses membres les diverses positions sociales contribuant au maintien et au développement de la société, et, d'autre part, rattacher à ces positions sociales les ressources politiques, sociales et économiques propres à motiver les individus à accomplir le mieux possible les tâches et les devoirs se rattachant à ces positions. Pour Davis et Moore (1945), qui défendent cette position, la société doit donc établir un système stable de récompenses et d'incitatifs encourageant l'accomplissement des tâches nécessaires au maintien du système social :

> L'inégalité sociale est donc un dispositif que les sociétés ont établi de façon inconsciente dans le but de garantir que les fonctions les plus importantes seront consciencieusement remplies par les personnes les plus compétentes. Ainsi, toute société doit créer [...] des distinctions de prestige et d'estime entre les personnes et par conséquent doit maintenir un certain niveau d'inégalité institutionnalisée. (Davis et Moore, 1945 : 48, cités dans Laurin-Frenette, 1978 : 171-172).

Selon Melvin Tumin (1967), les positions sociales sont jugées sur un ensemble de critères (pouvoir, revenu, responsabilités, prestige, etc.) et font l'objet d'une comparaison afin d'établir une hiérarchie des positions. En fait, les positions sociales sont hiérarchisées en fonction des qualités personnelles qu'elles demandent et selon les aptitudes à acquérir pour les occuper. La hiérarchisation des positions permet donc de repérer les « bonnes personnes pour les bonnes positions » en établissant les qualités et la formation requises pour chaque position (Laurin-Frenette, 1978 : 188). Tumin (1967) précise :

> La hiérarchisation permet principalement de trouver plus facilement les personnes que requièrent les diverses positions sociales. La définition des tâches par

---

11. C'est aussi cette représentation que Michel Crozier nomme un idéal de perfection illusoire (Crozier, 1981 : 8).

Encadré 2.3
La stratification sociale

« Le terme de "stratification sociale" est pour le moins ambigu car il désigne bien des choses et, entre autres, à la fois un processus et son résultat.

« S'il fallait risquer une définition, on pourrait dire que la "stratification sociale" est la partie de la sociologie qui s'intéresse aux inégalités. Il faut toutefois préciser tout de suite que les inégalités dont le sociologue s'occupe sont, par définition même de sa discipline, "structurées socialement", c'est-à-dire qu'elles doivent pouvoir être rapportées à l'organisation de la société, à son évolution et aux places que peuvent ou doivent y occuper les personnes.

« Dresser un bilan des connaissances en matière de stratification sociale risque donc finalement de se confondre avec l'examen de la sociologie dans son ensemble car il n'y a guère de recherches empiriques dans lesquelles les individus ne soient "situés" socialement, ni de réflexions sur la société qui ne s'interrogent, ou ne conduisent à s'interroger, sur son organisation inégalitaire. De sorte que "stratification sociale" et "structure sociale" sont souvent traitées comme synonymes. »

Extrait de Yannick Lemel,
Stratification et mobilité sociale (1991 : 4).

« Bien que la plupart des sociologues contemporains parlent plus volontiers de stratification sociale que d'inégalité sociale, il s'agit bien là de deux expressions synonymes. Parmi les nombreuses définitions qui en ont été données, il est bon de préciser que par stratification sociale, nous entendons la répartition de tout groupe ou société sur une échelle de positions. La hiérarchie entre ces positions est fondée sur quatre critères : le pouvoir, la propriété, l'évaluation sociale et/ou la gratification psychique.

– Le pouvoir désigne la capacité d'atteindre son objectif dans la vie, à l'encontre même d'une éventuelle opposition.

– La propriété représente l'emprise que s'assure un individu sur les biens et les services.

– L'évaluation sociale est le jugement par lequel une société accorde plus de prestige, d'honneur ou de popularité à telle position ou tel statut, et d'une manière générale, les préfère à d'autres pour l'une ou l'autre raison.

– La gratification sociale, enfin, recouvre toutes les sources de plaisir ou de satisfaction qui ne répondent pas aux trois concepts précédents de propriété, de pouvoir et d'évaluation. »

Extrait de Melvil Tumin,
La Stratification sociale (1967 : 31-32).

---

le degré d'aptitude et de talent requis, le niveau d'éducation nécessaire et les qualités personnelles souhaitables, permet de sélectionner et de distribuer rationnellement la main-d'œuvre et de lui donner une formation adéquate. (Tumin, 1967 : 20-21, cité dans Laurin-Frenette, 1978 : 188).

En somme, l'intérêt d'un individu coïncide avec celui de la société, « sa valeur personnelle avec sa valeur sociale » (Laurin-Frenette, 1978 : 175) ou, en d'autres mots, les motivations individuelles tendent à se conformer aux exigences du système social (Mellouki, 1983 : 154). Pour qu'une telle société fonctionne sans heurts, elle doit être fondée à la fois sur un système de valeurs communes qui fait office de lien entre tous les membres de la communauté et sur des mécanismes qui permettent aux individus, selon leurs aptitudes et leurs motivations, de changer de position sociale afin d'améliorer leur sort : l'école est ce mécanisme par excellence puisqu'elle permet à la fois de socialiser tous et chacun au système de valeurs communes et d'acquérir la formation nécessaire à l'acquisition des compétences si importantes pour le maintien du système social.

Pour Davis et Moore (1945), le moteur du développement social réside dans le partage de valeurs et de buts communs qui unissent les membres d'une société. Ce système de valeurs communes est à leurs yeux essentiel à l'unité et au fonctionnement de la société :

> L'unité de la société humaine repose sur une communauté de fins et de valeurs fondamentales. Même si ces fins et ces valeurs sont subjectives, elles influencent le comportement et leur intégration permet le fonctionnement de la société en tant que système. (Davis et Moore, 1945 : 48, cités dans Laurin-Frenette, 1978 : 174).

L'idéal de société ouverte fait partie intégrante du système de valeurs américain ; cet idéal a comme corollaire la mobilité sociale qui permet aux individus de passer d'une position sociale (par exemple, fils d'ouvrier) à une autre (par exemple, cadre intermédiaire dans l'administration publique). En fait, la mobilité sociale occupe « une place stratégique parmi les valeurs américaines » (Reissman, 1963 : 284, cité dans Cuin, 1993 : 33). Cette idée rend compte à la fois de l'idéal de réussite sociale et de celui de la réalisation personnelle qui forment la base du consensus des Américains autour de leur système de valeurs. Plus précisément, l'idéal de la réalisation personnelle commande que toute personne puisse jouir de la liberté individuelle nécessaire à l'atteinte des buts qu'elle s'est fixés alors que l'idéal de réussite sociale implique que tous puissent jouir des conditions nécessaires à l'atteinte de cet idéal, donc l'égalité d'individus libres. Or, appliqués de façon stricte, ces deux idéaux entrent en contradiction.

D'une part, la liberté individuelle d'entreprendre et de réussir mène à une inégalité sociale entre individus, dans la mesure où s'établit rapidement la prédominance de certains dans un système de libre compétition économique, sociale et politique. D'autre part, la réalisation intégrale de l'égalité sociale est en porte-à-faux avec l'utilisation pour chacun d'une liberté totale, puisqu'elle doit nécessairement restreindre la capacité d'entreprendre et de réussir afin d'assurer à tous des conditions favorables de réalisation personnelle et de réussite sociale. Dans cette perspective, « la liberté de chacun et l'égalité de tous sont donc radicalement incompatibles dans une société réelle » (Cuin, 1993 : 36).

Le compromis américain entre ces deux grands idéaux se concrétise dans la notion d'égalité des chances (*equality of opportunities*). Ainsi, dans une société d'individus libres d'entreprendre et de réussir, chacun, par le développement de ses aptitudes personnelles et dans des conditions égales, peut concrétiser son idéal de réalisation personnelle. L'égalité des chances doit cependant aller de pair avec une société ouverte où l'on ne rencontre pas d'obstacles à la réalisation des désirs personnels légitimes. C'est par l'institution scolaire que sera réalisé en majeure partie cet idéal d'égalité des chances permettant de concilier les inégalités sociales de fait et l'idéal d'égalité. Dans ces conditions, cet idéal d'égalité se concrétise dans la mesure où on offre à tous la possibilité de s'instruire en donnant par là même des chances égales à chacun de réaliser son plein potentiel. Par le jeu de la compétition scolaire, l'école est à même de sélectionner les plus méritants pour les postes les plus prestigieux, c'est-à-dire ceux qui ont su développer les aptitudes et les compétences nécessaires au fonctionnement de la société. En somme, en égalisant les chances d'accès à l'éducation, on augmente, pense-t-on, les probabilités d'ascension de la population en général, notamment des élèves provenant de milieux défavorisés. L'égalité des chances devant l'éducation serait donc, dans une telle perspective, la meilleure garantie de mobilité sociale et un passeport vers une plus grande démocratisation de la société. Sur le plan des revenus, les écarts salariaux entre les membres d'une société devraient graduellement s'atténuer.

Talcott Parsons (1949 ; 1970) a le plus formalisé la pensée fonctionnaliste dans ce domaine ; il affirme que l'égalité sociale doit passer par une égalité des chances :

> [...] la communauté sociale moderne doit être à la base une « société d'égaux » et ainsi, autant que possible, l'inégalité légitime doit correspondre à l'égalité des chances pour tous les individus d'entreprendre la conquête des récompenses différentielles liées aux accomplissements et aux statuts inégaux, lesquelles doivent être justifiées par l'argument de la contribution fonctionnelle au développement et au bien-être de la société. (Parsons, 1970 : 24, cité dans Laurin-Frenette, 1978 : 156).

L'égalité des chances ainsi comprise permet donc de contrer l'inégalité sociale de fait et contribue au maintien du système social. Pour Parsons, cette « société d'égaux » peut être réalisée par l'accès généralisé à l'éducation qui permet une démocratisation générale de la culture. En conséquence, l'école devient une institution centrale pour le système social, en favorisant l'intériorisation des valeurs communes (*voir l'encadré 2.4*) par chaque individu et une sélection des meilleurs sur la base de leurs aptitudes et de leur motivation. Il y a donc pour tous et chacun une possibilité de changer de position sociale, de s'élever dans la hiérarchie des positions sociales, donc une possibilité de mobilité sociale, condition indispensable d'une société ouverte où chacun peut espérer réussir socialement, grâce à ses accomplissements, tout en se réalisant personnellement.

Encadré 2.4
L'acteur social chez les fonctionnalistes

« L'acteur est défini non pas par des relations, par des rapports aux autres, par des positions de pouvoir, par les buts autonomes poursuivis, par la recherche rationnelle des moyens… mais par l'intériorisation de la société. Dans un tel cadre, " les faits sociaux sont extérieurs à l'individu et sont doués d'un pouvoir de coercition en vertu duquel ils s'imposent à lui ". L'acteur social est sujet de l'intégration du triple point de vue théorique, anthropologique et méthodologique. »

Extrait de Émile Durkheim,
Les règles de la méthode sociologique (1963 : 5).

« L'ensemble des normes et des valeurs qui définissent les relations en quoi consiste la société sont intériorisées, et de ce second point de vue, fournissent aux membres de ladite société la structure de la personnalité. »

Extrait de Talcott Parsons,
Éléments pour une sociologie de l'action (1955 : v).

Les fonctions de l'école dans le cadre fonctionnaliste

Dans le cadre d'analyse fonctionnaliste, les plus méritants ont accès aux positions sociales les plus prestigieuses. Comme le dit Parsons : le « principe fort simple est que la récompense est proportionnée au mérite » (Parsons, 1955 : 280, cité dans Laurin-Frenette, 1978 : 144). Qui sont ces plus méritants ? Ce sont ceux qui ont le mieux intégré les valeurs communes de la société et qui ont su se démarquer des autres par le développement d'aptitudes et de compétences nécessaires au bon fonctionnement du système social. L'école constitue un instrument important pour atteindre ces buts à travers deux fonctions particulières : 1) la fonction de socialisation aux valeurs communes ; 2) la sélection des individus selon leurs motivations et leurs aptitudes[12]. En somme, l'école permet, d'une part, de « former une main-d'œuvre différemment qualifiée et, d'autre part, [fait] en sorte que les individus ainsi formés consentent à occuper les places pour lesquelles ils ont été préparés et admettent, par voie de conséquence, d'être inégalement gratifiés » (Mellouki, 1983 : 133).

La fonction de socialisation

Pour Davis et Moore (1945), l'intégration par les individus des valeurs communes à la société est une condition nécessaire au fonctionnement de la société. L'école est le

---

12. Dans la perspective fonctionnaliste, les fonctions de l'école sont similaires à celles de la stratification (les inégalités sociales institutionnalisées). Ainsi, pour Barber (1957), la stratification sociale assume une double fonction, soit celle d'intégration aux valeurs communes de la société et celle de distribution des récompenses à ceux qui s'acquittent de tâches importantes pour la survie du système social (Laurin-Frenette, 1978 : 186).

lieu privilégié pour Parsons (1959) de cette intégration : elle « est un milieu essentiel à la motivation économique, à la rationalité et aux valeurs typiques de la société industrielle » (Rocher, 1972 : 186). Elle doit également faire en sorte que tous et chacun intériorisent les valeurs de productivité, de performance et d'évaluation différenciée qui permettent aux individus d'accepter la place qui leur sera dévolue dans la société, quelle qu'elle soit, en fonction de leur mérite.

La socialisation scolaire repose sur trois composantes importantes dans l'approche fonctionnaliste. En premier lieu, elle est l'acquisition de la culture commune à la société dans laquelle l'enfant vit. En deuxième lieu, elle permet l'intégration de ces valeurs à la personnalité ; en ce sens, la culture commune devient comme une seconde nature. En troisième lieu, elle favorise l'adaptation à l'environnement social, c'est-à-dire l'acquisition d'un sentiment d'appartenance à la collectivité et un alignement de la conduite sur celle des autres (Trottier, 1983 : 88). En ce sens, la socialisation scolaire a une « fonction essentiellement conservatrice de maintien de la culture d'une société » (Cloutier, 1983 : 82).

La fonction de sélection

Pour Tumin (1967), la sélection sociale, qui sépare les individus en fonction de leur niveau d'éducation, leur degré d'aptitude et leurs qualités personnelles, permet « de distribuer rationnellement la main-d'œuvre » sur le marché du travail[13]. C'est sensiblement dans le même sens que Parsons (1959) conçoit la deuxième fonction de l'école, à savoir que « l'école agit comme canal d'allocation ou de distribution du capital humain vers les divers et multiples emplois de la société industrielle » (Rocher, 1972 : 186). Afin de remplir sa mission dans l'allocation de la main-d'œuvre, l'école doit pouvoir sélectionner les individus selon leurs aptitudes et leur motivation à s'acquitter des emplois qui leur seront accessibles dans la structure socioprofessionnelle. Les emplois les plus exigeants (en ce qui a trait à la responsabilité, à la complexité, etc.) seront logiquement dévolus à ceux et celles qui atteignent les plus hauts niveaux de formation scolaire (Mellouki, 1983 : 133), donc à ceux qui les auront mérités.

Il y aurait ainsi une concordance entre la hiérarchie scolaire et la hiérarchie des professions sur le marché du travail qui modifierait la hiérarchie des inégalités sociales de départ. L'accès généralisé aux études, gage de démocratie, permet à tous de partir sur un pied d'égalité (égalité des chances), ce qui vient amenuiser les inégalités sociales de départ. C'est par la compétition scolaire que seraient départagés

---

13. La conception de la fonction de sélection de l'école n'est pas vraiment une idée neuve dans la pensée fonctionnaliste. Par exemple, Pitrim Sorokin (1927) disait que « l'école est en effet appelée à jouer un rôle de plus en plus exclusif et renforcé d'évaluation, de sélection et de distribution sociale des individus dont l'origine familiale jouerait ainsi un rôle de plus en plus réduit et, donc, de moins en moins déterminant pour l'orientation des carrières individuelles » (Sorokin, 1927, cité dans Cuin, 1993 : 77).

les « talents naturels » propres à remplir correctement les différentes tâches nécessaires au fonctionnement de la société. Comme il est souhaitable pour tous, dans le système de valeurs américain, de se conformer aux valeurs communes et de faire en sorte d'être les plus méritants possibles, il s'ensuit que la stratification tendrait à disparaître par une généralisation du prestige et des récompenses sociales. Par l'égalité des chances scolaires, on pourrait donc penser atteindre l'égalité sociale si importante dans le système de valeurs américain. En somme, le concept d'égalité des chances appliqué à l'éducation « traduit à la fois une préoccupation de justice sociale, la nécessité de préparer les individus à assumer des fonctions sociales, la nécessité d'assurer le développement intégral de la personne et le souci de développer au maximum le corps social tout entier » (Lévesque, 1979 : 17). Comme le souligne Laurin-Frenette (1978), dans la pensée fonctionnaliste, seuls « quelques individus tarés, dont Warner (1963) décrira avec force détails l'immoralité, la paresse et l'absence de sens civique, ne participent pas à cette abondance pourtant placée à portée de la main » (Laurin-Frenette, 1978 : 149).

Oui mais, les théories fonctionnalistes...

Les critiques du fonctionnalisme sont nombreuses (par exemple : Mills, 1967 ; Touraine, 1965 ; Lapierre, 1977) et touchent différents aspects de cette théorie qui a connu ses heures de gloire dans les années 50 aux États-Unis. La première de ces critiques, et peut-être la plus évidente, se formule ainsi : ce cadre d'analyse de la société minimise les tensions et les conflits dans la société pour mettre l'accent sur le consensus et l'ordre social, ce qui est peu propice à une analyse sur le changement social (Durand, Weil et Bernoux, 1989 : 105-106 ; Trottier, 1987a : 6). Même pour les observateurs peu habitués à l'analyse sociale, cette représentation de la société ne rend pas compte des tensions plus ou moins présentes selon les périodes entre les groupes sociaux constituant une société. Il s'agit, par exemple, de voir comment au Québec le dépôt du Bill 60 a créé une polarisation des forces autour de la création imminente du ministère de l'Éducation. Cet épisode de la réforme scolaire a été analysé en profondeur par Léon Dion (1967). Même pour certains tenants de l'approche fonctionnaliste, notamment celle de Parsons, « l'analyse du consensus aurait dû être complétée par celles des conflits. [...] la sociologie parsonienne [tient pour acquis] l'existence de valeurs et de normes, sans s'interroger sur leur origine [...] » (Rocher, 1972 : 225).

Les fonctionnalistes ne nient pas qu'à la base de la société les gens soient inégaux sur le plan des ressources matérielles et culturelles, mais ils ne croient pas pouvoir changer cet état de fait qu'ils considèrent comme un phénomène « naturel ». Toutefois, dans une société libérale et démocratique, les tenants de cette approche considèrent que l'égalité dans le droit d'accès à l'école vient contrebalancer les inégalités sociales de départ. Par le jeu de la compétition scolaire, les plus méritants pourront s'élever au-dessus de la masse et espérer ainsi obtenir les meilleures positions sociales par la suite. En somme, dans ce cadre d'analyse, le diplôme serait le résultat de l'intelligence, des aptitudes et des motivations de chacun. Un tel raisonnement, pour séduisant qu'il soit, pèche par omission dans la mesure où il escamote le fait que l'acquisition d'un diplôme dépend aussi d'un ensemble de facteurs qui ne sont reliés ni à l'intelligence ni aux aptitudes pas plus qu'aux motivations des personnes. L'origine sociale des élèves (milieu de vie, milieu familial) est aussi une variable importante pour comprendre la trajectoire scolaire d'un élève. Les théories conflictualistes des années 70 tenteront de montrer sur de nombreux plans l'effet majeur de l'origine sociale sur la possibilité de poursuivre des études à des niveaux supérieurs.

Dans le cadre de l'analyse fonctionnaliste, on laisse croire que l'égalité des chances devant l'école va entraîner graduellement l'égalité sociale. Comme le souligne Laurin-Frenette (1978) au sujet des analyses de la structure sociale de Parsons, dans « la société américaine, tout le monde devient si méritant, se conforme si correctement et spontanément aux valeurs que la stratification tend à disparaître par une suite d'abondance générale de prestige et de récompense » (Laurin-Frenette, 1978 : 149). Or, la logique de distribution des diplômes dans une société n'est pas la même que celle de la distribution des emplois sur le marché du travail : il s'ensuit que des écarts notables peuvent être observés entre ces deux instances, entraînant des situations où nombre de diplômés ne peuvent trouver à vendre dans le monde du travail les compétences acquises sur le marché scolaire.

Tout compte fait, l'analyse fonctionnaliste de la société s'apparente à un discours idéologique qui tend à confirmer la vision que les Américains eux-mêmes ont de leur société. Ce qui est souhaitable dans ce cadre d'analyse devient « fonctionnel » et hautement important pour la survie du système social. On écarte ce qui est non ajusté aux « valeurs communes » et on le rejette comme « dysfonctionnel ». On désire préserver ce qui est tenu pour une « réponse à un besoin ». Ce que les faits ne révèlent pas mais qu'on veut promouvoir est dit « latent ». Comme le souligne Conen-Huther (1984), ces « exercices de traduction achèvent de brouiller les cartes. On peut de cette manière conférer une certaine respectabilité scientifique à n'importe quel point de vue partisan » (Conen-Huther, 1984 : 99). Un critique radical de la théorie parsonienne considère même que l'ouvrage le plus important de Parsons, *The Social System* (1955), est constitué à 50 % de verbiage, à 40 % de concepts déjà traités dans les manuels de sociologie et, quant aux 10 % restants, c'est de l'idéologie « somme toute assez vague » (Mills, 1967 : 52).

L'économie et la réforme scolaire

Un des grands objectifs de la Révolution tranquille (*voir l'encadré 2.5*), inspiré par le nationalisme, vise à améliorer le statut socio-économique des francophones en favorisant une meilleure qualité de vie de ce groupe. Dans le projet politique des décideurs d'alors, c'est par une scolarisation plus poussée des francophones que ces buts pourront être atteints. En somme, on cherche à favoriser une plus grande participation des francophones à l'économie de la province, eux qui n'y avaient pas participé pleinement pendant très longtemps[14].

Dans ce contexte, le développement de l'État québécois dans les années 60 est perçu comme « un instrument au service des intérêts des Canadiens français » (Linteau *et al.*, tome II, 1989 : 462). Par la théorie du capital humain, on justifie ce projet nationaliste selon lequel les francophones se prennent en main grâce à la scolarisation. La Commission Parent, qui considère que la société québécoise évolue vers le développement technologique, pense que celle-ci « exigera des sommes considérables pour fins d'enseignement ; mais ce sont plutôt des investissements que des dépenses ; car l'enseignement conditionnera la survie et le progrès de chaque pays » (Rapport Parent, tome 1, 1963 : 70).

Pour appuyer cette analyse de la situation, les commissaires se réfèrent aux spécialistes en économie de l'éducation qui affirment à l'époque que :

> Le développement de l'éducation est donc en partie la conséquence de la richesse croissante de la société. La production accrue d'une économie en croissance rend possible le développement de l'éducation en libérant les ressources nécessaires. Mais l'éducation est en même temps un facteur essentiel du développement économique. Jusqu'à présent, on a surtout considéré l'éducation comme une dépense de consommation. À l'avenir, il faudra surtout la regarder comme un investissement... (Bureau international des universités, 1961 : 11, cité dans Rapport Parent, tome 1, 1963 : 69).

Dans ce contexte, on doute de moins en moins de la nécessité d'investir massivement dans l'éducation afin de mettre en valeur l'immense bassin de capital humain alors disponible dans le Québec. La satisfaction de la demande d'éducation, qui est très forte à l'époque, est considérée comme un objectif nécessaire à la mise en place de la nouvelle société que l'on souhaite ériger. En définitive, bon nombre d'acteurs, tant individuels que collectifs, considèrent que l'augmentation du niveau de formation de la population en général est un formidable avantage dans le développement de l'économie québécoise ; que les deux phénomènes, somme toute, sont intimement liés.

---

14. Il va sans dire que l'équation nationalisme-économie-éducation est présente depuis fort longtemps dans la pensée sociale québécoise comme en fait foi la déclaration d'Édouard Montpetit en 1917 : « La question nationale est d'abord une question économique [...] et c'est l'instruction qui nous assurera la conquête économique » (Montpetit, 1917 : 315, cité dans Dandurand, Fournier et Bernier, 1980 : 105).

Encadré 2.5
La Révolution tranquille

« L'expression *Quiet Revolution*, employée pour la première fois par une journaliste du quotidien torontois *Globe and Mail* pour décrire les changements amorcés au Québec après 1960, est vite reprise en français par les leaders politiques et les intellectuels québécois et se charge d'un contenu symbolique considérable. Les nombreux auteurs qui ont écrit à ce sujet ne s'entendent ni sur la définition du vocable, ni sur la période à laquelle il s'applique.

« Au sens strict, la Révolution tranquille désigne habituellement la période de réformes politiques, institutionnelles et sociales réalisées entre 1960 et 1966 par le gouvernement libéral de Jean Lesage. Certains la font démarrer un peu plus tôt, avec la mort de Duplessis, en 1959, et l'arrivée au pouvoir de Paul Sauvé. D'autres estiment qu'elle s'achève en 1964, alors que commence à s'essouffler le rythme des réformes. Au sens large, l'expression est aussi utilisée pour caractériser l'ensemble des décennies 1960 et 1970 [...].

« La Révolution tranquille n'a cependant pas qu'une dimension québécoise. Elle s'inscrit dans un contexte international où les sociétés occidentales vivent à l'heure du réformisme social et politique, de l'interventionnisme de l'État, de la prospérité économique et de l'arrivée du *baby boom* à l'adolescence et à l'âge adulte. La remise en question de ces orientations, dans les années 80, a également une dimension internationale, avec la montée du conservatisme et le vent de privatisation qui souffle sur plusieurs pays. »

Extrait de Linteau *et al.*,
Histoire du Québec contemporain,
tome II (1989 : 421-422).

La mise en valeur du capital humain

La théorie du capital humain, dans la foulée de la croissance extensive d'après-guerre, s'est intéressée particulièrement aux sources de la croissance économique. Parmi ces dernières, on considère « le capital humain comme un des facteurs clefs de la croissance économique » (Clément, 1988 : 21-22). Le slogan « Qui s'instruit s'enrichit » traduit, en termes simples, l'ensemble des prétentions de la théorie du capital humain en matière d'investissement en éducation. Au moment où l'on prenait conscience de l'importance du capital humain dans le développement économique et le rôle de l'éducation dans cette nouvelle équation, il est apparu important au Québec, comme ailleurs dans les autres pays industrialisés, de démocratiser l'enseignement afin d'augmenter le nombre de diplômés qui pourront contribuer à la croissance économique (Hallak, 1991 : 1). Dans le cadre de la théorie du capital humain, la question de la rentabilité de l'éducation est très importante ; elle consiste à se demander de combien les bénéfices d'un investissement éducatif dépassent les coûts de cet investissement (Harvey, 1975 : 188).

Martin Carnoy (1978) présente Theodore W. Schultz[15] (1959 ; 1961) comme celui qui, à la fin des années 50, a développé l'idée que les dépenses d'éducation ne devraient pas être assimilées pour l'essentiel à une consommation – comme c'était généralement le cas – mais considérées comme un investissement destiné à accroître l'aptitude de la main-d'œuvre à produire des biens matériels. Cependant, selon Tremblay (1990 : 342), le représentant le plus connu de cette théorie est Gary S. Becker, qui publie en 1964 un important ouvrage sur le sujet sous le titre de *Human Capital : A Theoretical and Empirical Analysis, with Special Reference to Education*. Pour ces auteurs, la scolarité peut être traitée, au moins en partie, comme un investissement ayant un rendement économique mesurable par les progrès de la productivité du travailleur[16].

Comme il n'est pas possible de mesurer les bénéfices avant la fin de la période de scolarisation, il s'avère donc nécessaire d'escompter les bénéfices futurs. Le taux d'escompte qui parvient à égaler les valeurs des coûts et des bénéfices constitue, dans le cadre de cette théorie, le taux de rendement. Ce taux de rendement peut être privé ; il se rapporte alors aux bénéfices individuels de l'investissement en éducation. Il peut aussi être social : il se rapporte, dans ce cas, aux bénéfices que la société retire de ses investissements en éducation.

On peut établir le taux de rendement privé de l'éducation en calculant les coûts de la formation, ce qui inclut les dépenses scolaires des familles (livres, transport, repas, etc.), le manque à gagner pendant les études (dans la mesure où l'on peut avoir un emploi) et les revenus de travail, escomptés sur environ trente ans, correspondant aux différents types de diplômes. Par exemple, une étude de Statistique Canada, effectuée en 1974, montre que les gains de toute la vie d'une personne sans aucune instruction était en moyenne de 106 664 $ alors qu'une personne détenant un diplôme universitaire pouvait obtenir en moyenne 351 635 $. (*Voir le tableau 4.*)

La même étude établit que les coûts des études secondaires s'élèvent à 7700 $ et ceux des études universitaires, d'une durée de 4 ans, à 32 300 $, ce qui inclut le manque à gagner. Les gains de toute la vie anticipables à partir de ces données (pour un taux d'escompte de 0 et un taux de croissance de 2,5 %) sont de 337 900 $ pour un diplômé d'école secondaire et de 899 300 $ pour un diplômé d'université, ce qui

---

15. Un des principaux artisans de la réforme scolaire, Paul Gérin-Lajoie, fait explicitement référence à Schultz dans le plaidoyer qu'il fait en faveur de la création d'un ministère de l'Éducation dans son livre *Pourquoi le Bill 60* (1963). L'auteur affirme : « La rentabilité de l'investissement dans le capital humain a fait l'objet d'études approfondies par le professeur Schultz de l'Université de Chicago. Il a établi que le supplément moyen de salaire perçu par des travailleurs, de 18 à 64 ans, représente 19 fois le capital investi dans l'enseignement supérieur. L'investissement en éducation est donc l'un des plus productifs qui soient » (Gérin-Lajoie, 1963 : 34).
16. Pour un bilan critique des recherches en économie de l'éducation, voir Lemelin (1988).

Tableau 4

Gains de toute la vie corrigés selon le sexe et l'instruction, 1967 (travailleurs à plein temps et à temps partiel)

Niveau d'instruction	Hommes	Femmes
	(dollars)	
Aucune instruction	106 664	36 469
Primaire inachevé	122 348	45 092
Primaire	157 597	52 450
Secondaire inachevé	173 464	66 873
Secondaire	212 545	96 759
Universitaire inachevé	234 524	120 357
Universitaire	351 635	169 327

Source : Statistique Canada (1974 : 28).

se traduit par un taux de rendement supérieur à 8 % dans le premier cas et de moins de 8 % dans le second cas (Statistique Canada, 1974 : 29).

On remarque que les gains imputables au diplôme d'études sont plus bas dans le groupe des femmes. Cet écart marqué est expliqué par le fait que le travail à temps partiel est beaucoup plus le lot des femmes qui, dans la division sexuelle du travail, assument l'ensemble du travail domestique. Le tableau 5 tend à confirmer que les femmes font beaucoup plus de travail à temps partiel que les hommes. Même si la valeur sociale du travail domestique était reconnue, les écarts entre les hommes et les femmes s'amenuiseraient certes, sans toutefois disparaître. La théorie du capital humain a ici beaucoup de difficulté à expliquer ces écarts dans le taux de rendement du diplôme entre les hommes et les femmes.

La rentabilité sociale (taux de rendement social) de l'éducation est déterminée par les investissements collectifs en éducation – comparés aux bénéfices sociaux que cette collectivité retire de son investissement initial – auxquels sont ajoutés les coûts privés d'éducation, ceux qui sont défrayés par l'individu. Il s'avère toutefois difficile de traduire en termes économiques les bénéfices que retire la collectivité de ses investissements en éducation. En effet, il ne suffit pas de faire la somme des bénéfices individuels pour cerner cette réalité. Certes, dans la mesure où les personnes plus scolarisées ont des gains pour toute la vie plus importants que celles qui n'ont pas poussé leurs études, il s'ensuit que l'État peut espérer percevoir plus d'impôts sur ces gains supplémentaires. Toutefois, selon la théorie du capital humain, une scolarité plus poussée des membres d'une collectivité offre des avantages beaucoup plus larges : une plus grande satisfaction psychologique, une plus grande stabilité politique et sociale,

Tableau 5
Pourcentage du travail à plein temps et à temps partiel selon le sexe et le degré d'instruction, 1967

Degré d'instruction	Hommes		Femmes	
	Plein temps	Temps partiel	Plein temps	Temps partiel
Aucune instruction	87	13	81	19
Primaire inachevé	93	7	67	33
Primaire	96	4	69	31
Secondaire inachevé	92	8	68	32
Secondaire	97	3	31	19
Universitaire inachevé	95	5	80	20
Universitaire	98	2	85	15

Source : Statistique Canada (1974 : 14).

une augmentation du sens civique et du sens des responsabilités des membres de la communauté (Moisset, 1983 : 236-238). Avec toute la prudence que commande ce type de données globales, on constate, à partir de l'étude de Denison (1962) aux États-Unis, que de 1929 à 1957, l'éducation au Canada a contribué à l'augmentation du revenu national dans une proportion de 11,4 % ; pour cette même période aux États-Unis, la proportion atteint 23 % (Bertram, 1975 : 161).

Tous ces avantages anticipés de l'éducation justifieront la croissance importante des dépenses en éducation de la part du gouvernement québécois. En 1960-1961, les dépenses nettes du ministère de l'Éducation se chiffrent à 181 535 000 $ alors qu'en 1967-1968 cette somme atteint 655 857 000 $ (Tremblay, 1969 : 45-46). (*Voir le tableau 6.*) En 1979-1980, cette somme approche les six milliards de dollars (Lemelin, 1982 : 8).

À la lecture des données du tableau 6, il est clair que l'État a pris au sérieux les bienfaits de l'éducation pour la population en général. Toutefois, dans les années 70, les investissements massifs en éducation seront remis en question. On se demandera s'ils sont aussi productifs qu'on le prétend, s'ils profitent vraiment à ceux qui en ont le plus besoin et, enfin, si les taux de rendement privé de l'investissement dans les études ne relèveraient pas finalement de la mythologie (Hallak, 1974).

L'influence de la théorie du capital humain en éducation au début des années 60 a été très forte, en fournissant les assises d'une justification de l'augmentation des dépenses d'éducation au Québec. Cet objectif incontournable de démocratisation de l'enseignement a été largement atteint, car les prévisions budgétaires en éducation pour les années 60 ont été dépassées en moyenne de 16 %. Par exemple, le ministère

Tableau 6

Évolution des dépenses en éducation du gouvernement du Québec, en milliers de dollars, 1960-1961–1967-1968

Année	Dépenses brutes	Dépenses nettes
1960-1961	199 969	181 535
1961-1962	280 083	258 648
1962-1963	308 291	275 772
1963-1964	369 105	332 885
1964-1965	480 192	393 847
1965-1966	513 007	463 710
1966-1967	594 108	541 718
1967-1968	759 321	655 857

Source : Arthur Tremblay (1969 : 46).

de l'Éducation prévoyait, en janvier 1964, que les dépenses courantes des commissions scolaires seraient de 589 millions de dollars en 1966-1967 alors que dans les faits, ce sont 96 millions de dollars supplémentaires qu'il a fallu investir (White, 1975 : 179).

Oui mais, la théorie du capital humain…

La théorie du capital humain a été, depuis le début des années 60, l'objet de nombreuses critiques. La première de ces critiques tient au fait que la théorie du capital humain transpose les catégories d'analyse utilisées dans la théorie du capital réel dans celles du capital humain. On ne peut réaliser cette analyse qu'à grands coups d'abstraction (Clément, 1988 : 25), dans la mesure où la complexité de l'humain est infiniment plus grande que le capital réel (biens, outils de production, propriété, capitaux financiers, etc.).

La deuxième critique, plus importante celle-là, renvoie à l'hypothèse de base de la théorie du capital humain : l'individu rationnel cherche à améliorer ses caractéristiques personnelles par l'éducation, ce qui se traduit par une productivité accrue et une meilleure rémunération sur le marché du travail. Une telle hypothèse soutient finalement un lien direct entre le niveau d'éducation et le niveau de salaire. Même si les données montrent effectivement que ce lien existe, il faut peut-être considérer que d'autres variables entrent en ligne de compte pour expliquer ce phénomène. Ainsi, nombre d'études empiriques montrent que l'origine sociale constitue un élément important d'explication dans la rémunération qu'une personne obtient sur le marché du travail (Clément, 1988 : 26). Face à cette critique, les économistes défendant la théorie du capital humain ont réajusté, à partir de la fin des années 60, leurs modèles théoriques afin de tenir compte de l'influence du milieu familial. On trouvera chez Becker (1967) et chez Mingat et Eicher (1982) des modèles illustrant le rôle de la famille dans la détermination du niveau d'investissement en capital humain.

Une troisième critique ébranle sérieusement les fondements mêmes de la théorie du capital humain. Dans un rapport de 1966, J. S. Coleman montre que les investissements importants dans les écoles des milieux défavorisés aux États-Unis, notamment chez les populations noires, étaient peu susceptibles d'en augmenter l'efficacité. En 1972, Christopher Jencks soutient que l'éducation ne joue pas un rôle aussi important qu'on aurait pu le croire dans le déroulement de la carrière professionnelle. Enfin, en 1973, Lester Thurow démontre que la distribution des revenus et celle de l'éducation aux États-Unis n'évoluent pas de la même façon ; en fait, elles ne seraient pas ajustées l'une à l'autre (Renaud, Bernard et Berthiaume, 1980 : 24). Toutes ces critiques renforcent l'idée qu'il n'y a probablement pas de lien direct entre les niveaux de scolarité et les niveaux de rémunération d'une part, les investissements en éducation et l'idéal de démocratie d'autre part.

En outre, bien que la théorie du capital humain soit très éclairante en ce qui concerne l'intérêt des individus à investir dans une scolarité prolongée, elle explique difficilement les écarts de revenus entre des personnes ayant un niveau de scolarité à peu près semblable (Tremblay, 1990 : 362). Il suffit de penser ici aux écarts de revenus entre les femmes et les hommes sur le marché de l'emploi. Même dans le cas où la scolarité des femmes est plus faible que celle des hommes, ce qui pourrait rendre compte des écarts salariaux entre ces deux groupes, il est établi maintenant que seulement un huitième à un quart de ces écarts est imputable à une scolarité différente (Tremblay, 1990 : 359).

De plus, la théorie du capital humain, en mettant l'accent sur la rentabilité de l'éducation, sur l'aspect strictement économique de celle-ci, en vient graduellement à promouvoir les filières scolaires les « plus payantes ». Par conséquent, on ajuste le système d'éducation aux besoins de l'économie (Eicher, 1973 : 426).

Enfin, la théorie du capital humain explique relativement bien l'équation « meilleure éducation/meilleure rémunération » dans une période de croissance prononcée de l'économie et du secteur public, comme c'est généralement le cas dans les années 60. Dans ces conditions, la demande de diplômés excède grandement l'offre et accrédite largement le slogan « Qui s'instruit s'enrichit ». Toutefois, comme le montre bien l'article de Allaire, Bernard et Renaud (1979), la désarticulation du marché du travail et de l'école dans les années 70 fera battre de l'aile ce slogan. En effet, dans une économie en décroissance, les diplômés sont plus nombreux que les emplois disponibles sur le marché du travail, ce qui tend à diminuer grandement le retour sur l'investissement en éducation. Boudon (1979) parle pour sa part d'*effet émergent* doublé d'un *effet pervers* pour rendre compte de ce phénomène de dévaluation des diplômes.

Résumé

La réforme scolaire est le pan le plus important de la Révolution tranquille qui s'effectue au Québec dans les années 60. Entreprise au nom de la justice sociale, de la démocratie et du développement économique, elle vise, entre autres, à remplacer le système scolaire élitiste, sexiste et ségrégationniste du Québec d'alors par un autre, où tous et toutes ont accès à l'éducation quels que soient la fortune, le sexe, la race. Cette réforme s'inscrit également dans l'action nationaliste québécoise qui vise à donner aux francophones de la province les outils nécessaires afin de prendre en main leur destin.

Les discours sociaux présents dans la mise en place de la réforme scolaire puisent leur inspiration dans les discours scientifiques qui traversent les pays industrialisés dans leur ensemble à ce moment, et particulièrement les États-Unis. Dans ce pays, les sociologues fonctionnalistes et les économistes de l'éducation fournissent les assises théoriques aux politiques d'éducation que les décideurs des pays industrialisés souhaitent mettre en place.

Pour les fonctionnalistes, l'école est l'instrument par excellence du maintien et du bon fonctionnement de la société. Par sa fonction de socialisation aux valeurs d'une société, l'institution scolaire favorise l'intégration des membres de la société au système commun de valeurs de la communauté. Par sa fonction de sélection, l'école assure à la société que les plus motivés, les plus méritants sortiront de ses rangs et que ceux-ci seront en mesure, par les compétences acquises à l'école, d'assumer les tâches et responsabilités nécessaires au maintien et au développement de la société (*idéologie méritocratique*). Pour les tenants de cette approche, il faut amenuiser les inégalités sociales qui restreignent l'accès à l'éducation en donnant à tous des chances égales devant l'éducation, c'est-à-dire des chances égales d'accès à l'institution scolaire. C'est là, semble-t-il, le moyen par excellence d'éliminer graduellement les inégalités sociales entre les individus et de favoriser l'établissement d'une société de gens égaux.

Les économistes de l'éducation, fortement influencés par la croissance presque continue de l'économie d'après-guerre, insistent pour démontrer que les dépenses en éducation, antérieurement considérées comme des dépenses de consommation, doivent dorénavant être vues comme des investissements. En fait, on se rend compte à ce moment qu'un lien peut être établi entre le niveau de formation d'une population et la croissance économique de la société: plus cette formation est grande, plus la croissance est forte. De plus, dans ce cadre d'analyse, la rationalité des individus les

Capital humain

pousse à investir dans l'éducation, dans la mesure où ils peuvent anticiper des gains futurs beaucoup plus importants que s'ils n'avaient pas fait d'études. Le slogan « Qui s'instruit s'enrichit » traduit en termes familiers les prétentions de la théorie du capital humain en économie de l'éducation. Dans ces conditions, les gouvernements des pays industrialisés, incluant le Québec, font des investissements massifs dans le domaine éducatif de façon à concrétiser à la fois la volonté de démocratisation de l'éducation et les possibilités de développement économique.

Dans un système d'enseignement en pleine redéfinition, les instituteurs et les institutrices sont également touchés par les changements. Globalement, il est possible de constater que dans la première moitié de la décennie des années 60, le corps enseignant, notamment les laïques, voit son statut social de plus en plus reconnu. Pour la première fois dans l'histoire du système d'enseignement, les instituteurs et les institutrices ont une véritable possibilité de participer au développement du système d'éducation. Les relations entre les syndicats des instituteurs et institutrices et l'État n'auront jamais été aussi bonnes dans la période analysée. Toutefois, cette idylle est de courte durée. Le débat sur la qualification des maîtres et la volonté de l'État de s'immiscer dans la négociation collective entre les commissions scolaires et les syndicats d'enseignants vont briser, et pour longtemps, les relations État-syndicats. Après 1965, l'État durcit sa position face aux syndicats d'enseignants et ces derniers, notamment la Corporation des enseignants du Québec (CEQ), endosseront graduellement un discours radical sur l'école inspiré des thèses marxistes sur la société. Dans les années 70, la CEQ se rapprochera définitivement du mouvement ouvrier et se fera le défenseur des enfants des milieux défavorisés devant l'école.

À première vue, la démocratisation de l'enseignement semble avoir porté des fruits puisque l'accès à l'éducation des enfants des milieux défavorisés socialement, des filles et des francophones a augmenté pour tous ces groupes. On peut donc penser à ce moment que l'ouverture de la société québécoise est beaucoup plus grande qu'elle ne l'était auparavant, permettant ainsi une plus grande mobilité sociale de la population en général et concrétisant par là même les idéaux de justice sociale et de démocratie qui sont à la base de la réforme scolaire du Québec.

Conclusion

À la fin des années 60, la réforme scolaire est déjà passablement avancée et concrétisée dans un ensemble de réalisations. Les taux de scolarisation ont augmenté substantiellement pour les groupes qui avaient été les plus touchés par la discrimination de l'ancien système scolaire du Québec. C'est le cas notamment pour les francophones, les femmes et les enfants provenant des milieux socioéconomiques faibles, qui ont un accès beaucoup plus grand à l'éducation. Sur le plan des structures, on note : la création du ministère de l'Éducation et du Conseil supérieur de l'Éducation (1964), qui permettent de mettre de l'ordre dans un système d'enseignement qualifié d'anarchique ; la création des polyvalentes au début des années 60 ; la création d'un réseau de classes maternelles favorisant l'intégration à l'école des enfants provenant des milieux sociaux défavorisés ; la création des cégeps en 1967, qui consacrait un niveau intermédiaire entre les études secondaires et les études universitaires ; la création de l'Université du Québec en 1968, qui permet le développement d'un réseau universitaire sur tout le territoire québécois.

Autant de réalisations en si peu de temps donnent certes l'impression d'un bilan positif. Cependant, les opinions sont partagées sur les résultats réels de la réforme scolaire au Québec. Il ne semble pas que cette réforme ait atteint tous les buts qu'elle s'était fixés au départ. Comme le souligne Jean-Jacques Simard (1982), et bien d'autres encore, la « démocratisation de l'éducation n'a connu [...] qu'un succès partiel sur le front du décloisonnement des privilèges de classe, et de l'accès généralisé des enfants du peuple au collège ou à l'université » (Simard, 1982 : 422).

La critique de la réforme scolaire à la fin des années 60 et au début des années 70 vient principalement de la CEQ. Pour la centrale, les méthodes pédagogiques, la confessionnalité du système scolaire et le maintien des écoles privées sont des ratés du nouveau système d'enseignement. L'action syndicale et politique de la CEQ vise principalement à dénoncer le rôle idéologique que joue l'école dans la société et les relations entre l'origine sociale des élèves et leur situation scolaire. D'autres groupes vont également faire entendre leur voix pour dénoncer les incohérences de la réforme scolaire. C'est notamment le cas des étudiants et des étudiantes qui, en 1968, dénoncent « l'incurie totale du gouvernement dans la réforme des études pédagogiques, l'absence de politique établie selon les besoins actuels de l'éducation et l'absence de mécanisme de participation du monde étudiant » (*Le Devoir*, 1968, cité dans Audet, 1969 : 51).

Le vent de remise en question, de critiques et de questionnement qui caractérise la décennie des années 70 sera fortement influencé par les grands courants de contestations généralisés dans les pays industriels. Sur le plan de l'éducation notamment, ces critiques prendront forme dans une nouvelle représentation des fonctions de l'école sous l'impulsion de chercheurs britanniques, français et américains rompus à l'analyse marxiste qui, dès le milieu des années 60, mettent en lumière les mécanismes de sélection interne de l'école. Pour ces auteurs, l'égalité des chances *devant l'éducation* (égalité d'accès) ne veut rien dire si elle n'est pas accompagnée d'une *égalité en éducation*, c'est-à-dire d'une égalité de traitement dans l'école.

Il n'y a pas que l'idéal d'égalité des chances devant l'école qui est remis en question. Devant les changements importants que connaît l'économie québécoise au début des années 70 – baisse de la croissance économique, augmentation du chômage, etc. –, on assiste à un repositionnement de certains économistes de l'éducation qui mettent en doute les prétentions de la théorie du capital humain, notamment

partie du chap 3 | 1970

celle du taux de rendement privé de l'éducation. Du même souffle, ces économistes se demanderont si les dépenses massives en éducation ne profiteraient pas finalement à ceux qui sont déjà nantis sur le plan social. Dans cette critique, on vise le financement de l'école privée, qui continue toujours d'accueillir une clientèle privilégiée socialement.

QUESTIONS

1. Pour la première fois au Québec, avec la réforme scolaire qui commence par la création du ministère de l'Éducation, l'État décide de prendre ses responsabilités en matière d'éducation et de rendre l'école accessible à tous. Comment expliquer alors un tel débat autour du Bill 60 qui créait le ministère de l'Éducation, pierre angulaire de la réforme scolaire ?

2. Quel est, situé dans son contexte sociopolitique, le sens véritable du préambule de la loi rédigée par les évêques ?

3. On a justifié la réforme scolaire en la fondant sur des arguments d'ordre économique, démographique et social. Décrivez les arguments avancés pour chacun des aspects concernés.

4. Sur quoi se fonde le projet de modernisation de la société québécoise dans les années 60 ?

5. Quel est l'idéal de la société américaine qu'adopte la société québécoise ?

6. Comment se développe la profession enseignante dans la foulée de la réforme de l'éducation et au cours des années 60 ?

7. Certaines idées venues d'ailleurs, en particulier de la sociologie américaine de Parsons, ont influencé les orientations et le sens de la réforme scolaire ; ce fut le cas notamment du discours fonctionnaliste que se sont approprié les élites politiques. Ce discours établissait des liens entre la société, les individus, la stratification sociale (inégalités sociales), l'égalité des chances et le système d'éducation. Quels sont les liens que la théorie fonctionnaliste établit entre ces différents éléments ?

8. À quoi réfère la notion de stratification sociale dans la théorie fonctionnaliste ?

9. Nommez quelques critères à partir desquels est structurée une échelle de positions sociales ? À quoi fait-on référence, dans ce contexte, quand on parle de classes sociales ?

10. Quels sont les fonctions de l'école ou les enjeux sociaux de l'éducation dans cette interprétation sociologique de l'école ?

11. Décrivez au moins deux éléments à partir desquels vous pouvez faire une critique du fonctionnalisme et de son application en éducation.

12. L'éducation apporterait des bénéfices économiques aux individus (rentabilité privée) et aux sociétés (rentabilité sociale). La théorie du capital humain fonde théoriquement ces liens. Démontrez-le, notamment en décrivant les différents éléments du taux de rendement privé en éducation.

13. Peut-on dire que l'éducation est rentable au Québec pour les individus et pour l'État ?

14. Quelles critiques peut-on faire de la théorie du capital humain ?

CHAPITRE 3
L'école de l'inégalité des chances
Les interprétations conflictuelles des rapports entre l'école et la société dans les années 70

Table des matières

Sommaire

Ce chapitre

- met en place les éléments de la conjoncture des années 70 permettant l'analyse des premiers signes de contestation du discours sur la réforme scolaire ;

- dégage les grands enjeux autour de l'éducation dans cette décennie à travers l'action politique de la Centrale de l'enseignement du Québec et le mouvement étudiant ;

- met en lumière les principales inégalités scolaires des années 70, notamment celles qui sont liées au statut socio-économique, au sexe et à la langue ;

- explicite les principaux éléments du discours sociologique sur les rapports école et société, notamment ce qui touche à la notion de reproduction sociale par l'école comme elle est définie par les théories de la reproduction ;

- dégage les fonctions de l'école dans le cadre des théories de la reproduction ;

- présente des éléments de recherche en économie de l'éducation qui permettent de décrire et d'analyser la fonction de production en éducation.

L'école de l'inégalité des chances

Les interprétations conflictuelles des rapports entre l'école et la société dans les années 70

« Nous voulons développer la pédagogie de conscientisation, c'est-à-dire viser à ce que la majorité des étudiants, fils de travailleurs, prennent conscience des intérêts de classe des travailleurs et comprennent la nécessité de s'organiser pour lutter. [...] Nous croyons qu'il est possible, dans l'école, de mener des actions qui puissent rendre l'école moins discriminatoire pour les fils de travailleurs et aider au développement des conditions nécessaires à l'avènement d'une nouvelle organisation de la société qui ne reposerait plus sur l'exploitation des travailleurs. »

CEQ (1975).

Cette déclaration des auteurs du *Manuel du 1er mai* (CEQ, 1975) résume à elle seule le climat qui prévaut au cours des années 70 dans les analyses que divers groupes sociaux, notamment la CEQ, font des rapports entre l'école et la société. Après dix ans d'efforts financiers de l'ensemble de la population québécoise et de multiples réalisations inspirées par la réforme scolaire des années 60, les inégalités scolaires persistent toujours. Pour plusieurs, l'école de l'égalité des chances n'a pas atteint ses principaux objectifs. Les grands mots d'ordre, la démocratie et la justice sociale, ceux-là même qui avaient guidé la réforme scolaire des années 60, sont assimilés pour certains à une grande mythologie s'effritant en même temps que se défont les illusions du progrès social et économique qui avait pris forme après la Seconde Guerre mondiale. La contre-culture qui gagne les pays occidentaux, les transformations du monde du travail, la crise de légitimité des grandes institutions sociales, les nouvelles aspirations qui s'expriment dans les couches moyennes de la population alimentent une critique de l'école et de la mission qu'elle s'était donnée dans la décennie précédente. La magie de la démocratisation de l'école dans un contexte de transformations sociales accélérées et d'une forte croissance économique s'essouffle jusqu'à produire un désenchantement face aux grands idéaux sociaux et scolaires de la réforme.

Au Québec en particulier, la contestation du projet social et éducatif issu de la Révolution tranquille est soutenue par la CEQ et par le mouvement étudiant. Après une phase d'intégration fort importante aux politiques et aux objectifs de l'État québécois de 1959 à 1967, la CEQ entre, en 1967, dans une phase d'opposition (Tardif, 1990), à la suite des décisions du ministère de l'Éducation visant à changer les règles du jeu dans le champ de la négociation collective. La critique de la CEQ touche également la confessionnalité des écoles et les institutions privées qui ont résisté à la réforme scolaire des années 60. En fait, les débats en éducation dans la période analysée sont successivement des propositions et des contre-propositions d'école en provenance de ces deux grands acteurs sociaux dans le champ éducatif à ce moment, soit la CEQ et le MEQ. Les étudiants des cégeps et des universités ne sont pas en reste dans ce renversement de perspective du rôle de l'école. À l'instar de la CEQ, les associations étudiantes du Québec quittent massivement, à partir de 1968, les différents comités de participation mis en place par l'État québécois dans les années 60 afin de réclamer un droit véritable à une aide financière adéquate aux fins d'études. Autant pour la CEQ que pour le mouvement étudiant, il s'agit de se distancer d'un État que l'on considère de plus en plus technocratique et qui appuie son action sur une idéologie de la participation.

Dans ce nouveau contexte social, la question qui se pose pour les sciences humaines est de savoir si l'école est vraiment un facteur de mobilité sociale, comme on l'a cru dans la décennie précédente, ou tout simplement le lieu de la reproduction des inégalités sociales. Outre cette question, qui deviendra l'axe principal des grands débats en éducation dans les années 70, les programmes scolaires, la culture transmise par l'école, l'influence de l'origine sociale dans le cheminement scolaire des élèves, le rôle des enseignantes et des enseignants dans l'école et la société seront revus à l'aune des nouvelles sensibilités scientifiques qui émergent à ce moment. Les thèses issues des *Héritiers* (1964) et de *La Reproduction* (1970) de Bourdieu et Passeron, de *L'École conservatrice* (1966) de Bourdieu, de *L'École capitaliste en France* (1971) et de *L'École primaire divise* (1979) de Baudelot et Establet, les orientations théoriques puisées dans les analyses de la société capitaliste d'Althusser (1970) et de Poulantzas (1974), les critiques de la société technocratique d'un Marcuse (1968 ; 1970) et d'un Illich (1971), la récupération par les syndicats québécois, particulièrement la CEQ (1972 ; 1974 ; 1975), dans leur volonté de s'opposer à un État de plus en plus considéré comme le garant des intérêts de la classe dominante, forment la trame de fond sur laquelle s'élabore une critique sévère de l'école, comprise dorénavant comme une institution capitaliste programmée par un État au service de la classe dominante. Souhaitant l'avènement d'une société sans école, Illich (1971) entreprend le procès de l'institution scolaire en des termes sans équivoque : « L'école est devenue la religion mondiale d'un prolétariat modernisé et elle offre ses vaines promesses de salut aux pauvres de l'ère technologique. L'État-nation a adopté cette religion, enrôlant tous les citoyens et les forçant à participer à ses programmes gradués d'enseignement par des diplômes » (Illich, 1971 : 27).

De plus, dans la décennie des années 70, les premiers doutes apparaissent sur la rentabilité réelle des investissements massifs en éducation, qui ont favorisé à la fois une forte explosion quantitative de la scolarisation et de nombreux problèmes d'ajustement sur les plans social, culturel, économique et politique (Hallak, 1991 : 2). De l'analyse des taux de rendement privé et social, l'économie de l'éducation passe à l'étude de la fonction de production de l'école, c'est-à-dire la productivité de l'école en fonction des ressources (technologique, pédagogique, humaine, matérielle) investies par la société dans le système scolaire. Certains économistes de l'éducation adoptent eux aussi une vision plus critique – de fait néo-marxiste – de l'investissement en éducation et ils questionnent différemment le rôle de l'école dans le développement économique et social.

En définitive, on assiste à une rupture et à un renversement total de la signification donnée le plus couramment au rôle de l'école dans la société. D'agence de rédemption de la société et réductrice des inégalités sociales qui favorisent l'égalité d'accès au système d'enseignement, l'école est maintenant perçue, analysée et même dénoncée comme le lieu de la reproduction des classes sociales, comme une institution où s'exerce un pouvoir qui avantage les classes dirigeantes de la société.

Le monde et les temps changent

Le Québec des années 60 vit au rythme des sociétés industrielles qui connaissent, depuis la fin de la Seconde Guerre mondiale, une croissance économique sans précédent dans l'histoire moderne. Cette période de grande prospérité, connue sous le nom des Trente Glorieuses[1], induit des changements profonds dans les modes de vie des populations des pays industriels, une extension des champs d'activités de l'État, un accroissement fort important de la scolarisation des jeunes, une augmentation de la consommation et une évolution rapide des valeurs. L'ampleur des changements dans les modes de vie est telle que, dans les années 60, se manifestent graduellement dans certains segments de la société un désir de retour à l'essentiel, en même temps qu'une volonté très forte de remise en cause à la fois de la société industrielle et technocratique et de la société capitaliste. Le premier courant de critiques s'exprime principalement à travers le mouvement de contre-culture alors que le second se manifeste dans les mouvements et les groupes de la gauche politique.

---

1. D'après le titre d'un livre de Jean Fourastié (1979).

Une critique radicale de la société et de l'école

En 1968, partout dans le monde, c'est le temps de la contestation libertaire (Lapassade, 1971 : 133). Dans de nombreux domaines, des voix s'élèvent pour dénoncer la déshumanisation de la société et son caractère totalitaire et inhibiteur face aux besoins fondamentaux de l'être humain. En même temps, on prend conscience des paradoxes de la société industrielle : par exemple, ceux « qui travaillent le plus reçoivent le moins et [une] minorité possédante accapare les biens de consommation [...] » (Cleaver *et al.*, 1976 : 26-27). Cette critique de la société tente de montrer que la société capitaliste, loin de libérer les êtres humains grâce à sa technologie, les enferme et les conditionne dans un but de domination (Marcuse, 1968 : 252)[2]. En de nombreux endroits, on dénonce cette société technocratique, bureaucratique, capitaliste qui tue la liberté. Les étudiants et les étudiantes sont particulièrement sensibles à cette liberté qui semble se perdre à mesure qu'augmentent les moyens de consommer les biens et les services[3]. Georges Lapassade (1971), qui étudie le mouvement étudiant québécois en 1971, constate ces changements dans la représentation que se fait la jeunesse des sociétés dites de l'abondance : « Les jeunes ont contesté directement les institutions de la vie et de la culture, la société technologique et bureaucratique, la répression hiérarchisée de la liberté » (Lapassade, 1971 : 133). Cette société, aux yeux de plusieurs, transfigure graduellement « le tissu social en toile d'araignée » (Illich, 1972 : 328). Dans le même temps, les courants de pensée de la gauche prennent de la vigueur un peu partout dans les sociétés industrielles sous l'impulsion d'intellectuels proches des idées de Gramsci, Althusser et Poulantzas, tous théoriciens de la pensée marxiste.

Le discours radical qui prend forme à ce moment culmine dans la gauche québécoise au début des années 70, alors que les grandes centrales syndicales québécoises publient tour à tour des documents dénonçant le capitalisme, l'exploitation qui le sous-tend et les classes dominantes qui en profitent. Les jeunes ne sont pas insensibles aux changements culturels qui bouleversent l'Amérique et l'Europe à la fin des années 60. Toutefois, leur combat n'est pas tout à fait celui des centrales syndicales ou des groupes socialistes et communistes. Ils ont moins « protesté contre l'exploitation capitaliste des masses ouvrières [et plutôt] pour refuser l'école et la société

---

2. Marcuse est, dans les années 60, professeur à l'Université de Brandeis (Boston). Son influence se fait surtout sentir auprès des jeunes intellectuels de la Nouvelle-Angleterre. C'est avec son ouvrage *L'Homme unidimensionnel*, publié pour la première fois en 1964, qu'il atteint la célébrité. Dans ce livre, « il dépeint les bénéficiaires de la société d'abondance comme des individus standardisés et stéréotypés, si habilement manipulés par les soins de la classe dominante qu'ils se croient libres et heureux » (Granjon, 1985 : 237).

3. Parmi les intellectuels les plus importants auprès des étudiants américains depuis les années 50, mentionnons le sociologue C. W. Mills, qui influence grandement la Nouvelle Gauche américaine. À l'automne 1960 d'ailleurs, il écrit une lettre adressée à la Nouvelle Gauche (*Letter to the New Left*) qui sera diffusée à grande échelle par les membres de la Students for Democratic Society (SDS) dans les années suivantes (Granjon, 1985 : 220).

technocratique du progrès dans lesquelles on veut enrégimenter les étudiants [...] » (Lapassade, 1971 : 37). Les étudiants et les étudiantes veulent prendre en main leur propre éducation à travers un processus autonome dont ils seront les maîtres d'œuvre (Ricard, 1992 : 134).

Dans le sillage de cette critique à la fois politique et sociale de la société des années 60, l'école n'est pas épargnée. Elle subit, elle aussi, les assauts des intellectuels de gauche, des étudiants et des étudiantes. On lui pose des questions, et les dirigeants politiques ne trouvent pas aisément de réponses. Par exemple, dans l'un des plus importants journaux étudiants de la fin des années 60, *Le Quartier latin*, Bouchard se questionne sur ce qu'est devenue l'école : l'école « est-elle condamnée, ainsi que le type de société et de civilisation dont elle est devenue la plaque tournante ? La Boîte à livres succède à la Boîte à lunch et elle est le symbole d'un asservissement encore plus total de la personne humaine, l'asservissement de l'esprit » (Bouchard, 1969 : 34, cité dans Fournier, 1989 : 184). Cette critique de l'école dans le monde étudiant est influencée en partie par les thèses développées par Ivan Illich sur la société et l'école. Pour Illich, la scolarisation est responsable de la reproduction sociale et des inégalités sociales qui la précèdent et qui en sont l'aboutissement (Snyders, 1976 : 74). Pour l'auteur, la scolarisation a « créé une nouvelle sorte de pauvres, les non-scolarisés, et une nouvelle sorte de ségrégation sociale, la discrimination de ceux qui manquent d'éducation par ceux qui sont fiers d'en avoir reçu » (Illich, 1973 : 41, cité dans Snyders, 1976 : 74). La vraie lutte des classes, selon Illich, c'est le combat des compétents contre les incompétents (Snyders, 1976 : 193), tous ceux qui peuvent se réclamer d'un savoir valorisé socialement sur ceux qui n'en possèdent pas. En première ligne de ces « compétents », les technocrates et les bureaucrates ne cessent, selon Illich, de refermer leurs pièges sur l'être humain.

La critique de la société et de l'école qui s'élabore dans le Québec de la fin des années 60 prend donc au moins deux formes. Une première forme est sociale et plonge ses racines dans la dénonciation des dégâts de la société de consommation, de l'étau technocratique et normatif créé par cette société, et dans le besoin de s'inventer un nouveau monde, plus égalitaire. La critique sociale se fait contre-culturelle[4] dans son ensemble et est portée notamment par les étudiantes et les étudiants. Une seconde forme, plus politique, puise aux sources du marxisme qui reprend des forces dans cette période. La critique politique s'exprime principalement dans la gauche politique québécoise, notamment par l'entremise des grandes centrales syndicales.

---

4. L'organe principal par lequel s'exprime la contre-culture québécoise est la revue *Mainmise* qui est lancée en 1970. Elle s'alimente principalement au courant américain de la contre-culture (Rochon, 1979 : 114).

Projet démocratique ou projet technocratique ?

Le projet de modernisation de la société québécoise a eu une grande influence sur les francophones qui ont voulu assumer leur destinée en s'appropriant les leviers économiques et politiques à leur portée. Ce projet était aussi celui d'une nouvelle « bourgeoisie technocratique » qui prend la maîtrise de l'État afin de mettre en place une « société fonctionnelle et techniquement parfaite » (Simard, 1979 : 12-13), bâtie sur la croyance dans les vertus salvatrices de la science. L'État, désormais aux mains de ces nouveaux managers, recrute de plus en plus de diplômés des sciences sociales, rompus à l'analyse rationnelle du monde qui les entoure, afin de mettre en place les nombreuses politiques que commande la modernisation du Québec. Comme le souligne Beaudoin (1972) : les « principaux responsables de la Révolution tranquille, ceux qui d'ailleurs écrivaient les discours des hommes politiques, furent une dizaine d'économistes et de sociologues qui devinrent les premiers technocrates de l'État du Québec[5] » (Beaudoin, 1972, cité dans Simard, 1979 : 31).

Le langage humaniste qui avait caractérisé pendant longtemps le discours des décideurs politiques fait place désormais à un langage technique porté par un nouveau groupe social appelé technocratie[6], où les mots de productivité, d'efficacité, de rationalité, de coordination deviennent des valeurs acceptables et acceptées par les appareils d'État qui se développent rapidement à ce moment. S'appropriant de plus en plus les leviers du pouvoir exécutif au détriment du pouvoir législatif, cette technocratie entend organiser de manière cohérente les activités humaines de la population du Québec.

Le projet de modernisation du Québec est aussi favorable à l'ascension sociale d'une bonne partie de la classe moyenne qui voit, dans le développement des appareils de l'État québécois, nombre de possibilités de faire carrière. Exprimant des aspirations sociales de plus en plus élevées, cette classe moyenne prendra les moyens

---

5. En 1955, on compte seulement neuf professionnels des sciences sociales dans la fonction publique québécoise. Sept autres s'ajoutent entre 1955 et 1959. Entre 1960 et 1962, on en compte trente-huit de plus ; en 1963, cinquante-cinq de plus ; en 1965, cent quatre-vingt-cinq supplémentaires (Simard, 1979 : 38).
6. Theodor Roszak, un des intellectuels les plus importants au moment où la contre-culture en Occident semble gagner tous les pays industriels, définit la technocratie en ces termes : par « *technocratie*, j'entends le système social où une société industrielle atteint le sommet de son intégration "organisationnelle", ou encore l'idéal auquel songent d'ordinaire les hommes lorsqu'ils parlent de planification. Se réclamant d'impératifs aussi indiscutés que la nécessité d'efficacité, de sécurité sociale, de coordination des hommes et des ressources, d'une prospérité toujours accrue, la technocratie s'emploie à pallier les faiblesses et les erreurs de la société industrielle » (Roszak, 1980 : 19). La création du terme contre-culture est attribuée à Roszak. D'autres termes ont été avancés pour rendre compte du mouvement culturel des années 60 et du début des années 70 aux États-Unis. Revel dans *Ni Marx ni Jésus* (1970) parle de contre-société, Morin dans *Journal de Californie* (1970) de révolution culturelle, Balandier dans une entrevue à *L'Express* (1972) de culture alternative et Lapassade dans *Le Livre fou* (1971) de culture parallèle (Rochon, 1979 : 16).

d'assurer à ses enfants une éducation conforme à son désir d'ascension sociale. La population québécoise est également conviée à ce renouveau de la société par la nouvelle classe des technocrates qui trouve les moyens de faire accepter le nouveau contrat social en mettant en place une kyrielle de comités de participation. Tout est prétexte à la participation, à la consultation et aux débats en ce début de Révolution tranquille. Mentionnons pour exemple la Commission Parent, ce vaste exercice de consultation qui dure cinq années, ou encore, la campagne du Bill 60, qui instaurait cette tendance nouvelle à la consultation de la population. De cette façon, la technocratie en place espère obtenir par avance le consentement de la population à ses projets de transformation rationnelle de la société. En somme, ces nouveaux technocrates ne s'imposent pas par la force, démocratie oblige, mais en convainquant la majorité du bien-fondé de leur action. Comme le fait remarquer Fortin (1966) :

> Ils présentent à notre société une nouvelle définition d'elle-même. Porteurs, sinon définiteurs du nouveau nationalisme, ils veulent faire de notre société une société industrielle et moderne. Par ailleurs, leur idéologie du progrès et du développement s'appuie sur une conception égalitaire de la société et sur l'idée qu'il faut donner à l'État un rôle prédominant. Enfin, ils ont contribué à instaurer le climat de participation que nous connaissons. La création des conseils supérieurs et l'animation sociale sont en grande partie leur œuvre [...] (Fortin, 1966, cité dans Simard, 1979 : 32).

La programmation, l'évaluation, la coordination, l'organisation, l'efficacité, le progrès et la performance sont donc les éléments essentiels de la nouvelle rationalité technocratique. Cette dernière s'exprime à travers des normes qui aplanissent les différences afin d'atteindre une même productivité et une même efficacité dans tous les domaines. Tous les secteurs de la société québécoise des années 60 sont touchés par ce nouveau mode de gestion des relations sociales, notamment l'école[7], où apparaît un flot de normes dans l'ensemble du système, ce qui en inquiète plus d'un. Laplante (1973) se fait un émissaire de cette prise de conscience :

> La frénésie normative du ministère de l'Éducation a fait disparaître un peu partout les colorations locales ou régionales : la norme parle et les institutions exécutent. Le corridor administratif défini par les normes du ministère est même si étroit que les technocrates peuvent déceler et corriger tout ce qui ne ressemble pas à une ligne parfaitement droite : la marge, quand elle existe, ne peut tolérer qu'une ombre d'initiative. (Laplante, 1973, cité dans Simard, 1979 : 35).

C'est contre les visées technocratiques de l'État que se mobilisent différents groupes au Québec à la fin des années 60 et au début de la décennie suivante. Cha-

---

7. Devant le constat du fouillis des structures scolaires avant la réforme scolaire, la Commission Parent exprime sa volonté technocratique lorsqu'elle affirme « l'absolue nécessité d'une planification rationnelle » du système d'éducation (Rapport Parent, tome 1, 1963 : 61).

cun à sa façon développe un contre-discours et des modes d'action visant à contrecarrer l'étau normatif qui enserre de plus en plus la société et l'école. La contre-culture qui prend forme à ce moment est une « révolte confuse » contre la société technocratique (Roszak, 1980) qui s'étend à mesure que grandit son pouvoir sur l'ensemble de la population[8]. La conciliation et la participation, qui ont caractérisé les relations entre l'État et les différents groupes sociaux près de l'éducation dans les années 60, font place à une désillusion, un désenchantement sur la capacité de l'État à favoriser une société juste et démocratique.

Quand l'analyse du rôle de l'école penche à « gauche »

Le revirement idéologique de la CEQ en 1967, le mouvement étudiant de 1968 et le questionnement sur l'école privée ont tous en commun de s'alimenter aux mêmes sources critiques de la société et de favoriser l'émergence d'une nouvelle représentation du rôle de l'école. D'une manière ou d'une autre, toutes ces critiques sont aussi liées à une volonté de sortir des cadres trop normatifs mis en place par l'État au moment de la réforme scolaire, tout en recherchant, à travers l'opposition à une société capitaliste, technocratique, injuste, des modes de fonctionnement sociaux qui répondent aux besoins de tous, notamment de ceux des classes défavorisées de la société.

La Centrale de l'enseignement du Québec se radicalise

En suivant l'analyse des principaux écrits de la CEQ et du MEQ de 1970 à 1980, on se rend compte que leurs discours « s'interpellent, se contestent, se répondent, en établissant des rapports de force » (Anadon, 1989 : 159). Dans les années 60, le ministère de l'Éducation nouvellement créé se veut le maître d'œuvre de la réforme scolaire. Pour cela, il édicte un ensemble de règlements visant à normaliser tous les aspects du système d'enseignement. L'action du ministère semble faire le consensus jusqu'au moment où il tente de s'immiscer dans le champ de la négociation collective

---

8. Castoriadis a exprimé à sa façon bien à lui cette volonté de sortir du carcan technocratique : « Je désire pouvoir, avec tous les autres, savoir ce qui se passe dans la société, contrôler l'étendue et la qualité de l'information qui m'est donnée. Je demande de pouvoir participer directement à toutes les décisions sociales qui peuvent affecter mon existence, ou le cours général du monde où je vis. Je n'accepte pas que mon sort soit décidé, jour après jour, par des gens dont les projets me sont hostiles ou simplement inconnus, et pour qui nous ne sommes, moi et tous les autres, que des chiffres dans un plan ou des pions sur un échiquier et qu'à la limite, ma vie et mon sort soient entre les mains de gens dont je sais qu'ils sont nécessairement aveugles » (Castoriadis, 1975 : 127). La contre-culture touche avec plus ou moins de force certains des principaux artisans de la Révolution tranquille. Par exemple, le sociologue Guy Rocher, membre de la Commission Parent, dira des mouvements contre-culturels qu'ils l'« obligèrent à réfléchir sur l'impact de la société industrielle et sur la question de la qualité de la vie humaine » (Rocher, 1989 : 202).

entre le personnel enseignant et les commissions scolaires en 1966. En octobre 1966, en effet, le ministère édicte des normes (connues sous le nom de « normes d'octobre » ou « normes du MEQ ») qui lui permettent de s'asseoir à la table des négociations entre le personnel enseignant et les commissions scolaires. Dès lors, comme le souligne la CEQ (1967), « le libre jeu de la négociation patronale-syndicale en était faussé » (CEQ, 1967 : 9).

Devant les visées du ministère, les membres de la CEQ réagissent en novembre par des grèves qui touchent près de 250 000 élèves à la grandeur de la province. Voyant l'impasse vers laquelle semble se diriger « la crise scolaire », le gouvernement présente en février 1967 le Bill 25, qui force le retour au travail des enseignants et des enseignantes et leur impose de nouvelles conditions de travail jusqu'en 1968. Pour la CEQ, ce Bill 25 est l'antithèse de la « démocratie de participation », si chère aux technocrates du ministère de l'Éducation dans les années 60. La crise scolaire de 1967 sera suivie d'une longue ronde de négociations qui durera vingt-huit mois, dans laquelle les relations entre l'État-patron et la CEQ ne s'amélioreront guère. Cette relation de plus en plus tendue s'explique aussi par le fait que, depuis 1965, la nouvelle tendance à la direction de la centrale syndicale est beaucoup plus combative et plus près des analyses radicales de la société qui ont cours en France à ce moment. En fait, ce groupe fait appel depuis quelque temps à des professeurs de sciences sociales de l'Université Laval afin de les initier à l'analyse sociopolitique de type marxiste.

Les tensions et la méfiance entre le gouvernement et la CEQ atteignent un point de rupture définitif en 1970 à l'occasion de la « crise d'octobre[9] ». À ce moment, des rumeurs sur l'influence « néfaste » de certains enseignants et de certaines enseignantes, proches des idées formulées par la gauche radicale québécoise, sur les élèves et les étudiants, mènent à la mise sur pied d'une enquête dans les écoles de la province, présidée par l'abbé Gérard Dion. Comme le souligne Tardif (1990), cette enquête « piquera au vif la fierté des maîtres et ceux-ci choisiront de réfléchir sur le véritable rôle de l'école en société capitaliste à partir des études publiées alors en Europe par Baudelot et Establet, de même que par Bourdieu et Passeron » (Tardif, 1990 : 53). Dès lors, l'action de la centrale syndicale se jouera sur deux plans.

Un premier plan renvoie à l'action syndicale qui est constituée essentiellement de revendications de nature professionnelle face à un État-patron. Un deuxième plan touche plutôt l'action politique. Dans ce cas, l'action de la centrale dépasse largement, de 1970 à 1976, son mandat lié aux questions scolaires et aux revendications professionnelles. Son analyse de l'école et de la société des années 70 l'amène à affirmer que les inégalités scolaires sont issues des inégalités sociales, et c'est sur ces der-

---

9. La « crise d'octobre » tient son nom des événements politiques d'octobre 1970, alors que des membres du Front de libération du Québec (FLQ) prennent en otage le diplomate britannique James R. Cross et le ministre du Travail du Québec, Pierre Laporte.

nières qu'il faut agir si on veut en arriver à une école vraiment égalitaire. Cette perspective amène la centrale syndicale dans une dynamique d'action politique propre aux mouvements sociaux comme le mouvement ouvrier et le mouvement des femmes, c'est-à-dire une action politique qui vise une transformation radicale de la société[10]. Dans cette action politique, la CEQ «se présente comme porteuse d'un projet d'école au service de la classe ouvrière et semble s'engager à élaborer et à rendre cohérents les problèmes scolaires rencontrés par les enfants de cette classe. Elle se dit capable d'organiser ses membres, de les conscientiser, de lutter pour instaurer une école au service de la majorité populaire» (Anadon, 1989 : 55).

Entre-temps, le discours du ministère de l'Éducation «cherche le consensus, la persuasion, le sens commun idéalisé. À l'heure des bilans et des grandes réformes, le discours ministériel procède en outre à un constant retour vers le passé en cherchant les valeurs fondamentales de la société québécoise, tels l'épanouissement de la personne, l'égalité et le pluralisme» (Anadon, 1989 : 163). Ce discours ministériel se veut neutre, au-dessus de la lutte des classes, au-delà des conflits, alors que celui de la CEQ vise notamment à situer le débat sur l'école dans les rapports de domination et d'exploitation de la classe dominante sur les classes dominées. Comme le signale Anadon (1989), «dans toute société divisée en classes, la politique éducative de la classe au pouvoir s'exprime par l'objectif de soustraire le champ de l'éducation à la lutte des classes, en la présentant comme étant au-dessus des conflits, comme l'essence "neutre" du savoir, de développement harmonieux de l'individu, comme la "petite patrie" au service de la communauté générale» (Anadon, 1989 : 173).

Après une période de confrontation très dure avec le gouvernement, la centrale réajuste son discours radical à partir de 1976 alors que le Parti québécois prend le pouvoir. Ce dernier entend donner un second souffle à la réforme scolaire des années 60 et publie à cette fin son livre vert (*L'Enseignement primaire et secondaire au Québec*) en 1977. La CEQ, qui est particulièrement déçue de la conception de l'éducation que le gouvernement vient de formuler, répond au document gouvernemental par une publication, *Le livre vert, vers quoi au juste?* (1977), dans laquelle elle exprime sa volonté de mettre au point une proposition d'école. Après plusieurs consultations auprès des membres de la CEQ, cette proposition prend forme et fait l'objet d'une autre publication, *Pour une école de masse à bâtir maintenant: proposition d'école* (1978). Le gouvernement, voulant visiblement réaffirmer son leadership dans le domaine éducatif, publie à son tour en 1979 son livre orange, *L'École québécoise: énoncé de politique et plan d'action*, dans lequel il élabore sa proposition de «Projet éducatif» de l'école qu'il avait présenté dans son livre vert. De nouveau, la CEQ

---

10. C'est là une des différences fondamentales entre un syndicat et un mouvement social. Le premier défend des intérêts particuliers, ceux de ses membres dûment inscrits et il peut très bien s'accommoder d'une société inégalitaire. Le second porte sur les intérêts du plus grand nombre et vise une transformation en profondeur de la société, généralement vers une société plus égalitaire.

répond au ministère en publiant un document au titre évocateur : *Un pas en avant... deux pas en arrière* (1979).

D'autres voix se font entendre à côté de celle de la CEQ pour faire la critique de la proposition d'école contenue dans le livre vert du gouvernement. Si, pour certains, cette action gouvernementale vise à consolider les acquis de la réforme scolaire et à rajuster le tir sur certains aspects des transformations du système scolaire, pour d'autres, elle constitue plutôt une « politique de redressement[11] » de la part du gouvernement (Bélanger *et al.*, 1978 : 15). En somme, le livre vert ne constituerait en rien un second souffle à la réforme scolaire, encore moins une nouvelle réforme qui aurait pu permettre de corriger le tir sur la persistance de certaines inégalités scolaires. Comme le soulignent Bélanger *et al.* (1978) :

> [...] la qualité plus que relative du diagnostic posé par le livre vert, l'absence d'un principe directeur du second souffle actuel, le manque de réaffirmation de la validité des objectifs initiaux [ceux de la réforme scolaire] et l'acceptation comme une donnée des conditions politico-économiques non favorables à un grand projet éducatif au niveau provincial nous incitent à conclure qu'il s'agit d'une politique de « redressement » à saveur « régressive » plutôt que progressive. (Bélanger *et al.*, 1978 : 16).

Mentionnons ici un des problèmes importants de l'action gouvernementale : élaborer un projet éducatif basé sur une logique administrative, qui constitue en quelque sorte une volonté de rationalisation et une méthode de gestion de la réforme scolaire (Bélanger *et al.*, 1978 : 17). La CEQ, pour sa part, tente de montrer que les objectifs du livre vert mènent à « une école plus élitiste et compétitive qu'avant, une école faite pour ceux qui peuvent et veulent en profiter » (CEQ, 1977 : 7). La centrale déplore d'ailleurs que les auteurs du livre vert n'aient pas retenu une des principales critiques que celle-ci a faite de l'école depuis 1972, soit que « l'égalité des chances à l'école n'existe pas ».

De 1970 à 1975, le discours de la CEQ vise une transformation radicale de la société alors que de 1976 à 1980, le discours s'adoucit, l'école publique devenant le point de mire de la centrale. Comme le souligne Anadon (1989), dans la deuxième période « [...] la lutte et la confrontation se limitent à l'école publique en reléguant à un deuxième plan le projet de transformation sociale » (Anadon, 1989 : 171). Toutefois, sur le plan de l'action comme sur celui des symboles, le discours de la CEQ tente de rendre illégitime celui du ministère de l'Éducation tout en cherchant à « imposer, au moins au niveau de l'école, une nouvelle conception du monde » (Anadon, 1989 : 171). Bernier (1979) avait déjà constaté ce glissement dans l'action politique de la CEQ qu'il attribue à une conception plus pragmatique des réalités scolaires.

---

11. On parle de politique de redressement, car la publication gouvernementale utilise à plusieurs reprises ce vocable.

En effet, le discours radical de la centrale de 1970 à 1975 laisse entendre qu'il ne sert à rien de tenter de changer l'école s'il n'y a pas de transformations radicales de la société capitaliste, c'est-à-dire tant que la classe dominante continuera d'exploiter les classes dominées. Un tel discours pose un sérieux problème au personnel enseignant qui doit, jour après jour, faire son travail dans les écoles tout en sachant qu'il se fait la courroie de transmission des intérêts de la classe dominante. Dans ces conditions, les dirigeants de la centrale devaient pouvoir impliquer leurs membres dans une démarche de transformation sociale à partir de leur milieu de travail. L'école publique devenait, dans ce contexte, le lieu par excellence pour changer la société par actions interposées. En laissant entendre à partir de 1976 que l'action de transformation sociale était dorénavant possible au sein même de l'école, les dirigeants de la centrale espéraient ainsi stimuler l'engagement du personnel enseignant dans la lutte pour la classe ouvrière (Bernier, 1979 : 54-56).

L'école québécoise dans les années 70 selon la CEQ

L'analyse de l'école dans la société québécoise qu'effectue la CEQ à partir de 1970 diverge radicalement de celle qui est faite par le ministère de l'Éducation à la même époque. Les critiques de la CEQ, dans la période de 1970 à 1976, portent sur le fonctionnement et l'évolution de la société québécoise dans son ensemble d'abord, sur le rôle de l'école dans une telle société ensuite et sur la place que doivent prendre les enseignantes et les enseignants dans la société et l'école enfin. S'inspirant largement des études de philosophie et de sociologie marxistes qui ont cours à ce moment dans de nombreux pays, notamment en France, la CEQ élabore une action politique dépassant largement son mandat officiel de défense des intérêts de ses membres.

Critique de la société capitaliste et de ses écoles

Lors de son congrès de 1971, la CEQ adopte un premier manifeste politique (CEQ, 1971) dans lequel on trouve le nouveau cadre d'analyse marxiste de la société capitaliste que se donne la centrale (Tardif, 1990 : 78-79). La première analyse concrète faite à partir de cette nouvelle orientation politique prend la forme d'un document, *L'École au service de la classe dominante* (1972), soumis aux délégués de la centrale lors du congrès de 1972. Dans ce document, la CEQ montre, de façon sommaire, que l'école est un instrument aux mains de la classe des capitalistes en vue de l'exploitation des travailleurs. Devant l'accueil favorable du document par les congressistes, la direction de la CEQ décide de mettre sur pied la Commission d'étude sur le rôle de l'école et de l'enseignant (CEREE) qui remettra son rapport intitulé *École et luttes de classes au Québec* (1974), au congrès de 1974. Dans ce document, la CEQ élabore de manière plus substantielle sa vision de la société et le rôle de l'école dans la société.

Pour la centrale, le Québec est dominé par le mode de production capitaliste, « caractérisé par la séparation qui existe, du point de vue de la propriété, entre les travailleurs et les moyens de production». «C'est cette séparation qui est à l'origine des rapports sociaux, de la division de la société en deux classes dont les intérêts sont contradictoires» (CEQ, 1974 : 17). Dans cette société, les classes dirigeantes et capitalistes extorquent le fruit du travail des ouvriers pour leur seul profit. Ne possédant pas les moyens de production nécessaires à la fabrication des biens et des services, les travailleurs se voient dans l'obligation de vendre leur force de travail aux capitalistes. Dans cette société également, l'État est un instrument entre les mains des capitalistes. Par le biais de cet État, les classes dirigeantes mettent en place un ensemble d'appareils idéologiques d'État qui servent à maintenir et à reproduire les privilèges des classes dirigeantes. Pour la CEQ, qui reprend les thèses de Poulantzas (1974) et de Baudelot et Establet (1971), l'école participe à cette dynamique visant l'exploitation de la classe ouvrière :

> L'école capitaliste est un appareil idéologique d'État qui contribue à la reproduction des places dans le mode de production (propriétaires-dirigeants et travailleurs-exécutants) et à la distribution des agents parmi ces places, notamment par la division entre le travail manuel et le travail intellectuel ; le travail intellectuel et le secret du savoir étant souvent servis comme «justification» de la domination des travailleurs par la bourgeoisie. (CEQ, 1974 : 17).

Pour la centrale, l'école ne peut être démocratique et n'offre pas de chances égales à tous comme l'ont souvent affirmé les idéologues des années 60. En fait, la CEQ considère plutôt que l'école a d'abord un rôle de reproduction des classes en se servant de nombreux mécanismes de sélection qui éliminent graduellement de l'école les enfants d'origine ouvrière qui se retrouvent, par le fait même, très tôt sur le marché du travail pour vendre leur force de travail (CEQ, 1974 : 17). Toujours selon la CEQ, l'école a aussi un rôle d'inculcation de l'idéologie de la classe dominante, c'est-à-dire «une fonction de transmission ou d'inculcation des idées, des intérêts, des valeurs, des conditions de vie, des attitudes et des comportements de la classe bourgeoise» (CEQ, 1974 : 59).

La pédagogie de conscientisation

L'analyse critique de l'école effectuée par la CEQ dans la première moitié des années 70 l'amène à favoriser une action politique concrète dans les écoles. Après le dépôt du rapport de la CEREE, intitulé *École et luttes de classes au Québec* (1974), les militants de la CEQ réclament que la «lutte idéologique» entreprise contre l'école capitaliste soit poursuivie. À cette fin, la centrale met sur pied une équipe d'animation qui produit l'année suivante (1975) un document choc connu sous le nom de «livre rouge de la CEQ[12]» qui heurte de front «l'élite bien pensante de l'époque,

---

politiciens, clergé, journalistes, et leurs hauts cris ont atteint jusqu'aux parents » (Tardif, 1990 : 80). En quoi ce document pouvait-il autant déranger ?

Pour la première fois dans l'histoire scolaire du Québec, des enseignantes et des enseignants osaient proposer à leurs élèves des activités pédagogiques afin de les conscientiser aux rouages de la société capitaliste, aux mécanismes d'exploitation sociale mis en place par les classes dirigeantes, tout en leur fournissant les moyens de développer une pensée critique face à l'idéologie bourgeoise tant dans l'école qu'à l'extérieur de celle-ci. Pour plusieurs, la CEQ « se servait de l'école pour faire de l'action politique ». Sous le nom de pédagogie de conscientisation, les enseignantes et les enseignants développent une pédagogie engagée propre à fournir aux étudiantes et aux étudiants les outils de compréhension du monde dans lequel ils vivent, notamment la réalité ouvrière, et les moyens d'appuyer concrètement les luttes ouvrières. Pour la CEQ, c'est là un moyen par excellence pour la transformation de la société dans le sens de la majorité populaire :

> La conscientisation signifie la possibilité de comprendre les structures sociales en tant que moyens de domination et de violence. Mais elle n'acquiert sa signification totale que lorsqu'elle coïncide avec la lutte concrète des hommes, des étudiants, pour s'en libérer. Elle est une réflexion sur le monde et un engagement dans l'action pour le transformer. (CEQ, 1974 : 147).

Devant les difficultés d'application d'une telle pédagogie dans le quotidien des classes scolaires des enseignantes et des enseignants, et dans le but de rallier la majorité du personnel enseignant à l'action politique, la CEQ réajuste son tir à partir de 1978 et délaisse la pédagogie de conscientisation pour la pédagogie de masse, c'est-à-dire une pédagogie qui « recherche le progrès de tous, elle n'est pas d'abord vouée à la création d'une élite [mais] ne nie pas l'émergence d'une telle élite – c'est là un résultat plutôt qu'un objectif – mais elle fait porter l'effort principal vers ceux qui ont le plus besoin d'elle » (CEQ, 1978 : 21). La nouvelle pédagogie prônée par la centrale à partir de 1978 contraste substantiellement avec celle qui était mise en place en 1975. En fait, les militants de la CEQ se sont convaincus dans l'intervalle qu'il était peut-être possible de changer un tant soit peu les discriminations sociales en agissant, au sein même de l'école, sur le développement d'activités pédagogiques accessibles à tous les enfants et non pas seulement à ceux des classes supérieures et moyennes.

Critique de l'enseignement privé

L'analyse de la société que fait la CEQ dans les années 70 la mène inéluctablement à faire une critique des institutions privées qui se sont maintenues malgré la réforme des années 60. En fait, deux grandes conceptions de l'école privée s'affrontent à ce moment. Une première conception, véhiculée par la « gauche » québécoise, dont la CEQ, laisse entendre que le secteur privé est maintenu en place par la classe dominante qui peut ainsi « conserver un système parallèle susceptible de perpétuer ses privilèges » (Gagnon, 1977 : 14). Selon les tenants de la seconde conception, l'école privée, financée par l'État, serait l'expression par excellence du droit au libre choix entre deux systèmes d'éducation différents. Ce débat prend racine dans les années 60 alors que le secteur privé résiste à la réforme scolaire et à la création du ministère de l'Éducation.

La situation des écoles privées après la mise en place du ministère de l'Éducation n'est pas des plus faciles. Il leur est notamment défendu de faire concurrence au secteur public. Dans ces conditions, plusieurs institutions se prévalent du régime d'association (que l'on nomme à l'époque « complémentarité »), élaboré par le gouvernement afin de faciliter le travail des commissions scolaires devant mettre en place les équipements nécessaires à l'arrivée de contingents importants de jeunes qui effectuent des études secondaires. Les institutions privées, afin de boucler leur budget, reçoivent les élèves que les commissions scolaires ne peuvent accueillir dans l'immédiat. Malgré cela, nombre d'institutions privées ne survivent pas au drainage de clientèle qu'elles subissent de plus en plus alors que les classes secondaires publiques s'ouvrent un peu partout dans la province. Ainsi, en 1968, des quatre-vingt-treize institutions secondaires et collégiales francophones privées de l'époque, seulement la moitié d'entre elles survivent. C'est alors que de façon tout à fait inattendue, le gouvernement vote une loi qui garantit fort généreusement le financement du secteur privé tout en assurant l'existence de celui-ci.

La loi 56, votée en 1968 à l'unanimité à l'Assemblée nationale (Simard, 1993 : 86), permet à une institution privée, déclarée d'intérêt public, de recevoir 80 % du coût moyen d'un élève étudiant dans le secteur public. La même loi met sur pied une commission consultative chargée de juger les institutions privées susceptibles d'être déclarées d'intérêt public. Les premières années de son existence, cette commission sera composée surtout de gens en provenance du secteur privé. Aussi, certains diront qu'on se « jugeait en famille[13] » (Gagnon, 1977 : 15). De plus, la loi 56 élimine presque complètement la règle de complémentarité entre le secteur privé et le secteur public, ce qui ouvre la voie à la concurrence entre ces deux secteurs : on parle dorénavant d'une « saine concurrence » entre le secteur privé et le secteur public (Simard, 1993 : 81). Les conséquences concrètes de cette loi seront perceptibles après quelques années seulement. En effet, la baisse du nombre d'institutions privées depuis 1964 s'arrête aux alentours de 1973-1974 ; mais ce nombre connaît par la suite une augmentation substantielle. C'est dans ce contexte que la CEQ entreprend sa critique de l'école privée.

---

13. Selon Gagnon (1977), le fait que cette loi n'ait rencontré aucune opposition, ni des députés au pouvoir, ni des députés de l'opposition, ni même des syndicats à l'époque, constitue probablement un fait sans précédent dans les annales parlementaires du Québec. Toujours selon Gagnon (1977) : un « sous-ministre adjoint du ministère de l'Éducation estime [...] qu'il s'est agi d'une sorte de "troc" : l'État avait "nationalisé" les institutions d'enseignement du clergé, et en échange, lui donne la loi 56 » (Gagnon, 1977 : 15).

Les critiques de la CEQ visent les principaux arguments avancés par les promoteurs de l'enseignement privé : l'école privée est l'expression du libre choix des parents ; on y retrouve un climat scolaire plus humain ; on est assuré d'y trouver un climat confessionnel ; elle est un refuge contre la situation désastreuse dans le secteur public ; elle entre dans le cadre d'une saine compétition entre les secteurs privé et public ; enfin, elle rend service à la société (David, 1975 : 121). En somme, ces arguments peuvent être ramenés à une idée de fond : selon les défenseurs de l'enseignement privé, les écoles privées sont d'intérêt public et devraient être financées à 100 % par l'État, car elles offrent une éducation de qualité supérieure, tant sur le plan des connaissances que sur le plan moral, à celle qui est offerte par les écoles du secteur public, notamment les polyvalentes, qui sont aux prises régulièrement avec des conflits de travail et de nombreux problèmes sociaux comme la drogue, l'alcool et la violence. C'est contre de telles prétentions que la CEQ s'élève, notamment en ce qui concerne le financement de l'école privée et les processus de sélection scolaire dans ces écoles.

Selon la CEQ, si les écoles privées offrent en général un enseignement qui semble de meilleure qualité, elles seraient très avantagées par rapport aux écoles du secteur public. Ainsi, lorsque le gouvernement finance le secteur privé à 80 % du coût moyen d'un élève du secteur public, il perd au change. En effet, ce coût moyen inclut les coûts du secteur général et du secteur professionnel, ainsi que les coûts reliés à l'intégration des élèves qui ne peuvent entrer dans un cheminement scolaire régulier (handicapés physiques, élèves qui ont des déficiences mentales légères ou moyennes, élèves qui ont des troubles de comportement, etc.). Or, le privé n'offre pour sa part que des cours dans le secteur général, ce qui réduit passablement ses frais d'exploitation. Dans ces conditions, le financement du privé à 80 % du coût moyen d'un élève du public équivaut à financer ce secteur à 110 %, donc un financement 10 % supérieur à celui du public.

De plus, toujours selon la CEQ, les problèmes du secteur public sont à peu près inexistants dans le secteur privé, car ce dernier sélectionne les élèves qu'il reçoit. Par le processus des examens d'entrée, qui favorise les élèves ayant un rythme scolaire rapide, les écoles privées s'assurent de la présence dans leurs murs des meilleurs élèves, ceux qui sont généralement les plus motivés dans leur démarche scolaire. À partir de ses propres données, la CEQ estime que, de cette façon, le secteur privé demeure un instrument aux mains des classes privilégiées de la société, car la majeure partie des jeunes ainsi sélectionnés proviennent de milieux sociaux aisés[14].

---

14. Cela n'exclut pas que des enfants provenant des milieux sociaux moins bien nantis puissent aller à l'école privée. En fait, la CEQ remarque que les enfants provenant de milieux sociaux aisés sont surreprésentés dans les institutions privées par rapport aux enfants des autres groupes sociaux (David, 1975 : 132). Selon les données de Béland (1978), la distribution des enfants dans le secteur privé selon la classe sociale pour l'année scolaire 1971-1972 se répartit comme suit : « 3 % des étudiants de la strate inférieure fréquentent l'école privée, contre 8 % de la strate moyenne et 23 % pour ceux de la strate supérieure » (Béland, 1978 : 251).

Cette première sélection à l'entrée est doublée d'une autre en cours d'année scolaire alors que l'on renvoie au secteur public les élèves dont le comportement est difficile ou qui visiblement ont moins de chances de réussite. Ainsi, selon Gilles Fortin, ancien président de la Fédération des commissions scolaires catholiques du Québec, l'école privée « se constitue une réputation d'école-miracle, qui donne la plus belle formation, confirmée par des diplômes brillants » (Fortin, 1974, cité dans David, 1975 : 133).

Dans ces conditions, la CEQ souhaite que le gouvernement cesse tout financement de l'école privée, car dans toutes ses facettes, cette école demeure un instrument de promotion sociale aux mains des classes privilégiées, au détriment des enfants des milieux sociaux moins bien nantis. D'ailleurs, dans sa *Proposition d'école* de 1978, la CEQ revient à la charge auprès du gouvernement pour qu'il change les règles du jeu qui défavorisent grandement le secteur public : l'école « n'a de privé que le fait d'être dirigée par des intérêts privés et d'avoir toute liberté de sélectionner sa clientèle alors qu'elle est grassement subventionnée à même les taxes de tous les Québécois. C'est là une contradiction avec les objectifs "démocratiques" d'un service public d'enseignement » (CEQ, 1978 : 16).

Critique de la confessionnalité

S'appuyant sur l'idée de pluralisme idéologique, la CEQ défend pendant toutes les années 70 la nécessité d'avoir un système, des structures et des écoles laïques. Pour la centrale, la formation religieuse est l'affaire des familles et des Églises, non de l'école qui doit cependant offrir des cours de morale. Bien que l'exemption de donner l'enseignement religieux soit acquise pour les enseignantes et les enseignants et que les enfants puissent être dispensés d'un tel enseignement lorsque les parents en font une demande écrite, la CEQ croit que c'est trop peu. Les raisons avancées par la centrale sont de deux ordres. Dans un premier ordre d'idées, elle considère que le droit à l'exemption de l'enseignement religieux pour les enseignantes et les enseignants n'est pas réaliste, car dans les faits, tous ceux et celles qui pourraient se prévaloir de ce droit sont l'objet de pressions dans le milieu scolaire :

> [...] n'a-t-on pas vu dernièrement un curé refuser que des élèves soient confirmés parce que leur titulaire ne pratiquait plus, ou encore un enseignant recevoir une lettre de réprimande sous le prétexte qu'il n'aurait pas respecté la foi de ses élèves parce qu'il aurait souhaité devant eux qu'une cérémonie pénitentielle soit déplacée de l'horaire pour qu'il puisse procéder à un examen de français ? (CEQ, 1978 : 13).

Dans un second ordre d'idées, la CEQ estime que le choix donné aux parents et aux enfants entre l'enseignement religieux et l'enseignement moral est une illusion puisque, dans les faits, l'école « est imprégnée par la formation religieuse ». La centrale en veut pour preuve la première communion et la confirmation qui demeurent des activités intégrées dans le temps scolaire des élèves. Comment respecter dans ces conditions les élèves qui se réclament d'une autre confession comme le bouddhisme, l'islamisme ou encore l'hindouisme ? En posant la question ainsi, la CEQ fait prendre conscience au gouvernement que le caractère confessionnel de l'école québécoise porte atteinte au pluralisme religieux et est en porte-à-faux avec la réalité sociale, puisque 80 % des enfants reçoivent une formation religieuse pour 30 % de la population qui se dit pratiquante.

La *Proposition d'école* que fait la centrale en 1978 inclut des demandes en faveur de la déconfessionnalisation des écoles ; elle souhaite également que les activités religieuses soient pratiquées en dehors de l'horaire régulier de l'école afin de respecter tous ceux et celles qui ne partagent pas les mêmes valeurs religieuses que les catholiques et les protestants. Pour la centrale, ce sont des gestes qui doivent être posés si l'on veut une école démocratique et respectueuse du pluralisme « en matière de foi ».

Le mouvement étudiant se mobilise pour une école démocratique

La CEQ est sans doute l'acteur le plus important dans la critique de la société et de l'école des années 70, notamment par le nombre de publications à son actif durant cette période. Toutefois, un autre acteur collectif, le mouvement étudiant, met en lumière les aspects discriminants du système d'enseignement québécois à travers ses luttes contre les modifications au régime des prêts et bourses. Dès la fin des années 50, les étudiantes et les étudiants du Québec s'organisent pour avoir un meilleur contrôle sur leurs conditions d'existence. Les luttes étudiantes de la fin des années 60 et du début de la décennie suivante visent presque toutes, d'une manière ou d'une autre, les normes édictées par le gouvernement en matière d'aide financière aux étudiants et aux étudiantes : ces normes se multiplient et deviennent plus restrictives à partir de 1966-1967 (Beauchemin, 1991 : 75). D'autre part, le mouvement étudiant s'inscrit dans la lignée de celui qui bouleverse l'Europe en 1968 (Fournier, 1989 : 179-180) ; ce dernier est propice à l'apparition d'une contre-culture allergique à tout ce qui ressemble à des normes, à de l'autorité et au passé. Toutefois, la contestation étudiante au Québec se dégage rapidement du mouvement contre-culturel pour s'attaquer aux problèmes plus concrets de l'accessibilité aux études collégiales et supérieures et au régime d'aide financière de l'État québécois.

À l'instar de nombreux groupes sociaux, corps intermédiaires et regroupements dans les années 60, les regroupements étudiants de la province ont participé de plain-pied aux différents comités mis en place par le ministère de l'Éducation après sa création en 1964, notamment le comité du plan d'accessibilité générale à l'éducation, le comité de révision des prêts et bourses et le comité de la mission de la formation des maîtres. En même temps, les associations étudiantes revendiquent à partir de 1966 un ensemble de mesures afin de favoriser l'accessibilité aux études universitaires. Ainsi, pour l'année scolaire 1966-1967, on demande « le gel des frais de scolarité, l'élargissement des normes d'attribution du programme d'aide financière et la fixation du montant maximum des prêts à 400 dollars plutôt qu'à 800, comme le prévoit le gouvernement [...] » (Beauchemin, 1991 : 79).

Devant le refus de l'État d'assouplir les normes qu'il a lui-même mises en place, les regroupements étudiants de la province décident de mettre en action, à l'automne 1966, des moyens de pression pour forcer le gouvernement à revoir sa position. Ainsi, en septembre 1966, les étudiants et les étudiantes de l'Université Laval boycottent le paiement des droits de scolarité. Les rondes de négociations qui auront lieu plus tard permettront de désamorcer pour un moment les tensions entre les regroupements étudiants et le gouvernement. Toutefois, devant l'impossibilité de faire accepter leurs revendications, les associations étudiantes quittent massivement, en 1968, les différents comités de participation auxquels elles siégeaient depuis quelques années, les qualifiant de « pseudo-consultatifs et inefficaces » selon les dires des représentants étudiants (Beauchemin, 1991 : 81-82). Dès lors, le discours étudiant se radicalise et prend des colorations marxistes pour les groupes les plus à gauche[15] sur l'échiquier politique, tout en étant dorénavant sensible aux conditions de vie des étudiantes et des étudiants provenant des milieux ouvrier et populaire. Comme le souligne Beauchemin (1991), ces groupes :

> conçoivent l'école comme une filière institutionnelle où l'on reproduit la plupart des valeurs inhérentes au mode de production capitaliste. Ainsi, selon eux et elles, il semble nécessaire de contester – en plus de la réforme du programme d'aide financière de l'État – l'individualisme, la sélection et la rationalisation du système scolaire et, plus spécifiquement, la pédagogie et le contenu des cours. Bref, la lutte à l'intérieur de l'Université et du CEGEP doit s'apparenter au combat de la classe ouvrière contre le capitalisme en général. (Beauchemin, 1991 : 91-92).

Dans la première moitié des années 70, le mouvement étudiant constate que le régime d'aide financière de l'État rend de plus en plus précaire la situation économique de nombreux étudiants et étudiantes qui se voient contraints d'abandonner leurs études en raison de problèmes financiers. La situation devient plus criante alors que le gouvernement de Robert Bourassa entérine des changements au programme des prêts et bourses en 1974, qui ont pour effet de retarder considérablement le traitement des demandes et l'arrivée des montants d'argent aux bénéficiaires.

Les changements qui surviennent à ce moment dans le régime des prêts et bourses touchent de manière particulière deux classes d'étudiants : les étudiantes et les étudiants dont les parents ne disposent pas des ressources financières suffisantes

---

15. Ces groupes sont formés d'étudiants et d'étudiantes provenant des sciences humaines et des sciences sociales (Beauchemin, 1991 : 91). Le radicalisme de certains groupes va assez loin, comme en témoigne la publication du manifeste du Front de libération du Québec (FLQ) dans une des publications étudiantes les plus importantes dans la période concernée, soit *Le Quartier latin* (Vallières, 1990 : 17).

pour aider leur enfant à poursuivre des études collégiales ou universitaires ; les étudiantes tout comme les étudiants qui, pour diverses raisons, n'ont pu trouver un travail estival leur permettant de contribuer aux coûts de leurs études. En effet, en 1974, le gouvernement hausse la contribution parentale servant au calcul des prêts et bourses. Par exemple, pour 1973-1974, une famille ayant un revenu de 6000 $ doit prévoir une contribution de 90 $ aux études de son enfant qui poursuit sa scolarité au niveau supérieur. L'année suivante, la même famille ayant le même revenu doit consentir un effort de 900 $. Quant à la contribution de l'étudiant et de l'étudiante, elle passe de 512 $ en 1973-1974 à 920 $ en 1974, qu'il y ait eu travail ou pas pendant la période estivale. Ces mesures restreignent donc l'accessibilité aux études collégiales et supérieures. C'est pourquoi le mouvement étudiant, qui se donne une nouvelle organisation nationale en 1975 avec la création de l'Association nationale des étudiants et des étudiantes du Québec (ANEQ), exige, entre autres, « l'abolition des frais de scolarité, l'abolition des prêts, la reconnaissance du statut d'indépendance dès le collégial » (Beauchemin, 1991 : 105).

Les inégalités sociales et scolaires persistent dans les années 70

Les critiques contre l'école qui se font entendre à la fin des années 60 et au début de la décennie suivante de la part de la CEQ et du milieu étudiant sont-elles fondées dans les faits ? Une des premières études sur le phénomène de la scolarisation au Québec à cette époque est la recherche effectuée par Escande (1973). Cette dernière met en lumière les différences dans le cheminement scolaire des étudiants et des étudiantes du collégial. Escande s'est intéressé particulièrement aux relations entre l'orientation des étudiants et des étudiantes et leur origine sociale. Les résultats de l'étude laissent entrevoir que les inégalités sociales ont encore un poids important dans le cheminement scolaire des adolescents. Selon les données recueillies par l'auteur, « six fois sur sept, l'adolescent de classe supérieure s'inscrit au cours général, alors que celui issu de la classe ouvrière s'oriente presque une fois sur deux dans le cours technique » (Escande, 1973 : 92). Plus précisément, au collégial II, 87,3 % des étudiants dont le père est professionnel ou administrateur s'inscrivent dans le secteur général. Les étudiants dont le père est manœuvre ou ouvrier semi-spécialisé s'inscrivent dans une proportion de 40,3 % dans le secteur professionnel (Escande, 1973 : 98).

Si les jeunes en provenance des classes sociales moins nanties se retrouvent encore en plus grand nombre dans des cheminements scolaires ne menant pas à l'université, il en est de même pour les filles, moins nombreuses que les garçons à faire des études collégiales. Elles sont aussi moins nombreuses que les garçons à opter pour l'enseignement général et sont donc plus fréquemment inscrites dans le secteur professionnel. À l'enseignement général, elles espèrent dans une grande proportion faire des études universitaires en enseignement alors que les garçons optent le plus souvent pour les sciences. À l'enseignement technique, elles se dirigent fortement vers le secteur hospitalier (Escande, 1973 : 219). En somme, il y a une reproduction de la division sociosexuelle du travail qui tend à maintenir en place le système des rôles sociaux hérité du passé.

L'étude d'Escande est suivie de la grande enquête sur les Aspirations scolaires et les orientations professionnelles des étudiants (ASOPE)[16] dont les premières publications sont disponibles à partir de 1974. Les résultats de cette analyse sont publiés sur plusieurs années et confirment, pour le secondaire, quelques-uns des constats effectués par Escande (1973) pour le collégial quelques années auparavant. Par exemple, les données de 1971-1972 montrent que les jeunes issus de milieux socialement moins nantis se dirigent plus souvent au secondaire vers le secteur professionnel plutôt que vers le secteur général, alors que l'inverse s'observe dans le cas des jeunes issus de milieux sociaux plus favorisés.

Quatre clivages sociaux dans l'école retiennent l'attention durant cette période : 1) les écarts de réussite et de passage aux études postsecondaires entre les élèves des milieux sociaux favorisés et ceux des milieux défavorisés ; 2) les clivages sociaux selon le sexe ; 3) les disparités dans les cheminements scolaires entre francophones et anglophones ; 4) la montée du secteur privé par rapport au secteur public.

Milieux sociaux favorisés et défavorisés

Comme le montre le tableau 1, le secondaire général, qui ouvre les portes du cégep, est fréquenté dans une plus grande proportion par des jeunes issus de milieux sociaux favorisés. Le secondaire professionnel, qui mène généralement vers le marché du travail, est choisi dans une plus grande proportion par les jeunes issus de milieux sociaux moins biens nantis. Pour effectuer le passage du secondaire général au cégep, il faut avoir réussi scolairement et avoir été sanctionné par un diplôme. En principe, ceux qui réussissent le mieux au secondaire sont les candidates et les candidats idéaux pour des études collégiales. Or, les données de l'enquête ASOPE montrent qu'à réussite égale, le passage au cégep diffère chez les jeunes selon leur origine sociale. Ainsi 80 % des étudiants d'origine sociale élevée ayant bien réussi sur le plan scolaire passent au cégep alors qu'à réussite égale, seulement 52,2 % des étudiants d'origine sociale modeste font de même (*voir le tableau 2*).

---

16. L'ampleur de cette étude québécoise, tant par le nombre de personnes interrogées que par le nombre de chercheurs impliqués dans ce projet, se compare aux grandes études américaines dans le domaine scolaire, comme celles qui aboutissent au rapport Coleman de 1966 ou à la publication de Jencks et ses collègues en 1972.

Tableau 1
Répartition des clientèles au cours secondaire général ou professionnel selon l'orientation scolaire et la profession du père (élèves de secondaire V en 1971-1972)

Profession du père	Orientation		Total
	Générale	Professionnelle	
Administrateur	79,3	20,7	368
Cadre moyen	72,0	38,0	1035
Petit propriétaire	63,6	36,4	539
Col blanc	64,1	35,9	384
Ouvrier spécialisé	54,2	45,8	1448
Ouvrier semi-spécialisé	49,0	51,0	918
Manœuvre	49,4	50,6	812
Fermier	56,2	43,5	468
Total	59,0	41,0	5972

Source : Adapté de Massot (1981 : 134).

Tableau 2
Taux de passage au cégep selon l'origine sociale et la réussite scolaire

Profession du père	Excellent	Moyen	Faible
Administrateur et professionnel	0,800 (55)	0,631 (111)	0,317 (60)
Cadre moyen et semi-professionnel	0,626 (115)	0,545 (259)	0,253 (170)
Ouvrier	0,523 (209)	0,326 (428)	0,159 (547)

Les taux de passage se lisent comme suit : 80 % des étudiants et des étudiantes en secondaire général, d'origine sociale élevée et ayant des résultats scolaires excellents, passent au cégep I général.
Source : Massot (1981 : 150).

Les garçons et les filles

Les clivages sociaux selon le sexe continuent également à s'exprimer à l'école dans les années 70. Par exemple, au collégial, les filles et les garçons s'orientent différemment dans les options offertes. Les garçons choisissent plus souvent les sciences pures et appliquées et les sciences de l'administration alors que les filles optent plus souvent pour les sciences humaines et les arts et lettres. Cette tendance se maintient tout au long des années 70, comme le montre le tableau 3.

Tableau 3
Répartition (en %) des clientèles du cours collégial général selon le sexe et les options, en 1973-1974 et en 1980-1981

Options	1973-1974		1980-1981	
	Filles	Garçons	Filles	Garçons
Sciences de la santé	23,0	18,3	19,1	15,4
Sciences pures et appliquées	6,6	23,8	7,1	24,7
Sciences humaines	46,3	36,4	44,1	33,5
Sciences de l'administration	3,6	13,5	8,3	15,8
Arts et lettres	20,6	8,1	19,8	8,6
Hors DEC	–	–	1,6	2,0
Nombre total	5360	6661	15 803	17 137

Source : Laforce et Massot (1983 : 159).

Les options choisies par les garçons mènent le plus souvent vers des emplois lucratifs et reconnus socialement.

Les options choisies par les filles les dirigent vers des emplois moins rémunérateurs, plus touchés par le chômage et moins reconnus socialement.

Francophones et anglophones

Aux clivages sociaux liés à l'origine sociale et au sexe, s'ajoute celui de la langue. En effet, en suivant une cohorte de 10 000 élèves du secondaire V au secteur francophone et une autre cohorte de 10 000 élèves au secteur anglophone, entre 1971 et 1975, on constate des différences substantielles entre les deux groupes en ce qui touche les cheminements scolaires. (*Voir les figures 1 et 2.*)

Sans entrer dans le détail des figures 1 et 2, on observe que le nombre d'abandons après le secondaire V professionnel est plus élevé chez les francophones (0,8596) que chez les anglophones (0,7244). De plus, le transfert des finissants du secondaire V vers le cégep professionnel est plus élevé chez les francophones (0,2918) que chez les anglophones (0,0738). Chez les anglophones, le taux de passage du secondaire général au cégep général (0,6278) est beaucoup plus élevé que chez les francophones (0,3957). Dans tous les cas, le transfert du général au professionnel est plus élevé chez les francophones que chez les anglophones. En somme, les structures anglophones

Figure 1
Évolution d'une cohorte de 10 000 élèves de secondaire V, (secteur francophone) de 1971 à 1975

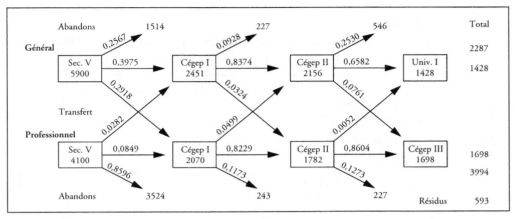

Source : Laforce et Massot (1983 : 169).

Figure 2
Évolution d'une cohorte de 10 000 élèves de secondaire V, (secteur anglophone) de 1971 à 1975

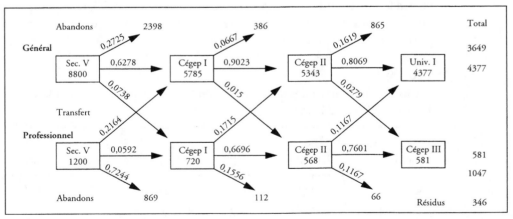

Source : Laforce et Massot (1983 : 171).

favorisent davantage la formation générale et l'accès à l'université que les structures francophones (Laforce et Massot, 1983 : 171). Même le taux de scolarisation entre francophones et anglophones dans les universités du Québec montre l'avantage des seconds sur les premiers. Les données du tableau 4 indiquent globalement que le taux de scolarisation des francophones dans le système universitaire québécois est beaucoup plus bas que celui des anglophones, de 1960 à 1975. De plus, ce taux baisse chez les francophones de 1970 à 1975 alors qu'il augmente chez les anglophones.

Tableau 4

Estimation du nombre d'étudiants inscrits à plein temps dans les universités du Québec et taux de scolarisation, 1960-1975

Année	1960	1970	1975
Francophones	2,9	7,6	6,6
Anglophones	11,0	13,9	16,9
Total des effectifs	21 948	54 785	74 099

Source : Dandurand, Fournier et Bernier (1980 : 118).

Enseignement privé, enseignement public

Un autre phénomène prend de l'ampleur dans les années 70, soit la résurgence de l'enseignement privé au secondaire. En effet, après un déclin relatif de 1960 à 1970, les écoles privées augmentent leur importance relative par rapport aux écoles publiques. En fait, alors que le secteur public enregistre une baisse continuelle de ses effectifs dans la période analysée, le secteur privé connaît des hausses importantes de sa clientèle au secondaire. Le phénomène s'inverse au collégial, quoique moins important quantitativement, alors que le secteur public augmente sa part relative par rapport au secteur privé. (*Voir le tableau 5.*)

Tableau 5

Importance relative des secteurs public et privé, pour le secondaire et le collégial, 1970-1971 à 1981-1982

Années Niveau	1970-1971		1975-1976		1981-1982	
	Public	Privé	Public	Privé	Public	Privé
Secondaire	94,8	5,2	90,3	9,7	89,0	11,0
Collégial	85,2	14,8	87,0	13,0	88,6	11,4

Source : Simard (1993 : 29 et 31).

En définitive, les volontés de démocratie et de justice sociale si présentes dans les discours de la réforme scolaire ne se sont pas réalisées complètement. Certes, on note des avancées importantes comme une plus grande scolarisation au secondaire des enfants issus des milieux sociaux défavorisés, une plus grande accessibilité des filles aux études secondaires et supérieures, mais dans l'ensemble, les inégalités sociales dans l'école persistent toujours en fonction de l'origine sociale, du sexe et de la langue.

L'école unique et pour tous serait-elle un mythe?

Les sociologues de l'éducation des années 70, pour un bon nombre, développent une conception de l'école en opposition aux conceptions libérales et fonctionnalistes qui avaient prévalu dans la décennie précédente. Pour les fonctionnalistes, l'école constituait un moyen d'atteindre l'égalité sociale en fournissant à chacun des chances égales d'accès à l'école. Sans jamais nier que des inégalités sociales existent dans les sociétés industrielles (ex.: États-Unis, Canada, Allemagne, France), les fonctionnalistes font cependant le constat que ces inégalités sont le résultat de la compétition sociale entre les individus et que, dans cette perspective, elles relèvent plutôt de l'ordre «naturel» des choses et ne peuvent être transformées à la base. Or, ne pouvant agir efficacement sur les inégalités sociales de départ, les fonctionnalistes tentent de mettre en évidence les mécanismes qui permettent d'atteindre l'égalité sociale par d'autres moyens. La société étant stratifiée, c'est-à-dire structurée selon une hiérarchie d'inégalités, il faut miser sur des moyens qui permettent aux personnes désireuses de le faire, de passer d'un palier à un autre, d'un statut socio-économique à un autre.

Fondée sur une vision idéale de société ouverte, permettant à tous ceux et celles qui le veulent vraiment (idéal de réalisation personnelle et de réussite sociale) de se déplacer d'une position sociale à une autre grâce à l'acquisition des compétences scolaires sanctionnées par un diplôme, la conception fonctionnaliste de l'école met l'accent sur l'égalité des chances devant l'éducation. En d'autres termes, l'égalité d'accès principalement aux études secondaires doit garantir, par la sélection scolaire, que les plus méritants, à savoir ceux qui auront su s'élever au plus haut de la hiérarchie scolaire, obtiennent les meilleures positions sociales en ce qui a trait au revenu, au prestige et au pouvoir. Les sociologues fonctionnalistes ont cru trouver la preuve scientifique de leur conception dans les études de mobilité sociale qui montraient des déplacements importants d'individus entre les différentes strates sociales.

En somme, pour les tenants de l'approche fonctionnaliste, l'égalité des chances devant l'éducation permet aux couches socialement moins favorisées de la population d'améliorer leurs conditions d'existence en acquérant les diplômes nécessaires à la promotion sociale. Derrière cette conception, ce sont des idéaux démocratique et libéral qui se profilent à l'encontre de la société élitiste et fermée qui a caractérisé la plupart des sociétés depuis plus d'une centaine d'années.

Les sociologues marxistes des années 70, pour des raisons diverses, rejettent entièrement cette conception de la société et du rôle de l'école dans cette société.

Pour eux, la société est fondamentalement divisée en classes sociales (*voir l'encadré 3.1*) antagonistes où se trouvent opposées une classe dirigeante exploitant une classe ouvrière. Dans ce contexte, l'école est un instrument aux mains de la classe dominante. À travers l'école, cette classe cherche à assurer la reproduction du système social qui l'avantage dans tous les domaines. Par exemple, pour Baudelot et Establet, deux des principaux analystes marxistes de l'école, « [...] l'appareil scolaire sert à imposer à tous et à chacun l'idéologie dominante, bien mieux, l'appareil scolaire est un *instrument essentiel* à la domination de l'idéologie bourgeoise » (Baudelot et Establet, 1971 : 173).

Comment peut-on en arriver à exprimer des visions aussi différentes de la société et du rôle de l'école dans la société d'une décennie à l'autre ? Dans quels courants de pensée puisent les sociologues critiques de l'école dans la décennie des années 70 ? Que critiquent-ils au fait ? Répondre à ces questions, c'est en même temps retourner aux prémisses du discours tenu par la CEQ et par une bonne part

---

Encadré 3.1
Les classes sociales selon le matérialisme historique

La notion de classe sociale des fonctionnalistes diffère de celle du matérialisme historique qui inspire l'analyse marxiste de la société. Citons trois observations qui démontrent cette différence.

« Les classes sociales se définissent à partir de la place qu'occupent les agents qui les composent dans la structure économique. Cette place est déterminée essentiellement par le rapport de propriété ou de non-propriété qu'ont ces agents avec les moyens de production. *C'est justement ce rapport qui est à l'origine de l'inégalité sociale.* Dans cette conception, le salaire, le revenu, le niveau d'éducation, le statut professionnel, etc., ne dépendent pas principalement de qualités naturelles de l'individu (aptitudes, intelligence, dons) comme le prétend l'approche fonctionnaliste, mais de la place occupée dans la structure économique. [...]

« Les rapports entre les classes sociales ne sont pas des rapports de complémentarité – dans la paix et l'harmonie appelées équilibre et intégration chez les fonctionnalistes – dans le sens où chaque classe a et remplit certaines fonctions selon les aptitudes et les qualités de ses membres, comme le supposent les fonctionnalistes. Les rapports entre les classes, notamment entre la classe capitaliste et la classe ouvrière, sont des rapports d'antagonisme et de conflit qui prennent des formes de luttes économiques, idéologiques et politiques. De ce fait, il n'existe pas de classe moyenne qui concilie ou établit l'équilibre entre les classes sociales. [...]

« Les classes sociales ne peuvent pas être définies comme des groupes structurés uniquement autour d'intérêts économiques. Cette définition est fondamentale mais elle n'acquiert son plein sens que dans la mesure où les intérêts économiques contradictoires et opposés se traduisent en une opposition idéologique et politique entre les classes. Cette opposition idéologique et politique n'est possible que dans la mesure où les membres de chacune des classes sont conscients de leurs intérêts communs, s'organisent et luttent pour les défendre. »

Extrait de M'hammed Mellouki et Manuel Ribeiro, *Stratification, classes sociales et fonction de l'école* (1983 : 144-145).

des groupes de gauche dans la société québécoise de cette époque. Poser les questions dans ce sens amène également à situer l'idéal de l'égalité des chances devant l'école dans un nouveau cadre d'analyse.

Sociologie marxiste et sociétés capitalistes

Les sociologues critiques de l'école dans la décennie des années 70 puiseront leur inspiration dans les textes et les travaux des principaux porteurs du marxisme[17]. Le marxisme prend naissance en Allemagne et en France au milieu du XIXe siècle. Marx et Engels écrivent dans le *Manifeste du Parti communiste* que « l'histoire de toute société jusqu'à nos jours, c'est l'histoire de la lutte des classes » (Marx et Engels, 1954 : 28). En définitive, ces deux auteurs considèrent que le changement social prend la forme de conflits entre les classes sociales. En fait, lorsque les moyens de production n'appartiennent pas à l'ensemble de ceux qui les utilisent et en profitent, les théoriciens marxistes parlent de rapports de production ancrés dans une société divisée en classes sociales.

Ainsi, dans le monde médiéval (476-1453), le mode de production est basé sur la terre qui, à toutes fins utiles, appartient à un seigneur dont dépendent des serfs (paysans obligés devant le seigneur). Lors de la Révolution industrielle de la fin du XIXe siècle, c'est l'usine qui devient le mode de production principal. À ce moment, les rapports de production s'établissent entre des capitalistes (appelés bourgeois), propriétaires des moyens de production, et des travailleurs (appelés aussi prolétaires) (Migulez, 1993 : 85). Les bourgeois propriétaires des moyens de production tirent profit du travail des ouvriers qui vendent leur force de travail. Ce profit, dans les conditions du capitalisme, constitue une extorsion aux dépens des travailleurs et au profit des bourgeois.

La division de la société en classes sociales, une classe dominante et une classe dominée, la première exploitant la seconde, constitue la base de la vision sociale des marxistes. En cela, ils diffèrent radicalement des fonctionnalistes qui conçoivent la société comme un système hiérarchisé (en pyramide) de couches sociales plus ou moins pourvues de richesse, de pouvoir et de prestige. Pour les fonctionnalistes, les classes sociales (*voir l'encadré 3.2*) n'ont pas d'existence réelle. Le problème de l'inégalité sociale est alors posé de manière différente chez les fonctionnalistes et chez les marxistes. Pour les premiers, les inégalités sociales sont « naturelles », elles découlent

---

17. Il est souvent difficile pour les personnes peu habituées au courant de pensée marxiste de se faire rapidement une idée sur le sujet. Cela tient en partie au fait que le marxisme est l'amalgame de trois champs d'action différents. Il est d'abord une *théorie* sociologique et économique ; dans ce cas, l'accent est mis sur l'approche conceptuelle. Il est ensuite une *critique* de la société capitaliste ; en ce sens, la théorie marxiste devient plus polémique et s'ancre dans l'analyse de problèmes sociaux concrets. Il est enfin un *programme politique* ; dans ce cas, c'est l'action politique et le jeu du pouvoir qui sont privilégiés, avec un ancrage dans l'action bien réelle pour transformer la société (Lefebvre, 1971 : 53-94).

de la compétition sociale, économique et politique entre les individus dans une société. Pour les seconds :

> l'inégalité sociale ne découle pas principalement des différences naturelles entre individus, comme l'affirment les perspectives fonctionnalistes, mais des rapports d'exploitation qui s'établissent entre les classes sociales. Ainsi, si les agents profitent inégalement des biens de consommation (logement, service de santé, éducation, loisirs, etc.), ce n'est pas parce que certains sont plus riches que d'autres, mais parce que certains bénéficient des profits que réalise le travail des autres. Certes, la richesse et la pauvreté constituent des manifestations (ou des indices) d'inégalité sociale, mais les causes de ce phénomène résident dans les rapports d'exploitation existant dans une formation sociale donnée. (Mellouki, 1983 : 153).

Dans la conception marxiste de la société, il est impensable que l'école puisse être neutre ou démocratique : dans une société de classes, l'école ne peut être qu'une école de classes. Les premiers théoriciens et praticiens de cette théorie (Marx, Engels, Lénine, etc.) ont mis en lumière le rôle que pouvait jouer l'école dans la société capi-

---

Encadré 3.2
La conception des classes sociales selon les fonctionnalistes

« Selon la nature de leur travail, leur place dans la société, l'importance de leurs revenus, leur éducation, leurs conditions de logement, etc., les hommes ne vivent pas les mêmes expériences et, par conséquent, n'ont pas les mêmes représentations du monde. La nature de ces expériences serait difficilement saisissable si tous les facteurs qui les déterminent variaient indépendamment, mais on sait que ce n'est pas le cas : ceux qui sont comparables du point de vue de la place occupée dans le système de production le sont en général aussi du point de vue de leurs revenus, de leurs conditions de logement, de leur éducation. Cette communauté de caractéristiques dans les conditions d'existence définit une communauté d'expériences conférant certaines propriétés communes à des ensembles d'individus qui se reconnaissent de ce fait comme appartenant à un même groupe social. Les différents groupes pouvant être distingués en fonction de ces critères constituent des classes sociales, au sens où ce terme est généralement employé dans la littérature anglo-saxonne par exemple. »

Extrait de Jacques Lautrey,
Classe sociale, milieu familial, intelligence
(1980 : 109-110).

Concrètement, pour les sociologues, c'est en regroupant les différents critères autour d'un index de prestige socio-économique basé sur le niveau d'éducation et le revenu associés aux différentes occupations qu'ils arrivent à reconnaître la classe sociale d'origine tout autant que le statut socioprofessionnel d'une personne. En retenant les grandes catégories de positions sociales existantes et en les réduisant en trois sous-groupes, les sociologues parlent alors de classe sociale supérieure ou aisée, de classe sociale moyenne ou de classe sociale inférieure ou défavorisée. Il n'y a là aucune connotation de jugement moral, mais bien des catégories descriptives permettant l'observation, la classification et l'analyse.

taliste. Pour eux, l'idéologie prônant «une école apolitique, au-dessus des classes, en dehors de la lutte des classes, qui serait au service de la société dans son ensemble et viserait pour tout enfant au développement et à l'épanouissement de sa personnalité, n'est rien d'autre qu'une hypocrisie bourgeoise destinée à duper les masses» (Snyders, 1976 : 30-31). En fait, comme le montrera Althusser (1970), l'idéologie dominante, c'est-à-dire bourgeoise, tend à imposer à l'ensemble de la population des représentations de la société telle qu'elle la voit et la veut en utilisant l'État – ce «bien commun» par excellence – pour arriver à ses fins, à savoir la reproduction des rapports sociaux d'exploitation qui l'avantagent. Cette «idéologie a une existence matérielle» (Althusser, 1970 : 13) et se concrétise dans des appareils idéologiques d'État dont l'école est l'un des plus importants.

Le courant de pensée marxiste est demeuré pendant longtemps un mouvement philosophique et politique et n'a eu que tardivement un certain ascendant dans les sciences sociales (Cuin, 1993 : 203-204). Son empreinte s'est surtout fait sentir en France où l'influence du Parti communiste français est importante depuis la première moitié du XXe siècle. En revanche, aux États-Unis, ni le marxisme ni le socialisme ne prennent racine de manière sérieuse. Ce constat permet de saisir en partie pourquoi la sociologie française a été sensible très tôt, au début des années 60, à l'étude marxiste de la société et pourquoi les premières grandes analyses marxistes de l'école prennent forme dans ce pays à ce moment. Dans la France des années 60, envahie elle aussi par le discours égalitaire et démocratique d'inspiration fonctionnaliste sur l'école, des chercheurs d'horizons divers (philosophes, politologues, économistes et sociologues) tentent de démystifier les grandes prétentions de la «sociologie bourgeoise». Les grands thèmes de la sociologie fonctionnaliste, telles la société ouverte et démocratique, la mobilité sociale qu'elle permet et l'égalité des chances scolaires qui en est la condition fondamentale, sont passés au crible des analyses marxistes de la société et de l'école. Dans ce nouveau contexte, la question de fond prend la forme suivante :

> S'il est vrai – se demandent, à travers Pierre Bourdieu, les participants du Colloque d'Arras – que notre société oriente objectivement ses activités par référence à deux fins, l'accroissement de la production et la réduction des inégalités, pourquoi la réalisation du premier objectif n'entraîne-t-elle pas automatiquement celle du second ? Il faut examiner comment se transmettent d'une génération à une autre les privilèges économiques et sociaux qui font obstacle à l'égalisation des chances. (Darras, 1966 : 18, cité dans Cuin, 1993 : 217-218).

Pour répondre à cette question, les chercheurs français mettent en évidence les mécanismes de reproduction sociale au sein de l'école, invalidant par là même l'idéal d'égalité des chances tout en montrant que cet idéal camoufle en fait une idéologie des dons. En même temps, ces chercheurs mettent en doute le phénomène de mobilité sociale, le considérant comme marginal dans la société, compte tenu que les mécanismes fondamentaux de la société sont de nature à reproduire les classes sociales et l'exploitation de la classe dominante à l'égard de la classe dominée.

L'égalité des chances et la mobilité sociale seraient des leurres

Les premiers grands travaux de recherche sur l'école dans une perspective marxiste sont réalisés par Pierre Bourdieu et Jean-Claude Passeron, tous deux sociologues au Centre de sociologie européenne. Au début des années 60, ces deux sociologues commencent à travailler à l'interprétation des données tirées des enquêtes sur la mobilité sociale effectuées depuis de nombreuses années par l'Institut national d'études démographiques de France (INED). Ils en proposent une interprétation théorique fort impressionnante dans leur étude de l'institution scolaire (Cuin, 1993 : 218-219). Le premier ouvrage issu de ce travail, *Les Héritiers* (1964), fait grand bruit à l'époque. Le cadre d'analyse sera élaboré graduellement à travers de nombreuses publications et atteindra sa forme achevée avec la publication, en 1970, de l'ouvrage intitulé *La Reproduction* (1970). La force de l'analyse de ces deux auteurs réside dans leur capacité à mettre en évidence les illusions de ce que Bourdieu nomme précisément l'idéologie égalitaire de l'école :

> Pour que soient favorisés les plus favorisés et défavorisés les plus défavorisés, il faut et il suffit que l'École ignore dans le contenu des enseignements transmis, dans les méthodes et les techniques de transmission et dans les critères de jugement, les inégalités culturelles entre les enfants des différentes classes sociales : autrement dit, en traitant tous les enseignés, si inégaux soient-ils en fait, comme des égaux en droit et en devoirs, le système scolaire est conduit à donner en fait sa sanction aux inégalités initiales devant la culture. (Bourdieu, 1966 : 336).

À quoi ressemblent les inégalités culturelles dont parlent Bourdieu et Passeron ? Les enfants arrivent à l'école avec un bagage culturel différent qu'ils ont acquis dans leur famille et au contact de leur environnement social. La culture acquise des enfants des classes sociales privilégiées est proche de la culture scolaire – qui est une culture savante et abstraite. Elle les prépare adéquatement à l'acquisition des connaissances scolaires, de telle sorte qu'ils auront l'impression d'être dans leur élément « naturel ». Pour les enfants des classes sociales défavorisées sur le plan de la culture, l'acquisition de la culture scolaire est difficile. Ils doivent opérer une reconversion de leur culture acquise dans leur milieu familial. Bref, ils doivent s'acculturer en se rééduquant à la culture savante de l'école. En traitant en égaux tous les enfants qu'elle reçoit, l'école ignore les différences culturelles qui se traduisent en un retard dans l'apprentissage : en « omettant de donner à tous ce que quelques-uns doivent à leur famille, le système scolaire perpétue et sanctionne les inégalités initiales » (Bourdieu et Passeron, 1970 : 107, cités dans Snyders, 1976 : 24).

Plus encore, en consacrant objectivement par des tests et des examens la distance à la culture scolaire des enfants des classes défavorisées qui se concrétisent en résultats scolaires, l'école traduit les inégalités de culture en appréciation personnelle. Elle transforme l'échec scolaire en sentiment d'échec chez ceux qui ne sont pas proches de la culture scolaire. L'enfant étiqueté comme peu «doué» pour les études par le système scolaire en viendra à se convaincre lui-même qu'il n'est pas intelligent, c'est-à-dire ne possédant pas les «aptitudes» pour les études. Ce processus d'auto-élimination, fondé sur l'idéologie des dons, est un mécanisme puissant puisqu'il transforme en drame personnel des inégalités socialement construites. Les inégalités de réussite scolaire, par une alchimie trompeuse, se transforment en inégalités de dons et, au-delà, en inégalités naturelles (Snyders, 1976 : 166).

Le système scolaire traduit donc les inégalités sociales de départ (celles qui sont liées à l'origine sociale) en inégalités scolaires qui deviennent à leur tour, par éliminations successives, des inégalités sociales (celles qui sont liées à la place que l'on occupera sur le marché du travail et dans la société, compte tenu du niveau de scolarité atteint). Dans ces conditions, il semble presque impossible pour Bourdieu et Passeron de parler de mobilité sociale. En fait, ils reconnaissent qu'il y a des cas de mobilité sociale, comme ces élèves provenant de classes sociales défavorisées qui, ne réussissant pas particulièrement à l'école, parviennent grâce à leurs «dons» particuliers à transcender les difficultés scolaires pour parvenir à une situation de réussite. Toutefois, ils ne sont que quelques-uns. Ils seront vite récupérés par le milieu ambiant, acculturés par ce milieu, et se fondront dans le système de valeurs de ceux qui réussissent, c'est-à-dire ceux qui généralement proviennent de la classe dominante : «ils risquent même d'être très fortement attachés à un système qui leur a permis, à eux, de s'en sortir» (Snyders, 1976 : 22). Bourdieu souligne en ce sens :

> C'est sans doute par un effet d'inertie culturelle que l'on peut continuer à tenir le système scolaire pour un facteur de mobilité sociale [...] alors que tout tend à montrer au contraire qu'il est un des facteurs les plus efficaces de conservation sociale en ce qu'il fournit l'apparence d'une légitimation aux inégalités sociales et qu'il donne sanction à l'héritage culturel, au don social traité comme don naturel. (Bourdieu, 1966 : 325).

Bourdieu et Passeron ont principalement travaillé à mettre en lumière les causes des inégalités sociales et scolaires entre enfants issus de classes sociales différentes (Cuin, 1993 : 221). De leur côté, Baudelot et Establet, dans *L'École capitaliste en France* (1971), cherchent plutôt à comprendre la reproduction des rapports sociaux de production par l'entremise de l'école. Si les premiers scrutent particulièrement l'effet de *l'origine sociale* dans l'école, les seconds tentent d'établir le rôle de l'école dans la *destination sociale* (Cuin, 1993 : 224).

La thèse principale de Baudelot et Establet (1971) consiste à démontrer que le système scolaire reproduit la division sociale entre travailleurs intellectuels et travailleurs manuels, c'est-à-dire entre exploiteurs et exploités, en «polarisant les qualifications» au sein de deux réseaux scolaires dans le cadre d'un même système scolaire et d'une même école, un réseau primaire-professionnel (équivalant au Québec au secondaire professionnel) et un réseau secondaire-supérieur (équivalant au Québec au secondaire et au collégial général)[18]. Ces deux réseaux alimentent la division sociale du travail du fait qu'ils fournissent l'un et l'autre le type de travailleurs requis pour reproduire cette division sociale du travail. Qui plus est, ce sont les élèves des classes défavorisées qui se retrouvent en majorité dans le réseau primaire-professionnel alors que les élèves des classes favorisées se concentrent dans le réseau secondaire-supérieur.

De manière plus précise, pour ces deux auteurs, la division capitaliste du travail conduit à une séparation croissante entre le travail intellectuel, qui consiste en des tâches de conception et d'encadrement, donc enrichissantes sur le plan professionnel, et le travail manuel, caractérisé par des tâches d'exécution parcellaires et routinières, donc aliénantes sur le plan humain. Le nombre de personnes requises pour l'encadrement est beaucoup plus bas que celui qui est nécessaire pour l'exécution. Une des fonctions de l'école est justement de produire les flux nécessaires de travailleurs afin de combler les besoins de la société capitaliste en créant deux réseaux parallèles de scolarisation dans l'école. En ce sens, pour Baudelot et Establet, l'école unique n'existe pas. En fait, à partir de statistiques, ils démontrent que les enfants de la bourgeoisie ont autant de chances d'être scolarisés dans le secondaire-supérieur que les enfants de la classe ouvrière dans le primaire-professionnel. À l'inverse, les enfants de la classe ouvrière ont autant de chances de n'être jamais scolarisés dans le secondaire-supérieur que les enfants de la bourgeoisie dans le primaire-professionnel (Snyders, 1976 : 26).

Ainsi, les enfants de la classe ouvrière se trouvent vite relégués dans un réseau qui les mènera rapidement au marché du travail dans des postes subalternes alors que les enfants de la bourgeoisie vont poursuivre leurs études jusqu'au niveau supérieur s'assurant ainsi d'obtenir, dans la division capitaliste du travail, les postes de direction et d'encadrement, donc les positions de commandement et d'exploitation. Dans l'explication qu'ils avancent des mécanismes d'orientation des élèves dans les deux réseaux scolaires, Baudelot et Establet ne s'éloignent pas beaucoup des explications avancées par Bourdieu et Passeron. Pour eux aussi, la culture scolaire, particulière-

---

18. Il y a une autre façon de mettre en évidence les différences entre le primaire-professionnel et le secondaire-supérieur français par rapport à la structure scolaire du Québec. En effet, dans le système scolaire du Québec des années 70, on trouve les voies allégées du secondaire menant presque automatiquement au secondaire professionnel à partir du secondaire III. Par ailleurs, pour les plus rapides sur le plan de l'apprentissage, on trouve les voies enrichies, qui ouvrent les portes toutes grandes vers les meilleurs programmes de l'enseignement collégial général. Ces voies enrichies sont disparues et remplacées maintenant par les programmes scolaires spéciaux (ex. : programme sciences-études ; sports-études ; arts-études ; musique-études ; études internationales) pour les plus rapides alors que les plus lents se voient offrir le cours secondaire alternatif (CSA) et les cheminements particuliers (CP). En fait, les résultats concrets de ces distinctions demeurent les mêmes, seules les appellations ont changé.

ment le langage scolaire, constitue la clef de compréhension du processus de triage des élèves en vue de la répartition dans les deux réseaux scolaires et, par extension, leur distribution aux deux pôles du marché du travail.

Le langage scolaire diffère radicalement du langage utilisé par les enfants de la classe ouvrière[19]. Le premier est plus complexe et plus sophistiqué que le langage populaire et serait le véhicule des valeurs, des aspirations et des symboles de la classe dominante dans lequel les enfants des classes populaires ne se retrouvent pas, ce qui expliquerait les échecs scolaires massifs de ces enfants et leur relégation dans les voies sans issue du primaire-professionnel. En fait, on offre aux enfants scolarisés dans le réseau primaire-professionnel un ensemble « d'idées bourgeoises simples » et aux enfants scolarisés dans le secondaire-supérieur le bagage nécessaire qui les préparera à devenir « des interprètes, des acteurs et des improvisateurs » de l'idéologie bourgeoise. Comme le soulignent Baudelot et Establet, c'est « bien de la même idéologie qu'il s'agit : mais il y a, entre le processus d'inculcation dans le primaire-professionnel et le processus d'inculcation dans le secondaire-supérieur, la même différence qu'entre le catéchisme et la théologie » (Baudelot et Establet, 1971 : 286).

Pour ces auteurs, il y a donc une correspondance nette entre les deux réseaux scolaires et la division capitaliste du travail qui sépare la société en deux classes sociales antagonistes, une qui exploite pour son plus grand profit, l'autre qui est exploitée pour son plus grand malheur. Il n'est donc pas question pour Baudelot et Establet de parler d'égalité des chances en éducation, encore moins de mobilité sociale. Certes, ils observent eux aussi, à l'instar de Bourdieu et Passeron, une certaine mobilité sociale entre les classes sociales, mais en définitive, ils considèrent que, malgré une mobilité ascendante ou descendante, les classes sociales demeurent et se reproduisent (Baudelot et Establet, 1971 : 286).

En somme, pour les auteurs marxistes de cette époque, parler de démocratie en se référant à l'égalité d'accès à l'éducation constitue une mystification de la part de l'idéologie bourgeoise qui tend à cacher ainsi les processus de reproduction sociale permettant à la classe dominante de conserver et de perpétuer ses privilèges de classe. Dans ces conditions, l'idéal de société ouverte, véhiculé par la sociologie bourgeoise, c'est-à-dire fonctionnaliste, n'est en fait qu'un paravent qui dissimule la rigidité et la

---

19. L'étude la plus élaborée sur les rapports entre l'origine sociale, l'école et la langue est celle de Basil Bernstein (1975). Dans cet ouvrage, l'auteur montre que, face au système de communication scolaire, l'enfant des classes défavorisées est doublement handicapé. Le langage scolaire met l'accent sur l'individuel, l'abstrait et l'analyse des motifs et des intentions, alors que le code linguistique des enfants issus des classes défavorisées privilégie le collectif, le concret et les faits bruts. Le système de communication scolaire différant du code linguistique des enfants des classes défavorisées, ces derniers sont confrontés à une expérience de changements symboliques et sociaux radicaux au début de leur scolarisation (Arenilla, 1976 : 367-368).

fermeture de la société. Le peu de mobilité sociale dans les sociétés industrielles serait là pour le prouver deux fois plutôt qu'une.

Les fonctions de l'école dans le cadre marxiste

Dans la conception fonctionnaliste, l'école a deux fonctions, soit une *fonction de socialisation* des jeunes à la culture commune de la société et une *fonction de sélection* visant à préparer ces mêmes jeunes au marché du travail et assurer ainsi une distribution rationnelle de la main-d'œuvre dans ce marché. Or, dans la conception marxiste de la société, on s'accorde avec les fonctionnalistes pour dire que l'école joue effectivement ces deux rôles fondamentaux pour le bon fonctionnement de la société. Toutefois, le sens que l'on donne à ces deux fonctions diffère substantiellement chez les uns et chez les autres.

La fonction d'inculcation idéologique

Pour les tenants de l'approche marxiste, l'école n'est en aucun cas ce havre de paix où les enfants sont socialisés à une culture commune partagée par l'ensemble des membres de la société. L'école imposerait plutôt l'idéologie bourgeoise qui cherche à faire accepter aux classes défavorisées leur situation de classes dominées dans un système économique, politique et scolaire qu'elles ne contrôlent pas. Cette inculcation vise essentiellement le maintien des rapports sociaux d'exploitation au profit de la classe dominante. Et c'est «pourquoi, comme le souligne Mellouki, il ne suffit pas, à l'école, de former de bons ouvriers, de bons ingénieurs, de bons cadres, de bons médecins et avocats, etc., […], mais il faut, en même temps, les préparer à accepter et à trouver normale la place qui leur sera assignée dans la structure économique» (Mellouki, 1983 : 150).

La fonction de socialisation de l'école des fonctionnalistes est en somme une fonction de mystification qui tend à occulter l'intention idéologique de la culture de l'école et les mécanismes de sélection qu'elle met en œuvre. Cette mystification se traduit d'abord par l'intention de neutralité. Or, l'école n'est pas neutre, nous disent Bourdieu et Passeron, sa culture est celle de la classe dominante. Cette mystification se traduit ensuite par l'intention d'unité. Pourtant, l'école n'est pas unique, nous expliquent Baudelot et Establet. En fait, elle divise les enfants selon des réseaux scolaires qui alimentent la division sociale du travail. Enfin, cette mystification se traduit par l'intention de démocratie. Selon ces auteurs, l'école de l'égalité des chances est une illusion ; on devrait, en toute justice, parler de l'école de l'inégalité des chances.

La fonction de reproduction

La fonction de sélection à l'école, comme le proposent les sociologues fonctionnalistes, c'est-à-dire celle qui permet l'accès à un niveau de compétences correspondant à ses propres mérites, serait en fait une fonction de reproduction des classes sociales antagonistes. Pour les tenants de l'approche marxiste, le système scolaire fonctionne de manière conservatrice : « Il ne tend à rien d'autre qu'à la reproduction des situations établies, puisque chacun, dans son choix, ses ambitions et bientôt après, dans la réalisation de ce choix, se borne à reprendre à son compte le destin de sa catégorie et finalement de sa classe » (Snyders, 1976 : 157). Dans cette perspective, comment peut-on logiquement penser à une véritable mobilité sociale qui permettrait à ceux qui se trouvent tout en bas de l'échelle sociale d'améliorer leurs conditions de vie grâce à l'éducation ? Pour Bourdieu et Passeron, comme pour Baudelot et Establet, l'école ne peut réussir cela, car elle est une école de classes dans une société de classes : une école au service de la classe dominante.

Oui mais, les théories marxistes ...

Les théories marxistes de la scolarisation à la fin des années 60 et au début des années 70 ont eu des effets retentissants, notamment dans la population étudiante française. Tout comme les théories sociales dominantes à un moment de leur histoire, l'approche marxiste en éducation a reçu son lot de critiques qui jetteront un doute raisonnable sur les prétentions de cette approche dans sa volonté de rendre compte des liens entre l'école et la société.

Premièrement, les marxistes reproduiraient la même erreur que les fonctionnalistes en mettant un accent beaucoup trop prononcé sur l'idée de conflits sociaux entre des classes sociales antagonistes. En effet, alors que les fonctionnalistes s'accommodaient avec complaisance de l'idée d'une société consensuelle où la majorité des membres partagent le même système de valeurs, les marxistes exagèrent indûment l'aspect conflictuel de la société. S'il y a effectivement lutte des classes, elle n'est ni emportée, encore moins féroce, sans nier toutefois que des mécanismes de domination sociale soient utilisés par la classe dirigeante dans une société donnée.

Deuxièmement, leur conception de la reproduction sociale laisse peu de place au changement dans la mesure où tout n'est qu'un reflet de ce qui a été. La rigidité de la société, son conservatisme l'amèneraient à ne pas être autre chose qu'elle-même. Les structures sociales se reproduiraient sans le concours des personnes, tels des pions manipulés par leur origine sociale et par leur destination sociale probable. En somme, cette conception de la société est déterministe, c'est-à-dire que le destin social des personnes est déterminé d'avance : le fils d'un ouvrier n'a que très peu de chances d'être autre chose qu'un ouvrier. Il va sans dire qu'une telle conception de la société laisse entière la question du changement social qui a tout de même lieu dans la société.

Dans l'approche marxiste, ce déterminisme découle, entre autres, des liaisons trop mécaniques entre l'origine sociale et l'institution scolaire, d'une part (Bourdieu et Passeron), et l'institution scolaire et le statut social, d'autre part (Baudelot et Establet). Or, si on tient compte des études sur la mobilité sociale effectuées par Boudon

(1973), on doit adopter une double approche pour comprendre la dynamique sociale de la mobilité ou de la reproduction sociale. Si on accepte l'idée d'une forte influence de l'origine sociale sur le niveau de scolarité atteint et celle d'une incidence importante du niveau de scolarité sur le statut social futur, on en arrive, selon Boudon, à une influence modérée de l'origine sociale sur le statut social (Harouel, 1994 : 132).

De plus, les auteurs de ce type d'analyse nient qu'il puisse y avoir globalement une mobilité sociale dans la société. Or, tous les pays industriels sont sujets à des degrés divers à une mobilité sociale entre les différentes couches de la population. Même en France, où les principaux auteurs de l'analyse marxiste développent leurs thèses, on remarque une mobilité sociale substantielle dans les années 60 et 70. Par exemple, Philippe Bénéton « souligne le fait qu'en 1970 les deux tiers des membres des catégories supérieures n'en venaient pas, et qu'un quart de ces catégories supérieures était d'origine populaire » (Harouel, 1994 : 133). Ce constat jette un doute sur la rigidité réelle de la société, sans toutefois nier qu'on puisse y retrouver des barrières plus ou moins fortes à la mobilité sociale (ex. : des frais de scolarité très élevés dans les études supérieures). En somme, les marxistes refusent l'idée même de la mobilité sociale alors que les fonctionnalistes en font leur leitmotiv. Comme le souligne Massot, la « sociologie dérive entre deux modèles idéaux de société. D'un côté, celui de la reproduction totale des classes sociales par le jeu d'un déterminisme implacable [approche marxiste] ; de l'autre, le modèle de la mobilité absolue, soit l'indépendance totale entre les statuts intergénérationnels » (Massot, 1981 : 55).

En fait, pour Boudon, il faut reposer la question de l'égalité des chances scolaires et de la mobilité ou de la reproduction sociale qui en découle de manière différente. Il s'agit de se demander « pourquoi, étant donné l'influence que l'on reconnaît à l'origine sociale des individus sur leur niveau d'instruction, assiste-t-on à une réduction de l'inégalité des chances devant l'enseignement – tandis que les inégalités socio-économiques demeurent stagnantes ? » (Cuin, 1993 : 251). Pour répondre à cette question, Boudon devra défaire les prétentions sur la mobilité sociale des fonctionnalistes *et* des marxistes.

L'économie de l'éducation réajuste son tir

La réforme scolaire des années 60 a été favorable à des investissements massifs en éducation, notamment pour développer les infrastructures (écoles, gymnases, etc.), augmenter et qualifier le personnel enseignant, et accroître la quantité et la qualité du matériel didactique dans les écoles. La croissance économique presque continue du Québec depuis la Seconde Guerre mondiale rend possibles ces investissements massifs. Toutefois, les premiers signes majeurs d'essoufflement de la période de croissance économique des Trente Glorieuses se font sentir en 1973, lors de la crise du pétrole des pays arabes du Moyen-Orient, et se matérialisent concrètement en 1975 alors que la croissance économique du Québec diminue. À la période des jours fastes succède une conjoncture économique plus difficile qui culminera dans les coupes sombres du gouvernement péquiste dans les budgets de l'État en 1982. Dans ces conditions, il s'avère nécessaire de connaître les retombées effectives des investissements en éducation et les facteurs les plus efficaces pour atteindre les objectifs d'éducation et de formation des étudiants et des étudiantes.

À qui profite l'école : la fonction de production en économie de l'éducation

La démocratisation de l'enseignement dans les années 60 a permis l'accès de tous les jeunes à l'école, quelle que soit leur origine sociale. Les enfants de certains groupes sociaux se présentaient à l'école avec un bagage substantiel de connaissances alors que d'autres devaient mettre les bouchées doubles afin de suivre le rythme de l'école. C'était le cas notamment des enfants en provenance des milieux populaires et ouvriers qui étaient confrontés assez tôt au problème des retards et des échecs scolaires. À cette époque, on expliquait ce phénomène en tenant les familles responsables du manque de préparation des enfants. Pour contrer le problème aigu des échecs des enfants des classes populaires et ouvrières, plusieurs programmes de rattrapage, ou programmes compensatoires, ont été mis sur pied aux États-Unis afin de combler le « déficit culturel » des enfants issus des classes défavorisées. On versait des sommes importantes à ces programmes en pensant qu'ils pouvaient être profitables à ces enfants. En somme, ces programmes compensatoires constituaient une véritable lutte contre la pauvreté par l'entremise de l'école. Il fallait toutefois mesurer l'efficacité réelle de ces opérations. Au Québec, le premier grand programme de rattrapage scolaire en faveur des enfants des milieux sociaux défavorisés, connu sous le nom *Opération Renouveau*, est mis en place en 1970. Des économistes de l'éducation étudieront l'efficacité de ce programme en utilisant l'analyse de la *fonction de production*.

Les questions que pose l'économie de l'éducation dans les années 60 et 70 visent à mieux comprendre l'influence de différents facteurs scolaires sur le taux de productivité des ressources investies en éducation. Pour calculer le niveau de productivité de l'école, il faut pouvoir s'appuyer sur une donnée objective qui permet la comparaison. Les résultats scolaires des élèves constituent la donnée la plus fiable dans ces conditions. Une équation pourrait fournir une illustration simple de la relation entre les résultats scolaires des élèves et les différents facteurs scolaires qui rendent possibles ces résultats, soit $y = f(x^1, x^2, ..., x^n)$ où (y) est le résultat scolaire et (x) représente les facteurs scolaires : les enseignants et les enseignantes, les locaux, les équipements pédagogiques, les méthodes d'enseignement utilisés, par exemple. Pour sa part, (f) permet de « prédire » les variations entre (y) et les (x) (Hallak, 1974 : 74).

Avec la fonction de production, on devrait être en mesure de dire si un surcroît d'investissement dans les équipements ou dans le développement de méthodes pédagogiques augmenterait réellement la performance scolaire des élèves. En somme, cette fonction permet de savoir si les investissements en éducation en faveur des milieux sociaux défavorisés, par exemple, sont rentables pour la société. Pour arriver à des résultats concrets dans ce domaine, il ne suffit pas de mettre en rapport les résultats scolaires des élèves d'une école avec les ressources dont ils disposent dans cette école. En effet, les résultats scolaires dépendent aussi de :

> l'intelligence et de l'aptitude de l'élève, de ses motivations, de son attitude, de son environnement éducatif (niveau d'éducation de ses parents, livres, revues, journaux, jeux à sa disposition ; durée d'écoute de disques, d'émission de radios ; spectacles de télévision, de cinéma, de théâtre auxquels il aura pu assister ; pays qu'il aura visités, etc.), de son environnement économique (niveau de revenus de ses parents et conséquences sur ses conditions de vie : nutrition, logement, hygiène, moyens de locomotion ; « argent de poche », image qu'il a de sa situation par rapport à celle des autres enfants de son âge ; etc.), de son appartenance à un groupe ethnique majoritaire ou minoritaire, dominant ou dominé (ses charges affectives, sa sensibilité, les valeurs culturelles du groupe, les relations avec le contenu des matières enseignées, etc.). (Hallak, 1974 : 75).

Un constat s'impose : la liste des (x) est impressionnante et elle exige une connaissance approfondie des processus d'apprentissage et des relations possibles entre ces derniers et toutes les variables pouvant influencer l'enfant qui apprend. Le défi est de taille. Pourtant, les économistes de l'éducation ont cherché à schématiser les processus d'apprentissage en mettant en relation l'environnement familial de l'enfant, l'influence de celui-ci sur ses aptitudes scolaires et les effets de ces dernières sur ses performances scolaires.

La plus célèbre enquête dans ce domaine, connue sous le nom de *Rapport Coleman*, est effectuée à la demande du gouvernement américain en 1965 (publiée en 1966). Cette enquête d'envergure se fait auprès de 60 000 enseignantes et enseignants, 570 000 élèves et 4000 écoles, répartis sur tout le territoire des États-Unis (Drolet, 1992 : 106). Les questions posées aux chercheurs par le gouvernement visaient à savoir si les écoles publiques offraient les mêmes possibilités à tous les groupes sociaux qui les fréquentent. Dans ces conditions, il s'agissait de vérifier si les écoles fournissaient la même qualité de service scolaire et si les différents groupes ethniques en profitaient également. On mesurait la réussite scolaire des élèves, ou leur performance, par des tests standardisés de mesure des connaissances. Les enquêteurs devaient également se demander s'il y avait des relations entre la performance scolaire et la catégorie d'écoles fréquentées par les élèves.

Dans une Amérique qui se voulait hautement démocratique, les conclusions du *Rapport Coleman* en ont surpris plus d'un. En effet, on avait conclu, entre autres, à une ségrégation dans le système public américain : les groupes ethniques n'avaient pas les mêmes chances, les Blancs étant particulièrement avantagés. De plus, on mettait en évidence une relation entre le groupe ethnique d'appartenance de l'élève, l'école qu'il fréquente et ses résultats scolaires (Hallak, 1974 : 79). Enfin, on a pu montrer que les investissements importants dans les écoles des milieux défavorisés aux États-Unis, notamment chez les populations noires, étaient peu susceptibles d'en augmenter l'efficacité (Renaud, Bernard et Berthiaume, 1980 : 24).

Au Québec, Henderson, Mieszkowski et Sauvageau (1976) ont fait une analyse de la fonction de production de l'école à partir de tests en français et en mathématiques auprès d'élèves de la Commission des écoles catholiques de Montréal (CECM). Les conclusions de leur analyse montrent que les antécédents familiaux et les caractéristiques personnelles de l'élève ont une influence prépondérante sur la performance scolaire. Les facteurs internes de l'école (enseignantes et enseignants, équipements, etc.) ne peuvent rendre compte adéquatement des variations dans les performances scolaires. Plus récemment, Montmarquette et Mahseredjian (1986) ont tenté de comprendre les écarts de performance scolaire entre élèves pour conclure à leur tour que le milieu familial et l'élève lui-même sont la source d'influence principale. Enfin, Houle *et al.* (1985) ont entrepris de vérifier l'efficacité de l'*Opération Renouveau*, ce programme de rattrapage scolaire visant les enfants provenant de milieux défavorisés. Les auteurs ont conclu que ce programme n'était pas un grand succès (Lemelin, 1988 : 175).

En somme, les différents facteurs internes de l'école, tels l'expérience des enseignants et des enseignantes, leur niveau de rémunération, les équipements, les méthodes pédagogiques, etc., ne semblent pas pouvoir expliquer les différences de performance entre les élèves. Comme le souligne Hallak (1974) :

> Si l'on s'en remet aux conclusions de nombreuses études sociologiques et aux recherches sur la fonction de production, il semble que le rôle essentiel de l'école est de maintenir la sélection et l'inégalité au détriment des couches socioprofessionnelles les moins favorisées ; ce qui explique que, malgré la généralisation de la scolarisation dans un pays comme les États-Unis, on n'a pas assisté à une égalisation de la distribution des revenus (Hallak, 1974 : 97).

Un tel constat indique que les investissements importants consacrés à « compenser » les carences des élèves issus des milieux sociaux défavorisés ne peuvent éliminer les clivages sociaux dont les élèves sont porteurs dans l'école. Aucune des discriminations liées soit à l'origine sociale, soit au sexe, soit à l'ethnie, etc., ne peut être écartée par des mesures compensatoires.

De l'innocence à l'humilité[20]

L'économie de l'éducation des années 60 s'est faite le porte-parole du slogan « Qui s'instruit s'enrichit » en affirmant, à grand renfort de données, que l'investissement social et individuel en éducation rapportait plus qu'il ne coûtait. On aura justifié

---

20. D'après le titre d'un chapitre de l'ouvrage de Hallak (1974).

ainsi des investissements massifs dans le domaine de l'éducation jusqu'au moment où la croissance économique diminuant, la relation entre éducation et travail n'allait plus de soi. On aura cru aussi que ces investissements pourraient servir à « compenser » les handicaps socioculturels des enfants pauvres, à égaliser les chances en éducation et, plus tard, dans la société.

Cet optimisme des débuts, ressemblant à l'innocence première de ceux qui découvrent un nouveau monde, fera place à des constats plus terre-à-terre dans les années 70, alors que l'analyse de la fonction de production montrera la faible influence de l'école sur l'égalisation des chances scolaires et sociales par rapport à celle de l'origine sociale des élèves. Enfin, à travers cette fonction de production, on a pensé pouvoir trouver des solutions aux problèmes de l'allocation des ressources dans le système scolaire, en mettant en évidence les facteurs scolaires les plus susceptibles de favoriser l'apprentissage chez les élèves. Comme le souligne cependant Lemelin (1988), tous « les écrits sur la fonction de production en économie de l'éducation ont amené plusieurs commentateurs à conclure que le recours à ces méthodes d'analyse ne saurait nous mener bien loin sur la voie de l'identification des principaux déterminants de l'apprentissage » (Lemelin, 1988 : 175). En ce domaine, l'économie de l'éducation a dû faire preuve d'humilité.

Résumé *chap 3*

La décennie des années 70 contraste grandement avec la précédente dans l'analyse de l'institution scolaire, en raison du discours radical sur les rapports entre l'école et la société qui prédomine à ce moment. Portée par les grands bouleversements culturels et théoriques qui frappent tous les pays industriels à la fin des années 60, notamment la contre-culture et le marxisme, la nouvelle analyse de l'école qui prend forme dans cette conjoncture favorise une remise en question draconienne de l'école. Les principaux porteurs de ce discours au Québec sont la Centrale de l'enseignement du Québec (CEQ) et le mouvement étudiant.

Pour la CEQ, la réforme scolaire n'a pas donné les fruits escomptés. En effet, selon l'analyse de la centrale, malgré une volonté affirmée de démocratie et de justice sociale de la part du ministère de l'Éducation, les inégalités scolaires sont toujours présentes dans l'école. Appuyant son diagnostic sur les études marxistes de l'école effectuées en France par Bourdieu et Passeron et par Baudelot et Establet, la CEQ considère que ces inégalités persistantes sont le résultat du fonctionnement de la société capitaliste. Cette société serait divisée en classes sociales antagonistes – les bourgeois qui exploitent le travail des ouvriers – et l'école ne ferait, par ses filières et par sa culture, que reproduire cette division sociale à l'avantage des classes possédantes. De plus, la centrale syndicale critique fortement le fait que l'enseignement privé, qui avantage grandement, selon elle, ceux qui sont déjà privilégiés sur le plan social, n'ait pas disparu avec la réforme scolaire et que ce secteur d'enseignement prenne même de la vigueur dans les années 70. La confessionnalité, qui a aussi résisté aux transformations de la réforme scolaire des années 60, fait l'objet des critiques de la centrale qui verrait d'un bon œil la disparition de ce vestige du passé et son remplacement par des écoles laïques offrant un enseignement moral.

Pour le mouvement étudiant, les critiques prennent une forme différente. S'inspirant moins de l'analyse marxiste qui prédomine à ce moment que du courant contre-culturel européen et américain, les étudiants et les étudiantes se mobilisent pour dénoncer le caractère technocratique du ministère de l'Éducation, particulièrement son système de prêts et bourses qui n'en finit pas de créer de nouvelles catégories de classement, qui ont tendance à désavantager les plus démunis face au système d'enseignement, à savoir les étudiantes et les étudiants provenant de milieux modestes.

Les rafales de critiques qui frappent le système d'enseignement québécois s'inspirent en majeure partie des analyses produites par les sociologues et les économistes, proches des idées de la gauche, qui sont fort actifs dans cette décennie. En fait, la sociologie fonctionnaliste cède le pas à ce moment à une sociologie marxiste qui conçoit différemment les rapports entre l'école et la société. Pour les marxistes, il n'est pas pensable que l'école puisse être unique et démocratique, ou qu'elle puisse favoriser la mobilité sociale des individus. La raison en est simple. Selon ces sociologues, les sociétés occidentales sont capitalistes, donc fondées sur une division stricte entre les classes sociales, la classe dominante exploitant les classes dominées, la première mettant en place les mécanismes nécessaires à la perpétuation de ses privilèges. L'école est un des instruments essentiels aux mains de la classe dominante afin de reproduire son pouvoir de domination sur la classe ouvrière. On est donc face à une société fermée, contrairement à ce qu'affirmaient les sociologues fonctionnalistes, c'est-à-dire une société qui ne permet pas le passage d'une classe sociale à une autre grâce aux compétences et aux qualifications acquises par le diplôme. L'égalité des chances dans l'école (égalité de traitement) et la mobilité sociale seraient, selon ces auteurs, des leurres qui tendraient à cacher les mécanismes de discrimination scolaire et sociale. Dans le cadre marxiste, les fonctions de l'école se résument donc à une fonction d'inculcation idéologique, l'idéologie de la classe dominante, et à une fonction de reproduction des classes sociales par le jeu de l'élimination scolaire.

De son côté, l'économie de l'éducation cherche à comprendre ce qui fait la différence dans la performance des élèves. Dans la vision économiste, cette performance scolaire des élèves constitue la productivité de l'école, d'où le terme de « fonction de production » utilisé à ce moment. Le résultats tirés de ce type d'analyse économique sont décevants, car ils ne permettent pas de conclure de façon précise sur les différents facteurs pouvant influencer la performance scolaire des élèves. Toutefois, ces analyses ont permis de confirmer ce que les sociologues avançaient depuis déjà un moment pour expliquer les différences de performance entre élèves, à savoir que la classe sociale d'origine constitue le facteur prédominant sur la performance scolaire d'un élève. À ce compte-là, l'école ne ferait que maintenir la sélection et l'inégalité en défaveur des classes sociales défavorisées devant l'école.

Conclusion

Après vingt ans de réforme scolaire, les inégalités sociales et scolaires persistent toujours. La conjoncture des années 70 a été favorable à la mise au jour des multiples discriminations au sein même de l'école, remettant en cause de ce fait l'idéal de l'égalité des chances devant l'enseignement (égalité d'accès). Bien qu'on observe dans la décennie une volonté de «redressement» de l'école de la part du gouvernement péquiste qui prend le pouvoir en 1976, cette volonté ne semble pas pouvoir endiguer les nouvelles mutations sociales qui prennent forme à ce moment. En effet, la faible croissance économique qui caractérise l'économie québécoise depuis 1975, l'endettement de l'État, la montée des courants de pensée néo-libéral et néo-conservateur favorisent une nouvelle définition du rôle de l'école dans la société. Le projet de justice sociale au fondement de la réforme scolaire semble faire place dans cette période à un individualisme et à la mise en place de nouvelles stratégies éducatives de la part des familles. Deux modèles d'école émergent à ce moment, soit un modèle marchand et un modèle traditionnel. Tous deux sont une expression des nouvelles demandes qui pèsent sur l'école dans la décennie des années 80.

Par ailleurs, l'importance grandissante du diplôme scolaire au début des années 80[21], en raison notamment des taux de chômage élevés chez les jeunes et de leurs difficultés d'insertion dans un premier emploi, favorise un questionnement nouveau sur l'abandon et la réussite scolaires qui prennent des dimensions politiques dans la décennie. Dans une société en voie de polarisation grandissante, en dualisation selon certains, les écarts de statut social entre ceux qui obtiennent un diplôme et ceux qui ne l'ont pas se traduisent dans la vie quotidienne par des possibilités soit d'insertion sociale, soit d'exclusion sociale.

La sociologie de l'éducation, pour sa part, évolue au début des années 80 vers de nouvelles formes d'analyse de l'école. Après la période des grands espoirs des années 60 et les déceptions des années 70, la sociologie de l'éducation fait un repli stratégique dans l'analyse des processus internes de l'école. En fait, on comprend à ce moment que le savoir sociologique dans l'analyse de l'éducation peut être utilisé soit pour justifier une égalité de droit qui camoufle une égalité de fait (les fonctionnalistes), soit pour dénoncer l'école comme instrument de reproduction sociale alors qu'elle permet une certaine mobilité sociale (les marxistes). Dès lors, une question se pose : l'école est-elle facteur de mobilité sociale ou de reproduction sociale ?

---

21. Pour certains, il s'agit de la maladie du diplôme (Vimont, 1995 : 6).

Dans le contexte de l'apparition des discours néo-libéral et néo-conservateur des années 80, la sociologie de l'éducation se trouve en perte de légitimité et elle voit son objet d'étude éclater. Cet éclatement se concrétise dans la tendance à adopter de nouvelles représentations de la société et de l'école (ethnométhodologie, interactionnisme, anthropologie culturelle), qui font une place plus grande à la rationalité des acteurs dans le système d'éducation et dans l'institution scolaire. La démarche d'analyse se focalise à ce moment sur la construction sociale de la réalité scolaire à travers l'observation des pratiques pédagogiques, à travers la prise de conscience que font les acteurs de leur situation et de leurs rapports aux pratiques scolaires.

L'économie de l'éducation évolue aussi dans les années 80 vers d'autres formes d'analyse du système d'éducation. À l'innocence qui caractérise la théorie du capital humain dans les années 60, à l'humilité nécessaire face aux résultats décevants dans l'analyse de la fonction de production dans les années 70, une analyse économique institutionnelle, sous des couverts de qualité de l'enseignement, laisse entrevoir une volonté de remettre le système d'éducation dans le circuit économique en favorisant la libre concurrence entre les écoles. On souhaiterait ainsi pallier la médiocrité de l'école démocratique au Québec. Dans le contexte d'une déconnexion de plus en plus claire entre le diplôme et l'emploi, c'est toute la question de l'inflation des diplômes qui est à l'ordre du jour. En fait, les problèmes de la déqualification des diplômés et de l'exclusion des non-diplômés mettent en lumière les risques sociaux grandissants d'un excédent de diplômés pour un marché de l'emploi en contraction.

QUESTIONS

1. L'ensemble des groupes sociaux semblaient d'accord avec le nouveau rôle de l'État en éducation sur lequel s'était faite la réforme scolaire. Comment expliquer alors le sens des débats des années 70 à propos de la société technocratique et capitaliste, et du rôle qu'y jouaient groupes et institutions ?

2. On a reproché à la Centrale de l'enseignement du Québec de se radicaliser dans son combat contre l'État au cours des années 70 : décrivez les éléments les plus marquants de cette radicalisation.

3. Autour de quels thèmes la Centrale de l'enseignement a-t-elle fait porter ses critiques de l'école québécoise dans cette période ? Décrivez ses arguments pour chacun des thèmes.

4. À l'aide des tableaux (voir pages 121 à 124), décrivez la situation des inégalités sociales et scolaires des années 70.

5. Rendez compte des principaux éléments de la conjoncture des années 70 et montrez comment s'y développe le courant d'analyse qui fait de l'école un lieu de reproduction des inégalités sociales.

6. Montrez en quoi ce courant d'analyse constitue une rupture avec les interprétations fonctionnalistes de l'école.

7. Reconstruisez la logique sous-jacente à l'interprétation marxiste en décrivant ses principaux éléments et en explicitant les rapports entre eux.

8. Donnez trois éléments à partir desquels vous pouvez montrer en quoi la notion de classe sociale des analystes marxistes diffère de celle des fonctionnalistes.

9. Certains croient que l'égalité des chances par l'école et le rôle important que l'école jouerait dans la mobilité sociale seraient des leurres. Expliquez.

10. Quelles seraient, dans le cadre de la théorie marxiste, les principales fonctions de l'école? Rendez compte de façon nuancée du sens que sous-tend la reproduction matérielle des inégalités sociales et l'inculcation idéologique comme fonctions sociales de l'école selon l'analyse marxiste. Illustrez à l'aide d'exemples.

11. Quelle est la base de la vision sociale des marxistes?

12. Pourquoi les marxistes disent-ils que la fonction de socialisation de l'école est une mystification? Expliquez en précisant les trois formes de mystification.

13. Quels faits et arguments pourriez-vous mettre de l'avant pour critiquer l'interprétation marxiste des rapports entre l'école et la société?

14. Que vous apprennent les études sur l'influence de différents facteurs personnels, familiaux, sociaux et scolaires sur le niveau d'éducation (ou le diplôme) des jeunes?

15. L'interprétation fonctionnaliste considère l'école comme un facteur important de mobilité sociale, tandis que l'interprétation marxiste nous la présente comme une instance de reproduction sociale. Énumérez et précisez les arguments et les faits qui semblent appuyer chacune de ces positions.

CHAPITRE 4

Les mutations de l'école dans les années 80

Dérive marchande et retour aux sources

Table des matières

Sommaire

Ce chapitre

- met en place les éléments de la conjoncture des années 80 permettant l'analyse des mutations de l'école sous l'impulsion du néo-libéralisme et du néo-conservatisme ;

- met en lumière les principales inégalités scolaires dans les années 80, notamment celles qui mettent l'accent sur la douance, la résurgence du secteur privé de l'éducation et le problème de l'accès aux études supérieures ;

- propose une réflexion sur le rôle de l'école comme facteur de mobilité sociale et facteur de reproduction sociale, dans le cadre d'analyse de l'individualisme méthodologique ;

- dégage les fonctions de l'école dans le cadre du néo-libéralisme et du néo-conservatisme ;

- présente des éléments de recherche en économie de l'éducation qui permettent de décrire et d'analyser les liens entre l'origine sociale, le diplôme et l'emploi.

Les mutations de l'école dans les années 80

Dérive marchande et retour aux sources

« En somme, un peu partout, un discours sur la qualité de l'éducation a remplacé celui de l'égalité, l'excellence a pris le pas sur la démocratisation, et le consumérisme de services éducatifs efficients et peu coûteux détrône dans l'échelle des priorités le maintien et la consolidation d'un service éducatif public ; en arrière-plan, la soumission du système éducatif aux exigences de l'évolution technologique et de la compétition économique internationale est présentée désormais comme une nécessité inéluctable : l'éducation ne se conçoit plus en dehors d'une politique économique et sociale qualifiée de néo-conservatrice ou de néo-libérale. »

Claude Lessard (1991).

Dans la conjoncture des années 80, la crise économique du début de la décennie (1981-1982) entraîne une crise fiscale et des compressions en éducation, un taux de chômage élevé chez les jeunes et les diplômés – ce qui remet en question chez certains et certaines la pertinence d'une formation scolaire prolongée et coûteuse – et une disqualification de groupes entiers de travailleurs. Dans ce contexte, émerge au Québec « une nouvelle classe entrepreneuriale » et prennent forme de nouveaux discours, néo-libéral et néo-conservateur, qui ont des répercussions considérables sur l'éducation en entraînant d'importants changements (Dandurand et Ollivier, 1987 ; Dandurand, 1990).

Plus précisément, la crise fiscale de l'État québécois soulève des interrogations majeures sur le rôle de ce dernier dans les nouvelles réalités socio-économiques. En fait, le rôle de l'État-providence est revu à l'aune des transformations de la société industrielle qui évolue rapidement vers une société technologique. Les compressions qui suivent ce questionnement touchent divers domaines sociaux tels que la santé, les services sociaux et l'éducation. Le fait d'exiger des commissions scolaires une gestion serrée modifie graduellement les pratiques dans les écoles de la province. Dans les années 80, on assiste donc à un renversement des grandes idéologies qui ont caractérisé les deux décennies précédentes et à la mise en place de nouvelles formes idéologiques comme les « idéologies du moi » (l'individualisme), le néo-libéralisme (Linteau *et al.*, tome II, 1989 : 687) et le néo-conservatisme.

Dans le milieu scolaire plus particulièrement, la restructuration du social autour des nouvelles formes idéologiques induit des changements profonds dans le système éducatif. Pouvant être qualifiées de mutations institutionnelles, les nouvelles pratiques scolaires prenant forme dans les écoles se traduisent par un nouvel aménagement de la stratification scolaire qui, elle-même, aura des conséquences sur la stratification sociale. On peut penser notamment à l'apparition des programmes pour les talentueux et les doués, au repositionnement du secteur public par rapport au secteur privé du système d'enseignement et à la nouvelle donne qui se joue dans les universités québécoises. Les mutations induites par les nouvelles idéologies de la société québécoise des années 80 touchent fortement le secondaire, le collégial et l'universitaire.

En sciences sociales, en sociologie notamment, on observe une perte de légitimité à laquelle la sociologie répond par un repli sur les études des processus internes de l'école. Parallèlement, la contribution de Raymond Boudon au débat scientifique du rapport de l'école à la société nous conduit à la compréhension des systèmes d'action complexes où se jouent les rapports entre l'institution scolaire et le système social. C'est en présentant des éléments d'explication occultés ou sous-estimés par les théories fonctionnalistes et marxistes qu'il devient possible de lever le voile sur des mécanismes et des stratégies qui ont cours dans l'école des années 80.

Cependant, l'approche de Boudon, de type *individualiste méthodologique*, n'est pas neutre. Sous un langage épuré des connotations idéologiques qui avaient caractérisé tant les fonctionnalistes (dans les années 60) que les marxistes (dans les années 70), l'individualisme méthodologique nous montre un être rationnel, certes avec une rationalité limitée (*voir l'encadré 4.1*), qui fait des choix en fonction d'un ensemble d'informations dont il dispose. Cet appareillage conceptuel montre vite les défauts de sa cuirasse et laisse voir une parenté (en fait un lien incestueux) avec la science économique qui ne cache guère, pour sa part, le peu de place qu'elle fait aux individus.

En économie de l'éducation, la fonction de production prend du recul devant les questions pressantes soulevées par les liens ténus que semblent entretenir l'école et le marché du travail. En fait, une nouvelle réalité frappe durement dans les années 80, celle de la déconnexion de plus en plus prononcée entre le diplôme acquis et les possibilités d'insertion professionnelle pour certaines catégories de jeunes. Accumulant handicaps sociaux sur handicaps sociaux, un bon nombre de ces jeunes

Encadré 4.1
La rationalité de l'acteur

« La théorie des jeux, la théorie sociologique et la théorie politique convergent [...] vers une proposition épistémologique fondamentale : il ne peut exister de définition *générale* de la notion de rationalité. [...] La notion de rationalité doit [...] être conçue comme relative, c'est-à-dire comme dépendant de la structure des situations. Bien entendu, elle doit aussi être conçue comme dépendant de la position et généralement des caractéristiques des acteurs. Il peut être rationnel, si je suis riche, et irrationnel, si je suis pauvre, de risquer une somme d'argent modeste dans l'espoir d'un gain substantiel. » (Boudon et Bourricaud, 1982 : 450)

Dire que l'acteur est rationnel, c'est dire que son action et ses comportements ont un sens de son point de vue (les *bonnes raisons*, dont parle Boudon, qui ont inspiré son action. Cependant l'acteur, au lieu d'être rationnel par rapport à des fins, l'est par rapport à des possibilités et, à travers elles, au contexte qui les définit. Il est rationnel également par rapport aux comportements des autres acteurs, au parti que ceux-ci prennent et au jeu qui s'établit entre eux (Crozier et Friedberg, 1977). Même si elle est limitée, c'est avec cette rationalité que l'acteur fait face aux enjeux organisationnels et élabore ses stratégies dans un ensemble de possibilités afin d'augmenter sa marge de liberté face à son environnement relationnel, organisationnel, institutionnel et sociétal. Enfin, s'il est vrai que les acteurs « à la base » ne sont pas des objets passifs, soumis intégralement à des contraintes extérieures, ils ne sont pas non plus ceux qui gouvernent intégralement le jeu.

se trouvent marginalisés dans l'école d'abord, et dans la société ensuite, en proie au cercle vicieux de la précarité et de la « culture de l'instantané » (Gauthier, 1994).

La nouvelle dynamique entre les diplômés et le marché du travail met en évidence la situation suivante : à mesure qu'augmente le nombre de diplômés universitaires, le nombre de places sociales disponibles correspondant à ce type de formation diminue. Alors se pose avec encore plus d'acuité que pendant les années 60 et 70 la question du rapport entre le niveau d'éducation et l'acquisition d'un statut socio-économique enviable. La nouvelle conjoncture socio-économique, qui prend définitivement place au début des années 80, force bon nombre de personnes à admettre finalement que, sous les oripeaux de l'égalité des chances et de la mobilité sociale, l'école tend en fait à devenir un instrument privilégié dans les stratégies de différenciation sociale entre les groupes sociaux.

Du collectif à l'individuel ; du social à l'économique

La crise économique de 1981-1982 dans les pays industriels avancés a insufflé une dynamique différente dans la manière de concevoir le rôle de l'État dans l'économie. Elle a favorisé l'émergence d'une pensée pragmatique en ce qui concerne le chômage[1], les fermetures d'entreprises et l'appauvrissement de larges couches de la population[2]. La morosité qui touche la majeure partie de la population, les appels au redressement économique, l'effritement des valeurs prônées par la gauche depuis vingt ans sont favorables à l'apparition de nouveaux courants de pensée économique et politique.

En fait, les années 80 soulignent la fin, au Québec, des grandes idéologies qui ont marqué les décennies des années 60 et 70. Les réformateurs des années 60 et les différents groupes de la gauche québécoise des années 70 ne semblent plus pouvoir faire entendre leurs voix à tel point que certains ont parlé de la « fin des idéologies ». Différents facteurs peuvent rendre compte de ce déclin des grands courants de pensée dans les sociétés industrielles avancées. D'une part, tous les pays industriels connaissent en 1981-1982 une récession économique très difficile qui modifie de fond en comble les modes de participation à la vie collective pour de nombreux groupes sociaux. D'autre part, on note un vieillissement de la génération des *baby-boomers* (Linteau *et al.*, tome II, 1989 : 687), celle-là même qui a épousé toutes les causes (féminisme, pacifisme, écologisme, hygiénisme), sans omettre son désir de réforme quand ce n'est celui de révolution. Devenus adultes, puis parents, ils ne luttent plus contre le monde et la société mais cherchent plutôt à en assurer la permanence pour eux-mêmes et pour leur progéniture (Ricard, 1992 : 270). Le projet d'école qu'ils se donnent reflète leurs préoccupations.

Le recul des grands mouvements de contestation sociale, qui valorisaient à la fois le collectif et la protestation contre l'ordre établi tout en favorisant fortement le développement de politiques sociales en faveur des plus démunis, fait place à de nouvelles tendances où l'individuel tend à primer sur le collectif et l'économie sur les problèmes sociaux. Ce serait le passage de l'État-providence à l'État-Provigo[3], pour reprendre le titre de l'ouvrage de Fortin (1988), où les plus démunis doivent se contenter de l'aide sociale alors que les bien-nantis profitent de l'assistance cachée de l'État. Cette conjoncture sera propice au renversement des courants sociaux et politiques qui ont caractérisé les deux décennies précédentes.

---

1. Le taux de chômage est de 4,1 % en 1966, de 8,7 % en 1976 ; il atteint un sommet de 13,9 % en 1983 et redescend par la suite pour se stabiliser à 9,3 % en 1989. Toutefois, compte tenu du phénomène de découragement dans la recherche d'emploi, ce taux de chômage officiel cache un taux de chômage réel plus élevé. Par exemple, pour 1983, on estime qu'il faut ajouter 5 % supplémentaires aux 13,9 % de chômage officiel pour arriver à une lecture réaliste du taux de chômage (Langlois *et al.*, 1990 : 159 et 161).
2. Outre la diminution du pouvoir d'achat, l'appauvrissement de certaines couches de la société est observable dans l'augmentation du nombre de personnes seules et de ménages vivant de l'aide sociale dans les années 80. Par exemple, en 1980, 173 383 personnes seules et 111 791 ménages vivent de l'aide sociale. Un sommet est atteint en 1985 alors que 271 677 personnes seules et 153 783 ménages vivent de cette aide de dernier recours (Langlois *et al.*, 1990 : 612).
3. Le terme d'État-Provigo est une boutade visant à souligner que la politique sociale et économique du gouvernement libéral au milieu des années 80 est élaborée sous l'égide de Paul Gobeil, président du Conseil du Trésor à l'Assemblée nationale. Gobeil était un membre très influent chez Provigo avant de passer à la politique active.

Au mouvement contre-culturel des années 60 et 70 se substitue une « idéologie du moi », caractérisée par une valorisation très forte de la vie privée[4] et de l'individu, et un accent prononcé pour la recherche du bien-être corporel ou psychologique : dans ce cadre, les volontés de changements de la société sont reléguées au second plan. Aux nombreux mouvements de gauche qui ont été très actifs dans la décennie des années 70, font place des groupes de pression[5] (lobbies) porteurs pour une bonne part d'une vision renouvelée de la place de l'État dans les affaires économiques en particulier et dans la vie sociale en général. Inspirés par le regain du néo-libéralisme des années 80, ces groupes induisent partiellement une dynamique sociale favorable aux entreprises, les petites et les moyennes surtout.

À ce renouveau de la pensée économique néo-libérale correspond une résurgence de la morale « conservatrice » qui, devant l'effondrement « dramatique » des valeurs traditionnelles, réclame d'abord et impose ensuite un retour aux sources, c'est-à-dire un retour à des valeurs jugées sûres dans un monde en profonde mutation. Les tenants du néo-conservatisme ont un pouvoir et une grande audience dans les années 80 puisque nombre de gouvernements des pays occidentaux sont partie prenante de cette idéologie. Ils font du chômage et de l'économie deux de leurs principaux chevaux de bataille et diffusent leur information sur ces sujets de façon à s'adjoindre la faveur d'une bonne part de la population. On observe, par exemple, la pénétration dans le grand public des thèmes néo-conservateurs par l'entremise des sondages d'opinion. Ainsi, en 1980, la population canadienne considérait l'économie et le chômage comme les deux principaux problèmes du pays avec des indices respectifs de 55 et 12. En 1982, l'indice pour l'économie passe à 63 et, en 1984, celui du chômage à 57. C'est dire que ces deux thèmes sont des préoccupations de plus en plus grandes pour la population en général dans la première partie de la décennie des années 80 (Langlois *et al.*, 1990 : 625).

Dans la mesure où les idées qui s'imposent sur la place publique ont, à des degrés divers, une influence sur le devenir des institutions sociales, notamment l'école, on peut s'attendre à ce que les idées des néo-libéraux et des néo-conservateurs soient retenues dans la définition de l'école, de son rôle et de ses buts, dans les années 80. En fait, nombre des mutations institutionnelles de l'école dans la période étudiée sont le fruit des attaques des nouveaux courants de pensée de la Nouvelle Droite (néo-libéralisme et néo-conservatisme) envers l'institution scolaire. De là, apparaissent deux nouveaux modèles d'école à favoriser parmi tous les projets d'école

---

4. Ce repli sur la vie privée connaît son point culminant autour de 1987 alors qu'apparaît le phénomène du cocooning. À la suite de l'apparition et de la propagation du virus du sida qui n'affecte plus seulement les homosexuels mais aussi les hétérosexuels dans la deuxième moitié des années 80, nombre de personnes choisissent la sécurité de la vie en couple dans la chaleur du foyer. Ce nouveau mode de vie a été mis en évidence par Faith Popcorn dans son ouvrage intitulé *Le Rapport Popcorn* (1994).

5. Pour se faire une idée du rôle des groupes de pression au Québec, on peut consulter Boivin (1984). Il faut souligner que Boivin est lui-même un lobbyiste.

possibles dans une société démocratique. Ces deux modèles pourraient être qualifiés d'école marchande chez les néo-libéraux et d'école traditionnelle chez les néo-conservateurs (Berthelot, 1994 : 123-127).

Espoirs déçus et nécessités économiques

Le déclin de la formidable croissance économique qui a caractérisé les Trente Glorieuses (1945-1975) fait sentir ses effets au Canada à partir de 1972 et au Québec vers 1975 (Gouvernement du Québec, 1982 : 2). La récession économique de 1981-1982, le « krach » boursier de 1987 et la crise économique de 1990 renforcent la crise financière que vivent les États des pays occidentaux. Au Canada, toutes les administrations publiques confondues (fédérales, provinciales et locales) connaissent une augmentation spectaculaire de leur déficit de 1972 à 1987. En 1972, les dépenses de ces administrations étaient supérieures de 2,1 % aux revenus ; en 1982, le déficit passe à 30,4 % et diminue par la suite pour atteindre 15,7 % en 1987 (Langlois *et al.*, 1990 : 40).

Selon les tenants de la pensée pragmatique, le redressement de la productivité des entreprises est un passage obligé afin de sortir de la crise (Bernier et Boismenu, 1983 : 9). Pour arriver à ce résultat, il importe que l'État-providence cède du terrain en mettant de côté le carcan des réglementations gouvernementales qui restreint la mobilité du capital et qui réduit la confiance des investisseurs (Groulx, 1987 : 195). À cela, s'ajoutent de nombreuses déceptions face à l'État-providence qui, malgré la panoplie des programmes sociaux tels que l'assurance-chômage, l'aide sociale, l'assurance-maladie, les prêts et bourses aux étudiantes et étudiants, n'a pas su éliminer la pauvreté et les discriminations sociales. Comme le soulignent Le Gall, Martin et Soulet (1988), chacun « s'accorde en effet à reconnaître que la crise de ces dernières années a consacré la défaillance économique et sociale de l'État-providence, doublement coupable de n'avoir su maintenir la croissance et le plein-emploi (et donc d'avoir généré le chômage) et de n'avoir pu endiguer la pauvreté » (Le Gall, Martin et Soulet, 1988 : 5). Tous ces gens, comme le soulignent ces auteurs, reconnaissent maintenant le bien-fondé des privatisations et de la décentralisation, de la déréglementation et du désengagement de l'État. L'apôtre du nouveau libéralisme économique « est pour le libre choix de l'école de ses enfants, de son médecin…, pour la réduction des impôts et l'accroissement de la responsabilité individuelle ; il est contre la pesanteur administrative, les privilèges de ceux qui échappent au marché, ou l'accroissement des dépenses publiques » (Le Gall, Martin et Soulet, 1988 : 5).

Pour Alain Minc (1987), néo-libéral près du capitalisme d'affaires, la recherche de l'égalité par l'État-providence s'est soldée par un ensemble d'effets pervers et de contre-performances qu'il faut corriger en restaurant les mécanismes du marché économique, la concurrence et la mobilité des capitaux et des travailleurs (Chopart, 1988 : 133). En somme, ce type d'État, malgré sa volonté de démocratie et de justice sociale, est un échec : selon plusieurs, il faut repenser le rôle de l'État en diminuant, entre autres, les sommes allouées aux programmes sociaux afin de les transférer aux entreprises qui pourront de cette manière créer de l'emploi et de la prospérité. Par exemple, aux États-Unis, en 1981, sous l'administration conservatrice de Ronald Reagan (président de 1981 à 1989), les hauts revenus du pays jouissent d'une réduction d'impôts de 749 milliards de dollars sur une période de quatre ans alors qu'une réduction de 112 milliards de dollars est effectuée dans les programmes sociaux de 1982 à 1985 (Lesemann, 1988 : 112-113). En fait, la politique reaganienne est très profitable aux riches puisque de 1981 à 1988, le taux d'imposition des hauts revenus passe de 70 % à 28 % (Lesemann, 1988 : 138).

La thèse qui sous-tend cette vision nouvelle du rôle de l'État prend la forme de « l'ingouvernabilité de la démocratie ». Autrement dit, les trop fortes exigences d'égalité et de sécurité entravent sérieusement les capacités de décision des États démocratiques. Cette thèse, défendue notamment par les néo-libéraux, a été bien résumée dans la critique qu'en font Chorney, Mendell et Hansen (1987) :

> Les exigences des multiples programmes créateurs de « droits » ont spectaculairement augmenté les budgets des États, et partant le besoin de revenus supplémentaires, créés par le fisc ou le déficit. Il en résulte un épuisement des capitaux privés nécessaires à la croissance économique dans un monde sans cesse plus concurrentiel. (Chorney, Mendell et Hansen, 1987 : 111).

Les attaques sévères contre l'État-providence et ses visées égalitaristes prennent donc forme par l'entremise de la pensée néo-libérale et néo-conservatrice dans les années 80. Dans ces discours en émergence, les idéaux d'égalité et de justice sociale sont tournés en dérision (Beaudry et Jalbert, 1987 : 10). Tout comme les technocrates des années 60 et les groupes de gauche des années 70, ces nouvelles tendances sociopolitiques ont une vision du monde, de la société et de l'école. Quelles sont les idées fortes de ces courants de pensée ? Comment conçoivent-ils les relations des individus à la société, de l'école à la société ? Qu'attendent-ils de l'école ?

La dérive marchande ou le néo-libéralisme

Le néo-libéralisme, malgré le préfixe qui coiffe l'appellation libéralisme, n'est pas nouveau puisqu'il a cours déjà dans les États-Unis des années 60. La nouveauté vient plutôt de sa résurgence en force dans les années 80 et de l'audience que ce courant de pensée économique obtient auprès de la classe politique et des gens d'affaires. Pour les tenants de cette approche, il semble évident que l'intervention de l'État dans tous les domaines, notamment le domaine économique, freine l'initiative et contrecarre les possibilités de développement réel. Dans ce courant de pensée, on ne croit pas pouvoir réorganiser la société de fond en comble comme on l'a voulu dans les années 60 et 70. Les néo-libéraux considèrent en fait que la société résulte de l'agrégation (l'addition) des actions individuelles. Dans la vision néo-libérale de la société, ce sont les individus qui sont importants, non la société elle-même. C'est à travers un marché libre que l'allocation des ressources entre les individus peut se faire le mieux et, à ce titre, les économistes néo-libéraux concluent qu'il est nécessaire de libérer les marchés de toutes les contraintes que fait peser sur eux l'État-providence. En d'autres termes, les néo-libéraux souhaitent privatiser de nouveau nombre de secteurs sociaux, comme l'éducation, la sécurité sociale, les prisons, maintenant sous la tutelle de l'État (Beaudry et Jalbert, 1987 : 10). Comme le souligne Lagueux (1988b) :

> C'est ainsi que la plupart des programmes associés à l'État-providence ont été la cible des critiques néo-libérales qui dénonçaient leur inefficacité, leur coût excessif et les effets pervers dont ils seraient responsables. Les études se sont donc multipliées autour de l'école de Chicago pour montrer que la lutte contre la pauvreté n'aiderait pas ceux qui sont vraiment pauvres, que les impôts progressifs auraient un impact négatif sur la production tout en bénéficiant souvent plus à certains riches qu'aux véritables pauvres, que les lois sur le salaire minimum contribueraient à accroître le chômage, que les programmes de contrôle des loyers seraient responsables de la détérioration de la qualité des logements de ceux qui sont censés en être les bénéficiaires, que les programmes de subvention à l'éducation publique favoriseraient le développement d'institutions privées de meilleure qualité réservées aux riches [...]. (Lagueux, 1988b : 12).

En fait, pour les néo-libéraux, le marché est l'instrument privilégié pour atteindre la prospérité dans l'ensemble de la collectivité. Tout ce qui a une connotation sociale et qui est appuyé par l'État est discrédité aux yeux des néo-libéraux au profit de la liberté individuelle qui doit primer sur le reste. Or, dans une société où est favorisée la libre compétition des individus dans des marchés économiques, ceux qui possèdent déjà des ressources économiques et culturelles sont particulièrement avantagés. L'« ordre spontané » que procure le marché économique et la sélection sévère qu'il opère entre ceux qui peuvent jouer le jeu de la performance et les autres relient les thèses néo-libérales à la sélection naturelle du type de celle qui fut mise à jour par Darwin[6] (Lagueux, 1988a : 91-101). Toujours en suivant Lagueux dans sa critique du néo-libéralisme, on peut comprendre qu'en rendant :

---

6. Charles Darwin a édifié au XIXᵉ siècle une théorie de l'évolution des espèces sur le principe de la sélection naturelle, c'est-à-dire la perpétuation des plus forts (les mieux adaptés) et la disparition des plus faibles (les moins bien armés face à l'environnement). Cette théorie a servi à développer une conception de la vie en société basée sur le principe de la sélection naturelle dans la deuxième moitié du XXᵉ siècle. Cette théorie, appelée sociobiologie, a été largement diffusée à travers les écrits de Edward Osborne Wilson (1975). Très critiquée, cette théorie mène à ce qu'il est convenu d'appeler le darwinisme social, c'est-à-dire la sélection « naturelle des individus : les faibles étant éliminés parce que non producteurs de richesses ; les forts encensés comme sauveurs du monde » (Chriten : 1982). Dans son livre polémique sur le sujet, Schiff définit la sociobiologie en ces termes : « Théorie suivant laquelle les comportements sociaux seraient déterminés principalement par les gènes (plutôt que par la culture). Les guerres, la compétition économique, le viol et quelques autres comportements sociaux seraient ainsi inévitables. Ces élucubrations pseudo-scientifiques rencontrent peu de crédit parmi les chercheurs mais font des ravages dans la presse de la nouvelle droite et chez certains vulgarisateurs » (Schiff, 1992 : 21).

suspecte toute intervention de l'État, cette idéologie permet de tuer dans l'œuf les réglementations qui risqueraient de limiter les pouvoirs [des] classes privilégiées, tout en discréditant le discours de ceux (intellectuels de gauche, sociologues «soft-headed» et universitaires trop nuancés) qui doivent à l'État une trop large part de l'influence qu'ils détiennent pour ne pas avoir mauvaise conscience face à ceux qui ne doivent la leur qu'à l'entreprise privée. (Lagueux, 1988b : 24).

On souhaite appliquer à la lettre, du côté des économistes néo-libéraux, l'idée du «laisser-faire», qui ne souffre pas le dirigisme de l'État et la planification gouvernementale, afin de favoriser l'initiative personnelle et la liberté d'entreprendre. Dans leur conception de la société, toutes relations sociales devraient être jugées à l'aune du marché économique. Comme le soulignait Clerc (1981), ces économistes posent «la supériorité des relations marchandes sur toutes les autres formes de relations sociales» (Clerc, 1981 : 12-13, cité dans Beaudry et Jalbert, 1987 : 17). Tout doit se jauger en fonction de la rentabilité, de la performance et du rendement. En somme, leur conception de la société et de l'individu en société repose essentiellement sur un individualisme, caractéristique de *l'individualisme méthodologique*, à savoir «un point de vue où les seuls éléments pertinents dans l'étude du social sont les individus considérés comme rationnels, c'est-à-dire capables d'adapter de façon plus avantageuse les moyens aux fins qu'ils se sont assignées» (Ossipow, 1982 : 13).

Ce nouveau courant de pensée qui définit le social en fonction de l'économie a une certaine audience dans le monde scolaire, alors qu'on remet en question le monopole public de l'éducation, pour reprendre le titre d'un ouvrage de Mingué et Marceau (1989). Dandurand (1990) a bien systématisé les nouvelles contraintes que faisait peser sur l'école la conception des néo-libéraux :

Dans la perspective néo-libérale, la loi sociale qui garantit liberté et productivité est celle qui découle naturellement d'un marché libre, concurrentiel. En conséquence, l'erreur a été de constituer dans le champ de l'éducation, comme dans bien d'autres domaines, un monopole sous l'égide de l'État. Ce monopole, il a été justifié par des «idéaux» de redistribution sociale, d'égalité des chances. Cet égalitarisme a entraîné le développement d'un appareil scolaire bureaucratique, coûteux et peu efficace. À cette morale collectiviste, les tenants du néo-libéralisme veulent substituer celle du respect en premier lieu des libertés individuelles ; ils veulent également réinstaurer la concurrence et le marché dans le champ de l'éducation et par là s'assurer d'un système moins coûteux et plus efficace. (Dandurand, 1990 : 57).

On trouve le meilleur exemple québécois de cette vision néo-libérale de l'école dans l'ouvrage de Mingué et Marceau (1989). Pour les auteurs, il faut ouvrir l'école aux «signaux du marché» et le système public à la concurrence privée. Cette initiative permettrait d'«élargir le choix des parents» qui pourraient profiter d'«un régime de bons d'études ou de crédits fiscaux qui donne à chacun des parents le pouvoir d'opter pour l'école de son choix » (Mingué et Marceau, 1989 : 182-183). La concurrence en éducation et le libre choix des parents seraient, selon les auteurs, une garantie d'efficacité[7]. Répondre aux besoins des individus, parents ou étudiants selon les règles du marché économique, donc sans l'interposition d'un État visionnaire et interventionniste, telle semble la fonction sociale première de l'école dans la vision des auteurs. Finie donc la logique de la rédemption par l'école, dictée par l'idéologie de l'égalité des chances ou la logique de la démocratisation qui est « cause de la médiocrité du système ».

Mentionnons un autre exemple de la percée de la pensée néo-libérale dans l'école québécoise, soit le discours tenu par le capitaine Raymond Garneau (l'astronaute canadien) aux États généraux sur l'éducation en 1986. Selon lui, il est inconcevable de continuer à former des personnes dans des spécialités si celles-ci ne peuvent se trouver un emploi par la suite. Il souhaiterait que le système d'éducation favorise la formation de personnes en sciences et en technologie, car ces domaines seraient les plus prometteurs et les plus lucratifs. Dans le même temps, il se demande pourquoi continuer à financer les programmes spéciaux pour les minorités dans l'école, notamment les élèves en difficulté d'apprentissage, puisque ceux-ci ne rapporteront probablement pas à la société compte tenu de leurs difficultés. (Garneau, 1986)

Le retour aux sources ou le néo-conservatisme

Autant le néo-libéralisme prend forme à travers les ratés de l'État-providence, autant le néo-conservatisme se revigore dans les moments de crise sociale et économique. Le radicalisme du néo-conservatisme des années 80 est en partie le retour du balancier par rapport au radicalisme des courants marxistes qui se sont largement manifestés dans les années 70. Dans les faits, le néo-libéralisme et le néo-conservatisme participent à la Nouvelle Droite[8]. Une étude de John McMurtry (1983), dans *Canadian*

---

7. Nous sommes ici au cœur de la rhétorique néo-libérale en ce qui concerne l'école. Par exemple, un des grands gourous du management américain, Peter Drucker (1989), conçoit la concurrence entre écoles et la possibilité pour les parents de choisir leur école en fonction de « chèques-éducation » payés par l'État, comme une manière efficace d'augmenter la performance des écoles. Au sein même de l'école, Drucker préconise les classements et la concurrence, ce qui signifie, par exemple, que les enseignants sont liés par contrat à l'école et que leur augmentation de salaire dépend des résultats qu'ils obtiennent en ce qui concerne la performance de leurs élèves. Ceux qui n'atteignent pas les normes sont alors licenciés. La ville de Rochester dans l'État de New York fonctionne selon ces principes (Drucker, 1989 : 272-273).

8. Chorney, Mendell et Hansen (1987) ont bien décrit les liens entre le courant de la Nouvelle Droite, essentiellement néo-conservatrice mais aussi influencée par le néo-libéralisme, et les classes sociales supérieures et moyennes aux États-Unis : « La Nouvelle Droite américaine a été appuyée par une série de groupes évangéliques qui vont de la *Moral Majority* à la *Full Gospel Businessman's Fellowship*. Plus de trente groupes de la Nouvelle Droite se fondent sur le fondamentalisme chrétien, et la plupart sont liés à de riches familles d'affaires américaines, incluant Bunker Hunt, les Coors, les Wallace Johnsons, William

Forum, montre bien les liens qui s'établissent entre la montée du néo-conservatisme et celle du fascisme. On y compare les conditions d'apparition du fascisme lors de la crise des années 30 en Europe avec le néo-conservatisme des années 80. En analysant les thèmes néo-conservateurs de Ronald Reagan et de Margaret Thatcher (première ministre de Grande-Bretagne de 1979 à 1990), McMurtry montre que chez les néo-conservateurs :

> le pouvoir est gagné par un glissement relativement soudain à droite, chez une minorité des électeurs, vers un chef aux allures guerrières, soutenu par un bloc de partisans férocement attachés à des valeurs d'autrefois et à la gloire militaire nationale [...]. Tant le fascisme que le néo-conservatisme placent la « menace » communiste mondiale au centre de leur appel. Cette menace exige des crédits militaires massifs et une discipline continue de la part de la « nation » si on veut l'affronter avec succès. (Chorney, Mendell et Hansen, 1987 : 115).

Contrairement au néo-libéralisme, qui est très bien structuré sur le plan théorique, grâce notamment aux théoriciens de la philosophie et de l'économie libérales tels que Friedrich Hayek et Milton Friedman[9], le néo-conservatisme est « un mouvement intellectuel syncrétique » (Kristol, 1987 : 12) qui appuie sa force dans sa capacité à faire vibrer les cordes sensibles d'une bonne partie de la population :

> Paradoxalement, même si le néo-conservatisme est une idéologie née de la crise, il apporte à la population l'idée rassurante que toute crise peut se résoudre aisément. À en croire la droite, cela est possible grâce à un retour aux vieilles et réconfortantes thèses qui virent le jour à l'aube de l'édification du capitalisme industriel : liberté de marché, famille patriarcale, religion séculaire, éducation

---

Randolph Hearst et les familles contrôlant Pepsi-Co, Mobil Oil et Coca-Cola. Grâce à ce puissant appui financier, ces groupes fondamentalistes contrôlent un important réseau de médias. Par exemple, la *National Religious Broadcasters Association* rejoint plus de 129 millions d'Américains par la radio et la télévision. En plus, il y a un grand nombre de *think tanks*, appuyés par d'importants intérêts financiers qui propagent les idées de la Nouvelle Droite et du néo-conservatisme ; mentionnons, entre autres, le *Heritage Foundation*, *CATO*, l'*Institute for Foreign Policy Analysis*, l'*American Enterprise Institute*, le *Committee on the Present Danger*, la *Reason Foundation*. Des publications telles que *Commentary*, *The Public Interest*, *The American Spectator*, *National Review*, *Regulation* et plus récemment *The New Republic*, adoptent la philosophie néo-conservatrice. C'est ce lien avec de larges masses de fonds privés qui a fait du néo-conservatisme une force aussi puissante » (Chorney, Mendell et Hansen, 1987 : 90).

9. Hayek, de l'école autrichienne en économie, est le principal inspirateur des thèses néo-libérales qui ont cours présentement. Récipiendaire du prix Nobel d'économie en 1974, Hayek jouit d'une grande influence dans le monde germanique et anglo-saxon depuis de nombreuses années. Pour une présentation en français de son œuvre, on peut consulter Dostaler et Éthier (1988). Milton Friedman, de l'école de Chicago en économie, est également un des grands théoriciens américains du néo-libéralisme.

autoritaire et célébration des vertus de la propriété individuelle[10]. (Chorney, Mendell et Hansen, 1987 : 88).

Selon le « parrain » du néo-conservatisme américain, Irving Kristol[11], ce mouvement intellectuel est largement soutenu par des universitaires et entretient des rapports avec le monde des affaires. Alors que les néo-libéraux considèrent que la libre concurrence sur des marchés économiques peut permettre d'organiser, à partir des actions individuelles, une société plus juste et démocratique, les néo-conservateurs, pour leur part, pensent que la prépondérance à donner aux affaires économiques dans la société est un préalable à une société libre mais doit être accompagnée d'une stabilité sociale et politique forte. Dans ces conditions, les néo-conservateurs ne rejettent pas l'idée d'un État fort, mais celui-ci doit se contenter d'améliorer les préférences que manifestent les gens dans un libre marché tout en maintenant l'ordre et la discipline dans la société. En fait, les tenants du néo-conservatisme ont une vision élitiste de la société ; ils ont aussi une affection débordante pour les institutions intermédiaires, particulièrement pour la famille et la religion qu'ils considèrent comme les piliers moraux de la société.

Pour les néo-conservateurs, l'homosexualité, le féminisme, le déclin de la famille, l'avortement, le droit des minorités ethniques sont parmi les sources les plus importantes du dépérissement de la moralité. Pour en revenir à un ordre « naturel » des choses dans la société, ils proposent d'abord un respect de l'ordre divin, une conception hiérarchique de la société, un respect de la famille et de la propriété privée comme de l'autorité et des traditions, et un patriotisme engagé. Dans le néo-conservatisme, à l'encontre du néo-libéralisme, les intérêts de la société sont supérieurs à ceux de l'individu. Pour eux, les individus sont naturellement inégaux et la société doit respecter cette inégalité en permettant aux meilleurs de se faire valoir (Houle, 1987 : 36-37).

La conception de la société selon les néo-conservateurs trouve écho dans un projet d'école dont le but est un retour aux sources, c'est-à-dire à ce qui constitue l'essen-

---

10. Nombre d'intellectuels dont des sociologues se font les chantres des idées néo-conservatrices. Par exemple, Daniel Bell, dans *Les Contradictions culturelles du capitalisme* (1979), se fait l'émissaire de cette nouvelle idéologie. Rendant compte de l'ouvrage, Chorney, Mendell et Hansen (1987) montrent que Bell « conclut sur un appel plutôt ironique à un libéralisme neuf, plus conservateur, réalité dégagée des illusions que sont l'excès d'égalité, la confiance en la raison et au triomphe du bien ultime. Plutôt que de contribuer à une renaissance de l'humanisme libéral, l'œuvre de Bell a aidé la cause d'une idéologie plus réactionnaire, le néo-conservatisme » (Chorney, Mendell et Hansen, 1987 : 104). Depuis la publication de son célèbre essai, *Vers la société post-industrielle* (1976), Bell jouit d'une audience formidable auprès des jeunes intellectuels des pays occidentaux.

11. Irving Kristol est professeur à la *Graduate School of Business Administration* de l'Université de New York. Il est aussi co-éditeur de la revue *Public Interest* et membre du conseil des contributeurs au *Wall Street Journal.*

tiel que devrait offrir l'école. Dans un article de 1987, Dandurand et Ollivier mettent en lumière les visées des néo-conservateurs sur l'école dans de nombreux pays :

> Aux USA, en France, en Grande-Bretagne, au Canada, au Québec, la tendance est de vouloir retourner aux enseignements de base (mathématiques, lecture, écriture), à un encadrement plus autoritaire, à la réintroduction des systèmes de récompenses, à la compétition, à une mobilisation plus grande des enseignants, à une augmentation du temps d'apprentissage. C'est le contenu devenu classique qu'on retrouve sous le thème maintenant généralisé de la « qualité de l'enseignement » dans les discours programmatiques sur l'éducation. (Dandurand et Ollivier, 1987 : 96).

Au Québec plus particulièrement, les défenseurs d'une vision néo-conservatrice de l'école s'expriment essentiellement dans les écrits de Balthazar et Bélanger (1989). Pour ces auteurs, il s'agit pour l'école de transmettre des attitudes et des valeurs qui se sont perdues dans l'école moderne. Le retour à l'essentiel dans les programmes scolaires, un accent mis sur l'apprentissage de la langue maternelle et sur les mathématiques, un souci accru pour la rigueur intellectuelle et la démarche scientifique (Balthazar et Bélanger, 1989 : 209-210), tels sont en substance les points avancés par les tenants de l'idéologie néo-conservatrice[12]. Sous couvert d'une meilleure qualité de l'éducation, les auteurs préconisent, à la suite du rapport américain sur l'éducation de 1983, *A Nation at Risk*, des solutions pour l'école québécoise. Parmi celles-ci, on note les exigences de la diplomation qui doivent être revues à la hausse. On retient également l'augmentation significative du temps alloué aux matières de base et une prolongation de la journée de classe, la révision à la hausse des critères d'admissibilité aux études supérieures (Balthazar et Bélanger, 1989 : 213). Ces changements favorisent en somme ceux qui sont déjà avantagés dans la société et dans l'école.

Mutations de l'école et nouvelles pratiques scolaires

Les nouveaux aménagements économiques, politiques et idéologiques qui caractérisent les années 80 ont de nombreuses conséquences dans le monde de l'éducation, alors qu'apparaissent de nouvelles demandes sociales envers les institutions scolaires, comme une recherche de l'excellence en éducation et une autonomie accrue des écoles dans leur projet éducatif. Plusieurs mutations institutionnelles modifient substantiellement le visage de l'école québécoise.

---

12. Comme tous les néo-conservateurs, Balthazar et Bélanger (1989) voudraient que la mission de l'école s'inscrive dans une démarche patriotique. En parlant de leur livre, les auteurs soulignent qu'il « est un cri du cœur, sincère et nourri de patriotisme. Nous voulons pour notre société distincte l'école dont pourra sortir un peuple plus libre, plus heureux, l'école qui fera un Québec fort » (Balthazar et Bélanger, 1989 : 14).

On peut penser au mouvement d'intégration des élèves en difficulté d'apprentissage dans les classes régulières alors qu'au même moment on veut sortir de ces classes régulières les élèves talentueux et doués afin de leur offrir un enseignement de *qualité*. Face à la remontée en force du secteur privé dans la décennie des années 80, le secteur public tend à diversifier de plus en plus ses programmes d'études afin de répondre aux besoins de certains groupes sociaux en quête de distinction sociale. Les grandes mutations du système d'enseignement touchent également le monde universitaire. On observe le développement au sein des grandes universités d'un double réseau de scolarisation qui profite inégalement aux différents groupes sociaux y ayant accès.

Dans les années 80, les enseignantes et les enseignants ne peuvent échapper aux multiples questionnements dont l'école fait l'objet dans son ensemble. Après une période (1967-1982) de luttes sociales sous le leadership de leur centrale syndicale, les enseignantes et les enseignants voient leur statut professionnel remis en cause, alors que divers intervenants à l'intérieur comme à l'extérieur du monde de l'éducation commencent à associer les problèmes de l'école au travail du personnel enseignant. L'équation n'est pas toujours à l'avantage de ce dernier. La recherche d'une nouvelle identité professionnelle prend une signification tout autre pour les enseignants et les enseignantes dans cette conjoncture.

Douance vs difficultés d'apprentissage

Parmi les nouvelles discriminations prenant forme dans le système d'éducation des années 80, il faut noter, d'une part, celles qui sont liées à la diminution progressive des budgets alloués aux programmes visant à aider les enfants en difficulté d'apprentissage et à l'intégration dans des classes d'accueil pour les enfants d'immigrants et, d'autre part, l'apparition progressive de programmes spéciaux pour doués ou surdoués. Dans les années 60 et 70, nombre d'intervenants dans le monde de l'éducation ont réclamé des classes spéciales pour les enfants en difficulté d'apprentissage et les budgets nécessaires pour faire fonctionner adéquatement ces classes.

À ce moment, il était clair que l'école devait s'adapter aux enfants en difficulté d'apprentissage, d'autant plus que beaucoup de ces enfants provenaient de milieux sociaux défavorisés. Ces classes spéciales entraient donc en quelque sorte dans la lutte contre la pauvreté et l'échec scolaire des enfants issus de milieux pauvres. Comme le souligne Baby (1992) :

> Il y a 20 ans, 25 ans, dans le cadre du consensus relatif établi autour de la Réforme scolaire, on réclamait de partout, de toutes les sphères de la société, à cor et à cri, des mesures spéciales, des ressources spéciales et des classes spéciales pour les enfants en difficulté. Des parents étaient prêts à se battre pour que leurs enfants puissent bénéficier de ces mesures spéciales. [...] Le Québec avait alors le

moyen de ses ambitions de telle sorte que les classes spéciales bénéficiaient de subventions également spéciales, fort avantageuses. (Baby, 1992 : 28-29).

Le contexte politique (critique de l'État-providence) et économique (crise fiscale de l'État) des années 80 est propice à une remise en question de ces programmes spéciaux pour les défavorisés du système scolaire. En fait, la réflexion sur la possibilité d'intégrer les enfants en difficulté d'apprentissage dans les classes régulières se fait déjà depuis 1976 (Goupil et Comeau, 1983 : 362), alors que le Rapport COPEX (1976) souligne les bienfaits possibles d'une intégration « prudemment dosée » (Ziarko, 1986 : 5).

Au début des années 80, le gouvernement choisit de couper dans les dépenses éducatives en faveur des élèves en difficulté d'apprentissage et dans les classes d'accueil pour les enfants d'immigrants, forçant ainsi l'intégration des élèves profitant de ces mesures dans des classes régulières où ils disposent d'un moins grand soutien pédagogique des spécialistes en éducation. En 1980-1981, le gouvernement implantait le système des enveloppes budgétaires fermées pour les commissions scolaires qui forcent ces dernières à atteindre les objectifs fixés par le ministère de l'Éducation. Ainsi, dans une commission scolaire donnée, si le ministère établit qu'il y a trop d'enfants inadaptés, il peut réduire tout simplement les budgets de cette commission scolaire (Beaulne, 1982 : 221)[13].

C'est au nom des vertus de l'intégration des enfants en difficulté scolaire dans les classes régulières que ce mouvement s'amorce et prend de l'ampleur à mesure que l'on avance dans la décennie. Ces classes régulières constitueraient un « milieu normal » favorable à l'apprentissage des enfants en difficulté scolaire puisqu'ils y trouveraient des possibilités d'être stimulés au contact des autres élèves. Dans ces conditions, se demandent certains, pourquoi continuer à financer des classes spéciales qui ne servent pas les enfants en difficulté scolaire ?

En même temps, apparaît tout un discours sur les nouveaux laissés-pour-compte du système scolaire que sont les enfants talentueux, doués et surdoués qui ne profiteraient pas de ce « milieu normal » qu'est la classe régulière. On demande pour ceux-là des activités spéciales, des classes spéciales et, dans le discours de certains groupes, des écoles spéciales qui exigent un financement important de la part de l'État. À l'instar de Ziarko (1986), il faut poser la question de ce que recouvrent les mots « milieu normal » : « [...] on les utilise pour référer à une réalité acceptable et même souhaitable pour les enfants qui éprouvent des difficultés d'adaptation à

---

13. Les compressions gouvernementales en 1982 sont de l'ordre de 50 % au préscolaire : les classes de 4 ans dans les milieux sociaux défavorisés sont particulièrement touchées. L'animation *Passe-Partout,* qui vise une meilleure intégration des enfants issus des milieux sociaux défavorisés à l'école, est aussi touchée. Les classes d'accueil pour les enfants de quatre ans provenant de l'immigration sont abolies (Beaulne, 1982 : 222).

l'école, alors que par ailleurs cette même réalité ne paraît pas convenir à ceux qui sont appelés à devenir les plus brillants éléments de cette même école » (Ziarko, 1986 : 5).

Sous la pression de groupes pancanadiens, telle l'Association pour les enfants doués représentée au Québec par une branche de l'organisme, par des universitaires québécois, par un certain nombre d'enseignants et d'enseignantes et par plusieurs journalistes[14], le gouvernement s'intéresse graduellement, à partir de 1981, aux problèmes des enfants doués dans les écoles québécoises. Ce n'est qu'en 1985 que le ministère de l'Éducation met de l'avant certains indicateurs permettant de catégoriser les élèves doués, dans son document *Les Élèves doués et talentueux à l'école : état et développement* (1985b). Toutefois, c'est aux commissions scolaires que le gouvernement laisse l'initiative de développer les activités ou les programmes en faveur des talentueux et des doués, évitant ainsi de s'engager dans un débat social houleux.

Dans ces conditions, plusieurs commissions scolaires et écoles n'ont pas perdu de temps et ont mis en place rapidement des moyens de combler les besoins de cette clientèle exigeante que sont les talentueux et les doués. Par exemple, en 1985, à l'école Sophie-Barat, des initiatives ont été prises afin de réduire le nombre d'heures de cours réguliers des élèves classés doués, sans toutefois diminuer le contenu des cours, tout en organisant pour eux un programme d'activités scientifiques et informatiques (Asselin, 1985).

Cette nouvelle dynamique conduit en quelque sorte à créer deux grands types d'élèves : ceux qui sont faibles et dans la moyenne, et qui doivent se contenter des services réguliers de l'école ; ceux qui sont talentueux et doués, et qui profitent de programmes sur mesure. Dans le contexte de la concurrence entre le secteur public et le secteur privé, et dans le but d'attirer les meilleurs élèves, le secteur public tend à développer des programmes de ce type afin de garder sa clientèle de choix. L'école publique, l'école de tous, devient graduellement une école à deux vitesses : une régulière ; une autre, élitiste.

La résurgence du secteur privé et le nouveau visage du secteur public

Le moratoire imposé aux écoles privées en 1976 ne semble pas avoir diminué le dynamisme de ce secteur. La croissance des effectifs scolaires au secondaire dans le secteur privé dans les années 70 montre que ce dernier gagne toujours plus de terrain sur le secteur public. En fait, au secondaire, en vingt ans, soit de 1973 à 1993, le taux d'élèves inscrits au privé est passé de 8 % à plus de 17,2 % (Simard, 1993). Ce phénomène s'intensifie dans les années 80 alors que le secteur privé connaît une crois-

---

14. On peut consulter à ce sujet la *Revue des médias* du ministère de l'Éducation du 17 juin 1986, qui constitue un dossier couvrant la presse écrite du 2 septembre 1984 au 3 juin 1986 et portant sur la douance.

sance substantielle qui force le secteur public à réagir de façon à conserver ses meilleurs élèves. Il faut dire que la levée du moratoire sur l'enseignement privé (1987) est une incitation à la création de nouvelles institutions d'enseignement privé. En deux ans, de 1988 à 1990, huit nouveaux établissements sont créés. Les effectifs de l'école privée augmentent à un taux annuel de 3 % tandis que le secteur public demeure relativement stable. Un élève sur cinq fréquente l'école privée au secondaire (Dandurand, 1990 : 53).

L'écart qui se creuse entre les deux secteurs du système d'éducation, en ce qui a trait aux effectifs et au contenu académique offert aux élèves, se double de la constitution d'un autre clivage à l'intérieur même de l'école publique, tendant à développer des programmes pour les talentueux et doués, et à ne donner aux élèves moyens ou au-dessous de la moyenne que le programme régulier.

À cela, s'ajoute un débat sur la possibilité pour les parents de choisir l'école selon leurs préférences pour la scolarisation de leurs enfants à partir de « bons d'éducation ». Inspiré des thèses néo-libérales sur l'école, ce débat alimente les tensions entre les tenants d'une école laïque et pour tous, et ceux qui voudraient voir le système d'enseignement, au nom de la qualité en éducation, se plier graduellement aux impératifs des marchés économiques, c'est-à-dire à la performance, à la compétitivité et à la rentabilité. Comme le souligne Berthelot (1988), à la « faveur de la crise, la privatisation devient un slogan, voire le cœur d'une idéologie portée par les intérêts dominants ; l'école n'y échappe pas » (Berthelot, 1988 : 22).

Les intérêts dominants en faveur de l'école privée s'expriment d'une manière particulière dans les années 80. En fait, le droit des parents dans le choix d'une école pour leur enfant, droit défendu farouchement par les tenants de l'école privée, se transforme sous l'influence du courant néo-libéral en une croisade en faveur du bon d'éducation. Largement promue par le Mouvement pour l'enseignement privé (MEP), l'idée du bon d'éducation sera reprise par le gouvernement libéral de Robert Bourassa et par son président du Conseil du Trésor, Paul Gobeil. En effet, le rapport Gobeil de 1986 fait du bon d'éducation une de ses propositions majeures (Berthelot, 1988 : 47 ; Martin, 1989 : 79). À quoi ressemble ce bon d'éducation ? En quoi viendrait-il modifier les pratiques dans le système d'éducation ? À qui profiterait-il en définitive ?

Le bon d'éducation est d'abord et avant tout une nouvelle façon de concevoir le financement de l'éducation. Fortement inspiré des thèses économiques néo-libérales avancées par Milton Friedman en 1955, réactualisé dans les années 60 aux États-Unis à partir des travaux de Christopher Jencks, et proposé de nouveau par l'administration Reagan dans les années 80, le bon d'éducation est une forme de subvention directe aux parents afin de financer l'éducation de leurs enfants. Ainsi, les parents pourraient recevoir de l'État un bon ayant une valeur correspondant au coût de l'enseignement obtenu dans une école donnée, celle de leur choix, qu'elle soit privée ou publique. Les tenants d'une telle approche affirment que «le bon, en laissant le choix de l'école aux parents, obligerait cette dernière à répondre plus adéquatement aux besoins de leurs enfants. Pour s'attirer une clientèle suffisante, l'école devrait offrir un enseignement de qualité sans quoi elle serait désertée par ses clients et devrait fermer ses portes» (Berthelot, 1988 : 47). C'est bien l'idée de «saine concurrence» qui est sous-jacente à cette pratique. Comme le souligne Martin (1989) :

> Fondamentalement construit pour apporter une réponse collective et publique aux impératifs de démocratisation et d'égalité des chances pour tous, notre système d'éducation a ainsi laissé place à la concurrence, au secteur privé, place que certains voudraient aujourd'hui étendre de façon significative, en fait à tout le champ de l'enseignement infra-universitaire, par le biais du bon d'éducation. (Martin, 1989 : 83).

Pour les tenants du bon d'éducation, l'objectif démocratique du système scolaire québécois serait un leurre qui conduirait au nivellement par le bas. Selon eux, l'égalité des chances et la poursuite de l'excellence seraient incompatibles au sein de la même institution, la «véritable démocratie consisterait plutôt à fournir à tous les citoyens les moyens d'accéder à l'excellence du secteur privé, de sorte que le seul critère d'admission serait dorénavant le mérite» (Bourret, 1987 : 44).

Plus loin, les tenants du bon d'éducation voudraient que nombre de services éducatifs soient privatisés afin d'en augmenter la qualité. Cette tendance, assez développée aux États-Unis, peu au Québec, vise essentiellement à remettre à l'entreprise privée des services éducatifs assumés par l'État. Comme le souligne l'un des défenseurs de cette position : dans «le cadre de ce mouvement de privatisation, le fardeau de la preuve appartient aux défenseurs de l'État; il faut démontrer non pas que tel service devrait être laissé à l'entreprise, mais plutôt pourquoi tel service ne devrait pas être privatisé» (Lieberman, 1986 : 732, cité dans Berthelot, 1988 : 53). Au Québec, cette idée de privatisation des services éducatifs est défendue par le Mouvement pour l'enseignement privé (MEP), qui considère que l'État n'a pas à faire de l'enseignement mais bien à s'assurer que l'enseignement soit fait. Même si le Québec ne se dirige pas dans l'immédiat dans cette voie de la privatisation, on remarque toutefois dans les années 80 une tendance à remettre à l'entreprise privée, sous forme de sous-traitance, des services de soutien à l'enseignement tels que la cafétéria, l'entretien, certains services professionnels. Cette tendance serait en évolution constante.

Le clivage de plus en plus grand entre le secteur privé et le secteur public prend d'autres formes. Dans un texte intitulé *À la source de l'inégalité des chances*, François Rebello (1996) montre comment se forment les clivages entre le public et le privé dans le choix des matières au programme scolaire dans ces deux secteurs. Prenant un exemple précis, l'auteur fait remarquer que dorénavant le latin sera enseigné dans les cinq années du secondaire au Collège Brébeuf (collège privé subventionné par l'État pour la classe sociale aisée). Selon lui, on instaure cette mesure, car il semble acquis dans les milieux aisés que « c'est la formation fondamentale qui permet d'apprendre et de réussir ». Bien que l'auteur soit d'accord avec le fait que certains obtiennent une formation de qualité, il trouve cependant inacceptable qu'elle ne soit pas offerte à tous. En fait, l'auteur constate que les politiques gouvernementales vont plutôt dans le sens de restreindre l'enseignement de la philosophie au collégial public et de n'offrir que deux cours d'histoire au secondaire public. Il semblerait que l'État doive faire des choix en ce qui concerne le public. Enfin, ce serait le discours des grands décideurs dans notre société. Toutefois, comme le souligne Rebello (1996) :

> Souvent ministres ou hommes d'affaires, ils nous disent [les décideurs] que cela coûterait trop cher d'offrir à tous ce qu'ils offrent à leurs enfants. Ce qu'ils pensent, c'est que la *voie réservée* sur laquelle évoluent leurs enfants doit rester privilégiée et inaccessible de façon à éliminer la compétition et les risques pour l'avenir de leur progéniture. (Rebello, 1996 : 141).

Selon l'auteur, alors que la plupart des personnes expriment des craintes face à l'implantation d'un système de santé à deux vitesses, peu de gens semblent conscients de ce même clivage dans le système d'éducation (Rebello, 1996 : 142-143).

Pour concurrencer l'école privée et conserver leurs populations étudiantes en diminution, les commissions scolaires créent des programmes spéciaux réservés à une minorité de jeunes, les plus doués généralement, dont le plus sélectif est le cours dit « international » destiné à la formation des élites. Ce programme d'éducation internationale constitue un enrichissement du programme régulier du MEQ. Au secondaire, ce programme d'éducation internationale existerait dans plus de trente établissements (privés et publics). Pour le collégial, ce baccalauréat international existe dans une dizaine de collèges privés et publics. Ces programmes sont hautement sélectifs et s'adressent donc à des étudiants dont les résultats scolaires sont supérieurs à la moyenne.

Depuis le milieu des années 80, de nombreux programmes spéciaux ont été élaborés. Sans entrer dans le détail de la panoplie des projets éducatifs pour talentueux et doués dans les écoles publiques de la province, on remarque que la plupart de ces programmes ont connu une progression significative à partir de ce moment. Par exemple, pour le programme sports-études, 9 élèves sont inscrits en 1985 ; en 1994, ce nombre grimpe à 1813 élèves (Van de Moortele et Larivière, 1995 : 21). Les critères de sélection des élèves sont rigoureux et administrés par les commissions scolaires ou par les organismes externes : dans le cas du programme sports-études, les organismes externes sont des fédérations sportives. Ces critères sont basés sur les aptitudes et le rendement scolaire (ministère de l'Éducation, 1995). Lors de l'admission d'un élève à un programme sports-études, les performances scolaires sont retenues comme critère d'admissibilité ; lors de la réadmission, les performances sportives sont déterminantes. Comme le soulignent Van de Moortele et Larivière (1995), ce « dernier constat tend à démontrer que les écoles diminuent leurs exigences au niveau scolaire et développent de plus grandes attentes par rapport au rendement sportif pour les athlètes-élèves déjà admis au SE » (Van de Moortele et Larivière, 1995 : 24).

Les études supérieures et la sélection sociale

Les années 60 et 70 ont été le lieu d'une démocratisation rapide de l'enseignement secondaire. Les universités québécoises vivent elles aussi à l'heure de la démocratisation dans les années 80, alors que les effectifs scolaires inscrits aux études supérieures ne cessent de se gonfler. L'université de masse demeure cependant élitiste, sous nombre d'aspects, et le deviendra de plus en plus dans le contexte de compressions budgétaires des années 80. En fait, la création d'un double réseau de formation au sein même des universités fait partie des nouvelles pratiques des universités québécoises dans la décennie.

Pour comprendre la nature de ces nouvelles discriminations, il est nécessaire de mettre en rapport deux pratiques sociales différentes et n'ayant en apparence aucun lien entre elles. En premier lieu, il faut regarder comment s'est développée la différenciation des formations dans les universités dans cette période. Depuis le début des années 70, une certaine rhétorique sociale voudrait que les universités développent des formations particulières pour les personnes issues des classes populaire et ouvrière, ce qu'elles se sont empressées de faire en mettant en place l'« éducation permanente », la « formation sur mesure », les « règles d'admission à 22 ans avec expérience pertinente » (Bissonnette, 1988 : 119). Dans le même temps, afin de promouvoir le principe de l'accessibilité aux études supérieures, ces mêmes universités ont développé tout un arsenal de certificats et de programmes courts afin de répondre aux besoins de ceux et de celles qui avaient été refoulés aux portes des programmes contingentés ou qui avaient des cheminements scolaires particuliers ou dans la moyenne. Les programmes contingentés, pour leur part, s'adressaient à une clientèle plus orthodoxe ayant les moyens de ses ambitions. Comme le souligne Bissonnette (1988) :

> Aux classes ouvrières et populaires, aux gens des régions, aux travailleurs, on offre effectivement aujourd'hui de la « formation sur mesure » : des programmes courts, des certificats au lieu de diplômes, du recyclage, du perfectionnement personnel et professionnel. À ceux qui en ont les moyens, à ceux qui ont traversé le système secondaire et collégial selon les règles les plus classiques de l'apprentissage, on offre une vraie formation universitaire, celle qui, de tout temps, assure un réel avantage sur le marché du travail. Malgré la masse des étudiants qui se trouvent à l'université (un nombre bien commode pour continuer à se vanter de politiques d'accessibilité), rien n'a vraiment changé. On a tout simplement créé une université à deux vitesses, une vraie et une fausse cohabitant sous le même toit. (Bissonnette, 1988 : 119).

Selon Bissonnette (1988), le contingentement des programmes universitaires, présenté comme le résultat de la capacité d'accueil limitée des universités, serait en fait un mode de sélection basé sur des critères plus ou moins précis et variant d'une année à l'autre. Selon l'auteur, au moment où un élève obtient son diplôme d'études collégiales, il devrait avoir le droit d'être admis à l'université dans les mêmes conditions que tous les autres, sinon « le diplôme n'a plus de sens si n'importe qui peut juger que ce papier, obtenu avec 70 % l'année dernière, doit l'être avec 75 % cette année ou avec 80 % l'année prochaine pour donner droit de passage à l'étape suivante » (Bissonnette, 1988 : 123).

Pour ceux et celles à qui on refuse l'entrée dans un programme contingenté (ces programmes sont nombreux et offrent des formations valorisées socialement), il leur reste trois choix : se résoudre à ne pas faire d'études universitaires ; accepter de faire d'autres types de formation moins valorisés (sciences humaines, par exemple) ; accepter de faire une formation à la pièce (les certificats). C'est d'ailleurs avec ce bassin de refoulés que les universités peuvent financer leurs programmes de prestige réservés à ceux qui en ont paradoxalement les moyens. Comme il est établi que les couches sociales les moins favorisées économiquement accèdent à la formation à la pièce, on en déduit qu'elles financent en partie les couches sociales aisées dans leurs études supérieures.

> Ainsi se constitue l'université à deux vitesses, qui a triomphé des exigences de la démocratisation. J'aimerais bien voir une étude des origines sociales de nos étudiants à plein temps. S'il n'en existe pas, c'est peut-être par crainte d'y trouver un portrait dérangeant : celui des classes sociales qui ont vu « leur » université envahie par les barbares et qui ont réussi, petit à petit, à reconstituer par l'intérieur leur privilège, grâce à deux instruments : le contingentement des programmes les plus rentables sur le marché du travail et l'illusion de l'éducation permanente, de la formation sur mesure, des programmes plus pratiques et à court terme pour le « peuple ». Ce n'est pas un hasard si nos universités régionales sont des universités de programmes courts. (Bissonnette, 1988 : 124-125).

L'analyse de la composition des effectifs universitaires montre que ceux qui étudient à temps partiel, qui sont aussi en bonne partie ceux qui font des études pour l'obtention de certificats, sont d'origine sociale plus modeste ; que ceux qui étudient à temps plein sont aussi ceux qui profitent le plus des programmes contingentés et qui proviennent de milieux plus aisés, comme ceux des affaires, des professionnels et des techniciens (Cloutier, La Haye et Morneau, 1991 : 41). Cette nouvelle stratification des lieux universitaires augmente depuis les années 70 et rend compte de la diversité de la population universitaire. Ainsi, de 1976 à 1987, la population d'effectifs à temps partiel est passée de 37 % à 50 % et à la fin des années 80, on étudie de façon majoritaire dans des programmes de certificats (Chenard et Lévesque, 1992 : 403 et 405).

Le personnel enseignant se cherche une identité

Comme tous les grands acteurs de la société québécoise dans les années 80, les enseignantes et les enseignants sont confrontés à la politique néo-libérale, portée par le gouvernement de Robert Bourassa et par la rhétorique néo-conservatrice. Les « Comités de sages[15] » mis en place par ce gouvernement remettent leurs rapports en juillet 1986. Le désengagement de l'État, la privatisation, la déréglementation et la libéralisation des échanges commerciaux sont les principales recommandations faites par ces « comités » afin de rendre le Québec plus concurrentiel sur les plans international et canadien (Tardif, 1990 : 132). À ce moment, comme le souligne Tardif (1990), le patronat a l'avantage :

> [...] réouverture de conventions, réductions salariales, augmentation de la semaine de travail, coupures dans les avantages sociaux et surtout précarisation de l'emploi sont le lot des syndicats aux prises avec des négociations difficiles et une absence de mobilisation. On parle de conservatisme et d'individualisme dans l'ensemble des pays capitalistes avancés, notamment en Grande-Bretagne, aux États-Unis et au Canada. L'action collective n'est plus à l'ordre du jour. (Tardif, 1990 : 139).

L'affaiblissement de l'action collective syndicale survient à un moment où les enseignantes et les enseignants sont confrontés aux arguments avancés par les tenants du néo-libéralisme et du néo-conservatisme. D'une part, apparaît une volonté de rendre plus productif et plus performant le système d'éducation (Lessard, 1991 : 36), d'autre part, est réactualisée la notion de qualité de l'éducation qui se traduit par une centralisation des programmes, la mise en place de la supervision pédagogique et les examens standard qui permettent une comparaison entre les commissions scolaires sur le plan de la productivité[16] (Lessard, Tardif et Lahaye, 1991 : 70). Les professeurs d'université ne seront pas en reste dans ce nouveau courant de valeurs qui frappe le système d'enseignement au Québec dans les années 80. En fait foi la publication du rapport Lacroix (1985), *La Poursuite de l'excellence*, dans lequel on « affirme une adhésion au principe du marché (tout au moins dans le cas des rapports entre acteurs individuels, soit entre professeurs) comme dynamique de la productivité et de la performance des agents "libres" sur la scène universitaire » (Dandurand, 1991 : 145).

---

15. Ces « Comités de sages » étaient essentiellement formés par des gens de la grande entreprise et des milieux d'affaires.
16. La productivité des commissions scolaires est établie à partir des cotes de diplomation par école qui sont calculées sur une échelle de 1 à 10, 1 représentant un très faible taux de diplomation alors que 10 est le taux maximum. De cette façon, il est possible de comparer le rendement des commissions scolaires et des écoles entre elles. Cette pratique est du même genre que le palmarès des universités et des collèges ou encore le palmarès des villes du Québec. Les données du ministère de l'Éducation sur les cotes de diplomation sont disponibles chaque année dans *Les Indicateurs*. Voir, par exemple, MEQ (1992b).

Dans le nouveau contexte des années 80, la performance et la productivité du système éducatif deviennent des mots d'ordre. Comme le souligne Lessard (1991) dans sa critique du contexte idéologique entourant le champ éducatif de cette décennie, dans « ce nouveau contexte défini comme de plus en plus compétitif et ouvert sur l'international, où seuls les forts et les habiles survivront, il devient impérieux, [...] que l'école primaire et secondaire assure mieux les apprentissages de base, le collège la formation fondamentale et que l'université réponde mieux aux besoins actuels et à venir de l'entreprise et des professions » (Lessard, 1991 : 36). Cette vision néo-libérale de l'éducation n'est pas sans conséquence sur le travail enseignant et sur l'image qui en est donnée dans les médias et dans la population en général, image reprise par les parents et les administrations des écoles dans leur évaluation du travail enseignant.

C'est le thème de la qualité de l'éducation qui est le principal fil conducteur de la remise en question du travail enseignant et, plus loin, du questionnement subséquent touchant le professionnalisme des enseignants et des enseignantes. Parmi les nombreux documents émis par les non moins nombreux organismes en éducation dans la décennie, l'énoncé de politique de la Commission des écoles catholiques de Montréal (CECM), intitulé *Une école centrée sur l'apprentissage* (1987), constitue un bon exemple des nouvelles orientations que tentent de donner à l'école les néo-libéraux et les néo-conservateurs. Dans ce document, il est dit que la qualité de l'éducation est fonction de la qualité de l'apprentissage des élèves qui elle-même découle de la qualité de la performance des enseignantes et des enseignants. La qualité de l'enseignement devient vite dans ce contexte un contrôle du rendement du travail enseignant. Comme le soulignent Lessard, Tardif et Lahaye (1991), on « peut parler d'une certaine dérive des concepts : de l'apprentissage au rendement mesuré, du rendement mesuré à la performance des enseignants, de celle-ci à la supervision et au contrôle. Au départ, il était question d'une école centrée sur l'apprentissage, au terme du raisonnement, nous nous retrouvons avec l'évaluation de l'enseignement par l'administration » (Lessard, Tardif et Lahaye, 1991 : 70). Les points qui émergent de ce regard nouveau sur le travail enseignant alimentent de nombreuses critiques de ce travail, notamment dans un contexte où les taux d'abandon scolaire sont décriés et où la piètre qualité du français des finissants du secondaire et du collégial n'en finit plus de faire les manchettes des journaux. Ceux qui sont pointés du doigt pour ces ratés du système scolaire sont, au premier chef, les enseignants et les enseignantes.

Cette tendance à l'évaluation du rendement du travail enseignant s'inscrit dans un virage du côté de la rationalité instrumentale des politiques éducatives (Lessard, 1991 : 21). Elle s'inscrit également dans une volonté dominante d'encadrer le travail enseignant dans un modèle de professionnalisation qualifié de « technologique » par Lessard (1991). Selon ce modèle :

> L'enseignant est professionnel dans la mesure où il maîtrise un ensemble de savoirs curriculaires appropriés à une planification rigoureuse de l'enseignement,

où il possède et utilise un répertoire de techniques pédagogiques précises et efficaces et est en mesure, grâce à des batteries de tests valides, d'évaluer le rendement de ses élèves et l'efficacité de ses interventions. Ce modèle reconnaît que l'enseignement, en tant que travail, peut être soumis à une forme poussée de rationalisation technologique [...]. (Lessard, 1991 : 20-21).

En même temps que se met en place ce modèle de professionnalisation axé sur la technique et les processus, se profile un autre modèle de professionnalisation que Lessard (1991) qualifie d'« organique ». Ce modèle laisse une place centrale aux enseignantes et aux enseignants dans l'organisation scolaire, tout en mettant l'accent sur l'aspect réflexif de l'acte d'enseigner, sur l'interaction entre les différents acteurs au sein même de l'école, sur l'autonomie du personnel enseignant, sur l'évaluation de leur travail par l'équipe enseignante et sur les savoirs issus de la pratique réfléchie (Lessard, 1991 : 21-22).

Les débats, recherches et discussions sur le professionnalisme enseignant font partie des grandes problématiques en éducation, particulièrement dans la deuxième moitié de la décennie des années 80, et perdure au-delà, dans les années 90. Dans les deux modèles, on assiste à une recherche de revalorisation de l'enseignement. Toutefois, dans le modèle technologique, cette volonté de revalorisation provient de contraintes technocratiques qui mènent à la prolétarisation de l'enseignement. D'ailleurs, les enseignants ne sont pas dupes des changements qui s'opèrent dans leur activité au sein de l'école. Plusieurs affirment que les directions d'école ne leur font pas confiance, qu'ils ne sont pas reconnus pour leur compétence et leur expérience, qu'« ils sont traités comme des enfants » (Berthelot, 1994 : 229).

En somme, dans les années 80, compte tenu du virage idéologique imposé à l'école par les courants de pensée néo-libéral et néo-conservateur, le personnel enseignant doit trouver les moyens de donner un sens à sa mission dans l'école publique québécoise. La nécessité d'une revalorisation du métier est une préoccupation majeure dans la décennie suivante et elle s'exprime dans la recherche d'une plus grande cohérence professionnelle que les programmes de formation des maîtres tentent de combler au début des années 90.

L'école : facteur de mobilité sociale ou de reproduction sociale ?

Dans les années 80, les grandes thèses sociologiques des années 60 et 70 sur l'école se tapissent dans l'ombre des courants individualistes qui colonisent à ce moment la presque totalité des sciences sociales. Le courant qui semble dominer plonge ses racines dans l'*individualisme méthodologique* dont font grand usage les économistes. Une des questions des grands débats sur l'éducation est de savoir si l'école est facteur de mobilité sociale comme l'ont cru les fonctionnalistes des années 60 ou bien si elle est facteur de reproduction sociale comme l'ont affirmé avec force les marxistes des années 70. Une des réponses les plus structurées à cette question est donnée par Raymond Boudon (1973a ; 1973b), un sociologue français rompu aux techniques d'analyse sociologique américaines de la mobilité sociale. Rappelons les grandes thèses sur l'école qui ont eu cours dans les années 60 et 70.

Tout d'abord, la perspective fonctionnaliste a été dominante dans les années 60. Dans cette perspective, l'école aurait une double fonction : a) former une main-d'œuvre qualifiée – et donc agir comme agent de sélection ; et b) faire en sorte que les individus ainsi formés consentent à occuper les places pour lesquelles ils ont été préparés – et donc agir comme instance de socialisation. L'école s'acquitte de la première fonction en sélectionnant les « agents » pour occuper les emplois et les statuts socio-économiques sur la base de leurs aptitudes et leurs compétences (telles qu'elles ont été mesurées par leurs performances scolaires) et non pas sur la base de leur origine sociale, de leur sexe, de leur race, etc. De plus, les individus qui atteignent les plus hauts niveaux de formation scolaire sont présumés les mieux préparés à occuper les fonctions sociales les plus élevées. L'école contribuerait ainsi au développement social en général et à la réduction des inégalités économiques et sociales en particulier, ainsi qu'à la mobilité sociale. C'est le principe de méritocratie qui, couplé avec le postulat de l'égalité des chances de tous devant l'école, a contribué, du moins partiellement, à l'expansion scolaire et à l'établissement de l'école obligatoire dans les sociétés modernes.

Dans les années 70, d'autres théories des rapports entre l'école et la société marquent une rupture importante dans l'interprétation du rôle et des fonctions sociales de l'école, soit les théories de la reproduction (d'inspiration marxiste) pour lesquelles l'école est un lieu de reproduction des inégalités sociales. Dans ce courant critique, l'école est aux mains de ceux qui détiennent le pouvoir dans la structure économique et qui dominent dans la société, c'est-à-dire les capitalistes et les bourgeois. Plusieurs courants de recherche en sociologie de l'éducation traitent ce type de théories. Bourdieu et Passeron (1964 ; 1970) sont les représentants les plus connus de ce type d'analyse des rapports entre l'école et la société.

Dans le cadre d'analyse de ces auteurs, la culture transmise par l'école « favorise les favorisés et défavorise les défavorisés ». En imposant un *message pédagogique* égal pour tous, l'école « sanctionne en fait les distances à la culture scolaire et les reproduit », puisque ce message est celui de la classe dominante. Dans ces conditions, les inégalités scolaires sont attribuées aux orientations et aux valeurs culturelles de classe, ainsi qu'au climat familial. Les élèves de la classe ouvrière sont défavorisés par rapport au message pédagogique de l'école, qui est celui de la bourgeoisie, et se trouvent donc exclus tôt ou tard du système scolaire. À quelques différences près, la thèse des deux réseaux de Baudelot et Establet (1971) entre dans ce type d'explication.

C'est contre de tels postulats *culturalistes* que les sociologues *néo-individualistes*, comme les nomme Bourricaud (1975), accordent «plus d'importance aux variables liées à l'avenir, au projet élaboré par l'individu et sa famille, ainsi qu'à la capacité de décision rationnelle des individus» (Cherkaoui, 1986 : 59-68). Le représentant le plus connu de cette tendance en éducation est Raymond Boudon. Face à la question de l'école comme facteur de mobilité sociale ou agence de reproduction des inégalités sociales, Boudon contribue à déplacer le débat. En effet, en s'élevant en particulier contre l'interprétation de l'école culturaliste de la reproduction, il propose une explication de l'acquisition des statuts socioprofessionnels qui fait appel à la *rationalité* de l'acteur. Sa contribution compromet aussi la base de l'explication tant fonctionnaliste que marxiste de l'école.

Boudon et l'individualisme méthodologique

Pour Boudon, il n'est pas nécessaire de recourir aux déterminismes des structures sociales (comme chez les fonctionnalistes) ou aux différences culturelles profondes de classes (comme chez les marxistes) pour expliquer les inégalités des chances de scolarisation. Selon lui, la «société n'est pas une vaste organisation régie par des règles et des rôles, n'est pas un ensemble d'individus programmés par la socialisation [vision fonctionnaliste], n'est pas une formation sociale gérée sans partage par une classe dominante à travers les rapports de production et l'appareil d'État [vision marxiste]» (Perrenoud, 1978 : 443). On trouve plutôt chez Boudon (1977) une vision d'un ordre social en perpétuelle recomposition sous l'effet des actions individuelles dont les résultats ne sont pas toujours prévus par les individus, ce «qui conduit à l'image d'un ordre sociétal reposant principalement sur la composition [effets de composition] d'actions individuelles non coordonnées» (Perrenoud, 1978 : 445 et 448). Dans ce contexte, l'équilibre social des fonctionnalistes et la reproduction sociale des marxistes ne trouvent pas preneur.

À l'encontre de Bourdieu et Passeron (1970) et de Baudelot et Establet (1971) qui considèrent la société comme figée, où on ne retrouve pas de mobilité sociale et par conséquent une inégalité des chances sociales, et à l'encontre également des Tumin (1967), Parsons (1970), Warner (1963) et d'autres fonctionnalistes, qui considèrent que la société est largement ouverte, favorisant ainsi la mobilité sociale et donc l'égalité des chances, Boudon montre que dans un cas comme dans l'autre, il y a des erreurs dans les conclusions des analyses de ces auteurs. Dans les deux cas, on tente de faire des liens directs entre le niveau de scolarité atteint et la position socio-professionnelle (Cuin, 1993 : 268). Chez les fonctionnalistes, ce lien est positif ; chez les marxistes, il est négatif.

En fait, pour Boudon, les inégalités de chances de scolarisation sont l'effet des décisions rationnelles des acteurs au sein d'un *système* de contraintes (coûts/bénéfices des études notamment) (*voir l'encadré 4.2*) qui se fait sentir tout au long de l'évolu-

---

Encadré 4.2
La relation de l'acteur au système social dans l'individualisme méthodologique

« Un système fonctionnel est un ensemble de rôles structurés autour d'un principe d'intégration. Ces rôles s'imposent à l'acteur comme une contrainte extérieure sur laquelle il n'a pas d'emprise. La critique de l'individualisme méthodologique touchant à cette conception objectiviste mettra en évidence que le plus souvent, il y a des écarts entre les rôles tels qu'ils se présentent et les conduites concrètes des acteurs. Ces écarts s'expliquent, entre autres, par le fait que les acteurs poursuivent, au sein des systèmes auxquels ils participent, des objectifs suivant leurs intérêts et en fonction de la représentation qu'ils se font des contraintes qui pèsent sur eux. En fait, dans l'individualisme méthodologique, on parle plutôt de système d'interdépendance pour signifier qu'entre les rôles et l'action des acteurs, il y a une distance, que les actions ne sont pas exclusivement déterminées par les relations de rôles dans le système, que les acteurs peuvent être en concurrence ou en conflit dans le système. Un système d'interdépendance a sa propre logique issue des effets émergents (ou d'agrégation) consécutifs aux conduites des acteurs dans le système. L'individualisme méthodologique conduit donc à s'interroger sur l'émergence de l'action collective et sur l'agrégation de l'action d'acteurs rationnels. »

Extrait de Pierre Ansart,
Les sociologies contemporaines (1990 : 216-218).

---

tion des étudiants et des étudiantes d'un niveau scolaire à l'autre. De plus, à mesure que s'élèvent les taux de scolarisation dans une société donnée, on assiste à une dégradation de la structure des chances sociales attachées aux niveaux scolaires. (Plus il y a d'individus qui sont diplômés sur un marché où ils sont en concurrence, moins le diplôme est un facteur avantageux de mobilité sociale puisqu'il perd de sa valeur marchande.) Donc, ni la *démocratisation scolaire* ni l'*atténuation de l'inégalité des chances* devant l'enseignement ne donnent lieu à une augmentation ou à une diminution sensible de la mobilité sociale. Cependant, Boudon ne nie pas l'inégalité des chances scolaires qu'il attribue :

a) à des différences dans les ressources culturelles transmises à l'enfant par la famille ;

b) à des différences dans les motivations ;

c) au caractère répétitif des orientations scolaires au long des études, c'est-à-dire le choix d'arrêter ou de continuer ses études à chaque passage d'un niveau inférieur à un niveau supérieur du système scolaire, choix qui s'effectue en fonction des ressources culturelles et économiques disponibles pour un individu.

Pour Boudon, «l'origine principale des inégalités devant l'enseignement réside [...] dans la différenciation des champs de décision en fonction de la position sociale plutôt que des inégalités culturelles » (Boudon, 1973b : 117). Boudon (1982) précise :

Pourquoi, dans tous les systèmes scolaires, les fils/filles d'ouvriers ont-ils/elles toujours *beaucoup* moins de chances que les fils/filles de cadres supérieurs d'accéder à des niveaux scolaires plus élevés ? Parce que les familles défavorisées offrent aux enfants un environnement culturel moins favorable, mais surtout parce qu'elles sont prudentes dans leurs choix et répugnent davantage à pousser un enfant dont la réussite scolaire est médiocre. Comme toute carrière scolaire résulte d'une séquence d'orientations opérées à chacun des points de bifurcation proposés par le système scolaire, cette différence dans la rationalité des choix entraîne des effets multiplicatifs – plus exactement exponentiels – qui expliquent l'*intensité* des différences entre classes aux niveaux scolaires les plus élevés [...] (Boudon et Bourricaud, 1982 : 2).

Autrement dit, face à une institution concrète (l'école), l'étudiant ou l'étudiante ferait le choix (rationnel), à chaque point important de bifurcation de ses études (le secondaire professionnel ou général, le cégep général ou professionnel, le baccalauréat, la maîtrise et le doctorat), de continuer ou d'arrêter ses études en fonction d'une part de sa réussite scolaire et de son avance ou de son retard scolaire et, d'autre part, de ses ressources culturelles et économiques (les ressources culturelles jouant plus fortement au début des études et les ressources économiques plus fortement à mesure que l'étudiant ou l'étudiante avance à des degrés supérieurs du système d'enseignement). En somme, pour Boudon (1990), la principale cause de l'inégalité scolaire se résume à la combinaison de deux facteurs : un « facteur "institutionnel" » : tout système scolaire doit bien, au-delà du tronc commun, proposer des choix aux élèves ; un facteur "psychosociologique" : les choix des familles et des individus sont normalement affectés par leur position sociale » (Boudon, 1990 : 541).

Les quatre principaux éléments dans les champs de décision auxquels sont confrontés les étudiantes et les étudiants (ressources économiques, ressources culturelles, réussite ou échec scolaire, avance ou retard scolaire) ne sont pas des effets additifs, mais interactifs (c'est-à-dire qu'ils se combinent, donnant ainsi des résultats différents). Sur un plan plus théorique, le modèle interactionniste de Boudon s'oppose aux modèles déterministes fonctionnaliste et marxiste. Ce modèle d'analyse repose sur l'individualisme méthodologique qui peut être résumé en trois points :

1. Dans l'individualisme méthodologique, on explique un phénomène (ou un ensemble de phénomènes) en le situant à l'intérieur d'un ensemble de relations formant un système. Par exemple, on cherche à comprendre le phénomène du chômage des diplômés en analysant la relation entre l'offre de diplômes par l'école et la demande de diplômés sur le marché du travail.

2. Les phénomènes sont considérés comme la résultante des comportements des agents dans le système. Les agents sont dotés d'une rationalité (comportements orientés vers une finalité)[17]. Les individus font donc des choix rationnels en

---

17. Boudon précise ailleurs que la méthode individualiste traite comme identiques les personnes placées dans une même situation, ce qui permettrait l'analyse de phénomènes collectifs ; elle met également l'accent sur les raisons individuelles de ces phénomènes collectifs (Boudon, 1988 : 35).

s'engageant dans des formations qui leur conviennent et sur lesquelles, en général, ils misent pour l'avenir.

3. Les phénomènes globaux observés ne résultent pas directement de la volonté des agents mais des *effets d'agrégation* de leurs décisions, qui conduisent à des résultats inattendus et parfois contraires aux décisions des agents (effets pervers). Le surplus de diplômés par rapport aux postes disponibles dans un domaine donné n'est pas la conséquence directe du choix des personnes. C'est plutôt parce que plusieurs personnes ont fait le même choix rationnel que la situation du surplus de diplômés se présente.

Boudon développe son modèle au milieu des années 70 et il devient dominant au début des années 80, notamment parce qu'il s'insère bien à ce moment-là dans la nouvelle philosophie sociale dominante, soit le néo-libéralisme qui postule également que la rationalité de l'individu est déterminante dans les choix qu'il fait.

Rationalité et champ de décision : reproduction sociale et mobilité sociale par l'école

Il faut pousser plus loin et regarder comment Boudon questionne les principales thèses sur la scolarisation. Pour les tenants du courant culturaliste (les marxistes), ce sont les différences de réussite, elles-mêmes tributaires de l'origine sociale entre les élèves, qui permettent de sélectionner ceux qui pourront ou non poursuivre leurs études à des niveaux supérieurs de scolarisation.

En poussant le raisonnement du courant culturaliste à son terme, selon Boudon, l'effet de la classe sociale devrait disparaître quand les étudiants, quelle que soit leur origine sociale, atteignent une même performance scolaire, c'est-à-dire qu'à réussite scolaire égale, on ne devrait plus voir apparaître l'influence de la classe sociale d'origine. Or, ce n'est pas ce que constate Boudon dans ses recherches puisque, à réussite égale, l'effet de classe subsiste toujours. Des études québécoises confirment aussi ces constats (*voir le tableau 1*).

Comme le montre le tableau 1, qui présente les taux de passage au cégep général selon les résultats scolaires en secondaire V et selon l'origine sociale, les taux de passage pour un niveau de réussite et d'origine sociale donné varient substantiellement d'une classe sociale à l'autre. Pour un niveau de réussite égal, par exemple réussite excellente, les élèves d'origine sociale inférieure passent au cégep dans une proportion de 52 %, ceux d'origine sociale moyenne passent dans une proportion de 63 % et ceux d'origine sociale supérieure dans une proportion de 80 %. Pourtant, tous ces étudiants et ces étudiantes ont réussi de la même manière, c'est-à-dire qu'ils ont acquis le même niveau de culture. Autrement dit, il n'y aurait plus de disparités culturelles entre ces étudiants et ces étudiantes d'origines sociales diverses.

Tableau 1
Les taux de passage au collégial selon l'origine sociale et la réussite scolaire

	Excellente	Moyenne	Faible
Administrateur et professionnel (C1)	0,800 (55)	0,631 (111)	0,317 (60)
Cadre moyen et semi-professionnel (C2)	0,626 (115)	0,545 (259)	0,253 (170)
Ouvrier (C3)	0,523 (209)	0,326 (482)	0,159 (547)

Les taux de passage se lisent comme suit : 80 % des étudiants et des étudiantes en secondaire général, d'origine sociale C1, ayant des résultats scolaires excellents, passent au cégep I général, etc.
Source : Laforce et Massot (1983 : 181).

On constate également que les étudiants et les étudiantes d'origine sociale élevée ayant un résultat scolaire moyen passent au cégep général dans une proportion de 63 %, alors que ceux et celles d'origine sociale basse ayant obtenu d'excellents résultats scolaires passent au cégep dans une proportion de 52 %. Dans presque tous les cas, la classe sociale semble moduler les taux de passage du secondaire au cégep : dans ces conditions, les étudiants et les étudiantes d'origine sociale élevée sont avantagés. Par contre, les étudiants et les étudiantes d'origine sociale élevée ayant obtenu un faible niveau de réussite scolaire ne peuvent déclasser ceux et celles des autres classes sociales ayant atteint un niveau de réussite supérieure. En définitive, comme le soulignent Laforce et Massot (1983), « les étudiants d'origine sociale élevée survivent largement dans le réseau général sauf si leur réussite est au-dessous d'un seuil relativement bas, alors que les étudiants d'origine sociale basse survivent seulement si leur réussite est au-dessus d'un seuil relativement élevé, et quoique dans une proportion ne dépassant pas 52 % » (Laforce et Massot, 1983 : 179).

Il semble que même à réussite scolaire égale, l'origine sociale continue à jouer dans la sélection scolaire. Comment expliquer qu'à réussite égale le taux de passage diffère en fonction de la classe sociale ? En fait, on remarque que les théories des inégalités culturelles, notamment les théories marxistes, peuvent difficilement rendre compte de certaines données récurrentes dans les statistiques scolaires. Pour Boudon (1975), il faut faire intervenir la rationalité de l'étudiant ou de l'étudiante dans ce processus de sélection. Cette rationalité renverrait à un champ de décision structuré à partir de considérations d'ordres culturel et économique. Toujours selon Boudon (1975), « certains individus décident de ne pas poursuivre, au-delà d'un point donné, leur carrière scolaire, non pas parce qu'ils sont le siège de forces extérieures à eux-mêmes qui leur imposeraient des décisions contraires à leur intérêt, mais parce qu'ils estiment raisonnable de se comporter ainsi[18] » (Boudon, 1975, cité dans Laforce et Massot, 1983 : 180).

En d'autres termes, l'école aurait un rôle moins important que prévu dans la reproduction des inégalités sociales, ce qui va à l'encontre des théories de la reproduction. L'école aurait aussi un rôle moins important que prévu dans la mobilité sociale des individus, ce qui va aussi à l'encontre des théories fonctionnalistes. En fait, Boudon met l'accent dans son modèle d'explication sur la rationalité de l'acteur au détriment des déterminismes sociaux (notamment culturels) comme le font les marxistes et les fonctionnalistes.

Les fonctions de l'école dans le cadre néo-individualiste

Dans le cadre d'analyse de Boudon, l'école aurait à la fois une *fonction de promotion sociale* et une *fonction de reproduction sociale*, la fonction de promotion sociale jouant plus fortement dans les niveaux élémentaires de la scolarisation, et la fonction de reproduction sociale prenant de plus en plus de place au fur et à mesure de la progression dans les niveaux supérieurs de la scolarisation.

La fonction de promotion sociale

Malgré les nombreuses critiques dont l'école est l'objet dans les années 70 et 80, notamment dans sa capacité à favoriser une réelle égalité des chances, elle demeure pour l'ensemble des groupes sociaux un instrument de promotion sociale à des degrés divers. Très généralement, la scolarisation des jeunes âgés entre 15 et 24 ans est 4 fois plus élevée en 1986 qu'en 1961. Les filles ont fait des gains particulièrement importants, dépassant même le groupe des garçons. De 1975 à 1985, la scolarisation des filles est passée de 50,2 % à 61,9 %. Les femmes et les allophones, plus que les hommes et les francophones, obtiennent un diplôme d'études collégiales (Langlois *et al.*, 1990 : 297, 545 et 546). Ces données montrent que l'éducation offre des possibilités quant à la réduction de certaines inégalités sociales.

De manière plus précise, on remarque qu'à origine sociale égale les individus ayant un diplôme plus élevé ont un statut socio-économique plus élevé. Pour les individus d'origine sociale modeste, un surcroît d'éducation augmente les chances de mobilité sociale, ce que tend à confirmer le tableau 2.

Les données du tableau 2 montrent clairement que l'éducation constitue un facteur de mobilité sociale ascendante malgré toutes les difficultés que peuvent rencontrer dans l'école les élèves provenant de milieux sociaux moins favorisés sur les plans économique et culturel. Cette relation entre l'origine sociale et la mobilité

---

18. Pour une autre application du cadre d'analyse de Boudon dans le contexte québécois, on peut consulter Massot (1979).

Tableau 2
Niveau social d'occupation des jeunes travailleurs masculins *d'origine sociale inférieure*, selon le dernier diplôme obtenu

Dernier diplôme	Niveau social d'occupation (%)		
	Inférieur	Moyen	Supérieur
Moins du CES (176)	82	14	4
CES (273)	61	29	10
DEC (153)	31	31	38
Baccalauréat ou plus (36)	0	50	50

Source : Pierre Roberge (1979 : 64).

sociale se vérifie-t-elle pour les élèves provenant de milieux sociaux plus aisés ? La même relation peut être établie pour les élèves d'origine sociale élevée. De plus, on peut établir dans ce cas qu'une mobilité sociale descendante est possible chez les individus de ce groupe, à savoir que moins le niveau d'instruction est élevé chez les personnes provenant de milieux aisés, moins le statut socio-économique ultérieur est élevé, ce que tend à montrer le tableau 3.

Tableau 3
Niveau social d'occupation des jeunes travailleurs masculins *d'origine sociale supérieure*, selon le dernier diplôme obtenu

Dernier diplôme	Niveau social d'occupation (%)		
	Inférieur	Moyen	Supérieur
Moins du CES (50)	76	16	8
CES (125)	56	34	10
DEC (92)	26	36	38
Baccalauréat ou plus (35)	9	37	54

Source : Pierre Roberge (1979 : 64).

Dans tous les cas, les affirmations des marxistes sur le rôle de reproduction sociale de l'école se trouvent en partie infirmées par les données des tableaux précédents. On peut donc affirmer que l'école demeure un instrument de promotion sociale aux mains des individus, quel que soit leur groupe d'appartenance. Au-delà de ce constat, les tendances du système d'éducation dans les années 80 soulèvent en même temps des questions sur la fonction de reproduction de l'école qui ne semble pas non plus avoir disparu.

La fonction de reproduction sociale

La mobilité sociale ascendante correspondant à un niveau de diplôme quelconque ne doit pas faire oublier que le système scolaire, malgré sa volonté de démocratie, n'est pas en mesure de faire réussir tous les élèves, ce que montrent allègrement les taux de décrochage scolaire qui sont une préoccupation de plus en plus grande dans la deuxième moitié des années 80. De plus, ce problème prend une dimension importante dans les années 80 ; le système scolaire, notamment dans les études supérieures, continue de produire une sélection sociale basée sur la classe socio-économique (Conseil supérieur de l'éducation, 1988c : 39 ; Dandurand, 1990 : 48-49).

Mais surtout, sous l'impulsion des courants de pensée néo-libéral et néo-conservateur, se met en place dans tout le système d'éducation dans les années 80 un ensemble de nouvelles pratiques tendant à favoriser sur le plan scolaire ceux qui sont déjà favorisés socialement. Qu'on pense, entre autres, à l'intégration des enfants en difficulté scolaire dans les classes régulières, alors qu'on offre aux élèves talentueux et doués des classes spéciales ; qu'on pense au développement des programmes d'élite (sports-études, par exemple) dans le secteur public alors que la très grande majorité des élèves doivent se contenter des programmes réguliers ; qu'on pense encore à la concurrence que se livrent le secteur privé et le secteur public dans la recherche des meilleurs candidats, qui débouche sur une sélection scolaire et sociale en faveur des élèves des classes moyenne et supérieure ; qu'on pense enfin à l'enrichissement des programmes dans le secteur privé alors que le secteur public est amputé des cours de culture générale comme l'histoire au secondaire et la philosophie au collégial.

Finie, dans ce contexte, la logique de la rédemption par l'école dictée par l'idéologie de l'égalité des chances ou la logique de la démocratisation qui serait « cause de la médiocrité du système » (Mingué et Marceau, 1989), selon les tenants d'une école qui doit nécessairement s'aligner sur la logique du marché économique afin de relever les nouveaux défis de la mondialisation des marchés, du libre-échange et de la compétitivité. Dans cette logique, l'école doit donc permettre à ceux qui sont « capables », c'est-à-dire à ceux qui sont dans la moyenne ou au-dessus de la moyenne, d'obtenir la plus grosse part dans le système d'éducation. Et surtout, dans la pensée néo-libérale en ce qui concerne l'école, il est nécessaire de répondre aux besoins des individus, des parents et des étudiants selon les règles du marché économique, sans l'interposition d'un État visionnaire et interventionniste, même si cela veut dire en même temps que des groupes entiers soient plus ou moins perdants dans cette nouvelle dynamique scolaire et sociale.

Oui mais, l'individualisme méthodologique…

L'élaboration de Boudon dans sa tentative de rendre compte de la sélection scolaire et, par conséquent, de l'égalité des chances scolaires et de la mobilité sociale, constitue une des meilleures critiques des théories fonctionnalistes et marxistes de l'école. Toutefois, la critique de Boudon a été elle-même l'objet de critiques en raison de ses postulats de base.

Dans un premier temps, on a reproché à Boudon, qui tentait de rendre compte d'un phénomène complexe (la sélection scolaire, par exemple), de réduire les faits de société à l'agrégation d'actions individuelles rationnelles. Selon Dupuy (1988, dans Van Haecht, 1990), cette approche constitue « une réduction du réel au rationnel ». Selon Cuin (1993), il est clair que sous l'appareillage conceptuel de Boudon, se profile l'idée d'une société fonctionnant comme un marché où l'on retrouve, par exemple, des vendeurs de diplômes et des acheteurs de qualifications et de compétences faisant des choix rationnels. Un telle conception de la société, aussi séduisante qu'elle soit sur le plan de la compréhension, élimine d'une certaine façon le travail d'analyse des rapports sociaux qui structurent en bonne partie non seulement les grands segments de la société (État, école, travail, etc.), mais aussi les marchés, qu'ils soient économiques ou culturels. Certes, l'analyse de Boudon redonne à l'acteur et à l'actrice sociale un rôle qu'il et elle n'avaient pas dans les théories fonctionnalistes et les théories de la reproduction. Toutefois, on risque, à trop vouloir mettre l'accent sur la rationalité de l'acteur et de l'actrice sociaux, d'oublier la part toujours importante des déterminismes sociaux dans le cheminement scolaire d'un individu.

Dans un deuxième temps, le modèle de l'acteur rationnel – avec son cortège de concepts corollaires tels que les coûts, les bénéfices, les risques, les calculs – faisant des choix dans un champ de décisions, comme le propose Boudon, soulève des questions. Dans une structure complexe comme celle d'un système d'enseignement, avec ses nombreux paliers, voies, options menant chacun à un ensemble d'autres possibilités, il est nécessaire d'avoir une information juste et pertinente sur les multiples choix qui s'offrent. Or, cette information n'est pas acquise pour tous les individus dans le système scolaire. En fait, nombre d'élèves évoluent dans leur scolarité en se fiant aux orientations suggérées, voire imposées, par les agents du système scolaire. Parler de choix rationnels dans ces conditions laisse perplexe. S'il y a rationalité, elle doit être le plus souvent limitée, voire orientée. Une rationalité parfaite, c'est-à-dire celle qui permet les meilleurs choix possibles dans un champ de décisions, supposerait une information parfaite sur les tenants et aboutissants d'un choix particulier à un moment donné. Peu de gens disposent de la majorité des renseignements nécessaires pour faire les choix les plus judicieux, sauf peut-être les spécialistes des systèmes d'enseignement dont c'est le travail de collecter le maximum de données dans le domaine de l'éducation.

Dans ce contexte, les effets d'agrégation, que Boudon tient pour décisifs dans la constitution de l'ordre social, sont un cas d'espèce et ne peuvent rendre compte de l'ensemble de l'action humaine dans toutes les situations. C'est le cas notamment dans le système scolaire où les renseignements disponibles pouvant éclairer les choix individuels sont souvent «organisés» par les planificateurs de l'enseignement de façon à orienter les choix des élèves. Cette organisation de l'information a des effets réels sur les choix de personnes considérées comme des consommateurs dans un marché scolaire. Comme le soulignent Perrenoud et Montandon (1988): «l'agrégation des choix individuels indépendants modifie les conditions mêmes de la compétition et du marché, si bien que les décideurs contribuent, séparément et sans le savoir, à transformer rétrospectivement un calcul parfois rationnel en choix malheureux» (Perrenoud et Montandon, 1988: 21). On pense ici aux conseillers en orientation qui aident les élèves à choisir rationnellement des domaines d'études permettant d'espérer un avenir assuré alors que ces domaines s'avèrent, quelques années plus tard, moins prometteurs compte tenu du nombre élevé de diplômés dans ces domaines. Le cas de l'informatique dans les années 80 est éloquent à ce sujet.

Origine sociale, diplôme et emploi : la vision de l'économie de l'éducation

Malgré toutes les mesures mises de l'avant par l'école publique afin d'éliminer les écarts culturels entre les enfants arrivant à l'école dans les années 60 et 70, les clivages sociaux continuent toujours à déterminer en bonne partie la réussite scolaire et, par conséquent, l'insertion socioprofessionnelle sur le marché du travail. C'est un des principaux constats que les économistes et les sociologues de l'éducation ont établi dans les années 70. Les leçons ne sont pas encore tirées de ces recherches qu'apparaît, dans les années 80, un autre problème qui déplace pour un temps les préoccupations des chercheurs et des chercheuses. En effet, la crise mondiale qui touche les pays industriels dans les années 70 mène graduellement, au début des années 80, à une récession qui refroidit «l'enthousiasme et les attentes des effets de l'éducation sur le développement économique» (Hallak, 1991: 2). La transformation du monde du travail, et particulièrement les nouvelles pratiques d'organisation, de gestion et de recrutement des entreprises tendent vers une dévaluation du diplôme. L'éducation à la base de ce diplôme n'a vraisemblablement plus la même valeur qu'auparavant face à un système productif incapable d'absorber une bonne partie des nouveaux diplômés. Comme le soulignent Allaire, Renaud et Bernard (1981), «l'éducation serait devenue un bien sans complément, un actif dont les conditions d'utilisation dans la carrière se dégradent, phénomène d'autant plus troublant que l'éducation s'imposerait de plus en plus comme une condition quasi nécessaire pour "bien gagner sa vie"» (Allaire, Renaud et Bernard, 1981: 363).

Origine sociale et diplôme : un lien indéfectible

Dans les années 70, les économistes de l'éducation ont constaté que, même à réussite égale, c'est-à-dire à diplôme égal, les discriminations sociales continuent à jouer sur le marché du travail en défaveur de ceux qui en sont l'objet. Par exemple, les femmes demeurent, à qualification identique, globalement moins bien payées que les hommes. Aux États-Unis, les comparaisons entre les revenus des Blancs et des Noirs montrent des différences significatives : à niveau d'éducation égal, à emploi égal et à productivité égale, un Noir est moins bien rémunéré qu'un Blanc. Enfin, le niveau de revenu des parents et le milieu social d'origine d'un enfant jouent également sur le marché de l'emploi. Comme le souligne Hallak (1974), le jeune

> diplômé de milieu aisé pourra attendre de trouver l'emploi le mieux rémunéré au départ, il pourra se faire appuyer par les relations sociales familiales pour obtenir les postes les plus intéressants financièrement et par leur prestige ; il disposera de plus d'informations sur les conditions du marché du travail pour tirer le meilleur profit possible de son capital éducation[19]. (Hallak, 1974 : 98).

Face aux difficultés d'insertion professionnelle, les jeunes diplômés provenant de milieux défavorisés sont triplement désavantagés. Premièrement, ils le sont dans la mesure où le soutien familial est moins important chez eux que chez les jeunes diplômés issus des classes sociales aisées. Pour ces derniers, « le facteur principal n'est pas tant le niveau de revenu de la famille que son niveau de culture » (Vimont, 1995 : 25). Deuxièmement, ils sont désavantagés en raison de leur fréquente situation de mobilité sociale, ce qui implique une adaptation à un système de valeurs et à des comportements dans le monde du travail que leurs parents ne connaissent pas (Vimont, 1995 : 26). Troisièmement, quand on combine les deux premiers facteurs, ils sont désavantagés par leurs plus grandes difficultés d'insertion professionnelle qui peuvent mener rapidement vers la frustration. Comme le souligne de nouveau Vimont (1995), ces « jeunes, maintenus dans des cursus d'études prolongés, dans de nombreux cas contre leur gré, ont l'espoir de trouver enfin un emploi. Cet espoir se trouve sans cesse reporté et ne se concrétise en définitive, le plus souvent, que par le passage par plusieurs situations temporaires » (Vimont, 1995 : 26).

En définitive, les volontés de démocratisation de l'école semblent rester lettre morte devant la force des clivages sociaux de la société. Ni les programmes compensatoires qui cherchent à régler les problèmes en amont (l'origine sociale) ni une réus-

---

19. Sous un autre angle, Boudon (1973a) avait déjà mis en lumière l'avantage toujours présent des individus d'origine sociale élevée sur le marché du travail. En effet, « à certification scolaire égale, le statut socio-professionnel obtenu par les individus aura tendance à se révéler d'autant plus élevé que l'origine sociale l'est aussi. Dans le cas d'une origine sociale élevée et d'un niveau d'instruction faible, le milieu familial pourra protéger l'individu des risques d'une mobilité descendante. Dans le cas inverse, l'individu risquera de voir s'affaiblir les chances de mobilité sociale ascendante que lui promettait un niveau d'instruction élevé » (Van Haecht, 1990 : 51).

site égale qui devrait égaliser les chances en aval (la destination sociale) ne peuvent éliminer complètement les rapports sociaux dont sont porteurs les enfants dans l'école. À la question, «à qui profite l'école?», la réponse n'est donc pas simple. Toutefois, les investissements en éducation ne peuvent régler les problèmes de la société. Les plus avantagés à l'entrée de l'école restent globalement avantagés dans l'école et au sortir de celle-ci. À l'inverse, ceux qui se trouvent «handicapés culturellement» face à l'école le demeurent globalement dans l'école et sur le marché du travail.

Diplôme et emploi ou la rentabilité privée en question

À ce constat peu reluisant, s'en ajoute un autre tout aussi inquiétant. En effet, la scolarisation massive des jeunes a pour corollaire une dévaluation du diplôme dans une économie qui semble à bout de souffle à la fin des années 70 au Québec. En même temps, la désarticulation de l'école et du marché du travail, exprimée en taux de chômage plus élevés, même pour les diplômés du postsecondaire, engendre une inflation de l'éducation, c'est-à-dire une course effrénée vers une scolarisation toujours plus poussée. En somme, l'éducation dicte de plus en plus les conditions d'insertion professionnelle en même temps que celle-ci ne fournit plus les bénéfices escomptés compte tenu des taux de chômage. Comme le soulignent Allaire, Bernard et Renaud (1979), au «Qui s'instruit s'enrichit» se substituerait graduellement un «Qui ne s'instruit s'appauvrit» (Allaire, Bernard et Renaud, 1979: 15). L'inflation des diplômes est aussi liée à la situation de l'emploi qui influe sur la prolongation de la scolarité des jeunes. Comme le souligne Vimont (1995), les «informations, dont ils disposaient sur le marché du travail, les ont convaincus qu'ils se trouveront d'autant plus facilement un emploi que leur niveau de diplôme serait élevé. La crise de l'emploi est donc, pour une part, responsable du mouvement de prolongation de la scolarité» (Vimont, 1995: 18).

Le slogan «Qui s'instruit s'enrichit» n'a donc plus le même sens pour les enfants de la réforme de l'éducation des années 60-70. Nombreux sont les étudiants et les étudiantes, non seulement à l'université mais aussi dans les filières du secondaire professionnel et même du collégial technique, à remettre en doute «leur investissement» en éducation face à la pénurie d'emplois intéressants. Le lien entre emploi et éducation apparaît de plus en plus ténu. Il est nécessaire de dépasser les discours des acteurs, particulièrement des gouvernements et des entreprises pour qui le chômage est souvent attribuable au manque de préparation des jeunes face au marché du travail, pour observer, ne serait-ce qu'à titre exploratoire, les pratiques concrètes tant des institutions que des étudiants et des étudiantes, des gouvernements et des entreprises.

L'éducation et la formation prises au sérieux

La lecture habituelle des taux de chômage en fonction du diplôme est souvent utilisée pour montrer que plus le diplôme est élevé, moins les personnes sont susceptibles de connaître le chômage. Par exemple, dans *Les défis de la compétitivité* (Martel et Oral, 1995), le tout dernier plaidoyer québécois des universitaires en économie, finance, marketing, management, comptabilité, etc., préfacé par le vice-premier ministre du Québec, Bernard Landry, on donne des statistiques (*voir le tableau 4*) qui démontreraient à l'évidence que plus le diplôme est élevé, moins on chôme.

Tableau 4

Relation entre le taux de chômage selon le niveau de scolarité de la population active au Québec en 1993

Niveau de scolarité	Taux de chômage
Moins de 9 ans de scolarité	17,6 %
Diplômé d'études postsecondaires	10,2 %
Diplômé universitaire	6,9 %

Source : Audet et Grisé (1995 : 65).

Les données sont aussi frappantes à propos de l'importance que la population et les étudiants et les étudiantes en particulier accordent à la formation. De 1980 à 1993, l'évolution de la scolarisation de la population des 15 ans et plus au Québec montre que le nombre de ceux qui se contentaient de 0 à 13 ans de scolarité passe de 76,4 % à 56,3 %, tandis que le nombre de ceux qui obtiennent un diplôme postsecondaire augmente de 23,5 % à 43,7 %, doublant presque en treize ans avec un bond considérable à partir de la récession de 1989, où il augmente de 11 % tandis qu'il n'augmente que de 9 % dans les neuf années précédentes. Les étudiants se qualifient donc davantage dans les périodes de crise économique.

De même, quand on examine la proportion de la population de jeunes aux études à temps plein au Québec de 1981 à 1992, on constate que chez les jeunes de 18 ans, le nombre est passé de 41,1 % à 58,4 % ; chez les jeunes de 19 ans, de 28,4 % à 47,2 % et chez les jeunes de 20-24 ans, il a doublé, passant de 12,6 % à 24,5 % avec une augmentation de près de 6 % à partir de la récession de 1989, ce qui montre que les jeunes se maintiennent à l'école plus longtemps.

Avec des données aussi convaincantes, il est difficile de douter de la relation positive diplôme élevé/emploi dans la tête des étudiants et des étudiantes. Pourtant, cette réalité statistique en cache une autre, sociale celle-là, qui affecte particulièrement ceux qui ne sont pas diplômés. En effet, l'avantage relatif des hauts diplômés tient au

> mouvement de déqualification dans le placement des diplômés des niveaux les plus élevés. Ces diplômés acceptent des emplois ne correspondant pas à leurs

ambitions premières. Ils privent les diplômés de niveau inférieur au leur d'une partie des débouchés qu'ils auraient pu avoir. Cette « mobilité descendante » explique qu'en tout état de cause, les plus diplômés se placent mieux et se placeront toujours mieux que les moins diplômés. Dans l'état actuel de la conjoncture, ces résultats apparemment plus satisfaisants ne sont pas dus nécessairement à une meilleure adéquation des formations supérieures aux besoins du marché, mais à cet effet de dispersion des conditions de placement (Vimont, 1995 : 33).

C'est sur le rapport entre le système d'enseignement et le système de production, entre la formation et le marché du travail et plus précisément entre le diplôme et le marché de l'emploi, que repose le discours du nouveau credo productiviste dans sa version scolaire. Notons d'abord qu'il ne s'agit pas de réduire l'éducation à la préparation au marché du travail : il faut aussi préparer des citoyens capables de fonctionner dans une société toujours plus complexe. De plus, la décision d'embaucher pour un employeur ne repose pas non plus uniquement sur la valeur du diplôme, mais aussi sur un ensemble de qualités qu'il cherche à déceler chez le candidat ou la candidate, par exemple la créativité, le travail d'équipe, le leadership, la motivation, etc., qualités qui s'acquièrent aussi dans le milieu scolaire. Mais « nous vivons dans une société capitaliste et ce sont précisément les sociétés capitalistes avancées qui ont peut-être le plus valorisé la nécessité d'une relation étroite entre la formation scolaire et les exigences du marché de l'emploi » (Redpath, 1992, cité dans Laflamme, 1996 : 55).

Certaines tendances du marché du travail

En fait, selon les recherches effectuées par Laflamme (1996), tandis que la population s'est de plus en plus scolarisée, répondant ainsi aux appels en faveur de l'éducation et de la formation, que le nombre de diplômés a lui aussi augmenté de façon significative, que les étudiants investissent dans une formation de plus en plus longue, de plus en plus diversifiée et de plus en plus coûteuse, nous assistons du côté du marché du travail à une raréfaction des emplois, à un taux de chômage élevé, à la diminution des bénéfices professionnels pour les titulaires des diplômes et à la détérioration des conditions de travail.

En effet, de 1981 à 1993, le travail à temps partiel est passé de 20,2 % à 50,4 %, doublant en quatorze ans. Et cette tendance est plus accentuée chez les femmes que chez les hommes. Ainsi, durant cette période, ce sont surtout des emplois à temps partiel qui se créent, amenant des jeunes pourtant mieux scolarisés à occuper des emplois précaires, c'est-à-dire à temps partiel, sans sécurité d'emploi et vraisemblablement à des salaires peu élevés.

De plus, l'observation des taux de chômage selon la scolarité met en évidence que ce taux est inversement proportionnel au niveau du diplôme. Donc, « le taux de chômage moyen entre 1980 et 1993 pour ceux qui ont 8-13 ans de scolarité (15,7 %) est presque le double de ceux qui possèdent un diplôme postsecondaire (8,6 %) […] ;

ces derniers subissent les crises économiques moins fortement, moins longtemps et une année plus tard» (Laflamme, 1996 : 59).

Les pratiques des entreprises face au marché de l'emploi

En examinant le taux de sans-emploi des diplômés du secondaire professionnel et du cégep technique, Laflamme (1996) constate que le diplôme n'assure pas un emploi. En effet, ce taux de sans-emploi, pour les années 1984 à 1993, est en moyenne, pour les diplômés du secondaire, de 31,4 % pour les hommes et de 28,5 % pour les femmes, tandis qu'il est en moyenne, pour les diplômés du collégial, de 21,1 % pour les hommes et de 15,1 % pour les femmes. Le manque d'emplois affecte toujours relativement moins les techniciens (du collégial) que les ouvriers spécialisés (du secondaire), plus les hommes en général que les femmes. De plus, un diplôme devient moins important et plus fragile dans les périodes de ralentissement économique.

Voilà un autre indice de l'incapacité du marché de l'emploi à absorber le grand nombre de diplômés. Et les entrevues réalisées auprès des entrepreneurs indiquent «que plusieurs employeurs engagent des diplômés de cégep pour des postes qui, traditionnellement, étaient occupés par des finissants du secondaire, ou encore des diplômés du secondaire pour des postes n'exigeant aucune spécialité» (Breton, 1993, dans Laflamme, 1996 : 64). Laflamme conclut que le problème de la rentabilité du diplôme se pose probablement face au taux de sans-emploi, au travail à temps partiel et à l'emploi non relié aux études.

Du côté des entreprises, les stratégies d'embauche concourent, malgré tout ce que l'on dit sur l'équation emploi-diplôme, à disqualifier la valeur du diplôme. En effet, les entreprises, constatant le grand nombre de candidats détenant de hauts diplômes, font non seulement une sélection plus sévère, mais établissent de plus en plus la rémunération en fonction des qualités individuelles des candidats, reléguant au second plan la valeur du diplôme ; ce sont les critères individuels qui deviennent déterminants dans le recrutement du personnel (Vimont, 1995 : 30).

L'accessibilité aux études supérieures : nouveaux enjeux

La lecture économique des problèmes éducatifs des années 80 serait incomplète sans une analyse, même sommaire, du financement et de l'accessibilité aux études supérieures pour de nombreux jeunes Québécois et Québécoises. La démocratisation de l'enseignement dans les années 60 a eu des effets considérables sur la fréquentation scolaire d'abord au secondaire dans les années 60, puis au collégial dans les années 70 et aux cycles universitaires dans les années 80.

Or, le grand principe démocratique de l'accessibilité des années 60 à 70 se trouve sérieusement menacé par les compressions budgétaires qui commencent à frapper l'enseignement supérieur à la fin des années 70. Ces compressions iront grandissantes à la faveur de la crise financière de l'État-providence dans les années 80. La croissance économique qui avait tant servi la nouvelle classe moyenne des années 60, au moment de la Révolution tranquille, n'est plus au rendez-vous. Par conséquent, cette classe moyenne est sur la défensive quant à ses privilèges. En matière d'éducation, ce repli se manifeste par une volonté affirmée dans les années 80 de restreindre l'accessibilité aux études supérieures en diminuant le financement des universités et l'aide financière aux étudiantes et aux étudiants. À ce sujet, Lise Bissonnette déclarait, en 1981, que la «génération qui a le plus profité du déblocage des années soixante est maintenant au pouvoir, en train de refuser à celle qui la suit une véritable égalité des chances» (Bissonnette, 1981 : 22, citée dans Racette, 1981 : 32).

Le financement des universités

À la fin des années 70, bien avant la crise économique de 1981-1982, les subventions aux universités québécoises font l'objet de compressions. Ayant opté pour une politique très large d'accessibilité à l'université pour tous les étudiants et les étudiantes québécois depuis la Réforme scolaire des années 60, le gouvernement change de cap en 1978-1979 alors que s'amorcent, sur une période de six années consécutives, des compressions budgétaires dans le réseau universitaire qui s'élèvent à 200 millions de dollars. Même si le montant total des subventions aux universités est passé de 696 721 000 $ en 1978-1979 à 966 055 000 $ en 1985-1986, c'est en fait une diminution de 22 % de la valeur réelle des subventions par étudiant et étudiante, qui passent à ce moment de 5666 $ à 4459 $, compte tenu de l'inflation et de l'augmentation du nombre des étudiants (Ryan, 1986 : 9).

Tout en réaffirmant que l'accessibilité aux études supérieures demeurait un objectif pour son ministère, le ministre de l'Éducation, Camille Laurin, déclarait en 1981 que les universités, qui avaient géré la croissance pendant vingt ans, devraient dorénavant «apprendre à gérer l'austérité et une certaine décroissance» (Laurin, 1981 : 4, cité dans Racette, 1981 : 9). Ces restrictions budgétaires entravent le développement du réseau universitaire qui est confronté en même temps à une augmentation substantielle des demandes d'admission aux études de premier cycle.

Dans les faits, cette dynamique se traduit par le contingentement des programmes universitaires socialement valorisés et le développement des petites formations à la pièce (certificats) peu coûteuses en ce qui concerne la mise en place et le fonctionnement, mais payantes pour l'université, qui peut ainsi combler son manque à gagner consécutif aux compressions budgétaires. Or, comme le soulignait déjà en 1979 la Commission d'étude sur les universités, le contingentement équivaut à une sélection, et

la plupart des méthodes de sélection renvoient à un critère principal, celui de l'excellence du dossier... Mais est-il acceptable que, dans un système qui se veut démocratisé, la sélection se fasse en fonction des mêmes critères que dans un système élitiste, soit la concurrence du classement méritocratique fondé sur les notes scolaires, soumise aux contradictions ou aux mouvements d'expansion de l'activité économique? (Commission d'étude sur les universités, 1979 : 29, citée dans Racette, 1981 : 31).

Dans cette façon de faire, le gouvernement met en cause l'accessibilité aux études supérieures qui, malgré des avancées dans les années 70, demeure encore marquée par l'origine socio-économique des étudiantes et des étudiants – ce que reconnaîtra le ministre de l'Éducation (Ryan, 1986 : 16-17) en 1986 – et par les grands clivages sociaux liés notamment à la langue d'enseignement. En effet, les anglophones ont encore, dans les années 80, un avantage par rapport aux francophones dans l'accès aux études supérieures[20] (Racette, 1981).

De nouveaux liens entreprises-universités

Pour pallier le manque à gagner auquel elles doivent faire face dans la décennie des années 80, les universités québécoises et canadiennes développent aussi des liens plus directs avec l'entreprise privée. Pour ce faire, un organisme est créé en 1983 sous l'égide de l'Université Concordia. Il s'agit du Forum entreprises-universités qui réunit des dirigeants d'entreprises (par exemple, Bell Canada, Molson, Xeros, IBM, Banque Royale du Canada, La Mutuelle du Canada, Domtar, Bombardier, etc.) et des responsables des universités. Ce forum vise à créer une collaboration avantageuse pour les deux parties, en tentant, entre autres, de trouver les moyens de combler les besoins des entreprises privées en ressources humaines et d'évaluer la capacité des universités à fournir un enseignement de qualité aux étudiantes et aux étudiants. Plus précisément, le défi « représenté par la concurrence internationale et l'objectif d'un retour à la rentabilité incitèrent les entreprises, en quête d'idées neuves et de professionnels mieux formés et plus productifs, à se rapprocher des universités » (Forum entreprises-universités, 1987 : 22).

Mentionnons un exemple de ce type de collaboration, celui du géant de l'informatique IBM. Sollicité de multiples façons depuis de très nombreuses années par les universités afin de combler des besoins de financement ponctuels, cette

---

20. Sur ce point, et pour le Québec, le Conseil supérieur de l'éducation (1988) affirme que : « Quelle que soit la catégorie d'âges scolaires et quel que soit le régime d'études – à temps plein ou à temps partiel –, le taux de fréquentation scolaire des jeunes de langue maternelle anglaise dépasse toujours celui des jeunes de langue maternelle française. Chez les jeunes âgés de vingt à vingt-quatre ans, 26 % des gens de langue maternelle anglaise se trouvent dans des études universitaires, dont près de 18 % à temps complet, comparativement à un taux global de 14 % chez les jeunes de langue française, dont 11 % à temps complet. Selon ces données, la fréquentation universitaire totale chez les jeunes Québécois de langue anglaise serait presque le double de la fréquentation des jeunes de langue française du même âge » (Conseil supérieur de l'éducation 1988c : 40, cité dans Centrale de l'enseignement du Québec, 1989 : 10).

entreprise multinationale avait développé au fil du temps une stratégie de financement sous forme de petites contributions à un nombre élevé de demandeurs. Toutefois, la visibilité de l'entreprise à travers de si petites contributions est peu élevée. Au début des années 80, IBM réajuste son tir et décide de changer sa stratégie de financement face aux universités. Dorénavant, elle ciblerait un petit nombre de projets précis qu'elle financerait plus largement afin d'obtenir des marques de reconnaissance.

De plus, l'entreprise pouvait ainsi se tailler une place de choix dans le monde universitaire en appuyant des projets qui exigent l'utilisation de ses produits informatiques. Enfin, l'entreprise «trouvait avantageux de soutenir des universités qu'elle percevait comme "le terreau" des fonctionnaires, des chercheurs, des employés du secteur privé et des consommateurs de l'avenir. Une plus grande présence sur les grands campus universitaires serait un atout pour la compagnie. La stratégie d'IBM visait à fournir aux universités un soutien en rapport avec les produits et les activités de la compagnie» (Forum entreprises-universités, 1987 : 60).

Sous le couvert de buts caritatifs fort louables, les entreprises privées comme IBM se créent des places de choix dans le monde universitaire, tout en forçant en quelque sorte les institutions d'enseignement supérieur à répondre à des critères d'excellence (la qualité de l'enseignement selon le Forum). Bien que ces critères s'accommodent bien d'une logique concurrentielle dans un marché économique, ils s'ajustent plus difficilement avec des objectifs d'accessibilité aux études supérieures, de démocratie et de justice sociale.

L'aide financière aux étudiantes et aux étudiants

Parmi les nouvelles tendances des années 80, on note un nouvel aménagement de l'aide financière aux étudiants et aux étudiantes, qui ampute sérieusement le principe de l'accessibilité aux études supérieures. En effet, l'aide gouvernementale sous forme de prêts et de bourses vise tout d'abord à permettre aux jeunes qui n'ont pas les ressources financières nécessaires de faire des études postsecondaires, contribuant ainsi à favoriser une redistribution équitable de la richesse collective (Conseil permanent de la jeunesse, 1995 : 6).

Dans la nouvelle conjoncture économique et sociale, le gouvernement tente par de nombreuses mesures de diminuer les coûts de l'éducation et, à ce titre, il prend des dispositions afin d'économiser sur l'aide financière qu'il verse aux étudiantes et aux étudiants. Dans cette logique, le gouvernement augmente les prêts et diminue dans le même temps les bourses. Par exemple, en 1984-1985, 50,1 % de l'aide financière accordée aux étudiantes et aux étudiants l'était sous forme de bourses ; en 1987-1988, ce pourcentage passait à 44,8 %, le pourcentage des sommes allouées en prêts augmentant d'autant. Comme le souligne la CEQ, dans un mémoire présenté en

1989 à la Commission de l'éducation de l'Assemblée nationale, l'effet « concret [de ces mesures] est de décourager les bénéficiaires issus des milieux les moins nantis d'entreprendre des études postsecondaires par un accroissement de l'endettement[21] » (Centrale de l'enseignement du Québec, 1989 : 4).

Ce nouvel aménagement de l'aide financière aux étudiantes et aux étudiants se fait de concert avec un questionnement de plus en plus sérieux de la part des universités en ce qui concerne la possibilité de hausser les frais de scolarité. Dans les années 80, les frais de scolarité n'ont subi que de très légères augmentations ; ils sont demeurés également très au-dessous de la moyenne canadienne. Toutefois, à partir de 1989-1990, les frais de scolarité des universités québécoises ont connu des augmentations importantes, tout en demeurant plus bas que ceux des universités canadiennes (*voir le graphique 1*).

On constate que dans le domaine des droits de scolarité le gouvernement québécois tend à harmoniser ses pratiques avec celles des autres universités canadiennes. En soi, le principe est justifiable même s'il tend à réduire l'accessibilité des jeunes les moins nantis aux études supérieures. Par ailleurs, le gouvernement québécois est moins empressé d'harmoniser le financement de l'enseignement privé du primaire et du secondaire avec celui qui est en vigueur dans les autres provinces canadiennes.

Dans le contexte des années 80, où émergent des enjeux comme l'endettement endémique des gouvernements, le rejet de l'État-providence par des groupes puissants, l'allègement du fardeau des taxes et des impôts des entreprises, l'entrée de la logique marchande dans le secteur de l'éducation, la diminution du financement des institutions scolaires, particulièrement des universités, le problème du financement public de l'enseignement postsecondaire se pose avec acuité, comme le montre l'augmentation des frais de scolarité depuis la fin des années 80. Comme l'enseignement postsecondaire ne reçoit qu'une proportion des citoyens, la question de l'équité du

---

21. Il faut souligner ici que le gouvernement québécois a procédé à une réforme du régime des prêts et bourses en 1990, qui fait suite à la publication l'année précédente d'un document sur les orientations qu'il entendait donner au régime (ministère de l'Enseignement supérieur et de la Science, 1989). Depuis ce temps, de très nombreuses critiques ont été adressées à cette réforme (par exemple : *Réseau d'action et d'information pour les femmes* (RAIF), 1990, et *Protecteur du citoyen*, 1995). Mentionnons les modifications qui sont apportées au régime presque toutes les années depuis 1990, sans que les usagers en soient informés à l'avance comme le veut la *Loi sur les règlements* (une modification aux règlements doit faire l'objet d'une prépublication 45 jours avant son adoption). Comme le souligne le Protecteur du citoyen, ce « mode de fonctionnement, pour le moins douteux, oblige chaque étudiant à entreprendre l'année sans connaître les règles qui serviront à l'appréciation de son admissibilité à l'aide financière et du montant d'aide qui lui sera alloué. Plusieurs procèdent donc, faute de mieux, en calculant leur budget sur les bases de l'année précédente, tout changement risquant évidemment de les entraîner dans un niveau d'endettement sans rapport avec leur capacité de rembourser » (Le Protecteur du citoyen, 1995 : 5). Sur l'endettement des usagers de l'aide financière, on peut consulter Dionne (1994).

Graphique 1
Moyenne des droits de scolarité au premier cycle à temps complet

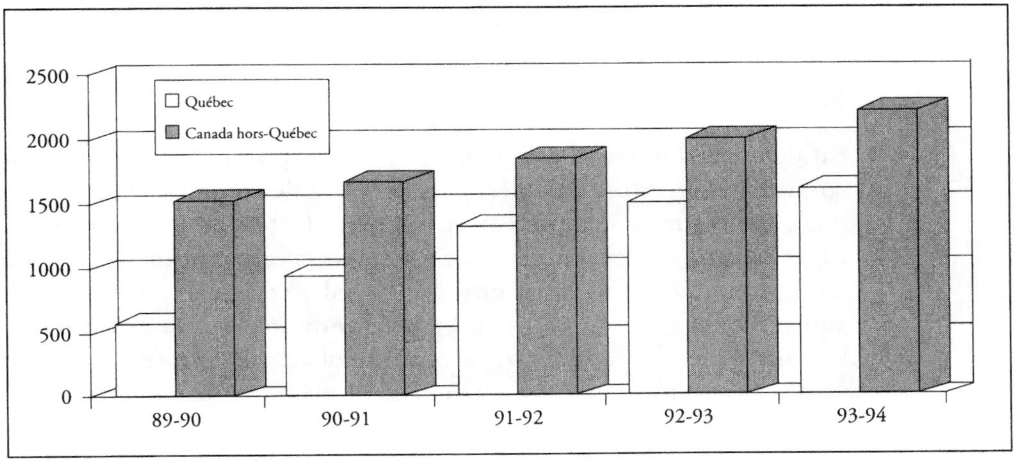

Source : Michel Falardeau (1994 : 3).

transfert par l'État des ressources fournies par l'ensemble des taxes de citoyens en faveur d'un groupe particulier et restreint constitue un enjeu social.

Lemelin (1988) aborde ce problème en proposant qu'il faut favoriser un accès plus généralisé à l'enseignement postsecondaire. Il se demande alors quelle mesure serait la plus porteuse d'équité sociale. Parmi ces mesures : 1) l'aide aux étudiants en fonction des revenus ; 2) la diminution des frais de scolarité accompagnée d'une augmentation conséquente des subventions aux universités ; 3) un système de déductions fiscales, il se demande laquelle serait la moins régressive, c'est-à-dire susceptible d'aider ceux qui sont déjà favorisés au détriment de ceux qui ne le sont pas. Déjà en 1980, Lemelin proposait non pas une réduction de l'effort de l'État en éducation, mais un transfert de l'effort de l'État de la deuxième à la première mesure. Pourtant, l'État a modifié le régime de l'impôt sur le revenu en favorisant la troisième mesure, un système de déductions fiscales, qui est aussi la plus régressive. Ce sont précisément les gens qui sont déjà favorisés, c'est-à-dire qui ont des revenus élevés, qui en bénéficient le plus. Les enjeux économiques de l'éducation sont considérables et les solutions face au désengagement de l'État ne sont pas nécessairement les plus équitables.

Face aux débats sur ces enjeux, les éducateurs et les enseignants et enseignantes doivent avoir non seulement une idée de ces enjeux, mais aussi une capacité à défendre les positions qui favorisent l'accès à l'éducation et à la formation du plus grand nombre, plutôt que de conforter la position de promotion et de reproduction sociale dont se préoccupent les élites de tous les pays, y compris au Canada et au Québec.

Résumé

Au début des années 80, la réforme scolaire qui dure depuis vingt ans au Québec connaît de sérieuses difficultés dans la nouvelle conjoncture économique et sociale qui prend forme à ce moment-là. Appuyée fortement par de grands idéaux collectifs et sociaux de démocratie et de justice sociale, la réforme scolaire prend les allures d'un retour aux préoccupations individuelles et économiques dans la décennie des années 80. Jugés à l'aune de la crise économique et de la déroute progressive de l'État-providence, les idéaux sociaux et scolaires des années 60 s'estompent au profit des nouveaux courants de pensée néo-libéral et néo-conservateur. Dans le cadre de ces courants, on souhaite réaménager la société en fonction, d'une part, de la logique des marchés économiques de façon à répondre aux critères de concurrence et de productivité de la nouvelle donne mondiale dans les relations économiques entre les nations et, d'autre part, des critères d'excellence et de retour à des valeurs plus sûres, qui deviennent une référence obligée dans un monde en profondes mutations sociales.

Le rôle que l'on veut faire jouer à l'école à ce moment diffère radicalement de celui qui avait été le sien dans les deux décennies précédentes. Partie prenante d'un projet de démocratisation de l'enseignement à grande échelle, l'école devient, dans la période des années 80, un instrument aux mains des différents groupes sociaux dans leur recherche de distinction et d'ascension sociales. L'école pour tous, celle du Rapport Parent, devient une école fractionnée entre différentes tendances qui s'expriment à travers des mutations porteuses de nouvelles inégalités sociales, c'est-à-dire, en dernier ressort, de stratification sociale.

En fait, un nouvel aménagement de l'institution scolaire s'effectue en faveur de groupes sociaux nantis sur le plan social. Ainsi se profile un déplacement des budgets alloués aux élèves en difficulté scolaire vers les élèves doués qui profitent de la nouvelle logique de l'excellence dans le monde scolaire. Le secteur privé, qui demeure toujours un lieu d'accueil des classes sociales favorisées, malgré une volonté d'ouverture à un plus large bassin d'élèves, reprend des forces dans cette décennie sous la poussée de groupes de pression (par exemple, le Mouvement pour l'enseignement privé) qui souhaitent garder ces écoles au nom de la liberté de choix des parents et de services éducatifs de qualité, même si ces choix individuels se font au détriment d'autres couches de la population. Les écoles publiques ne sont pas en reste dans la nouvelle dynamique de stratification sociale par l'école, alors que se développent dans les écoles de ce secteur des programmes spéciaux pour les élèves spéciaux, ceux qui sont performants sur le plan scolaire, donc ceux qui ont déjà un avantage sur les autres, les élèves dans la moyenne ou au-dessous de la moyenne.

Ce vent de changement ne touche pas seulement les écoles primaires et secondaires. Les universités sont également sollicitées dans la recherche d'équilibre budgétaire du gouvernement québécois. Subissant des compressions importantes à partir de la décennie des années 70, les universités québécoises réagissent pour combler leur manque à gagner tout en tentant de faire face à la massification de la scolarisation aux études supérieures. Parmi les stratégies utilisées, on note un contingentement des programmes socialement valorisés, réservés à ceux qui sont performants sur le plan scolaire, et la création d'une pléthore de petits diplômes non rentables socialement, réservés cette fois à ceux qui ne peuvent se payer une scolarité à temps plein. Or, ceux qui profitent des programmes contingentés sont aussi, dans des proportions plus grandes, ceux qui proviennent de milieux sociaux favorisés sur le plan social ; ceux qui se retrouvent dans les petites formations proviennent en bonne partie des milieux sociaux moins favorisés.

Au sein d'une institution scolaire qui n'a pas encore véritablement atteint sa maturité depuis la réforme des années 60, on assiste à un détournement d'école dans les années 80. Même le personnel enseignant n'échappe pas aux nouveaux impératifs qui pèsent sur l'école. Dans le contexte où les groupes dominants de la société veulent rendre le système d'éducation plus productif et plus performant, les enseignantes et les enseignants sont sollicités afin d'atteindre les nouveaux objectifs de l'école. On leur demande de devenir les principaux porteurs de la qualité de l'enseignement et de l'excellence éducative et pour ce faire, ils et elles doivent acquérir un nouveau statut professionnel, car, dit-on, la qualité de l'enseignement passe par la performance des enseignantes et des enseignants. Toutefois, compressions budgétaires obligent, ils et elles doivent faire mieux avec moins de ressources.

En sciences sociales, on observe un repli sur les thèses individualistes pour expliquer le rôle de l'école. C'est Boudon qui est incontestablement le chef de file dans le nouveau questionnement sur l'école. Pour lui, ni les fonctionnalistes, ni les marxistes n'ont pu rendre compte de façon adéquate du rôle de l'école. Le rôle de cette dernière dans la mobilité sociale des personnes, comme le concevaient les fonctionnalistes, ou le rôle de l'école dans la reproduction sociale, décrié par les marxistes, sont en fait des extrêmes. Boudon montre que l'école est à la fois source de mobilité et source de reproduction sociale. En fait, il est nécessaire de tenir compte, selon lui, de la rationalité des acteurs et des actrices et des effets d'agrégation de leurs actions pour comprendre les mécanismes internes de promotion et de sélection sociales par l'école. Le nouveau questionnement de Boudon qui intègre l'acteur rationnel dans ces analyses de l'institution scolaire ouvre la porte d'une certaine manière à d'autres types d'analyse de l'école (ethnographie, ethnométhodologie, interactionnisme symbolique, etc.).

Dans la décennie des années 80, apparaît un autre phénomène qui laisse perplexe, soit la capacité de l'école à produire, via sa volonté d'égalisation des chances scolaires, une égalisation des chances sociales. En effet, la réduction du volume d'emploi durant cette période, combinée à une grande production de diplômés, crée des engorgements et des files d'attente pour l'obtention du premier emploi. Dans les faits, cette situation se traduit par des taux de chômage élevés chez les diplômés. La rentabilité privée des études ne semble plus assurée pour de nombreux individus qui, après avoir investi grandement dans une scolarité prolongée, se trouvent incapables de s'insérer rapidement sur le marché de l'emploi. Même la rentabilité sociale de l'éducation pose un problème dans une société de moins en moins capable d'intégrer ses diplômés alors qu'elle a payé à grands frais pour les instruire.

Conclusion

À l'aube des années 90, c'est près de trente ans de réforme scolaire qui se sont matérialisés au Québec, avec des résultats parfois spectaculaires, parfois décevants. Sur le plan des avancées, on note une scolarisation beaucoup plus grande des enfants provenant des milieux populaires et un plus grand accès à l'éducation secondaire et postsecondaire pour les filles. Les francophones ont aussi profité du mouvement de démocratisation dont a bénéficié le système scolaire. Même si on ne peut affirmer que l'idéal de l'égalité des chances devant l'éducation et dans l'école se soit réalisé de manière complète, il reste que l'école « vieille Europe » qui a caractérisé pendant longtemps le système d'éducation dans le passé n'est plus qu'un souvenir pour les générations des années 90.

Toutefois, et la réforme scolaire aura été un demi-succès dans ce sens, la reproduction sociale par l'école, ou la sélection scolaire, continue de toucher de façon prioritaire les enfants issus des milieux populaires, comme le montrent les taux de décrochage dans les années 80 et 90. Aucune des mesures en faveur de ces enfants n'a pu enrayer leurs difficultés à l'école, que ce soit l'*Opération Renouveau*, capitalisant sur la pédagogie de compensation, ou la CEQ, mettant de l'avant la pédagogie de « conscientisation ». En fait, à la lumière des recherches en sciences sociales dans ce domaine depuis trente ans, on constate que la réduction des inégalités scolaires ne mène à rien si, en même temps, on ne se préoccupe pas de réduire les inégalités dans la société. L'égalité des chances scolaires passe donc nécessairement par une égalité des chances sociales.

Les tangentes que prend le système d'éducation à partir des années 80 font toutefois craindre un retour à des formes moins « discrètes » de sélection scolaire, alors que prennent place des pratiques scolaires qui, sous le couvert de l'excellence et de la qualité d'enseignement, cachent des volontés d'élimination de ceux et celles qui n'ont pu prendre le train à temps. Ces nouvelles pratiques scolaires ne s'estompent pas avec l'arrivée des années 90. Bien au contraire, elles prennent de nouveaux visages et essaiment dans toutes les parties du système scolaire. De plus, elles se doublent de clivages sociaux qui prennent une place de plus en plus grande dans l'école québécoise, comme en font foi les problèmes liés à la diversité ethnique, religieuse, linguistique et socio-économique. À travers cette polarisation des tensions dans l'institution scolaire, deux projets d'école se démarquent : 1) une école démocratique pour tous où les valeurs de tolérance et de respect seraient promues ; 2) une école qui joue un rôle dans la recherche de l'excellence s'inscrivant ainsi dans la logique dominante de mondialisation des marchés et de la concurrence. La recherche de l'excellence se matérialise dans l'école à travers des pratiques de compétition qui créent plus de perdants que de gagnants.

Les sciences sociales appliquées à l'éducation prennent différentes voies pour l'analyse de l'institution scolaire dans les années 80 et 90. Inspirés, pour une part, par les analyses de l'institution scolaire de Boudon dans les années 70, les changements en sociologie de l'éducation renouent avec les pratiques concrètes des acteurs qui avaient été peu étudiées dans les années 60 et 70 au profit des structures et des systèmes. En fait, dans les années 80, la « grande sociologie », celle des fonctionnalistes et des marxistes, se trouve en perte de légitimité. Devant cette crise, la sociologie opère un repli sur l'analyse interne des processus éducatifs (l'étude de la boîte noire) avec une prédominance pour une intégration de l'acteur social et de l'actrice sociale au cœur même de l'analyse. *Le Retour de l'acteur* (Touraine, 1984) évoque, en sociologie de l'éducation, l'utilisation de démarches de recherche qui focalisent leur attention sur la construction sociale de la réalité scolaire. Ces analyses se font par l'observation des pratiques pédagogiques, la prise de conscience des acteurs et des actrices de leurs situations, leurs rapports aux pratiques scolaires et la production du sens que les acteurs et les actrices attribuent à leur action.

QUESTIONS

1. Les groupes sociaux des classes moyennes ont critiqué dans les années 70 la bureaucratie et le capitalisme de la société. Sous l'influence de quels facteurs et de quels événements les années 80 vont-elles mettre en place les éléments d'un discours économique dominant?

2. Quels sont les thèmes majeurs du néo-libéralisme? Comment se manifestent-ils en éducation?

3. Quels sont les éléments majeurs du discours néo-conservateur? Quelles formes prennent-ils en éducation?

4. Le chapitre 4 met en lumière trois mutations institutionnelles qui ont affecté les pratiques des acteurs scolaires: l'allocation des ressources aux doués ou à ceux qui sont en difficulté scolaire, la promotion de l'école privée et la sélection au niveau universitaire.

   Pour chacune de ces mutations:

   a) Décrivez les caractéristiques des nouvelles pratiques des acteurs.
   b) Montrez en quoi elles sont reliées aux discours néo-libéral et néo-conservateur.
   c) Indiquez en quoi elles vont à l'encontre des valeurs éducatives des années 60 et 70.
   d) En quoi mettent-elles en danger les acquis de la réforme en matière d'égalité des chances, d'équité, etc.?

5. Selon l'interprétation fonctionnaliste, l'école serait facteur de mobilité sociale, tandis que l'interprétation marxiste ferait de l'école un facteur de reproduction sociale. Explicitez brièvement la logique qui sous-tend chacune de ces assertions.

6. Rejetant ces deux interprétations de la place de l'école dans l'existence des inégalités sociales, comment Boudon explique-t-il alors les inégalités de chances de scolarisation? En quoi sa conception de la société diffère-t-elle de celle des fonctionnalistes? De celle des marxistes?

7. Comment peut-on définir l'individualisme méthodologique comme méthode sociologique? Quelles critiques pourriez-vous faire de cette méthode appliquée à l'éducation?

8. Que vous révèle le tableau 1 en ce qui concerne les rapports entre le niveau d'éducation (passage au collégial) d'une part, et l'origine sociale et la réussite scolaire d'autre part ?

9. Des données pour un débat : l'école est-elle aujourd'hui facteur de mobilité ou de reproduction sociale ? Poursuivez l'exercice entrepris à la fin du chapitre 3 et précisez encore les données, les faits et les arguments sur lesquels pourraient se fonder : 1) l'idée selon laquelle l'école favorise la promotion et la mobilité sociales ; et 2) l'idée selon laquelle l'école est plutôt une instance de reproduction des inégalités sociales.

10. Des données pour un débat : il fut un temps où le slogan « Qui s'instruit s'enrichit » ne faisait sursauter ni les étudiants ni les citoyens en général, tellement le niveau de diplôme semblait être directement en lien avec la chance d'obtention d'un emploi et un emploi dont le niveau de rémunération était aussi fonction du niveau de diplôme. Sur la base des données des pages 181 à 195, précisez les arguments pour et contre une telle assertion ?

CHAPITRE 5

Au-delà de la crise scolaire, la transformation de la société

Table des matières

Sommaire

Ce chapitre

- illustre le fait que l'école est un enjeu social important pour tous les groupes sociaux qui ont intérêt à participer aux débats sur l'école et l'éducation ;

- décrit comment les gouvernements, les entreprises et même les institutions éducatives, tout en affirmant que l'école doit s'adapter à la société, cherchent plutôt à la soumettre aux nouvelles forces économiques internationales qui tentent de contrôler les sociétés ;

- montre que l'école s'est largement adaptée à la société, en épousant son discours sur l'excellence et la compétitivité au point d'adopter des pratiques qui correspondent de moins en moins aux valeurs éducatives d'une société démocratique ;

- montre aussi que contrairement aux prétentions des entreprises et du gouvernement, ce n'est pas le manque de qualification des travailleurs qui cause principalement le chômage, mais l'incapacité du marché et des entreprises de maintenir et de créer des emplois ;

- met en lumière que le système éducatif a comme fonction première, surtout aux niveaux primaire et secondaire, d'éduquer et de socialiser et non de se mettre au service du marché du travail ; que procurer une éducation de base à tous les citoyens demeure la meilleure contribution de l'école pour la société ;

- précise les éléments d'une démarche qui permettrait à tout citoyen de dépasser les discours des acteurs sociaux et de découvrir les rapports sociaux qui structurent et influencent les conduites et les pratiques de ces mêmes acteurs sociaux.

Au-delà de la crise scolaire,
la transformation de la société

> « En matière d'éducation, on parle toujours de "crise" et non de
> "conflit"; car une crise échappe à tout le monde, alors qu'un conflit
> doit être réglé! [...] Plus on pense qu'il y a une crise, plus on se
> tourne vers le gestionnaire politique de la collectivité nationale,
> c'est-à-dire l'État, et l'on traite donc sur un mode politique des
> problèmes qui sont davantage des problèmes sociaux. Il serait donc
> très intéressant d'essayer de réfléchir sur le passage d'une pensée en
> termes de crise à une pensée en termes de conflit : comment trouver
> des rapports sociaux sous l'image de la crise? »
>
> Michel Wieviorka (1987 : 32).

À l'aube des années 90, rien n'est gagné définitivement sur les plans de la démocratie et de la justice en ce qui concerne l'école. Et les mutations sociales qui se multiplient à la faveur de la restructuration de l'emploi, des familles, des réseaux de
relations sociales, continuent de brouiller les cartes dans une école qui ne semble
plus être la forme sociale privilégiée de socialisation de la jeunesse. Dans ces conditions, on ne s'étonne pas que dans une société en mutations rapides (en crise,
diraient certains), l'école se transforme rapidement, qu'elle vive elle aussi à l'heure
de la crise. En fait, on avance que l'école ne serait même plus une institution sociale
(Dubet, 1994), ce qui montre bien jusqu'à quel point elle est en proie à sa propre
crise de légitimité.

Pourtant, et c'est là un paradoxe, l'école est de plus en plus un passage obligé
pour l'insertion sociale dans les années 80 et 90. Alors que le pouvoir d'inclusion de
l'école par la socialisation semble diminuer rapidement, son pouvoir d'exclusion,
par la mise en échec des élèves, prend pour sa part des proportions sans précédent.
Ce pouvoir d'exclusion de plus en plus grand de l'école en fait un enjeu majeur dans
les stratégies des groupes sociaux dans leur volonté d'ascension et de distinction
sociales.

Débats sur l'école et sur une nouvelle réforme scolaire

On a déjà évoqué que l'évolution du système d'éducation à travers les conjonctures sociales laisse apparaître une fracture sociale importante à propos de l'école. En effet, trente ans après la réforme, le consensus est disparu, disent certains. Il faut comprendre par là que les idéaux démocratiques inspirés de l'idée de l'égalité des chances par l'école avec son appel à la justice sociale, à l'accès généralisé à l'éducation, à l'importance d'un système public d'éducation et d'une participation démocratique des citoyens, qui ont alimenté le désir de réforme dans les années 50 et 60 semblent disparus au profit d'un autre modèle. L'examen des mutations institutionnelles de l'école et les nouvelles pratiques en faveur d'une école répondant mieux aux besoins des utilisateurs sinon des consommateurs illustrent bien les termes du nouveau modèle. D'un côté, une école démocratique, publique, accessible à tous et respectueuse en même temps des différences des populations et dont le principe premier reste l'égalité des chances par l'école ; de l'autre côté, une école qui, sous l'impulsion de la logique de la mondialisation des marchés et de la concurrence internationale, est pressée d'assumer la mission prioritaire d'être au service de la qualité et de l'excellence, en d'autres mots de ceux et celles qui sont déjà en situation privilégiée. N'est-ce pas les tensions du monde de l'éducation entre deux orientations différentes de l'école qui ont amené les parents, les citoyens et même les partenaires à exiger un débat de fond sinon une réforme globale du système d'éducation québécois ?

Depuis plusieurs années, face aux problèmes de l'école et des transformations sociales, plusieurs partenaires de l'éducation – des groupes sociaux de toute allégeance idéologique, des organismes du monde de l'éducation et particulièrement la Centrale de l'enseignement du Québec, de même que des éditorialistes[1] – insistent pour que l'État entreprenne une révision d'ensemble du système d'éducation, invoquant l'insuffisance des approches partielles et superficielles au changement en éducation.

Les États généraux sur l'éducation de 1986 se voulaient le point de départ d'un tel processus, mais ils n'ont pas eu les suites désirées par les organisateurs. Toutefois, au début des années 80, sous l'instigation de la CEQ, le débat public sur l'école québécoise a repris, à l'occasion des statistiques sur le décrochage scolaire. Le ministère est alors intervenu dans le débat en proposant un Plan d'action (MEQ, 1992a) pour contrer le décrochage scolaire. De plus, dans la foulée des critiques à propos de l'école et de la façon dont elle réalisait ses mandats, le ministère y est allé de quelques propositions de changement dans certains secteurs, tels le primaire, le secondaire, le collégial, l'enseignement secondaire professionnel, la formation des maîtres. Malgré ces tentatives répétées du ministère de l'Éducation pour améliorer la situation, les appels à une approche plus globale du système d'éducation se sont multipliés.

---

1. Lise Bissonnette, du journal *Le Devoir*, presse le gouvernement d'aborder de façon plus globale les problèmes du système d'éducation québécois et de convoquer à cet effet une autre commission royale d'enquête.

C'est à l'occasion de la campagne électorale au Québec, en 1994, que cet appel à une révision en profondeur du système d'éducation au Québec reçoit une réponse. Le Parti québécois en fait même une promesse de sa plate-forme électorale : s'il est élu, il instituera des États généraux sur l'éducation. Ceux-ci ont effectivement débuté en 1995 dans l'enthousiasme de plusieurs et se sont terminés à l'automne 1996 dans un scepticisme d'autant plus grand qu'avant même la session finale, on savait déjà que le monde de l'éducation écoperait de compressions supplémentaires d'environ 700 millions pour l'année budgétaire 1997-1998.

L'Exposé de la situation (Commission des États généraux sur l'éducation 1996a) par les commissaires responsables des États généraux sur l'éducation sert de point de départ à la réflexion sur les problèmes actuels de l'école et de l'éducation au Québec. Seuls sont évoqués certains éléments de *L'Exposé de la situation* portant sur la mission de l'école. Les commissaires font écho « aux transformations sociales et aux insatisfactions qui exigeraient la remise en cause de la mission de l'école ».

Trente ans après la réforme, que révèlent les débats actuels sur l'école ? Au nom de quoi justifie-t-on des réformes en éducation ? Quels sont les enjeux de l'éducation pour les individus, les groupes et la société dans son ensemble ? Quelles orientations sociales dominantes apparaissent derrière ces grands enjeux de l'éducation dans notre société ?

Chacun a ses représentations de l'école

L'école n'est dans la tête de personne une abstraction, une idée générale ou un concept flou ; c'est d'abord et avant tout, pour chacun d'entre nous, une expérience sociale d'autant plus marquante qu'elle tend, dans nos sociétés, à s'allonger sur de longues années. L'histoire personnelle de chacun, son itinéraire d'expériences scolaires, les conditions précises de sa scolarisation contribuent à constituer un ensemble de conceptions et d'idées personnelles à propos de l'éducation et de l'école. Ces conceptions prennent la forme de croyances ou de connaissances et c'est à travers elles que nous nous représentons l'école. Ces croyances ou ces connaissances constituent nos représentations sociales de l'école[2]. Chacun a donc, selon les circonstances particulières de son expérience scolaire, ses propres représentations de l'éducation et de l'école.

Nous recourons à ces représentations quand nous voulons communiquer avec les autres, comme dans le cas de la participation à un débat public. Au moment des

---

2. Plusieurs auteurs ont abordé le thème des représentations dont l'un des plus célèbres est sans doute Moscovici, qui ajoute que « les représentations sont des produits, c'est-à-dire "des systèmes cognitifs" ayant une logique et un langage particuliers. Elles portent autant sur les valeurs que sur les concepts […] Les représentations sont des organisations d'éléments cognitifs, chargées affectivement. Organisations d'images, de concepts, de significations ayant trait à un objet […], elles s'édifient comme le reflet de celui-ci et comme une activité du sujet individuel et social » (Moscovici, 1961 : 302).

échanges qui caractérisent une société démocratique, on comprend que les individus se regroupent selon leurs vues communes et partagées sur l'éducation et l'école. Un groupe élabore « sa position » en construisant avec ses membres une description de la réalité, une explication des choses ou d'un phénomène. La représentation qui en ressort sert à la fois de ralliement pour les membres du groupe, d'objet de communication entre eux et de point de départ de la mobilisation de leurs ressources pour influencer les débats, les autres acteurs sociaux et surtout les décisions politiques qui suivront les débats.

Ce sont donc leurs représentations sociales de l'éducation que les groupes sociaux explicitent dans les débats sur l'éducation : orienter notre attention sur « ces ensembles organisés de significations sociales élaborées par les groupes sociaux » (Gilly, 1993 : 363-364) nous permet de mieux saisir le rôle qu'elles jouent dans l'explication et la compréhension des faits d'éducation.

Que nous disent les partenaires des États généraux à propos de l'école ? Comment les différents groupes sociaux interprètent-ils la mission de l'école ? En ont-ils une « représentation » commune et partagée ? Font-ils consensus comme l'espéraient les autorités gouvernementales ?

Dès le début des audiences, il apparaît clair aux intervenants et aux participants qu'il faut réviser la mission de l'école pour de multiples raisons, en particulier pour répondre aux exigences des transformations sociales, pour satisfaire aux besoins de populations de plus en plus diversifiées, pour délester l'école de mandats trop larges, non réalistes et trop coûteux, pour lui permettre d'améliorer son fonctionnement et ses résultats. Cet *Exposé de la situation* traduit assez peu le fond des débats. Il faut donc tenter de les recréer par un retour, ne serait-ce que limité et sélectif, aux interventions de certains participants aux audiences ou aux mémoires déposés par certains groupes et individus.

Apparaissent déjà, derrière ces raisons de modifier la mission de l'école, la diversité des motivations et surtout la difficulté d'établir un consensus sur la mission de l'école. Les exemples suivants illustrent la divergence des positions des groupes à propos de la mission de l'école et même les antagonismes entre les acteurs sociaux.

Pour certains, l'école serait le lieu privilégié de la transmission des valeurs sûres, en particulier des valeurs religieuses ; c'est pourquoi il faut garantir et préserver les privilèges des catholiques et des protestants, quitte à permettre aux « autres » de créer leurs propres écoles (l'Association des parents catholiques, le Comité catholique, plusieurs associations religieuses, etc.). Pour d'autres, l'école doit être ouverte à tous au nom des valeurs d'une société démocratique, laissant aux Églises les responsabilités en matière de spiritualité et de religion (Mouvement laïque de langue française).

Pour certains, l'éducation est un service public ; l'école doit donc être publique, gratuite et laïque. Tous devraient avoir un accès égal à ce réservoir universel de savoirs et de valeurs communes, dont les valeurs démocratiques seraient le centre (tous les promoteurs de l'école publique : le MEQ, la Centrale d'enseignement du Québec, la plupart des associations d'enseignants et d'éducateurs). Pour d'autres, l'éducation est la responsabilité première des parents qui auraient le droit de choisir l'école de leurs enfants selon leurs convictions et selon les aspirations de ses « utilisateurs ». En réalité, l'État n'aurait d'autre prérogative que de fournir les encadrements généraux, mais néanmoins une responsabilité de soutenir financièrement les parents et les enfants dans leur choix d'école privée (les associations d'écoles privées, le Mouvement en faveur de l'école privée).

Ce premier clivage en suscite un autre à propos du rôle que jouerait l'école en matière d'intégration sociale. Certains groupes reconnaissent à l'école une fonction importante d'intégration sociale qui suppose donc un projet de société, des valeurs communes, une langue et une culture communes à partager, bref, une fonction de socialisation explicite. Mais plusieurs autres, insistant sur le pluralisme de la société, voudraient que l'école soit une institution qui respecte les diversités dans le cadre de valeurs démocratiques, et plus encore, qui exige, au nom des droits du multiculturalisme, des écoles correspondant davantage à leurs valeurs culturelles, leur langue, leur religion, leur ethnie.

Certains voudraient qu'on renforce et priorise la fonction d'instruction de l'école et qu'on mette de côté toute fonction de soutien et de suppléance. D'autres voudraient que l'école devienne un centre intégré de services à la communauté, voire une école-omnibus plutôt qu'une école-fourre-tout (Baby, 1994).

Certains considèrent l'enseignement d'une religion donnée comme non avenu à l'école, car il ferait éclater l'école publique (Mouvement laïque de langue française, la CEQ, etc.). D'autres, cependant, reconnaissent ce qui existe déjà pour les catholiques et les protestants, et le revendiquent à leur tour pour leur propre groupe, tout en sollicitant le financement par l'État au nom de l'équité (Association des écoles juives).

Certains voudraient que l'école accorde la priorité à la formation intellectuelle et sociale des jeunes comme base de développement personnel et professionnel durable. D'autres considèrent que l'école doit donner la priorité à la préparation au monde du travail (l'employabilité). D'autres, enfin, considèrent que tous n'étant pas égaux devant l'école, celle-ci ne pourra garantir une réussite scolaire sans dispenser des services particuliers qui ne sont peut-être pas du ressort de l'école mais deviennent des conditions nécessaires et préalables à la réussite de certains enfants.

Ces divergences qui éclatent à propos de la mission de l'école, de l'importance relative de l'instruction par rapport à la socialisation (c'est-à-dire la transmission des valeurs jugées importantes dans notre société) et par rapport à la préparation des élèves aux divers rôles sociaux (citoyens, membres d'une famille, consommateurs, travailleurs, etc.) reflètent les conflits de valeurs entre les groupes sociaux.

L'école est un enjeu social important

La représentation que se fait le citoyen de l'école est de nature cognitive mais contient aussi des éléments affectifs comme les valeurs et les intérêts. Les conditions de l'expérience scolaire et ses résultats pour chaque individu affectent la représentation qu'il a de l'école : elle est liée aux avantages et aux possibilités, mais aussi aux déceptions et aux frustrations que lui a apportées son expérience scolaire. Dans ce contexte, l'obtention du diplôme constitue un enjeu important : à son obtention, sont liés succès, reconnaissance scolaire et promotion sociale. Pour ceux qui ne parviennent pas à l'obtenir, c'est l'échec, la frustration, un sentiment négatif de soi, un risque d'exclusion sociale. D'un côté, c'est un gain, un atout, une épreuve sociale réussie ; de l'autre, c'est une perte, un obstacle, une épreuve majeure. *Tel est le sens de l'enjeu.* Chaque individu, comme acteur social, s'inscrit dans une position ou une place sociale et produit alors une représentation reflétant aussi les normes institutionnelles, les contraintes sociales et les rapports sociaux découlant de sa position et de ses idéologies liées à la place qu'il occupe.

Il n'y a pas que pour les individus que l'école constitue un enjeu ; c'est aussi le cas des différents groupes sociaux et des différents secteurs de la société. Par l'intermédiaire des représentations sociales des groupes sociaux, nous découvrons comment les membres de ces groupes se sentent concernés par l'éducation, comment ils définissent leurs rapports à l'éducation et à l'école et comment ils ont, à propos de l'école, des opinions, des idées, des jugements et aussi une expérience personnelle. De plus, à travers les discours de ces groupes sur l'éducation et l'école, il est possible de percevoir en quoi l'école constitue pour eux, individuellement et collectivement, un enjeu social, c'est-à-dire une opportunité de gain ou un risque de perte. Ils tentent alors de s'en approprier les ressources, d'y imposer leurs valeurs, d'influencer les décisions des responsables et de faire l'unanimité des membres du groupe à propos de ces représentations sociales de l'école. Dire de l'école qu'elle constitue un enjeu social, c'est accepter une triple réalité : les groupes ont des intérêts divergents et les défendent légitimement ; de plus, dans le cadre d'une société démocratique, ils ont le devoir de faire valoir leur point de vue et de tenter d'influencer la mission de l'école ; enfin, l'école constitue une institution d'une grande importance dans une société qui peut légitimement lui imposer ses orientations dominantes, il devient donc impératif de débattre aussi des grandes orientations de la société.

Les groupes ont des intérêts divergents

Les positions des groupes et des individus sont souvent qualifiées d'idéologiques – liées donc à un ensemble de valeurs et d'intérêts particuliers. Il devient alors important pour les différents groupes, et c'est une caractéristique d'une position idéologique, de les justifier en les rattachant à des valeurs et à des principes universels.

Ainsi, pour les groupes catholiques, le maintien de la confessionnalité, y compris la reconnaissance du caractère catholique, reposerait sur le principe démocratique de la demande majoritaire des parents, et l'enseignement religieux catholique sur la visée éducative (dans sa dimension spirituelle) de tout développement humain.

Pour les promoteurs de l'école privée, il s'agirait de défendre un droit fondamental, celui de choisir l'école correspondant à leurs convictions et à leurs aspirations (faisant ainsi référence au préambule du Bill 60, proposé au gouvernement en 1963 par les évêques), instituant donc les parents comme premiers responsables en matière d'éducation. Dans ce contexte, l'État jouerait un rôle d'encadrement général de l'organisation de l'enseignement et aurait comme responsabilité de faciliter les choix des parents en les soutenant financièrement.

Pour les entreprises, il serait nécessaire que l'école prépare mieux et plus directement les étudiants pour répondre aux besoins du marché du travail. En dépendent leur compétitivité et leur productivité, sans lesquelles il ne peut y avoir de croissance économique, d'échanges et de ventes, et surtout d'emplois. L'école doit donc donner priorité à ces besoins. De son côté, l'État doit aider les entreprises à former les travailleurs mal préparés par l'école, diminuer les charges financières des entreprises, diminuer leurs impôts et, par conséquent, diminuer aussi ses propres dépenses, ses engagements dans les services sociaux, voire les budgets de grands secteurs comme la santé et l'éducation. Il pourrait même penser à en privatiser de grands pans puisque les entreprises privées, c'est connu, sont plus efficaces que le secteur public !

Voilà comment les représentations sociales de l'éducation véhiculées dans les discours des acteurs sociaux rejoignent leurs intérêts et leurs idéologies, sous le couvert d'un principe universel qui rejoint le bien commun (*voir l'encadré 5.1*). En conséquence, il n'est pas étonnant de constater que les protagonistes dans les débats ne sont pas toujours les mêmes. Ils varient selon qu'il s'agit de la confessionnalité de l'école, du rôle que doit jouer l'entreprise dans la formation, des promoteurs de l'école privée ; bref, ils varient selon les enjeux en cause pour les différents acteurs sociaux.

Les groupes ont le devoir démocratique de participer aux décisions à propos de l'école

L'éducation se présente vraiment comme un enjeu social particulier pour chacun : voilà pourquoi tous les membres d'une société s'y intéressent et tentent d'influencer les décisions en participant aux débats à propos de l'école. Ainsi, même si l'école doit transcender les intérêts des différents groupes, puisqu'elle est, comme institution sociale, au service de tous, les débats sur l'éducation démontrent que la société est traversée par différentes idéologies, différentes valeurs et que, par conséquent, les groupes sociaux ne sont pas indifférents à l'école et aux décisions qui s'y rapportent. Ces groupes essaient donc d'influencer les décisions à propos de l'école dans le sens de leurs propres valeurs, intérêts ou idéologies. Voilà un deuxième enjeu de taille pour tous les groupes sociaux.

On doit donc reconnaître la nature politique des débats en éducation, chacun tentant d'y faire valoir ses intérêts en mobilisant les ressources à cet effet. Les res-

Encadré 5.1
L'idéologie comme système de représentations

« Le mot idéologie est employé pour rendre compte d'ensembles cohérents de représentations mentales relatifs à l'organisation sociale et politique. Cependant, une définition compréhensive doit prendre en considération leur aspect dynamique, c'est-à-dire leur capacité à influencer les pratiques sociales à travers un processus de (re)construction du réel qu'elles induisent. C'est pourquoi on désignera sous le mot idéologie "les systèmes de représentations qui fonctionnent doublement à la croyance (politique) et à la violence (symbolique)".

« *Le premier élément de la définition renvoie à l'idée d'organisation.* Les idéologies sont des "systèmes de représentations" en ce qu'elles reposent sur un minimum de logique interne et de construction rationalisante. Les idéologies ne sont pas de pures et simples juxtapositions de stéréotypes ; elles s'élaborent sur la base d'un travail d'explication théorique et doctrinale.

« *Le second élément, plus complexe, fait appel à la notion de croyance.* Les croyances répondent à des exigences fondamentales de la vie sociale. Elles sont d'abord indispensables pour combler les innombrables béances du savoir démontré ; à ce titre, elles tendent à dissiper le malaise que fait naître la rencontre avec l'inconnu ou l'indéchiffrable. [...] Systèmes de croyances, les idéologies se distinguent néanmoins des religions en ce qu'elles n'entretiennent aucun rapport avec les notions de transcendance ou de révélation.

« *Le troisième élément, enfin, fait appel au concept de violence symbolique.* Emprunté à Pierre Bourdieu, il rend compte assez correctement des processus à l'œuvre dans les modes de diffusion des croyances. À l'origine des processus de violence symbolique se situe le fait que les représentations sociales et politiques qui s'imposent comme hégémoniques dans l'ensemble de la société, sont en réalité élaborées dans certains de ses segments. Ni les individus ni les catégories sociales n'ont en effet une égale capacité à formuler et diffuser les croyances qui leur sont nécessaires pour affirmer leur existence. »

Extrait de Philippe Braud,
Manuel de sociologie politique (1992 : 158-159).

sources des différents groupes ne sont pas les mêmes et ne s'exercent pas de la même façon sur les processus et les responsables de décisions ; elles affectent donc de façon concrète les chances des différents acteurs d'atteindre leurs objectifs.

Il n'y a pas ici un ensemble rigide de normes qui régissent les rapports des partenaires ; il s'agit plutôt des enjeux en cause pour chacun des groupes. L'enjeu peut se définir par les risques de perte ou de gain que représente pour un groupe telle situation ou tel rapport avec les autres groupes. Les enjeux se définissent par rapport aux possibilités qui se présentent, aux intérêts des différents groupes et aux ressources dont ils disposent. Les partenaires de l'éducation publique, en particulier les enseignantes et les enseignants n'échappent pas à cette exigence démocratique de participer aux débats sur l'éducation et sur l'école.

C'est donc en se regroupant en blocs (sans jeu de mot), en factions, en groupes de pression, en partis politiques constitués autour d'intérêts et de buts communs que s'exprime ce droit des citoyens et des citoyennes de participer à toutes les phases de la gouverne politique. En ce sens, on peut dire que c'est dans la diversité, voire la divergence et l'opposition, que s'exprime et se vit la démocratie de façon générale. Et cela vaut aussi pour la définition sociale et politique de l'école à laquelle nous avons tous et toutes le droit, voire le devoir de contribuer. Si nous ne nous prévalons pas de ce droit, d'autres le feront à notre place. Et ce n'est pas sûr qu'ils le feront aussi bien que nous, et surtout d'une manière aussi désintéressée et experte que nous. À ce niveau, les choses du jeu et de l'enjeu démocratique se passent exactement de la même façon qu'à tout autre niveau. (Baby, 1994 : 3).

Une société dite démocratique n'en exerce pas moins un contrôle sur l'école

Reconnaître cette dimension politique de l'éducation dans l'ensemble de la société suppose aussi prendre conscience du fait que l'école est une institution sociale de grande importance. À ce titre, la société transmet de façon légitime à l'ensemble des enfants et des jeunes les grandes orientations de l'ensemble de la société. Les valeurs et les normes sous-jacentes à ces grandes orientations ne sont pas le fruit de consensus, elles sont les conséquences des rapports sociaux.

En effet, l'école n'est pas la seule institution qui peut socialiser, c'est-à-dire relier l'individu aux réalités sociales, lui apprendre à développer les capacités d'interaction qui en feront un membre compétent d'une société. Il y a aussi la famille, le monde du travail, les églises, les groupes de pression, les associations et professions diverses, les médias de masse, etc. Mais comme l'école est de loin le véhicule premier de l'éducation et de la citoyenneté, elle constitue un enjeu de taille pour tous les acteurs sociaux, les groupes organisés et les autres secteurs de la société. À ce titre, l'école est le lieu d'enjeux sociaux, susceptible d'être influencée et même dominée par le pouvoir économique, l'hégémonie politique et le contrôle culturel.

Quand il s'agit de prendre de grandes orientations qui marquent notre destinée collective, il n'y a plus seulement de petits groupes d'intérêt en cause (les parents dans une école, par exemple), nous sommes en présence de ce qui constitue le tissu social profond. Apparaissent alors les clivages de la stratification sociale qui caractérise toute société. En effet, on peut aisément faire les constats que le pouvoir, la richesse, la notoriété, l'éducation sont répartis inégalement dans la population, que les classes sociales sont virtuellement en conflit quant aux grandes décisions de la société et que ceux qui disposent de plus de pouvoir dans la structure sociale risquent d'avoir plus de chances que les autres de faire prévaloir leurs intérêts. Ce sont les relations de domination qui sont en cause ici, car chaque groupe essaie d'imposer sa logique, son orientation majeure, et dispose dans l'espace social donné de ressources inégales pour le faire.

C'est en effet un lieu de pouvoir et d'hégémonie extrêmement important à partir duquel il est possible d'influencer et de contrôler toutes les institutions éducatives et formatives d'une société, et par conséquent, une large part des orientations fondamentales d'une société quelle qu'elle soit. Ce n'est pas pour rien que les régimes totalitaires en s'installant au pouvoir s'emparent rapidement de l'école et lui donnent d'autorité la configuration idéologique et politique qui convient. (Baby, 1994 : 4).

Une école... pour quelle société ?

Un impératif catégorique : l'adaptation de l'école à la société

Le refrain est connu : c'est parce que la société a changé que les transformations sociales bousculent les institutions, font des pressions sur les acteurs et questionnent leurs pratiques, qu'il faut changer le système d'éducation, son mode de fonctionnement et même son financement, et renouveler les pratiques éducatives. Bref, l'école doit s'adapter aux transformations sociales.

Sous cette appellation, apparaît alors, comme on le voit dans *L'Exposé de la situation* des États généraux sur l'éducation, une énumération hétéroclite de changements sociaux, de constats, de courants d'idées, etc., allant de la mondialisation des marchés jusqu'à l'éclatement des connaissances et des valeurs en passant par la fin du règne de l'État.

Ce discours sur la nécessité d'adaptation fonctionnelle de l'école occulte plusieurs dimensions importantes des rapports entre l'école et la société. Il sépare la crise de l'école de la transformation de la société, il réduit les dimensions sociales de l'école à l'adaptation fonctionnelle aux besoins des diverses clientèles, il isole l'école des autres institutions sociales en exagérant sa capacité d'institutionnaliser des valeurs supposément communes et partagées, et en libérant trop facilement les autres secteurs et groupes de la société de leur part de responsabilité à l'égard des valeurs communes et de la citoyenneté.

Prendre en compte « les nouvelles réalités sociales » comme l'une des justifications les plus importantes de la révision de la mission de l'école dans notre société semble une évidence. En effet, l'école, comme institution sociale, est assujettie à des normes, à des valeurs et à des règles agréées par l'État, qui lui donne ainsi l'autorité légitime de fonctionner comme organisation éducative. Cet enjeu fonde en même temps l'importance d'un débat sur les grandes orientations de la société et sur le type de société que nous voulons. Dans ce domaine, les consensus ne font pas partie des règles du jeu, chacun étant conscient que les orientations globales de la société, de ses valeurs et de ses projets de développement ne se définissent pas nécessairement par consensus. Il est quand même essentiel de tenter d'influencer les grands acteurs sociaux et de contribuer à définir les contours de la société de demain. Alors, la question « À quoi l'école doit-elle s'adapter ? » nous renvoie à une autre : « À quelle société doit-elle s'adapter ? » Il importe donc de situer les problèmes de l'école dans le cadre des bouleversements mondiaux et des transformations sociales en cours.

Crise scolaire ou transformations sociales ?

Préoccupés à réconcilier les orientations divergentes des acteurs sociaux, résolus à minimiser l'absence de consensus sur la mission de l'école, les commissaires des États généraux sur l'éducation orientent le débat sur « la crise de l'école ». Ils notent sa difficulté d'adaptation aux réalités sociales nouvelles, son incapacité à conduire un nombre suffisant de jeunes au diplôme du secondaire, son laxisme face à l'effort intellectuel et l'engagement insuffisant des étudiants dans leurs études, la formation inadéquate de ses diplômés face aux nouvelles exigences du marché du travail, etc. Toutes ces affirmations accentuent le caractère de crise de l'école et masquent du même coup les grandes transformations qui bouleversent les sociétés et modifient leurs rapports aux institutions et aux citoyens.

Cette tendance à considérer les problèmes de l'école comme une crise scolaire a beaucoup de conséquences pour l'action. Comme le disait Wieviorka, « Plus on pense qu'il y a une crise, plus on se tourne vers le gestionnaire politique de la collectivité nationale, c'est-à-dire l'État, et l'on traite donc sur un mode politique des problèmes qui sont davantage des problèmes sociaux » (Wieviorka, 1987 : 32).

Ce propos de Wieviorka est très pertinent, car faire de la crise de l'école la cible des débats conduit souvent les participants à faire de l'école le bouc émissaire de la société ou à considérer les caractéristiques bureaucratiques de l'école comme les premières causes de l'incapacité de l'école à réaliser sa mission dans la conjoncture sociale actuelle. Et c'est surtout se distraire de l'obligation de prendre conscience des forces ayant contribué à transformer, depuis quelques années, toutes les sociétés occidentales avancées ; c'est enfin renoncer à aborder lucidement les grands enjeux des nouvelles réalités sociales et des conséquences qu'elles entraînent sur la crise des valeurs, l'accentuation des inégalités sociales et la complexité des défis posés à l'école.

> La société est, en effet, traversée par des dynamiques démographiques, économiques, sociales et culturelles. Qu'il suffise de rappeler des phénomènes comme la baisse de natalité et le vieillissement de la population ; l'extension des échanges économiques entre les nations et la restructuration qu'ils imposent à l'économie nationale et au marché de l'emploi ; la transformation des liens sociaux, dont font partie les rapports modifiés entre les hommes et les femmes, la mutation de la famille, l'augmentation de la pluralité au sein des cultures, la détérioration du tissu social et l'accroissement des inégalités socio-économiques (on parle d'une société duale) ; le développement accéléré des sciences et des techniques et, particulièrement, des nouvelles technologies de l'information et de la communication. (CSE, 1995a : 4).

L'examen de ces grandes mutations et des répercussions qu'elles sont susceptibles d'avoir sur l'ensemble des secteurs de la société, y compris l'éducation, s'impose donc en priorité, ou du moins en parallèle à l'examen des problèmes posés à l'école par les demandes des populations, par un fonctionnement inadéquat ou par des modes inappropriés d'interactions entre les partenaires de l'école. À cet égard, l'Organisation de coopération et de développement économique (OCDE)

> a passé en revue quelques-unes des grandes évolutions en cours dans les pays de l'OCDE, notamment l'évolution démographique et le vieillissement des populations, la mondialisation, la diffusion des nouvelles technologies de l'information et des communications, l'évolution de la situation de l'emploi et la nouvelle répartition des activités professionnelles, des qualifications et des compétences, ainsi que les mutations qui affectent le monde du travail, la vie en société et la vie familiale. Ces évolutions et ces phénomènes laissent tous présager une série de changements progressifs mais profonds. L'analyse de quelques aspects des transformations économiques, culturelles et sociales en cours dans les pays de l'OCDE a révélé que ces transformations étaient porteuses à la fois de risques et de promesses. Malgré l'amélioration continue de la productivité et l'élévation progressive du niveau de vie, le chômage, la pauvreté et l'exclusion continuent de sévir. Les aspirations et les besoins d'un grand nombre d'individus ne sont pas satisfaits. Une proportion croissante de la population active parvient à s'insérer dans l'économie de l'apprentissage vers laquelle évoluent les pays de l'OCDE, qui se caractérise par des niveaux élevés de salaire et de qualification, mais un fossé profond sépare ceux qui sont intégrés des exclus, et ce fossé pourrait s'élargir. (OCDE, 1996 : 74).

Ainsi, l'enjeu fondamental de toute réforme scolaire demeure toujours le modèle de société auquel renvoient les grandes mutations sociales qui la bouleversent. Au-delà de la crise scolaire et du discours sur l'adaptation fonctionnelle de l'école, un débat de société s'impose donc face à ces mutations qui remettent en question les politiques des institutions et perturbent l'appareil social dans son ensemble. Quel modèle de société voulons-nous privilégier ? Quelle est la place donnée à l'éducation et à la formation pour gérer les mutations ? Comment impliquer tous les acteurs dans ces évolutions ? Comment permettre à nos sociétés et à nos systèmes éducatifs d'être plus facilement gouvernés ? Comment créer une citoyenneté d'intervention et pas seulement de délégation ? (Commission européenne de l'éducation et de la formation, 1996 : 6). Voilà des questions majeures auxquelles doivent s'intéresser les partenaires de l'éducation.

Le risque est grand cependant que l'école soit la cible première des débats et des attaques. Désigner l'école comme grande responsable des problèmes et parler de sa crise d'adaptation évitent d'aborder les conflits qui alimentent la fracture sociale de l'ensemble. Or, il existe un paradoxe. On voudrait comme solution aux problèmes que l'école s'adapte à la société, mais la société est précisément en mutation. La société est même écrasée par des forces qui lui sont souvent extérieures. Dans ce contexte, le premier débat ne consiste-t-il pas à réfléchir sur ces transformations qui font d'abord pression sur l'ensemble de la société tout en affectant particulièrement l'institution scolaire ?

Un discours dominant sur les rapports entre l'école et le marché du travail

On ne cesse d'énumérer le nombre considérable de « réalités nouvelles » qui s'imposeraient à l'école : l'éclatement des connaissances ; l'ouverture nécessaire des acteurs sociaux sur un monde pluraliste et interdépendant ; l'accès généralisé des populations à la révolution des nouvelles technologies de l'information ; l'inquiétude suscitée par l'intolérance, la violence et le racisme. Cependant, de toutes ces nouvelles réalités sociales évoquées pour décrire les caractéristiques de la nouvelle société qui est en train de se construire (comme si elle nous échappait, comme si elle se faisait sans l'intervention des humains) et à laquelle l'école doit s'adapter, celles qui sont relatives aux objectifs et aux orientations économiques de la société occupent une place dominante dans les discours de tous les acteurs, depuis bon nombre d'années.

Les années 80 se sont caractérisées par un effritement des économies nationales au profit d'une économie mondiale, d'où une pression concurrentielle énorme sur les entreprises québécoises, un effondrement des emplois dans le secteur secondaire et une explosion des emplois précaires dans le secteur tertiaire privé. Sur le plan social, les effets de ce réaménagement de l'économie à l'échelle mondiale ont fait éclater les systèmes de références (idées, normes, valeurs et idéaux) des individus, des groupes et de la société. De plus, les pertes d'emploi se multiplient et une marginalisation de plus en plus grande d'une portion de plus en plus considérable de la population s'accentue. En effet, le nombre des sans-abri, des prestataires du bien-être social et des chômeurs a atteint, en 1994, près d'un million et demi de Québécois !

Sur le plan politique, ces tendances ont favorisé l'élection de gouvernements de plus en plus autoritaires, qui adoptent alors le credo des courants néo-libéral et néo-conservateur. On remet en question le rôle de l'État dans l'éducation et la santé, et on a une foi aveugle dans l'économie de marché et l'entreprise privée. Pour ce qui est de la mondialisation de nos économies, de la constitution de la société de l'information, de l'accélération de la révolution scientifique et technique, la Commission de l'éducation et de la formation de la Communauté européenne les décrit comme les trois chocs moteurs de transformation des sociétés[3].

---

3. C'est précisément pour ouvrir le débat sur la place actuelle et future de l'éducation et de la formation dans les rapports sociaux que la commission a présenté un livre blanc sur l'éducation et la formation, *Enseigner et apprendre : vers la société cognitive.*

Ces mots clefs sont sur toutes les lèvres depuis une quinzaine d'années. Il faut aussi mentionner qu'il s'agit de problèmes à l'échelle internationale. En effet, au nom de cette « nouvelle donne », comme aiment à le dire les analystes, les entreprises du pays doivent améliorer leur productivité et leur compétitivité ; l'État doit favoriser cet objectif en y consacrant les ressources nécessaires ; les entreprises doivent disposer de toute la souplesse nécessaire pour gérer leur personnel ; l'école doit préparer des travailleurs plus souples, capables de s'adapter et de performer dans un marché du travail où les conditions sont plus difficiles (bas salaires, travail à temps partiel, insécurité, chômage, etc.). Comme on le voit, dans les sociétés industrielles avancées, l'adaptation de l'école aux modifications du secteur de l'économie constitue l'une des justifications les plus importantes d'une réforme scolaire, voire de tout changement d'une certaine envergure.

Sans abandonner l'idée selon laquelle le débat sur le type de société souhaité doit englober tous les aspects de la vie des citoyens, nous nous concentrerons pour le moment sur les conséquences qu'entraînent les nouvelles réalités économiques. En effet, selon les discours des gouvernements et des entreprises, l'école a une grande responsabilité : elle doit permettre à la société de faire face aux grands défis posés par la nouvelle économie, la science et les nouvelles technologies, dont celle de l'information. En particulier, l'école doit mieux préparer les jeunes au marché du travail et aux transformations de l'économie. Mais qu'en est-il précisément ? L'école est-elle vraiment imperméable à ces réalités ? L'école et la population prennent-elles au sérieux l'importance de la formation dans la société de demain ? Est-il vrai que l'école contribue au chômage en donnant une formation inadéquate à ses diplômés ?

Les pressions sur l'école

En fait, l'école, comme la société dans son ensemble, est coincée entre les exigences du secteur économique d'une part, les demandes des familles et des populations, et les valeurs démocratiques d'autre part.

L'école a été singulièrement touchée par cette remise en cause qui a modifié considérablement les pratiques sociales des acteurs et a même amené de véritables mutations institutionnelles. Comme l'affirme Papadopoulos dans une publication récente de l'OCDE :

> Le début et l'aggravation progressive de la récession, avec les contraintes que cela entraînait pour les ressources publiques, ont modifié la situation du tout au tout. L'aspect social et l'égalité des chances ont été relégués au second plan pour céder la place aux considérations économiques, dans la répartition et l'utilisation des ressources allouées à l'éducation et dans la définition des finalités de l'enseignement. Le développement de l'éducation qui, jusqu'alors obéissait formellement à la loi de la demande, s'est désormais dans une large mesure orienté en fonction de l'offre ; et un certain nombre de facteurs exogènes en sont venus à jouer un rôle de

plus en plus important dans le choix des objectifs – y compris au niveau des contenus et de la pédagogie – ainsi que dans le contrôle de la performance du système et de la qualité de sa production, ce qui a finalement conduit à l'adoption de principes d'économie de marché au niveau du financement, de l'organisation et du comportement des établissements d'enseignement. (Papadopoulos, 1994 : 222).

Au cours de la Révolution tranquille, le Québec a structuré son développement au sein de grandes institutions publiques dans le domaine de la santé, de l'éducation, de l'industrie et des finances. Cependant, dans les années 80, un virage s'amorce, bien illustré par le livre blanc du gouvernement du Parti québécois sur le virage technologique (Gouvernement du Québec, 1982). Ce parti politique du Québec, que plusieurs considèrent comme l'un des plus sociaux-démocrates au Canada, n'a donc pas craint de tracer un autre chemin pour l'avenir : les valeurs propres à l'entreprise privée, au marché, à l'intégration dans les grands courants économiques mondiaux deviennent prioritaires.

Il est difficile pour la plupart d'entre nous de faire des liens entre l'école, la mondialisation des marchés et le libre-échange, tellement cela semble être deux mondes séparés et complètement étrangers l'un à l'autre. Or, entre ces deux réalités, il existe des liens qui provoquent des changements au sein même de l'école et de la classe, voire des mutations institutionnelles.

Depuis la crise économique sévère de 1982, il ne se passe pas une semaine, sinon une journée, sans que les journaux, la télévision, les revues, les discours politiques nous montrent la nécessité impérieuse de faire du Canada et du Québec des nations plus productives et plus compétitives, afin de relever le défi de la concurrence de plus en plus vive entre des pays dont la capacité de production dépasse les demandes. Cette médiatisation du problème n'est pas sans effet sur l'école, surtout lorsque résonnent dans des assises éducatives les échos des plus beaux accents de l'utilitarisme du discours néo-libéral, comme ce fut le cas à l'ouverture des États généraux sur la qualité de l'éducation en 1986.

Un précurseur, un messager ou un prophète ?

La nécessité de changement de l'école face aux transformations sociales avait déjà marqué suffisamment le monde de l'éducation au début des années 80 pour que les partenaires du monde de l'éducation organisent, dès 1986, des « États généraux sur la qualité de l'éducation ». On invite même le premier astronaute canadien à participer au programme spatial américain, le capitaine Garneau, à faire l'exposé d'ouverture des assises. Le discours est simple :

> [...] puisque nos ressources de compétences et d'argent ne sont pas illimitées, nous devons réserver la part du lion au groupe qui est le plus susceptible de nous rembourser notre investissement en occupant des emplois rémunérateurs et en

contribuant à l'enrichissement de notre pays, c'est-à-dire à ceux qui font les bons choix de carrière, c'est-à-dire à ceux qui vont choisir les sciences et la technologie. (Garneau, 1986 : 6).

Dans cette optique, pourquoi investir dans des programmes spéciaux (pour les élèves en difficulté d'apprentissage, par exemple) puisque cela ne crée pas de richesse en retour ? Investissons l'argent là où il est le plus susceptible de rapporter, c'est-à-dire dans l'étudiant moyen ou au-dessus de la moyenne, qui se destine aux sciences et à la technologie de préférence. Cet étudiant remboursera à la société ce qu'il a coûté en investissement éducatif, en travaillant et en payant des impôts. Comme le disait le capitaine Garneau :

> C'est faire preuve d'une charité bien illusoire que d'affecter une portion toujours croissante de budget à des groupes minoritaires (comme les élèves en difficultés, les handicapés, etc.). Ils y gagnent à court terme, mais nous nous dirigeons vers une faillite à long terme. (Garneau, 1986 : 6).

Appliquée au système d'enseignement, cette conception se traduit par l'élimination progressive des connaissances purement intellectuelles et esthétiques (l'élimination progressive de la philosophie au collégial, par exemple) et l'orientation des étudiants vers des domaines d'études qui assurent des emplois rémunérateurs, notamment vers les sciences et la technologie.

On trouve réunis dans le même discours, de surcroît comme introduction à des assises sur les « États généraux sur la qualité de l'éducation », plusieurs éléments qui font partie du credo productiviste qui s'est développé dans le sillage de la mondialisation. Pour ceux qui ont assisté à la conférence et se retrouvent encore en éducation dix ans plus tard, le capitaine Garneau a sûrement fait figure de messager, de précurseur et de prophète. Comme messager, il s'est fait le porte-parole de ceux qui croyaient que les Québécois n'étudiaient pas suffisamment dans les secteurs scientifiques et techniques, manifestant même un certain mépris pour les étudiants des sciences sociales et des sciences humaines ; comme précurseur, il veut qu'on investisse là où ça rapporte, c'est-à-dire chez les étudiants qui font les bons choix en fonction des priorités du marché du travail et la production de richesses collectives, c'est-à-dire ceux qui choisissent les sciences et la technologie ; comme prophète, il annonce des tendances qui vont devenir des politiques des institutions ou des pratiques des acteurs. Cependant, les promesses d'avenir assuré à ceux qui ont choisi les sciences et la technologie ne se matérialiseront pourtant pas toutes.

L'assaut des gouvernements et des entreprises

Les gouvernements et leurs alliés naturels, les entreprises, vont tracer les objectifs que l'école devrait poursuivre dans le contexte de la nouvelle économie. Nous reprenons ici certains éléments d'une analyse effectuée en 1992 (mais qui porte sur des données et des faits bien antérieurs) par la Fédération canadienne des enseignantes et des enseignants qui fait état des exhortations constantes en faveur de la compétitivité constituant le défi de la main-d'œuvre et le prix à payer pour la prospérité :

> À la surprise, sans doute, des éducatrices et des éducateurs habitués à l'isolement politique relatif de l'enseignement élémentaire et secondaire, l'enthousiasme pour la formation efficace de travailleuses et travailleurs concurrentiels, à la valeur ajoutée, a éveillé une attention critique à l'égard des écoles. (FCEE, 1992 : 3).

Une bonne partie du débat organisé est d'envergure nationale. Des publications telles que *Bien apprendre… bien vivre*, du Secrétariat de la prospérité (Secrétariat de la prospérité du Canada, 1991) et *Les Chemins de la compétence*, du Conseil économique du Canada (CEC, 1992), sont considérées comme audacieuses, non pas tant par leur contenu mais par le fait qu'elles empiètent symboliquement sur la compétence des provinces et des territoires en matière d'éducation. Des programmes comme « L'école avant tout » du gouvernement fédéral constituent un ballon d'essai visant un rôle fédéral plus actif dans ce domaine. Dans ce rapport, le Conseil économique du Canada conclut qu'en général les écoles canadiennes donnent un piètre rendement. Différents auteurs et auteures trouvent des gens tout disposés à publier des études critiques sur le système scolaire, qu'elles soient ou non fondées.

En effet, l'école devient la cible des attaques parce que les étudiants canadiens ne seraient pas compétitifs avec d'autres pays sur le plan des sciences, des mathématiques et de la technologie. Mais c'est sur l'incapacité apparente des écoles à produire assez de main-d'œuvre hautement qualifiée et prête à l'emploi que se portent surtout les critiques des entreprises.

> Mais entreprises et gouvernements semblent oublier que les écoles élémentaires et secondaires n'ont jamais été établies pour servir de centres d'apprentissage pour des métiers réclamant beaucoup de connaissances. La formation à l'emploi n'a jamais été un de leurs grands objectifs. Certains estiment peut-être qu'il est souhaitable de les refondre en ce sens, mais il faudrait définir les multiples buts de l'éducation avant de tirer une telle conclusion. (FCEE, 1992 : 3-4).

L'appropriation par les milieux d'éducation

Le thème de la qualité et de l'excellence en éducation traverse toutes les années 80 et devient la préoccupation majeure du ministre de l'Éducation de même que du Conseil supérieur, sans parler de tous les autres groupes sociaux et organismes publics et privés, dont les écoles privées qui en ont fait leur marque de commerce.

C'est pour répondre aux exigences du nouveau contexte de l'économie mondiale, des nouvelles technologies de l'information et de l'évolution technique requise par les entreprises, que plusieurs sociétés ont questionné la qualité de l'éducation de leur système scolaire. Dans l'un de ses avis au ministre de l'Éducation à propos de la recherche de la qualité, le CSE affirme :

> L'école québécoise est plus que jamais au cœur d'une réflexion collective intense. Plusieurs éléments de la question scolaire font l'objet de débats publics : la réforme des structures, le partage des pouvoirs et la place des partenaires, les contenus de la formation, la condition enseignante, l'échec et l'abandon scolaires. Tous visent en quelque sorte une vaste quête de la qualité. (CSE, 1984b : 1).

Au tout début de cet avis, qui porte le titre *La Recherche de la qualité : les personnes qui font l'école secondaire*, on ne s'étonnera pas de voir l'inscription – en exergue – avant l'introduction, de la phrase suivante : « L'excellence coûte cher. Mais, à long terme la médiocrité coûte encore plus cher. » Cette phrase est tirée du célèbre rapport *A Nation at Risk : The Imperative for Educational Reform* de la Commission nationale américaine sur l'excellence en éducation. Ce rapport de 36 pages, qui est le résultat d'un examen de la qualité de l'éducation scolaire aux États-Unis, est un témoin du discours néo-libéral en éducation avec l'appel au retour à l'essentiel, la primauté aux mathématiques et à la technologie, le retour aux devoirs, la promotion du secteur privé, etc. (National Commission on Excellence in Education, 1983).

De nombreuses publications des années 80[4] illustrent bien cette préoccupation du ministère de l'Éducation et du Conseil supérieur de l'éducation. En particulier, le Rapport 1986-1987 du Conseil supérieur de l'éducation sur l'état et les besoins de l'éducation, intitulé *La Qualité de l'éducation : un enjeu pour chaque établissement* (CSE, 1987c), constitue une référence obligée tant par la correspondance avec le courant de décentralisation que favorisent plusieurs partenaires locaux que par l'exploration de certaines voies qui deviendront des choix pour les écoles et les parents.

Le système scolaire devient très sensible à ces discours sur la qualité de la formation de ses diplômés. Par exemple, une étude effectuée en 1989 par la Fédération des cégeps, intitulée *Les Cégeps et le Monde de l'entreprise*, montre bien la forte réceptivité du monde collégial aux attentes et aux humeurs des entreprises. Dans le document de 52 pages, la Fédération des cégeps est sensible aux sondages qui traduisent le taux d'insatisfaction ou de satisfaction à l'égard des diplômés, exprimé par les employeurs ou des organismes œuvrant dans le domaine de la formation de la main-d'œuvre. Ces évaluations, positives ou négatives, intéressent au plus haut point les administrateurs des cégeps et la Fédération.

---

4. Mentionnons, dans la collection Études et Documents du Conseil supérieur, des titres comme *La Formation fondamentale et la Qualité de l'éducation* (CSE, 1984), *Tendances de l'évolution de la société québécoise et priorités qui s'en dégagent* (CSE, 1987), *Des stratégies pour la qualité de l'éducation en Grande-Bretagne et aux États-Unis* (CSE, 1987), *Des stratégies pour la qualité de l'éducation en France : réformes de systèmes et pédagogie différenciée* (CSE, 1987), *Le Curriculum et les Exigences de la qualité de l'éducation* (CSE, 1987).

Les cégeps n'ont de raison d'être et de justification sociale que dans la mesure où ils forment adéquatement des diplômés pour répondre au marché du travail ou pour poursuivre des études d'ordre universitaire, bien convaincus que «la connaissance est devenue la matière première d'une économie en pleine effervescence». (Fédération des cégeps, 1989 : 7).

Enfin, un grand nombre d'organismes sont en faveur d'un relèvement de la qualité de la formation à l'école de façon à former une main-d'œuvre plus en mesure de faire face au défi de la concurrence, c'est-à-dire une main-d'œuvre capable de compétitivité, de productivité et d'adaptation aux changements technologiques rapides. Pour ce faire, les priorités dans les programmes scolaires doivent également changer.

Il semble clair, tant dans les discours des gouvernements et des entreprises que dans les effets qu'ils produisent dans la population en général, chez les partenaires en éducation et chez les étudiants en particulier, que se renforce l'idée selon laquelle la formation des étudiants a *un rapport très important avec le problème du chômage*. D'ailleurs, n'était-ce pas sur la base des rapports entre le niveau de diplomation et le niveau des revenus que s'est justifié le slogan «Qui s'instruit s'enrichit»?

Un discours mis à l'épreuve par l'examen des pratiques des acteurs

Les idées évoquées plus haut n'ont pas seulement circulé largement dans toute la société et dans les discours de tous les acteurs sociaux, particulièrement chez les gouvernements, les organismes d'éducation et les entreprises, elles ont été aussi empruntées et endossées par bon nombre de parents et de groupes de pression pour adapter leurs revendications au goût du jour. Pensons aux diverses associations d'écoles privées qui fondent leurs revendications sur le droit des parents – comme consommateurs – de choisir leur école.

Mais plus encore, elles ont fait leur chemin chez les partenaires et les agents de l'éducation. Elles ont pris forme dans des pratiques nouvelles et même dans certaines mutations institutionnelles en rupture avec des valeurs éducatives ayant inspiré les dernières décennies au Québec. À cet égard, oui, l'école s'est adaptée à la société au point de s'approprier non seulement son discours, mais aussi ses «valeurs». Elle a même modifié ses propres pratiques éducatives.

Sans être exhaustifs, nous rappelerons, données à l'appui, les changements opérés à l'école dans ses efforts pour s'adapter aux discours productivistes d'inspiration néolibérale ou néo-conservatrice. De plus, nous mettrons en évidence l'importance de la formation pour les établissements et les étudiants, surtout quand on laisse entendre que son insuffisance ou sa piètre qualité expliqueraient la hausse du chômage.

Au nom de la qualité et de l'excellence en éducation

La quête de la qualité de l'éducation n'est pas propre aux années 80 ; elle traverse le temps depuis le Rapport Parent, qui a d'ailleurs proposé sa réforme au nom de la qualité de l'éducation. Mais au-delà de deux caractéristiques générales qui consistent à repérer les déficiences de l'école et à proposer des solutions, la qualité de l'éducation n'a pas la même connotation selon les conjonctures sociales (CSE, 1988b : 182).

Lors de la réforme de l'éducation, assurer la qualité de l'éducation voulait surtout dire moderniser et rationaliser un système (certains diront créer un système qui n'existait pas). Les éléments de la qualité sont les suivants : affirmer le rôle prépondérant de l'État en éducation, assurer l'accessibilité du système à tous, rassembler, dans des établissements publics unifiés, des établissements privés et publics qui offraient alors des formations identiques ou parallèles (ou complémentaires).

Dans le contexte du livre vert de la fin des années 70, la qualité de l'éducation correspond à « redressement ». Ses éléments majeurs sont les suivants : recentrer la formation sur la qualité de l'éducation, à l'aide de programmes uniques pour tous, concentrer la formation secondaire sur les programmes obligatoires et un nombre restreint d'options, et réaffirmer avec plus de force le rôle de l'État central dans l'établissement des régimes pédagogiques.

À partir des États généraux sur la qualité de l'éducation de 1986, dont l'initiative revient à des organismes intermédiaires du système scolaire, plusieurs éléments de la qualité de *L'École québécoise* sont conservés (Gouvernement du Québec, 1979), mais la gestion de la qualité se déplace vers les instances intermédiaires et locales. Les préoccupations pour la qualité portent davantage sur les instances locales, responsables de la qualité, plutôt que sur le contenu même de la qualité. Enfin, soulignons l'importance que va jouer le discours de l'excellence élaboré par les entreprises et les gouvernements, et que les partenaires de l'éducation vont les uns après les autres incorporer dans leur vocabulaire et leurs valeurs. Les partenaires structurent progressivement la légitimation de l'existence du marché scolaire avec tous ses avatars : la concurrence est nécessaire à la qualité, la compétition est une loi de la vie sociale, les parents ont le droit de choisir l'école selon leurs préférences, les enfants doués sont les grands négligés, etc.

Pour rehausser la qualité

Au Québec, le gouvernement tente d'améliorer la situation du décrochage et de la qualité de l'éducation dès le début des années 80. En effet, dès 1982, le ministre de l'Éducation d'alors, Camille Laurin, décide, en partant du constat du manque de rigueur de l'école, de porter la note de passage dans les différentes matières du secondaire de 50 % à 60 % et d'augmenter le nombre de crédits exigés pour la certification. C'était là, affirmait-on, un moyen d'augmenter la qualité de l'éducation. Devant la contestation des étudiants et des étudiantes, le ministre retarde l'application de la nouvelle mesure, qui s'applique donc de manière progressive aux nouveaux étudiants de première secondaire en 1982-1983, épargnant ainsi les contestataires. Pour un groupe de pédagogues de l'époque, loin d'augmenter la qualité de l'éducation, cette mesure augmenterait plutôt le nombre d'échecs et d'abandons scolaires. En effet, on constate qu'il est possible d'expliquer 60 % de la hausse du taux d'abandon de 1985-1986 à 1986-1987 par l'application de la hausse de la note de passage. La première génération d'étudiants soumise à la nouvelle exigence de succès (60 % plutôt que 50 %) est entrée en première secondaire en 1982-1983 et quittait l'école en 1986-1987. Alors qu'en 1975-1976 le Québec affichait un taux de décrochage de 47,9 %, ce taux a diminué de façon importante par la suite pour se situer en 1985-1986 à 27,2 %. Mais voici que l'année suivante, soit celle de fin d'études secondaires de la première génération d'étudiants touchés par la nouvelle exigence de succès, ce taux augmente dramatiquement à 35,3 % pour se maintenir ainsi jusqu'en 1991-1992.

Le plan de lutte contre l'échec scolaire annoncé en 1983, dont l'ambition était de faire disparaître l'abandon scolaire dans une période de cinq ans, se solde plutôt par l'entrée dans les débats publics de la piètre performance du système d'éducation en matière de diplomation. Pourtant, dans la même période, on n'apporte aucun soutien supplémentaire aux élèves en difficulté. Ce sont même les services destinés à ces élèves qui sont les premiers touchés par les compressions budgétaires du gouvernement.

À l'enseigne de l'excellence : sciences, mathématiques et technologie (SMT)

Les nouveaux objectifs politique et économique amènent des changements à tous les niveaux de l'enseignement, qui prennent la forme d'une insistance de plus en plus forte sur les SMT. Un rapport récent de la Fédération canadienne des enseignantes et des enseignants le confirme par l'ascendant que prendront les SMT dans les programmes d'études. On donne donc une partie considérable du temps consacré aux examens standardisés au Canada à l'évaluation de ces matières dites moins subjectives, plutôt qu'à l'évaluation des aptitudes interpersonnelles, de la créativité et de l'estime de soi.

> Quels que soient les principes qui sous-tendent les programmes-cadres, on continuera de faire pression sur les écoles pour que le rendement des élèves soit supérieur dans ces matières, alors que ce qui est moins « mesurable » sera relégué au second plan dans l'esprit des décideurs et dans les écoles. Les programmes suivront donc les priorités politiques ; or, pour l'avenir prévisible, ces priorités se limiteront presque exclusivement à des réformes supposées accroître la compétitivité et servir les intérêts politiques. (FCEE, 1992 : 4).

Dandurand souligne que le processus de marginalisation est d'autant plus marqué que les sciences et les mathématiques au secondaire servent déjà à déterminer ceux qui pourront poursuivre des carrières prestigieuses et lucratives. La qualité de réussite dans ces matières devient une garantie pour accéder à des institutions privées ou de grande réputation (Dandurand, 1993 : 203).

On voit comment des objectifs politique et économique deviennent des valeurs supposément partagées par tous, comment ces valeurs prennent forme dans le système d'éducation et comment elles risquent de modifier en profondeur les contraintes qui pèsent sur l'école, sur la pratique enseignante, sur les standards de réussite scolaire, mais aussi, ne l'oublions pas, sur les attentes des familles face à l'école, bref sur la mission générale d'intégration sociale de l'école et sur la socialisation.

Une école qui fait, elle aussi, dans la « diversification des marchés »

Depuis le début des années 80, une série de mesures, de décisions et de pratiques modifient les pratiques scolaires inspirées des idées d'égalité des chances, de démocratisation, de valorisation de l'école publique, de l'éducation comme investissement, etc., qui avaient constitué des valeurs importantes de la réforme de l'éducation. Ainsi, progressivement, se dessine de plus en plus une école à deux vitesses pour une société à deux vitesses[5] ; en d'autres mots, d'un côté, l'école que peuvent se permettre ceux qui ont l'argent, le niveau de réussite ou les talents spéciaux et, de l'autre, l'école publique qui a l'obligation de recevoir l'ensemble des autres, y compris les élèves en difficulté, les élèves handicapés sociaux ou physiques, les raccrocheurs, etc. Bref, comme dans l'économie de marché, l'heure est à la diversification en éducation.

Soulignons trois situations qui illustrent ces pratiques.

• D'abord, on assiste à une ouverture plus large au secteur privé par la levée, en 1987, du moratoire qu'avait instauré le Parti québécois en 1976, de sorte qu'en 1991-1992 on se retrouve avec un secteur privé atteignant les proportions qu'il avait avant la réforme.

• Ensuite, pour concurrencer l'école privée et conserver leur population d'étudiants en diminution, les commissions scolaires créent des programmes spéciaux réservés à une minorité de jeunes, les plus doués, dont le plus sélectif est sans doute le programme dit international, destiné à la formation des élites. On retrouve plus de 30 écoles qui, au collégial ou au secondaire, dispensent maintenant ce programme accrédité par une agence privée internationale ayant son siège social en Suisse.

---

5. C'est le terme de société duale qui illustre le mieux l'écart croissant entre, d'une part, un noyau de plus en plus restreint de privilégiés ou « d'enracinés » cumulant avantages familiaux, statut social, diplômes élevés, stabilité d'emploi et conditions avantageuses de salaire et de sécurité et, d'autre part, les « migrants », ceux qui sont marqués par l'instabilité de l'emploi et de leur condition familiale, et qui connaissent de manière permanente ou épisodique une situation insuffisante de revenus : décrocheurs, travailleurs peu scolarisés ou plus âgés mis à pied, chefs de familles monoparentales, petits salariés à temps partiel, etc. Voir Jocelyn Létourneau, *Les Années sans guide*, Boréal (1996).

- Enfin, se créent aussi des écoles à vocation particulière (sports-études, sciences-études, arts-études, programme intensif d'immersion, etc.) qui, la plupart du temps, exigent de la part des étudiants pour leur inscription des niveaux élevés de réussite, des habiletés particulières ou des ressources supplémentaires. Selon Lafrance, dans un article du *Devoir*, le nombre de « ces écoles spécialisées a décuplé en 15 ans, passant de 4 à 44 établissements, selon une compilation réalisée à partir de données de 48 des 139 commissions scolaires. Et ceci, sans compter les 70 écoles ordinaires offrant des concentrations en sport, arts, sciences et autres à leurs élèves les plus doués » (Lafrance, 1995a). On assiste donc à de nouvelles formes scolaires de stratification sociale.

Dans le sillage du néo-libéralisme ambiant, apparaissent des contradictions culturelles et des conflits idéologiques opposant le privé au public, l'État-providence à la valorisation des individus. L'école s'est donc largement adaptée aux nouvelles réalités depuis 15 ans et cela, au prix de rupture avec des principes qui nous étaient pourtant apparus – jusqu'à tout récemment – non discutables et non adaptables aux circonstances des conjonctures, comme l'égalité des chances, l'importance de l'école publique dans une société démocratique, une formation commune comme voie d'accès à la citoyenneté, le rôle de l'État en éducation, etc.

La conséquence principale des mutations institutionnelles de l'école et des pratiques des partenaires de l'éducation accentue une stratification grandissante du système scolaire québécois. À la sélection exercée par les écoles secondaires privées, se rajoute celle de certaines écoles secondaires publiques devenues sélectives. L'école secondaire régulière est donc amputée de bons éléments alors qu'on lui demande de résoudre de plus en plus de problèmes.

Mais les années 80 peuvent vivre aisément de ces contradictions. Dans cette période où le langage et les pratiques du marché économique prennent place dans le système d'éducation, notamment avec les nouvelles valeurs axées sur la compétition et la performance, il fallait, comme le disait le capitaine Garneau, « s'occuper de celles et de ceux qui en valaient la peine ».

> L'exclusion apparaissait comme une conséquence normale. C'est le fruit de ces politiques éducatives, corollaires des politiques néo-libérales, que l'on récolte aujourd'hui. (Berthelot, 1992b : 78).

L'échec scolaire et l'abandon scolaire prennent un sens nouveau. D'une part, les nouvelles mesures éducatives ont pour effet d'aggraver la situation de certains étudiants, dans un contexte où les courants éducatifs, centrés sur la compétition et le succès des meilleurs, contribuent à réduire les préoccupations pour les élèves en difficulté. D'autre part, pour ceux qui abandonnent ou qui échouent (souvent à cause de difficultés scolaires), comme le souligne Jean-Michel Berthelot, c'est l'indice futur de l'exclusion sociale.

Dans la décennie 1980, les choses se compliquent encore du poids du chômage et des transformations du système socioproductif. Les formations aptes à alimenter directement le marché du travail semblent se réduire comme peau de chagrin : périodes d'attente et emplois précaires deviennent, à la sortie des études, le lot commun auquel ne semblent échapper que ceux qui ont surmonté la plus impitoyable sélection. Échouer à l'école n'est plus seulement synonyme de relégation scolaire, mais devient de plus en plus l'instrument et l'indice d'une future exclusion sociale. (Berthelot, 1993 : 9).

Bourgeault (1994) souligne l'inadéquation de l'école par rapport aux enjeux nouveaux posés par la généralisation de la scolarisation et de l'accès à l'école dans les années 60. En effet, nous n'aurions pas su donner suite aux recommandations du Rapport Parent et créer, dans une situation nouvelle et face à des enjeux nouveaux, une école nouvelle, à la fois polyvalente et commune. Ayant refusé de jouer le jeu de la différenciation (pédagogique), l'école actuelle demeurerait la fille aisément reconnaissable de l'école ancienne. On envoie tout le monde dans une école qui demeure faite pour le petit nombre, et on s'étonne ensuite des insuccès, des échecs et des décrochages.

Il dénonce alors deux contradictions du discours présentement dominant sur l'excellence, contradictions qui résultent de deux sophismes :

On ne peut ouvrir simplement l'école à tous et à toutes, et sans la modifier, et exiger que chacun et chacune y excellent : l'excellence, par définition, exige qu'on sorte du rang ou, comme on disait autrefois, qu'on s'élève au-dessus du commun. La promotion de l'excellence, si elle se fait au détriment de la recherche de la qualité pour l'ensemble, s'avère destructrice du tissu social et conduit finalement la société à sa perte. Le second sophisme renvoie dos à dos quantité et qualité, les déclarant inconciliables. Le vice du raisonnement fallacieux qui sous-tend cette opposition, c'est de juger tout le monde à l'aune des repères et critères d'une qualité définie par et pour un groupe seulement. Il s'agirait d'assurer à tous un haut niveau de qualité mais par des chemins et des voies différents. On comprendra dans ces propos la promotion d'une pédagogie différenciée plutôt qu'une école sélective selon les performances ou ressources des étudiants et des parents. Il y a là un défi tant pour la profession enseignante, les gestionnaires de l'école et les étudiants eux-mêmes. (Bourgeault, 1994 : 160).

Au nom du lien entre la formation et le chômage

Depuis le début des années 80, chaque fois que de nouvelles difficultés surgissent pour assurer développement et prospérité dans un monde où la concurrence se fait toujours plus vive, le système d'éducation et particulièrement le système de formation sont interpellés. C'est d'ailleurs dans ce contexte que la lutte contre l'échec, l'abandon et le décrochage scolaires a pris un sens nouveau. On laisse même entendre que le taux élevé de chômage ne serait pas étranger à cette mauvaise performance de l'école tant dans la formation de base que dans la préparation des jeunes au marché du travail.

Dès les années 60, les économistes du capital humain ont véhiculé l'idée selon laquelle l'éducation constituait l'investissement le plus productif pour une stratégie de développement. C'est d'ailleurs en s'appuyant sur ce discours que politiciens, intellectuels et leaders d'opinion ont présenté l'éducation comme l'instrument déterminant des positions sociales au-delà des inégalités sociales et ont fait de l'accessibilité et de la démocratisation de l'éducation des mécanismes de l'égalité des chances sociales des individus. Or, les gouvernements et les entreprises accordent une importance particulière à la formation de la main-d'œuvre précisément au nom des nouvelles compétences qu'exige la nouvelle économie :

> Même si aujourd'hui l'accessibilité et la démocratisation du système d'enseignement sont des thèmes moins à la mode, le discours économique légitime affirme que l'éducation de la jeunesse et plus généralement celle de la main-d'œuvre représentent l'investissement le plus profitable pour sortir de la crise économique. La mondialisation des marchés et les nouvelles technologies imposent l'excellence dans la production et celle-ci passe par la formation de la main-d'œuvre. (Laflamme, 1996 : 48).

En outre, le lien diplôme et emploi renferme un paradoxe. Ce n'est pas un resserrement du lien que nous constatons depuis dix ans, mais plutôt une rupture de plus en plus évidente entre le système d'enseignement et le système de production. On ne met pas en doute le fait qu'un niveau élevé d'éducation offre plus de chances d'obtenir des emplois intéressants, mais on veut plutôt indiquer par cette rupture les espoirs déçus des jeunes face à un marché incapable de les intégrer malgré une formation à la fois adéquate et pertinente.

Deux tendances contradictoires

Deux tendances assez contradictoires apparaissent entre le système de formation et le marché du travail. En fait, selon les recherches effectuées par Laflamme, tandis que la population s'est de plus en plus scolarisée, répondant ainsi aux appels en faveur de l'éducation et de la formation, que le nombre de diplômés a lui aussi augmenté de façon significative, que les étudiants investissent dans une formation de plus en plus longue, de plus en plus diversifiée et de plus en plus coûteuse, nous assistons du côté du marché du travail à une raréfaction des emplois, à un taux de chômage élevé, à la diminution des bénéfices professionnels pour les titulaires des diplômes et à la détérioration des conditions de travail.

Les critiques des gouvernements et des entreprises quant à l'inadéquation de la préparation de la main-d'œuvre n'épargnent pas les diplômés universitaires. Toutefois, selon plusieurs intervenants du secteur économique, le taux de chômage est souvent attribuable à une mauvaise préparation des diplômés des filières techniques du collégial et professionnelles du secondaire.

Espoirs déçus : la formation coûte plus cher et on en retire de moins en moins

En examinant le taux de sans-emploi des diplômés du secondaire professionnel et du cégep technique, on constate que le diplôme n'assure pas un emploi. C'est le cas d'environ 30 % des diplômés du secondaire et d'environ 17 % pour ceux et celles du collégial. De plus, à peine 60 % des diplômés trouvent un emploi à temps plein. Ces faits semblent mettre en évidence l'incapacité du marché de l'emploi d'intégrer tous les diplômés. On est loin du manque de qualification et du nombre de diplômés requis que semblent évoquer trop souvent certains milieux pour expliquer un taux de chômage qui se maintient sinon augmente depuis quelques années, malgré la reprise économique et l'augmentation des profits des entreprises.

La désarticulation entre la formation et l'emploi est mise en évidence aussi par trois autres éléments. D'abord, depuis quelques années, sauf en 1989, moins de la majorité des diplômés du secondaire et du collégial occupent à la fois un emploi à temps plein et relié au domaine de leurs études. Ensuite, les salaires n'ont pas encore repris le niveau des années 70, malgré une augmentation sérieuse des coûts de la formation. Enfin, bien qu'ils détiennent un diplôme terminal, le nombre de jeunes chez les garçons du secondaire et du collégial qui décident de poursuivre des études a doublé en dix ans. Cette tendance est moins accentuée chez les filles.

Notre but ne consiste pas à démontrer l'absence de lien entre le diplôme et l'emploi. Bien au contraire, les données indiquent toujours qu'un étudiant qui détient un diplôme élevé a d'autant plus de chances d'obtenir un emploi et d'autant moins d'être au chômage. Cela dit, il faut aussi situer ces données dans les discours souvent répétés des gouvernements ou des entreprises selon lesquels une partie importante du chômage serait attribuable à une mauvaise formation de la main-d'œuvre.

Mais au-delà des statistiques, le problème est-il bien posé ?

En pleine période d'expansion du système scolaire, personne ne se préoccupait du haut taux d'abandon et de décrochage. La croissance économique était telle que le marché économique réussissait mieux qu'aujourd'hui à intégrer les jeunes diplômés ou même ceux qui abandonnaient l'école sans diplôme.

Or, les statistiques indiquant que mieux on est formé, moins on court le risque d'être au chômage nous amènent parfois à croire que pour combattre le chômage, il faut améliorer la formation ! C'est un discours véhiculé par les entreprises ! Et pourtant :

> La bonne question à poser, surtout à la lumière du discours dominant de ceux qui semblent attribuer une bonne partie du chômage au manque de formation

des jeunes ne serait-elle pas : *Est-ce que la formation permet de réduire le chômage ?* Car c'est bien ce que l'on cherche à obtenir. Il ne s'agit pas de savoir comment un individu particulier va tirer son épingle du jeu, mais comment la société va faire pour que chacun ait un travail – ou une activité – lui permettant de vivre décemment. (Huberac, 1995 : 98).

On peut aussi tenter de répondre à cette question à partir d'anecdotes, d'événements connus et diffusés par les médias.

a) Se pourrait-il que les personnes sans formation – et les jeunes en particulier – connaissent le chômage, non à cause d'un manque de compétence, mais simplement à cause de la diminution du nombre de postes de travail ? La réponse semble évidente face aux données suivantes :

> Entre 1994 et 1997, la demande additionnelle estimée de main-d'œuvre atteindra plus de 421 000 postes au Québec. De ce nombre, un peu plus de la moitié, soit 213 000 emplois, se libéreront en raison des départs dus aux retraites et aux décès. La demande de main-d'œuvre découlant de l'évolution de l'activité économique, quant à elle, augmentera de 208 000, une croissance annuelle moyenne de 1,7 %. Malgré cette progression de la demande de main-d'œuvre, le nombre de chômeurs demeure important. Avec 444 000 chômeurs en début de période, pour un taux de chômage de 13,1 %, le marché du travail québécois se caractérise par une surabondance de main-d'œuvre. Il n'est donc pas étonnant de constater que les perspectives sont qualifiées de restreintes pour plusieurs regroupements professionnels. (Société québécoise de développement de la main-d'œuvre, 1995 : 1).

b) Au Québec, par exemple, la préparation au marché du travail était-elle meilleure (le taux de décrochage de l'école secondaire était alors de l'ordre de 50 %) en 1974, quand le taux de chômage était à 6,6 % pour l'ensemble de la population ? La formation était-elle plus mauvaise en 1996 (quand on connaît l'augmentation significative du nombre de diplômés du secondaire professionnel et du collégial technique depuis dix ans) alors que le taux de chômage était de 13,2 % ?

c) Est-ce le manque de compétence et de formation des employés qui a amené 5000 employés de la Banque Nova Scotia au chômage en 1995, alors que la Banque a déclaré des profits de 1,3 milliards de dollars ? Est-ce le manque de compétence des fonctionnaires qui a amené le Gouvernement fédéral à en congédier 40 000 ? Bref, est-ce le manque de compétence et de formation qui conduit les gens au chômage ?

d) Les cadres et les professionnels au Québec seraient-ils si mal formés que Bell Canada et Air Canada les congédient par milliers ?

e) Est-ce un indice de manque de formation de la main-d'œuvre lorsque 5000 candidats se présentent pour l'ouverture de 50 postes de travail dans une entreprise ? Et que les chefs d'entreprise peuvent embaucher un étudiant diplômé de l'université pour des tâches exigeant un diplôme d'études secondaires ?

Ces quelques exemples montrent bien que l'amélioration de la préparation au marché du travail n'affecte pas automatiquement le taux de chômage.

L'éducation n'est pas au service de la spécialisation fonctionnelle

Des rapports conflictuels entre l'école et le marché du travail

Dans les années 60, le slogan « Qui s'instruit s'enrichit » a été utilisé pour justifier les investissements publics et privés en éducation. Or, malgré les statistiques, malgré un discours dominant reliant directement niveau de formation et emploi, une rupture de plus en plus évidente marque les rapports entre le système d'enseignement et le système de production. Certains faits tirés de l'étude de Laflamme ont tendance à confirmer cette situation. Il est important de pousser plus loin notre interrogation sur les rapports complexes entre formation et emploi, et de dépasser les idéologies qui justifient ou structurent les représentations sociales de l'école, de l'éducation et de la formation dans la société. Derrière les faits observés et les pratiques des acteurs, apparaissent des logiques d'action qui entretiennent des rapports conflictuels. En effet, tandis que la logique de production des diplômés amène les étudiants à se donner, au nom d'une meilleure préparation au travail, des compétences techniques et professionnelles particulières en dépit des coûts de plus en plus élevés, l'analyse de quelques aspects des transformations économiques, culturelles et sociales en cours au Canada montre aussi que malgré l'amélioration continue de la productivité, la croissance de l'économie et l'augmentation des profits des entreprises, le chômage, la pauvreté et l'exclusion continuent de sévir. Ici aussi, les aspirations et les besoins d'un grand nombre d'individus ne sont pas satisfaits ; un fossé profond sépare ceux qui sont intégrés des exclus, et ce fossé pourrait s'élargir (OCDE, 1996 : 75).

Il faut donc arrêter de croire ou feindre de croire que la formation – initiale ou continue ou récurrente, fondamentale ou appliquée et sur mesure – donnera automatiquement accès au marché du travail ; ce qui est contredit par les faits et par une augmentation sans précédent du nombre des sans-emploi :

> Les chômeurs avoués ou non recensés, bien sûr, dont le nombre demeure élevé malgré la reprise de l'économie et sa bonne santé, mais aussi ceux et celles dont l'accès au travail est retardé, ceux et celles qui n'ont eu et n'auront peut-être jamais accès qu'à des emplois précaires, ceux et celles que des restructurations d'entreprises condamnent au paisible repos des retraites anticipées. (Bourgault, 1994 : 159)

La logique dans laquelle se trouvent inscrits les étudiants du secteur professionnel du secondaire ou technique du collégial, de même que de plus en plus d'étudiants universitaires, pousse souvent ceux-ci à rentrer dans la surenchère du
diplôme : aller de plus en plus loin dans les études, augmenter le nombre et la variété
des compétences par l'acquisition de plusieurs diplômes, retarder l'entrée sur un
marché de l'emploi dont les conditions sont trop précaires. Or, simultanément, les
entreprises dans la course folle de la concurrence internationale sont incapables
d'intégrer tous les diplômés ou les chercheurs d'emplois. Elles développent des pratiques de « flexibilité » de leurs ressources humaines en réduisant le nombre
d'emplois intéressants et à temps plein à un nombre de plus en plus restreint, tout en
rendant leurs employés les plus polyvalents et interchangeables possible. Elles exigent du système de formation des gens de mieux en mieux préparés tant sur le plan
de la formation de base que sur le plan de la préparation à un emploi précis, pendant
qu'elles refusent elles-mêmes de s'engager à consacrer 1 % de leur masse salariale à la
formation en entreprise. Enfin, elles congédient en période de crise économique tous
les employés précaires ou réduisent leur temps de travail ou leur salaire ou les deux
en même temps. Ces pratiques atteignent déjà considérablement les rangs des secteurs public et parapublic.

Une logique de la compétition et de la concurrence

Il faut inscrire le problème de la formation de la main-d'œuvre et son rapport à
l'emploi dans le contexte des chocs moteurs qu'ont constitué pour les économies
nationales et les sociétés la mondialisation des marchés et des échanges, les innovations scientifiques et technologiques et, en particulier, les nouvelles technologies de
l'information et des communications. Dans ce contexte, la compétitivité et la productivité des entreprises face à la concurrence engendrée par le cumul de ces forces
sont devenues les objectifs à atteindre : créer à des prix compétitifs, de préférence les
plus bas, des produits de bonne qualité (à valeur ajoutée si possible) pouvant être
vendus partout sans barrières tarifaires : voilà les objectifs recherchés.

Pour y arriver, le capital devient prioritaire et prend plus de place que la main-
d'œuvre. En même temps que gouvernements et entreprises tentent d'ouvrir de nouveaux marchés (pensez au célèbre voyage de « Team Canada » dans les pays asiati-
ques), les gouverneurs des banques nationales jouent sur les taux d'intérêt et les taux
d'inflation pour attirer les investisseurs à qui on offre des conditions alléchantes
d'investissement (Létourneau, 1996).

Non seulement la main-d'œuvre est moins importante que le capital, mais un
mot clef nouveau apparaît : la flexibilité quantitative ou qualitative. Les entreprises
diminuent au minimum leurs engagements à l'égard de leurs employés, ne donnant
qu'à un nombre de plus en plus limité des conditions intéressantes de travail à temps
plein, de salaires et d'avantages fiscaux et sociaux. Quant aux autres, ils deviennent

des employés aux conditions précaires : temps partiel, salaires bas, conditions difficiles d'embauche et de travail, etc. Au moment des récessions économiques ou des ralentissements de la production, on pourra alors les congédier, diminuer leurs salaires ou réduire encore les heures et les conditions de travail.

À ces pratiques nouvelles et généralisées des compagnies, il faut ajouter les nouvelles possibilités qu'offrent à la fois la libre circulation des biens et des services dans des marchés ouverts et les avancées récentes des technologies d'information et de communication. On peut non seulement vendre ailleurs, mais on peut aussi produire ailleurs, surtout quand la main-d'œuvre coûte dix fois moins cher ou qu'on n'a plus besoin de locaux mais de réseaux de télécommunications pour effectuer la gestion, faire des transactions, etc. : on embauchera ailleurs et on congédiera ici.

Enfin, au nom de la compétitivité, les entreprises vont exiger de l'État une diminution de plus en plus grande non seulement des réglementations de toutes sortes, en particulier des conventions collectives, mais aussi des charges sociales liées à l'emploi. On exigera à grands cris les baisses de taxes pour les entreprises et une fiscalité qui respecte la nouvelle économie. Selon les revendications des entreprises, l'État doit mettre de l'ordre dans ses dépenses, les réduire jusqu'à peau de chagrin, privatiser une partie des services qu'il dispense déjà. Enfin, il faut surtout que l'État, qui n'a plus les moyens de sa générosité envers les citoyens, sabre dans les services sociaux, bien-être social, santé, éducation, justice, etc. En agissant ainsi, les compagnies verront diminuer progressivement leur contribution aux dépenses de l'État et leurs taxes[6].

La mondialisation des économies et les modifications du système de production ont des effets perturbateurs non seulement sur l'économie mais aussi sur l'ensemble des sociétés démocratiques. Les États et leurs gouvernements démocratiques se retrouvent de plus en plus dans des situations où une part considérable de ce qui définit le bien commun des citoyens est en train de se décider par le secteur financier, par les investisseurs de capitaux et par les spéculateurs. La santé, l'éducation, la justice, bref l'ensemble des objectifs que poursuivaient les gouvernements élus démocratiquement au nom de l'équité, de l'humanisme ou des droits économiques et sociaux des populations, sont en train de leur échapper dans la course effrénée de la compétition et de la concurrence internationales. Et que dire, par ailleurs, de l'impuissance que semblent de plus en plus manifester les dirigeants de sociétés pourtant démocratiques, quand il s'agit de la sauvegarde du droit des peuples soumis à la violence de dictateurs, aux génocides ou aux abus de gouvernements non légitimes ?

---

6. Les mémoires et les exposés des participants à la commission sur la fiscalité, tenue au Québec dans le cadre du sommet socio-économique d'octobre 1996, contiennent la litanie complète des exigences des entreprises pour réduire leurs charges sociales même si c'est la réduction sinon la disparition de la taxe sur la masse salariale qui constitue la demande centrale.

En sommes-nous réduits à instaurer une « barbarie technicisée[7] » ?

Si les plaintes sinon les jérémiades des chefs d'entreprise à propos de l'inaptitude des candidats sont légendaires, c'est que l'entreprise cherche à embaucher quasi systématiquement un salarié immédiatement opérationnel et bien formé au poste qu'il convoite. Ainsi, sont économisés les frais liés à la préparation à l'emploi. C'est pourquoi les entreprises, tout en déplorant que l'État ne fasse pas un bon travail dans la formation de base, exige de lui qu'il oriente mieux les contenus de formation de la main-d'œuvre aux besoins précis des entreprises, quitte à récupérer de l'État les fonds pour s'acquitter de cette mission.

L'intérêt des entreprises pour la formation se limite souvent à la préparation immédiate à des tâches précises. On se contente alors de former des gens en quelques heures pour des postes qui n'exigent pas beaucoup de qualification ni de formation. Quand le métier évoluera ou que la récession exigera une diminution des effectifs, on se séparera de ces employés.

Pendant que les entreprises exigent de l'État et de son système d'éducation une meilleure formation de la main-d'œuvre et une meilleure préparation à des tâches précises, celles-ci n'investissent pas assez dans la formation. Pour que le Conseil du patronat fasse une lutte rangée contre le gouvernement du Parti québécois lors de la discussion du projet de loi obligeant les entreprises d'une certaine envergure à affecter 1 % de leur masse salariale dans la formation de leur main-d'œuvre, on peut penser que leur contribution actuelle n'est pas très élevée. Les associations d'entreprises québécoises revendiquent un plus grand rôle dans la formation des travailleurs en s'appuyant sur l'exemple allemand et ses programmes d'alternance travail-études. Cependant, elles négligent de mentionner (ou feignent d'ignorer) que les entreprises allemandes investissent dans la formation de leur main-d'œuvre depuis longtemps et beaucoup plus que le 1 % que le gouvernement québécois exige aujourd'hui des entreprises.

Enfin, partout, le constat est clair : la formation professionnelle des jeunes ne répond pas aux attentes des entreprises, car le système éducatif ne peut prendre en compte l'évolution des besoins du marché du travail. Toutefois, les entreprises veulent être partie prenante dans la gestion de la formation professionnelle. Or, les spécialistes des entreprises constatent

> qu'il est impossible de faire des prévisions à moyen terme (3 à 5 ans) : personne ne veut s'engager sur les tendances du marché, c'est pourquoi se multiplient les emplois précaires. Et voilà que ceux-là mêmes qui ne savent pas de quoi demain sera fait veulent réguler les flux de diplômes et intervenir dans la gestion des pro-

---

7. C'est le philosophe André Gorz qui affirmait : « Quand l'éducation elle-même se met au service de la spécialisation fonctionnelle, nous ne sommes plus très loin d'une barbarie technicisée. » (*Le Monde*, 14 avril 1992).

grammes ? Quand on sait que la formation se déroule sur plusieurs années, on reste perplexe. (Huberac, 1995 : 102).

Bien souvent, les entreprises ne se soucient que de la formation à des tâches précises. Or, il faut placer la formation de la main-d'œuvre dans un ensemble plus vaste qui s'appelle l'éducation, laquelle concerne les aptitudes intellectuelles, physiques et morales. Il faut, à cet égard, rappeler que l'école n'a pas à préparer des gens directement prêts pour l'emploi.

> Elle doit éduquer des citoyens, comme le précisait un collectif d'universitaires, alors que les adeptes de l'utilitarisme, qui sont d'ailleurs bien incapables de préciser les techniques et les emplois auxquels il faudrait former les jeunes, souhaitent que l'école enseigne l'efficacité, la productivité, la rentabilité. (*Le Monde*, le 2 avril 1993, cité dans Huberac, 1995 : 105.)

L'éducation doit primer sur la formation et celle-ci doit former des citoyens assez cultivés pour qu'ils puissent affronter la complexité, l'ambiguïté, le flou, bref la vie.

On peut donc conclure qu'à court terme les objectifs de l'école et les intérêts de l'entreprise sont conflictuels, alors qu'à long terme ils sont convergents même si plusieurs s'évertuent à opposer dans la tête des jeunes école et entreprise.

Et si l'éducation expliquait tout !

L'augmentation constante et importante du chômage depuis plusieurs années n'est pas attribuable dans son ensemble à une formation déficiente des diplômés et des salariés, mais à une diminution et à une disparition des emplois. Il faut néanmoins poursuivre les efforts pour élever le niveau d'éducation de tous et pour préparer les jeunes à vivre dans une société complexe, une société exigeante, une société en constante évolution, une société démocratique confrontée à des défis de survie, une société de communications et d'individualisme.

La relation entre formation et emploi n'est qu'un des éléments des rapports qu'un système d'éducation entretient avec la société. Le développement et le progrès de celle-ci dépendent à l'évidence de ses performances économiques – et, par conséquent, des compétences de sa population – mais pas uniquement. La vie et la mort des nations dépendent aussi de l'appartenance à une culture partagée et du civisme de leurs membres. Les exemples japonais et allemands en témoignent :

> [...] il est illusoire d'améliorer le stock de compétences d'une population sans, en même temps, développer la culture individuelle et le civisme ou, disons-le autrement, la volonté de travailler ensemble. Les conditions du choix du métier ou de l'obtention d'un emploi, les modifications permanentes des postes de travail et des capacités qu'ils requièrent, illustrent et justifient l'articulation entre elles des différentes missions du système de formation. (Praderie et Plasse, 1995 : 122).

Les rapports entre le système de production et le système d'éducation et de formation peuvent donc être conflictuels, ne serait-ce qu'en considérant comment, après des luttes importantes pour transmettre des valeurs sociales communes par l'école, l'évolution du secteur économique nous confronte à la perte des valeurs. Pouvons-nous être indifférents face à un monde revenant à la barbarie ? Comment expliquer cette fracture sociale ?

> La formation peut être présentée comme un système d'approvisionnement de compétences : production de compétences par la formation initiale, et maintenance de celles-ci par la formation continue. On peut discourir à l'infini sur le sens du terme « compétence ». Nous dirons qu'il s'agit de la capacité à s'insérer dans un système de production, vivre sa vie et pouvoir satisfaire au principe de plaisir, participer à la vie collective de la société dans laquelle on se trouve, ne serait-ce que par intérêt bien compris. La formation n'est donc pas reliée au seul emploi, et les trois domaines, l'emploi – ou l'organisation économique –, la vie individuelle – ou le bonheur – et la vie sociale – ou l'appartenance à un corps de droits et de devoirs – ne sont pas séparés les uns des autres. (Praderie et Plasse, 1995 : 9).

Le système d'éducation doit tenir compte des objectifs économiques des sociétés et aussi de leur mission propre, qui n'est pas de préparer des jeunes à des tâches précises mais de donner à tous les enfants et adolescents une formation de base, une armature intellectuelle, morale et sociale, qui en feront des personnes cultivées et productives, des citoyens responsables et engagés. C'est le rôle primordial des enseignants que de rappeler, à l'occasion des débats sur l'école, que sa mission première est d'abord l'éducation et que les objectifs de formation doivent se subordonner à cette mission première de l'institution scolaire.

Des discours aux pratiques des acteurs : à la découverte des rapports sociaux

Que pouvons-nous tirer de cette réflexion sur les débats actuels à propos de l'école, en particulier sur sa mission, et sur les rapports que l'école entretient avec l'ensemble de la société ? Revenons maintenant sur le parcours que nous avons franchi, en passant des discours des acteurs sociaux à leurs pratiques pour découvrir les rapports sociaux sous-jacents, dans l'espoir que cette réflexion nous permette d'illustrer quelque peu la démarche utilisée par les sociologues pour décrire, analyser et expliquer l'action sociale (*voir l'encadré 5.2*). Plusieurs des caractéristiques de la démarche sociologique que nous illustrons ici sont empruntées à Touraine (1974).

Les notions de société et d'école sont des notions abstraites en soi
La divergence des points de vue des acteurs tant à propos de l'école et de sa mission, de la société et de ses orientations majeures qu'à propos des relations entre l'école et

---

Encadré 5.2
La démarche sociologique

1. Le sociologue n'étudie pas la société, ni la réalité sociale, mais les pratiques des acteurs et des situations concrètes.

2. Entre lui et son objet s'interposent diverses interprétations ou interventions.

3. Il doit arracher les faits sociologiques des faits sociaux où ils sont enfermés (pensez à la face cachée de l'abandon scolaire).

4. Le premier travail du sociologue consiste en une action critique où il refuse de croire toutes les interprétations.

5. L'objet de la sociologie est de faire apparaître les relations derrière les situations et les pratiques sociales.

6. Il doit se méfier des termes comme la politique, la religion, la société, la famille, le travail, la ville, l'école qui ne sont que des abstractions dont les idéologies multiplient les représentations, mais qui copient l'organisation sociale au lieu de l'expliquer.

7. Il cherche, à partir des pratiques des acteurs, à atteindre les relations sociales ou les rapports sociaux dans des systèmes contrôlés, interprétés et gouvernés par d'autres acteurs.

8. Les conduites sociales et les pratiques doivent être expliquées par les relations sociales qui prennent place dans des systèmes d'action pertinents.

D'après Alain Touraine,
Pour la sociologie (1974 : 25-39).

la société est frappante. Les notions de société et d'école, comme celles d'ailleurs de politique, de religion, de famille, etc., apparaissent alors comme des abstractions dont les idéologies multiplient les représentations. En effet, chacun, au cœur de son expérience personnelle et sociale, se construit des idées de l'école et de la société qui deviennent alors autant de représentations utiles auxquelles il recourt pour interpréter son univers et ses rapports aux autres. Les groupes sociaux répercutent à leur tour ces représentations sociales qu'ils expriment dans le cadre des débats en cours dans une société démocratique, faisant valoir à la fois leur vision du monde, leurs valeurs et leurs intérêts, et mobilisant ainsi leurs ressources pour influencer les décisions des organismes et des gouvernements. Ainsi, les parents tentent de montrer le caractère public de l'école et l'importance d'en faire un outil d'intégration sociale pour leurs enfants, tandis que les entreprises insistent plutôt sur l'importance que devrait jouer l'école dans la préparation des jeunes à un marché du travail exigeant des ressources humaines mieux formées, plus performantes et plus souples.

La société et l'école sont des réalités construites

En effet, les discours des acteurs, comme les interventions des participants aux audiences des États généraux sur l'éducation, de même que les synthèses des audiences régionales (Commission des États généraux, 1996b) véhiculent les représentations que les acteurs se font de l'école et de sa mission aujourd'hui, du rôle que l'école doit jouer dans la société actuelle et même du type de société à laquelle l'école devrait préparer les jeunes. Les «nouvelles réalités sociales» sont confrontées aux anciennes conceptions tant de la société que de l'école. Les positions des différents groupes font ressortir que l'idée de société comme celle de l'école se construisent, s'incarnent et se transforment à travers les discours, les interactions et les pratiques des acteurs sociaux, individuels ou collectifs.

Les discours et les interactions des acteurs construisent non seulement les idées de l'école et de la société dans la tête des individus et des groupes, mais aussi, progressivement, les représentations sociales que les acteurs véhiculent à propos de l'école et de l'éducation. Ces représentations renvoient à leur idéologie respective et à leurs intérêts particuliers, que ces acteurs justifient au nom d'un principe général et universel, comme celui du bien commun.

Débats sur l'école ou choix de société

Les périodes intensives de débats sur les institutions et en particulier sur l'école mettent en lumière que les enjeux dépassent les participants internes (les étudiants, les parents et le personnel des organismes d'éducation). Il est d'autant plus important d'examiner de façon critique le discours sur la nécessité de l'école de s'adapter aux changements sociaux, que les moments forts des débats sur l'éducation correspondent souvent, pour la société dans son ensemble et pour les acteurs sociaux en particulier, à un moment important et déterminant pour l'avenir de la collectivité.

En effet, ces moments permettent aux acteurs sociaux *une prise de conscience* d'enjeux sociaux plus globaux concernant l'ensemble des citoyens et l'avenir de la collectivité. De même, ils permettent un certain recul par rapport aux problèmes quotidiens et constituent pour les acteurs sociaux des temps forts de réflexion et d'analyse critique indispensable avant les choix d'orientations déterminantes pour l'avenir.

Touraine appelle «système d'action historique» cette action par laquelle les membres d'une société se donnent des orientations en investissant dans la connaissance et la représentation qu'elle se donne d'elle-même.

> Cette distance par rapport à soi ne crée pas un monde de rêve ou de représentations, mais produit des orientations, un système d'action historique, à partir duquel prennent forme des pratiques sociales. (Touraine, 1974 : 37).

Peut-on accepter toutes les interprétations ?

Pour comprendre et expliquer les situations et les réalités complexes de l'éducation, peut-on se référer aux seules représentations ou positions idéologiques des acteurs sociaux ? À qui peut-on se fier alors ? On ne peut tout de même pas s'en remettre à toutes les interprétations et les croire. Est-il vrai que l'école ne s'adapte pas aux nouvelles réalités sociales, particulièrement celles d'ordre économique ? Doit-on s'en remettre les yeux fermés au discours économique dominant, dans le sillage duquel se transforment les sociétés, et y assujettir les politiques et les pratiques scolaires ? En particulier, est-il vrai que l'école est restée insensible aux grandes réalités sociales nouvelles véhiculées par les multiples pressions des gouvernements et des entreprises et par des groupes de citoyens ? On constate alors qu'une attitude critique s'impose dans ces situations ; il faut donc dépasser les interprétations des acteurs.

Au-delà des discours, il faut examiner les pratiques des acteurs

Les débats en éducation ont depuis longtemps démontré que l'école est un enjeu social important et que les acteurs sont souvent en relations conflictuelles par rapport à l'école et par rapport au projet de société. Ainsi, toute personne désireuse de comprendre les grands enjeux sociaux de l'éducation doit dépasser les discours et essayer aussi d'expliquer les conduites et les pratiques des acteurs. L'examen des pratiques des acteurs tant du monde scolaire que du monde des entreprises est révélateur de leurs enjeux et des rapports sociaux dans lesquels ils s'inscrivent.

Dans le monde de l'éducation, les discours des acteurs véhiculent généreusement des valeurs démocratiques et préconisent des principes d'égalité des chances, de justice sociale, de respect de chacun dans la transmission de valeurs et de savoirs communs. Cependant, ces mêmes acteurs contribuent, parfois sans en prendre conscience, à développer et à promouvoir des pratiques qui accentuent les inégalités sociales en favorisant des modes d'accès au savoir et à l'éducation basés sur des procédés de sélection, de stratification et d'exclusion sociale. On cherche même à légitimer ces pratiques en recourant aux droits des parents et des enfants de choisir leur modèle éducatif ou en invoquant la qualité et l'excellence que le système d'éducation doit promouvoir. Les représentations sociales ont plusieurs fonctions, dont celle de légitimer les pratiques existantes dans la mesure où elles correspondent aux intérêts des personnes en cause !

En ce qui concerne les pratiques des entreprises, qui entretiennent souvent l'idée qu'une partie importante du chômage serait attribuable au manque de préparation des diplômés pour le marché du travail, on découvre la logique économique et productiviste qui alimente le marché de l'emploi et qui explique en grande partie des pratiques ayant pour effet d'augmenter le chômage malgré la reprise économique, l'augmentation des profits des entreprises, la diminution de l'inflation, etc. Cette activité analytique et critique des pratiques des acteurs constitue l'essence fondamentale de la sociologie. Le pouvoir de cette discipline des sciences sociales repose sur sa capacité d'établir ou de révéler des relations entre les phénomènes et des événements que les gens dans la société considèrent comme non connectés.

Au-delà des discours sur les valeurs partagées par tous et les supposés consensus sur ces valeurs, apparaissent donc les rapports de pouvoir, les orientations historiques et les nouvelles pratiques sociales. Ainsi le secteur économique impose ses contraintes aux institutions et aux individus, et les partenaires de l'éducation s'approprient très rapidement les courants d'idées, sinon les idéologies circulant dans la société. Les partenaires, le personnel de l'éducation y compris les enseignants adoptent les discours sur l'excellence et la qualité, sur les mérites de la concurrence et du libre choix, et ils favorisent aussi des pratiques concrètes qui les actualisent au cœur même des établissements.

Ces constats mettent en lumière l'influence réelle qu'ont joué les discours néo-libéral et néo-conservateur non seulement sur les idées, mais aussi sur les pratiques des acteurs de l'institution scolaire.

La coalition solide et permanente des gouvernements et des entreprises face aux grands courants de la mondialisation marque une période de grande rupture et se consomme dans une fracture de plus en plus grande des sociétés démocratiques. Des débats et des actions s'imposent pour civiliser le marché plutôt que de sabrer dans l'éducation et de laisser les jeunes tirer leur épingle du jeu selon leur situation et leur statut social. La mise en évidence de la logique de concurrence et de compétition, qui explique en grande partie un bon nombre de comportements concrets des milieux d'affaires, est un effet recherché de la démarche sociologique qui vise à nommer ou à révéler ce qui fait fonctionner – secrètement – la société.

Les enseignants face aux dimensions politiques de l'éducation et de l'école

Les grandes orientations d'une société, en matière de développement économique par exemple, qu'il soit l'affaire d'une classe dirigeante (le capitalisme) ou d'une classe populaire (le communisme), ne sont jamais réductibles à l'expression d'un consensus (Touraine, 1974 : 39). Encore faut-il que les partenaires réalisent aussi que les grandes orientations de la société à propos de l'éducation ne sont pas le fruit de consensus mais bien le résultat de rapports sociaux. Les partenaires de l'éducation peuvent-ils continuer à sanctionner et à favoriser des tendances qui cherchent à réduire l'éducation à une réponse aux impératifs déclarés de la logique économiste, productiviste et même financière ? Sont-ils conscients qu'il s'agit d'enjeux qu'ils sont en mesure de défendre et qu'ils ont le pouvoir de protéger ?

> Quand on y regarde de près, on ne peut pas douter longtemps que l'école soit un enjeu d'un rapport de forces et que si les personnels scolaires veulent avoir quelque chose à dire en ce qui concerne l'école, ils doivent se constituer partie prenante à cet enjeu sans demander de permission à personne, par leur seule volonté de contribuer à infléchir le cours des choses en ce qui concerne l'éducation. (Baby, 1994 : 2).

Touraine soutient que définir la société comme un ensemble de systèmes de relations, c'est refuser de la considérer comme le produit d'une idée, d'une intention, de valeurs.

Les partenaires de l'éducation jouent donc un rôle important dans les débats à propos de l'éducation. Ils constituent comme d'autres des groupes particuliers qui défendent des positions idéologiques. Mais au-delà des intérêts trop limités à leur syndicat ou leur établissement, les partenaires de l'éducation ont un rôle décisif à jouer dans les débats de société relatifs à l'éducation. Tous les autres groupes, conscients des enjeux sociaux qui les concernent, interviennent sur la place publique, préparent mémoires et études pour étayer leur vision, montrer le bien-fondé de leurs positions et surtout en quoi elles se rattachent à des valeurs universellement admises dans la société.

De par leur pratique, les éducateurs font une lecture des choses qui est normative, c'est-à-dire qui se définit à partir de valeurs et de normes que doit véhiculer le système d'éducation. Cette vision particulière des choses les rend parfois imperméables, sinon réfractaires à toute lecture critique de l'éducation à partir d'autres critères, comme celui de situer l'éducation dans l'arène politique.

Les responsables de l'éducation dans une société et en particulier les enseignants peuvent-ils encore faire comme si la transmission des valeurs et des orientations culturelles échappait aux rapports sociaux ? Est-ce que les institutions peuvent encore prétendre institutionnaliser des valeurs dans une société où l'action historique est construite à partir de groupes et de classes ne partageant pas les mêmes intérêts, ni ne disposant des mêmes ressources ?

Les enseignants, imbus de l'importance de la pédagogie et du savoir pédagogique, ont tendance à concevoir la relation pédagogique comme un réseau d'échanges et non comme une relation sociale. Pourtant, toute relation sociale est définie à partir d'une intervention, donc d'un pouvoir. Bien que les enseignants soient d'accord pour reconnaître des rapports de pouvoir entre les partenaires cherchant à influencer une décision, ils sont moins enclins à reconnaître les rapports sociaux (y compris ceux de contrôle social ou de domination) que la société exerce pourtant sur l'école, sur ses orientations et ses pratiques. Ils sont même souvent insultés si on parle de rapport d'autorité et donc de pouvoir dans la relation pédagogique. Certains ont peine à imaginer qu'ils exercent un pouvoir sur les étudiants, même s'il s'agit d'un pouvoir légitime délégué par l'État à travers les normes scolaires et les règles de fonctionnement de l'école et de la classe.

La participation des enseignants au débat sur l'éducation et surtout sur le modèle de société que nous voulons construire passe par la reconnaissance du caractère politique de la vie sociale, de l'importance d'un engagement tant individuel que collectif dans l'action quotidienne et le combat pour une éducation qui vise d'abord la formation de personnes cultivées et de citoyens responsables.

Résumé

Depuis 1995, les partenaires du monde de l'éducation et même ceux des autres secteurs de la société ont été invités à faire valoir leurs positions à propos des problèmes de l'éducation dans la société québécoise. Les commissaires des États généraux espéraient que les échanges, les interactions et les débats suscités dans les différentes phases des travaux favoriseraient l'émergence de consensus à la fois sur les diagnostics et les propositions de solutions aux problèmes du système d'éducation. Les groupes et les personnes se sont donc succédé aux audiences locales, régionales et nationales, faisant valoir leurs représentations sociales de l'éducation et de l'école. Force est de constater, à la fin du processus, que les espoirs des commissaires des États généraux quant à l'émergence de consensus importants chez les différents participants ne se sont pas matérialisés.

Les discours et les débats des acteurs sociaux, individuels ou collectifs, sur l'éducation et l'école, de la maternelle à l'université, ont mis en évidence que l'école est un enjeu social majeur pour tous. La participation aux débats sur l'éducation rend possibles trois activités importantes pour une société démocratique :

- En premier lieu, elle permet à chaque groupe de faire valoir ses valeurs, ses intérêts et ses interprétations à propos de l'éducation et de l'école : elle permet donc aux groupes sociaux de construire ensemble leurs représentations communes et partagées sur l'éducation, et de les communiquer aux autres.

- En deuxième lieu, une discussion et des débats s'amorcent autour et à propos de ces représentations diverses, opposées et même contradictoires des groupes. Chaque acteur (individuel ou collectif) cherche à mobiliser les ressources et les atouts dont il dispose pour influencer à la fois les autres partenaires et les décideurs du système éducatif.

- En troisième lieu, les débats s'ouvrent sur des enjeux plus larges, comme l'importance de l'éducation dans la société, les choix politiques et financiers du gouvernement en matière d'éducation, la compétition entre l'éducation et les autres secteurs de l'activité sociale.

Cette participation aux débats en éducation est une exigence de toute société démocratique et n'est possible que par le travail et l'engagement de citoyens responsables.

Nous avons constaté que les participants aux débats ont tendance à prendre comme cible de leur réflexion *la crise de l'école*. Apparaît alors comme l'un des problèmes majeurs de l'école son incapacité à s'adapter aux réalités sociales nouvelles, notamment en matière de qualité de l'éducation et de préparation au marché du travail. Le fait de focaliser sur la crise de l'école risque de mettre en veilleuse la réalité suivante : les sociétés sont souvent en rupture de ban avec les besoins de leur population, à cause des pressions qu'exercent sur la société les effets combinés de la mondialisation des marchés et des économies, de l'évolution des sciences et des technologies, en particulier de celles de l'information et de la communication. Les acteurs sociaux doivent donc aussi porter leur attention sur les grands enjeux que posent à la société les pressions émergeant de ces forces nouvelles, sans quoi l'école risque de voir sa mission principale, qui est l'éducation de tous les citoyens, céder le pas aux impératifs économiques où priment la concurrence et la compétition, au détriment des valeurs sociales et de la satisfaction légitime des besoins d'éducation de base des populations.

Nous avons illustré comment les discours et les pressions des gouvernements et des entreprises pour améliorer la compétitivité et la productivité du Canada face à la mondialisation des marchés influent sur l'école, contrairement à ce que certains laissent entendre. Les partenaires et le personnel de l'école se sont non seulement appropriés ces idées et les ont véhiculées, mais ils ont également développé des pratiques scolaires ayant pour effet d'accentuer les processus de sélection et d'exclusion qui existaient déjà à l'école, en favorisant la création d'écoles, de programmes et d'activités exigeant de la part des étudiants des conditions particulières de succès, de talent ou d'argent pour y accéder.

Les entreprises exercent également une influence sur l'école. L'examen de leurs pratiques en matière de main-d'œuvre met en lumière des comportements et des conduites qui, non seulement vont à l'encontre des espoirs qu'ont les jeunes en se qualifiant à des coûts de plus en plus considérables, mais illustrent aussi que, contrairement à ce que laissent entendre les entreprises, ce n'est pas la formation qui fait défaut aux jeunes et qui cause une augmentation du chômage, mais plutôt l'incapacité du marché du travail à les intégrer. Et si les jeunes se lancent dans des pratiques qui conduisent à une surenchère du diplôme, c'est justement pour tenter individuellement d'augmenter leurs chances face à la raréfaction des emplois. En effet, si, d'une part, les jeunes diplômés ont d'autant plus de chances d'obtenir un emploi intéressant qu'ils détiennent un diplômé élevé, d'autre part, l'augmentation considérable du nombre de diplômés depuis 10 ans, face à l'incapacité des entreprises de créer des emplois, contribue à diminuer d'autant les chances de chacun d'accéder à un emploi rémunérateur et à temps plein.

La logique de compétition et de concurrence internationale qui anime gouvernements et entreprises risque, à moyen terme, si elle n'est pas tempérée par des citoyens et des groupes conscients des enjeux des « nouvelles réalités sociales », d'inciter l'école à négliger sa mission première d'éducation et de préparation aux divers rôles sociaux au profit des seules priorités économiques.

Conclusion

À travers les conjonctures sociales des dernières décennies, les différents acteurs sociaux ont repris à leur compte, selon les représentations qu'ils avaient de la société et de l'école, et surtout des rapports entre l'école et la société, l'une ou l'autre des interprétations sociologiques étudiées. Chacun des acteurs sociaux, individuels et collectifs, a ses propres représentations sociales de l'école et de ses « fonctions » dans la société. Même si chacun des grands paradigmes de la sociologie ne rend compte que d'une partie de la réalité sociale, les différents acteurs sociaux les invoquent néanmoins pour conforter leur propres représentations ou leurs propres idéologies.

Nous avons précisément illustré que chacun a ses idées sur l'éducation, qu'il cherche à faire prévaloir ses idées auprès des autres acteurs et particulièrement auprès des responsables politiques de l'école. On pourrait faire un inventaire des participants aux débats qui ont entouré les États généraux sur l'éducation pour y déceler l'interprétation privilégiée des différents groupes sociaux. Qui croit que l'école doit véhiculer des valeurs communes et démocratiques et ouvrir l'éducation à tous dans une perspective d'égalité des chances ? Qui croit plutôt que l'école est la responsabilité première des parents, comme consommateurs, ayant le droit de choisir l'école qui correspond à leurs valeurs et à leurs préférences ? Qui croit que l'école doit s'adapter aux diktats des entreprises, aux courants de la mondialisation qui soumettent les citoyens à la seule logique d'un capitalisme mondial où les syndicats financiers deviennent les maîtres du monde ? Laquelle est la meilleure explication ? Il s'agit là de faux dilemmes auxquels il faut plutôt substituer les questions suivantes : Peut-on se fier aux discours des acteurs sociaux ? Comment arriver à dépasser les discours des acteurs pour y déceler les rapports sociaux qui prévalent ?

Les représentations sociales de l'éducation, construites et véhiculées par les groupes et les individus dans leurs interactions, ont comme fonction de communiquer les façons de voir et de penser des personnes et des groupes, mais elles ne sont en elles-mêmes ni vraies ni fausses.

Face à des représentations sociales aussi nombreuses, diverses, opposées et même contradictoires des acteurs sociaux, quiconque cherche à comprendre les réalités sociales et scolaires ne peut que se demander où est la vérité ou, de façon plus modeste, chercher à vérifier, au-delà des discours, les comportements des acteurs dans les situations concrètes. Pour réaliser ce parcours qui va des discours des acteurs à la compréhension de l'action sociale, les sociologues ont développé une démarche plus rigoureuse que l'étude des seuls discours. Cette démarche se caractérise en particulier par une attitude de doute chez la personne qui veut l'utiliser, par l'étude des conduites et des comportements des acteurs concernés, par l'effort de découvrir les relations sociales sous-jacentes à ces pratiques dans l'espoir non seulement d'expliquer ces pratiques, mais aussi de comprendre le fonctionnement du système d'action dans lequel s'insèrent les acteurs en interaction. Cette démarche rigoureuse ne peut se développer que par une certaine pratique d'analyse critique des réalités sociales dont le niveau de maîtrise varie selon le rôle de chacun dans la société.

La participation active des citoyens dans les débats constitue une exigence fondamentale pour le maintien d'une société démocratique dont les assises sont particulièrement menacées par les tendances actuelles. Se comporter comme simple citoyen responsable suppose déjà la maîtrise de plusieurs compétences qu'on croit acquises chez les candidats en enseignement grâce à leur formation antérieure.

Or, les candidats en enseignement ne sont pas seulement des citoyens responsables – ce qui constitue déjà une entreprise à compléter pour plusieurs –, ils ont aussi la responsabilité de former des jeunes à prendre conscience des enjeux sociaux de l'école, à maîtriser une citoyenneté de plus en plus problématique et surtout à fonctionner dans une société de plus en plus complexe, une société de plus en plus exigeante, une société en évolution, une société démocratique confrontée à des défis de survie (violence, environnement, santé, médias, éthique), une société de communications et d'individualisme[8]. Les « nouvelles réalités sociales », qui justifient de nouvelles exigences de formation pour les futurs enseignants, ne se limitent pas aux seuls objectifs économiques que pourrait poursuivre l'école, elles concernent aussi les valeurs sociales que voudraient privilégier une société démocratique et les demandes multiples parfois opposées des populations scolaires.

En effet, l'école n'est pas seulement l'objet de pressions de forces économiques, elle est aussi l'objet de demandes de la population. On voudrait qu'elle tienne compte de la diversité religieuse, ethnique, linguistique tout en faisant œuvre d'intégration sociale ; on voudrait qu'elle se centre sur l'essentiel, tout en tenant compte de préoccupations qui ne sont pas de son ressort ; on voudrait qu'elle soit juste et équitable pour tous, tout en assurant des privilèges à certains groupes ; on voudrait qu'elle soit commune et qu'elle transmette un bagage culturel important et significatif tout en exposant les étudiants à l'ambiguïté et à la relativité d'un monde où les valeurs se diversifient et font même éclater les solidarités sociales passées.

---

8. Léopold Paquay, « Quelles priorités pour une formation initiale des enseignants ? », *Pédagogies*, n° 6, 1993 : 133.

QUESTIONS

1. Chaque groupe a ses idées sur l'éducation ou ses propres représentations sociales de l'éducation. Même si chacune des théories sociologiques ne rend pas compte de toute la réalité sociale de l'école, montrez comment les différents groupes sociaux s'appuient sur celle qui conforte le plus ses représentations sociales de l'école ou sa propre idéologie.

2. Quel est le sens d'enjeu? Que veut-on dire quand on dit que l'école est un enjeu social?

3. Que notent les commissaires des États généraux sur l'éducation de 1995-1996?

4. Que masquent ces affirmations?

5. Quelles sont les nouvelles réalités sociales? Faites une synthèse des différents aspects.

6. De quels secteurs d'activité proviennent les acteurs sociaux qui cherchent à imposer leurs exigences à l'école?

7. Quand on débat sur l'éducation, il n'est pas rare d'assister à une démolition systématique de l'éducation scolaire et de faire de l'école un bouc émissaire de la société. Montrez les dangers d'aborder les problèmes de l'école sous l'angle de la crise scolaire, sans les situer dans les transformations sociales plus larges.

8. Décrivez les trois exemples de pressions exercées sur l'école québécoise pour que l'école s'adapte… surtout aux aspects économiques (mondialisation, productivité, concurrence, etc.).

9. Dans quel courant idéologique situez-vous le discours de Marc Garneau? Est-ce le courant démocratique, marxiste ou néo-libéraliste?

10. Mise à l'épreuve des discours. Peut-on dire que l'école s'est adaptée? Répondez à la question en examinant le discours et les pratiques sur l'excellence scolaire.

11. Que signifie une « école à deux vitesses »? Donnez des exemples.

12. Décrivez quelques nouvelles pratiques de l'école qui s'inscrivent en droite ligne avec le nouveau discours néo-libéral des années 80.

13. Est-il vrai de dire que le haut taux de chômage est en grande partie dû à la piètre performance de l'école dans la préparation des étudiants et des étudiantes, tant dans leur formation générale que dans la qualité et la quantité des diplômés des secteurs technique (secondaire) et professionnel (collégial)?

14. En quoi peut-on dire qu'il y a rupture du lien entre éducation et emploi ? Quelles en sont les causes ? L'école doit-elle de plus en plus à cause des changements économiques donner priorité à la préparation au marché du travail ? Préciser les arguments pour et contre.

15. Comment les enseignantes et les enseignants peuvent-ils contribuer aux débats sur la mission de l'école ?

Sujets de débats

Dans les différents chapitres, nous avons soumis au lecteur des données, des faits, des arguments qui peuvent alimenter un débat. De plus, en matière d'éducation, les valeurs ne sont pas absentes des débats et pour les enseignantes et les enseignants s'ajoutent des arguments de l'ordre de la pertinence sociale et éducative. Enfin, la démarche sociologique présentée dans le chapitre 5 offre des critères qui permettent d'aborder les débats sous l'angle de la rigueur sociologique. Chacune des mises en situation suivantes touche des enjeux sociaux et scolaires importants, et chacune se prête donc à des débats importants dans la société. Prenez position et participez aux débats.

Sur le rôle de l'école dans la société

Dans la conjoncture sociale actuelle, où le marché du travail exige une meilleure préparation de la part des diplômés, l'école doit accorder la priorité dans ses missions (éducation, socialisation, qualification) à celle qui favorise une meilleure préparation des jeunes au marché du travail. Il y a là une urgence et une priorité pour tout système public conscient des grandes transformations comme la mondialisation des marchés et de l'évolution des sciences et des technologies.

Sur l'évolution des inégalités sociales et scolaires

Le véritable enjeu social de l'école, tant pour les individus, les institutions que pour la société elle-même, dans le contexte de la mondialisation des marchés et de la compétition internationale, ne devrait pas être de compenser les inégalités sociales, qui sont d'ailleurs passablement aplanies, mais de contribuer, en priorité, à la préparation au marché du travail des jeunes qui sont les plus capables de contribuer à l'accroissement de la richesse collective, seule garante du maintien des services en éducation, en santé, etc.

On a présenté le rôle de l'école face aux inégalités scolaires de façon pour le moins contradictoire selon les décennies. Les analyses des années 60 présentent l'école comme un facteur important de mobilité sociale ; en revanche, dans les années 70, on désigne l'école comme le lieu privilégié de la reproduction des inégalités sociales ; et dans les années 80, l'école accentue les inégalités scolaires en développant des pratiques d'exclusion et de stratification. L'idéal d'égalité des chances serait pour plusieurs une valeur périmée et l'école ne doit pas s'y raccrocher comme à une référence première.

Mobilité sociale ou reproduction sociale

La grande question qui se pose encore aujourd'hui est de savoir si l'école est facteur de mobilité sociale ou instance de reproduction sociale.

Le financement

Le financement public de l'éducation a produit des excès : des études trop longues, pour trop d'étudiants ; un nombre trop considérable de diplômés dans certains secteurs ; médiocrité de l'éducation collégiale et universitaire à cause d'étudiants qui ne devraient pas s'y trouver. En laissant les individus choisir leurs études (collégiales ou universitaires) et en assumer les coûts et les conséquences, ne contribuons-nous pas à les responsabiliser ? En subventionnant trop généreusement les institutions, l'État ne contribue-t-il pas à gonfler inutilement le nombre de gradués universitaires qui finissent par devenir des chômeurs instruits ? Ne faudrait-il pas aussi contingenter tous les programmes universitaires et collégiaux pour répondre aux vrais besoins de la société et arrêter ainsi de produire des chômeurs instruits ?

La rentabilité

Aujourd'hui encore, il est pertinent de reprendre l'expression « Qui s'instruit s'enrichit ». L'école contribue à la mobilité sociale en permettant à ceux qui n'ont pas été favorisés par leur origine sociale d'avoir une deuxième chance par l'école. Selon les efforts que chacun y met, il peut acquérir une compétence et un diplôme à la hauteur de ses mérites et indépendamment de la classe sociale d'origine. Plus le diplôme sera élevé, plus les chances d'avoir un emploi et un revenu à la hauteur du niveau de diplôme seront fortes. Tant pour les individus que pour l'État, l'éducation demeure rentable ; seules changent les conditions de la conjoncture sociale qui modifient alors les règles du jeu d'accès à l'emploi.

DEUXIÈME PARTIE

La socialisation scolaire : logiques d'action et expérience sociale

---

Contenu

Introduction

> « [...] parler de culture dans notre société moderne, c'est parler de
> l'homme et de ses relations avec le monde ; c'est parler de
> dépassement, de valeurs, d'imaginaire et de créativité ; c'est
> s'interroger sur les projets d'exister que les hommes doivent
> formuler pour s'accomplir dans un monde où la technique
> commence à se dire prête à trouver elle-même toutes les réponses
> dans ses ordinateurs ; c'est convier chaque homme et tous les
> hommes à la fois à réaliser toutes les possibilités. De là l'importance
> du système d'enseignement et d'éducation dans la formation des
> hommes, formation qui n'est plus seulement celle des serviteurs de
> l'Élite et du Pouvoir. »
>
> Rapport Rioux (1968).

Dans les chapitres de la partie précédente, nous avons constaté que la manière dont est défini le rôle de l'école dépend largement de celle dont on se représente la société et son fonctionnement. Dans les trois conjonctures sociales examinées (1960-1970, 1970-1980, 1980-1990), on a mis en lumière une interprétation dominante de cette société dans les débats sociaux et dans les recherches en éducation. Chacune de ces trois interprétations (fonctionnalisme, marxisme ou théories conflictuelles, néo-individualisme) de la société est considérée par ses défenseurs comme la meilleure manière d'expliquer et de comprendre la dynamique sociale et, par ricochet, le rôle de l'école dans la société. Ont-ils raison ? Ont-ils tort ? En fait, il est nécessaire de questionner ces interprétations de la société d'une tout autre manière. Une bonne façon de vérifier la validité d'un raisonnement (ou d'une interprétation), c'est de le pousser à ses extrêmes. Comment cela se passe-t-il avec nos trois interprétations de la société ?

Par exemple, si nous devions pousser à ses extrêmes le raisonnement des fonctionnalistes, il ne devrait pas y avoir de conflit majeur dans la société dans la mesure où tous les membres de cette société partagent à peu de choses près une culture et des valeurs communes. Dans ces conditions, nous devrions avoir une société pratiquement homogène, sans trop de différences, un peu comme la société traditionnelle québécoise (celle d'avant les années 50). Dans cette société, la stabilité des institutions et l'intégration des membres à la société seraient les points importants. Or, on constate aisément, en regardant le journal télévisé du soir par exemple, que cette homogénéité de la société québécoise n'existe pas.

Si nous devions pousser à l'extrême, cette fois, le raisonnement des tenants de l'approche conflictuelle, on devrait s'attendre à voir une société où les groupes sociaux sont le plus souvent en conflit pour le contrôle de la richesse et du pouvoir. Ainsi, les syndicats devraient régulièrement être en lutte contre les patrons, les groupes de femmes contre les groupes d'hommes, les groupes ethniques contre la majorité culturelle dans une nation, etc. Dans cette société, il n'y aurait pas de permanence possible, tout serait à faire et à refaire constamment. Certes, on observe ce type de situations lors de crise, mais plus généralement, les groupes sociaux tentent de trouver des compromis aux conflits dans lesquels ils sont engagés, en négociant des aménagements qui puissent tenir compte de leurs besoins.

Enfin, si nous devions pousser à l'extrême le raisonnement des tenants de l'individualisme méthodologique (les néo-individualistes) et du courant néo-libéral, toutes les personnes vivraient selon leurs intérêts au sein de la société. Dans cette société, le partage, l'engagement, les liens familiaux, l'amour, les amitiés seraient des biens négociables, vendables sur un marché social[1]. Plus rien de gratuit et de spontané, tout serait calcul et stratégie. Nous serions dans une société atomisée où chacun poursuivrait ses propres intérêts de manière individualiste. On peut avoir parfois l'impression que tout se vend et que tout s'achète aujourd'hui. Il demeure cependant que nombre d'activités de la vie échappent à un calcul rationnel strict et à une logique mercantile.

Les grands récits de la sociologie ne semblent plus pouvoir rendre compte de manière complète et satisfaisante de la dynamique sociale et des pratiques des institutions sociales et des individus. En fait, dans la mouvance des discours néo-conservateur et néo-libéral, l'objet d'étude de la sociologie de l'éducation a éclaté. Cet éclatement s'est concrétisé dans la tendance à adopter de nouveaux paradigmes (ethnométhodologie, ethnographie, interactionnisme, anthropologie culturelle, etc.) plus centrés sur le sujet (par opposition au marxisme et au fonctionnalisme, plus centrés sur le système et la structure). En bref, la sociologie de l'éducation opère un certain repli sur

---

1. Cette manière de concevoir la dynamique sociale renvoie à l'idée d'économie généralisée. En fait, toute relation sociale entre des personnes serait médiatisée par le marché ou, si l'on préfère une formule plus directe, tout se vendrait et tout s'achèterait. Dans ce type d'économie, le don, l'amour, la sexualité, les coups de main entre amis seraient des formes d'exploitation au bénéfice de ceux qui reçoivent ces égards. Pour peu, certains iraient même à transformer en relation marchande l'acte d'une mère allaitant son bébé. Sur les implications de l'économie généralisée dans la vie sociale, on peut se référer à l'ouvrage de Jacques T. Godbout (1992).

l'analyse interne de l'école, l'étude de la « boîte noire » comme le souligne Van Haecht (1990), c'est-à-dire l'analyse de l'inégalité des chances devant et dans l'école, en l'abordant à l'intérieur même de l'institution scolaire. En somme, « la sociologie de l'éducation se fait plus pragmatique et se transforme parfois en une activité d'expertise de l'école […] » (Dubet, 1996b : 319).

Le retour de l'acteur, expression utilisée par Touraine (1982), évoque en sociologie de l'éducation l'utilisation de démarches de recherche qui focalisent sur la construction sociale de la réalité scolaire à travers l'observation des pratiques pédagogiques, à travers la prise de conscience que font les acteurs de leur situation et de leurs rapports aux pratiques scolaires, à travers le sens que les acteurs attribuent à leur action. Comme le soulignent Dandurand et Ollivier (1987), « tout se passe comme si, à l'heure actuelle, on tentait de ramasser les morceaux des paradigmes éclatés [fonctionnalisme et marxisme notamment] pour présenter un nouveau regard sur l'école en mettant l'accent sur l'individu […] » (Dandurand et Ollivier, 1987 : 87-88).

C'est dans cette perspective que nous avons écrit les chapitres 6 à 11 de la deuxième partie du manuel. En fait, notre démarche rejoint l'idée selon laquelle la compréhension du système scolaire en général et de l'école en particulier passe, entre autres, par le sens que les actrices et les acteurs sociaux attribuent aux pratiques qu'ils mettent en œuvre dans la multitude de situations sociales vécues quotidiennement. Dans ce cadre, l'utilisation des données tirées des recherches de type compréhensif (ethnométhodologie, interactionnisme, phénoménologie, constructivisme structuraliste, sociologie cognitive, etc.) constitue une manière plus appropriée de saisir la réalité scolaire telle qu'elle se construit au jour le jour, à travers les grands débats sur l'éducation ou par le biais des petites péripéties dans l'école et dans les classes.

Les concepts de culture, de socialisation et d'expérience sociale constituent le fil conducteur de la deuxième partie. Dans le chapitre 6, nous explicitons les types de compétences de base qu'un programme de formation initiale devrait privilégier pour des futurs maîtres. Ce passage d'un métier d'étudiant à celui d'enseignant, l'étudiante ou l'étudiant le réalise par la construction progressive de son identité et de ses compétences. C'est par une démarche à la fois de pratique réflexive de son métier d'étudiant et d'analyse sociale de son action que l'étudiant ou l'étudiante acquiert ses compétences, mobilise ses acquis, développe son esprit de recherche. Dans ce chapitre, nous concevons donc la formation initiale comme un processus durant lequel l'étudiante ou l'étudiant s'engage dans un apprentissage actif, coopératif, responsable et efficace grâce aux outils intellectuels des sciences sociales. Nous abordons ainsi la dimension subjective de l'action sociale médiatisée par la scolarisation, la socialisation et l'apprentissage vécus par l'étudiant dans le cadre scolaire, qu'il soit de niveaux primaire et secondaire ou de niveau universitaire.

Dans le cadre du chapitre 7, nous mettons en lumière les différentes manières de concevoir la culture et la socialisation à cette culture au sein des grands paradigmes de la sociologie, soit le fonctionnalisme, le marxisme et le courant néo-individualiste. Chacun de ces paradigmes explique à sa façon le processus de socialisation. De ces différences dans la vision de la socialisation, ressortent trois registres de l'action sociale portés par tous les systèmes d'action sociale (école, entreprise, famille, etc.). Ces registres se présentent comme des logiques (de l'intégration, stratégique, de subjectivation) qui sont combinées par les acteurs et les actrices sociales dans une expérience sociale singulière. C'est par cette expérience sociale que nous nous introduirons dans l'univers scolaire afin de mieux comprendre ce que fait l'école et les élèves qui la fréquentent. En somme, la culture et la socialisation nous permettront de mieux décrire, expliquer et comprendre l'expérience scolaire des élèves, des étudiants et des étudiantes.

Dans le chapitre 8, nous nous concentrons particulièrement sur les problèmes que pose pour l'éducation la poursuite de valeurs communes, comme celles d'une société démocratique et d'une société de droits, tout en tenant compte de la diversité culturelle, ethnique, religieuse, linguistique des familles et des élèves. Dans ce chapitre, nous cherchons à comprendre les enjeux sociaux de l'éducation à travers les pratiques des acteurs en matière de religion, de langue d'enseignement, de rapports interethniques. Ce sera l'occasion d'interroger l'école dans son rôle d'intégration des personnes à une culture commune fondée sur la démocratie et le respect des différences.

Le milieu de vie de la classe et des différentes relations pédagogiques entre l'élève et le maître est le terreau premier de l'action éducative de l'école, et donc le lieu privilégié de l'interaction sociale, mécanisme fondamental de la socialisation. Comme pour d'autres réalités, la complexité de la situation éducative appelle aussi une investigation sérieuse des rapports sociaux variés qui la traversent et lui donnent sens. Dans le chapitre 9, nous levons donc le voile sur certaines dimensions sociales de l'acte d'enseigner et de ses effets sur l'éducation des jeunes.

La socialisation n'inclut pas que la transmission des valeurs supposées communes mais aussi l'appropriation des savoirs instrumentaux des différentes matières et des contributions qu'elles apportent à l'éducation des jeunes. Ces deux aspects « produisent » des étudiants éduqués s'ils parviennent à maîtriser le programme officiel. Se posent alors les problèmes de la réussite, de l'échec, de l'abandon scolaires et de leur signification quant à l'inclusion ou à l'exclusion dans la société et le travail. Surgit également le problème des mécanismes d'orientation et d'évaluation qui peuvent servir tout autant que desservir les élèves. Dans le chapitre 10, nous situons donc l'enjeu de la réussite et de l'échec scolaires dans un contexte de transformation des significations rattachées à la scolarisation et au diplôme qui en découle.

Dans le chapitre 11, nous insistons sur le caractère institutionnel de l'école et nous explicitons le rôle important qu'elle devrait jouer, tout comme les enseignants, face aux nouvelles demandes des familles et des citoyens. Le mouvement de professionnalisation de l'enseignement se présente alors comme une réponse aux besoins d'éducation et de formation d'un plus grand nombre de jeunes, face à une société qui devient de plus en plus exigeante et complexe. Et au-delà des vertus attribuées à la relation pédagogique par les éducateurs, les futurs maîtres doivent être préparés à un métier complexe sinon « impossible », dont les conditions de pratique sont constamment traversées d'antagonismes, de paradoxes et de contradictions surgissant de l'action organisée et des multiples théories pédagogiques. La capacité de susciter de l'action organisée ou de l'action collective constitue alors le premier défi que doit relever tout établissement d'éducation et de formation, y compris les facultés des sciences de l'éducation, responsables de la formation des maîtres.

CHAPITRE 6

L'étudiante ou l'étudiant, un acteur social qui construit son identité et ses compétences

---

Table des matières

Sommaire

Ce chapitre

- explicite et décrit des compétences de base que, dans le contexte d'incertitude où s'exerce ce « métier impossible » qu'est l'enseignement, les candidates et candidats à l'enseignement doivent développer dans le cadre de leur formation initiale ;

- décrit les volets de l'identité professionnelle, explicite certains enjeux du développement de l'identité et des compétences des enseignants et souligne les dangers du rêve enseignant ;

- précise comment le passage du métier d'étudiant à celui d'enseignant constitue pour l'étudiante et l'étudiant à la fois une occasion de pratique réflexive et un objet d'analyse sociale. Par ces deux démarches (de pratique réflexive et d'analyse sociale) préconisées comme approches de formation, l'étudiante ou l'étudiant est invité à :

  1. construire son futur métier d'enseignant par l'acquisition des compétences fondamentales, transférables et polyvalentes requises par son métier d'étudiant ;

  2. construire ses nouveaux apprentissages sur les connaissances et les savoirs acquis, en les mobilisant dans l'action et la compréhension des contextes de son action ;

  3. développer un esprit de recherche par la pratique réflexive de son expérience scolaire et sociale et l'analyse critique des rapports sociaux dans lesquels elle s'inscrit ;

  4. puiser dans la recherche les instruments nécessaires pour favoriser la réflexivité et l'émancipation par l'observation, l'analyse, la réciprocité, l'échange et la coopération.

L'étudiante ou l'étudiant, un acteur social qui construit son identité et ses compétences

« Les techniques nécessaires à l'exercice du métier, si indispensables soient-elles, ne sont pas l'essentiel ni même ce qu'il y a de plus difficile à acquérir. L'essentiel et le plus difficile est dans la conceptualisation même dont dépend la mise en œuvre d'un projet cohérent et d'une pédagogie efficace [...] Le problème fondamental est [donc] d'apprendre aux élèves à réfléchir en travaillant le savoir même. »

« Le bon enseignant n'est pas celui que des performances limitées dans la discipline enseignée rendraient plus à même d'imaginer les difficultés des élèves. C'est celui auquel cette spontanéité reconquise par la maîtrise du savoir, jointe à la réflexion sur les différentes stratégies qu'il a lui-même utilisées pour apprendre, permettent de reprendre avec les élèves l'attitude de l'apprenant et de les conduire ainsi sur les chemins par lesquels ils peuvent progresser. »

Patrice Canivez (1992 : 158 et 159).

En proposant quelques balises pour construire concrètement une formation initiale des enseignantes et des enseignants, rappelons que le mouvement de professionnalisation de l'enseignement, les pratiques concrètes de leur formation dans les universités et les écoles et, par conséquent, les conditions concrètes du développement de leur identité et de leur compétence intellectuelle et professionnelle n'ont de sens et de portée véritables que si on les relie aux finalités et aux conditions de l'éducation des jeunes dans une société ballottée constamment entre :

- d'une part, les pressions, les contraintes et les structures que lui imposent la transformation des marchés et des économies, le développement des sciences et des technologies et, en particulier, celles de l'information et des communications ;

- et, d'autre part, les attentes diverses, communes ou contradictoires, des individus et des groupes sociaux et celles qui sont exprimées par les responsables politiques ou administratifs du système scolaire québécois.

La formation des enseignants, les conditions de leur pratique et les processus de professionnalisation dans lesquels beaucoup de partenaires voudraient voir ce métier s'inscrire et évoluer au cours des prochaines décennies, sont au carrefour des enjeux sociaux et institutionnels de l'éducation dans notre société.

Quelles compétences faut-il développer chez les futurs maîtres ?

Dans ce contexte, qui s'ajoute à celui des incertitudes et des paradoxes de l'action et des théories pédagogiques, se posent certaines questions relatives aux rapports des étudiants à leur formation initiale. Quels types de compétences la formation initiale des maîtres devrait-elle favoriser ? En quoi cette formation constitue-t-elle un dispositif privilégié de développement de l'identité sociale et professionnelle, individuelle et collective des enseignants et des enseignantes ? Comment la pratique réflexive et l'analyse sociale de ces processus par les étudiants contribuent-elles à l'expérience sociale et scolaire des futurs maîtres ? Telles sont les principales interrogations qui guideront les réflexions sur la formation dans la perspective de l'étudiant ou de l'étudiante comme acteur social et sujet de sa formation.

Des compétences pertinentes pour tout acteur social

Les nombreuses compétences visées par la formation initiale sont utiles pour permettre à l'enseignante et à l'enseignant de maîtriser les situations dans la mesure du possible ainsi que les conditions dans lesquelles s'exerce la profession. Les compétences professionnelles pointues seront utiles dans la mesure où elles seront ancrées dans des compétences générales de toute pratique sociale la plus ordinaire (celle de citoyen dans la société, de conjoint dans un couple, d'étudiant dans la classe). Ces compétences rendent, à des degrés divers, l'acteur social capable : d'analyser les incertitudes et les contradictions de la situation où il se trouve ; de gérer les blocages, les conflits ; d'anticiper les actions des autres et leurs conséquences ; de négocier des compromis ; d'établir les avantages et les inconvénients d'une action, etc. « Tout cela exige des modes d'appréhension de la complexité, des outils d'analyse et de décentration, des fonctionnements différenciés et évolutifs. Ce qui conduit assez logiquement à privilégier des compétences flexibles, polyvalentes, ouvertes » (Perrenoud, 1993d : 9).

Le développement de ces compétences ne constitue-t-il pas la visée de toute formation de base des citoyens et des citoyennes qui doivent : comprendre le monde et apprendre à faire des liens dans une société de plus en plus complexe ; apprendre à apprendre, être efficaces dans une société exigeante ; chercher constamment, résoudre des problèmes, devenir autonomes dans une société qui évolue sans cesse ; être lucides et s'engager, relever des défis posés par la santé, l'éducation, les médias et la survie dans une société supposément démocratique mais constamment menacée d'éclatement par des forces extérieures puissantes, à l'intérieur même de ses frontières, par la violence, l'intolérance, l'environnement; enfin, apprendre très jeunes à prendre leur place, à communiquer, à devenir authentiques et responsables et à s'épanouir dans une société de communication et d'individualisme (Paquay, 1993: 133)?

Ces compétences renvoient à des objectifs de formation générale des niveaux primaire et secondaire et constituent pour la formation des maîtres une référence obligée; ultimement, c'est à l'accomplissement de ces finalités que les enseignants et les enseignantes vont consacrer leur vie, leur travail et leur pratique professionnelle. Ces compétences humaines de base sont indispensables dans la société actuelle; elles doivent donc être développées à un haut niveau chez les maîtres. Ne renvoient-elles pas aux valeurs, aux finalités et aux objectifs annoncés de toute formation universitaire de premier cycle? Elles visent essentiellement une compréhension profonde des réalités humaines et sociales dans lesquelles les compétences plus pointues des savoirs professionnels pratiques ou théoriques trouvent ancrage, fonctionnalité et sens.

Elles supposent une compréhension lucide du rapport social ambivalent dans lequel se trouve tout acteur social individuel ou collectif et qui se définit comme une relation de coopération conflictuelle. Les discours des enseignants et des enseignantes sur les mérites, les vertus et la transcendance de la relation pédagogique laissent plus d'un observateur sceptique quant à leur compréhension profonde des rapports sociaux d'autorité et de pouvoir de l'institution scolaire dans lesquels s'inscrit la pratique enseignante. Les enseignantes et les enseignants semblent parfois ignorer le pouvoir de violence symbolique de leurs rôles et des tâches qu'ils assument pourtant légitimement dans l'école, au nom de la société. Cette compréhension de la complexité de la vie humaine et sociale et de l'ambivalence du rapport social de coopération conflictuelle que vit tout acteur social constitue un objectif majeur et fondamental de la formation de base de tout citoyen; a fortiori, le maître doit à cet égard en maîtriser tous les éléments à un niveau élevé.

Un réservoir de compétences de base issues de son capital intellectuel et culturel

Quelles sont les compétences exigées de l'enseignante ou de l'enseignant pour agir efficacement dans les situations de confrontations quotidiennes, de conflits et de contradictions inter et intrapersonnels, caractéristiques du métier d'enseignant?

> Ce sont des compétences permettant d'articuler constamment l'analyse et l'action, la raison et les valeurs, les finalités et les contraintes de la situation. Ces compétences sont indissociablement théoriques et pratiques. Réfléchir, anticiper, planifier, évaluer, décider dans l'urgence, le stress, l'incertitude, l'ambiguïté, naviguer à vue en gardant un cap, tenir compte de l'autre en conservant une identité... (Perrenoud, 1993d: 11).

Pour y arriver, l'acteur doit faire usage de son capital intellectuel et culturel, en y puisant deux ressources différentes mais indissociables, ses représentations et ses schèmes d'action, les premières ne produisant aucun effet sur les pratiques de l'acteur, s'il ne dispose pas de schèmes capables de les mobiliser en situation. On comprend alors l'importance que joue dans la pratique du métier sa capacité de mobiliser toutes ses ressources, de faire feu de tout bois, de disposer d'une formation de base solide et riche (Perrenoud, 1993d : 12).

Dans la mesure où les récipiendaires premiers des prestations de l'enseignement sont les élèves ou les étudiants, que les maîtres doivent aider à vivre en société, certaines priorités de leur formation s'inscrivent tout naturellement dans le développement de certaines compétences générales. Ainsi, dans une société complexe, on doit pouvoir cerner les savoirs clefs, apprivoiser l'interdisciplinarité ; dans une société exigeante, s'entraîner aux compétences de base qui en feront des personnes capables d'apprendre toute leur vie et de façon efficace ; dans une société en évolution, développer l'esprit de recherche qui caractérise une démarche réflexive, augmenter leur capacité à résoudre des problèmes, à chercher, à innover et à créer ; dans une société démocratique, confrontée à des défis de survie (violence, environnement, éthique, médias, santé, éducation), devenir des acteurs sociaux lucides et engagés, capables d'analyse critique et néanmoins d'engagement, et viser la réussite de tous ; enfin, dans une société de communications et d'individualisme, apprendre à communiquer de façon efficace, construire un développement de soi, une identité professionnelle, établir avec les autres des relations d'aide et de coopération (Paquay, 1993 : 133).

Parmi ces compétences, apparaissent celles qui visent à rendre l'enseignant et l'enseignante capables d'appréhender adéquatement les réalités sociales inhérentes à la pratique du métier, à les analyser de façon critique, à agir et à intervenir de façon conséquente dans les différents contextes de son travail professionnel. Les cours portant sur les dimensions sociales de l'éducation et du métier d'enseignant dans les programmes de formation visent le développement de ces compétences. À titre d'illustration, mentionnons :

- la capacité de comprendre comment et en quoi le système d'éducation et l'école sont des réalités enracinées dans une conjoncture sociale qui structure et influence les ressources dont disposent les actrices et acteurs sociaux et la dynamique des systèmes d'action auxquels ils participent ;
- la capacité, à partir de l'observation ou de recherches et études pertinentes, de décrypter et de reconnaître les dimensions sociales d'un certain nombre de phénomènes, questions et problèmes pertinents à l'enseignement au secondaire ;
- la capacité de décoder et d'évaluer de façon critique, à travers la vie quotidienne à l'université, comme dans une classe concrète, les médiations, les effets et les enjeux de la socialisation scolaire ;
- la capacité d'utiliser l'éclairage nouveau fourni par les connaissances des dimensions sociales des phénomènes scolaires : pour mieux comprendre et prendre en

compte les caractéristiques variées des clientèles scolaires, pour agir adéquatement comme agente et agent de socialisation et pour mieux apprécier les conséquences de ces actions sur les jeunes ;

- la capacité de saisir et de comprendre les phénomènes d'interdépendance, d'autonomie relative, de rapports de pouvoir, de coopération « obligée » dans les systèmes d'action qui jouent un rôle de médiation entre les missions théoriques de l'école et les actes concrets des intervenantes et intervenants.

Les conditions concrètes d'acquisition des compétences

Dans les entreprises manufacturières, on peut fixer des objectifs tout en se dispensant d'indiquer comment les atteindre. En effet, l'essentiel de la production des résultats désirés est le fruit des opérations des machines. Il suffit aux techniciens de maîtriser la manipulation des manettes et l'identification de leurs fonctions pour garantir un niveau minimal de qualité des résultats escomptés. Or, dans un domaine complexe de la formation des personnes, on ne peut fixer le développement de certaines compétences sans préciser les modes d'acquisition privilégiés. Personne n'arrivera jamais à sauter d'une hauteur de deux mètres en suivant la consigne d'apprendre les instructions par cœur et de s'en souvenir au moment de sauter. La pratique régulière, la discipline, les exercices préparatoires, de longues séances d'essai sont des conditions courantes d'apprentissage pour l'acquisition d'habiletés de ce genre. Il devient donc primordial d'apporter l'attention nécessaire aux conditions dans lesquelles les étudiantes et les étudiants développeront les compétences nécessaires à leur formation intellectuelle et à la pratique de leur métier.

La situation québécoise de la formation des maîtres suscite certaines questions quant aux conditions d'acquisition des compétences complexes chez les candidats et candidates. Il ne suffit pas d'affirmer que les maîtres sont des professionnels et de vouloir les former en les inscrivant dans un seul cheminement supposément intégré de formation, de faire une séquence des activités sur papier pour régler le problème de l'acquisition des compétences complexes requises. Plusieurs questions se posent à propos des défis et des enjeux des programmes de formation et des conditions de leur implantation.

Qu'apprend un stagiaire de l'observation de l'enseignant associé ? L'apprentissage de l'observation peut-il se faire sans connaissances et savoirs préalables ? Pourquoi observer ? Pour vérifier des hypothèses ? Alors lesquelles ? Peut-on développer une pratique réflexive en n'observant que les autres ? Comment arrive-t-on à comprendre convenablement la manière dont se réalise concrètement la formation des jeunes dans des écoles ? Le virage professionnel de la formation a amené les facultés des sciences de l'éducation à centrer beaucoup d'activités sur l'articulation « théorie et pratique » et à investir beaucoup de ressources humaines dans les écoles et les classes.

On ... qui prévaut dans plusieurs pays européens au mo... le terrain, les candidats et candidates à l'enseigne-me... pas encore la maîtrise des matières à enseigner et n'... aux éléments didactiques correspondants. La situa-tio... : les étudiants et les étudiantes vont dans les écoles dè... scolarisation.

Comment développer alors, dans les programmes en implantation, des pratiques qui non seulement n'auront pas pour effet d'occulter les défis que pose l'articulation de la théorie et de la pratique, mais qui favoriseront l'acquisition des connaissances et des habiletés préalables à toute mise en situation signifiante de pratique professionnelle? On pense plus particulièrement ici aux connaissances et habiletés relatives à la formation générale, aux disciplines d'enseignement ou aux modèles didactiques et aux rapports qu'elles entretiennent avec l'insertion des stagiaires dans les écoles et les classes.

Les hypothèses soulevées par Perrenoud quant aux conditions d'acquisition des compétences qui feraient des maîtres des professionnels présentent l'avantage de correspondre à plusieurs problèmes inhérents aux nouveaux programmes de formation. Les compétences qui justifieraient une démarche clinique de formation seraient celles:

- « dont l'acquisition est inséparable du cheminement global de la personne »; n'est-ce pas le cas des candidats et candidates qui poursuivent à la fois des objectifs assez personnels comme la maîtrise de la langue, tout en étant engagés dans une formation intellectuelle rigoureuse de niveau universitaire?

- « dont la mise en œuvre dépend d'une synergie avec d'autres compétences »; n'est-ce pas un défi des programmes de formation de coordonner des activités qui rendent possible l'orchestration des compétences nécessaires à un développement professionnel solide? À cet égard, quel est le degré de compétence nécessaire dans une matière pour qu'un stagiaire profite d'une expérience de pratique sur le terrain?

- « difficiles à décrire de façon synthétique et univoque, sinon à un degré très élevé d'abstraction »; n'est-ce pas le cas de plusieurs compétences liées à la compréhension et à la structuration des contextes d'action spécifiques où se réalise la pratique professionnelle? Comment arriver à rendre intelligibles les gestes observés une fois par semaine chez son enseignant associé?

- « peu évaluables de façon certificative en dehors d'un processus de formation »; comment évaluer la capacité de l'étudiant de se représenter adéquatement une situation, ou celle de travailler en équipe, sa capacité de rendre compte adéquatement d'une situation observée?

- « dont le mode de construction et la nature même dictent ou recommandent un type défini de démarche de formation » (Perrenoud, 1993d: 26). Comment un stagiaire construit-il une identité professionnelle sans prendre conscience qu'elle s'inscrit dans ses propres pratiques quotidiennes, qui renvoient à des rapports sociaux qu'il ne perçoit pas et à des variétés considérables de systèmes d'action et d'acteurs?

Préciser les conditions d'acquisition des compétences visées permettrait aux partenaires d'aborder de façon plus réaliste les situations concrètes et les dispositifs nécessaires à leur acquisition par les futurs maîtres.

Dans le cadre général de la formation initiale des enseignants, la démarche clinique serait, selon Perrenoud, la plus pertinente par rapport aux types et à la complexité des contextes d'action où se construiraient l'identité et la compétence professionnelles des enseignantes et des enseignants. Or, cette démarche exige des consensus plus larges sur l'ensemble des cheminements et des parcours de formation, un fonctionnement en situations concrètes non limitées à la pratique dans une classe, une orchestration des compétences et des enseignements théoriques qui permettrait aux professeurs d'offrir des réponses à des situations vécues par les partenaires, des éclairages à apporter aux pratiques et interactions des acteurs, et des grilles de lecture de l'expérience (Perrenoud, 1993d : 28-31).

Formation initiale et développement de l'identité et de la compétence professionnelles

Les trois volets de l'identité professionnelle de l'enseignant

L'identité professionnelle de l'enseignant est la résultante de l'articulation de trois volets différents : 1) les candidats à l'enseignement prennent conscience de leurs acquis antérieurs et mobilisent ces acquis ; 2) ils acquièrent des compétences dans un programme de formation universitaire, socialement sanctionnées par un diplôme ; 3) ils s'insèrent progressivement dans le système d'éducation et réussissent à devenir des praticiens professionnels.

Déjà treize ans de connaissances et d'expérience en éducation : une richesse à exploiter

Le premier volet de l'identité professionnelle du futur maître est constitué des compétences sociales, intellectuelles, morales acquises au cours de ses expériences humaines, sociales et scolaires antérieures. Il s'agit de la formation générale ou fondamentale, acquise au cégep, et qui constitue l'ancrage indispensable d'une formation et d'une culture universitaires et professionnelles. Cette dimension de l'identité professionnelle n'est pas résiduelle ni secondaire. En effet, dans un métier comme l'enseignement, on ne peut considérer comme accessoires et secondaires la capacité des candidats à apprendre, leur niveau effectif de développement, leur désir d'apprendre, leur curiosité intellectuelle, leur sentiment d'accomplissement et de capacité face aux exigences d'une formation de niveau universitaire. Le défi principal pour le futur maître consiste à mobiliser adéquatement l'ensemble de ces ressources acquises face aux exigences des nouveaux apprentissages.

Un choix de carrière et une formation universitaire en enseignement

Le futur maître doit donc arriver à acquérir d'abord, à démontrer ensuite et à faire reconnaître enfin sa compétence comme étudiant, avant d'aspirer à la pratique de la profession. En d'autres mots, il doit faire la preuve, par ses travaux et par la démonstration de ses compétences intellectuelles, qu'il s'est «affilié», c'est-à-dire qu'il a démontré qu'il pouvait aborder correctement les tâches de son métier, suivre les consignes, faire les opérations mentales, réaliser les séquences, déduire, induire, analyser, réfléchir, modifier ses comportements, bref qu'il fait partie de ceux et de celles qui peuvent être reconnus compétents et recevoir le diplôme.

Ce deuxième volet de l'identité professionnelle est le fruit des interactions significantes et des activités auxquelles invite l'ensemble du programme. C'est la phase d'acquisition des savoirs, connaissances et compétences prescrites par le programme d'études. Or, les études sur la formation universitaire montrent jusqu'à quel point le niveau de persévérance et de réussite dans un programme universitaire est bas ; c'est dire le nombre d'étudiants qui ne parviennent pas à maîtriser leur métier d'étudiant. Cette étape constitue pourtant le passage obligé à la pratique professionnelle en enseignement comme dans d'autres secteurs.

Une carrière en éducation : le développement progressif d'une culture professionnelle et d'une pratique réflexive

Le libre choix de l'enseignement comme choix de carrière situe les futurs enseignants parmi les êtres humains qui croient à l'éducation et aux valeurs éducatives et qui sont prêts à consacrer les efforts nécessaires à une carrière vouée à l'étude, à la recherche de la vérité, au développement d'une culture élargie et riche qui en feront des agents de diffusion culturelle motivés et compétents.

Cette phase est consacrée au développement d'une compétence pratique ancrée dans une culture professionnelle, d'une compréhension des enjeux sociaux de la profession et de la maîtrise des compétences d'une pratique réflexive.

Ce troisième volet de l'identité est constitué des compétences pratiques acquises progressivement par l'étudiant dans le cadre des stages et de son insertion progressive dans un rôle d'enseignant ou d'enseignante. Cette construction d'une compétence pratique est concomitante à la formation plus théorique en didactique et en psychopédagogie et même à la formation de base dans les disciplines d'enseignement. Le développement de l'identité et de la compétence professionnelles dans le nouveau contexte de la formation en enseignement pose des défis nouveaux, mais dans la mesure où le choix de carrière de l'enseignant correspond en même temps à la forme ultime de réalisation et d'épanouissement personnels, l'enseignant vit alors sa carrière comme une vocation, c'est-à-dire comme le lieu par excellence de la réalisation en lui du sujet social.

Les enjeux du développement de l'identité et de la compétence professionnelles

Le programme de formation initiale comme lieu de qualification au travail est fonction d'un ensemble dynamique de rapports sociaux. « Plutôt que de poser la question futile de savoir si les enseignants sont vraiment des professionnels, il importe plutôt d'établir en quoi les enjeux sociaux de la qualification, la nature dite professionnelle des pratiques enseignantes induisent ou conditionnent des rapports sociaux particuliers au sein des systèmes d'action de la pratique enseignante » (Maheu et Robitaille, 1990 : 103). Par conséquent, le fait d'aborder le développement de l'identité professionnelle « amène à examiner les processus de professionnalisation sous l'angle des rapports sociaux sous-tendant la définition de soi que construit un groupe social à qualifications élevées » (Maheu et Robitaille, 1990 : 94).

C'est à partir des pratiques de formation initiale des partenaires de la formation dans la quotidienneté que se construisent, par un travail rigoureux d'investissement intellectuel et de réflexion, l'identité et les compétences intellectuelles et professionnelles des enseignantes et des enseignants.

Dans le contexte actuel, le courant de professionnalisation du métier d'enseignant apparaît comme un processus complexe, fondé sur l'articulation « théorie et pratique » qui se déroule tout autant au sein des pratiques universitaires de formation que dans les lieux de pratique : les professeurs, les étudiantes et les étudiants, les responsables de formation pratique, les maîtres associés sont tous des acteurs des systèmes d'action en cause. Professionnaliser la formation des enseignants consiste à « former correctement les professionnels », afin de répondre à de nouvelles missions et, en particulier, de favoriser la réussite scolaire pour un plus grand nombre, de donner une réponse éducative adéquate à la diversité des besoins des étudiants et aux exigences d'une éducation de qualité.

Si la professionnalisation implique que les maîtres ne sont plus seulement des agents de l'État mais aussi des acteurs dans leur formation comme dans leur activité professionnelles, elle peut aussi justifier une mobilisation du corps enseignant autour d'une nouvelle conception de l'activité professionnelle. Mais une focalisation excessive et exclusive des enseignantes et des enseignants sur cette activité professionnelle risque de les détourner des véritables enjeux de l'activité professionnelle enseignante, à savoir les contenus de la scolarisation et les effets sur les jeunes de la pratique professionnelle des enseignants (Masselot, 1994 : 124).

Les commissaires des États généraux sur l'éducation de 1995-1996 ont retenu la révision des contenus de l'enseignement primaire et secondaire comme un des chantiers prioritaires; c'est dire que les contenus constituent un enjeu important pour l'école et donc pour la profession enseignante. De même, les conditions d'appropriation des contenus scolaires par les différentes populations d'élèves sont importantes pour que la socialisation réalise à la fois une transmission convenable des savoirs et joue son rôle de tiers aidant l'enfant à s'émanciper de ses appartenances et des identifications au groupe familial. Il y a là un enjeu de démocratie et de liberté pour le système, et un enjeu à la fois social et scientifique (Masselot, 1994 : 124).

La nature de l'identité professionnelle

L'identité désigne ce par quoi une personne peut se connaître et se reconnaître comme un tout à travers la diversité des moments de sa vie sociale. Elle permet à une personne de savoir ce qu'elle est à travers l'émiettement de ses rencontres avec les autres individus. À cet égard, l'identité professionnelle ne fait qu'ajouter des composantes et des dimensions spécifiques liées aux conditions générales d'accès à une profession donnée. En effet, l'identité se présente d'abord comme une notion transversale, à la fois personnelle, sociale et professionnelle.

Selon Camilleri (1986), on peut définir l'identité professionnelle d'un enseignant comme un construit social qui est indissociablement un rapport à un temps et à un espace tant individuels que sociaux. En l'abordant ainsi, on met en évidence une subjectivité et une historicité, une logique plus individuelle d'acteurs et la matrice des rapports sociaux, situés dans le temps, qui la sous-tend (Sainsaulieu, 1985). Ainsi, «l'identité est affirmation, reconnaissance, par lui-même et par d'autres, d'un sujet en même temps qu'elle met en œuvre des composantes plus collectives, des rapports sociaux constitutifs d'autonomie, de pouvoir, de projets communs, de luttes sociales» (Maheu et Robitaille, 1990 : 106).

Ainsi le temps et l'espace individuels et sociaux de la construction de l'identité regroupent concrètement et combinent l'ensemble des conditions d'accès à la pratique enseignante et cette pratique enseignante elle-même : la représentation de la profession chez ceux qui la choisissent, les processus individuels de choix des candidats, les mécanismes de sélection et de recrutement, les pratiques de formation et d'insertion dans les lieux de pratiques, la responsabilité d'un poste et l'insertion définitive, la pratique professionnelle elle-même, etc.

Depuis le virage professionnel des programmes de formation, se sont multipliés les lieux de coopération et de concertation, de réflexion et de mobilisation pour la mise en place des conditions porteuses des résultats escomptés. C'est dire jusqu'à quel point l'identité professionnelle est un construit social, un système d'action qui induit une réflexivité subjective, intersubjective et sociale d'une trajectoire individuelle et sociale. La réflexivité comme composante du processus de formation de l'identité appelle une saisie et une reconnaissance par les acteurs de la formation initiale «des représentations, des schémas cognitifs et symboliques plus ou moins formels de retour sur soi de l'identité. Un retour sur soi individuel, intersubjectif de collègue à collègue, mais aussi plus largement social qui peut, dans ce dernier cas, être alimenté par une appartenance, par exemple, à des formes syndicales ou professionnelles de regroupement» (Maheu et Robitaille, 1990 : 107).

La construction de l'identité

Même si la notion d'identité est transversale, c'est-à-dire à la fois personnelle, sociale et professionnelle (Dubar, 1991), et que l'identité de base peut se définir comme l'identité au travail, cette identité suppose aussi et surtout la projection de soi dans l'avenir, l'anticipation d'une trajectoire d'emploi et la mise en œuvre d'une logique d'apprentissage et de formation (Masselot, 1994 : 125). L'insertion hâtive des stagiaires dans les écoles constitue une nouvelle pratique de formation pour «les futurs professionnels de l'éducation». Cette projection dans l'avenir est partout présente dans les activités de formation initiale par les références à des pratiques pédagogiques qui mettent en scène «le futur enseignant ou la future enseignante» dans des situations de simulation ou des études de cas. À cet égard, l'entrée précoce en situation de pratique est dangereuse. Plusieurs recherches confirment que le stagiaire se désintéresse, avant même qu'il n'y ait investi suffisamment, de certains aspects plus théoriques de sa formation en faveur de l'aspect pratique de sa formation.

Un examen des pratiques de formation initiale devrait permettre de mieux préciser «la nouvelle identité [professionnelle] émergente». On sait que l'évolution de la profession enseignante se prête à différentes interprétations. Bourdoncle croit que les instituts universitaires de formation des maîtres en France proposent un modèle professionnel relevant d'une logique utilitaire, soumis à la recherche de l'efficacité et ne retenant comme éléments de formation que les contenus jugés directement applicables. L'enseignant est alors conçu comme un professionnel expert de la transmission des savoirs (Bourdoncle, 1990). Dénailly (1988) croit plutôt que le modèle de «cadre d'une société de service» pourrait s'imposer en éducation, tandis que Derouet (1988) pense que si la tendance à considérer les établissements scolaires comme des entreprises éducatives persiste, alors le modèle de «techniciens et experts en techniques pédagogiques» pourrait bien s'imposer. En somme, rien n'est vraiment garanti quant aux chances de succès du courant en faveur de la professionnalisation de l'enseignement.

Ces trois définitions auraient néanmoins en commun

de s'opposer à l'amateurisme et au travail «à l'inspiration» ainsi qu'à tout ce qui, dans l'activité d'enseignement, peut évoquer le schéma taylorien de la division des tâches (horaires fixes, cloisonnement disciplinaire, contrôle de la hiérarchie), mais également à la démarche de l'artisan considérée comme trop empirique et solitaire. (Masselot, 1994 : 127).

La logique normative, caractéristique de la culture professionnelle des pédagogues et des enseignants, ne les prédispose pas à l'utilisation d'une attitude critique face aux pratiques et aux décisions pédagogiques. Les pratiques et les décisions des partenaires de la formation initiale sont-elles vraiment dans la lignée du virage professionnel ? Sont-elles de nature à améliorer la qualité des futurs enseignants et enseignantes et la qualité de la formation dans les écoles ? Voilà des questions que ne peuvent éviter les membres des facultés des sciences de l'éducation comme maîtres d'œuvre des nouveaux programmes.

De plus, il ne faut pas séparer la notion d'identité professionnelle de celle de culture professionnelle. Comment déceler les enjeux et les rapports sociaux sous-jacents aux pratiques de formation relatives aux valeurs et aux savoirs véhiculés dans les diverses activités du programme de formation ? Existe-t-il un patrimoine institutionnel en matière de valeurs éducatives ? Des valeurs communes et partagées par tous les acteurs de l'éducation ? Des valeurs d'appui qui seraient le fondement idéologique véritable de la fonction d'éducation ? En France, l'éducation nationale constituerait, selon Durand-Prinborgne (1992), un patrimoine basé sur trois valeurs essentielles : refus de l'inégalité, idéal de démocratisation de la société par l'École et de l'École dans son propre fonctionnement ; l'École comme dépositaire de la connaissance ; processus d'assimilation et d'intégration confié à l'École.

Dans les nouveaux programmes, l'étudiante et l'étudiant se familiarisent très tôt avec les milieux de pratique et la pratique professionnelle dans le cheminement de la formation. Les stages portent néanmoins sur des objectifs comme la construction du rôle professionnel, sur la capacité de réfléchir sur une pratique qui ne se développera pourtant que très graduellement. Mais alors, les responsables de la formation seraient-ils convaincus que les savoirs d'expérience constituent les éléments majeurs des savoirs professionnels même pour un non-initié à la profession ? Qu'apprennent effectivement les stagiaires dans le cadre de leurs différents stages ? Quels rapports établissent-ils entre des savoirs qu'ils construiraient par et dans leur pratique et d'autres savoirs, référents, repères, connaissances, théories et jalons qui constituent pourtant des éléments importants des savoirs des enseignants ? Quelle part joue dans l'activité professionnelle ce savoir expérientiel, et quelle en est l'importance dans la constitution d'une base de connaissances ? Les réponses à ces questions sont à construire par tous les acteurs de la formation. On ne peut se contenter du flou intellectuel et organisationnel actuel, pas plus qu'on ne peut se satisfaire des convictions des responsables.

Sur le plan des contenus scolaires qu'utilisent et transmettent les enseignants en exercice, quels rôles jouent dans la formation des enseignants l'ensemble des normes du système d'éducation, les textes officiels, les directives gouvernementales, les guides pédagogiques, bref tous les encadrements ministériels qui structurent pourtant les pratiques des milieux scolaires ? Et que dire du rôle, de l'importance et de la place que jouent les manuels et le matériel pédagogique dans la culture professionnelle? Il y a là un modèle pédagogique d'imposition, relativement explicite. Comment ces éléments sont-ils articulés avec les autres éléments de formation comme les connaissances dites théoriques des disciplines à enseigner, les connaissances didactiques et les approches psychopédagogiques? avec le savoir d'expérience généré par les praticiens?

On parle souvent des caractéristiques de l'enseignement universitaire qui ne cadreraient pas bien avec certaines exigences du courant de la professionnalisation. Cependant, n'y aurait-il pas, du côté de la pratique des enseignants en exercice et des pratiques pédagogiques prévalant dans les écoles, des éléments susceptibles de marquer profondément et dès le début de la formation le sens et la portée de la professionnalisation du métier, les contenus de la culture professionnelle et, par voie de conséquence, le développement de l'identité et des compétences professionnelles des futures enseignantes et des futurs enseignants? On réalise déjà, après deux ans d'implantation des nouveaux programmes, que la pratique courante des facultés des sciences de l'éducation d'embaucher des responsables de formation pratique issus des milieux scolaires plutôt que de l'université même contribuerait, contrairement au rapprochement souhaité entre les universitaires et les praticiens dans les écoles, à augmenter encore plus la distance entre les deux milieux. De la même façon, la rentrée précoce de stagiaires dans les écoles et les classes ne risque-t-elle pas de compromettre chez eux le profit d'une expérience pratique, en l'absence chez les candidats de connaissances, de savoirs et de compétences qui constituent souvent des préalables à certains apprentissages complexes et à toute pratique réflexive?

Les mécanismes de socialisation doivent être envisagés dans la continuité et donc tout au long du processus de formation et de la pratique professionnelle. Plongés dès le début dans des expériences de terrain, comment les stagiaires arriveront-ils à incarner des professionnels nouveaux, non seulement différents des praticiens et praticiennes qui les reçoivent, les guident et les évaluent dans les milieux de pratique, mais en même temps capables de les influencer à leur tour dans leur pratique professionnelle? Le savoir, le savoir-faire et le savoir-être du corps professoral des écoles constituent un noyau structurant par excellence pour socialiser les pairs par contamination. En outre, le processus d'homogénéisation des comportements et des opinions touche l'ensemble des individus de la profession à la mesure de l'ancienneté d'appartenance à la profession (Masselot, 1994 : 129).

Les dangers du rêve enseignant

Si le virage réflexif annoncé dans les programmes de formation des maîtres ne doit pas se réduire à un discours savant, à de bonnes intentions ni se pratiquer qu'au moment des stages, l'ensemble des partenaires du programme de formation doit alors l'incorporer dans leur enseignement comme un des modes courants de fonctionnement intellectuel pour toute pratique sociale le moindrement complexe. S'il est un domaine où la pratique réflexive doit trouver sa première application, c'est bien dans l'usage que pourraient en faire les futurs maîtres qui, pendant quatre ans encore, exerceront formellement leur métier d'étudiant.

Or, le passage à l'université présente d'autres défis sur le plan du développement intellectuel et social. Comme le démontrent certaines recherches, la formation n'est pas que le résultat de l'assimilation de connaissances, elle est surtout le fruit d'un processus éminemment actif par lequel l'étudiant construit littéralement ses connaissances et son expérience scolaire, et dans lequel l'épistémologie des savoirs se conjugue avec l'épistémologie de l'agir humain. En d'autres mots, le niveau de formation universitaire ne se reconnaît pas seulement dans la quantité, la variété et l'amplitude du champ de connaissances de l'étudiante ou de l'étudiant, mais aussi dans l'accomplissement d'un niveau élevé de compétences intellectuelles complexes acquises par la pratique réussie du métier d'étudiant.

Si le projet de carrière constitue une projection dans un avenir qui motive l'étudiante ou l'étudiant, c'est d'abord et avant tout une personne qui se forme et qui se construit une identité tout à la fois personnelle, sociale et professionnelle. De plus, son effort de compréhension du monde complexe qui l'entoure et son action quotidienne dans des contextes d'action fort variés le sollicitent d'abord et avant tout comme personne qui cherche à pousser le plus loin possible sa capacité de comprendre et d'agir efficacement. Le processus actif et le caractère construit de l'apprentissage ainsi que la transversalité de l'identité et de l'expérience humaines exigent donc de reconnaître ces dynamiques dès le début de la formation initiale et non seulement au moment et à propos de la pratique enseignante dans les écoles.

À ce titre, la concentration sur les processus par lesquels, au jour le jour, les étudiantes et les étudiants construisent leur identité et leur compétence tout en s'acheminant progressivement vers leur carrière exige donc de la part de leurs formateurs une structuration et une coordination des modes d'action et des pratiques de formation autour de la personne, du travail, de la vie et de la pratique étudiante. Il suffirait d'appliquer, en formation initiale et dans tout l'espace-temps de cette formation, le modèle que les professeurs des sciences de l'éducation leur proposent eux-mêmes face à leurs propres futurs élèves : centrer l'enseignement sur l'apprentissage effectif de leurs étudiantes et étudiants. Par ailleurs, les candidats à l'enseignement sont le fruit du système d'enseignement. Par exemple, un certain nombre d'étudiants ont de sérieuses lacunes en français à leur entrée à l'université, même après « l'avoir appris » ou après qu'on leur eut « enseigné » pendant treize ans. Il demeure donc pertinent que les futurs maîtres acquièrent toutes les connaissances, savoirs et compétences requises pour s'ouvrir non seulement à la pratique professionnelle de l'enseignement, mais aussi à la compréhension du monde qui les entoure et au développement des compétences requises dans toutes leurs situations d'acteurs sociaux. La réflexivité ou l'esprit de recherche n'est pas l'apanage exclusif de leur rôle professionnel futur, mais une condition nécessaire à la construction de leur expérience sociale quotidienne. Or, nous n'en sommes pas à un paradoxe près au cœur des sciences de l'éducation.

D'une part, réfléchir sur son expérience d'enseignant pour la valider et en constituer un répertoire de savoirs pratiques est surtout une destination et un objectif à poursuivre par la candidate ou le candidat en enseignement pendant toute la durée de sa carrière. Ce n'est pas une attente réaliste d'un programme de formation initiale, malgré l'insistance des nouveaux programmes sur les stages et l'enseignement pratique. Au mieux, ces dispositions du programme permettent au nouveau stagiaire de se familiariser avec ses tâches, de dédramatiser ses premières hantises et appréhensions, de développer certains trucs, de vérifier les réussites et les lacunes dans ses rapports avec les élèves, dans ses manières d'aborder la matière, de prendre confiance en soi, *bref de durer et de survivre dans la pratique initiale du métier*, tout en développant l'esprit de recherche requis pour une pratique professionnelle. Bien que la réflexivité ne soit pas absente, elle est canalisée vers des activités ponctuelles comme rectifier le tir, apprendre à se tirer d'un mauvais pas, asseoir son assurance, sans trop manipuler ni faire de chantage. Cependant, la proportion du temps de la formation initiale, pendant laquelle le stagiaire « ferait une pratique réflexive de sa pratique », est relativement limitée par rapport à l'ensemble des activités de formation du programme. Limiter le développement d'un esprit de recherche de son agir à cette seule dimension de sa formation n'aura pas de portée véritable sur le développement de son habitus.

D'autre part, les nouveaux programmes de formation des maîtres, particulièrement celui du secondaire, présentent des défis considérables pour les étudiantes et les étudiants qui doivent acquérir, de façon concomitante, les rudiments de deux disciplines différentes d'enseignement de trente crédits chacune, apprivoiser les différentes matières des sciences de l'éducation comme la mesure et l'évaluation, la technologie de l'enseignement, les didactiques, les rudiments de la psychologie et des sciences sociales, la connaissance du système scolaire, etc. De plus, ils doivent faire leurs premières expériences d'observation et de participation dans les classes, agir comme stagiaires et prendre la responsabilité entière d'une classe. Il est alors impératif de prendre tous les moyens nécessaires de concertation pour que tous concentrent leurs efforts, non pas seulement sur leur « rêve enseignant », mais également sur la maîtrise actuelle de leur métier d'étudiante et d'étudiant.

De toute évidence, avant d'exercer son métier d'enseignant, l'étudiante ou l'étudiant en enseignement devra exercer son métier d'étudiant universitaire à plein temps pendant au moins quatre ans, sans compter le contrat à vie qui va le lier à un métier où l'apprentissage et le développement d'une pratique efficace sont une réalité quotidienne et un gage de réussite professionnelle. Dans les conditions de son programme, le candidat à l'enseignement a intérêt à devenir un étudiant compétent, efficace, performant et réfléchi, « s'il veut tirer profit » d'un tel programme et non seulement

« passer au travers ». Quatre années pour modifier des attitudes parfois passives face à son apprentissage et créer une disposition nouvelle (habitus) face à l'apprentissage et à l'enseignement, ce n'est pas exagéré, c'est même un défi considérable à relever.

La formation initiale comme pratique sociale réflexive et comme objet d'analyse

Développer son identité et sa compétence professionnelles et devenir des actrices et des acteurs sociaux, conscients, engagés et capables de comprendre les réalités sociales et d'intervenir dans ces réalités, constituent pour les étudiantes et les étudiants en formation des maîtres des objectifs qui se répondent, se conjuguent, s'articulent et se réalisent à travers une double démarche d'analyse sociale des réalités scolaires et de pratique réflexive de leur expérience d'étudiants et d'enseignant.

Les connaissances et les expériences scolaires acquises dans la scolarité antérieure, le développement des diverses compétences prévues dans le programme de formation initiale et l'exercice d'une pratique enseignante constituent trois volets du développement de l'identité et de la compétence professionnelles des enseignantes et des enseignants. Cette identité et cette compétence prennent forme et se construisent dans l'articulation que fait l'étudiante ou l'étudiant de son expérience scolaire et sociale. Ce « devenir enseignant » est irrémédiablement contingent et indéterminé, car il s'inscrit dans des espaces sociaux spécifiques ; il est le fruit de l'articulation par l'étudiant ou l'étudiante de ses acquis passés et de ses apprentissages nouveaux, de l'analyse et de l'action, des finalités et des contraintes de l'action, de son rôle d'étudiant ou d'étudiante et de celui d'enseignant ou d'enseignante, des valeurs et des savoirs, de la théorie et de la pratique.

Dans ce chapitre, le « devenir enseignant » est abordé comme une pratique sociale et comme un objet d'étude. Vouloir faire partager cette préoccupation par l'ensemble des partenaires de la formation n'a rien d'impérialiste dans le contexte actuel du mouvement de professionnalisation de l'enseignement. L'approche est centrée sur la personne de l'étudiante ou de l'étudiant et le travail de transformation de cette personne, et non sur un moment particulier qui en constitue d'ailleurs plutôt le résultat, tout autant problématique, contingent et imprévisible, c'est-à-dire la pratique professionnelle.

Dans le cadre d'une sensibilisation et d'une compréhension des phénomènes éducatifs et des rapports sociaux sous-jacents, le « devenir enseignant » est donc traité sous le double aspect d'une pratique réflexive et d'une analyse sociale. La pratique réflexive met l'accent sur l'attitude proposée à l'étudiante ou à l'étudiant face à sa formation. L'analyse sociale invite l'étudiant à la découverte des rapports sociaux dans lesquels s'inscrit son expérience scolaire et sociale. La première démarche cherche la maîtrise d'une action pratique (le passage du métier d'étudiant à celui d'enseignant), la seconde démarche poursuit l'analyse et la compréhension des contextes d'action dans lesquels s'inscrit ce passage. Autrement dit, il s'agit, dans la première, de lever les obstacles à l'efficacité de l'action et de l'intervention de l'étudiant dans son devenir ; dans la seconde, il s'agit de lever les obstacles à la connaissance et à la compréhension des contextes de son action.

Par ces deux démarches préconisées comme approches de formation, l'étudiante ou l'étudiant est invité à : 1) construire son futur métier d'enseignant par l'acquisition des compétences fondamentales, transférables et polyvalentes requises par son métier d'étudiant ; 2) construire ses nouveaux apprentissages sur les connaissances et savoirs acquis, en les mobilisant dans l'action et dans la compréhension des contextes d'action ; 3) développer une pratique réflexive de son expérience scolaire et sociale, et une analyse critique des rapports sociaux dans lesquels elle s'inscrit ; 4) puiser dans la recherche les instruments nécessaires pour favoriser la réflexivité et l'émancipation par l'observation, l'analyse, la réciprocité, l'échange et la coopération.

Développer des compétences fondamentales, transférables et polyvalentes

a) Sur le plan de l'action

L'acquisition des compétences du programme de formation et la reconnaissance sociale de ces compétences (par le diplôme) constituent sans conteste pour les candidates et les candidats en formation le passage obligé vers leur développement professionnel et la pratique de leur profession.

Il y va de l'intérêt premier de l'étudiante ou de l'étudiant de concentrer ses efforts sur le temps présent et les apprentissages requis dans les différentes disciplines de son programme, pour poursuivre ensuite vers les stages, la pratique plus intensive et enfin le métier permanent dans un poste régulier. Cette insistance sur l'apprentissage met en lumière que l'acte d'apprendre est nécessaire et dépend de l'étudiant, que chacun a ses connaissances, ses représentations, ses prédispositions, ses habitudes, ses objectifs et ses blocages.

L'apprentissage scolaire constitue une pratique sociale de grande complexité. On n'a qu'à penser aux taux élevés d'abandon et d'échec scolaires à l'université pour s'en convaincre. La maîtrise du métier d'étudiant par l'acquisition des savoirs et du développement des compétences proposées dans le programme signifie donc le moyen indispensable de la reconnaissance sociale que confère le diplôme.

On ne peut nier l'importance que revêt pour les candidats en formation des maîtres cette affiliation universitaire réussie ; elle constitue non seulement le passage obligé à son futur métier, mais aussi un espace-temps dont l'analyse critique lui permettra d'explorer les conditions de transformation d'une instruction en application pratique.

Encadré 6.1
Le métier d'étudiant

Le problème de l'étudiante ou de l'étudiant n'est plus aujourd'hui d'être admis à l'université, mais d'y rester ; sa première tâche est donc d'apprendre son métier d'étudiant, c'est-à-dire apprendre à le devenir, faute de quoi c'est l'échec et l'élimination. Selon Coulon, il faut passer du statut d'élève à celui d'étudiant. Ce travail de passage, d'initiation, qu'il appelle « affiliation », consiste pour l'étudiant à découvrir et à s'approprier les « allant de soi » et les routines dissimulées dans les pratiques de l'enseignement supérieur.

Pour réussir, c'est-à-dire être reconnu socialement compétent, l'étudiant doit s'adapter aux codes de l'enseignement supérieur, apprendre à utiliser ses institutions, à assimiler ses routines. Cette réussite n'est possible qu'après un apprentissage qui initie le novice aux règles de son nouvel univers. Ce passage du temps de « l'étrangeté » à celui de « l'apprentissage » puis à celui de « l'affiliation » est nécessaire à l'étudiant qui doit parvenir à partager des connaissances communes avec les autres étudiants et à construire une nouvelle identité. Qu'elle soit institutionnelle ou intellectuelle, cette affiliation exige la capacité à manipuler la « praticalité des règles, c'est-à-dire les conditions dans lesquelles l'étudiant pourra transformer les instructions, institutionnelles aussi bien qu'intellectuelles, en actions pratiques ».

D'après Alain Coulon,
Ethnométhodologie et éducation (1993 : 165 et 166).

---

b) Sur le plan de l'analyse

Au cours de leur formation, les futurs maîtres sont donc appelés à développer une meilleure connaissance des réalités éducatives auxquelles ils participent et une compréhension des difficultés et des problèmes de leur action comme étudiants et comme acteurs sociaux.

Dans le cas présent, il s'agit de dégager, à partir des pratiques de formation et d'apprentissage, les divers ensembles de rapports sociaux au sein desquels s'inscrit le développement de l'identité et de la compétence professionnelles des étudiantes et étudiants. Or, ce développement est un « construit social qui est indissociablement un rapport au temps et à l'espace tant individuel que collectif »[1] (Maheu et Robitaille, 1990 : 106).

Ce construit social met en scène et inscrit dans des rapports sociaux situés dans le temps une trajectoire et une pratique sociales indissociablement individuelles et collectives. Les processus impliqués dans le « devenir enseignant » utilisent comme ressources d'action un ensemble de dimensions institutionnelles et structurelles, de réseaux de rapports sociaux prenant la forme de contraintes et de facteurs spécifiques, de ressources et d'occasions favorables d'action pouvant conditionner la compétence à agir.

---

1. Le développement qui suit immédiatement est basé sur certains éléments de l'approche utilisée par Maheu et Robitaille (1990) dans l'étude de l'identité professionnelle des enseignants du collégial.

Comme construit social, ce développement a un rapport au temps. Le temps individuel d'une candidate ou d'un candidat en formation des maîtres, c'est aussi le temps social de la formation et de la socialisation universitaires, qui vise précisément à lui donner les capacités, les démarches, les méthodes et les outils pour décrire et comprendre les phénomènes d'éducation, et intervenir et agir comme professionnel dans les situations éducatives. L'affiliation universitaire, cette reconnaissance sociale de compétence comme intellectuel capable de réfléchir, d'apprendre et de comprendre, constitue en fait un terrain solide à partir duquel l'étudiante ou l'étudiant questionnera son choix de carrière et réfléchira sur le sens de son expérience universitaire et sociale.

Dans ce cadre, l'analyse critique faite par les étudiants de leur propre apprentissage, de leurs stratégies face aux politiques, aux règles, aux exigences et aux contraintes de leur programme de formation ainsi que l'analyse de leur situation et du sens qu'ils y attribuent ont valeur de formation.

La trajectoire du développement de l'identité et de la compétence professionnelles des enseignantes et des enseignants s'inscrit dans des conjonctures institutionnelles et sociales. Les étudiants sont invités à considérer leurs différents rôles (d'étudiant, de stagiaire, de citoyen, etc.) comme des pratiques sociales dont le sens ne dérive pas uniquement du *hic et nunc* de la situation vécue ou de la situation observée, mais aussi du temps social que représente l'université. Ils doivent arriver à voir et à concevoir l'apprentissage comme une construction sociale par l'interaction, à comprendre comment l'apprentissage est fonction de la structuration de l'intervention des divers acteurs, de ses référents symboliques, politiques et institutionnels et du contrôle de «l'habitus» par les étudiants (Perrenoud, 1993b). Les compétences sociales peuvent prendre plusieurs formes: prendre conscience de soi et des autres, être ouvert au monde, observer, décrire, analyser, expliquer et comprendre les situations concrètes dont on est partie prenante, découvrir les rapports sociaux dans lesquels s'inscrivent ses conduites et ses comportements.

Parmi ces composantes du temps social et de la conjoncture d'une identité et d'une compétence «en devenir», figurent les grands débats et enjeux actuels de l'éducation dans notre société, les ressources engagées dans ces enjeux, le virage professionnel du métier d'enseignant, les grandes décisions et interactions des partenaires de la formation, leurs sens et leurs conséquences sur les modes d'action privilégiés par les acteurs de la formation, et les effets individuels et collectifs qui en sont issus.

Le «devenir enseignant» entretient aussi un rapport à un espace, c'est-à-dire un positionnement individuel, une formation dans un champ d'études spécifique avec ses propres dynamiques de relations; certaines pratiques liées à des champs de savoirs, une vie sociale particulière. Il s'agit en outre d'un espace social spécifique à sa profession comme les conditions de son insertion dans les milieux de pratique.

Enfin, ce rapport à un espace concerne les influences des collègues sur ses attitudes et ses dispositions à l'égard de sa formation, de sa conception de la société, de la pratique enseignante et des conditions concrètes de son exercice.

Mobiliser ses acquis pour agir et comprendre les contextes de son action

a) Sur le plan de l'action

À son entrée à l'université, l'étudiante ou l'étudiant dispose déjà de treize années de scolarisation et d'une expérience scolaire d'un niveau suffisant pour se qualifier pour des études supérieures. Ces connaissances, attitudes, habiletés plus ou moins complexes constituent un réservoir important de son expérience humaine, un capital intellectuel et culturel qui constitue l'ancrage des apprentissages universitaires. Il s'agit là d'un volet important de l'identité et de la compétence qu'un étudiant développera dans le cadre de son cheminement vers une qualification et une pratique professionnelles.

La centration de l'étudiante ou de l'étudiant sur la maîtrise de son métier d'étudiant constitue déjà un premier passage obligé à la pratique de son métier d'enseignant : c'est le défi de l'affiliation institutionnelle et intellectuelle.

Mais quels rapports l'étudiante ou l'étudiant peut-il faire entre les savoirs, les connaissances, les représentations des choses, les interprétations du monde, les compétences, bref entre ses acquis antérieurs, d'une part, et ses apprentissages nouveaux relatifs aux savoirs et compétences à développer au cours de la formation initiale, d'autre part ?

Une réponse à une question aussi large et complexe exigerait l'explicitation d'une théorie de l'apprentissage. Évoquons succinctement quelques-uns des rapports complexes qu'entretiennent entre eux des éléments comme les représentations, les schèmes d'action et l'habitus dans l'acquisition des connaissances ou des savoirs, de même que dans l'acquisition des savoirs pratiques relatifs à la pratique étudiante ou à la pratique enseignante.

Une conception de l'apprentissage

Apprendre peut avoir plusieurs sens et comporte plusieurs niveaux d'activités intellectuelles : acquérir de l'information, développer des habiletés intellectuelles ou comprendre la complexité des situations humaines et sociales auxquelles on est confronté. La connaissance et le savoir ne se transmettent pas directement, même si on se plaît à dire que l'objectif de l'école et de l'université est la diffusion des connaissances. Tous rejettent la métaphore de la cruche et de l'eau pour définir l'apprentissage.

Apprendre (Develay, 1992 : 120-136) est une activité qui n'est pas dépourvue de sens pour l'apprenant. C'est souvent le désir de créer du sens dans une situation qui n'en possède pas forcément au départ qui constitue le point de départ d'un nouvel apprentissage. Celui qui apprend a déjà des schèmes (des représentations) à travers lesquels il perçoit la réalité. Ces schèmes varient aussi de l'un à l'autre. Apprendre c'est élargir, diversifier ses schèmes de connaissances. Pour qu'il y ait développement d'une nouvelle compréhension, l'apprenant doit transformer ses schèmes. Pour qu'il y ait développement de nouveaux raisonnements, l'apprenant doit être actif. Il doit lui-même élaborer de nouveaux schèmes. Ceux-ci sont intérieurs, ils n'appartiennent qu'à celle ou à celui qui les développe.

Ainsi, la connaissance doit être reconstruite par celui qui apprend, elle ne se transmet pas telle quelle. Tout apprentissage est donc le résultat de la mise en œuvre d'une habileté cognitive. Apprendre est aussi la capacité de transférer cette habileté cognitive et de la mobiliser sur d'autres objets à connaître.

Le texte suivant de Meirieu résume bien l'idée générale exprimée ici au sujet de l'apprentissage et des rôles respectifs du maître et de l'étudiant dans le processus :

> Le formateur, on le sait bien, ne peut pas élaborer le répertoire cognitif à la place du formé. Il ne peut qu'inlassablement mettre en œuvre des dispositifs, poser des questions, créer des situations favorables à ce que le sujet puisse lui-même, mystérieusement, jamais quand on l'attend ni comme on s'y attend, construire sa propre intelligence. (Meirieu, 1990 : 157-158).

Les représentations sociales de l'éducation chez les étudiants

De quoi parle-t-on concrètement quand on parle de représentations ? Quel rapport ont-elles avec la formation universitaire et le développement professionnel ?

Au cours de sa scolarisation, l'étudiante ou l'étudiant accumule (quoique le processus d'apprentissage ne puisse être considéré nécessairement comme processus cumulatif) un ensemble d'idées et d'opinions au sujet de l'éducation et de l'enseignement en particulier, de certains modes de description, d'explication et d'interprétation par l'entremise desquels l'univers éducatif qui l'entoure depuis plusieurs années lui est rendu compréhensible. Ce sont là des représentations, et elles sont le fruit de l'expérience vécue par chacun dans son cheminement scolaire. De plus, elles émergent presque spontanément comme des façons pour les étudiants de s'expliquer et de comprendre l'univers scolaire. Autrement dit, chacun a ses « idées » à propos de ce qui fait l'efficacité d'un enseignant en classe : pour l'un, c'est l'intérêt qu'il suscite chez les étudiants, pour un autre, c'est sa capacité de maintenir la discipline, et pour un troisième enfin, ce pourrait être la compétence du professeur dans la matière. De plus, pour chacune et chacun, ces représentations sont non seulement construites par les interactions avec son environnement, mais elles constituent également les schèmes internes par lesquels l'univers extérieur est présent en chacun. Plus précisément :

1. Les représentations sont le résultat des expériences passées et des interactions avec les personnes et les situations rencontrées dans la scolarisation : il est donc

convenu de parler du caractère construit des représentations. Elles sont sociale-ment construites, parce qu'elles s'élaborent grâce à l'interaction sociale et à ses liens avec son environnement.

2. Ces représentations deviennent les schèmes (intérieurs) par lesquels chacun rend compréhensible pour lui-même (en passant par la description, l'explica-tion et l'implication) l'univers extérieur tant dans ses dimensions sociales (signi-fications partagées) que dans ses dimensions naturelles et physiques. Ces représentations appartiennent à la dimension cognitive de la culture, mais n'excluent pas les aspects liés aux sentiments, à l'imagination, aux valeurs, etc.

3. Ces représentations, qui sont des schèmes à travers lesquels une personne per-çoit et appréhende le monde, constituent des contraintes réelles face à ses nou-veaux apprentissages. En effet, elles vont servir de repères et de références à partir desquels elle abordera les réalités nouvelles, y compris les apprentissages nouveaux. L'évocation des représentations que chacun a de la société ou des dimensions sociales de la vie de même que de l'apprentissage met en lumière le fait que personne ne parvient à la connaissance d'un objet particulier avec une absence de connaissances, mais bien avec certaines représentations préalables, susceptibles d'influencer l'apprentissage de ce nouvel objet de connaissance. De plus, ces représentations ne sont pas limitées aux aspects cognitifs de la culture scolaire; elles établissent des liens avec les sentiments, les convictions, l'imagi-nation et plusieurs sphères de la vie scolaire et sociale qui ne sont pas harmoni-sées entre elles (Ladrière, 1990).

Représentations, savoirs et habitus dans l'action pratique

Apprendre ou enseigner sont deux pratiques sociales complexes faisant appel à plu-sieurs ressources de la personne; la compréhension ainsi que l'efficacité de cette action exigent quelques précisions supplémentaires. Rechercher, planifier, raisonner, décider, évaluer sont des pratiques et ne peuvent se réaliser sans mettre en œuvre des schèmes d'action au sens large, incluant la décision, l'évaluation, la planification, le jugement, la négociation, etc. Toutes les pratiques mobilisent des représentations. Interviennent alors les rapports entre les connaissances et les habiletés acquises par une personne, d'une part, et une situation nouvelle d'apprentissage, d'autre part. «Quels rapports y a-t-il entre les représentations et les schèmes? Ce sont les deux faces complémentaires, l'une qu'on pourrait dire figurative, l'autre opératoire du capital intellectuel et culturel d'un acteur» (Perrenoud, 1993d: 11). (*Voir l'encadré 6.2.*)

Les représentations n'ont guère d'effet sur les pratiques si l'apprenant ne dispose pas de schèmes capables de les mobiliser en situation. Ainsi s'explique la véritable articulation entre théorie et pratique, entre représentation du monde et action (Perre-noud, 1993d: 12).

Encadré 6.2
Le capital intellectuel et culturel

« Ce capital est fait d'une part de représentations, quel qu'en soit le degré d'organisation, de cohérence, de validité, de subjectivité, d'explicitation ; certaines se prétendent descriptives ou explicatives, qu'il s'agisse de véritables savoirs (savoirs savants, savoirs communs ou savoirs d'expérience) ou de simples croyances, d'opinions moins affirmées ; d'autres représentations s'avouent plus ouvertement normatives ou prescriptives, exprimant des valeurs, des règles, des finalités, des modèles ou des projets, bref des états souhaitables de la réalité.

« Ce capital est fait d'autre part de schèmes dont beaucoup demeurent à l'état pratique, échappant pour une large part à la conscience des sujets ; c'est ce que Bourdieu (1972) appelle l'habitus ; grammaire génératrice des pratiques, fonctionnant souvent dans l'illusion de la liberté et de l'improvisation. Ces schèmes d'action, au sens large, donc de pensée, de perception, de décision, de jugement, d'évaluation, sous-tendent la plupart de nos opérations mentales et de nos actes, souvent au prix d'une accommodation mineure, parfois au prix d'un travail plus important de différenciation, coordination et transformation des schèmes existants. »

Extrait de Philippe Perrenoud, *La Formation au métier d'enseignant : complexité, professionnalisation et démarche clinique* (1993d : 12).

Les schèmes d'action selon Piaget seraient « ce qui, dans une action, est transposable, généralisable ou différenciable d'une situation à la suivante, autrement dit ce qu'il y a de commun aux diverses répétitions ou applications de la même action » (Piaget, 1973 : 23-24).

Dans le cadre d'une démarche de formation centrée sur la personne, l'approche anthropologique est plus pertinente que celle de la psychologie cognitive proprement dite. En effet, il s'agit ici de mettre l'accent sur l'ensemble des schèmes dont dispose un acteur social pour faire face aux situations de la vie (que ce soit comme étudiant, citoyen, membre d'une église, conjoint, etc.). Le concept d'habitus « présente simplement l'avantage de désigner l'ensemble des schèmes dont dispose un sujet à un moment donné de sa vie et donc de poser le problème de la cohérence systémique de cet ensemble aussi bien que la question des dynamiques globales qui affectent ses transformations » (Perrenoud, 1993d : 4). (*Voir l'encadré 6.3.*)

b) Sur le plan de l'analyse

Les connaissances, les compétences plus ou moins complexes, les dispositions à l'égard de l'apprentissage dont dispose l'étudiante ou l'étudiant à l'entrée à l'université se sont inscrites dans la trame d'une expérience sociale plus large que celle de l'école et à partir de laquelle se sont développés des liens sociaux qui lui tiennent à cœur (la famille, l'amour, l'amitié, les enfants) et qui lui sont nécessaires (les groupes de pairs, le travail, le voisinage, la communauté). Au-delà de l'expérience scolaire,

Encadré 6.3
L'habitus selon Bourdieu

« Comme le terme lui-même l'indique, l'habitus (du verbe latin *habere* qui signifie "avoir") est l'ensemble de traits que l'on a acquis, des dispositions que l'on possède, ou mieux encore, des *propriétés* résultant de l'appropriation de certains savoirs, de certaines expériences. Mais ces propriétés ont ceci de remarquable qu'elles nous possèdent tout autant que nous les possédons. Elles sont tellement intériorisées, incorporées, qu'elles sont devenues nous-mêmes et qu'elles ne sont pas plus dissociables de notre être que des caractéristiques physiques telles que la couleur de nos yeux. *L'habitus est un avoir qui s'est transformé en être.* À tel point que nous avons l'impression d'être nés avec ces dispositions, avec ce type de sensibilité, avec cette façon de penser, avec cette façon d'agir et de réagir, avec ces "manières" et ce style qui nous caractérisent. Et pourtant, ces dispositions ne sont pas innées : on ne vient pas au monde avec le gène de l'avarice ou de la prodigalité, avec le chromosome de la confiance ou de la méfiance, la glande de la discipline ou de l'indiscipline, l'hormone de la pudeur ou de l'impudeur, le réflexe de la timidité ou de l'effronterie. »

Extrait de Alain Accardo,
Initiation à la sociologie de l'illusionnisme social
(1983 : 142-143).

l'expérience sociale donne un sens à la vie, une trajectoire à un parcours individuel, à une histoire personnelle et à une conquête subjective de participation au monde social : tels sont les éléments d'une expérience scolaire inscrite dans une classe sociale particulière, un genre, une histoire, une famille, etc.

L'acteur social, à travers ces liens, développe nombre de relations sociales plus ou moins intenses, qui l'engagent parfois de manière très personnelle, l'interpellent à d'autres moments de façon plus impersonnelle ou enfin le mettent en face de contradictions. En fait, les relations sociales, comme l'apprentissage, doivent être placées dans leur contexte pour être intelligibles, car dans chaque relation, l'acteur engage ses attentes, ses espoirs, ses craintes, ses besoins, ses croyances, ses projets, son imaginaire, ses émotions, etc.

Mais plus encore, chacun à sa façon, de manière subtile ou de façon plus dramatique, a expérimenté les difficultés des relations sociales. Que ce soit dans une relation personnelle ou intime, à l'intérieur d'un groupe ou dans des relations entre groupes, chacun a vécu à un moment ou à un autre des formes de discrimination, d'exploitation, de domination, de subordination reliées à son sexe, sa race, son ethnie, sa langue, sa classe socio-économique, sa religion, ses croyances, son orientation politique, son orientation sexuelle, etc. Ces aspects conflictuels des relations nous rappellent que ces relations sont toujours inégalitaires, sous un aspect ou un autre, que ce soit sur le plan social, politique, professionnel, scolaire, familial, amoureux ou amical.

Ainsi, l'étudiante et l'étudiant universitaires disposent d'un réservoir immense de connaissances et d'expériences de la vie sociale. Ils ne sauraient détacher leur expérience scolaire de leur expérience sociale s'ils veulent rendre la première intelligible et signifiante au moment de mobiliser leurs ressources face aux apprentissages nouveaux. Tout comme l'enfant n'a eu besoin en aucun cas d'une grammaire pour apprendre à parler, chacun a appris tout naturellement à vivre dans la société en s'insérant graduellement et affectivement, et de façon imperceptible, dans l'univers des signes et des symboles que constitue le langage, dans cet univers qui préexistait et qui lui survivra. Ce n'est que plus tard que chaque personne a acquis les règles grammaticales qui lui ont permis de comprendre la syntaxe langagière, les subtilités de l'accord et de l'orthographe des mots. Ces règles lui ont donné l'occasion d'aller plus loin dans la maîtrise de la langue parlée en développant son style personnel, une tournure du langage qui lui est propre, une façon d'exprimer ses idées plus clairement à un niveau correspondant à une formation universitaire. Les outils d'analyse sociale proposés aux candidats à l'enseignement visent essentiellement le même but : permettre une meilleure compréhension de réalités déjà connues à travers une certaine expérience sociale mais qui est insuffisante pour un métier complexe comme celui de l'enseignement.

Développer une pratique réflexive de son expérience scolaire et sociale et une analyse critique des rapports sociaux dans lesquels elle s'inscrit

La réflexivité

Nous avons déjà évoqué certains aspects de l'apprentissage : pour apprendre effectivement (pour changer), l'apprenant doit être actif. Il ne suffit pas qu'il dispose de connaissances, il faut aussi qu'il dispose des structures mentales qui lui permettront de passer à l'action. À la question « Comment s'accroissent les connaissances ? », une des réponses fournies par les chercheurs et qui trouve son fondement dans les travaux de Piaget (Piaget *et al.*, 1958) résiderait dans la capacité de la personne à lire son expérience personnelle. En ce sens, la lecture de l'expérience serait d'abord la création de l'objet de connaissance, grâce à la mise en œuvre des structures de la connaissance : c'est une construction propre à chacun. Ainsi, par la connaissance, on devient littéralement autre, c'est-à-dire qu'on change sa vision des choses ou des personnes et on modifie ses relations avec les choses et les personnes (Heynemand, 1995 : 178).

La lecture par l'étudiante ou l'étudiant de son expérience scolaire et sociale repose donc sur les structures qu'il ou elle a développées pour saisir et interpréter son expérience. Dans ce sens, il n'y a rien de plus pratique qu'une théorie si la théorie représente le cadre de référence qui permet de saisir et d'interpréter le réel ; seul le développement de la théorie, ou, pour être plus juste, des structures de la connaissance, pose le fondement du progrès des connaissances (Heynemand, 1995 : 179).

S'il existe un rapport obligé entre théorie et pratique dans toute pratique sociale, il n'en reste pas moins qu'il existe plusieurs manières d'aborder le réel. La réflexivité, qui consiste à réfléchir au cours de et sur l'action, unit le savoir et l'agir (scolaire, social et professionnel), car le virage réflexif consiste à réunir deux pôles qui se conjuguent et s'intègrent dans le développement : les savoirs déjà construits et organisés et de nouveaux savoirs prenant leur point de départ dans l'agir, en particulier dans les réflexions en cours d'action (Heynemand, 1995 : 180).

Une épistémologie de l'agir permettrait donc de répondre à la question « Comment se développent ou s'accroissent nos connaissances ? », prendrait racine dans l'action et serait la réflexion en cours d'action et sur l'action (Schön, 1995). (*Voir l'encadré 6.4.*)

La première conséquence de ce virage serait de développer « l'esprit de recherche chez les enseignants leur permettant alors de ne pas s'enfermer dans un système qu'ils ont construit mais de le dépasser sans cesse par l'esprit de recherche propre au professionnel qui, lui, est sur le terrain et apporte les matériaux qui doivent être maintenant assimilés et reformulés en vue d'une reformulation ultérieure » (Heynemand, 1995 : 181).

Ça, je dirais que c'est l'esprit même du constructivisme : prendre conscience que l'on doive constamment revenir à l'action pour connaître et constamment conceptualiser à partir de l'action pour pouvoir avancer. Réfléchir en cours d'action, se rompre soi-même à l'exercice de savoir rendre compte de cette réflexion et des renseignements de cet agir professionnel réfléchi, pouvoir enfin traduire en savoir les fruits de cette réflexion en cours d'action, c'est cela qui caractérise le praticien réflexif. Ce n'est pas là un défi facile, et le relever ne va pas de soi. Il faut apprendre à lire sa propre expérience pour ce faire et savoir en dégager les significations qui s'y cachent. (Heynemand, 1995 : 181-182).

Il faut donc tirer les leçons de cette compréhension de la pratique réflexive pour la formation des enseignantes et des enseignants en formation des maîtres, de son fondement dans la théorie de Piaget et surtout du fait qu'elle consiste essentiellement à « apprendre à quelqu'un à lire son expérience ». Il s'agit donc pour les responsables de la formation d'orienter l'exercice de la réflexivité de l'étudiant vers son expérience scolaire et sociale concrète, de sorte que cette réflexivité devienne alors une source d'apprentissage et de développement de nouvelles capacités d'action et non une épreuve perpétuelle et désespérante d'essais et d'erreurs.

a) Sur le plan de l'action

Pour une pratique réfléchie du métier d'étudiant

Une dimension importante de la construction du savoir enseignant suppose chez l'enseignante ou l'enseignant l'existence d'un habitus le disposant à réfléchir sur sa propre expérience pour en tirer des éléments de savoir pratique. Cette capacité peut

Encadré 6.4
Le praticien réflexif

« Les praticiens réfléchissent sûrement *sur* leur savoir professionnel. Parfois, dans la relative tranquillité qui suit un événement, ils repensent à un de leurs projets ou à une des situations qu'ils ont rencontrées et ils se demandent quelle sorte de compréhension ils avaient pour s'en occuper. Ils le font parfois par pure spéculation, ou parfois par volonté délibérée de mieux se préparer à traiter les prochains cas.

« Mais ils peuvent aussi réfléchir à ce qu'ils font pendant qu'ils sont en pleine action. Alors, ils réfléchissent sur l'action, mais le sens de ce terme doit maintenant être considéré selon la complexité du savoir-en-pratique.

« Chez le praticien, la réflexion sur l'action peut n'être pas très rapide. Il y a la contrainte de "l'action en cours", cet espace de temps pendant lequel l'action peut encore modifier les situations. L'action en cours peut s'étirer pendant quelques minutes, des heures, voire des jours et des semaines selon le rythme des activités et les limites de situations qui caractérisent une pratique (…).

« Quand un praticien réfléchit en cours d'action et sur son agir professionnel, les objets de la réflexion sont aussi variés que le sont les sortes de phénomènes qui s'offrent à lui et les systèmes de savoir pratique qu'il utilise en face d'eux. Il peut réfléchir sur les normes tacites et les appréciations qui sous-tendent un jugement ou sur les stratégies et les théories implicites à tel type de comportement. Il peut encore réfléchir sur ce qu'il ressent par rapport à une situation qui l'a amené à adopter une ligne de conduite particulière, sur la façon dont il s'y est pris pour formuler un problème qu'il tente de résoudre ou sur le rôle qu'il s'est approprié au sein de l'ensemble institutionnel. »

Extrait de Donald A. Schön,
Le Praticien réflexif — À la recherche du savoir caché dans l'agir professionnel (Schön, 1994 : 89-91).

se développer dans le contexte même de la pratique étudiante qui est aussi une pratique sociale, celle-là même qu'il aura comme mission de favoriser chez ses propres étudiants. Cette capacité de réflexion est transférable.

Inviter l'étudiante ou l'étudiant en enseignement à investir dans *son métier actuel d'étudiant*, c'est l'aider à développer une pratique réfléchie, autrement dit *une disposition et une compétence* qui lui permettront : d'analyser individuellement ou collectivement ses pratiques d'étudiant et de stagiaire ; de se regarder penser, décider et agir pour en tirer des conclusions et inversement ; d'anticiper les résultats de telle ou telle démarche d'apprentissage ou didactique ou de telle ou telle attitude (Perrenoud, 1991).

N'est-ce pas la meilleure façon de contribuer au développement de la réflexivité de façon réaliste et d'en transférer ensuite la pratique à la situation d'enseignement le temps venu ? Une pratique professionnelle réfléchie (d'apprentissage comme d'enseignement) ne va pas de soi, elle exige un effort constant d'auto-observation, de décentration, qui n'est possible qu'avec une formation, une certaine sécurité affective et intellectuelle, un environnement favorable ou au moins pas trop hostile (Perrenoud,

1991 : 108-109). Ce sont là des conditions associées à toute démarche d'apprentissage digne de ce nom.

Pensée et action dans la pratique réflexive

Réfléchir sur son expérience (d'apprentissage ou d'enseignement), c'est mettre en lumière le fait que pensée et action sont deux moments d'un même processus d'action réflexive. Ainsi, la nature dialectique de la situation de la classe est traversée constamment par le mouvement aller-retour (de relations dialectiques) entre : a) les comportements observés et le plan de cours ; b) les pratiques et les représentations ; c) les structures sociales et les conduites des acteurs ; d) les réalités structurelles (les objectifs prescrits par les programmes) et l'entreprise humaine de la construction de la réalité dans l'histoire (les pratiques et les apprentissages réalisés). Il s'agit donc de rapports privilégiés entre action, formation et recherche, dans les situations d'apprentissage créées par l'acteur apprenant dans sa situation historique.

La démarche clinique semble favorable pour stimuler ce va-et-vient entre action et pensée : « Le clinicien est celui qui, devant une situation problématique complexe, a l'habitude et les moyens théoriques et pratiques : a) de prendre la mesure de la situation ; b) d'imaginer une intervention supposée efficace ; c) de la mettre en œuvre ; d) d'évaluer son efficacité apparente ; e) de rectifier le tir » (Perrenoud, 1991 : 106).

b) Sur le plan de l'analyse (expérience sociale)

Le développement de l'identité et de la compétence professionnelles de l'enseignante ou de l'enseignant comme rapport à un temps et à un espace individuels et sociaux induit sa propre réflexivité (Maheu et Robitaille 1990 : 107).

Dans le cadre de la formation initiale, se développe un ensemble de mécanismes par lesquels les étudiants saisissent et reconnaissent leurs trajectoires individuelles et sociales. Ce processus commence tôt dans la formation et engage une production de sens, une représentation et une rationalité donnée à une trajectoire invididuelle dans un contexte de définition et de défense du groupe d'étudiants et de stagiaires.

Le développement de l'identité et des compétences dans le cadre de la formation initiale universitaire produit un ensemble de représentations, de schémas cognitifs et symboliques plus ou moins formels de retour sur soi de l'identité (Maheu et Robitaille, 1990 : 108). Ce retour peut être individuel, cela va de soi ; il est aussi intersubjectif, de collègue à collègue, et aussi plus largement social, alimenté par des modes de regroupement des enseignants autour de leur domaine d'enseignement, autour de certains engagements de défense des intérêts du groupe auprès du comité de programme, par la participation à des structures de partenariat dans le milieu scolaire et par le développement de pratiques de solidarité. À cet égard, l'attribution aux stagiaires d'un local permanent n'a pas été sans causer un certain émoi chez d'autres partenaires de la formation.

La réflexivité se traduit dans la démarche d'analyse proposée comme une possibilité de retour sur ses propres pratiques sociales, ses représentations du monde et de la société. Ici encore, le candidat à l'enseignement est invité à se questionner sur ces représentations dans le but de modifier ce qui pourrait lui sembler inadéquat pour mieux comprendre le monde qui l'entoure.

Ces deux démarches de pratique réflexive et d'analyse sociale cherchent à allier à la fois le « pourquoi » et le « comment » des choses. Il importe aux étudiants de savoir pourquoi les phénomènes se présentent de telle ou telle manière, et également comment ils se sont construits. En fait, ce qui semble une subtilité de langage renvoie à un parti pris méthodologique. S'agissant de phénomènes où des acteurs cherchent à construire leurs rapports réciproques de coopération tout en se ménageant les objectifs et les intérêts qui leur tiennent à cœur, surgit donc autrement mais de nouveau le problème de l'action concertée évoqué au début de ce chapitre.

Poser le comment des réalités sociales oblige à prendre une autre approche méthodologique, c'est-à-dire près de la pratique des acteurs, des règles qui structurent leur action, des contraintes auxquelles ils doivent faire face dans la situation qui est la leur, des stratégies, des petits trucs, des arrangements tacites qui leur permettent de vivre et d'agir en conformité avec leurs désirs, leurs projets, leurs espoirs, tout en participant à la vie des groupes, des organisations et de la société. En fait, on vise les représentations qu'ont les acteurs des enjeux qui se dégagent des situations auxquelles ils participent. En cela, la démarche proposée ici s'apparente à celle de Crozier et Friedberg :

> Dans notre démarche, nous l'avons affirmé à plusieurs reprises, l'analyse prime sur la théorie. Mais, entendons-nous bien, analyse ici ne s'oppose pas à synthèse. Il ne s'agit pas de décomposer une réalité, de la fragmenter en autant de petits problèmes simples qu'il est nécessaire pour la réduire à l'intelligibilité. Il s'agit de découvrir le mode d'intégration qui en fait, au contraire, un phénomène global particulier et intelligible. Quand nous opposons analyse à théorie, nous voulons dire que nous opposons une démarche dont l'objectif est avant tout d'établir l'existence d'un phénomène nouveau et d'en comprendre la logique, à une démarche qui consisterait à déduire à partir de principes généraux les lois universelles qui régissent tous les phénomènes de même nature. (Crozier et Friedberg, 1977 : 217).

Puiser dans la recherche les instruments nécessaires pour favoriser la réflexivité et l'analyse

Les visées d'une pratique réflexive et d'une analyse sociale

Dans la mesure où le professionnel veut tirer profit de son expérience et exercer une action efficace, il doit développer un esprit de recherche ; c'est d'ailleurs pour cette raison que les professions complexes exigent de leurs membres une formation universitaire. Cet esprit de recherche lui permettra de réfléchir sur son action et sur les rapports sociaux sous-jacents pour améliorer à la fois son intelligence des choses et ses capacités d'action. L'esprit de recherche repose sur l'usage effectif des savoirs, des connaissances acquises et de l'expérience personnelle et sociale.

Cette attitude pédagogique favorise chez les futurs maîtres l'usage et la construction d'une science sociale émancipatrice, c'est-à-dire d'une démarche qui critique le statu quo, produit des agents responsables mandatés par l'État certes, mais aussi des acteurs sociaux capables de se distancer par rapport à leurs rôles sociaux pour mettre de l'avant de nouvelles pratiques sociales plus respectueuses de la dignité humaine.

Cette « recherche émancipatrice » vise avant tout à engager les étudiants dans un processus démocratique d'investigation, caractérisé par une pratique de recherche par négociation, réciprocité et, comme le disent les anglo-saxons, par *habilitation*. De plus, elle les plonge dans des situations où leur attention et leur observation se portent sur leurs propres pratiques d'étudiants universitaires et de stagiaires et les amène à les comprendre à partir des systèmes d'action pertinents et des rapports sociaux sous-jacents (Lather, 1986 : 258).

Ces interrelations entre recherche, action et formation dépassent le sens habituellement attribué à l'approche de la recherche-action proposée par Levin, il y a plus de trente ans, et qui a donné lieu à certaines recherches significatives où l'analyse critique et « l'habilitation effective » des acteurs étaient présentes. Cette expression recouvre malheureusement aussi beaucoup de travaux complètement ou relativement déconnectés du contexte historique, politique, social ou idéologique des acteurs en action, les réduisant à agir dans un vide social et cognitif à la recherche de compétences techniques (Tripp, 1984 : 20).

Les étudiants et les étudiantes en formation des maîtres ont parfois déploré le caractère théorique et pessimiste, voire décevant, des connaissances acquises dans leur programme. Malgré l'intérêt théorique pour certains thèmes, plusieurs terminent leur programme envahis par un sentiment d'impuissance. Ils saisissent mieux la complexité des phénomènes sociaux, les défis de la pratique enseignante et de la tâche qui les attendent sans par ailleurs avoir acquis la maîtrise de nouveaux outils intellectuels, pertinents et efficaces pour y faire face. Et surtout, ils se sentent incapables de traduire en action les données des analyses sociales, politiques et même psychologiques de l'éducation.

Les démarches proposées ici contribuent non seulement à l'acquisition de connaissances, de savoirs et de compétences complexes, mais aussi au développement de nouvelles possibilités d'attribuer du sens à la vie humaine, de nouvelles façons de connaître qui font justice à la complexité, tout autant qu'à l'indétermination de l'expérience humaine (Lather, 1986 : 259). Ces démarches visent à favoriser la formation d'acteurs sociaux, lucides et capables de modifier leur environnement et de ne pas être seulement déterminés par lui, et aussi de sujets, de personnes capables de faire de leur vie non pas seulement une suite d'événements sans cohérence mais un projet de vie. Et ce sujet associe à la fois «le plaisir de vivre à la volonté d'entreprendre, la diversité des expériences vécues au sérieux de la mémoire et de l'engagement» (Touraine, 1992 : 258). Le programme dans lequel les futurs maîtres sont engagés ne forme pas uniquement des *maîtres*-professionnels dans leur travail, mais également des sujets, *maîtres* de leur destin.

Les sources de la démarche

Deux des valeurs promues par et dans la formation universitaire sont la recherche de la vérité et celle de l'objectivité scientifique. Ces deux finalités ne peuvent être atteintes sans acquérir, développer et maîtriser les outils de la démarche scientifique. Cette démarche doit permettre aux professionnels de l'éducation de décrire et de comprendre les phénomènes éducatifs, et de favoriser l'intervention et l'action dans le domaine de l'éducation. Comprendre et agir sont les deux grandes préoccupations fondamentales de toute activité humaine; elles constituent donc les deux grandes questions générales de toute recherche scientifique.

La science étudie les phénomènes, les objets ou les situations qui constituent un obstacle à la compréhension de la réalité et un obstacle à l'intervention dans et sur le réel. À cet égard, le grand obstacle à la compréhension du monde et à l'efficacité de l'action ne serait pas l'ignorance, mais le fait qu'on croit savoir, à travers nos préjugés, nos idées reçues et le sens commun (*voir l'encadré 6.5*).

Les sciences sociales de l'éducation avec leurs apports théoriques, leurs concepts, leurs méthodologies et les résultats des travaux des spécialistes sur l'apprentissage et l'enseignement contribuent à la construction de l'esprit de recherche nécessaire au professionnel de l'enseignement.

Encadré 6.5
Le sens commun

« Face au réel, ce qu'on croit savoir clairement offusque ce qu'on devrait savoir. Quand il se présente à la culture scientifique, l'esprit n'est jamais jeune. Il est même très vieux, car il a l'âge de ses préjugés. Accéder à la science, c'est spirituellement rajeunir, c'est accepter une mutation brusque qui doit contredire un passé. [...] L'esprit scientifique nous interdit d'avoir une opinion sur des questions que nous ne comprenons pas, sur des questions que nous ne savons pas formuler clairement. Avant tout, il faut savoir poser des problèmes. Et quoi qu'on dise, dans la vie scientifique, les problèmes ne se posent pas d'eux-mêmes. C'est précisément ce sens du problème qui donne la marque du véritable esprit scientifique. Pour un esprit scientifique, toute connaissance est une réponse à une question. S'il n'y a pas eu de question, il ne peut y avoir connaissance scientifique. Rien ne va de soi. Rien n'est donné. Tout est construit. »

Extrait de Gaston Bachelard,
La Formation de l'esprit scientifique (1969 : 14).

Perrenoud propose, même pour les candidats disposant déjà d'une formation disciplinaire à l'université (et a fortiori pour des candidats qui n'auraient pas cette formation préalable, comme c'est le cas au Québec), trois façons complémentaires par lesquelles pourrait se justifier une initiation progressive à la recherche dans la formation des maîtres, en explicitant d'abord sept principes de base d'une réflexion d'ensemble sur la formation des maîtres, dont trois seulement sont proposés ici :

> Privilégier une formation de type clinique, autrement dit fondée sur l'articulation entre pratique et réflexion sur la pratique ; permettre aux enseignants en formation d'acquérir des bases théoriques solides, conçues non comme des savoirs abstraits ou des modèles prescriptifs, mais comme des ressources et des grilles de lecture de l'expérience sur le terrain ; veiller à ce que les modalités de formation des maîtres soient cohérentes avec les orientations pédagogiques qu'on leur propose […] (Perrenoud, 1991 : 93).

L'initiation à la recherche est alors considérée comme mode d'appropriation active de connaissances de base en sciences humaines, comme préparation à utiliser les résultats de la recherche en éducation ou à participer à son développement tout au long de la carrière et, enfin, comme paradigme transposable dans le cadre d'une pratique réfléchie.

La recherche comme mode d'appropriation active des connaissances de base en sciences humaines (et sociales)

Dans le domaine de l'enseignement, comme dans tous les métiers qui font usage de savoirs scientifiques, les professionnels en formation doivent s'approprier une partie de ces savoirs dès leur formation initiale et dès qu'ils ont les moyens de les mettre à jour régulièrement, au gré du développement des connaissances.

L'incorporation des savoirs à l'habitus

L'enseignement n'étant pas encore un métier scientifique, la formation à la recherche est paradoxalement une bonne stratégie de formation. En ce sens donc, la recherche induit un rapport actif aux savoirs et à la réalité dont ils prétendent rendre compte. « Par exemple, c'est parce que pour conduire une observation structurée, une enquête, une expérience, il faut manier des concepts, des variables, des hypothèses, des "objets théoriques" de façon plus intime et exigeante qu'en s'adonnant à des travaux pratiques d'une autre nature » (Perrenoud, 1991 : 96), que la recherche peut aider l'enseignante et l'enseignant à incorporer les savoirs à l'habitus.

La recherche comme dispositif de pédagogie active

Par exemple, tout enfant, tout être humain, a fortiori un étudiant en formation des maîtres, cherche à comprendre le monde et à agir sur lui. La recherche est pertinente au titre d'une pratique obligeant à prendre des décisions, à manier des concepts et à faire des observations : n'est-ce pas le domaine de l'enseignement et plus précisément de la didactique ? Dans le cadre même de l'enseignement universitaire, « pour stimuler de nouveaux apprentissages, les formateurs s'ingénient à bâtir des dispositifs didactiques qui obligent les apprenants à résoudre des problèmes inédits, à réaliser des projets ambitieux, à prendre des décisions difficiles » (Perrenoud, 1991 : 96-97). Dans ce contexte, une certaine pratique de recherche peut jouer le rôle de dispositif de pédagogie active et contribuer au développement de l'esprit de recherche chez les étudiants.

Apprendre à voir

Selon Perrenoud, dans la mesure où on stimule chez l'étudiant *la capacité de voir*, on peut obtenir des résultats bénéfiques de l'usage d'une pratique de recherche dans les situations suivantes : s'il s'agit d'un découpage plus analytique et plus fin de la réalité ; s'il s'agit d'obliger à écouter et à regarder avec moins de biais ; si l'on veut amener l'apprenant à mieux voir le caché, le refoulé, le non-dit ; si l'on veut favoriser l'éveil à la différence et à la diversité ; si l'on désire voir l'apprenant relativiser les évidences du sens commun (Perrenoud, 1991 : 98-99). Voilà précisément des caractéristiques communes aux situations et aux réalités complexes du monde de l'éducation où sont invisibles les rapports sociaux, où les choses ne se donnent pas à voir sans l'existence chez l'observateur d'un doute méthodologique et l'usage d'une démarche d'analyse critique.

Perrenoud précise :

> Décentration, relativisme, conscience de l'arbitraire et de la complexité, multiplicité des points de vue et des interprétations, existence de mécanismes cachés, de processus inconscients, diversité des pratiques et des représentations : ce sont autant de paradigmes qui rendent les théories possibles, autant de ruptures avec le sens commun, avec la psychologie et la sociologie spontanées des acteurs sociaux. Évidemment, dans chaque domaine particulier, une pratique de recherche oblige aussi à travailler un corpus théorique, un vocabulaire, des concepts et des hypothèses. […] Ce que la recherche apporte d'irremplaçable, c'est la confrontation au réel, mais une confrontation instrumentée et détachée du souci de gérer une situation, de faire réussir un projet, sinon celui d'observer et de comprendre. (Perrenoud, 1991 : 99).

Les démarches proposées dans ce volume cherchent à stimuler chez les futurs maîtres leurs capacités de voir, d'analyser et de comprendre le monde dans lequel ils vivent et particulièrement le monde de l'éducation.

L'utilisation des résultats de la recherche et la participation à la recherche

Pour tout étudiant ou étudiante de niveau universitaire, il devient impératif d'améliorer son rapport critique à la connaissance et de faire bon usage de la recherche pertinente à sa pratique et à son champ d'activité professionnelle. C'est pourquoi, tout au long de ce manuel, nous faisons appel aux résultats de la recherche en éducation.

L'évolution des enjeux sociaux de l'éducation dans la conjoncture sociale a particulièrement mis en évidence des théories et des concepts des sciences sociales pour éclairer des situations vécues : la lecture fonctionnaliste de l'éducation, celles du matérialisme historique et des théories de la reproduction, celle enfin de l'individualisme méthodologique. Une analyse critique a permis alors la mise à l'épreuve de ces interprétations théoriques pour comprendre des phénomènes complexes comme les rapports entre l'école et la société, l'obtention d'un diplôme et les facteurs qui l'influencent, la réussite scolaire et ses déterminants, etc.

Dans la deuxième partie du volume, les résultats des recherches réalisées dans le cadre des approches interprétatives et compréhensives comme l'interactionnisme symbolique, l'ethnométhodologie et la phénoménologie faciliteront l'observation, la description, l'explication et la compréhension des pratiques scolaires et des phénomènes comme l'intégration sociale par l'école, les rapports sociaux dans lesquels s'inscrit la relation pédagogique, la réussite et l'échec scolaires, la sélection, la communication en classe, l'exclusion, etc.

La recherche comme paradigme transposable dans le cadre d'une pratique réfléchie

Il va de soi que l'étudiant en formation des maîtres se situe dans le cadre de ses études, améliore sa formation générale, élargisse ses capacités d'apprentissage dans les matières d'enseignement, principalement à travers la maîtrise de son métier d'étudiant, même si des stages d'observation et de sensibilisation à certaines dimensions de l'enseignement se prêtent déjà à une certaine insertion dans le contexte de pratique du métier d'enseignant. Nous avons déjà mentionné que l'usage d'une double démarche d'analyse sociale et de pratique réflexive contribue à développer chez les maîtres en devenir un fonctionnement intellectuel de type clinique, celui qui est particulièrement requis d'un professionnel pour articuler les difficiles rapports entre la théorie et la pratique dans des situations complexes. Enseigner ne consiste ni à appliquer aveuglément une théorie, ni à se conformer à un modèle. C'est avant tout résoudre des problèmes, prendre des décisions, agir en situation d'incertitude et souvent d'urgence. Cette attitude ne peut-elle pas s'appliquer aussi à la situation pratique dans laquelle se trouve tout étudiant ?

Cette disposition devient alors ancrée dans une culture professionnelle qui y fait progressivement une place et y donne une légitimité. Perrenoud établit d'ailleurs des ressemblances entre cette pratique réfléchie et la recherche : on tente dans les deux cas de contrôler les biais et les effets d'un engagement personnel ; on doit faire face à l'ambiguïté, à l'incertitude, à la complexité du réel ; il faut se dégager des impressions subjectives pour objectiver, communiquer, vérifier ; l'efficacité de l'anticipation ou de l'action est une façon de valider les hypothèses (Perrenoud, 1991 : 107-108).

Voilà autant d'occasions et de situations à partir desquelles les étudiantes et les étudiants peuvent, pendant leur formation initiale, développer des compétences générales, polyvalentes et transférables, propres à alimenter cet esprit de recherche qui est au cœur de toute pratique réflexive, d'une part, et à transformer l'action en expérience sociale, d'autre part.

Résumé

Les compétences professionnelles sont utiles si elles aident le professionnel à contrôler, dans la mesure du possible, les situations auxquelles il est confronté. Mais les compétences dont a besoin l'enseignante ou l'enseignant sont des compétences de base, polyvalentes et ouvertes, lui permettant d'articuler constamment l'analyse et l'action, la raison et les valeurs, les finalités et les contraintes de l'action. Elles sont d'abord composées du capital intellectuel et culturel du futur maître, qui constitue l'ancrage des compétences professionnelles plus pointues.

La professionnalisation du métier d'enseignant se joue d'abord dans la formation initiale à travers les activités, les interactions et les pratiques où l'étudiante ou l'étudiant développe son identité et ses compétences intellectuelles et professionnelles. Et la construction de cette identité amène à examiner le processus de professionnalisation sous l'angle des rapports sociaux sous-tendant la définition de soi que construit le groupe social des enseignants; elle puise donc ses racines dans les rapports des étudiants au temps social que représente la formation initiale, tout autant que dans les pratiques pédagogiques de la formation ou dans les éléments d'une culture professionnelle à définir.

Développer son identité et sa compétence professionnelles et devenir des actrices et des acteurs sociaux, conscients, engagés et capables de comprendre les réalités sociales et d'intervenir dans ces réalités constituent pour les étudiantes et les étudiants en formation des maîtres des objectifs qui se répondent, se conjuguent, s'articulent et se réalisent à travers une double démarche d'analyse sociale des réalités scolaires et de pratique réflexive de leur expérience scolaire et sociale.

Ce «passage du métier d'étudiant à celui d'enseignant» qui s'inscrit dans des parcours, des cheminements, des trajectoires individuels et collectifs est irrémédiablement contingent et indéterminé parce qu'il fait partie des espaces sociaux structurés concrètement par des acteurs concernés. Il est le fruit de l'articulation par l'étudiant ou l'étudiante de ses acquis passés et de ses apprentissages nouveaux, de l'analyse et de l'action, des finalités et des contraintes de l'action, de son rôle d'étudiant et de celui d'enseignant, des valeurs et des savoirs, de la théorie et de la pratique.

Dans le cadre de ce chapitre, le «devenir enseignant» est abordé comme une pratique sociale et comme un objet d'étude. L'approche est centrée sur la personne de l'étudiante ou de l'étudiant et sur son travail d'acteur social, et non sur un moment particulier qui en constitue d'ailleurs plutôt le résultat tout autant problématique, contingent et imprévisible, c'est-à-dire la pratique professionnelle.

Dans le cadre d'une sensibilisation et d'une compréhension des phénomènes éducatifs et des rapports sociaux sous-jacents, est donc évoqué le « devenir enseignant » sous le double aspect d'une pratique réflexive et d'une analyse sociale : la première focalise sur l'attitude proposée à l'étudiante ou à l'étudiant face à sa formation, la deuxième sur sa démarche d'analyse sociale. La pratique réflexive cherche la maîtrise d'une action pratique (le passage du métier d'étudiant à celui d'enseignant), l'analyse sociale poursuit la compréhension des contextes d'action dans lesquels s'inscrit ce passage. Dans la première approche, on veut lever les obstacles à l'efficacité de l'action et de l'intervention de l'étudiant dans son devenir ; dans la deuxième approche, on veut lever les obstacles à la connaissance et à la compréhension des contextes de son action.

Par ces deux démarches préconisées comme approches de formation initiale, l'étudiante ou l'étudiant est invité à :

a) construire son futur métier d'enseignant par l'acquisition des compétences fondamentales, transférables et polyvalentes requises par son métier d'étudiant ;

b) construire ses nouveaux apprentissages sur les connaissances et les savoirs acquis, en les mobilisant dans l'action et la compréhension des contextes d'action ;

c) utiliser une pratique réflexive de son expérience scolaire et sociale, et une analyse critique des rapports sociaux dans lesquels elle s'inscrit ;

d) puiser dans la recherche les instruments nécessaires pour favoriser la réflexivité et l'émancipation par l'observation, l'analyse, la réciprocité, l'échange et la coopération.

Conclusion

Certaines conditions sont de nature à favoriser chez les étudiantes et les étudiants un apprentissage actif, coopératif, responsable, transférable et cohérent dans le cadre d'une construction active. C'est le cas si l'étudiante ou l'étudiant :

a) est en situation d'observation participante face à ses activités de formation (cours, stages, travaux) tout au cours de son cheminement de formation et de développement de l'identité et des compétences universitaires et professionnelles visées par le programme de formation. Les observations peuvent être multiples et utiliser des modes variés de collecte de données, mais peuvent se subdiviser en trois catégories :

• les représentations qu'il se fait de sa formation antérieure, de ses acquis, de son expérience scolaire et sociale, de ses dispositions face à l'apprentissage (habitus) ;

- ses dispositions à l'égard de la culture universitaire, face aux contraintes concrètes de sa situation d'étudiant, de personne et de citoyen ; la pertinence estimée des nouvelles connaissances, des savoirs et des compétences pour son développement personnel et professionnel ;
- les types de fonctionnement, les pratiques, les processus, les interactions et les rapports sociaux sous-jacents dans les situations suivantes : le travail scolaire, les activités d'enseignement et de stages, les interactions entre les partenaires de la formation initiale, les pratiques d'évaluation, le passage du plan de formation dans la réalité, le programme caché de la formation initiale, l'apprentissage collaboratif, l'insertion dans les écoles, le cheminement du stagiaire, etc.

b) décode, décrit et analyse ses propres écrits et perspectives (nature, sens, classification) pour reconstruire les représentations de la réalité sociale de l'apprentissage, de la construction de son identité, de ses compétences, etc. ;

c) est engagé activement dans la structuration des situations d'analyse, de partage, de transformation pour comprendre les phénomènes en cours ;

d) développe les méthodes pour formaliser les prises de conscience, les constats, les conséquences pour l'action, la critique des représentations de la réalité, la réinterprétation de son expérience et de ses représentations, les théorisations possibles, les suites à donner dans l'action et l'analyse critique des contextes d'action.

Cette approche de pratique réflexive et d'analyse sociale constitue un moyen privilégié de développement d'une culture professionnelle indispensable à la pratique du métier d'enseigner. Ce qui rejoint la position de Canivez :

> Deux traits caractérisent donc l'enseignement comme métier : d'une part, la possession d'une culture générale mobilisée dans l'analyse des pratiques éducatives et permettant le jugement, l'adaptation et l'innovation ; d'autre part, la collaboration réfléchie et consciente de chaque acteur, notamment dans le cadre de projets pédagogiques, à la mise en œuvre d'un cursus qui permette à chaque enfant de progresser. (Canivez, 1992 : 157).

Mobiliser sa culture dans l'analyse des pratiques éducatives constitue pour le futur maître une exigence continue d'acquisition des connaissances et des compétences qui lui permettront d'exercer adéquatement son métier. Nous consacrons la deuxième partie de cet ouvrage à une réflexion sur les pratiques des acteurs de l'école et du rôle qu'elles jouent dans la diffusion de la culture, dans la socialisation et dans l'expérience scolaire et sociale des étudiants. Cette réflexion propose des concepts et des outils applicables à la formation tant aux niveaux primaire et secondaire qu'au niveau universitaire.

QUESTIONS

1. Un programme professionnel qui vise aussi une formation générale doit contribuer, entre autres choses, à faire émerger des compétences générales valables pour tout acteur social. Donnez des exemples de ce genre de compétences.

2. On parle aussi de compétences de base issues du capital intellectuel et culturel des enseignants. Précisez ce qu'on entend par ce type de compétences et discutez de leur utilité pour un futur maître.

3. Des compétences complexes ne s'acquièrent que dans des conditions favorables. Les caractéristiques des nouveaux programmes de formation des maîtres exigent une attention spéciale à ces conditions d'acquisition. Donnez quelques exemples.

4. Comment pourriez-vous définir la notion d'identité? Quels sont les éléments du discours véhiculé par le mouvement de la professionnalisation de l'enseignement qui seraient susceptibles de caractériser l'identité sociale et professionnelle des enseignants? Décrivez certains éléments du contexte de formation, d'insertion dans les milieux de pratique qui sont susceptibles d'influencer le processus de construction de l'identité des enseignants.

5. Le rêve est un élément important de la vie, de même que les aspirations professionnelles et le désir de devenir enseignant, qui inspirent et motivent. En quoi cependant peut-on parler des risques et des dangers du rêve enseignant en formation initiale?

6. Quelles sont les quatre grandes stratégies de formation proposées pour favoriser la double démarche d'analyse sociale et de pratique réflexive?

7. Pourquoi est-il pertinent de parler du métier d'étudiant universitaire?

8. Expliquez comment on peut parler du développement de l'identité comme d'un construit social.

9. On propose dans ce chapitre certains éléments d'une théorie de l'apprentissage: qu'en pensez-vous? En quoi la vôtre diffère-t-elle de celle-ci?

10. Que sont les représentations sociales en rapport avec l'apprentissage?

11. Comment peut-on parler du caractère construit d'une représentation sociale?

12. Quel est le sens du mot « habitus » en rapport avec l'éducation et la formation d'une personne? d'un professionnel?

13. Perrenoud, spécialiste de la formation des maîtres, parle souvent de « la formation de l'habitus » comme de l'ultime finalité de la formation des maîtres. Commentez les rapports entre représentations, savoirs et habitus. Quelle est la portée d'une telle affirmation sur la pratique enseignante ?

14. Analyser l'acteur social en action, c'est étudier les relations sociales dans lesquelles il est engagé. Donnez des exemples d'une analyse et d'une réflexion que l'étudiante ou l'étudiant peut faire comme acteur social, c'est-à-dire engagé dans des relations sociales.

15. Tout acteur social (étudiant, conjoint, citoyen, etc.) peut réfléchir en cours d'action et sur son action ou sur « sa pratique ». Qu'est-ce que serait une pratique réflexive pour l'étudiant ou l'étudiante en éducation ?

16. En quoi l'analyse sociale que l'étudiante ou l'étudiant fait de sa formation (ce passage du métier d'étudiant à celui d'enseignant) constitue-t-elle un élément indispensable à une pratique réflexive de son action ?

17. Que visent les deux démarches d'analyse sociale et de pratique réflexive proposées ?

18. Quels liens peut-on faire entre une pratique réflexive et la recherche ?

19. Quels sont les dangers du sens commun à l'égard de l'acquisition de connaissances nouvelles ?

20. Quelles contributions peut apporter une certaine initiation aux sciences sociales et à la recherche à la formation des enseignants ?

CHAPITRE 7
Culture, socialisation scolaire et expérience sociale

Table des matières

Sommaire

Ce chapitre

- décrit les représentations de la notion de culture des différents paradigmes de la sociologie et montre comment elles traduisent les multiples tensions présentes dans la culture de l'école ;

- propose les versions auxquelles se prête la notion de socialisation selon les grands courants sociologiques ;

- présente le caractère non unifié de l'action sociale à partir des différentes logiques d'action qui traduisent les rapports sociaux dans lesquels s'inscrivent les interactions entre les acteurs ;

- spécifie comment l'acteur social constitue son expérience en articulant les trois registres de son action : ses rôles, ses intérêts et sa capacité de distanciation critique par rapport aux orientations culturelles dominantes ;

- tire les conclusions pour les enseignants des rapports entre la culture, la socialisation et l'expérience sociale :
  - en mettant en lumière l'importance de leurs représentations sociales de la culture ;
  - en montrant comment les maîtres sont à la fois des agents, des acteurs et des sujets de la socialisation ;
  - en insistant sur le rôle de médiation privilégié qu'ils jouent dans la socialisation scolaire.

Culture, socialisation scolaire et expérience sociale

« [...] l'éducation est de moins en moins capable aujourd'hui de trouver une assise et une légitimation d'ordre culturel parce que la culture est "sortie de ses gonds" et se trouve privée des amarres de la tradition et de la boussole du principe d'autorité. »

Jean-Claude Forquin (1989).

Il peut paraître incongru de traiter des pratiques concrètes dans l'école des années 90 sous l'angle de la culture. Que peut donc nous apprendre le mot « culture » sur la diversité des pratiques scolaires ? En quoi un concept aussi peu tangible peut-il nous renseigner sur le rôle de l'institution scolaire dans la société québécoise ? Et de quelle culture parle-t-on, au fait ? De la savante ou de la populaire, de celle qui est transformée en savoirs scolaires ou de celle qui remplit les publications artistiques ? Y a-t-il une culture ou des cultures ? Et la culture fait-elle partie de l'institution scolaire ?

En fait, à l'école, la culture (modes d'expression, représentations, valeurs, normes) est partout. On la retrouve, bien sûr, dans le projet éducatif de l'école, mais elle est portée également par les enseignants et les enseignantes, par le personnel administratif, par les élèves qui proviennent d'horizons divers. La culture s'exprime dans le choix des matières scolaires et dans leur contenu, dans les choix effectués au regard de la diversification des programmes scolaires, dans les choix pédagogiques ; elle se manifeste dans les tensions et les heurts liés aux clivages sociaux dans l'école, notamment le statut socio-économique, le sexe, l'ethnie, la religion. Il y aurait donc un paradoxe dans l'analyse de la culture. Cette dernière, qui est une abstraction, comme le souligne Devereux, ne peut être saisie que dans les pratiques des individus et des groupes (Devereux, 1970, cité dans Vasquez-Bronfman et Martinez, 1996 : 33). De là, et en première approximation, la culture serait ce qui « regroupe les pratiques et les institutions de sens et de valeurs dans une société, pratiques et institutions que l'on retrouve sous la forme spécialisée de la religion, l'apprentissage, l'éducation, les arts » (Williams, 1976 : 497, cité dans Rocher, 1995 : 365).

On ne peut appréhender la culture en partant du général que pour un court moment. En fait, la culture apparaît dans les pratiques concrètes des personnes agissant dans des contextes réels : elle se présente sous de multiples formes, des plus symboliques aux plus viscérales. Toutefois, notre analyse du concept de culture ne consiste pas à élaborer un discours normatif qui décrit les valeurs à promouvoir en éducation, mais plutôt à saisir « les différentes manières que les valeurs ont d'habiter l'école » (Houssaye, 1992 : 13). Et ces manières d'habiter l'école sont aujourd'hui très nombreuses. Les valeurs de l'économie et la rationalité qu'elles véhiculent, par exemple, ont maintenant droit de cité dans l'école. Par elles, sont sous-tendus les discours sur la recherche de l'excellence et de la qualité en éducation. En même temps, la culture que transmet l'école à l'élève aujourd'hui ressemblerait beaucoup, selon bien des critiques de l'institution scolaire, à un rendez-vous manqué[1] (De Closets, 1996 : 31).

Sans entrer dans les querelles de la culture (Dubet, 1994 : 173), il est nécessaire de se donner une vue d'ensemble de ce que recouvre la notion de culture et comment elle s'intègre dans les différentes conceptions des groupes sociaux et des grandes théories des sciences sociales. Par exemple, la notion de culture chez les fonctionnalistes, soit la *culture commune* et l'école, diffère passablement de celle des marxistes pour qui la *culture* est soit *dominante*, soit *dominée*. Chacun opte pour une conception de la culture qui rend compte des valeurs qu'il défend ou qu'il souhaite promouvoir. L'importance accordée à la fonction de socialisation de l'école dans ces deux grands courants des sciences sociales montre bien la place centrale que prennent la culture et les valeurs dans l'analyse de l'institution scolaire.

Parler de culture amène donc à faire le détour par les valeurs et la socialisation aux valeurs, c'est-à-dire leur intégration dans une expérience de vie concrète. Or, la notion de socialisation demeure tout aussi abstraite que celle de culture si elle n'est pas insérée dans l'analyse des pratiques quotidiennes des actrices et des acteurs sociaux et, au premier chef, de celles et ceux de l'école. Dans ce domaine comme dans celui de la culture, il importe de sortir des définitions monolithiques de la socialisation afin d'aborder l'expérience sociale et scolaire des élèves avec toute la complexité qu'elle recouvre.

L'éducation scolaire joue sensiblement le même rôle que la culture ou, plus exactement, elle est de la culture transformée en savoirs. Dans cette optique, l'éducation serait une façon pour les élèves de s'insérer dans un monde qui leur préexiste, dans « une culture qui les précède et qui les institue comme sujets humains » (Rochex, 1995 : 27). L'éducation scolaire constituerait donc un réel effort afin de donner un sens à un ensemble d'éléments disparates, généralement des savoirs, qui autrement paraîtraient sans signification (Hannoun, 1996 : 183). Et le *sens* dont il est

---

1. Dans cette ligne de pensée, nombre de participants aux États généraux sur l'éducation de 1995 au Québec ont insisté pour que soit rehaussé le niveau culturel des contenus scolaires.

question est à la fois une *signification* (qu'est-ce que cela veut dire ?) et une *direction* (où cela mène-t-il ?), comme le souligne Ricœur (1990). De manière plus pragmatique, le sens se construit, il n'est jamais donné d'avance ; il se construit à partir d'une culture, des valeurs et des représentations ; il se construit en situation, en interaction et en relation (Perrenoud, 1993e : 24). De plus, il semblerait qu'un surcroît d'éducation enrichisse d'autant la vie des personnes, tant sur le plan économique que sur le plan culturel. Depuis trente ans pourtant, les Québécoises et les Québécois n'ont jamais autant appris sur les bancs d'école. Se sont-elles et se sont-ils enrichis pour autant ? Cette question pose tout le problème de ce que l'école entend transmettre comme valeurs et comme connaissances, et ce qu'elle véhicule dans les faits.

Au-delà des divergences de vue sur la culture et la socialisation dans le cadre des sciences humaines et de la sociologie en particulier, on peut faire ressortir des points communs qui prennent une forme plus articulée dans la notion d'expérience sociale. Cette expérience, fruit de la combinaison de plusieurs logiques d'action sociale, permet un regard nouveau sur ce que veulent dire les concepts de culture et de socialisation. Dans un monde où les pratiques sociales se diversifient à un rythme effréné, où les rapports entre les groupes se polarisent autour d'enjeux toujours plus nombreux, il devient de plus en plus difficile de rendre compte de l'action sociale à travers un principe unique, qu'on l'appelle la Société, la Culture, Dieu, l'Histoire, la Raison, le Marché, etc.

C'est dans ce contexte nouveau qu'apparaît la pertinence de présenter la notion d'expérience sociale qui est pour l'acteur, «une façon de construire le monde» (Dubet, 1994 : 93) et non pas seulement d'être déterminé par lui, comme le souligne Touraine (1992). La notion d'expérience sociale et scolaire suppose donc que l'actrice ou l'acteur social ne soit pas totalement socialisé et si «l'acteur n'est pas totalement socialisé, ce n'est pas parce que lui préexistent des éléments "naturels" et irréductibles, l'âme ou la raison par exemple, c'est parce que l'action sociale n'a pas d'unité, n'est pas réductible à un programme unique» (Dubet, 1994 : 93).

De la culture aux cultures : de l'unité à la diversité sociale

Comme le souligne fort à propos Forquin, de tous les débats en éducation depuis les années 60, celui de la fonction de transmission culturelle de l'école est le plus crucial et le plus confus à la fois (Forquin, 1989 : 7). Ce débat est d'autant plus houleux que les individus et les groupes qui y sont engagés parlent en se fondant sur leurs propres valeurs qui ne sont que rarement les mêmes. La solution pourrait être de fonder un discours sur les valeurs à partir de la démarche scientifique, plus neutre et objective. Là encore, de multiples difficultés se présentent puisque les intellectuels engagés dans la recherche sont eux-mêmes porteurs de valeurs qui finissent par donner une coloration particulière aux résultats de leurs études.

Il est tout de même nécessaire de regarder à partir de quelles références se construisent les discours sur les valeurs, comment on traite de la culture et de la socialisation dans les grands courants de pensée, quels rôles ces derniers attribuent à l'école compte tenu de ce qu'ils avancent dans leur explication de la culture et des valeurs. Afin de mettre en place immédiatement une première clef de compréhension des débats autour de la culture, précisons que la manière de concevoir la culture et les valeurs dans une société est intimement liée à la façon de concevoir la société elle-même. En s'inspirant des conceptions de la société selon les fonctionnalistes, les marxistes et les néo-individualistes, comment se distinguent dans chacun de ces courants des sciences sociales la culture et les valeurs?

Des représentations diversifiées de la culture

Dans la première partie de l'ouvrage, nous avons mis en lumière trois façons d'envisager l'école, celles-ci étant comprises à partir de trois interprétations de la société[2]. Or, dans chacune de ces théories se profile une vision particulière de la culture qui rend compte des valeurs à la base même de ces théories, et que leurs tenants proposent comme explication «scientifique» des réalités sociale et scolaire.

Les fonctions de la culture

Selon les fonctionnalistes, la société est un système unitaire où les individus partagent en commun une culture, des valeurs, des institutions, des rôles et des statuts. Dans ce cadre d'analyse de la société, l'accent est mis sur le consensus au détriment du conflit comme forme d'explication des réalités sociales. Plus précisément, en ce qui concerne l'école, la vision fonctionnaliste est une volonté de «concilier les impératifs de l'intégration sociale avec la formation d'un individu autonome et maître de lui par l'effet même de l'éducation» (Dubet et Martuccelli, 1996b: 303).

Toujours dans la perspective fonctionnaliste, la culture de classe n'existe pas; il s'agit plutôt d'une culture unitaire qui regroupe des valeurs et des pratiques nombreuses dans lesquelles tous peuvent se reconnaître. La culture universelle promue par les tenants de l'approche fonctionnaliste commande donc une école socialement neutre. En effet, pour eux, l'école est un lieu distinct, avec son temps et une discipline bien à elle; elle crée une distance entre les savoirs scolaires et les activités sociales en plus de favoriser un type particulier de relations sociales qui prend forme dans le lien pédagogique. En ce sens, l'école est en dehors des divisions sociales qui structurent son environnement, ce qui lui permettrait de détacher l'enfant de ses appartenances particulières pour le fondre dans la culture universelle, commune et neutre (Dubet et

---

2. Pour une analyse plus détaillée des théories fonctionnalistes, marxistes et néo-individualistes et de leur vision des fonctions de l'école et de la société, voir les chapitres 2, 3 et 4.

Martuccelli, 1996b : 305). Dans ce contexte, l'école aurait une visée fondamentale d'*intégration* à une culture commune partagée par le plus grand nombre.

La critique de la culture

Les tenants des théories conflictualistes des années 70 donnent une image éclatée de la société : il n'y aurait pas une société mais des groupes engagés dans des enjeux sociaux dans lesquels les classes sociales aisées dominent les classes sociales modestes. Dans cette conception, la culture n'est pas considérée comme un patrimoine partagé, mais plutôt comme la matérialisation du modèle culturel dominant, celui-là même qui est porteur de hiérarchisation, de discrimination et d'exclusion. Ainsi, ni la culture ni l'école ne seraient neutres ; dans ces conditions, la culture universelle des fonctionnalistes ne tiendrait plus, « la grande culture scolaire n'est qu'une construction légitimant une perspective culturelle particulière » (Dubet et Martuccelli, 1996b : 308-309), sous le couvert d'une culture commune partagée.

C'est par le travail d'agents spécialisés (les enseignantes et les enseignants) que l'on observe l'inculcation de la culture dominante à l'école. Elle passe par l'autorité pédagogique (neutre en apparence) qui cache en fait une autorité sociale, donc un pouvoir. Le personnel enseignant croit agir dans l'intérêt de tous alors qu'il se fait l'interprète de la culture dominante parce qu'il méconnaît cet arbitraire culturel. En somme, « l'école fait sienne la culture des classes dominantes, dissimule la nature sociale de cette culture et rejette, en la dévalorisant, la culture des autres groupes sociaux » (Dubet et Martuccelli, 1996b : 317).

La culture de la classe dominante trouve sa meilleure expression dans la recherche de l'excellence, qui est la forme que prend la culture de la classe dominante quand elle se traduit en culture scolaire. C'est à travers l'idéologie du don que se confirme le mieux cette légitimation de la culture dominante comme culture scolaire. Comme le soulignent Dubet et Martuccelli, qui reprennent les thèses de Bourdieu et Passeron (1970), à « l'école, grâce à la méconnaissance du rapport réel établi entre la culture scolaire et la culture de classe, se réalise, par le biais de la sanction du succès scolaire, la conversion d'une inégalité sociale en réussite personnelle. L'école naturalise par là ce qui n'est que le résultat de l'arbitraire culturel : les "dons" individuels ne sont qu'un mérite de classe » (Dubet et Martuccelli, 1996b : 318).

L'assujettissement des élèves à la culture scolaire, qui ne serait autre chose qu'une aliénation face à la culture des classes dominantes, ne se fait pas sans difficulté. En fait, face à cette aliénation, certains réagissent par le refus d'une expérience aliénée qui se caractérise par « un sentiment de vivre une vie dépourvue de sens, sentiment de n'être jamais soi-même, impression d'" impuissance ", sentiment de n'être que le spectateur de sa vie, crainte d'être " invisible " parce que réduit à un cliché » (Dubet, 1994 : 131). Par exemple, certains enfants de milieux populaires, malgré tous les efforts de l'école, ne s'intègrent jamais aux valeurs promues par l'école. La *résistance* de ces enfants à l'école, à défaut de pouvoir anticiper un avenir meilleur grâce à l'éducation, leur permet de se construire une identité positive, en lien avec leur milieu d'appartenance.

La culture individualiste et utilitaire

L'interprétation néo-individualiste nous montre une société formée par l'agrégation des actions des acteurs (un système d'échanges concurrentiels) agissant en interdépendance. La culture commune ne serait plus qu'une façade esthétique qui masque le rapport stratégique que les individus entretiennent à l'égard des valeurs courantes dans la société. Dans les années 80, les principaux interprètes de la société appuient leurs discours sur le néo-libéralisme ambiant dont l'individualisme méthodologique en sociologie, avec Boudon, sera une expression très structurée. Dans le cadre du néo-individualisme, l'unité de la société ne repose pas sur un ensemble de valeurs communes partagées, mais avant tout sur les intérêts. De plus, comme le soulignent Boudon et Bourricaud :

> [...] dans les sociétés complexes au moins, c'est seulement au prix d'une grande simplification qu'on peut admettre la notion de valeurs communes et supposer que ces valeurs sont peu ou non administrées à tous par la voie de la socialisation. En fait, les individus ne sont jamais exposés à la culture d'une société en tant que telle. Cette «culture» n'est dans une grande mesure qu'une simplification et une rationalisation produite par certains acteurs sociaux, prêtres, intellectuels, ou, selon les cas, telle ou telle fraction des élites. [...] À vrai dire, les seuls éléments culturels «communs» sont peut-être, dans le cas des sociétés complexes, les plus superficiels. (Boudon et Bourricaud, 1982 : 135-136).

Dans la conception néo-individualiste de la société et de la culture, les valeurs ne sont pas des absolus ni des finalités mais bien des ressources utilisables de manière *stratégique* pour l'action (Dubet, 1994 : 125). Si l'on doit parler d'un aspect collectif des valeurs, il faut considérer celles-ci comme des préférences collectives, préférences comprises comme une possibilité de choix (Boudon et Bourricaud, 1982 : 602). Dans ce contexte, les valeurs dans l'école sont d'abord exprimées à travers les préférences des élèves qui feront des choix rationnels tout au long de leur cheminement scolaire.

Dans un autre ordre d'idées, les choix possibles en fonction des préférences s'expriment aussi dans le libre choix de son école, comme le souhaitent les tenants du néo-libéralisme des années 80. Cette conception débouche rapidement sur une école à la carte où les stratégies des groupes sociaux pour la course aux diplômes prennent beaucoup d'importance. Dans ces conditions, l'école doit répondre aux besoins des parents, des étudiants et des étudiantes, selon les règles du marché économique, et permettre ainsi à ceux qui sont «capables» (c'est-à-dire qui le méritent sur la base de leurs résultats scolaires) de choisir les domaines d'études les plus rentables socialement et, par conséquent, individuellement. Comme le soulignent Dubet et Martuccelli, l'institution scolaire, telle que la concevaient les fonctionnalistes, perd de sa légitimité : elle « a été profondément transformée par la massification qui a bouleversé les anciens modes de régulation en raison du développement d'une logique de "marché" et de concurrence scolaire, jusque dans les mécanismes les plus fins de la vie de l'école » (Dubet et Martuccelli, 1996b : 60). Perrenoud précise :

> « Tirer son épingle du jeu » devient la règle d'or. Les parents et les élèves se conçoivent comme des consommateurs d'école (Baillon, 1982), utilisant au mieux les ressources de la carte scolaire pour garantir le meilleur diplôme, sans trop se soucier de savoir si leurs stratégies aggravent les inégalités sociales et les disparités régionales. Beaucoup d'enseignants se préoccupent avant tout de trouver un poste stable et confortable, de se protéger des élèves à problèmes, des parents exigeants, des directeurs dynamiques, des réformes ambitieuses. (Perrenoud, 1993h : 9).

Dans cette dynamique néo-individualiste du rapport aux valeurs (valeurs comprises comme des intérêts), c'est aussi le rapport aux savoirs qui se voit enserré dans une logique utilitariste. Comme le souligne de nouveau Perrenoud, le « rapport au savoir participe de plus en plus d'une *arithmétique utilitaire* en vertu de laquelle les désirs de maîtrise sont strictement calqués sur les exigences du système d'évaluation » (Perrenoud, 1994b : 69).

Ces différentes visions de la société et de la culture posent le problème du partage des valeurs. Est-il possible, dans la société québécoise des années 90, de penser à un partage des valeurs ? Posée autrement, la question pourrait se libeller ainsi : dans une société de plus en plus hétérogène, quels sont les liens communs que les membres de la société partagent ? Les différences ethnoculturelles grandissantes dans la société québécoise constituent-elles un défi pour l'école québécoise ?

Les tensions de la culture dans l'école

Ce que fait l'école peut-il être assimilé à la culture et aux valeurs dont elle est porteuse ? Une analyse succincte des pratiques scolaires montre vite qu'à la limite tout ce que fait l'école est d'ordre culturel. On peut penser, par exemple, aux valeurs promues dans les matières enseignées ou dans les manuels scolaires. La culture scolaire n'est pas seulement une accumulation de savoirs qui se sont construits au fil du temps, par additions successives de connaissances, et qu'on a cru bon de léguer aux générations suivantes de façon prioritaire.

Comme tous les faits sociaux, la culture scolaire est sujette à changement : elle subit parfois les assauts des grands courants de pensée pédagogiques (pédagogie centrée sur l'élève, pédagogie par objectifs, etc.) ou sociales (fonctionnalisme, marxisme, néo-individualisme, etc.) ; à d'autres moments, elle est réaménagée afin de tenir compte des besoins particuliers d'une conjoncture sociale particulière, comme lors de la réforme scolaire ; elle peut être victime enfin, pour des raisons d'organisation interne, de ses propres visées et des buts qu'elle cherche à atteindre (les effets pervers des pratiques scolaires). En somme, la culture scolaire est dynamique, tout comme l'institution qui la porte ; elle bouge régulièrement et s'adapte aux enjeux du moment.

Pensons aux grandes tensions qui traversent la culture scolaire et qui la forcent à composer avec de multiples réalités sociales. On note d'abord la tension entre l'idéal d'une culture unitaire, qui est au fondement de la réforme scolaire des années 60, et les cultures qui émergent dans la société québécoise. Il y a ensuite la tension entre la culture commune que le projet de réforme scolaire a voulu mettre en place et la culture élitaire qui reprend vie dans les écoles des années 80 et 90. C'est enfin la tension entre une culture véritablement accessible à tous, qui rend compte de la justice sociale dans le projet de société québécoise, et une culture qui exclut à mesure que prennent forme les nouvelles demandes envers l'école[3].

La tension entre la culture unifiante et les cultures

Dans le contexte québécois de la fin des années 80 et du début des années 90, la problématique de l'ethnicité dans les écoles a soulevé de nombreux problèmes qui ont été propices, dans certains cas, à une exacerbation des différences (dites intrinsèques) entre les diverses communautés culturelles du Québec. Par ailleurs, comme le soulignent Poutignat et Streiff-Fenart, chez les anthropologues et les ethnologues, toute la problématique de l'ethnicité au cours des dernières années « a consisté à rompre avec [les] définitions substantialistes des groupes ethniques, et à poser qu'une identité collective n'est jamais réductible à la possession d'un héritage culturel, fut-il réduit à un " noyau dur ", mais se construit comme un système d'écart et de différences par rapport à des " autres " significatifs dans un contexte historique et social déterminé » (Poutignat et Streiff-Fenart, 1995 : 192).

La composition ethnoculturelle du Québec va grandissante depuis le début des années 80, surtout dans la région de Montréal. C'est là d'ailleurs que se sont posés les grands problèmes liés à l'intégration des nouveaux membres de la société québécoise issus de l'immigration. Les relations entre les différents groupes ethnoculturels (ce qui inclut le groupe des francophones québécois) ont pris la forme de processus complexes et difficiles, qui exigent encore de nombreux ajustements entre ceux qui sont qualifiés comme « les autres » et ceux qui se perçoivent comme un « nous ». Cette dynamique touche également l'école puisque les élèves ne laissent pas leur identité culturelle à la maison lorsqu'ils arrivent le matin : l'identité culturelle n'est pas un vêtement que l'on peut enlever à loisir et qu'on remet au besoin.

---

3. Ce découpage dans l'analyse de la culture scolaire s'inspire partiellement de Montandon (1989).

On retrouve donc les négociations et les arrangements des différents groupes sociaux dans l'école. Sur ce point, Shiose constate que «l'école publique catholique francophone possède ainsi un caractère de carrefour des diverses logiques culturelles» (Shiose, 1995 : 2). Par ailleurs, Perrenoud souligne que «l'hétérogénéité grandissante des élèves dans une même école et dans une même classe pose des difficultés plus grandes qu'auparavant dans la constitution d'un langage commun, de codes communs» (Perrenoud, 1993h : 9-10). Or, l'école québécoise a évolué au cours des vingt dernières années de façon à renforcer son pouvoir d'intégration des communautés culturelles à la majorité francophone et catholique, ce qui est venu heurter de front certaines valeurs et coutumes d'élèves provenant de groupes ethnoculturels fort différents des francophones catholiques. Dans ce contexte, sommes-nous légitimés, en tant que majorité ethnoculturelle du Québec, d'imposer à tous notre manière de vivre et de concevoir le monde ? Par exemple, pouvons-nous continuer à favoriser le caractère confessionnel catholique des écoles publiques québécoises tout en prétendant diffuser des valeurs communes ? Devons-nous, au contraire, laisser se développer dans les écoles du Québec un ensemble de valeurs qui ne semblent pas rendre compte de ce que la majorité culturelle du Québec entend transmettre aux générations futures ? Reboul pose le problème en termes fort simples :

> [...] si nous disons que nos valeurs sont universelles, on nous accuse non sans raison d'ethnocentrisme et d'oppression ; car, de quel droit imposer notre éducation aux autres cultures ? Mais, si nous nous résignons à ce que nos valeurs soient relatives, notre culture n'est plus qu'une culture parmi toutes les autres et perd alors sa légitimité ; alors, de quel droit imposons-nous à nos propres enfants des valeurs qui ne le sont pas pour d'autres : n'est-ce pas les soumettre à un arbitraire culturel ? (Reboul, 1991 : 6).

Le dilemme est grand dans la mesure où l'école constitue le principal lieu de socialisation des enfants issus de l'immigration, et ce, pour trois raisons. D'abord, l'école est un espace-temps bien défini où les enfants se retrouvent pendant de longues périodes, et ce, quotidiennement. Ensuite, presque tous les enfants passent par l'école, ce qui en constitue un lieu privilégié de rencontres et d'échanges. Enfin, l'école est un lieu, avec les médias de masse, où se fait une large diffusion des normes et des valeurs les plus courantes dans la société. Dans ces conditions, il s'avère impératif de former des enseignantes et des enseignants qui soient en mesure d'observer et de comprendre les différences culturelles afin de développer le tact social nécessaire à l'établissement d'un lien social et pédagogique favorable à l'apprentissage (Vasquez-Bronfman et Martinez, 1996 : 212).

La tension entre la culture commune et la culture élitaire

La diversité grandissante des cheminements scolaires, notamment dans le secteur public secondaire, favorise une hétérogénéité des populations scolaires qui partagent de moins en moins une expérience commune dans l'école. On observe alors la création de distinctions plus nettes entre certains groupes dans l'école. Par exemple, les doués identifieront les élèves en difficulté d'apprentissage à des «tarés» alors que ces derniers qualifieront les élèves performants de «bolés». Plus que des mots à connotations négatives, ces appellations ont un véritable pouvoir performatif sur la stigmatisation des groupes. Les enseignantes et les enseignants ne sont pas en reste dans cet étiquetage des élèves, comme l'a montré il y a déjà longtemps Keddie en Angleterre. Forquin, qui résume les conclusions de l'étude de Keddie (1971), constate qu'un

> [...] trait caractéristique du point de vue de l'enseignant en situation serait son incapacité à échapper à l'effet d'étiquetage que provoque la pratique institutionnelle du groupement des élèves par niveaux de performances[4]. Il s'avère en effet que les enseignants se construisent une image fortement stéréotypée de ces classes «fortes», «moyennes» ou «faibles», un profil typique d'élèves étant censé correspondre à chacune des catégories. Plus généralement, Keddie repère à travers les comportements pédagogiques des enseignants ou leurs réponses aux questions lors des entretiens l'existence d'attitudes fortement «défensives» à l'égard des élèves des groupes réputés «faibles», dont l'indocilité est perçue comme une menace qu'il faut sans cesse neutraliser. (Forquin, 1989 : 109-110).

La diversification des programmes scolaires entre le secteur public et le secteur privé d'une part, et à l'intérieur des écoles du secteur public d'autre part, constitue un véritable clivage entre une culture commune offerte à tous, considérée par certains comme une culture à rabais, et une culture enrichie offerte à un petit nombre dans des programmes spéciaux ou des écoles privées pour les classes aisées de la société. L'enrichissement des programmes dans les collèges privés et leur dégradation dans les collèges publics sont un autre indice de la polarisation de plus en plus forte entre une culture ordinaire de masse offerte au plus grand nombre dans l'école et dans le système scolaire, et une culture élitaire réservée à un petit nombre afin qu'ils puissent se démarquer sur le marché de l'emploi et sur le plan de la distinction sociale.

La tension entre la culture qui inclut et la culture qui exclut

On considère généralement que l'école primaire est accessible à tous, notamment en raison de l'obligation et de la gratuité scolaires : la presque totalité des jeunes en bas

---

4. Au Québec, ce classement des élèves se fait selon différents cheminements scolaires possibles. Par exemple, ceux qui éprouvent des difficultés scolaires seront invités à faire le cours secondaire alternatif; ceux qui réalisent de bonnes ou de très bonnes performances scolaires seront invités à se présenter dans les programmes spéciaux comme les programmes sports-études, arts-études, etc.

âge sont scolarisés et ont accès à la culture qu'on leur propose[5]. Si l'on se place du point de vue de l'intégration physique de l'enfant dans ce lieu précis qu'est l'école, on doit effectivement conclure que l'école est accessible à tous. Si l'on se place cette fois du point de vue de l'intégration culturelle et scolaire, une autre réalité apparaît rapidement : l'école ne semble pas avoir la capacité d'intégrer de façon pleine et entière tous les élèves puisqu'un certain nombre redoublent une année ou plus dans leur cheminement scolaire au primaire, accumulant ainsi un retard augmentant la probabilité d'abandon scolaire au secondaire[6].

L'école étant un lieu où s'entrechoquent des cultures diverses, ce brassage de valeurs et de pratiques sociales influe sur la perception qu'un enseignant ou une enseignante peut se faire d'un élève et sur la réussite ou l'échec scolaire. Comme le souligne Perrenoud, à « un enfant qui refuse la violence, respecte les livres, salue poliment et a toujours les mains propres, on pardonnera davantage qu'à celui qui, à difficultés égales, agresse les autres, jure allègrement, mâche du chewing-gum, sent mauvais, s'en prend sournoisement aux plantes vertes du maître [...] » (Perrenoud, 1990 : 22).

Ces différences dans les comportements se doublent de différences dans la production scolaire même des élèves. En effet, Lahire a bien montré, par exemple, que les enseignants et les enseignantes ont une vision négative des élèves éprouvant des difficultés sur le plan de la production de textes : ils leur reprochent de « n'avoir "rien à dire", "rien à raconter", de "raconter toujours les mêmes choses" ; reproches portant apparemment sur le contenu des discours mais qui, pourtant, est extrêmement lié à leur forme » (Lahire, 1993 : 169). Toutefois, les différences dans la production de textes à l'école traduisent des différences sociales entre les élèves.

Ainsi, les élèves provenant de milieux sociaux plus aisés composent pour une bonne part des textes comportant peu d'éléments implicites, cohérents dans une perspective temporelle, correctement ponctués, avec peu de fautes d'expression et centrés sur un événement. Les enfants d'origine ouvrière, de leur côté, composent des

---

5. Une infime partie des enfants en bas âge sont scolarisés à l'extérieur de l'école au Québec, et ce, pour différentes raisons (religieuses, idéologiques, politiques et familiales). Par exemple, certains parents, qui possèdent les ressources culturelles nécessaires, choisissent délibérément de scolariser leurs enfants à la maison, considérant que l'école ne pourrait leur apporter plus. Aux États-Unis, le phénomène de « l'école à la maison » est plus important. Selon Bélanger (1996), dans « les années 70, on estimait qu'à chaque année entre 10 000 et 20 000 enfants recevaient leur éducation scolaire à la maison. Au cours des vingt dernières années, ce nombre s'est considérablement accru. Pour l'année scolaire 1990-1991, une étude indique que la population scolaire fréquentant l'école à domicile s'établissait quelque part entre 248 000 et 353 000 enfants » (Bélanger, 1996 : 193).

6. Selon Royer *et al.* (1995), il « semble que plus un élève double tôt dans sa carrière scolaire, plus il risque d'abandonner. Ainsi, au Québec, 49 % des élèves ayant doublé une année au primaire ont quitté l'école avant la fin de leur scolarité, comparativement à 13 % de celles et ceux n'ayant pas pris de retard au primaire. Il est donc possible de déceler dès le primaire des élèves qui risquent davantage de quitter l'école sans avoir leur diplôme d'études secondaires en poche » (Royer *et al.*, 1995 : 20-21).

textes avec beaucoup d'éléments implicites, incohérents sur le plan temporel, peu centrés sur un événement, avec des « incorrections d'expression », avec peu d'expressions valorisées sur le plan scolaire, rarement avec une ponctuation adéquate. C'est justement envers ce dernier type de production que les enseignantes et les enseignants expriment leur mécontentement, tout en ne situant pas les différences dans les productions scolaires dans leur contexte social d'apparition et dans leur rapport à une norme scolaire de production de textes. Autant les différences sociales contribuent à créer des différences textuelles, autant la dynamique du personnel enseignant face à ces productions textuelles contribue à produire ces différences sociales.

L'école et la socialisation

La socialisation n'inclut pas seulement la transmission des valeurs culturelles supposées communes mais aussi l'appropriation des savoirs instrumentaux, des différentes matières (savoirs) et des contributions (savoir-faire et attitudes) qu'elles sont censées apporter à l'éducation des jeunes. Ce serait cette appropriation par les élèves des connaissances, savoir-faire et attitudes prescrits par le programme qui contribuerait à produire des élèves éduqués. C'est donc à propos de la maîtrise du programme officiel que se posent alors les problèmes de la réussite, de l'échec, de l'abandon scolaires et de leur signification en rapport à l'inclusion ou à l'exclusion des jeunes dans la société et le travail.

Sous la notion de mécanismes de socialisation, Trottier (1983) évoque les éléments de fond du programme officiel de l'école : les programmes en général, les matières et les manuels, les rôles des enseignants et des enseignantes comme agents de socialisation et surtout les modes d'organisation et de fonctionnement de l'école. Il semble important d'aborder ce genre de réalités autrement que par les discours sur l'école ou les invitations à une plus grande sensibilité des enseignants et des enseignantes à leur rôle de transmission de la culture et des savoirs. De même, il faut examiner de près les pratiques auxquelles donne naissance l'organisation de l'école, qui est souvent présentée et légitimée sous un angle de fonctionnalité et de complémentarité des modes d'action, des activités des acteurs et des finalités poursuivies par chacun. C'est pourquoi, si on veut faire autre chose que copier la structure sociale au lieu de l'expliquer, il faut jouer un rôle de détective et examiner à la loupe ce qui se passe véritablement dans l'école et dans la classe.

De plus, chercher à décrire, à expliquer et à comprendre la scolarisation et la socialisation scolaire n'est pas uniquement rendre compte des apprentissages que mesurent les examens scolaires, c'est aussi se demander si les élèves n'apprennent que ce qui est inclus dans le programme officiel, s'ils n'apprennent pas aussi beaucoup d'autres choses, même si ces apprentissages ne sont pas mesurés. Or, à ce propos, de nombreuses études montrent que l'école produit aussi chez les élèves des effets et des apprentissages non planifiés et non voulus par les programmes, les méthodes pédagogiques et les enseignantes et les enseignants eux-mêmes : bref, des effets *non prévus dans le programme officiel.* Ce sont ces effets que plusieurs chercheurs ont étudié sous le vocable de programme caché.

Enfin, la socialisation ne peut être intelligible et comprise qu'en référence à la culture et aux valeurs communes. Cependant, il faut éviter le piège de chercher une définition de la culture avec un grand « C » ou de considérer que tous les Québécois et toutes les Québécoises partagent des valeurs communes constitutives d'une identité nationale. Il y a plus encore : le sens de la socialisation scolaire ne peut être saisi sans référence au modèle interprétatif des rapports entre l'école et la société, et aux rôles attribués à l'école dans le modèle. Même s'il s'agit là d'un litige ou d'une controverse de sociologues que plusieurs pourraient trouver théorique, il n'en reste pas moins que la recherche de la cohérence nous oblige à admettre cette orientation variée du processus de socialisation allant, avec les « hyperfonctionnalistes », d'une conception proche du conditionnement (certains diront dressage) en vue du maintien d'une société jusqu'à une conception qui est en fait, selon les approches compréhensives et constructivistes, une construction de la réalité sociale par des acteurs sociaux relativement autonomes et capables de calcul stratégique.

Mais à la fin, qu'est-ce que la socialisation ?

Parler de socialisation, c'est discuter de la place du *contrôle* et de la *liberté* dans l'action humaine, c'est aussi essayer de comprendre comment les actrices et les acteurs sociaux (individus ou groupes) acceptent ou contestent la place que l'on tente de leur assigner dans la société (ou dans l'institution ou dans l'organisation) et les moyens qu'ils mettent en œuvre pour coopérer ou résister aux rôles que l'on voudrait leur faire jouer.

Les fonctionnalistes

Dans la représentation de la socialisation des fonctionnalistes, « l'école assure le développement d'un homme autonome, les sciences et les lettres sont perçues comme des pratiques aidant à la transmission d'un sentiment d'appartenance sociale autant qu'au développement d'une "aptitude à juger" » (Dubet et Martuccelli, 1996b : 306). Dans les années 60, alors que les fonctionnalistes se font les principaux interprètes de la société nord-américaine, l'école (ou l'éducation) est définie par Parsons (1959) comme une *instance de socialisation* à des valeurs, à des normes et à des savoirs garantissant l'intégration sociale. Elle est aussi présentée comme une *instance de sélection* sociale devant satisfaire, dans l'ordre et l'harmonie, à une division du travail de plus en plus complexe.

Pour les fonctionnalistes, la socialisation est un processus par lequel les individus intègrent les valeurs, les normes et les règles propres à une société donnée. Ce processus atteint ses objectifs au moment où l'individu agit et pense en conformité avec les attentes de la société dans laquelle il se trouve, tout en croyant agir et penser librement. Toujours selon les fonctionnalistes :

> […] une société ne peut survivre si les membres qui la composent ne se réfèrent pas à un ensemble de valeurs et de normes sociales communes, s'il n'existe pas un consensus, une certaine homogénéité dans les manières de sentir, de penser et d'agir de ses membres. C'est pourquoi une des fonctions de l'école est de participer à la création et au maintien de ce consensus, à la transmission des valeurs et des idéologies que cette société privilégie, à la socialisation des jeunes générations. (Trottier, 1983 : 93).

L'école a donc pour fonction de socialiser les jeunes en les intégrant à une société consensuelle. Qu'advient-il des individus moins réceptifs aux valeurs et aux normes proposées par l'école dans la pensée fonctionnaliste ? Ils seront taxés de marginaux, d'anticonformistes ou tout simplement de déviants ; ils seront, à la limite, les exclus du système. C'est ici que la fonction de sélection de l'école prend tout son sens, dans la mesure où elle est le mécanisme par lequel on trie, entre l'ivraie et le froment, les bons et les méchants, ceux qui ont raison et ceux qui ont tort, ceux qui détiennent la vérité et ceux qui sont dans l'erreur, etc. Les mécanismes d'exclusion sont dits nécessaires afin d'éviter de briser le consensus social.

Pour les marxistes

Dans les années 70, les principaux interprètes de la société et de l'école sont partie prenante de l'approche conflictuelle dont Bourdieu est l'un des représentants les plus connus. Dans cette approche, l'école est le lieu de la reproduction des classes sociales, donc de la reproduction de la domination d'une classe sociale sur une autre. Dans ce contexte également, l'école est conçue comme un instrument de qualification de la main-d'œuvre en fonction des stricts besoins de l'économie capitaliste.

Les marxistes ont alors une tout autre vision de la socialisation. Pour eux, la société n'est pas consensuelle mais plutôt conflictuelle : une certaine élite dominante tend à maintenir sa position dominante en excluant les classes dominées des lieux de décisions et de pouvoir. Pour les tenants de cette approche, la socialisation scolaire n'est là que pour asseoir la domination des élites dans la société. L'institution scolaire « sert ainsi à "déguiser" la domination des classes dominantes en créant une "fausse conscience", en créant l'illusion chez les classes inférieures que les valeurs auxquelles elles réfèrent sont celles de la collectivité tout entière alors qu'en réalité, ces valeurs servent les intérêts des élites dominantes » (Trottier, 1983 : 93).

En conséquence, la fonction de sélection n'est plus de départager les plus aptes et les moins aptes à remplir les fonctions sociales importantes comme le croient les fonctionnalistes, mais bien de servir de mécanisme tendant à consolider la position et les privilèges des classes dominantes. Ainsi, « au lieu de transmettre des valeurs et des orientations essentielles au fonctionnement d'une société démocratique (rationalité, justice sociale, tolérance, esprit critique, etc.), le système d'enseignement met l'accent sur les valeurs privilégiées par les classes moyennes (discipline, bonnes habitudes de travail, bonnes manières, conformisme, etc.) » (Trottier, 1983 : 95).

Bourdieu et Passeron ont tenté de voir comment se reproduisent les classes sociales à partir de l'enseignement donné dans les écoles. Selon eux, les classes sociales se reproduisent par un processus de socialisation qui favorise la formation chez l'individu d'un habitus par un travail pédagogique. Selon Cot et Mounier, qui reprennent Bourdieu et Passeron, l'habitus « est un ensemble durable et transposable de schèmes de pensée, de perception, d'appréciation et d'action. Le travail pédagogique consiste à transformer durablement et systématiquement les individus, en leur inculquant cet habitus » (Cot et Mounier, tome 1, 1974 : 85). Bourdieu et Passeron considèrent que tout pouvoir qui réussit à imposer des significations comme légitimes tout en dissimulant les rapports de force qui sont aux fondements de cette imposition peut être appelé « pouvoir de violence symbolique ».

Ce pouvoir de violence symbolique constitue, en tant que tel, un substitut spécialement efficace de la contrainte physique, dans la mesure où il pousse l'individu à reproduire une disposition permanente (habitus) qui l'amène à donner, en toute situation, la réponse exigée par l'arbitraire culturel (significations imposées comme légitimes par la classe dominante). C'est pourquoi, même si le contexte dans lequel agit l'individu a changé, il tendra à reproduire ce qu'il a appris dans son milieu familial, parce que son habitus engendre en lui des aspirations et des pratiques objectivement compatibles avec les conditions dans lesquelles il a été socialisé.

Le courant individualiste

Dans le cadre néo-individualiste, la socialisation n'est plus conçue comme un processus d'intégration à des rôles (celui d'élève, par exemple), ni comme un processus d'inculcation imposé par une institution (l'école, par exemple). Sans mettre de côté ces aspects de la socialisation, les tenants du courant néo-individualiste conçoivent plutôt le processus de socialisation comme un processus interactif entre les personnes placées dans des situations communes et dans lesquelles elles doivent s'adapter.

Que les enfants à l'école soient conformes à ce qui est attendu d'eux en ce qui a trait au travail, à la discipline et à la bonne tenue (les fonctionnalistes), qu'ils soient assujettis par un ensemble de valeurs qui les font penser et agir différemment de ce qu'on leur a appris dans leur famille (les marxistes), les élèves ne demeurent que très rarement passifs dans l'une ou l'autre des situations. Dans la mesure où tous les élèves se ménagent d'une manière ou d'une autre une certaine marge de liberté, on peut envisager qu'ils agissent et se comportent de façon telle qu'ils se créent une zone de liberté qui se construit à côté ou contre ce qui est attendu des maîtres, de la direction et même des parents ; ils trouvent, en somme, les moyens de se créer un monde parallèle dans la classe même, un espace où ils « trichent » avec les règles de la classe et les exigences du maître.

Dans une institution scolaire où les enfants sont censés ne pas avoir de pouvoir ou si peu, celui-ci étant centralisé dans l'autorité de la relation pédagogique que contrôle en bonne partie le maître, les élèves se construisent un pouvoir à eux, celui du groupe de pairs. Devant le pouvoir du maître, le pouvoir des élèves ne peut s'exprimer au grand jour ou clairement. C'est à travers les mille et un petits trucs, les petites combines, les petites stratégies que les élèves s'assurent d'un minimum nécessaire afin de vivre, sinon heureux, du moins confortablement dans la classe. En outre, le maître devant aussi utiliser nombre de ces petits trucs et stratégies afin de survivre pendant une année avec son groupe, chacun en vient à participer à sa propre socialisation à un ensemble de valeurs et de règles qui permettent à chacun de fonctionner dans la situation. Comme le soulignent Vasquez-Bronfman et Martinez, en reprenant les thèses de Goffman : « L'acteur participe activement au processus de sa propre socialisation et contribue, par ce biais, à recréer le système social où il est amené à vivre et à agir, si bien que l'on peut dire qu'il (re)construit la réalité sociale en lui donnant un sens » (Vasquez-Bronfman et Martinez, 1996 : 44).

Dans ces conditions, la socialisation ne peut être uniquement comprise comme une intériorisation (les fonctionnalistes) ou comme un assujettissement à des valeurs (les marxistes), mais aussi comme une capacité d'adaptation et d'interprétation, une compréhension de ce que les autres sont porteurs au même titre que soi-même de valeurs qu'ils tendent à exprimer. Cette définition exige le développement de la capacité de négociation sur le sens des choses et des gens qui sont dans l'environnement social immédiat. À ce titre, dans les relations avec le maître, l'élève socialisé socialise tout autant celui qui a pour mission de socialiser, c'est-à-dire le maître. Comme le soulignent de nouveau Vasquez-Bronfman et Martinez : « De cette façon, et malgré les rapports de pouvoir et d'autorité, on peut supposer que, par le biais de l'interaction elle-même, les élèves re-socialisent leurs enseignants, si bien qu'il y a transmission de valeurs, en même temps qu'expérimentation commune de ces mêmes valeurs » (Vasquez-Bronfman et Martinez, 1996 : 45-46).

Cela dit, on peut penser que la socialisation laisse peu de place à la reproduction des groupes et des dominations dans la société. Toutefois, quelles que soient les stratégies mises en œuvre par une actrice ou un acteur social, celles-ci sont le produit à la fois de la rationalité des personnes (comment dois-je faire les choses dans les circonstances ?) et de leurs habitudes culturelles (faire les choses sans nécessairement savoir pourquoi on les fait). Perrenoud explique à sa façon ce phénomène :

On peut soutenir que les sociétés libérales se reproduisent non pas en engendrant le conformisme [les fonctionnalistes] et la docilité au premier degré [les marxistes], mais en créant des acteurs qui mettront leurs capacités de raisonnement et de décision au service de ce qu'ils pensent être leurs intérêts sans se rendre compte que ce faisant, ils font exactement ce qu'il faut pour perpétuer les structures et produire de nouvelles générations à leur image. (Perrenoud, 1986 : 31).

En somme, peu de choses différencient les conceptions fonctionnaliste et marxiste de la socialisation si ce n'est que, pour la première, la socialisation est conçue comme un processus positif d'intégration des individus à la société, alors que pour la deuxième, la socialisation est vue comme un processus négatif d'assujettissement aux valeurs dominantes de la société. Dans les deux cas, l'acteur ou l'actrice sociale n'a que peu de place dans ces conceptions qualifiées de déterministes. C'est ici que la socialisation dans le paradigme interactionniste contraste fortement avec celle mise de l'avant dans le cadre fonctionnaliste et dans le cadre marxiste. Forquin souligne ces différences lorsqu'il compare la vision fonctionnaliste et interactionniste de la socialisation :

> Alors que la sociologie fonctionnaliste conçoit essentiellement la société comme un système d'éléments fonctionnellement articulés, l'individu comme un produit social et l'éducation comme un processus de socialisation, d'intériorisation des normes, des modèles, des valeurs culturelles qui assurent l'intégration, la cohésion et la perpétuation de l'ensemble, la sociologie interactionniste conçoit plutôt la société comme une scène (ou une arène), l'individu comme un acteur social en communication avec d'autres acteurs, et l'éducation comme un jeu de rôles ouvert et largement improvisé. [...] La vie sociale est ainsi le produit d'une « composition » entre chacun et les autres, d'une concertation et d'un partage, mais produit sans cesse menacé, sans cesse contesté, enjeu et effet d'une « négociation » perpétuelle entre des acteurs [...]. (Forquin, 1989 : 88).

À la question « Qu'est-ce que la socialisation ? », il est possible maintenant de répondre de manière plus nuancée et surtout de voir ce processus comme la résultante de différentes stratégies des acteurs ou, si l'on veut, comme un enjeu social entre différents acteurs et actrices. Les stratégies de domination visent à imposer l'ordre social par la légitimation des valeurs et des normes que l'on présente comme communes à toute la société, alors qu'elles sont celles de la classe dominante ou de la classe moyenne. Dans les stratégies de libération, les acteurs sociaux tentent de se créer un espace privé et public, où ils pourront jouir de leur autonomie et de leur liberté. Comme le disait Alain Touraine, dans une entrevue accordée à une revue de sociologie québécoise, être acteur, « c'est avoir la capacité de modifier son environnement et de ne pas être déterminé par lui, [c'est] cette capacité de produire mon existence, et non pas seulement de la consommer » (Tondreau, 1993 : 28).

Socialisation formelle et réelle : que fait l'école au juste ?

Les analyses effectuées dans les années 70 sur les programmes d'études par la nouvelle sociologie de l'éducation ont permis de mettre en évidence que les savoirs scolaires sont structurés de manière hiérarchique et que cette structure rend compte en quelque sorte de la répartition du pouvoir dans la société. S'appuyant sur les travaux des inter-actionnistes, de la phénoménologie et de l'anthropologie culturelle, la nouvelle sociologie de l'éducation se distingue en ce qu'elle considère « l'ensemble des fonctionnements et des enjeux sociaux de l'éducation à partir d'un point de vue privilégié qui est celui de la sélection, de la structuration, de la circulation et de la légitimation des savoirs et des contenus symboliques incorporés dans les programmes [...] » (Forquin, 1989 : 86). Selon Trottier, la démarche de la nouvelle sociologie de l'éducation consiste en une remise en question de la sociologie fonctionnaliste de l'école, non pas dans le sens effectué par les théories marxistes de la reproduction, mais bien sous l'angle de l'omission d'un ensemble de préoccupations importantes dans le système scolaire dans les analyses des fonctionnalistes. Trottier précise que la nouvelle sociologie de l'éducation émerge au moment suivant :

> La conception selon laquelle le système scolaire apparaît comme une institution essentielle et comme un moyen rationnel : a) de transmettre les connaissances, d'en élaborer de nouvelles et de former la main-d'œuvre nécessaire au fonctionnement de l'économie d'une société industrielle qui fait de plus en plus appel à des experts, b) de sélectionner les individus les plus talentueux, quelle que soit leur origine sociale, pour les positions sociales les plus élevées, et, ce faisant, d'assurer une plus grande égalité d'opportunité dans une société « méritocratique », et c) de transmettre les valeurs de rationalité, de justice, d'égalité et de tolérance, qualités nécessaires au fonctionnement d'une société démocratique, ne fait plus l'unanimité et a été fortement remise en question. (Trottier, 1987b : 3).

Dans la nouvelle sociologie de l'éducation, la question de fond est de savoir en quoi la transmission culturelle par l'école, notamment par les savoirs scolaires, est constitutive d'inégalités sociales. Prenons le cas de la vision fonctionnaliste de l'échec scolaire des enfants des milieux populaires, considéré dans cette approche comme une déficience cognitive ou un handicap culturel. La nouvelle sociologie de l'éducation portera plutôt son attention sur les mécanismes et sur la nature même du programme pour rendre compte de l'échec scolaire de ces élèves. Plus précisément, comme le souligne un des représentants les plus connus de la nouvelle sociologie de l'éducation, Basil Bernstein, les problèmes des inégalités dans l'école peuvent être expliqués à partir de l'hypothèse suivante : la « façon dont une société sélectionne, classifie, distribue, transmet et évalue les savoirs destinés à l'enseignement reflète la distribution du pouvoir en son sein et la manière dont s'y trouve assuré le contrôle social des comportements individuels » (Bernstein, 1971 : 47, cité dans Forquin, 1989 : 95).

Les travaux de Bernstein, et bien d'autres encore dans le cadre de la nouvelle sociologie de l'éducation, favorisent l'émergence d'une analyse en fonction du programme officiel et du programme caché (*voir l'encadré 7.1*). Si la première expression renvoie aux connaissances transmises par l'école aux élèves, la seconde évoque plutôt

Encadré 7.1
Le programme caché

« C'est ainsi que certains auteurs […] utiliseront la notion de "curriculum caché" ou "programme latent" (*hidden curriculum*) pour bien faire ressortir la différence entre ce qui est explicitement poursuivi par l'école et ce qui est effectivement accompli par la scolarisation en tant que développement des capacités ou modification des comportements chez les élèves. Le "curriculum caché" désignera ces choses qui s'acquièrent à l'école (savoirs, compétences, représentations, rôles, valeurs) sans jamais figurer dans les programmes officiels ou explicites, soit parce qu'elles relèvent d'une "programmation idéologique" d'autant plus qu'elle est plus occulte (comme le suggèrent, par exemple, les approches "critiques radicales" comme celles d'Illich ou des théoriciens de la "reproduction"), soit parce qu'elles échappent au contraire à tout contrôle institutionnel et se cristallisent comme des savoirs pratiques, des recettes de "débrouillardise" ou des valeurs de contestation fleurissant dans les interstices ou les zones d'ombre du curriculum officiel. »

Extrait de Jean-Claude Forquin,
*École et culture : le point de vue
des sociologues britanniques* (1989 : 23-24).

le fait que l'école enseigne aussi des valeurs (obéissance, soumission, dépendance, etc.) qui ne sont pas en accord avec les valeurs souhaitées comme l'autonomie, la responsabilité, le respect, etc. Plus précisément, le programme caché désigne « ces choses qui s'acquièrent à l'école (savoirs, compétences, représentations, rôles, valeurs) sans jamais figurer dans les programmes officiels ou explicites » (Forquin, 1989 : 23).

Le programme dans les écoles comporterait donc au moins deux parties : « Une *partie manifeste*, qui serait la traduction plus ou moins fidèle d'une intention d'instruire, la mise en œuvre d'un programme prescrit ; une *partie cachée*, qui engendrerait régulièrement des expériences formatrices à l'insu des intéressés ou du moins sans que de tels apprentissages aient été volontairement favorisés » (Perrenoud, 1993a : 74). L'institution scolaire ferait donc tout à la fois de l'apprentissage et de la socialisation, ce qui est dans l'ordre des choses. D'une part, l'école fait apprendre et socialise de manière officielle, par l'entremise des matières scolaires et des activités prescrites par les autorités scolaires et, d'autre part, elle fait apprendre et socialise à d'autres valeurs qu'elle ne souhaite pas nécessairement développer chez les élèves. Que se passe-t-il ?

Pour rendre intelligible ce problème, on peut utiliser un texte de Gatto qui montre bien qu'entre l'intention de l'école à instruire à certaines valeurs et les valeurs qu'elle transmet vraiment, il y a un écart parfois substantiel. Les parents, et les gens en général, semblent croire que l'école est là, entre autres, pour faire comprendre et rendre cohérent le monde dans lequel les élèves auront à vivre plus tard. Selon Gatto, ils se trompent puisque l'école enseigne sept leçons qui vont à l'encontre de ces objectifs de base. Fort de sa pratique d'enseignant, il montre, sur un mode ironique, comment l'école fait ce qu'elle ne souhaite pas faire.

Premièrement, Gatto enseigne la *confusion*: rien n'est lié à rien, la profusion d'informations prime sur le sens de la démarche d'apprentissage. Il en résulte un manque de cohérence que les enfants ne peuvent décrire, tant les mots leur manquent pour dire l'angoisse et la panique que peut susciter chez eux la violation perpétuelle de l'ordre des choses. Comme il le souligne, alors «qu'une éducation de qualité exigerait un approfondissement des connaissances, les enfants ne perçoivent que de la confusion de la part des très nombreux adultes qui leur enseignent, sans lien entre eux, qui prétendent, pour la plupart, posséder une expertise qu'ils n'ont pas» (Gatto, 1992: 41).

Deuxièmement, Gatto enseigne la *position de classe* (l'assignation): chacun est à sa place dans le groupe où il a été placé, l'étiquette collée aux enfants par les experts de l'école est la meilleure garantie qu'ils sont là où ils doivent être. Et les enfants y croient tout autant que leurs parents qui ne se plaignent jamais de voir leurs enfants classés selon des critères plus ou moins ambigus. Il faut dire que le travail du personnel enseignant dans cet étiquetage est fort important puisqu'il réussit à convaincre les élèves qu'il est bon d'envier les classes les plus fortes et de mépriser les classes allégées; ils apprennent ainsi la compétition qui permettrait de passer d'un point à l'autre dans la pyramide scolaire alors qu'en fait la plupart sont condamnés à rester où ils sont. C'est une façon de créer un espoir factice. Plus encore, Gatto leur dit «souvent qu'un jour, un employeur les engagera à cause de leurs bons résultats scolaires, même s'[il] sait que les employeurs sont indifférents à ce genre de choses» (Gatto, 1992: 41).

Troisièmement, Gatto enseigne à ses élèves l'*indifférence*. Certes, il leur dit que ce qu'ils font dans la classe est important, que les choses auxquelles ils travaillent ont de la valeur, qu'ils doivent s'y investir totalement mais aussitôt que la cloche sonne, il les exhorte à tout lâcher même s'ils n'ont pas terminé ce qu'ils font, et qu'ils ne termineront peut-être jamais. Ce qui importe, c'est qu'ils se rendent au prochain cours où ils referont de nouveau quelque chose de très important mais qu'ils ne pourront de nouveau terminer. Gatto explique à ce propos que «la cloche leur enseigne qu'aucun travail ne mérite d'être terminé. Alors, pourquoi s'en faire? Des années de cloche vont les préparer pour un monde qui n'offre plus de travail significatif. [...] Les cloches inoculent le virus de l'indifférence» (Gatto, 1992: 42).

Quatrièmement, face à l'autonomie que l'école voudrait développer chez les élèves, Gatto affirme qu'il crée plutôt de la *dépendance émotive*. Grâce au système de récompenses et de punitions symboliques en ce qui concerne l'évaluation (les petites étoiles dans le cahier, la correction en rouge, les sourires ou les moues), les enfants apprennent vite à subordonner «leur volonté à l'ordre hiérarchique prédéterminé». Gatto ajoute: «Comme les enfants et les adolescents essaient [...] d'affirmer leur individualité, je tranche rapidement et sans nuance. L'individualité est dangereuse parce qu'elle sabote toutes les tentatives de classification» (Gatto, 1992: 42).

Cinquièmement, Gatto enseigne la *dépendance intellectuelle* à ses élèves. En tant qu'enseignant, il se plie à ce que les experts dans le domaine de l'éducation considèrent comme les points importants à transmettre aux élèves sur le plan du savoir. Si on lui dit que l'évolution est un fait et non une théorie, il le répète comme on le lui a enseigné. Et gare aux enfants qui seraient tentés de le contredire, car les enfants qui réussissent à l'école sont ceux qui pensent comme lui. Comme il le souligne, «les mauvais enfants n'acceptent pas cela, même s'ils n'ont pas les concepts pour savoir ce qu'ils combattent. Heureusement, il y a des méthodes pour casser ceux qui résistent» (Gatto, 1992 : 42).

Sixièmement, Gatto enseigne que *l'estime de soi dépend des autres*. Il constate d'abord qu'il est difficile de faire rentrer dans le rang un enfant convaincu que ses parents vont l'aimer quoi qu'il fasse, ce qui lui fait dire que notre monde ne survivrait pas longtemps à un flot de gens sûrs d'eux-mêmes. C'est pourquoi il enseigne que l'estime de soi dépend de l'avis des experts, ceux-là même qui utilisent les tests pour mesurer la performance d'un enfant à l'école. Avec les résultats de ces tests, on peut faire accepter à presque tous les parents le fait d'être contents ou mécontents de la performance de leur enfant. Gatto ajoute que grâce «aux dossiers, aux diplômes et aux tests, les enfants apprennent à ne pas se faire confiance ou à ne pas faire confiance à leurs parents, mais en revanche à se fier à l'évaluation d'officiels patentés. On doit dire aux gens ce qu'ils valent» (Gatto, 1992 : 43).

Septièmement, Gatto enseigne à ses élèves qu'*ils ne peuvent se cacher*. En effet, dans tous les espaces et les recoins de l'école, les élèves sont constamment surveillés par la direction, le personnel enseignant ou le personnel de soutien. Les enseignantes et les enseignants invitent même les parents à fournir un portrait détaillé des désirs profonds de leurs enfants. Les devoirs à la maison ont aussi une fonction de surveillance. Quand les enfants font cela, ils ne peuvent apprendre autre chose qui pourrait les égarer par rapport aux savoirs officiels de l'école. Sur ce point, Gatto ajoute qu'«à cause de la surveillance constante et du manque d'intimité, un enfant apprend qu'il ne peut faire confiance à personne et que l'intimité n'est pas légitime : [...] on doit surveiller de près les enfants si on veut garder un contrôle serré sur la société» (Gatto, 1992, 43).

Pour Gatto, il est important que les enfants sachent lire, écrire, compter et accepter les règles de la société, et l'école est importante dans ce contexte. Là où l'école induit en erreur, c'est de laisser croire qu'elle doive prendre douze ans de la vie d'un enfant pour lui apprendre ce qui pourrait se faire en 100 heures. Le reste du temps, l'école inculque aux enfants les sept leçons qui en feront des êtres paralysés physiquement, intellectuellement et moralement. De cette façon, ils ne risquent pas aujourd'hui, ou plus tard, lorsqu'ils seront des adultes, de remettre en question l'ordre établi : ils ont appris leurs sept leçons. Comme le souligne Gatto :

> Sans exploiter la peur, l'égoïsme et l'inexpérience des enfants, les écoles ne survivraient pas longtemps – et moi non plus en tant que professeur. Une école qui

oserait enseigner le sens critique ne survivrait pas très longtemps. L'école a remplacé l'Église dans notre société et, comme l'Église, on doit croire ses enseignements sur parole. [...] Détrompez-vous si vous pensez que de bons programmes, du bon équipement ou de bons professeurs sont cruciaux pour l'apprentissage scolaire de vos enfants. Les pathologies dont j'ai parlé viennent du fait que les leçons de l'école empêchent les enfants d'avoir des rendez-vous importants avec eux-mêmes et avec leur famille, de trouver leur propre motivation et d'apprendre la persévérance, la confiance en soi, le service, le courage, la dignité et l'amour qui sont les choses importantes que l'on apprend à la maison. (Gatto, 1992 : 44-45).

Le programme caché, ce qui est appris en deçà de ou au-delà du programme officiel, n'est pas réellement caché comme le souligne Perrenoud (1993a), car il relève plutôt du non-dit et du non-pensé, il « relève de l'intuition, et de ce qu'il vaut mieux passer sous silence ou conserver dans le flou, parce que ça fait honte, ça fait mal, ça pose des questions embarrassantes, ça met en difficulté face à sa conscience et au jugement d'autrui » (Perrenoud, 1993a : 72).

De l'action sociale à l'expérience sociale

Dans la perspective fonctionnaliste, la socialisation est à la fois une éducation et un contrôle social, l'un et l'autre sont les versants de l'intégration des individus à la société dans ce courant de pensée (Dubet, 1994 : 138). Dans le courant marxiste, la socialisation est aussi une éducation et un contrôle social pour le bénéfice des uns et pour le malheur des autres qui se doivent d'accepter ou de résister à ce que l'on tente de leur inculquer. Chez les néo-individualistes, la socialisation est plutôt un processus interactif par lequel les acteurs et les actrices sociales construisent dans leurs pratiques quotidiennes le monde dans lequel ils vivent d'abord, auquel ils doivent s'adapter en utilisant au mieux les ressources qui leur sont disponibles ensuite, dans lequel ils doivent enfin user de stratégie pour survivre.

Chacune de ces conceptions rend compte de la « réalité » sociale à sa manière et propose sa vision des choses comme la plus susceptible d'expliquer le monde qui nous entoure. En fait, tenter d'interpréter la société, la culture et la socialisation à partir d'une vision trop polarisée ou trop impérialiste mène à l'impasse sur le plan de la compréhension. En effet, dans les pratiques quotidiennes, on peut un moment vouloir s'intégrer à telle situation et le moment suivant résister à la situation qui a changé ; on peut, au lieu de résister, être stratège et tenter de tirer son épingle du jeu. Or, comment peut-on rendre compte du fait que les groupes sociaux et les individus qui les composent puissent à la fois vouloir s'intégrer (fonctionnalisme), se distancer (approche conflictuelle) et être stratégiques dans leur action (individualisme méthodologique) ?

Les logiques d'action sociale

On ne peut interpréter l'action sociale à partir d'un seul principe, que ce soit l'intégration chez les fonctionnalistes, le conflit chez les marxistes ou les préférences chez les néo-individualistes. En tenant pour acquis qu'il n'y a pas *une* façon d'interpréter la société et le rôle de l'école dans cette société, que les groupes sociaux et les individus visent à la fois l'intégration, la distanciation et l'action stratégique, on peut penser que ces trois logiques d'action sont présentes à des degrés divers dans toute action sociale. Dubet (1994) les décrit comme une *logique d'intégration*, une *logique stratégique* et une *logique de subjectivation*. Dubet précise :

> [...] dans la logique de l'intégration, l'acteur se définit par ses appartenances, vise à les maintenir ou à les renforcer au sein d'une société considérée alors comme un système d'intégration. Dans la logique de la stratégie, l'acteur essaie de réaliser la conception qu'il se fait de ses intérêts dans une société conçue alors « comme » un marché. Dans le registre de la subjectivation sociale, l'acteur se représente comme un sujet critique confronté à une société définie comme un système de production et de domination. (Dubet, 1994 : 111).

La *logique d'intégration* rejoint l'idée de communauté, de valeurs communes et surtout de socialisation à ces valeurs communes : c'est l'identité assignée, c'est-à-dire donnée de l'extérieur. C'est le sens habituel que l'on donne à la socialisation scolaire, compris comme l'intégration des jeunes enfants à la culture scolaire qu'ils assimileront progressivement jusqu'au moment où cette culture sera comme une seconde nature, une nouvelle identité (le jeune enfant n'est plus seulement un enfant, il est désormais un élève qui apprend son métier d'élève qui le conduira plus tard à devenir un étudiant). À cette logique, font référence des expressions comme l'intégration (politique), l'assimilation (ethnique), la fusion (passionnelle), l'insertion (socioprofessionnelle), l'unification (nationale), l'appartenance (communautaire), etc. Cette logique d'intégration sociale est aisément repérable dans le désir des jeunes enfants de se fondre dans l'univers symbolique et normatif de l'école. Comme le constatent Dubet et Martuccelli :

> L'écolier est encore largement au sein d'une expérience sociale fortement intégrée dans laquelle les écarts sont réduits entre les dimensions essentielles de l'action sociale. C'est parce qu'il vit dans une grande unité de significations ou dans une si forte aspiration à cette unité, incarnée avant tout par le maître, qu'un certain conformisme s'impose. Les écoliers veulent être ce que l'on attend d'eux. L'obsession normative est la règle : les écoliers ne cessent pas de juger en fonction des critères du bien et du juste, du normal et du pathologique. [...] Ainsi, le bon élève est à la fois gentil, beau et travailleur, alors que le mauvais élève est méchant, laid et fainéant, le maître a raison parce qu'il est le maître, il est juste parce qu'il est le maître. (Dubet et Martuccelli, 1996b : 72).

Pour ce qui est de la *logique stratégique*, elle rejoint l'idée de compétition, de concurrence entre les acteurs ; il s'agit ici plutôt d'intérêts et de préférences que de valeurs ; c'est l'identité en ce qu'elle constitue une ressource. C'est l'idée de jeu qui rend le mieux compte de cette logique. Ainsi, le langage tourne autour des notions de jeu (le donnant-donnant, la règle du 50-50), de stratégie (commerciale, amoureuse), de tactique (déloyale), de guerre (d'usure, des nerfs).

On peut illustrer cette logique stratégique dans ce que Perrenoud appelle la communication clandestine en classe. Selon Perrenoud (1992b), le bavardage est essentiel en classe pour les élèves puisqu'il est impensable pour une personne de passer 25 à 35 heures par semaine dans une classe à uniquement écouter le maître et à répondre à ses questions. Certes, pour le maître, le bavardage peut être associé à un désordre. Pour les élèves cependant, il est un moyen de s'aménager un espace à eux, un temps à eux, de se donner un pouvoir qui fait contrepoids à celui du maître. Et le maître d'expérience n'ira pas à l'encontre de ce pouvoir afin de maintenir une certaine stabilité dans sa classe. Comme le souligne Perrenoud, si « l'enseignant ne le concède pas volontairement [le pouvoir de bavarder, de faire autre chose, de rêver], les élèves le prendront, d'une manière ou d'une autre, le temps de se dire ce qui leur importe » (Perrenoud, 1992b : 41).

En ce qui a trait à la *logique de subjectivation*, elle fait de l'acteur social un sujet critique devant une société définie comme un système de production, de consommation, de domination et devant des pratiques jugées dépassées ou discriminantes. Dans cette logique, le langage met l'accent sur la revendication (salariale), la protestation (étudiante, ouvrière), la critique (constructive, virulente), l'affirmation (de l'identité), l'opposition, la réclamation, la distance, la résistance et la réflexivité.

On peut définir la logique de subjectivation comme une distance critique à la fois face à une intégration conformiste au rôle d'élève et face à une vision utilitaire du rapport aux savoirs scolaires. C'est le versant défensif de la logique de subjectivation. Sur un plan positif, la logique de subjectivation se présente comme un engagement dans l'activité d'apprendre, un peu à la manière de la passion ou de la vocation. Cet engagement n'est pas une simple intégration à son rôle d'élève, encore moins un rapport strictement utilitaire aux savoirs scolaires. Il est une façon de se produire soi-même comme sujet de sa vie à travers une activité signifiante pour soi et qui permet de s'orienter dans la vie, c'est-à-dire une activité qui *fait*, qui *a* et qui *donne* du sens. Cette logique, comme le soulignent Dubet et Martuccelli, prend forme dans

> [...] l'expérience même des élèves qui déclarent leurs intérêts, leurs passions, leurs enthousiasmes, ou au contraire leur ennui ou leur dégoût pour telle ou telle discipline, affirmant par là une double distance au conformisme de l'intégration et à la seule utilité scolaire. Et l'on sait que, pour bien des élèves, la séparation de la « vocation » et de l'utilité, c'est-à-dire de l'intérêt pour soi et de l'intérêt social, est au cœur de leurs relations au savoir. C'est d'ailleurs dans ce hiatus que se

forment à la fois la subjectivation et l'aliénation scolaire, la révélation d'une vocation ou, au contraire, le sentiment de vide et d'absence de sens des études. (Dubet et Martuccelli, 1996b : 64-65).

Reprenant l'exemple de la communication en classe, Perrenoud rappelle qu'il est normal qu'une partie de la communication se fasse sur le mode de la contestation, sur le mode d'une communication contestataire : une « partie des élèves s'habituent à ne guère avoir la parole, ou alors sur commande ; d'autres souffrent durant toute leur scolarité d'être constamment réduits au silence alors qu'ils avaient l'impression d'avoir quelque chose à dire » (Perrenoud, 1992b : 44). Par conséquent, certains élèves vont tenter de monopoliser la parole dans la classe à un moment donné, de défier l'autorité du maître en lui coupant la parole, en « en plaçant une », en tentant de faire perdre son temps au maître. Comme le souligne de nouveau Perrenoud, parler « en classe, c'est prouver, rappeler qu'on existe. Parfois, la seule façon de le faire est de se greffer sur la communication officielle, pour la perturber, la caricaturer, la détourner » (Perrenoud, 1992b : 44).

L'expérience sociale et scolaire

Les logiques d'action sont présentes, simultanément et à des degrés divers selon les situations[7], dans l'action des groupes ainsi que dans celle de chacun d'entre nous. Cette simultanéité des logiques d'action, leurs combinaisons, forme une expérience sociale singulière. Selon Dubet (1994), « les combinaisons des logiques d'action qui organisent l'expérience n'ont pas de "centre", elles ne reposent sur aucune logique unique ou fondamentale ». Il s'agit donc d'éviter de faire reposer entièrement cette expérience sociale sur une logique unique, la logique d'intégration par exemple, car celle-ci ne peut rendre compte entièrement de l'expérience sociale d'une personne. En repérant les différentes logiques d'action qui structurent les pratiques sociales d'une personne ou d'un groupe, on évite de faire une analyse sociale à partir d'un principe unique (le consensus chez les fonctionnalistes ou l'être « bien adapté à sa société » ; la domination chez les tenants de l'approche conflictuelle ou l'être dominé ; les « bonnes raisons de l'action » chez les individualistes méthodologiques ou l'être rationnel et stratégique). Dubet utilise l'exemple du travail scolaire pour rendre compte de la diversité des logiques d'action sous-tendant l'action sociale ou, si l'on préfère, les pratiques des acteurs et des actrices sociales. Il souligne que :

L'élève peut travailler parce que c'est ainsi, parce qu'il a intériorisé l'obligation du travail scolaire dans sa famille et à l'école, et c'est l'essentiel. Mais cet élève doit ou peut aussi travailler s'il est capable de percevoir l'utilité, scolaire ou non, de ce travail, s'il est en mesure ou en position d'anticiper des gains, ce qui ne recouvre

---

7. Perrenoud (1988) dit à ce propos que le sociologue du terrain constate assez vite que routines et réflexivité, habitus et stratégies sont imbriqués. *Voir Perrenoud et Montandon [1988]*.

pas exactement le premier type de signification. Enfin, l'élève peut travailler parce qu'il éprouve ce travail comme une forme de réalisation de soi, d'intérêt intellectuel. (Dubet et Martuccelli, 1996b : 65).

En fait, la combinaison des logiques d'action dans l'expérience des élèves varie dans le temps. Le jeune enfant qui entre à l'école cherche plutôt à s'intégrer au nouveau monde qui l'entoure ; il cherche également à faire plaisir à ses parents ; il veut se conformer le plus possible à l'image qu'on attend de lui. En somme, il entre dans le rôle d'élève et le met en pratique de manière plus ou moins conformiste. Il faut souligner qu'il est plus facile aux enseignantes et aux enseignants du primaire de demander aux jeunes élèves une « allégeance totale » aux règles et aux pratiques dans leur classe. À mesure qu'il avance dans son cheminement scolaire, l'élève apprend à mesurer ses investissements afin de se ménager le temps nécessaire pour s'engager dans d'autres activités qui le sollicitent de plus en plus. Comme le soulignent Vasquez-Bronfman et Martinez :

> L'école n'est pas seulement un lieu d'apprentissage de connaissances et de techniques qu'il faut emmagasiner « pour plus tard », mais chaque enfant y est en train de découvrir ce à quoi les adultes (les enseignants) donnent de l'importance, il essaie des stratégies pour comprendre ce que ces adultes-là, dotés d'autorité, lui expliquent et il essaie d'y attribuer un sens. Il apprend également à faire une différence entre ce qu'il comprend et dont il peut faire état (les matières « scolaires », par exemple) et ce qu'il comprend mais qu'il doit taire. [...] En même temps, ces pratiques leur donnent la possibilité d'essayer et de construire des identités sociales plus ou moins ajustées, ou écartées (ou en contradiction avec) des valeurs dominantes. (Vasquez-Bronfman et Martinez, 1996 : 204).

Plus tard, dans les études secondaires, l'élève apprend de plus en plus à tirer le meilleur parti des situations scolaires tout en essayant de répondre le mieux possible aux attentes liées au métier d'élève. La recherche d'une autonomie se fait probablement de plus en plus forte à l'adolescence, alors que le besoin de se créer un espace à soi et pour soi devient plus impératif.

Cette recherche d'autonomie peut prendre la forme d'une contre-culture au sein même de l'école et qui rend compte d'une forte volonté de se distancer des modèles culturels offerts par l'école. Parmi les traits distinctifs de cette contre-culture des élèves (ou leur résistance[8]), on note l'opposition à l'autorité, un certain degré de sexisme, des actes de violence et l'importance du groupe de pairs dans le positionnement des hiérarchies du prestige et du pouvoir dans l'école (Bouchard, St-Amant et Tondreau, à

---

8. La résistance dont il est question a été amplement analysée dans le cadre de la nouvelle sociologie de l'éducation. Selon Trottier (1987b), la « théorie de la résistance permet de prendre en considération la définition que les élèves comme acteurs sociaux donnent de leur situation dans la vie quotidienne. Elle montre que la domination des classes dominantes sur l'école est un processus qui n'est ni statique, ni complet, et met en relief des éléments d'opposition qu'il importe d'analyser » (Trottier, 1987b : 57).

paraître). Hess et Weigard (1994 : 88) soulignent également, outre les critères déjà énoncés, le racisme et le rejet du conformisme comme traits distinctifs de la distanciation scolaire et de la contre-culture des élèves dans l'institution scolaire.

La recherche d'autonomie peut prendre d'autres formes. L'obligation scolaire et, au-delà, la pression des parents peuvent restreindre l'élève à une scolarité qui n'est pas tout à fait voulue. Toutefois, les études postsecondaires demeurent une décision de l'étudiant ou de l'étudiante qui choisit de s'investir dans une activité scolaire plus exigeante en énergie et en temps. L'engagement dans les études postsecondaires n'élimine pas le fait qu'elles soient perçues comme une obligation ou qu'elles soient vécues dans un rapport utilitaire ; il laisse cependant place à un projet constitutif de sa propre vie et d'une réalisation personnelle. Au conformisme de l'enfant succède l'engagement personnel de l'étudiante ou de l'étudiant dans une activité qui rend compte de la passion et qui peut s'apparenter à la vocation.

En somme, les trois interprétations de la société débouchent sur trois conceptions de la culture, de l'action sociale, de l'identité, de l'être humain, de l'école et de son rôle dans le monde moderne. À chacune de ces conceptions, on peut associer une logique de l'action particulière, soit la logique de l'intégration, la logique stratégique ou la logique de subjectivation. Aucune de ces logiques n'est plus importante qu'une autre, il n'y a pas une hiérarchie d'importance entre elles. Chacune est autonome et n'entretient pas de liens nécessaires avec les autres. C'est dans l'expérience sociale des actrices et des acteurs sociaux que se combinent ces logiques d'action. En fait, l'expérience sociale est le fruit du travail des acteurs et des actrices sociales qui gèrent les tensions entre ces différentes logiques au cours de leurs activités quotidiennes.

Les logiques d'action sont présentes simultanément dans les différentes sphères de la vie sociale, certaines avec plus de force (le discours concurrentiel des économistes, par exemple, que l'on associe à la logique stratégique), d'autres se font plus discrètes (l'école comme lieu d'un projet social novateur, par exemple, que l'on associe à la logique de la subjectivation). (*Voir le schéma 1.*)

Dans le cas qui nous occupe, on analysera l'expérience sociale dans le contexte scolaire et, à ce titre, l'expérience scolaire retiendra l'attention. On pourrait donc définir l'expérience scolaire comme la manière dont les différents acteurs et actrices de l'école combinent les logiques d'action qui structurent le monde scolaire. D'après Dubet et Martuccelli, ces logiques de l'action qui « se combinent dans l'expérience n'appartiennent pas aux individus ; elles correspondent aux éléments du système scolaire et sont imposées aux acteurs comme des épreuves qu'ils ne choisissent pas. Ces logiques de l'action correspondent aux trois "fonctions" essentielles du système scolaire : socialisation, distribution des compétences et éducation » (Dubet et Martuccelli, 1996b : 62).

Schéma 1
Logiques d'action et expérience sociale

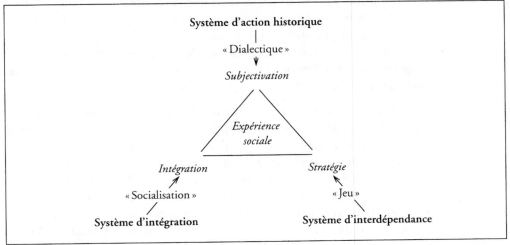

Source : François Dubet (1994 : 137).

Les acteurs et actrices de l'école, et la socialisation

Malgré les débats et les politiques sur le pluralisme confessionnel, linguistique et ethnique, les enseignantes et les enseignants demeurent les principaux médiateurs des valeurs dans l'école. Leur rôle est d'autant plus important et difficile que la diversité des valeurs et leur expression stratégique se font de plus en plus fortes. Il ne suffit plus d'être un bon pédagogue, rompu à l'art de la didactique, mais aussi une actrice ou un acteur social éclairé sur les phénomènes touchant à la diversité culturelle.

L'acte d'enseigner ne s'effectue pas dans un vide social, et la classe n'est pas un lieu isolé du reste de la société, et ce, pour deux raisons : 1) les élèves en classe sont là avec leur histoire et leur expérience, les attitudes et les manières de leur classe sociale d'origine ; 2) les enseignants sont eux-mêmes porteurs d'idéologies qui influent sur l'acte d'enseigner. Le futur maître doit donc être en mesure de se situer par rapport à ses propres représentations de l'élève et du savoir.

Comment socialise-t-on le personnel enseignant à socialiser ?

Les changements sociaux plus nombreux et plus rapides dans la société québécoise des années 90 interpellent les enseignantes et les enseignants dans leur rôle d'agents de socialisation. C'est la pratique enseignante dans ce qu'elle a de plus spécifique, la relation pédagogique, qui se trouve transformée par la diversification et le pluralisme de la société québécoise. Les jeunes qui arrivent à l'école aujourd'hui présentent un profil passablement différent de la génération qui les précédait. Comme le soulignait, déjà en 1984, le Conseil supérieur de l'éducation (CSE), «dans un monde où les réalités familiales, économiques et ethniques modifient les valeurs et les modes de communication pour l'ensemble des personnes, il n'est pas étonnant de constater une diversité et un pluralisme plus grands chez les élèves qui entrent à l'école. Dans ce contexte et par la force des choses, l'école et le personnel enseignant doivent s'adapter à ces réalités nouvelles qui pénètrent dans l'institution scolaire» (Conseil supérieur de l'éducation, 1984a : 25-28).

Les enseignants et les enseignantes sont aussi des personnes ayant été socialisées à certaines valeurs qu'ils expriment à travers des catégories de pensée et des pratiques concrètes dans la classe. De plus, il semblerait que les enseignants et les enseignantes mettent au point leurs stratégies d'enseignement à partir des références puisées dans leur propre apprentissage scolaire. Or, la réalité à laquelle ont été socialisés les enseignants et les enseignantes en tant qu'enfants d'abord, en tant qu'élèves ensuite, ne ressemble que fort peu à ce qu'ils vivront dans les écoles des années 90, notamment dans les grands centres urbains. Comment, dans ces conditions, former le personnel enseignant à son rôle dans le processus de socialisation scolaire des élèves? Il appert que devant la complexité grandissante des situations scolaires, la polyvalence dans la pratique enseignante devient un atout essentiel. Comme le souligne Dandurand :

> [...] l'enseignante ne peut se limiter à des activités didactiques simples pour favoriser les apprentissages ; elle doit à la fois motiver les retardataires, intégrer les élèves en difficulté socio-émotive, faire du «counseling» auprès des enfants et parfois des parents, faire de la rééducation en langage, consacrer du temps à simplement «écouter» un enfant, parler au téléphone avec un parent, etc. Autant d'activités différentes, autant de savoir-faire à mettre en œuvre quotidiennement. (Dandurand *et al.*, 1990 : 149).

Les valeurs des enseignants et des enseignantes jouent sur plusieurs plans : la vision de leur statut et de son évolution pour ce qui est de la carrière au sein de l'appareil scolaire ; leur vision des processus d'apprentissage et des méthodes d'enseignement ; leur vision de la nature et des contenus des matières à enseigner comme telles. En somme, le personnel enseignant est porteur d'un ensemble de représentations qui s'expriment dans la relation pédagogique et interfèrent (positivement ou négativement) dans le rapport aux élèves.

Ces représentations prennent forme bien avant que l'enseignante ou l'enseignant n'ait mis le pied pour la première fois dans une classe. Elles prennent naissance bien souvent dans le rêve ou l'ambition de faire carrière en enseignement ; elles se transforment ensuite par le programme de formation des maîtres que tout futur enseignant ou enseignante doit suivre afin d'acquérir les compétences nécessaires à l'exercice du métier. Dans cette formation, les représentations de son rôle dans la socialisation des jeunes s'élaborent davantage. Et face à son rôle d'agent de socialisation, c'est en premier lieu une compétence culturelle issue elle-même d'une culture professionnelle, cette dernière puisant dans un modèle socioculturel partagé par le plus grand nombre, que le personnel enseignant est appelé à acquérir. Cette culture professionnelle n'est pas qu'un ensemble de savoir-faire plus ou moins articulés entre eux, elle agit aussi en tant que ressource mobilisable dans l'action éducative. Plus précisément, une culture professionnelle peut s'élaborer à partir des trois éléments.

1. Dans la mesure où il est essentiel de savoir reconnaître les différences culturelles entre les groupes d'élèves qui se présentent à l'école, tout comme il est aussi vital de faire la différence entre des émotions, des affects, des normes, des rôles sociaux, etc., on doit admettre que la culture professionnelle repose sur le développement d'une capacité de discernement qui permet la reconnaissance du pluralisme des valeurs et la diversité des populations étudiantes. Cette capacité de discernement prend racine dans une solide culture générale qui doit être acquise en grande partie dans le cadre de la formation initiale des enseignantes et des enseignants.

2. Au-delà de la formation initiale, se trouve la pratique enseignante comme telle. Les futurs maîtres seront alors tenus, par la force des choses, à enrichir cette culture professionnelle afin de faire face à la complexité des situations et des interactions éducatives nombreuses dans les classes. Les contraintes qui pèsent sur la pratique enseignante ne sont pas des problèmes théoriques ni des problèmes techniques, ce qui commande une certaine habileté personnelle et une certaine capacité d'improvisation dans les situations nouvelles. Comme le souligne Tardif, « la pratique apparaît comme un processus d'apprentissage à travers lequel les enseignants et les enseignantes retraduisent leur formation antérieure et l'ajustent au métier [...] » (Tardif, 1993 : 45).

3. Cette culture professionnelle repose aussi sur une éthique, c'est-à-dire que la pratique enseignante doit être subordonnée, comme le rappelle Tardif, « à des finalités qui dépassent en dignité les impératifs de la pratique, parce qu'elles concernent des êtres humains, les enfants, les adolescents et les jeunes adultes en formation. Ces finalités supposent que la pratique éducative soit dotée de sens non seulement pour ceux et celles qui la font, mais également pour les élèves [...] » (Tardif, 1993 : 46).

Les conditions dans lesquelles s'inscrivent les activités de formation et les pratiques concrètes des partenaires de la formation marqueront considérablement les caractéristiques de la culture professionnelle. Quelles pratiques de formation résulteront de la combinaison :

- d'une culture universitaire, marquée par la liberté académique et une marge de liberté relativement grande des acteurs, tant dans les choix de contenus que dans les modes d'interaction entre eux ;

- d'une culture des milieux scolaires, caractérisée par des encadrements plus contraignants, des modes de fonctionnement qui exigent une stabilité des arrangements du temps, de l'espace et de la division du travail ;

- d'une culture de candidats universitaires qui sont projetés très rapidement dans des milieux de pratique, qui cherchent à tirer leur épingle du jeu dans la diversité de leur expérience scolaire et sociale ?

Sur ce dernier point, il semble que dans le cadre de la formation initiale des maîtres on mette l'accent sur des éléments de culture utilisables rapidement dans la pratique au détriment d'une culture générale qui serait plus apte à leur fournir des outils d'adaptation à des réalités complexes. Dans bien des cas, il s'ensuit une orientation hâtive de la part des futurs maîtres sur des éléments de la pratique, amenant une remise en question des aspects théoriques de leur formation qui n'est pas encore terminée. Dans ces conditions, il est légitime de se demander jusqu'à quel point les futurs enseignants et enseignantes sauront faire face à leur rôle de socialisation des élèves. À partir de quelles références culturelles pourront-ils juger les différences dont sont porteurs les élèves sous leur responsabilité ?

Par exemple, dans les grands centres urbains comme Montréal et Québec, la diversité ethnique de plus en plus grande amène une diversification toujours plus poussée des populations scolaires dans les écoles. Selon Crespo et Pelletier (1985), la préparation du personnel enseignant aux réalités culturelles des différentes communautés ethniques serait un facteur déterminant dans la réussite scolaire des élèves issus de ces communautés (Crespo et Pelletier, 1985 : 196, dans Moisset *et al.*, 1995 : 34). Or, il semble bien que cette préparation soit déficiente pour le moment dans les programmes de formation des maîtres. Pourtant, des expériences françaises montrent combien

> [...] la préparation du personnel enseignant dans le domaine de l'éducation interculturelle, la présence dans ces rangs d'enseignantes et d'enseignants issus des communautés immigrantes et, de manière plus générale, l'ouverture de l'école sur les cultures immigrées, favorisent la participation des parents à la vie et aux projets pédagogiques de l'école, réduisent la distance entre celle-ci et la famille, rapprochent les élèves originaires du pays d'accueil et les élèves migrants et contribuent à l'intégration et à la réussite scolaire de ces derniers. (Moisset *et al.*, 1995 : 33).

L'école prescrit certaines normes et certaines valeurs culturelles à transmettre ; ces normes et ces valeurs sont véhiculées à travers les programmes, les modes d'organisation de l'école, la répartition et l'importance des matières, les orientations pédagogiques et axiologiques des manuels, et surtout par les pratiques pédagogiques du maître. Or, les enseignants et les enseignantes ne reproduisent pas nécessairement les prescriptions ni les finalités officielles de l'école ; ils interprètent toujours les valeurs que le système leur demande de transmettre selon les représentations qu'ils ont de ces valeurs, de ces normes, selon aussi la conciliation qu'ils font entre les exigences du système (les politiques d'institution notamment) et les contraintes de leur pratique (et les pratiques des différents acteurs de l'école aussi). Dans ce contexte, on peut se demander si la pratique enseignante, comme pratique professionnelle, peut se fonder sur des valeurs partagées par les enseignantes et les enseignants.

L'éthique professionnelle pourrait n'être qu'un mot si les programmes de formation des maîtres ne favorisaient pas une large prise de conscience des transformations familiales, économiques et ethniques dans la société québécoise. De plus, dans ces conditions, le personnel enseignant pourrait amener les élèves à faire des apprentissages qu'il n'aurait pas souhaité favoriser.

Agent, acteur et sujet : la pratique enseignante et la socialisation

Le personnel enseignant ne peut avoir conscience de tout ce qu'il fait apprendre sans que cela soit souhaité. Par ailleurs, il peut fermer les yeux sur certaines réalités dérangeantes comme le lien toujours présent entre l'origine sociale des élèves et leur réussite ou leur échec scolaire. Certes, le premier rôle du personnel enseignant est de mettre en œuvre dans des classes concrètes l'ensemble des symboles artistiques, scientifiques et religieux de la société dans laquelle il se trouve. De plus, dans cette transmission culturelle, le personnel enseignant communique une conception particulière du monde en même temps qu'il assure l'apprentissage des savoirs et des savoir-faire socialement valorisés. Enfin, ce qui est propre au personnel enseignant dans cette manière de concevoir son rôle, c'est qu'il est

> [...] clairement mandaté par l'État et par la société pour assurer une fonction de diffusion auprès des jeunes générations de la culture au sens large du terme : les savoirs, les manières de penser et d'être, les idéologies. Il est pour ainsi dire le seul à détenir le pouvoir symbolique et institutionnel de façonner les attitudes et les perceptions des jeunes et de modeler, à travers elles, le devenir de la collectivité. (Mellouki, 1991a : 225).

De ce point de vue, le personnel enseignant peut être clairement identifié au rôle d'*agent* de socialisation agissant comme médiateur des valeurs socialement valorisées par l'entremise de l'État notamment. En outre, comme le personnel enseignant occupe une place centrale dans la société et dans l'école comme traducteur des valeurs socialement reconnues, son rôle est aussi éminemment politique et stratégique. Il n'est jamais soumis totalement aux impératifs étatiques de socialisation des jeunes et il n'est pas libre par ailleurs de faire ce qu'il veut ; on peut penser que, souvent, il adopte diverses stratégies de traduction de la culture socialement valorisée en fonction des populations étudiantes auxquelles il fait face. Dans ces conditions, le personnel enseignant n'est pas qu'agent de socialisation, mais aussi un *acteur* actif dans ce processus complexe de transmission des valeurs. Et cet acteur de la socialisation scolaire est porteur de ses propres valeurs, de ses propres références, et son travail se fait à l'intérieur de situations souvent contraignantes dans lesquelles il doit négocier avec d'autres partenaires.

Comme le souligne Delhaye (1990), face à l'institution dans laquelle ils œuvrent et face aussi aux gestionnaires, les enseignantes et les enseignants «adoptent une attitude défensive et tentent de garder le contrôle de leur propre enseignement dans un contexte relativement contraignant (programmes, inspections, coordinations, horaires, notations du personnel, réunions, pressions parentales...). [...], ils fondent leur légitimité sur leur compétence et les valeurs méritocratiques tandis que se fragilise leur statut social» (Delhaye, 1990 : 147).

L'action du personnel enseignant n'est donc pas libre de toute contrainte, pouvant ainsi restreindre grandement sa marge de manœuvre dans l'école et dans la classe. Premièrement, l'élève a une part de responsabilité dans son apprentissage ; l'enseignant ou l'enseignante ne peut pas apprendre à sa place. Deuxièmement, l'école est soumise à plusieurs forces sociales qui vont parfois à l'encontre de sa mission : les mauvaises perspectives d'emploi jouent parfois plus sur la motivation des élèves que l'action pédagogique des enseignantes et des enseignants. Troisièmement, la pratique enseignante est soumise à de nombreux encadrements, que ce soient des lois, des politiques et des régimes pédagogiques ; le personnel enseignant ne contrôle pas la sélection des savoirs qui seront transmis à l'école (Berthelot, 1992 : 232).

Les enseignantes et les enseignants ne sont pas que des agents ou des actrices et des acteurs isolés dans leur classe et dans leur école ; ils font partie d'un syndicat, d'une association professionnelle et sont représentés dans les différents organismes gouvernementaux. À ce titre, le personnel enseignant peut agir différemment en matière de socialisation en s'appuyant sur la force collective du nombre. Il s'agit de voir, par exemple, comment la pratique enseignante a pris la forme d'un contre-modèle pédagogique dans les années 70 au Québec, pour comprendre comment cette pratique peut être déstabilisante pour différents groupes dans la société.

En effet, devant la pédagogie de compensation mise de l'avant par l'État québécois dans les années 70 pour contrer les problèmes d'intégration à l'école des élèves provenant des milieux sociaux défavorisés sur les plans économique et culturel, les enseignantes et les enseignants, par l'entremise de leur syndicat (la CEQ), tentent de mettre en place dans les écoles la pédagogie de «conscientisation» qui vise à faire prendre conscience aux enfants issus des milieux populaires et ouvriers les formes d'exploitation dont ils sont l'objet de la part des capitalistes[9]. Dans ces conditions, le

9. On peut se référer au chapitre 3 où l'on trouve un développement plus substantiel de cet affrontement entre l'État et la CEQ en ce qui touche à la pédagogie. Précisons tout de même avec Cormier *et al.* (1981) ce que veut dire une pédagogie de conscientisation et son utilisation par la CEQ dans les années 70. Mentionnons quelques traits caractéristiques : « 1) l'objectif poursuivi se fonde sur une grille

personnel enseignant ne peut plus être considéré comme un agent de socialisation ; certes, il demeure un acteur de la socialisation, mais il devient en même temps un *sujet* de la socialisation dans la mesure où il se distancie du modèle culturel dominant afin d'amener les élèves sous sa responsabilité à une connaissance autre de la société et de la vie en société.

C'est en prenant une position critique devant le rôle que l'on veut lui faire jouer dans l'école et la société que le personnel enseignant se pose comme sujet de la socialisation, qui tente de transmettre ce qui est nécessaire pour créer d'autres sujets, c'est-à-dire des élèves qui seront eux-mêmes critiques du monde qui les entoure et dans lequel ils seront appelés à jouer un rôle plus ou moins actif.

Tour à tour agents, acteurs et sujets de socialisation, les enseignantes et les enseignants sont les principaux médiateurs du modèle socioculturel dominant d'une société. Cela en fait des acteurs et des actrices de premier ordre sur les plans de l'éducation et de l'apprentissage. En somme, le personnel enseignant est central dans la réussite éducative et scolaire des élèves.

Résumé

Les concepts de culture, de valeurs et de socialisation, sont des entrées privilégiées pour décrire, expliquer et comprendre ce qui se passe dans l'école concrète, celle de tous les jours. C'est à travers les modes d'expression, les représentations, les normes, etc., qui se manifestent dans les matières enseignées, les manuels scolaires, les projets éducatifs, les modes d'organisation, les interactions, que les pratiques des acteurs et des actrices de l'école prennent un sens. Ces concepts demeurent toutefois des objets de débats en sciences sociales comme le montrent amplement les querelles de la culture dans les années 70.

Tout comme la conception de la société, la vision de la culture varie passablement dans les grands courants de la sociologie. Pour les fonctionnalistes, la culture est toujours

---

d'analyse marxiste de la société en général et du Québec en particulier ; cela signifie que des concepts comme régime de production capitaliste, lutte des classes, domination et exploitation de classe, ainsi que ceux de fausse conscience et d'aliénation sont des outils d'analyse privilégiés et centraux ; 2) s'inspirant du marxisme, la pédagogie de conscientisation en partage aussi pour une bonne part l'épistémologie ou la conception de la connaissance et du savoir ; cela implique que faire prendre conscience aux fils et aux filles de travailleurs, des intérêts de classe de travailleurs, n'est pas réductible à la simple transmission de connaissances "neutres", "gratuites", "abstraites", "universelles" ou "scientifiques" ; il s'agit plutôt de développer à travers une pratique contestataire un *savoir critique* et concret, parce que situé et daté, selon l'expression de Paulo Freire, et qui démasque la société (et l'école) comme domination et violence ; 3) ce savoir est donc désaliénant, en ce qu'il fait disparaître la fausse conscience et l'emprise de l'idéologie bourgeoise dominante sur les fils et les filles de travailleurs ; il est désaliénant aussi en ce qu'il n'est pas le fruit d'une réflexion intellectualiste ; il est engagement dans l'action et volonté de transformation du monde » (Cormier *et al.*, 1981 : 62-63).

commune, c'est-à-dire que les valeurs sont partagées par le plus grand nombre. Pour les tenants de cette approche, la culture de classe n'existe pas. La culture est plutôt unitaire ; elle a un caractère universel, ce qui commande une école socialement neutre. La socialisation, qui permet à un individu d'intégrer les éléments culturels propres à son environnement social, est considérée par les fonctionnalistes comme un mécanisme fondamental qui vise l'intégration des personnes à la société. Le processus fonctionne bien quand tous et chacun pensent et agissent en conformité avec les attentes sociales, tout en croyant agir et penser librement. L'école constituerait, dans cette interprétation, le lieu par excellence pour socialiser les jeunes et les intégrer à la société.

Pour les marxistes, la culture telle que définie par les fonctionnalistes n'est en fait que la culture de la classe dominante qui impose ses valeurs, ses modes d'expression, ses représentations, etc., aux autres classes sociales de la société. Les cultures autres, celles du monde ouvrier et des classes populaires par exemple, n'ont droit de cité qu'en tant que cultures dominées, c'est-à-dire peu valorisées socialement et scolairement. Dans ce contexte, l'école ne peut être que le reflet de la lutte de la classe dominante contre les classes dominées afin d'imposer sa culture comme légitime. La culture scolaire, présentée comme universelle chez les fonctionnalistes, cacherait dans ces conditions un arbitraire culturel qui défavoriserait les enfants des classes dominées entrant à l'école. La socialisation scolaire, chez les marxistes, n'a donc pas le même sens que celui que voudraient lui donner les fonctionnalistes. Dans ce cadre de pensée, l'école aurait plutôt une fonction de sélection, qui permettrait de départager ceux qui pourront continuer des études à des niveaux supérieurs et ceux qui devront sortir rapidement du système scolaire afin de grossir les rangs des travailleurs et des travailleuses.

Chez les néo-individualistes, la culture est plutôt considérée comme la résultante des rapports stratégiques que les individus entretiennent à l'égard des valeurs dans une société. En fait, dans ce courant de la sociologie, la culture ne reposerait pas sur un ensemble de valeurs partagées mais bien sur les intérêts de chacun. Plus loin, la culture et les valeurs sont considérées par les néo-individualistes comme des ressources mobilisables de manière stratégique dans l'action. Pour les tenants de cette approche, la socialisation scolaire n'est ni une intégration à la société, ni une inculcation de la culture dominante, mais bien un processus interactif entre des personnes placées dans des situations communes auxquelles elles doivent s'adapter. Dans ces situations scolaires, chacun tente de se ménager une marge de liberté qui favorise des ajustements réguliers sur les manières de faire et sur les manières d'être. Dans ces conditions, la socialisation n'est pas un processus unidirectionnel des adultes de l'école vers les enfants, mais une socialisation qui agit dans les deux sens, les enfants socialisant autant les adultes qui sont censés les socialiser.

Chacune de ces trois conceptions sociologiques de la culture se présente comme la meilleure façon de décrire, d'expliquer et de comprendre le rôle de transmission culturelle de l'école. Toutefois, l'observation des pratiques sociales et scolaires montre vite qu'on ne peut les comprendre à partir d'une seule vision ou d'un seul principe explicatif. En fait, l'action sociale (la pratique enseignante, par exemple) est soumise à trois logiques sociales distinctes. Autrement dit, l'action sociale n'a pas d'unité; elle est morcelée entre une logique de l'intégration (celle des fonctionnalistes), une logique stratégique (celle des néo-individualistes) et une logique de subjectivation (celle des marxistes). Ces logiques d'action sociale sont imposées aux acteurs et aux actrices dans l'école et sont vécues par ceux-ci comme des contraintes. C'est dans l'expérience sociale et scolaire de chacun et de chacune que se combinent ces logiques, créant par là même des expériences singulières dans le rapport à l'école, aux savoirs, à l'autorité dans l'école, etc.

L'école, cette instance de socialisation par excellence dans les sociétés modernes, n'est pas exempt d'effets pervers sur le plan de la socialisation. En plus de faire face à de nombreuses tensions de la culture dans l'école (tension entre une culture commune et une culture élitaire, entre autres), l'école fait apprendre des choses aux élèves sans que cela ait été prévu aux programmes officiels. Dans la pratique pédagogique, des valeurs sont transmises aux élèves sans que le personnel enseignant en soit conscient. Connus sous le terme de programme caché et mis en évidence par la nouvelle sociologie de l'éducation dans les années 70, ces effets non désirés de la socialisation se font en parallèle avec un programme officiel, défini par les instances légitimes du système d'éducation, traduit en termes didactiques par les spécialistes de l'éducation et transmis par les principaux artisans de la pratique pédagogique, soit le personnel enseignant.

De par sa position dans l'école, le personnel enseignant est le principal acteur de la socialisation dans l'institution scolaire. Mandaté par l'État pour ce rôle, il est alors un agent de socialisation tenu de promouvoir les valeurs portées par les programmes officiels. Or, le personnel enseignant n'est pas qu'un agent de socialisation, il est aussi un médiateur des valeurs proposées aux élèves. À ce titre, il peut réaménager ses interventions pédagogiques afin de tenir compte des particularités de certains élèves ; dans ce cas, il met en œuvre une pratique stratégique qui en fait un acteur de la socialisation dans l'école. Pour des raisons qui tiennent à l'engagement social ou à des convictions personnelles, les enseignantes et les enseignants peuvent expérimenter des pratiques pédagogiques novatrices qui sont à contre-courant des modèles pédagogiques dominants dans un système d'éducation. Dans ces conditions, le personnel enseignant est plus qu'un acteur de la socialisation ; il devient un sujet de cette socialisation en favorisant chez les élèves une connaissance autre de la société et de la vie en société.

Conclusion

Les transformations de la société québécoise des années 90 interpellent l'école de multiples façons, notamment dans son rôle de transmission de la culture et dans celui de la scolarisation des élèves. En fait, l'école est confrontée à une diversification des valeurs éducatives. Et cette diversification n'est pas un phénomène proprement scolaire, dans la mesure où elle renvoie à la disparition graduelle de l'idée de société, non plus perçue comme un système intégrateur s'appuyant sur quelques institutions de base (la famille, l'école, le travail, la religion, etc.), mais comme un ensemble de rapports sociaux et d'expériences individuelles.

Les transformations de l'école induisent des changements qui forcent à revoir les bases de l'idéal éducatif issu de la réforme scolaire des années 60. Comme le soulignent Dubet et Martuccelli, en parlant de l'idéal républicain français : « L'absentéisme des enseignants et des élèves, le découragement des premiers et parfois la violence des seconds mettent en évidence l'épuisement d'une culture et d'une organisation scolaires dont on a longtemps cru que l'extension à tous était synonyme de justice, de progrès et d'épanouissement individuel » (Dubet et Martuccelli, 1996b : 47). Cette situation ressemble à peu de choses près à ce que subit aujourd'hui l'idéal de la réforme scolaire des années 60 au Québec.

Les grands principes au fondement de la réforme scolaire (démocratie, justice sociale et égalité des chances), principes affirmés haut et fort dans les années 60 et réaffirmés avec conviction dans les années 70, s'inclinent dans les années 80 devant les nouveaux courants de pensée qui colonisent l'école à ce moment. Le néo-libéralisme et le néo-conservatisme induisent une autre dynamique scolaire d'ensemble, porteuse de nouvelles ségrégations au sein de l'institution scolaire. En effet, les consommateurs d'école prennent d'assaut l'école, et leur rationalité fait émerger un discours sur la qualité de l'enseignement et sur l'excellence en éducation, favorisant un climat de compétition dont les plus forts socialement et scolairement ressortent gagnants. Dans la même ligne de pensée, les écoles québécoises s'insèrent de plus en plus dans des relations de concurrence entre elles afin de s'attirer les meilleurs élèves : les grands perdants dans cette dynamique sont ceux et celles qui, pour différentes raisons, ne peuvent atteindre les niveaux de performance que commande la nouvelle donne scolaire.

L'école québécoise n'a plus la légitimité qu'elle avait il y a trente ans alors qu'on lui demandait de jouer un rôle d'intégration sociale des différents groupes sociaux à une culture commune fondée sur la démocratie. En fait, l'école québécoise des années 90 est confrontée au défi de l'intégration d'une population scolaire de plus en plus diversifiée sur le plan ethnoculturel. Cela ne va pas sans difficultés ni heurts. L'exemple bien connu du « foulard islamique[10] » montre bien la tâche énorme qui

---

10. Au moment où une jeune fille se présente à l'école avec le foulard islamique au début des années 90, des réactions diverses apparaissent : certains y voient un symbole culturel, d'autres un symbole religieux, d'autres enfin y voient le symbole de la discrimination selon le sexe de la communauté islamique. Au Québec, la solution à ce « problème » revient aux autorités de l'établissement qui ont la responsabilité de réglementer la tenue vestimentaire. De façon générale, les autorités locales des écoles publiques au Québec optent pour l'accommodement, étant donné la présence aussi d'autres symboles religieux portés par les élèves (comme la croix pour les catholiques). Par ailleurs, dans d'autres pays, en particulier en France, on considère ce « problème » du point de vue national. Les autorités françaises ont alors décidé de prohiber le port du voile des établissements publics au nom de la culture commune de l'école républicaine.

attend l'école québécoise dans les années à venir. Cet exemple vient rappeler que l'école est porteuse d'enjeux culturels et, à des degrés divers, d'une volonté d'intégration à la majorité culturelle quand ce n'est pas une volonté d'hégémonie culturelle. Dans ces conditions, son rôle est éminemment politique et, en tant que tel, situé dans les rapports sociaux qui structurent la société québécoise.

La responsabilité de l'école à l'égard de la jeunesse est aujourd'hui sans commune mesure avec celle des années 60 et 70, alors que le décrochage scolaire ne constituait pas un problème dans un monde où les emplois disponibles permettaient de se construire une vie sans avoir de diplôme. Les perspectives d'emploi dans les décennies des années 80 et 90 renversent complètement cette dynamique alors que les taux de chômage élevés chez les jeunes les obligent en quelque sorte à obtenir à tout le moins le diplôme de cinquième secondaire. La capacité de rétention de l'école face aux jeunes potentiellement décrocheurs constitue donc une responsabilité sociale de premier ordre, dans la mesure où le lien entre échec scolaire et échec social tend à s'affirmer[11].

Dans une école québécoise en transformation rapide, les enseignantes et les enseignants sont tenus de revoir les fondements de la relation pédagogique qui ne va plus de soi, où « les relations des maîtres et des élèves ne reposent plus sur des attentes partagées et des définitions de rôles acceptées » (Dubet et Martuccelli, 1996b : 47). En perdant de sa légitimité institutionnelle, l'école perd en même temps de sa capacité à soutenir les rôles sociaux joués en son sein par les différents acteurs et actrices sociales, notamment les enseignants et les enseignantes. Dans la pratique de ces derniers et de ces dernières, la légitimité institutionnelle se transforme de moins en moins en autorité ; celle-ci est pourtant importante dans une relation qui n'est pas choisie par les élèves dont plusieurs se sentent contraints par des exigences scolaires dont ils ne voient pas le bien-fondé.

En somme, l'école québécoise des années 90 doit composer avec des réalités sociales de plus en plus complexes, sans qu'on lui donne les moyens nécessaires de faire face à ces nouveaux défis. Les ajustements, les négociations, les affrontements inévitables dans un tel contexte obligent le personnel enseignant à faire une lecture plus approfondie des réalités sociales et scolaires afin de mettre en œuvre des pratiques pédagogiques conformes avec des idéaux de justice sociale et de démocratie.

---

11. Il n'y a pas en fait de lien direct entre l'échec scolaire et l'échec social. On constate cependant que les groupes les plus vulnérables sur les plans social et économique (chômeurs et chômeuses, prestataires de l'aide sociale, nombre de personnes âgées, sans-abri, itinérants et itinérantes) sont aussi en même temps sur-représentés dans le groupe des personnes faiblement scolarisées. En fait, c'est le cumul des échecs dans différentes sphères de la vie qui constitue un passage vers l'exclusion sociale.

QUESTIONS

1. Quelles sont les différentes connotations de la notion de culture présentées au début de ce chapitre ? Que vous apprennent-elles que vous ne saviez déjà ?

2. Quel est le rôle de l'éducation scolaire par rapport à la culture ?

3. Quels rapports établissez-vous entre la culture et le sens ?

4. Quelle nuance apporte la notion d'expérience sociale par rapport à la socialisation ?

5. Quelle est la conception de la culture selon les fonctionnalistes ? À quelle conception de la société se rattache-t-elle ? Et quel est son lien avec l'école ?

6. Quelle est la conception de la culture selon les matérialistes ? À quelle conception de la société se rattache-t-elle ? Et quel est son lien avec l'école ?

7. Quelle est la conception de la culture selon l'interprétation néo-individualiste ? À quelle conception de la société se rattache-t-elle ? Et quel est son lien avec l'école ?

8. En quoi peut-on dire que la culture scolaire est dynamique ?

9. Montrez les tensions entre la culture et les cultures ; entre la culture commune et la culture élitaire ; entre la culture qui inclut et celle qui exclut.

10. Quels rôles l'école joue-t-elle en matière de socialisation ? Décrivez quelques mécanismes ou moyens utilisés par l'école pour socialiser les jeunes.

11. Qu'entend-on par « programme caché » ?

12. Comment les fonctionnalistes perçoivent-ils la socialisation ?

13. Comment les matérialistes perçoivent-ils la socialisation ?

14. Qu'est-ce que l'habitus ?

15. Qu'est-ce que la violence symbolique ? En quoi la socialisation effectuée par le travail pédagogique exerce-t-elle une violence symbolique ?

16. En quoi la socialisation selon le courant individualiste diffère-t-elle des approches matérialiste et fonctionnaliste ?

17. Quel éclairage nouveau apporte la nouvelle sociologie pour mieux comprendre le sens de la scolarisation et de la socialisation réalisées par l'école ?

18. Illustrez avec l'exemple de Gatto ce qu'on entend par programme caché.

19. Montrez comment la notion d'expérience sociale rejoint, par les trois logiques d'action dans lesquelles elle s'inscrit, les trois conceptions de la société véhiculées par trois théories sociologiques.

20. Décrivez les caractéristiques de chacune des logiques d'action (d'intégration, stratégique et de subjectivation) auxquelles se réfère l'expérience sociale. Illustrez par des exemples.

21. Illustrez comment les trois logiques d'action sociale se retrouvent dans l'expérience sociale de la personne pour former une expérience sociale singulière qui varie dans le temps.

22. Quelles influences peuvent jouer les représentations des enseignants sur leur rôle de médiation en matière de socialisation scolaire?

23. Sur quels éléments peut s'élaborer une culture professionnelle enseignante?

24. Quelles conséquences les pratiques de formation initiale risquent-elles d'avoir sur la formation des maîtres et sur leur culture professionnelle?

25. L'enseignant est à la fois agent, acteur et sujet. Décrivez et illustrez ces différents registres de son action de socialisation. Montrez en quoi ces registres renvoient aux logiques d'action sociale et, par conséquent, aux rapports sociaux dans lesquels ils s'inscrivent. Y a-t-il des circonstances qui rendraient probable le fait d'accorder la priorité à l'une ou l'autre de ces logiques?

CHAPITRE 8

L'école concrète et les enjeux de la diversité

Les défis du pluralisme ethnique, religieux, linguistique et familial

---

Table des matières

Sommaire

Ce chapitre

- traite la problématique de l'intégration sociale par l'école québécoise, dans une société historiquement divisée entre deux solitudes : les francophones catholiques et les anglophones protestants ;

- décrit et précise les caractéristiques d'une logique d'intégration sociale et notamment :
  - le contexte de l'émergence des diversités culturelles ;
  - les éléments qui définissent une nouvelle identité québécoise ;
  - les valeurs liées à la défense de l'identité ;
  - les conduites de crise qu'induisent les transformations sociales ;

- explicite le contexte social dans lequel l'école québécoise a cherché à s'ouvrir au pluralisme, les échecs éprouvés et les obstacles que constituent encore aujourd'hui les caractéristiques confessionnelles du système scolaire québécois ;

- décrit les difficultés que posent à l'école, comme lieu d'intégration sociale, les dispositions de l'enseignement religieux confessionnel ;

- expose les conditions, les obstacles et les contraintes de l'instauration d'une politique linguistique qui permettait au Québec d'intégrer les immigrants à sa majorité francophone ;

- précise les difficultés des divers agents de l'école quant au défi du pluralisme et à l'établissement entre les élèves immigrants, les communautés culturelles et leurs familles, des conditions favorables à une collaboration fructueuse.

L'école concrète et les enjeux de la diversité

Les défis du pluralisme ethnique, religieux, linguistique et familial

> « Le pluralisme doit [...] se construire dans le cadre d'une école commune qui soit respectueuse de la pluralité des croyances et des religions. Reconnaître l'authenticité des croyances de l'autre c'est, du même souffle, reconnaître les particularités de ses propres croyances. Mais cette école est aussi l'école d'une société particulière, avec une langue, une histoire et des institutions communes. C'est là une autre facette du bien commun éducatif qui devra marquer tant le curriculum et les pratiques éducatives que les règles de la vie à l'école. »
>
> Jocelyn Berthelot (1994).

Dans le Québec d'avant la réforme scolaire (avant 1960), le système d'éducation a servi à la fois à reproduire une élite rurale et urbaine et à donner des rudiments d'instruction aux élèves issus du peuple. Dans cette société dite traditionnelle, le pluralisme culturel joue en fonction de l'origine sociale (les riches et les pauvres), de la langue (les anglophones et les francophones) et de la religion (les protestants et les catholiques). Et, comme le souligne Baby, « la gestion de ce pluralisme a été souvent limitée à ses aspects linguistiques et religieux » (Baby, 1986 : 28). Dans ce contexte, « les autres » (les communautés culturelles et les immigrants) deviennent un enjeu de taille pour les francophones et les anglophones.

Le lien établi entre une identité francophone, un territoire précis et l'idée de nation lors de la Révolution tranquille des années 60 constitue un élément déterminant dans la constitution d'un discours idéologique sur les notions de majorité et de minorité culturelles au Québec. La volonté des francophones à prendre en main leur destinée passe par le développement d'un État fort, au service des élites et des classes moyennes, et par la mise en place d'un système d'éducation ajusté aux besoins des nouvelles classes sociales montantes. Dans cette école qui veut s'adapter à la modernité québécoise, la religion et la langue constituent toujours des pivots dans l'articulation du projet éducatif de chaque école. Or, face à la diversité des groupes dans la société québécoise, la religion comme la langue posent aujourd'hui des problèmes d'ajustement entre les intentions d'intégration à la culture de la majorité (présentée comme une culture commune) et les références culturelles dont sont porteurs de nombreux élèves.

L'histoire du Québec montre assez bien comment la religion a pu servir à l'intégration des individus aux deux principaux groupes formant la société québécoise. Cette intégration s'effectue fondamentalement sur une distinction entre un « nous » et un « eux », entre ceux qui vivent la foi et acceptent les règles catholiques et ceux qui se réclament d'une autre obédience. Dans ce contexte, l'école a été un formidable outil identitaire pour les catholiques francophones du Québec comme pour les protestants anglophones. À partir de la Révolution tranquille, ce rapport entre ce « nous » et ce « eux » prend un sens différent alors que les immigrants deviennent un enjeu autant pour les francophones du Québec qui voient leur poids démographique diminuer par rapport à la population canadienne, que pour les anglophones du Québec qui voient également leur poids démographique diminuer par rapport à la population québécoise francophone. Sans faire disparaître les tensions historiques entre les francophones et les anglophones du Québec, l'arrivée massive des immigrants dans les années 70 et 80 force une nouvelle définition des enjeux pour les deux groupes de départ sur de nombreux points, dont la langue, la religion et l'école.

La Révolution tranquille, avec son projet de modernisation de la société québécoise, relègue cependant la religion au second plan comme outil d'intégration[1]; on met désormais l'accent sur la langue comme référent culturel fondamental. L'État québécois utilise consciemment la politique linguistique, qui prend une forme élaborée à partir des années 70, comme outil privilégié d'intégration des différences culturelles qui se font de plus en plus nombreuses dans la société québécoise pluraliste des années 80 et 90. Le débat fort animé dans les années 70 et 80 entre les communautés culturelles du Québec et le gouvernement québécois autour de la politique linguistique et de l'école montre assez éloquemment l'enjeu de la socialisation scolaire dans les interrelations entre groupes différents sur les plans ethnique, religieux et linguistique. En somme, il est intéressant de voir, à travers ces débats, la logique d'intégration qui se profile dans les politiques gouvernementales et institutionnelles, dans les règles et règlements scolaires et dans les pratiques concrètes des actrices et des acteurs sociaux.

---

1. Comme le soulignent Linteau *et al.*, le nationalisme réformiste québécois des années 60 propose une nouvelle définition de la nation, «qui dépouille celle-ci de sa dimension religieuse et passéiste et donne un contenu renouvelé à ses autres traits distinctifs. Les droits linguistiques et l'affirmation du français dans tous les domaines de la vie politique et économique deviennent une priorité» (Linteau *et al.*, tome II, 1989 : 678).

Au-delà des discours sur une école commune, il appert que cette dernière « n'est pas culturellement neutre, qu'elle est radicalement reflet et agent de transmission d'une culture » (Conseil supérieur de l'éducation, 1987b : 12). L'école étant une institution sociale, agence de transmission culturelle et de légitimation des orientations de la société globale, elle constitue un enjeu social d'envergure pour les différents groupes ou entreprises sociales comme l'État, les religions, les ethnies, les groupes de pression, etc. Cela est d'autant plus criant dans la société québécoise de la fin des années 60 alors que se polarisent de plus en plus les forces nationalistes autour de deux grandes tendances, soit d'une part un nationalisme réformiste auquel adhèrent en majorité des francophones et dans lequel on note une tendance fédéraliste qui réclame plus de pouvoir pour le Québec dans un système fédéral décentralisé et une tendance indépendantiste qui prône la séparation du Québec d'avec le Canada et, d'autre part, un nationalisme canadien dans lequel se reconnaissent les anglophones du Québec, regroupés autour de la revue *Cité libre*, et qui voit plutôt la province comme une des composantes de l'ensemble canadien (Linteau *et al.*, tome II, 1989 : 680-681). Dans ce Québec divisé entre plusieurs visions du nationalisme, les immigrants sont l'objet d'une attention toute particulière à la fois des nationalistes francophones et des nationalistes canadiens. Les premiers veulent intégrer les immigrants à une culture commune francophone alors que les seconds prônent un multiculturalisme dans lequel les francophones du Québec sont mis sur un pied d'égalité avec toutes les autres communautés culturelles du Canada[2].

Ces enjeux sont d'autant plus forts que la société elle-même se diversifie dans tous les aspects de la vie sociale. En ce qui concerne les francophones du Québec, c'est en bonne partie à travers l'école et la langue d'enseignement que se joue le rapport aux ethnies. Comme le soulignent Mc Andrew et Jacquet, c'est finalement sur le système d'éducation que repose l'intégration des élèves issus de l'immigration et ceux provenant des groupes minoritaires dans la société. Le système scolaire a, « comme dans l'ensemble des pays d'immigration, la lourde tâche de transmettre les héritages du passé tout en favorisant la construction d'une culture commune en émergence, d'assurer l'égalité des chances scolaires pour les enfants des groupes minoritaires et de préparer tous les élèves à vivre ensemble harmonieusement au sein d'une société pluraliste » (Mc Andrew et Jacquet, 1996 : 281). Cette volonté de création d'une culture commune ne va pas de soi dans la mesure où les groupes ethniques du Québec perçoivent différemment les intentions gouvernementales derrière ces déclarations de principe. Dans ce contexte, les demandes des groupes ethniques tournent bien souvent autour des mêmes pôles qui ont constitué historiquement les enjeux de l'école pour les francophones et les anglophones, soit la religion et la langue.

---

2. La position des nationalistes canadiens heurte de plein fouet les nationalistes réformistes québécois qui considèrent les francophones du Québec comme l'un des deux peuples fondateurs du Canada et non comme une communauté culturelle parmi d'autres.

Cependant, les demandes des groupes ethniques face à l'école ne se limitent pas aux aspects linguistiques et religieux. Pensons au courant de l'« afrocentrisme » aux États-Unis qui veut obtenir pour les jeunes Afro-Américains un enseignement des mathématiques de leurs ancêtres afin de renforcer leur identité (Sorman, 1993 : 113, dans Pagé, 1995b : 90). Même si l'école québécoise n'est pas encore confrontée de manière particulière à ce type de demande de la part de groupes ethniques, elle demeure soumise à l'impératif de modifier ses manières de voir et de penser, ses modes de vie interne et ses relations aux populations scolaires. En fait, comme le souligne Mc Andrew, l'école au Québec, en tant qu'institution de socialisation, a un rôle important à jouer dans l'intégration des immigrants à la société sur trois plans :

1. « L'enseignement et la promotion de l'usage de la langue commune, usage qui favorise la maîtrise d'un outil indispensable à l'intégration scolaire et sociale des élèves minoritaires ;

2. le soutien à l'égalité des chances et des résultats scolaires pour cette clientèle, qui conditionne dans une certaine mesure sa mobilité socio-économique future ;

3. la préparation de tous les élèves à vivre ensemble dans une société pluraliste » (Mc Andrew, 1993 : 6).

Et dans une société où les modes de vie se diversifient rapidement, où la rencontre de l'« Autre » fait partie de plus en plus de la quotidienneté, où les repères culturels sur lesquels la majeure partie de la population s'appuie pour construire son identité et forger ses projets d'avenir s'effritent, l'éducation des jeunes générations prend un tout autre sens. Dans ce nouveau contexte, comme le souligne Houssaye, « [...] le sens de l'éducation réside de plus en plus dans l'acte même de construction du vivre-ensemble à l'école » (Houssaye, 1996 : 171), qui est lui-même garant de la construction du vivre-ensemble dans la société québécoise.

Idéologie de l'unité et logique de l'intégration

Les débats et les enjeux des vingt dernières années (1975-1995) dans les pays occidentaux autour de la question ethnique et des groupes minoritaires remettent en question les idéologies unitaires qui traversaient de part en part ces pays. Les arguments avancés dans les débats, arguments liés à la défense de l'identité chez les groupes ethniques ou minoritaires, portent sur le « respect des différences linguistiques et culturelles comme condition essentielle d'une transformation des rapports interethniques et d'une intégration réelle des groupes minoritaires qui avait été jusqu'à très récemment conçue plutôt en termes intégrationnistes » (Mc Andrew, 1991 : 19). Toute la société est interpellée dans la nouvelle dynamique des rapports interethniques et au premier chef les institutions sociales, notamment l'école en raison de son rôle central dans la socialisation des jeunes aux valeurs de la société.

Les problèmes scolaires liés à la diversité grandissante de la société québécoise depuis une vingtaine d'années trouvent leur origine en partie dans la dynamique sociale et éducative qui se met en place au XIXᵉ siècle alors que se crée un double réseau scolaire, un pour les francophones catholiques et un autre pour les anglophones protestants. Constitué historiquement entre 1841 et 1867, le système scolaire québécois est le reflet à ce moment-là du rapport de force entre la minorité anglophone, dominante dans la société, et la majorité francophone, dominée dans cette même société. S'insérant dans une stratégie de survivance ethnique (Turcotte, 1988), le projet éducatif des francophones catholiques s'érige sur trois éléments, soit la religion, la langue et la nation[3] (Berthelot, 1994 : 25 ; Turcotte, 1988 : 32-33).

Or, ni la religion ni la nation ne constituent aujourd'hui des éléments d'une culture unitaire, car ceux-ci sont de plus en plus pensés et vécus sur le mode conflictuel. Comme le soulignent Wieviorka *et al.* à propos de la culture : « La culture, nationale ou religieuse, cesse [...] d'apporter un principe incontournable d'unité à des sociétés traversées par des conflits socio-économiques, elle cesse d'en être le cadre pour être de plus en plus pensée et vécue comme un principe de division et de conflictualité majeure au sein même du corps social » (Wieviorka *et al.*, 1996 : 12).

Système d'intégration et identité québécoise

À la situation historique des francophones catholiques dans un pays sous dominance anglophone s'ajoutent les changements liés aux vagues d'immigration qu'a connues le Québec au cours de son histoire. L'immigration en terre québécoise n'est pas un phénomène nouveau comme le montrent les grands mouvements migratoires des Européens du Nord (Irlandais) au milieu du XIXᵉ siècle, des Européens de l'Est (notamment des Juifs), des Européens du Sud (Italiens et Grecs) à la fin du XIXᵉ et au début du XXᵉ siècle (Laferrière, 1983 : 119). Le sort généralement réservé aux immigrants dans un Québec très largement français et catholique jusqu'au début des années 60 est un indicateur de la place qui leur est faite dans le système scolaire de l'époque.

Comme le souligne Berthelot, qui reprend les propos de Helly (1989), les interventions de l'Église catholique ont contribué à cristalliser une ségrégation des populations ethniques du Québec sur la base de la religion et de la langue. Pour l'Église, la langue et la religion étaient deux entités inséparables. Dans ces conditions, les « immigrantes et les immigrants non catholiques étaient assimilés aux éléments protestants et perçus comme des alliés des Anglais. Quant aux immigrantes et immigrants catholiques, l'Église créa à leur intention des paroisses, selon leur langue et leur pays d'origine. L'Église voyait, dans le développement séparé, un moyen de pré-

---

3. Pour un développement plus substantiel sur la création d'un double réseau scolaire dans le système d'éducation québécois au XIXᵉ siècle, voir le chapitre 4.

server l'héritage de la langue et de la culture canadienne-française » (Berthelot, 1991 : 15-16).

Le pluralisme ethnique et culturel au Québec avant les années 60 ne touche que très peu la population québécoise d'alors, en raison notamment de la concentration du phénomène dans les limites de la région montréalaise et de l'intégration de nombreux groupes ethniques à la minorité anglophone dominante alors sur le plan socio-économique. C'est une des raisons qui autorise à parler du Québec d'avant la Révolution tranquille comme d'une société homogène, avec ses institutions visant à intégrer ses membres à un modèle de société chrétienne et francophone à laquelle répondait un modèle d'école. Comme le souligne à grands traits le Conseil supérieur de l'éducation dans son document sur *Les Défis éducatifs de la pluralité* (1987b) :

> Dans une *société homogène*, appartenant au type traditionnel, l'éducation se caractérise par une très grande cohérence et une continuité rigoureuse entre la socialisation au sein de la famille, la formation scolaire et les valeurs généralement promues dans l'ensemble de la société. Tout y concourt à la définition et à la réalisation d'un modèle éducatif et social auquel tous les individus doivent se soumettre, voire se soumettent volontiers. L'appartenance à cette société est d'ailleurs évaluée en fonction du degré de conformité à ce modèle ; quiconque s'en éloigne est relégué à la marge de la société et celui qui n'y participe pas demeure toujours un étranger. (Conseil supérieur de l'éducation, 1987b : 6).

Malgré cette dynamique sociale, les francophones du Québec demeurent largement soumis sur le plan socio-économique à la minorité anglophone avant les années 60. Les immigrants qui arrivent au Québec avant cette période ne s'y trompent pas. Ils choisissent pour un bon nombre de s'intégrer à la minorité anglophone à travers le système scolaire anglo-catholique ou anglo-protestant. Pour eux, le système anglophone est plus accueillant tout en leur offrant une réelle mobilité éducationnelle (Mc Andrew, 1991 : 134-135), et l'intégration à la minorité anglophone procure des possibilités de mobilité sociale certaines. En effet, comme le souligne Mc Andrew, « les immigrants de première génération virent dans l'assimilation à l'anglais la chance d'un statut socio-économique accru pour leur enfant et dans l'alliance avec la minorité anglophone dominante une possibilité de promouvoir leurs intérêts » (Mc Andrew, 1991 : 132).

« Nous » et « eux » : les francophones catholiques et les autres

La prise en charge du secteur politique et de l'administration publique par les francophones au début des années 60 favorise une nouvelle définition de l'identité des Québécois : désormais ils se perçoivent comme majoritaires dans un Québec français au lieu de se définir comme minoritaires dans un Canada anglophone. De là, prennent forme un mouvement de francisation de l'économie comme de l'ensemble de la société québécoise et, en même temps, une volonté d'intégrer les immigrants à la majorité francophone, ce qui suscite de vifs débats au cours des années 70.

Ce nouvel enjeu social s'inscrit dans celui, plus vaste, de la baisse du taux de natalité chez les francophones, qui était perçue par nombre d'entre eux comme un danger de perdre leur poids démographique dans la confédération canadienne et de leur minorisation dans la ville de Montréal[4]. Dans ce contexte, l'intégration des immigrants au groupe des anglophones est définie graduellement comme un problème majeur qui trouve un premier aboutissement dans une volonté d'intégrer les immigrants au groupe des francophones par l'entremise de l'école. Source de déstabilisation de l'identité francophone avant les années 60, les immigrants devenaient dans les années 70 une garantie contre le déclin démographique de ces derniers dans la confédération canadienne. Ce changement de cap ne pouvait se réaliser sans soulever des oppositions. Mc Andrew souligne à ce propos que :

> La question démolinguistique devait rapidement polariser la société québécoise, opposant d'une part les anglophones et les groupes minoritaires d'origine immigrante, insistant sur le libre accès à l'école anglaise et sur les droits individuels, et les francophones, insistant sur la notion de droit collectif et les limites d'un laisser-faire qui privilégiait l'ordre ethnique dominant. Perçu comme une menace pour leur mobilité sociale et comme une tentative de compromettre leur position déjà fragile dans la stratification socio-économique, le mouvement en faveur de la francisation des immigrants fut combattu vigoureusement par les groupes minoritaires d'origine immigrante et, particulièrement, par les communautés défavorisées en processus de mobilité sociale ascendante comme les Italiens, les Grecs et les Portugais. (Mc Andrew, 1991 : 136-137).

La question linguistique et la question scolaire ont vite fait un mélange difficile dans un Québec en transformation rapide dans les années 60. En effet, le problème de la langue d'enseignement a fait surface de manière importante en 1967, alors que cinq commissaires de la Commission scolaire catholique de Saint-Léonard décident de transformer les écoles bilingues de leur juridiction pour en faire des écoles francophones. Devant ce que la population catholique non francophone de Saint-Léonard (essentiellement des Italiens) considère comme une atteinte à leurs droits acquis (c'est elle qui utilise ces écoles dont l'enseignement se fait à 70 % en anglais), cette dernière fonde la *Saint Leonard English Catholic Association of Parents*, dont le but est d'obtenir l'ouverture d'une école anglaise pour 1968. Les différents groupes anglophones et francophones se sont vite polarisés autour des acteurs en présence dans le conflit de Saint-Léonard. D'un côté, la communauté anglophone de Montréal sou-

---

4. Comme le souligne Cappon : « On sait que le très fort taux de natalité des Canadiens français leur a permis de constituer pendant longtemps après 1867 une part importante de la population, non seulement au Québec mais au Canada entier. Au début du siècle, ils conservaient même l'espoir de constituer un jour la moitié de la population canadienne » (Cappon, 1974 : 14).

tient les Italiens dans leur démarche en soulignant que le choix de la langue d'enseignement est un droit individuel. De l'autre côté, un groupe de francophones met sur pied le Mouvement pour l'intégration scolaire afin que l'enseignement se fasse en français dans toutes les écoles de Saint-Léonard. Ce mouvement appuie ses arguments sur les droits de la collectivité pour défendre la francisation des écoles bilingues. Dans tous ces débats parfois fort houleux[5], les immigrants italiens tentent de défendre leurs intérêts.

Même si le problème se passe dans une petite ville de la banlieue de Montréal, il devient vite un enjeu qui touche l'ensemble du Québec en raison de l'incidence énorme que pourrait avoir pour les anglophones, les francophones et les immigrants un mouvement de francisation de l'enseignement dans les écoles du Québec. Comme le souligne Cappon, notamment pour les francophones :

> La violence de la réaction francophone contre les Néo-Québécois [en 1969 à Saint-Léonard] s'explique largement par l'objectivation du conflit interethnique qui est un résultat de la prise de conscience d'une situation démographique qui se détériore. C'est cette objectivation du conflit qui a permis l'exagération de l'ampleur de la menace à tel point que la lutte contre elle par le truchement de l'assimilation des Néo-Québécois à la majorité, pouvait paraître aux francophones d'importance capitale, voire comme l'élément préalable à la poursuite du renouveau canadien français. Depuis 1968, elle est l'obsession des Québécois. (Cappon, 1974 : 129).

L'exemple de Saint-Léonard montre que le rôle traditionnel de l'école est appelé à changer dans un Québec où s'impose de plus en plus une idéologie du pluralisme[6] ethnique, religieux et linguistique dans les décennies suivant la réforme scolaire, idéologie qui s'oppose aux idéologies unitaires qui ont servi de base au projet nationaliste dans de nombreux pays (Mc Andrew, 1991 : 19). Or, dans une société plurielle, l'école en général et la socialisation scolaire en particulier ne peuvent plus être pensées de la même façon. En se référant de nouveau au Conseil supérieur de l'éducation, il appert que :

> Dans une *société « plurielle »*, le contexte et les règles du jeu diffèrent sensiblement. La société industrielle et pluraliste offre un large éventail de modes de vie plus ou moins influencés par le genre de travail, le lieu de résidence, le style personnel

---

5. Selon Cappon, le conflit polarise les groupes à la grandeur du Québec. À Saint-Léonard même, les francophones et les Italiens en viennent aux coups le 10 septembre 1969 alors que le Mouvement pour l'intégration scolaire avait organisé une marche dans la ville. Le maire de la ville doit même imposer la « loi de l'émeute ». Plus tard, autant les francophones que les Italiens s'évitent sur les trottoirs allant jusqu'à en changer afin d'éviter une rencontre (Cappon, 1974 : 12).

6. Selon Mc Andrew, « cette idéologie dite du pluralisme culturel repose sur le postulat que l'intégration égalitaire à une société commune n'est pas antithétique à la persistance d'identités spécifiques. De plus, selon les partisans du pluralisme, l'existence des différences culturelles ne saurait justifier le maintien par un groupe majoritaire ou dominant de l'inégalité ethnique dans la société » (Mc Andrew, 1991 : 20).

> ou les valeurs ; ce type de société laisse aux individus une grande latitude dans l'orientation de leur style de vie. On n'y observe plus de continuité rigoureuse et nécessaire entre l'éducation familiale, la formation scolaire et le type d'intégration sociale. L'individu y subit, en outre, l'influence de plusieurs autres sources de socialisation : les pairs, les médias électroniques, les modes, les multiples idéologies, etc. La règle d'intégration n'est plus la conformité au modèle, mais la possibilité pour quiconque de réaliser son projet individuel dans la gamme des possibles permis. (Conseil supérieur de l'éducation, 1987b : 6).

Aujourd'hui, la dynamique des groupes ethniques se concrétise bien souvent dans une action sociale apparentée à celle des groupes de pression (Pagé, 1995b : 86) qui est plus confrontante pour le groupe ethnique majoritaire et résulte parfois en une distance par rapport à ce dernier. Cependant, cette distance ne signifie pas que les groupes ethniques cherchent à se distancier de leur société d'accueil, elle souligne seulement qu'ils ne veulent pas être assimilés à une culture dominante mais plutôt s'intégrer, en préservant leurs différences, à une culture commune.

> Comme le souligne Richmond (1983) [...], le problème de l'intégration sociale a toujours été au centre des préoccupations des sociologues et des politicologues. Pour eux, c'est le pouvoir coercitif des groupes dominants qui est le garant ultime de la cohésion d'un groupe. Mais en général ce pouvoir, qui s'appuie sur la force militaire, doit être reconnu comme légitime par ceux sur qui il s'exerce. Le rôle des institutions juridiques et éducatives est précisément d'assurer cette légitimation du pouvoir au profit des élites dirigeantes et d'assurer leur autorité. (Ouellet, 1988 : 115).

C'est donc dire que l'école devient un enjeu majeur pour le groupe des francophones du Québec dans leur volonté de prendre en main leur destin au moment de la Révolution tranquille. L'ampleur du rôle de la Commission Parent de 1961 à 1966 montre à l'évidence que l'école devenait un outil important dans le projet de société des francophones québécois. Ce projet n'allait toutefois pas dans le sens souhaité ni par les anglophones de la province, ni par certains groupes ethniques.

Les valeurs liées à la défense de l'identité

La pluriethnicité peut être vécue comme une menace ou comme une promesse dans la mise en œuvre d'un projet de société (Bourgeault, 1993 : 15). Au moment où la conception classique de la société éclate, c'est-à-dire cette idée selon laquelle la vie sociale est « un ensemble de normes sociales dépendant de valeurs culturelles [...] transformées à leur tour en forme d'organisation et en rôles sociaux » (Touraine, 1996 : 293), et dans lesquels se forment les personnalités ou plutôt les identités (Dubet, 1994 : 137-140 ; Dubet et Martuccelli, 1996b : 62), apparaissent des signes du refus de l'altérité qui prennent la forme d'une défense de l'identité. Ce comportement est particulièrement perceptible, par exemple, dans les propos tenus par les principaux acteurs du monde scolaire au Québec[7] au cours des audiences devant la Commission parlementaire sur le document gouvernemental intitulé *Énoncé de politique en matière d'immigration et d'intégration: Au Québec pour bâtir ensemble*, en 1991. Comme le soulignent Mc Andrew et Jacquet, qui ont fait l'analyse de ces propos:

> À travers les entrelacs du discours alarmiste autour de la vision négative réitérée de la concentration ethnique[8], de l'opposition dichotomique entre un « nous » implicitement ou explicitement francophone de « vieille souche » et un « autre » largement défini sur le mode de l'exclusion, du glissement des valeurs civiques proposées dans l'*Énoncé* aux valeurs ethniques de la seule majorité francophone, se dessinent « la peur de disparaître » et la menace à l'identité que ferait peser l'immigration sur la « société d'accueil ». Se posent aussi les « véritables » enjeux de l'immigration pour une majorité des acteurs du monde de l'éducation, soit la capacité réelle « d'intégrer » – souvent au sens d'assimiler – les immigrants et les membres des minorités ethniques dans un contexte où les francophones deviennent de plus en plus minoritaires sur l'île de Montréal et dans les écoles, et la capacité à réaliser la « société distincte », avec ou malgré les immigrants et les allophones. (Mc Andrew et Jacquet, 1996: 295).

Dans une étude de 1993 sur *La Représentation de l'altérité ethnoculturelle dans le matériel d'éducation interculturelle au primaire*, Jacquet a mis en lumière que, sous le couvert des discours officiels du gouvernement du Québec sur la volonté de création d'une nouvelle identité québécoise à partir des multiples cultures habitant désormais sur son territoire, se profile une marginalisation de l'« autre » qui subit dans ces documents un traitement réducteur. Selon Jacquet, le matériel didactique est soumis aujourd'hui à des grilles d'analyse visant l'élimination des stéréotypes discriminatoires qu'il pourrait contenir, alors que l'élaboration du matériel d'éducation interculturelle est encore laissée à la discrétion des autorités locales comme les commissions scolaires et les organismes communautaires. Le traitement de l'altérité dans ces derniers documents montre qu'au-delà des volontés d'ouverture et d'inclusion dans le discours officiel du gouvernement par rapport aux membres des communautés culturelles, ces derniers demeurent « autre » et que le « nous » québécois reste un « nous », loin en somme de la construction d'une identité québécoise plurielle (Jacquet, 1993: 136-137).

Les conduites de crise dans une société en changement

Face à ce qui est ressenti par plusieurs comme une menace à l'identité nationale, on note depuis un bon moment une volonté dans la population de voir diminuer l'immigration. Par exemple, déjà en 1985, un sondage Gallup révélait que 34 % des

---

7. Selon Mc Andrew et Jacquet (1996), le monde de l'éducation est le groupe le plus alarmiste en matière d'immigration et d'intégration après les milieux nationalistes « traditionnels ».
8. Sur les débats entourant « la concentration ethnique » dans les écoles, on peut consulter Berthelot (1991: 142-144).

Canadiens et des Canadiennes de langue maternelle française auraient souhaité que le niveau de l'immigration diminue (Beaudoin, 1986 : 31). En 1987, 60 % de la population québécoise estimait que la part d'immigration reçue par le Québec était trop grande (Pagé, 1988 : 290).

Les peurs engendrées par la diversification des populations scolaires sur les plans ethnique, religieux et linguistique se manifestent de différentes manières dans les contextes concrets des écoles québécoises. Devant « la menace immigrante », ou ce qui est perçu comme tel, certains individus et certains groupes francophones adoptent des conduites de crise. Pourtant, dans les années 60, « le problème » des immigrants se pose d'abord du côté anglophone. Comme le souligne Laferrière :

> Dans certains quartiers pauvres [de Montréal], des conflits raciaux opposèrent élèves blancs et noirs. Certains individus et groupes de la communauté noire accusèrent l'administration de certaines écoles, certains enseignants, mais surtout le niveau central d'être racistes et discriminatoires, et, par exemple, de ne pas punir les remarques péjoratives faites à l'encontre des enfants noirs, de placer ces enfants dans des classes pour retardés mentaux, en raison de retards scolaires dus à des différences dialectales ou des différences quant à l'expérience scolaire dans les pays d'origine. (Laferrière, 1983 : 125-126).

La diversité ethnique dans les écoles du Québec est devenue évidente dans les années 80. En 1983-1984, 12 % de la population scolaire du Québec provient des communautés culturelles ; cette proportion s'élève à 35 % à Montréal (Latif, 1986 : 46). Plus précisément, 62 % des élèves provenant des communautés culturelles sont inscrits dans les institutions scolaires francophones en 1986-1987. Face à cette diversification des clientèles scolaires, certaines conduites de crise sont apparues dans les écoles sous la forme de racisme. Les directions d'école ont dû réagir rapidement afin d'éviter une marginalisation plus grande encore des élèves immigrants ou issus d'une communauté culturelle. En effet, les études sur le racisme en milieu scolaire ont démontré ses effets négatifs sur le rendement scolaire des élèves qui en sont les victimes (Latif, 1986 : 46).

C'est dans les écoles secondaires que les relations ethniques seraient plus difficiles. Dans ces écoles, on aurait répertorié des problèmes de violence physique et verbale et d'humour raciste[9] (Beauchesne et Hensler, 1987) à l'endroit des élèves identifiés à des groupes ethniques. Des élèves d'origine haïtienne de la Commission des écoles catholiques de Montréal disent avoir été victimes d'affronts en raison de leur culture et de leur race[10] (Noël, 1984).

---

9. L'humour raciste est une manière très efficace de stigmatiser « l'autre » (Davies, 1982). Selon Van de Gejuchte, qui reprend les thèses de Mulkay (1988), « l'humour renforce les stéréotypes et stigmatise ce qui n'est pas conforme aux normes établies par une société ou un groupe donné » (Van de Gejuchte, 1993 : 401).
10. Ces résultats d'enquête sont répertoriés dans Berthelot (1991 : 130-131).

Dans un autre ordre d'idées, les conduites de crise face à la diversité s'expriment par le repli des catholiques sur leurs privilèges dans le système scolaire québécois. Les refus répétés qu'essuient les associations de parents auprès de l'Église catholique afin de réformer le système scolaire, en vue de déconfessionnaliser les écoles et de rendre le projet éducatif de ces dernières plus conforme à la réalité du pluralisme ethnique, montre une certaine difficulté à accepter et à accueillir la différence culturelle.

Le système scolaire à l'heure de la diversité sociale

En raison de son rôle historique d'intégration des francophones catholiques à une nation, à une religion et à une langue particulière, le système d'éducation québécois se trouve aujourd'hui quelque peu désarmé devant la diversité croissante du tissu social, notamment dans les grands centres urbains. Visant à favoriser le développement d'une identité nationale par la socialisation des futurs citoyennes et citoyens, les écoles du Québec sont tenues dorénavant de fonctionner dans un univers scolaire fortement structuré par des enjeux portés par différents groupes sociaux qui se sentent légitimés – soit par la Charte des droits et libertés[11], soit par le jeu du *politically correct* – de réclamer pour eux des droits et des privilèges dans le système scolaire. Le nouveau rôle que l'on demande à l'école de jouer en tenant compte du pluralisme social québécois peut-il se faire dans le cadre du développement d'une école publique et commune pour tous? Comment, dans ce contexte, l'école peut-elle s'adapter au pluralisme religieux et linguistique? Quels obstacles se dressent dans la mise en place de cette école commune? Quelles pratiques nouvelles devront être inventées afin d'atteindre cet objectif?

La foi sur les bancs de l'école

L'école québécoise «demeure la seule institution sociale qui conserve un statut religieux malgré son caractère public» (Lebuis, 1996: 59). Ce statut religieux pose aujourd'hui nombre de problèmes dans un système scolaire qui fait face à la diversité des religions et des confessions religieuses. En fait, le pluralisme religieux a fait surface de manière problématique au début des années 60 et s'est cristallisé autour de deux enjeux, soit celui de la déconfessionnalisation de l'école québécoise et celui de la revendication d'écoles multiconfessionnelles (Proulx, 1993: 158).

Une réforme inachevée: le défi du pluralisme

Comme il a été souligné dans le chapitre 1, l'article 93 de la Constitution canadienne de 1867 a joué un rôle déterminant dans la cristallisation de la situation des «deux

---

11. La charte québécoise prévoit même des actions visant à réduire et à éliminer la discrimination. Ces actions prennent la forme de programmes d'accès à l'égalité, programmes qui sont mieux connus sous l'appellation «discrimination positive» (*affirmative action*).

solitudes » que constituent le groupe francophone et le groupe anglophone depuis la conquête de 1759. En effet, devant le refus des « conquis » d'adhérer à des initiatives de création d'une institution publique d'éducation (l'école commune de l'institution royale de 1801), les nouveaux maîtres des lieux permettent aux habitants francophones et catholiques de créer progressivement, au cours du XIXᵉ siècle, leurs propres commissions scolaires et écoles. L'institution scolaire du Québec est historiquement et politiquement ancrée dans cette dualité. D'un côté, on trouve les anglais protestants et de l'autre, les catholiques francophones, les premiers profitant de la culture d'exclusion de l'Église catholique pour recevoir tous les « autres » (non-catholiques, juifs, immigrants, etc.) dans leur propre réseau scolaire.

Quand les membres de la Commission royale d'enquête sur l'éducation au Québec étudient, vers 1965, les questions relatives à la confessionnalité de l'enseignement et des structures administratives du système scolaire, ils prennent conscience du pluralisme religieux croissant de la population québécoise et croient que l'heure est venue de procéder à une nouvelle définition, basée sur des perspectives nouvelles, de la confessionnalité de l'enseignement public. Très tôt, ils acceptent le principe de la neutralité de l'État en matière religieuse. Ils précisent toutefois l'interprétation à donner à ce cadre général devant guider l'action future des législateurs en concluant « [...] que l'État ne nie pas le principe de la neutralité religieuse lorsqu'il agrée les requêtes de groupes religieux[12] qui demandent un enseignement religieux à l'école ou la confessionnalité scolaire » (Rapport Parent, tome 4, 1966 : 34). De plus, la commission reconnaît explicitement que ceux qui réclament un enseignement non confessionnel font valoir un droit incontestable.

De ces grands principes généraux se dégage une longue série de recommandations, dont quatre retiennent plus particulièrement notre attention de par leur importance et surtout en raison des débats qu'elles soulèvent. En effet, les commissaires proposent : 1) de ne reconnaître aucun caractère confessionnel aux commissions scolaires et aux corporations d'instituts même si on leur impose l'obligation de dispenser un enseignement religieux (recommandation 2) ; 2) que soient abrogées les dispositions de la loi qui attribuent aux comités confessionnels (tels que définis par la loi 60) le pouvoir de reconnaissance des établissements d'enseignement comme catholiques ou comme protestants (recommandation 13) ; 3) qu'une commission régionale unique administre tout l'enseignement, catholique, protestant et non confessionnel, de langue française et de langue anglaise dispensé dans les limites d'un même territoire (recommandation 37) ; et 4) que toutes les commissions scolaires existantes de l'île de Montréal soient remplacées par sept commissions régionales, chacune ayant juridiction sur tout l'enseignement préscolaire, élémentaire et secon-

---

12. Il s'agit évidemment des catholiques et des protestants.

daire dispensé sur son territoire, qu'il soit confessionnel ou non confessionnel, et de langue française ou de langue anglaise (recommandation 56).

Ces recommandations touchaient à des domaines explosifs et remettaient en cause des droits jugés acquis par les catholiques et les protestants. Elles nécessitent également l'établissement d'une nouvelle forme de coopération entre francophones et anglophones appelés à travailler ensemble au sein de structures administratives unifiées. Plus globalement, tout comme ses précédentes, cette partie du Rapport Parent crée surtout une conjoncture qui, théoriquement, favorise une intervention gouvernementale dans le sens des recommandations qui y sont faites. Mais on avait mal évalué les résultats des rapports conflictuels entre les protagonistes et l'émergence de la crise linguistique.

En effet, au gré des différentes tentatives pour trouver une solution à la confessionnalité, les différents gouvernements ont été confrontés au problème de la langue d'enseignement qui a surgi particulièrement à la fin des années 60, de même qu'à l'enjeu que constituait pour les anglophones et les francophones l'intégration de nouveaux arrivants. De par ses initiatives et ses réalisations qui témoignent de la modernisation politique du Québec, l'affirmation du groupe francophone a accentué le caractère conflictuel de ses relations avec le groupe anglophone qui n'a jamais voulu accepter la légitimité de ce renversement des choses qui l'acculait à devenir une minorité. Les anglophones du Québec se considèrent comme majoritaires au Canada et en Amérique du Nord tout en appartenant à une vaste communauté mondiale (Beaulieu, 1975 : 59).

Dans ce contexte, la restructuration scolaire qui visait la transformation des structures confessionnelles et du caractère confessionnel de l'école publique québécoise demeure impossible à réaliser malgré les multiples tentatives de tous les gouvernements depuis l'Union nationale à la fin des années 60 jusqu'à la loi 107 (nouvelle loi de l'Instruction publique du Québec) proposée par les libéraux et adoptée en 1987. On n'applique pas encore cette loi quant aux dispositions sur la création de commissions scolaires linguistiques, considérée pourtant comme la solution aux problèmes que posent les contraintes constitutionnelles et juridiques de la confessionnalité scolaire. Elle devrait permettre à l'école de s'ouvrir au pluralisme en accueillant tous les immigrants, en reconnaissant et en respectant leur diversité tout en les intégrant à l'ensemble de la société.

Les caractéristiques confessionnelles de l'école québécoise

Une question pressante se pose donc encore aujourd'hui : en quoi les dispositions actuelles de la confessionnalité de l'école québécoise constituent-elles des obstacles au défi du pluralisme de la société et de la mission de l'école publique d'intégrer socialement tous les citoyens ? Jean-Pierre Proulx tente d'y répondre en analysant les dispositions de la loi de l'Instruction publique (107) de 1987, dans son étude sur le pluralisme religieux dans l'école québécoise (Proulx, 1993).

Un premier constat s'impose : la loi 107 qui aménage le pluralisme religieux dans l'école québécoise s'accompagne paradoxalement d'un renforcement des droits et privilèges des catholiques et des protestants, et ce, du point de vue des droits tant collectifs qu'individuels. Sur le plan collectif d'abord, la minorité religieuse, catholique ou protestante, sur un territoire donné – même celui correspondant éventuellement à une commission scolaire linguistique (française ou anglaise) – conserve le droit à la dissidence, c'est-à-dire le droit de créer sa propre commission scolaire (protestante ou catholique selon le cas) et ses propres écoles. On comprendra que ce privilège n'appartient pas à d'autres minorités religieuses que les catholiques et les protestants. De plus, la loi 107 maintient à Montréal et à Québec les commissions scolaires catholiques et protestantes existantes, en vertu de l'article 93.

En ce qui concerne l'école, tout en affichant une certaine neutralité puisque c'est la communauté éducative de chaque école qui est appelée à décider de son projet éducatif, la loi privilégie en même temps les catholiques et les protestants qui disposent, eux et eux seuls, d'un mécanisme de reconnaissance du caractère confessionnel de leurs écoles et leur permet ainsi de sanctionner légalement leur choix. Mais comme ce sont les parents qui déterminent le projet éducatif et les valeurs à privilégier dans l'école, rien en droit n'empêcherait qu'une école se donne une orientation uniconfessionnelle quelconque : catholique, protestante, judaïque, musulmane, orthodoxe, multiconfessionnelle ou même non confessionnelle. Un cas échappe à ce régime général prévu par la loi : c'est le cas de Montréal et de Québec où la loi maintient, pour des motifs constitutionnels, les commissions scolaires confessionnelles existantes. Or, c'est dans ces grandes villes, et particulièrement à Montréal, que se pose le défi de l'ouverture aux diversités culturelles. Il s'ensuit que le caractère confessionnel de ces écoles est juridiquement maintenu et que le processus de reconnaissance ou de révocation du caractère confessionnel de ces écoles ne s'applique pas à ces commissions scolaires.

En conséquence, comme le souligne Proulx, « l'avènement d'écoles publiques affichant un projet éducatif propre à une ou à des religions autres que catholique ou protestante, ou simplement non confessionnel, passerait par la suppression des commissions scolaires confessionnelles actuelles et leur remplacement par des commissions scolaires linguistiques non confessionnelles sur le même territoire » (Proulx, 1993 : 190). Ces deux solutions présentent des problèmes considérables : la première exigerait l'intervention de la Cour suprême du Canada ; la seconde, très coûteuse, le partage de la clientèle d'un même territoire dans six réseaux scolaires. En outre, la création de commissions scolaires linguistiques partout au Québec ne réduira ou ne limitera pas les droits et privilèges des catholiques et des protestants. Le problème du caractère confessionnel des écoles demeure donc entier à moins que les parents de ces écoles décident d'entreprendre la démarche de révocation de cette reconnaissance.

Les droits confessionnels individuels précisés dans la loi incluent le droit des parents de choisir l'école qui correspond à leurs valeurs (religieuses), de choisir pour leurs enfants entre l'enseignement religieux, catholique ou protestant, ou l'enseignement moral (droit strict) ou même un enseignement confessionnel autre (dans la mesure où il est offert par la commission scolaire). Dans le cas où elle offrirait un tel enseignement – ni catholique ni protestant – (élaboré, offert et financé par le niveau local), la commission scolaire doit néanmoins consulter les comités catholiques et protestants, mais n'a pas l'obligation de consulter la confession religieuse concernée. Enfin, tout élève, catholique ou protestant, dans une commission scolaire confessionnelle ou linguistique, ou dans une école reconnue comme confessionnelle (catholique ou protestante) ou tout autre école, a droit à des services de pastorale.

Il apparaît clair, toujours selon Proulx, que «les aménagements juridiques de l'école en matière religieuse sont marqués par une ouverture au pluralisme, à l'intérieur d'un cadre qui accorde, à l'évidence, une place dominante au protestantisme et au catholicisme et qui leur confère [...] le statut de religions officielles» (Proulx, 1993 : 194). Cette protection quasi absolue des droits et privilèges des catholiques et des protestants apparaît de façon évidente par l'utilisation par le gouvernement du Québec des clauses dérogatoires aux chartes canadienne et québécoise. Par ricochet, on dissuade d'autres citoyens qui se sentent lésés ou discriminés par les politiques et les pratiques de l'école publique confessionnelle de contester ces droits et privilèges au nom de l'égalité ou de la liberté de conscience ou de religion.

Mais au-delà des arrangements juridiques, quelle est la situation concrète existante? Les valeurs religieuses des francophones, héritées de l'Église catholique, et le sentiment d'appartenance qu'elles continuent à susciter dans la population, sont des réalités sociologiques qui jouent un rôle important dans le maintien des arrangements juridiques puisqu'elles amènent la hiérarchie catholique à poursuivre la revendication du maintien des privilèges confessionnels dont profitent l'Église et les catholiques. Par conséquent, l'avènement du pluralisme religieux par la diversification des institutions, souhaité depuis quinze ans, n'a pas encore pris des formes concrètes. Paradoxalement, ce pluralisme institutionnel existe, mais dans le réseau privé.

Sur le plan individuel, le pluralisme religieux se manifeste essentiellement par le choix que les parents font chaque année entre l'enseignement religieux confessionnel, catholique ou protestant, et la formation morale non confessionnelle. On lit dans ces choix : une croissance plus importante des choix en faveur de l'enseignement moral que celle en faveur de l'enseignement catholique, surtout au secondaire ; une diversité d'appartenance sans rapport nécessaire aux choix des acteurs (plus de la moitié des élèves inscrits à l'enseignement moral au primaire se déclarent par ailleurs catholiques et 86 % des élèves du secondaire inscrits en morale non confessionnelle sont catholiques) ; une même hétérogénéité de provenance parmi « les autres » (24 % de protestants, 24 % des membres des autres confessions et 20 % de ceux qui ne sont membres d'aucune confession choisissent néanmoins l'enseignement religieux catholique) (Proulx, 1993 : 198-207).

Enfin, malgré l'article de la loi 107 affirmant le droit pour les parents d'opter pour un enseignement moral et religieux d'une confession autre que catholique et protestante lorsqu'un tel enseignement est dispensé à l'école, les difficultés éprouvées par les communautés culturelles (*comme l'illustre bien le cas de la communauté musulmane, qui a fait une demande précise à cet égard en 1991*) indiquent que la preuve de la portée réelle d'un tel article de loi dans des situations concrètes reste à faire.

En somme, la situation créée par la confessionnalité scolaire continue à poser des problèmes sérieux à l'instauration d'une école démocratique commune et constitue un obstacle considérable à l'intégration sociale par l'école, et ce, dans le respect des diversités culturelles de la population. Alors que la situation sociodémographique du Québec a changé, l'école fait face à une plus grande diversité culturelle, ethnique et religieuse des individus et des familles. C'est pourquoi l'État essaie depuis 30 ans de reconsidérer la situation historique privilégiée des catholiques et des protestants dans le système d'éducation pour l'adapter aux exigences d'une école publique démocratique ouverte à tous et respectueuse de tous. L'école représente un espace social public et ne peut soutenir sans inconvénients sérieux des choix individuels (comme la promotion d'une foi religieuse en particulier). Même si, dans le passé, les catholiques et les protestants ont toujours revendiqué une école en fonction de leur religion, la situation contemporaine de l'école exige la distinction entre Église et État, comme ce fut le cas dans les secteurs du travail et de la santé – ou tout au moins exige une ouverture plus grande au pluralisme dont le premier élément est sans doute l'égalité des citoyens face à l'école.

Comment l'école publique peut-elle faire œuvre d'intégration sociale si elle perpétue les privilèges de groupes particuliers (les catholiques et les protestants) au détriment d'autres groupes ne disposant pas de droits égaux (les non-catholiques et les non-protestants), si elle recourt aux dérogations des chartes des droits (qui pourtant enchâssent des valeurs aussi fondamentales que la liberté de conscience et de religion et l'égalité de tous) pour protéger ces groupes privilégiés, et si les pratiques prévalantes forcent les communautés culturelles concernées à trouver refuge dans des arrangements privés qui prennent l'allure de ghettos et les empêchent de s'intégrer à leur nouvelle société ?

L'enseignement et le pluralisme religieux

L'aspect confessionnel de l'école pose des problèmes liés à la diversification des confessionnalités dans la société québécoise et notamment à Montréal. Selon les tenants d'une école multiconfessionnelle, si les catholiques, les protestants et ceux qui désirent un enseignement moral peuvent obtenir un enseignement moral ou religieux conforme à leur désir, il n'y a pas de raison pour que les groupes se réclamant d'une certaine confession et se retrouvant en situation majoritaire dans une école publique donnée ne demandent pas à leur tour un enseignement religieux adapté[13]. De l'avis de certains analystes du système scolaire, une telle ouverture au pluralisme religieux aurait pour effet de créer des ghettos religieux au sein même de l'école et du réseau scolaire. Dans ces conditions, des organismes gouvernementaux vont jusqu'à questionner le bien-fondé de la confessionnalité de l'école québécoise. C'est le cas du Conseil des communautés culturelles et de l'immigration du Québec qui pose le problème en ces termes :

> Or, plusieurs indices incitent le Conseil à croire que la présence d'un enseignement confessionnel dans la structure même de l'enseignement scolaire public, qui est notre école commune, risquera de créer, dans les années qui viennent, des problèmes de plus en plus délicats à traiter devant la présence croissante d'élèves provenant de multiples groupes religieux différents. Le récent arrêt de la Cour suprême remet cette question à l'ordre du jour de manière plus pressante, surtout dans la région de Montréal où l'on risque de voir les effets d'un cloisonnement des élèves, fondé sur la religion des familles et des communautés d'appartenance – effets bien peu favorables à une intégration des enfants et des jeunes des minorités dans une culture scolaire commune. Même l'ouverture inscrite dans la loi 107 (l'élève « a aussi le droit de choisir, à chaque année, l'enseignement moral et religieux d'une confession autre que catholique et protestante, lorsqu'un tel enseignement est dispensé à l'école ») risque de soulever au moins autant de problèmes éducatifs, dans la perspective d'une culture publique commune, qu'elle ne pourra permettre d'en résoudre par cette façon cloisonnante d'accommoder la diversité des appartenances au sein de l'école. (Conseil des communautés culturelles et de l'immigration du Québec, 1993 : 335-336).

Selon ses propres analyses de la situation de la religion dans les écoles du Québec, Milot ne peut qu'anticiper une forte probabilité de formation de ghettos religieux, peu propices à la communication interculturelle au sein des écoles. Milot exprime le problème en ces termes :

> Nous pouvons même nous interroger sur la portée réelle, au point de vue de la compréhension et de la prise en considération du pluralisme religieux, qu'une telle intention légale [la loi 107], si elle se traduisait concrètement dans le curriculum scolaire, pourrait avoir. Si, à l'heure où doit se dérouler l'enseignement dans la classe, le microcosme social représenté par le groupe d'enfants se scinde en autant de petits sous-groupes qu'il y a de confessions religieuses représentées dans la classe, on ne voit pas trop comment la compréhension de la différence

---

13. Ce qui est théoriquement possible avec la loi 107.

pourrait avoir la chance de s'inscrire dans l'univers de signification des jeunes. La multiplication, en cadre scolaire, de ghettos religieux, où l'on évite par le fait même la prise en compte de la différence, et où chaque tradition religieuse peut transmettre ses croyances sans introduire un processus d'acquisition relativisant son propre système, ne constitue certainement pas la voie éducative la plus propice pour l'ouverture à l'altérité. (Milot, 1991a : 425).

Pour le moment, toutefois, on constate que le pluralisme religieux dans les écoles publiques, comme le permet la loi 107, ne s'est pas encore réalisé dans les institutions publiques d'enseignement. Il y a bien eu une demande d'enseignement du Coran à la commission scolaire de Brossard en 1991 par la communauté musulmane de l'endroit, mais devant l'opposition manifeste des parents d'une des écoles de la commission scolaire, on lui a refusé cette demande. En fait, si le pluralisme religieux existe dans le système scolaire, c'est dans le secteur privé ou encore dans la clandestinité. Ainsi, on compte, dans le secteur privé, plusieurs écoles juives, grecques-orthodoxes, arméniennes et musulmanes qui regroupent quelque 10 000 élèves (*voir le tableau 1*).

Tableau 1
Effectifs scolaires des écoles ethniques de niveaux primaire et secondaire 1989-1990 et 1993-1994

Communauté ethnique	Nombre d'écoles	Nombre d'élèves	
		Maternelle et primaire	Secondaire
Arménienne			
1988-1990	4	1065	180
1993-1994	3	1114	209
Grecque			
1988-1990	6	3312	0
1993-1994	6	1601	0
Juive			
1988-1990	23	4405	2131
1993-1994	25	4498	2420
Musulmane			
1988-1990	1	169	0
1993-1994	3	202	52
Total			
1988-1990	34	8951	2311
1993-1994	37	7415	2681

Source : Ministère de l'Éducation, dans Helly (1996 : 314).

On compte également une quarantaine d'écoles clandestines (non légalement reconnues[14]), qui s'inspirent du *Bible Belt* des États du Sud américain, et qui sont regroupées pour un certain nombre au sein de l'Association des Églises-écoles évangéliques du Québec (Proulx, 1993 : 196). Pour le moment, le pluralisme religieux au Québec passe essentiellement par le choix d'un enseignement religieux ou d'un enseignement moral.

Permanence des valeurs religieuses et enseignement religieux

Historiquement, le système d'éducation a été divisé en deux grandes confessions dans la province de Québec, soit des écoles pour les catholiques (et francophones) et des écoles pour les protestants (les anglophones et les non-catholiques). La chute de légitimité de l'Église catholique et l'émergence au grand jour de multiples religions, obédiences religieuses et croyances particulières, ont forcé l'institution scolaire québécoise à revoir le bien-fondé d'une organisation appuyée sur ces deux grandes confessions. Nous avons déjà fait état de l'échec dans la réforme des structures. Examinons maintenant les problèmes liés à l'enseignement religieux. Dans ce contexte, en 1982, le choix de l'enseignement moral est devenu possible pour les parents désirant un enseignement non confessionnel dans toute école primaire et secondaire au Québec. Ainsi, là où les parents en font la demande, la commission scolaire est obligée de fournir l'enseignement religieux (catholique ou protestant) et l'enseignement moral. On se serait attendu à un déclin rapide de l'enseignement religieux au profit de l'enseignement moral, compte tenu de la diminution considérable de la pratique religieuse dans la population. Or, les données ne confirment pas cette tendance (*voir le tableau 2*).

Comment expliquer cette permanence des valeurs religieuses dans l'enseignement alors que la pratique religieuse est si faible ? Selon une enquête effectuée par Micheline Milot, sociologue en sciences humaines des religions, auprès d'un groupe de parents, il ressort que pour ces derniers, l'école représente le lieu des apprentissages de base dont fait partie la religion. Selon Milot toujours, l'institution scolaire offrirait une certaine vraisemblance aux significations religieuses transmises par la famille qui sont fragilisées aujourd'hui. Les parents attendent de l'école qu'elle munisse les jeunes de références religieuses globales (Milot, 1991b : 144-145). De plus, l'enseignement religieux à l'école, dont l'enseignant se fait le porteur, donnerait à ce discours une vraisemblance essentielle à l'intériorisation des valeurs qu'il véhicule : « L'enseignant semble en effet, du lieu institutionnel où il se situe, être en

---

14. Selon le ministère de l'Éducation, les « écoles non légalement reconnues regroupent des enfants de parents qui appartiennent à des groupes religieux, d'inspiration catholique ou de souche protestante dont notamment les groupes pentecôtistes et baptistes. […] leurs adeptes évoquent le climat malsain de l'école officielle et ses conséquences sur la sécurité morale de l'enfant pour justifier le fait qu'on les retire ou qu'on les garde éloignés du réseau d'enseignement » (ministère de l'Éducation, 1991, cité dans Proulx, 1993 : 196).

Tableau 2

Inscriptions en enseignement religieux catholique et en enseignement moral, au primaire et au secondaire, Québec, 1982-1989

Année	Primaire				Secondaire			
	Religieux %	Moral %	Total %	Total N	Religieux %	Moral %	Total %	Total N
1982-1983	96,5	3,5	100	549 227	84,9	15,1	100	385 229
1983-1984	95,3	4,7	100	484 448	83,9	16,1	100	363 932
1984-1985	94,2	5,8	100	496 118	81,3	18,7	100	346 779
1985-1986	92,8	7,2	100	492 886	78,4	21,6	100	323 962
1986-1987	92,2	7,8	100	510 691	77,0	23,0	100	328 045
1987-1988	91,6	8,4	100	523 478	75,0	25,0	100	324 024
1988-1989	91,6	8,4	100	521 579	74,3	25,7	100	314 166

Source : Ministère de l'Éducation, dans Langlois *et al.* (1990 : 428).

mesure de conférer le fond de vraisemblance que nécessite un tel discours sur un supposé réel. Les parents reconnaissent, à maintes reprises, que "les enfants vont croire plus facilement les enseignants que nous, les parents" » (Milot, 1991b : 137).

Les parents attendraient donc de l'école, de l'enseignant et de l'enseignante, qu'ils transmettent des valeurs religieuses en concordance avec leurs propres valeurs, mais pas n'importe quelles valeurs religieuses[15]. En fait, ils se dissocient d'une approche ecclésiastique du religieux (Lebuis, 1996 : 68). Sur ce point, les parents sont clairs, ils veulent l'histoire de Jésus transmise comme un roman. Écoutons un parent parler de son enfant sur le sujet : « Je voudrais qu'il apprenne l'histoire de Jésus. C'est d'ailleurs une fichue de belle histoire, un beau roman. Tu es capté par ça, c'est tellement beau » (Milot, 1991b : 127). Les parents ne veulent pas d'un enseignement religieux vieille mode comme ils l'ont connu eux-mêmes, ce qui les amène à avoir des attentes particulières face à l'enseignant. Plusieurs parents expriment cette volonté sans ambiguïté :

> « L'enseignante peut penser différemment de moi, pourvu qu'elle ne le [l'enfant] bourre pas de mensonges comme nous autres on s'est fait bourrer [l'histoire d'Adam et Ève, le serpent, etc.]. » – « Je ne veux pas que l'enseignante oblige mes

15. Milot précise sur ce point : « [...] on attend moins de l'enseignement religieux la transmission de "contenus" de croyances que l'indication de "points de repère" qui constitueront en quelque sorte une matrice pour la construction d'un sens dans une histoire à vivre de façon beaucoup plus individuelle que collective » (Milot, 1989 : 205).

enfants à aller à la messe et à pratiquer comme c'était le cas pour nous dans le temps. » – « Il faut que ce soit plus réaliste que dans notre temps ; il y avait des choses qui étaient taboues, mais il y a eu une évolution. » – « Je voudrais surtout que ce soit mieux que dans notre temps, moins charrié. Ils n'ont plus le "par cœur" du petit catéchisme, c'est déjà une bonne chose. C'est moins dramatique que c'était dans notre temps, et peut-être moins épeurant. » (Milot, 1991b : 128).

Les propos des parents laissent perplexe alors qu'ils semblent tout à la fois vouloir l'enseignement religieux et le rejeter (*voir l'encadré 8.1*). En fait, les parents interrogés dans l'enquête de Milot font une distinction nette entre le dogme catholique et la morale chrétienne qui sont deux éléments différents quoique intimement liés dans la tradition catholique. Le dogme catholique est à la morale chrétienne ce que la théorie est à la pratique : le premier demande de s'en remettre aux théologiens dans l'explication du sens des choses ; la seconde se vit concrètement dans la vie de tous les jours et est accessible à tous et à chacun. L'amour du prochain de la morale chrétienne est probablement plus significatif en tant que référence religieuse et culturelle pour les parents que le dogme de l'Immaculée Conception.

Les attentes des parents, plus précisément, portent sur la transmission en contexte scolaire de quatre composantes éthiques fondamentales, soit un cadre éthique comme tel, un sens à la vie, le soutien dans les épreuves et l'espoir d'un « après » au-delà de la mort, autant d'éléments dont « le point d'ancrage confessionnel devient de plus en plus ténu » (Milot, 1991b : 143, citée dans Lebuis, 1996 : 69). Il semble bien que l'Église, dans son rôle de porteuse des valeurs religieuses, subit une crise de légitimité sans équivoque. Pour les parents, ces conditions nouvelles se traduisent en ces termes : « Les prêtres, ils sont moins compétents, ils n'ont pas vécu à l'intérieur d'une famille et n'ont pas eu d'enfants. » – « C'est mieux à l'école qu'à l'église, car l'Église a bloqué beaucoup de monde avec ses règles strictes et par certains curés. » – « Le curé n'enseigne pas la religion. Il va faire son sermon et lire la Bible » (Milot, 1991b : 129).

En bout de ligne, c'est moins une croyance et une pratique religieuses qu'un sens éthique et moral que les parents attendent des cours de religion. Ils souhaitent voir développer chez leurs enfants des valeurs telles que « l'amour, le respect des autres, ce qui est bien, ce qui ne l'est pas ». De là, on peut déjà entrevoir pourquoi l'enseignement religieux demeure le choix des parents dans un système d'éducation qui offre la possibilité d'un enseignement moral. Dans la mesure où l'enseignement religieux que les parents attendent de l'école s'apparente à un enseignement moral et dans la mesure également où ils se sentent plus familiers avec la tradition chrétienne, ayant été socialisés eux-mêmes à cette tradition, il s'ensuit une préférence qui fait pencher la balance en faveur de l'enseignement religieux. En somme, comme le souligne Proulx en reprenant les thèses de Dumont (1987), le catholicisme demeure certes

Encadré 8.1
Le pluralisme chez les catholiques !

« Le problème principal est d'ajuster l'école au pluralisme religieux et idéologique croissant dans notre société. À première vue, ce pluralisme n'est pas évident : 95 % de la population du Québec se déclare toujours catholique. Et les gens de Québec ou de Chicoutimi ne sont guère touchés quand les Montréalais leur parlent des "allophones bouddhistes ou musulmans". Et pour cause : 95 % d'entre eux vivent dans la région de Montréal !

« Pourtant, le pluralisme est une réalité bien concrète. Paradoxalement, elle touche d'abord ceux-là même qui se déclarent catholiques. On se souvient du diagnostic de la Commission d'étude sur les laïcs et l'Église, la commission Dumont, qui parlait de "l'éclatement de la communauté chrétienne". C'était en 1971 ! Dix-sept ans plus tard, plusieurs Québécois ont rallié des groupes schismatiques ou hérétiques. Bien plus, une enquête du *Devoir* réalisée à l'occasion de la visite du Pape en 1984 révélait que 20 % de baptisés ne croient pas ou ne savent pas que Jésus-Christ est Dieu : un sur cinq ! Aujourd'hui, à peine 35 % des baptisés du Québec pratiquent régulièrement le dimanche, encore moins à Montréal, et ils sont de moins en moins

jeunes. Toujours d'après le sondage du *Devoir*, pour un catholique sur trois, la religion avait peu ou aucune importance dans sa vie ; 68 % contestaient l'interdiction papale de la pilule contraceptive ; 42 % étaient favorables à l'avortement ; 66 % croyaient que l'Église devrait permettre aux catholiques divorcés de se remarier ; 59 % étaient favorables à l'ordination des femmes et 72 %, au mariage des prêtres.

« Tout en partageant ces opinions plus diverses et parfois contraires aux directives de l'Église, 67 % de ces mêmes catholiques affirment qu'ils choisissent pour leurs enfants une école catholique. Mais un autre tiers de catholiques préféreraient pour leurs enfants une école pluraliste, voire franchement neutre. Pour l'heure, leurs enfants sont de toute façon à l'école catholique. En outre, l'école catholique, parce qu'elle est publique, accueille aussi une minorité grandissante d'enfants qui appartiennent à d'autres religions sinon à aucune. »

Extrait de Jean-Pierre Proulx, « L'École confessionnelle – Du sable dans l'engrenage », *Revue Notre-Dame* (1988 : 7-8).

pour une minorité un lieu d'appartenance mais aujourd'hui, il est surtout un lieu de référence significatif pour une majorité[16] (Proulx, 1993 : 208-209).

L'importance du système de croyances auquel adhère l'enseignante ou l'enseignant sur la constitution d'un dialogue ouvert sur le religieux au sein de l'école québécoise est particulièrement grande. Ce rôle permet de s'acquitter du défi de la transmission de valeurs morales et religieuses dans l'institution scolaire tout en tenant

---

16. D'autres facteurs peuvent expliquer pourquoi l'enseignement moral ne prédomine pas dans les écoles du Québec, notamment la crainte des parents de voir leurs enfants marginalisés s'ils choisissent l'enseignement moral dans la mesure où ils doivent changer de local ou encore ce que Baril appelle les « mensonges du directeur », c'est-à-dire tous les détours empruntés par les directions d'école afin d'éviter d'avoir à créer un groupe de morale dans l'école en raison des coûts supplémentaires que cela occasionne. Voir Baril (1995 : 119-133).

compte des différences dont sont porteurs les élèves en la matière. Par ricochet, la formation des maîtres doit tenir compte du défi du pluralisme religieux dans les écoles.

L'enseignement religieux et le personnel enseignant

Nous avons déjà mentionné que les choix en matière de confessionnalité pour les groupes sociaux posent des défis énormes en ce qui a trait à la démocratie, au respect des droits de la personne et aux différences culturelles concrètes. Ces choix posent aussi un défi aux acteurs sociaux dans l'école et pour ceux qui sont appelés à y œuvrer, notamment les futurs enseignants et enseignantes. La pratique enseignante suppose-t-elle, dans un contexte de confessionnalité appliquée à l'école, que la pratique pédagogique en matière de religion soit nécessairement accompagnée d'une foi dans des valeurs religieuses? Comme le souligne Lebuis :

> [...] il peut devenir problématique, sous prétexte que l'école dispense un enseignement religieux confessionnel d'exiger que les futurs enseignants soient amenés à indiquer leur disponibilité en ce qui regarde l'enseignement religieux, lors de leur embauche dans une commission scolaire. Dans cet esprit, cette pratique peut même devenir porteuse de discrimination dans la mesure où le Comité catholique incite les commissions scolaires, « si elles désirent répondre adéquatement aux besoins de leur population scolaire catholique » à engager des enseignants qui auront acquis la préparation requise[17]. (Lebuis, 1988 : 215).

La difficulté est d'autant plus grande que dans les écoles du Québec, il est établi que l'enseignement religieux est confié au titulaire de la classe au niveau primaire. C'est sans compter les exigences de certains administrateurs lors de l'embauche qui peuvent forcer des enseignants ou des enseignantes à cacher leur véritable position face à la religion[18]. En fait, pour le futur maître, c'est un dilemme important qui se pose en ces termes :

> Le choix est simple : ou je travaille, et donc, je marche sur mes convictions profondes, ou je choisis de vivre conformément à mes convictions et... je chôme. Il

---

17. Certaines universités québécoises, dont l'Université Laval et l'Université de Sherbrooke, offrent quelques cours d'enseignement moral et religieux en formation des maîtres afin de faciliter la « préparation requise » à ces types d'enseignement selon les règles du Comité catholique. Par exemple, pour l'Université Laval, trois cours sont offerts afin de qualifier les futurs maîtres à l'enseignement religieux. Un de ces cours est obligatoire, un deuxième aussi, mais offrant un choix entre l'enseignement religieux ou moral et enfin, un troisième cours est au choix. Malgré le caractère optionnel du dernier cours, la presque totalité des futurs maîtres (autour de 96 %) inscrivent les trois cours à leur horaire. C'est donc dire qu'il y a une conscience aiguë du caractère contraignant de la formation en enseignement religieux et moral lors de l'embauche dans les commissions scolaires.

18. Certains formateurs de maîtres s'accordent pour dire que les futurs maîtres se sentent mal à l'aise avec l'idée de nourrir la foi de leurs futurs élèves. Les futurs maîtres considèrent que ce rôle n'est pas de leur ressort. Micheline Milot, professeur en formation des maîtres à l'UQAM, dit à ce propos : « Plusieurs étudiants se sentent mal à l'aise et considèrent que ce rôle devrait être confié à un spécialiste. Ils rejettent la tâche de la transmission du dogme et de l'incitation à la pratique telle que le demandent les Évêques mais sont moins rébarbatifs à une approche non confessionnelle du religieux » (citée dans Baril, 1995 : 113).

est difficile d'accepter que choisir d'enseigner c'est choisir, par le fait même, de croire à une religion! (Marie B., étudiante au baccalauréat d'éducation préscolaire et d'enseignement primaire, citée dans Lebuis, 1988: 215-216.)

Ce n'est pas l'enseignement religieux à l'école qui fait problème, mais son caractère confessionnel (Lebuis, 1996), c'est-à-dire le fait qu'on accorde à deux groupes (les catholiques et les protestants) des droits et des privilèges quant à leur confession religieuse dans l'école. Les aménagements possibles dans un contexte de pluralité religieuse (sans compter l'athéisme) ne sont pas faciles à négocier en raison des résistances de différents groupes envers la diversité et la pluralité[19]. Autrement dit, on n'accepte pas la différence de l'autre si on lui impose en même temps ses propres conceptions du monde. Toutes ces tensions forcent de plus en plus de gens à accepter que la solution du problème passe peut-être par un apprivoisement du pluralisme religieux. Le témoignage de cette future enseignante montre bien ce changement de cap:

> Es-tu catholique ou protestante? Moi, je suis née catholique mais tu sais, moi, la religion… Cette réponse, on la connaît ou plutôt, moi je la connais pour l'avoir souvent utilisée. Et oui! je suis née dans la religion catholique mais… Mon éducation scolaire fut orientée dans ce sens jusqu'au jour où j'ai pu choisir la culture religieuse. Ce fut merveilleux. C'est à partir de ce jour que mes yeux se sont ouverts plus grands afin de voir qu'il n'y a pas qu'une seule religion valable. Je suis consciente que la religion catholique répond à des gens d'ici. […] Personnellement, je crois que dans l'Église catholique, il y a du bon puisqu'elle prône le partage, le respect de la vie et du prochain. Mais je ne peux me résigner à accepter l'imposition d'une seule vision dans notre système éducatif. Je suis contre le fait de « nationaliser » une religion sans tenir compte des autres. (Sophie B., étudiante au baccalauréat d'éducation préscolaire et d'enseignement primaire, citée dans Lebuis, 1988: 221.)

Les problèmes liés à la confessionnalité de l'école québécoise et à l'enseignement religieux confessionnel qui y est donné sont nombreux et n'ont pas encore trouvé de solutions véritables, seulement quelques aménagements qui ne semblent pas répondre aux besoins diversifiés des différentes populations scolaires. Ces problèmes sont doublés de ceux qui sont reliés à la langue d'enseignement qui, depuis 1968 et les troubles de Saint-Léonard, ont mobilisé de nombreux groupes et suscité de vifs débats au Québec.

---

19. Parmi les solutions avancées, Pierre Lebuis propose une *pédagogie du dialogue* afin de favoriser une éthique du pluralisme: « Dans cet espace commun qu'est la ciasse, tous, par l'échange et le partage des points de vue, deviennent des partenaires d'une entreprise commune d'exploration de réalités et de quête de significations au regard des objets de réflexion. Cette manière de faire, axée sur l'apprentissage de la pensée personnelle et l'expérience de la vie communautaire par le dialogue et la coopération, permet, à notre avis, de se situer dans une perspective d'éducation interculturelle, car les sujets sont traités à partir des intérêts et des référents des jeunes selon une approche interactive qui incite à mieux se comprendre et à mieux comprendre l'autre, à mieux saisir l'apport de points de vue différenciés dans l'appréciation des situations, etc. » (Lebuis, 1996: 74).

La langue de la majorité et celle de l'école

Une politique linguistique n'est jamais neutre ; elle est presque toujours l'objet de débats engagés, surtout lorsqu'il s'agit d'intégration des immigrants. Une telle affirmation se vérifie, par exemple, dans une des nombreuses publications du Conseil supérieur de l'éducation qui, dans un avis en 1983 au ministre de l'Éducation, montre bien la position des autorités québécoises face à l'intégration des enfants d'immigrants :

> L'évolution du Québec a été marquée, au cours des récentes décennies, par une volonté mieux affirmée de l'élément francophone de prendre en charge son destin. L'un des objectifs de cette réorientation de la vie collective est d'édifier une société où la langue française soit la langue des principaux secteurs d'activités publiques, et où la culture franco-québécoise puisse se développer et s'épanouir, tout en respectant les autres cultures qui l'entourent. (Conseil supérieur de l'éducation, 1983 : 4).

Cet objectif linguistique s'est concrétisé dans un ensemble de lois touchant la langue et les écoles du Québec. Comme le mentionnait, en 1987, Gilles Sénéchal dans son étude sur *Les allophones et les anglophones inscrits à l'école française* : « La législation linguistique avait pour principal objectif de déplacer la fonction d'intégration de l'école de la minorité anglophone à celle de la majorité » (Sénéchal, 1987 : 180). En effet, avant la loi 101, l'école anglaise avait pour rôle d'intégrer les immigrants non francophones et les non-catholiques. La minorité anglophone du Québec ne s'était pas emparée de cette prérogative, c'est l'école francophone catholique qui refusait d'intégrer les non-francophones et les non-catholiques. Comme le souligne Michel Laferrière :

> On rapporte souvent que les écoles catholiques françaises envoyaient automatiquement les enfants immigrants au secteur anglais, parfois avec des commentaires du style « Va-t-en chez vous ! », comme nous l'ont rapporté certains de nos étudiants. De telles pratiques permettaient ainsi de mieux contrôler le groupe majoritaire francophone et aussi les groupes immigrants. (Laferrière, 1983 : 122).

En fait, c'est bien avant 1977 que la majorité francophone du Québec se dote des moyens nécessaires afin que l'école devienne un milieu d'intégration à cette majorité. Cela débute avec la loi 63 (loi pour promouvoir la langue française au Québec) votée en 1969 à la suite des troubles de Saint-Léonard. Grâce à cette loi et à l'article 203, le choix des parents en ce qui concerne l'école est garanti. Cette loi est cependant un paradoxe en soi. Avec son article 203, elle légalise pour la première fois le libre choix de l'école française ou anglaise. Ainsi donc, loin de favoriser l'intégration des minorités linguistiques à la majorité francophone, cette loi ouvre en fait l'école anglaise aux francophones et légalise l'intégration des nouveaux immigrants à la minorité anglaise, ce qui constitue en quelque sorte un retour au mode de fonctionnement tacite établi depuis fort longtemps entre anglophones et francophones en ce qui a trait à l'intégration des minorités linguistiques à l'école québécoise.

La même année, la Commission des écoles catholiques de Montréal (CECM) crée les classes d'accueil de façon à inciter les immigrants à inscrire leurs enfants à l'école française (Helly, 1996 : 283). Le ministère de l'Éducation récupère plus tard l'idée des classes d'accueil et en ouvre partout en province où cela est nécessaire afin de donner à tous les enfants d'immigrants une connaissance suffisante de la langue française de façon à ce qu'ils puissent s'intégrer plus facilement dans l'école française[20]. En raison de leur durée et des sommes importantes qui leur sont allouées, les classes d'accueil constituent une formule unique au Canada (Helly, 1996 : 283). Ces dernières années, le nombre d'élèves qui sont inscrits dans ces classes d'accueil augmente de manière substantielle comme le montre le tableau 3.

La volonté politique d'intégration linguistique des élèves allophones se poursuit avec la loi 22 (Loi sur la langue officielle), votée en 1974, qui oblige les allophones à fréquenter l'école française s'ils ne possèdent pas une connaissance suffisante de l'anglais. Cette loi très contestée – elle contribue à la défaite électorale de Robert Bourassa en 1976 – est remplacée par la loi 101 (Charte de la langue française, 1977) qui vise surtout à changer la direction de l'intégration des enfants des immigrants. L'école anglaise perd alors sa capacité d'intégration des enfants d'immigrants, et l'école catholique francophone émerge comme le seul lieu d'intégration des enfants non catholiques et non francophones (Laferrière, 1983 : 129). L'État québécois, à travers l'école francophone, continue son travail d'intégration de plus en plus poussée en créant, en 1981-1982, des classes de francisation pour les élèves qui ne possèdent

---

20. Les classes d'accueil constituent un élément essentiel dans l'intégration des élèves issus des communautés culturelles dans l'école québécoise, car l'acquisition des bases de la langue d'enseignement est un facteur prépondérant dans l'acquisition de connaissances. Comme le soulignent Moisset et al. : « L'enfant qui reçoit un enseignement dans sa langue maternelle se trouve [...] placé dans un environnement familier, mais pas l'enfant immigré, celui surtout dont les parents parlent et utilisent une langue différente de celle du pays d'accueil, qui non seulement doit maîtriser le code formel – les signes, les règles grammaticales et syntaxiques, etc. –, mais aussi le système de représentations qui le sous-tend. La maîtrise de la langue d'enseignement joue un rôle prépondérant dans l'apprentissage scolaire. Elle constitue pour ainsi dire la clef de toute acquisition de connaissance. Plus l'élève maîtrise cette langue, plus seront facilités chez lui l'assimilation et l'intégration des connaissances et l'établissement de liens fonctionnels, de complémentarité et de différence, entre les disciplines du programme scolaire » (Moisset et al., 1995 : 21). Malgré leur importance, les classes d'accueil ne réussissent pas à combler dans bien des cas les écarts entre ce que l'élève immigré sait déjà et ce qu'il doit acquérir afin d'obtenir un rendement favorable à sa réussite dans le système scolaire d'accueil. À partir d'une étude auprès de 3232 élèves des communautés culturelles inscrits dans les classes d'accueil en 1981, Maisonneuve a pu établir que : « Au moment de leur intégration en classe régulière, les élèves ayant fréquenté une classe d'accueil au primaire ont déjà contracté un taux de retard supplémentaire de 29 % par rapport aux autres élèves. Pour ceux qui y ont séjourné alors qu'ils étaient en âge d'être au secondaire, le processus d'adaptation à l'école québécoise a entraîné un taux de retard supérieur de 36 % à celui observé chez les autres élèves du secteur français » (Maisonneuve, 1987 : 6, cité dans Moisset et al., 1995 : 27).

Tableau 3
Effectifs des élèves des classes d'accueil selon le niveau d'enseignement 1987-1994, dans le secteur public

Niveau	1987-1988		1988-1989		1993-1994	
	N	%	N	%	N	%
Préscolaire	827	17,63	903	16,19	1 194	15,57
Primaire	2 314	49,34	2 796	50,13	3 592	48,90
Secondaire	1 549	33,03	1 878	33,68	2 610	35,53
Total	4 690	100,0	5 577	100,0	7 346	100,0

Source : Ministère de l'Éducation, repris par Helly (1996 : 284).

pas une connaissance suffisante du français et qui ne sont pas admissibles aux classes d'accueil. Ce sont essentiellement des élèves qui pourraient étudier en anglais, mais désirent faire leurs études en français, qui profitent de ces classes de francisation ainsi que les élèves qui ne sont pas admissibles à l'enseignement en anglais mais dont les parents résident au Québec depuis plus de cinq ans[21] (Helly, 1994 : 284).

On remarque que cette législation suit le mouvement nationaliste québécois qui atteint son apogée avec l'élection du Parti québécois en 1976 (la loi sur la charte est votée en 1977). Dans un tel mouvement, l'école poursuit donc des objectifs précis d'intégration des minorités culturelles à une majorité linguistique. Cependant, comme le montre J.-P. Proulx, l'obligation du français comme langue d'enseignement au primaire et au secondaire ne constitue pas une garantie absolue d'une francisation complète de la population scolaire. En effet, même si beaucoup plus de jeunes étudient en français, ils ne vivent pas nécessairement en français ou ne sont pas particulièrement attirés par la culture française (Proulx, 1990). Autrement dit, les institutions peuvent imposer des pratiques linguistiques dans un cadre public, mais les acteurs disposent d'une marge de manœuvre dans la sphère privée. Le Conseil des communautés culturelles et de l'immigration du Québec ne peut que confirmer une telle réalité :

> Par exemple, une conversation entre élèves en période de récréation dans la cour d'une école pour francophones correspond à une situation de communication considérée comme privée ; durant une période de classe par contre, la situation de communication sera considérée comme publique. L'emploi du français s'imposera donc normalement dans le second cas, mais ne pourra légalement être

---

21. Selon Helly : « Ces classes ont un objectif avant tout linguistique, l'adaptation sociale et culturelle de ces enfants étant tenue pour acquise » (Helly, 1996 : 284).

exigé dans le contexte « privé » du premier cas. (Conseil des communautés culturelles et de l'immigration du Québec, 1993 : 12).

Devant de tels constats, on peut se demander si la législation linguistique a atteint son but. En fait, il semble que ce soit le cas. Les études montrent que la législation linguistique a permis une augmentation notable de la francisation « des nouveaux venus et des jeunes anglophones » (Sénéchal, 1987 : 180). Cela se traduit de façon concrète dans le choix que font les allophones et les anglophones pour leurs études collégiales. En effet, n'étant plus assujettis par la loi, les allophones et les anglophones pourraient choisir de faire leurs études collégiales en anglais. Or, il semble qu'une bonne partie d'entre eux continuent leurs études collégiales en français. Ce qui fait dire à Lévesque et Pageau que la Charte de la langue française a eu une incidence importante :

> Pour tout dire, l'évolution observée au cours de la décennie 80 est particulièrement éloquente [...]. Avec le temps, le réseau français exerce [donc] un pouvoir d'attraction de plus en plus affermi auprès des élèves d'origine non francophone, puisqu'il en retient une proportion de plus en plus grande lors de leur passage du secondaire au collégial. [...] Doit-on y voir là une des conséquences des politiques linguistiques mises en place ? Tout semble indiquer que la « Charte de la langue française » a eu un impact important sur le système d'enseignement québécois. En obligeant les allophones, du moins la majorité d'entre eux, à fréquenter l'école française primaire et secondaire, l'État s'est assuré d'une meilleure intégration des immigrants à la collectivité francophone, ce qui les encourage à poursuivre leurs études en français. (Lévesque et Pageau, 1990, dans Larocque, 1991 : 85).

Selon les données disponibles, 41,2 % des allophones ont fait le choix de poursuivre leurs études dans un cégep francophone (Larocque, 1991 : 83). Plus encore, il semble acquis maintenant que les allophones socialisés dans une école francophone ont tendance à utiliser de plus en plus le français comme langue d'usage. C'est une des grandes conclusions de l'enquête de Jean-François Dubois effectuée en 1991 pour le compte du ministère de l'Éducation :

> Enfin, puisque le nombre croissant d'élèves allophonais (sic !) à l'école française a contribué dans l'ensemble au fait que ces jeunes ont maintenant davantage tendance à utiliser le français à la maison, nous pouvons penser, d'une part, qu'un bon nombre de ces élèves, une fois leurs études terminées, s'intégreront linguistiquement à la société francophone et, d'autre part, qu'ils exercent dès à présent une influence sur l'intégration linguistique au français de leurs parents. De plus, dans le cas où la langue d'enseignement diffère de la langue d'usage à la maison, on peut penser qu'un certain nombre d'élèves se tourneront vers leur langue d'enseignement comme langue d'usage lorsqu'ils quitteront le foyer familial. On voit donc ainsi le grand potentiel d'intégration de l'école. La fréquentation de

l'école française ne constitue pas une garantie que les élèves auront plus tard le français comme langue d'usage, elle est cependant un pas important dans cette direction[22]. (Dubois, 1991 : 82).

Si la question linguistique demeure encore un sujet de confrontation entre les groupes anglophones, immigrants et francophones du Québec sur le plan politique, dans les écoles, les enjeux liés à cette question sont moins importants dans la mesure où les moyens mis en œuvre afin de permettre l'intégration linguistique et culturelle des élèves immigrants à l'école française ont fait l'objet d'une grande diversification et d'une décentralisation accrue depuis leur mise en place. Toutefois, des problèmes d'une autre nature sont en progression dans l'école québécoise, soit l'augmentation de la clientèle faisant face à la sous-scolarisation ou à l'analphabétisme dans les écoles secondaires à haute concentration ethnolinguistique (Helly, 1996 : 280).

La socialisation scolaire dans une société pluraliste

La socialisation scolaire consisterait à conjuguer par l'acte pédagogique le rapport au savoir et le rapport aux autres : il s'agirait de créer aujourd'hui des moyens de vivre ensemble dans l'école. De plus, dans une société pluraliste, la socialisation deviendrait une entrée privilégiée pour la préparation à une vie sociale diversifiée tant sur le plan des modes de vie que sur celui des modes de pensée. Le rôle de l'école dans ces conditions, comme le souligne Houssaye, « c'est faire en sorte que se génèrent les médiations communes, que se construise dans le même mouvement le rapport au savoir, au maître et aux autres, dans une socialisation reconnue et assumée » (Houssaye, 1996 : 178).

La diversité croissante des groupes constitutifs de la société québécoise pose le défi de l'intégration des jeunes à la vie collective de l'école d'abord, et à la société ensuite. Ce défi est particulièrement grand sur l'île de Montréal où des écoles connaissent des phénomènes de groupement ethnique qui se traduisent dans les faits par de fortes concentrations d'allophones dans une même école, plus de 80 % pour certaines d'entre elles[23]. Dans ces conditions, les autorités scolaires éprouvent plusieurs difficultés à relever le défi de l'intégration :

1. La diversité des langues d'origine et des acquis scolaires des élèves nouvellement immigrés ne favorise pas des mesures normalisées.

---

22. On peut se demander toutefois, à la lumière des données de 1995, si les conclusions de cette enquête ne sont pas trop optimistes. En effet, une étude du Conseil de l'île de Montréal en matière de langue indique que sur les 60 000 élèves allophones de l'île, les trois quarts parlent encore leur langue maternelle à la maison, ce qui poserait des difficultés relatives à leur intégration scolaire. Voir Côté (1995).

23. C'est le cas, entre autres, de l'école primaire Bathélmy-Vimont qui compte 87,5 % de ses élèves qui parlent une langue autre que le français, l'école primaire Enfant-Soleil (86,9 %), l'école primaire Henri-Beaulieu (86,3 %), l'école primaire Jean-Grou (82,8 %) (Helly, 1996 : 280).

2. Une mauvaise perception des enseignants, des enseignantes et des directions d'école, malgré les statistiques officielles sur le sujet, touchant les compétences linguistiques et le rendement scolaire des élèves immigrants ; ces derniers ralentiraient le rythme des classes et auraient des problèmes d'adaptation en classe régulière[24] (Cumming-Potvin, Lessard et Mc Andrew, 1994 : 680).

3. Un ensemble de dispositions réglementaires découlant des lois scolaires et des organismes du ministère de l'Éducation ne favorisent pas toujours le changement.

Les agents de socialisation scolaire et le défi du pluralisme

La tâche du personnel enseignant se complexifie de plus en plus dans une conjoncture de mutations sociales et de diversification des modes de vie. Comme le soulignent Lessard et Tardif, «les enseignants doivent apprendre à tenir compte d'un plus grand nombre de variables dans les décisions pédagogiques et didactiques quotidiennes. Ils doivent acquérir des compétences diversifiées dans leurs rapports avec les jeunes, avec leurs parents et avec l'ensemble des adultes travaillant en milieu scolaire ou dans les institutions sociales qui, à un titre ou à l'autre, ont affaire aux jeunes et à leur famille» (Lessard et Tardif, 1996 : 185). Dans les faits, que font les enseignantes et les enseignants face à la diversité culturelle ? Comment leurs propres valeurs, leurs représentations et leurs pratiques jouent-elles dans les interactions avec des élèves d'origines ethniques diverses ?

Le personnel enseignant et le pluralisme

Le rôle des enseignants et des enseignantes dans la constitution d'une culture commune qui puisse être accessible à tous, quelle que soit sa situation ethnoculturelle, est de toute première importance puisqu'ils sont et qu'ils demeurent toujours les principaux agents de transmission culturelle dans la société après la famille. Cependant, ce rôle ne va pas de soi. Il impose à l'enseignant ou à l'enseignante une attitude particulière face à la diversité qui commande elle-même une révision de ses représentations et de ses valeurs. Comme le souligne le Conseil supérieur de l'éducation, le rôle exigé dorénavant du personnel enseignant face à la diversité demande le développement de nouvelles compétences :

> Apprendre à se situer de façon dynamique dans la multiplicité des cadres de référence, pratiquer systématiquement le questionnement des faits, des valeurs et des représentations dans un contexte de pluralité, animer un groupe en tenant

---

24. Ces statistiques montrent que les résultats des élèves allophones inscrits aux épreuves de français du secondaire dans des écoles francophones sont près de ceux des élèves francophones. Selon St-Germain (1988), les élèves allophones ont obtenu en 1987 des résultats moyens de l'ordre de 60,2 % alors que les francophones obtenaient 67,3 % (dans Helly, 1996 : 290).

compte de la diversité de sa composition et comprendre la nature et le fonctionnement du phénomène culturel exigent une formation et un entraînement des
personnels différents de ce qui se pratique pour intervenir dans un univers homogène. (Conseil supérieur de l'éducation, 1987b : 15).

Face à une réalité en mutation sur le plan de la diversité ethnique de la société
québécoise, le personnel enseignant n'est pas toujours en mesure de faire face à ce
nouveau défi que représente l'intégration des élèves immigrants ou issus d'une communauté culturelle à une culture civique commune, en raison notamment de la complexité de l'adaptation que cela demande (Pagé, 1988 : 281). Reprenant des
témoignages d'enseignants et d'enseignantes, Bourgeault montre que le rapport à
l'« autre » peut passer par la négation, le refus ou le rejet si le personnel enseignant ne
reçoit pas une formation pour travailler en contexte pluriethnique. En effet, alors que
la région de Montréal reçoit la majeure partie de l'immigration québécoise et que la
diversification de sa population augmente, certains membres du personnel enseignant nient la réalité de la diversification de la population scolaire de Montréal sous
prétexte qu'ils ne la côtoient pas dans leur école ou dans leur classe. Par exemple, ce
témoignage : « On exagère, il n'y en a pas tant que ça [de personnes d'origines ethniques autres que celles des groupes plus anciens]. Dans mon école, j'en vois pratiquement pas. Dans ma classe, pas un seul » (Bourgeault, 1993 : 16).

Outre la négation partielle de la diversité ethnique de la population scolaire
de Montréal, on remarque parmi le personnel enseignant un certain refus des différences, notamment en considérant les élèves immigrants comme semblables aux
autres enfants de la majorité culturelle. Par exemple, ce témoignage : « J'en ai de
toutes les couleurs dans ma classe. Au début, je les faisais parler de leurs coutumes.
Après quelque temps, je me suis rendu compte que nous sommes tous pareils. Certains réussissent bien, d'autres pas. Comme chez les Québécois pure laine. C'est
pareil » (Bourgeault, 1993 : 17). Le refus de voir les différences dont sont porteurs les
élèves immigrants pourrait mener aux mêmes discriminations que celles dont sont
victimes les élèves des classes populaires que l'école traite sur le même pied d'égalité
que les enfants issus des classes sociales aisées. En matière de différences culturelles,
entre classes sociales ou entre ethnies différentes, il est pertinent de revenir à la formule de Bourdieu pour qui l'indifférence aux différences constitue une sanction des
inégalités en faveur de ceux qui sont avantagés par ces différences et constitue une
manière de renforcer les discriminations rattachées à ces dernières[25].

---

25. La formule exacte de Bourdieu se lit comme suit : « Pour que soient favorisés les plus favorisés et défavorisés les plus défavorisés, il faut et il suffit que l'École ignore dans le contenu des enseignements transmis,
dans les méthodes et les techniques de transmission et dans les critères de jugement, les inégalités culturelles entre les enfants des différentes classes sociales autrement dit, en traitant tous les enseignés, si
inégaux soient-ils en fait, comme des égaux en droit et en devoirs, le système scolaire est conduit à
donner en fait sa sanction aux inégalités initiales devant la culture » (Bourdieu, 1966 : 336).

Le refus de la différence peut paraître banal devant cette autre attitude rencontrée chez le personnel enseignant qui consiste à rejeter toutes formes d'aménagements afin de favoriser l'intégration des élèves immigrants. Par exemple, ce témoignage:

> Au risque de paraître raciste, ce que je ne suis pas, je dirais nettement que j'en ai ras le bol de tous ces discours et des bons sentiments. Les immigrants, s'ils choisissent de vivre ici, doivent tout simplement accepter de vivre comme on vit ici. Ils n'ont pas été amenés chez nous de force. Nous voulons bien les accueillir, mais chez nous. Ils n'ont pas de droits à leur arrivée; ils n'ont pas à changer les choses chez nous, mais à s'adapter, à adopter les façons de faire d'ici. Et si ça ne leur plaît pas, qu'ils retournent d'où ils viennent. (Bourgeault, 1993: 167).

Les difficultés d'adaptation du personnel enseignant à la nouvelle réalité pluriethnique de la population scolaire montréalaise se manifestent particulièrement dans les classes d'accueil où les enseignantes et les enseignants ont à faire face quotidiennement à la diversité des manières de penser et de faire propres à chaque culture. Les données d'enquête de Hohl[26] (1993) montrent bien que les rapports entre cultures différentes dans une même classe ne vont pas de soi.

À partir d'une recherche sur les pratiques pédagogiques en milieux pluriethniques montréalais menée auprès d'enseignantes québécoises d'origine canadienne-française, titulaires de classes d'accueil, Hohl met en lumière, à partir des «incidents critiques», les chocs culturels qui se produisent chez les enseignantes dans les situations de communication et qui ébranlent leur système de valeurs[27]. Hohl analyse ainsi une centaine d'incidents critiques à partir du système d'interprétations des enseignantes. Elle fait ressortir deux points importants, soit la tendance des enseignantes à comparer les pratiques *réelles* des parents d'immigrants à des pratiques *idéales* de la société québécoise telles que les enseignantes les conçoivent et la tendance à rendre *normatif* ce modèle idéal auprès des élèves des classes d'accueil. De là, Hohl note que:

> Les thèmes qui donnent lieu à des conflits éveillent chez les enseignantes des «zones sensibles»; ce sont des sujets auxquels on réagit fortement parce qu'ils réactivent le souvenir d'une période proche de l'histoire dont on a le sentiment de s'être libéré. Le voir resurgir soulève le spectre d'un «retour en arrière». Celui-ci s'exprime chez les enseignants [...] par des paroles comme celles-ci: «Je ne

---

26. Voir également Hohl (1996a).
27. La méthode des incidents critiques consiste à demander à des individus de décrire en quelques lignes une situation qu'ils ont vécue et dans laquelle ils ont éprouvé un choc culturel. Ce dernier se caractérise par le «heurt avec la culture de l'autre [...] une réaction de dépaysement, plus encore de frustration ou de rejet, de révolte et d'anxiété ou même d'étonnement positif, en un mot une expérience émotionnelle et intellectuelle qui apparaît chez ceux qui, placés par occasion ou profession hors de leur contexte socio-culturel, se trouvent engagés dans l'approche de l'étranger» (Cohen-Émerique, 1985: 285, citée dans Hohl, 1993: 29).

peux pas croire qu'on a fait tout ce chemin pour se retrouver là » ou encore « Ça été assez dur de gagner notre autonomie [de femmes], il n'est pas question de revenir en arrière ». (Hohl, 1993 : 31-32).

Les thèmes sujets à des incidents critiques touchent notamment les modes de socialisation des enfants (punitions corporelles, affirmation de soi et autonomie) et les rapports entre les hommes et les femmes. Chacune de ces sphères est le lieu de réactions parfois fortes des enseignantes face à des pratiques culturelles jugées dépassées et rétrogrades.

Par exemple, même s'il est établi clairement que les enfants québécois sont toujours victimes de formes de punitions corporelles et d'abus physiques, on trouve inacceptable dans la société québécoise des années 90 que des enfants subissent des punitions corporelles. Le modèle idéal privilégié dans notre société implique, comme le souligne Hohl, « la communication avec l'enfant, la reconnaissance de son intégrité physique et la négociation de règles de conduite acceptables aux deux parties (parents-enfants ou enseignantes-enfants) » (Hohl, 1993 : 32). Ce modèle idéal s'appuie sur l'idéologie des droits de l'enfant dont les enseignantes, comme groupe professionnel, se font des ardents défenseurs. Elles refusent alors toute discussion avec les parents d'enfants immigrants pour qui l'autorité dans les relations entre parents et enfants et les punitions corporelles font partie d'une socialisation familiale dans laquelle se reconnaît l'enfant lui-même. Les réactions des enseignantes à ces pratiques culturelles et le refus de les reconnaître, sinon comme acceptables, du moins comme possibles dans un système de références autre que le leur, coupent à la base toute communication qui pourrait amener des changements d'attitudes et de comportements autant chez les enseignantes que chez les parents d'enfants immigrants.

Dans le même ordre d'idées, dans le système de référence des enseignantes, l'affirmation de soi et l'autonomie des enfants constituent des valeurs importantes qui influencent grandement la nature et la qualité de la relation pédagogique. Or, nombre d'enfants immigrants n'ont pas appris l'affirmation de soi ni l'autonomie, car dans leur milieu familial, ces pratiques ne sont pas reconnues aux enfants. Par exemple, chez les musulmans, c'est un devoir pour l'enfant que de baisser les yeux lorsqu'il parle à un professeur ou à d'autres personnes jugées importantes. Trop souvent, chez le personnel enseignant, cette attitude est considérée, à tort, comme de l'hypocrisie (Noël-Gaudreault, 1990 : 94).

Les directions d'école et le pluralisme

Devant la diversité à laquelle sont confrontées aujourd'hui les directions d'école, certaines sont tentées de faire la politique de l'autruche en renvoyant les problèmes créés par cette diversité sur le dos des élèves et de leurs familles. S'appuyant sur les résultats de leur recherche auprès d'écoles dans la région de Montréal, Toussaint et Brunet soulignent que :

> Les directions d'école ne semblent pas faire partie du problème [de la diversité]. Elles se refuseraient même à considérer la situation comme l'effet d'une rupture d'équilibre tant à l'intérieur de l'école qu'entre celle-ci et son environnement large. De façon générale, les directions mettent l'accent surtout sur l'environnement externe. Tout cela, comme si ce n'était pas leur conception de l'école qui n'est plus adaptée, mais la réalité qui n'est plus adaptée à leur conception. Cette vision des choses les conduirait, par exemple, à vouloir changer la réalité des élèves plutôt que leur propre façon de gérer. Le dernier constat et non le moindre est à l'effet que les directions d'école questionnées ne se sont pas encore représentées leur école comme urbaine, diversifiée, capable d'harmoniser et d'intégrer toutes les cultures et les valeurs qui s'y côtoient. (Toussaint et Brunet, 1995 : 47).

Pour adapter l'école aux réalités nouvelles de la diversité ethnoculturelle, il ne suffit pas de réaménager quelques pratiques. Certes, on peut tenter de gérer ce problème en appliquant les modèles de gestion sociale connus depuis fort longtemps. Par exemple, on peut être tenté de gérer la diversité à travers une vision bureaucratique, c'est-à-dire en recherchant une solution unique applicable à tous les cas qui se présentent, de façon à encadrer l'action dans des règles et des règlements qui laissent peu de place à l'initiative. On peut être tenté également d'appliquer le modèle technocratique, à savoir que ce sont les experts qui élaborent les solutions sans tenir compte le plus souvent des avis des principaux intéressés sur le terrain, c'est-à-dire ceux qui vivent la diversité au jour le jour.

Or, ces deux approches ont été largement utilisées dans le système d'éducation depuis la réforme scolaire sans qu'elles puissent montrer leur efficacité réelle[28]. En fait, pour certains, elles auraient contribué à faire émerger des problèmes. Une approche de la diversité réaliste serait liée à une vision démocratique de ce problème, c'est-à-dire à une vision qui laisse une place importante à l'implantation de différents modèles de gestion de la diversité, donc une vision décentralisée qui donne aux acteurs impliqués dans les pratiques concrètes le pouvoir de redéfinir les règles du jeu selon leur situation particulière. Comme le souligne Fortin :

> Le caractère démocratique implique la reconnaissance de l'expertise des acteurs en situation à redéfinir les règles du jeu à travers lesquelles ils pourront gérer la problématique de la diversité propre à leur contexte ; en fait, il s'agit d'en faire

---

28. Sans aller aussi loin dans la critique du modèle bureaucratique en éducation, le Conseil supérieur de l'éducation, dans son rapport annuel de 1991-1992, souligne explicitement que ce modèle ne parvient plus à fournir les réponses nécessaires à la gestion et à l'adaptation de la mission éducative de l'école (Conseil supérieur de l'éducation, 1992b : 26).

non seulement les acteurs mais aussi les auteurs des nouvelles règles du jeu. La décentralisation implique que chaque milieu dispose d'une marge de manœuvre effective ; l'école et la communauté locale dans laquelle elle évolue seraient les lieux d'ancrage de cette démarche. (Fortin, 1995 : 396-397).

Cette expertise montre toute l'importance, par exemple, du rôle de l'enseignante et de l'enseignant en matière de valeurs dans le défi de la pluralité. Cette expertise suppose le développement de compétences pour faire face aux nombreux problèmes auxquels sont confrontés quotidiennement les différents acteurs de l'école.

Le personnel enseignant, les familles et les élèves : quand la logique d'intégration ne va plus de soi

Il est plus facile pour l'école de modifier les valeurs familiales en passant par la socialisation de l'enfant, que pour les familles de transformer l'école à travers leurs enfants. « Certes, comme l'indique Houssaye, bien des parents n'accepteront pas qu'un maître tente à travers l'enfant de modifier les valeurs ou le mode de vie de leur famille. Il reste que les pouvoirs respectifs des uns et des autres ne sont pas équivalents : les parents ne peuvent porter que des opinions sur l'école ; les jugements que l'école porte sur les enfants, et à travers eux sur les familles, ont "force de loi" car l'école est avant tout une formidable et permanente machine à évaluer » (Houssaye, 1991 : 34). En ce qui concerne les rapports des familles immigrantes, des minorités culturelles et de l'école, le problème se double d'un ensemble de représentations qui agissent comme des résistances à la reconnaissance des différences culturelles et qui se traduisent en attentes réciproques de part et d'autre. Dans son étude sur les relations entre l'école et les communautés en milieu pluriethnique montréalais, Mc Andrew montre que les intervenants scolaires souhaitent modifier les comportements des parents des familles pour diminuer les écarts entre les valeurs de l'école et celles des familles alors que les familles veulent que l'école s'adapte à la pluralité culturelle (Mc Andrew, 1988, dans Helly, 1996 : 349).

Pour le moment, le système d'éducation québécois demeure monoethnique et le personnel enseignant n'est pas « spontanément conscient » de la nécessité de s'adapter aux nouvelles réalités engendrées par le caractère de plus en plus multiethnique du Québec (Folco, 1990 : 49). De leur côté, les familles immigrantes et plus largement les familles issues des communautés culturelles formées plus récemment au Québec ignorent le langage social de l'école, de telle sorte que ce qui est appris par l'enfant à l'école est aussitôt défait lorsque celui-ci arrive à la maison. L'école québécoise et ses maîtres favorisent grandement l'autonomie, l'individualisme, la pensée rationnelle et la prise de parole chez les enfants, ce qui entre en contradiction avec la culture d'un grand nombre de parents immigrants (Béliard, 1990 : 87).

Le personnel enseignant et les parents immigrants

Le rapport des familles à l'école n'a jamais été facile[29] et l'instauration d'une véritable action éducative concertée entre ces deux partenaires n'a pas encore vu le jour. Les représentations des parents et celles du personnel enseignant touchant à leurs rôles respectifs auprès de l'enfant laissent place à différents types de relations qui peuvent être soit difficiles, soit indifférentes ou encore qui tendent, selon le souhait des parents comme du personnel enseignant, vers des formes de coopération peu développées encore dans le système d'éducation (Anadon, Garnier et Minier, 1994). Les attentes des parents face à l'école varient passablement selon que la famille est d'immigration récente ou non. Les familles faisant partie des groupes sociaux établis depuis longtemps au Québec (incluant les francophones) attendent de façon prioritaire de l'école qu'elle socialise et scolarise tout à la fois, c'est-à-dire qu'elle intègre les enfants à un ensemble de valeurs vécues comme partagées tout en leur permettant d'acquérir les connaissances de base (Dubet et Martuccelli, 1996a ; Henriot van Zanten, 1996 ; Anadon, Garnier et Minier, 1994). Ce rôle attendu de l'école s'accorde avec la représentation du personnel enseignant pour qui l'école est un lieu de socialisation et de scolarisation[30]. Les parents immigrants, pour leur part, mettent plutôt l'accent sur la fonction d'instruction de l'école, c'est-à-dire les apprentissages de base, ce qui va à l'encontre de la représentation que se font généralement les enseignantes et les enseignants des principaux rôles de l'école (Hohl, 1996b : 51).

Le rapport que les parents immigrants entretiennent avec l'école est quelque peu différent de celui des parents d'autres groupes sociaux. Comme le souligne le Conseil supérieur de l'éducation dans son analyse des relations école et familles, les familles d'immigration récente ont un rapport différent à l'école : elles « perçoivent davantage l'école comme un outil de mobilité sociale, s'en montrent généralement plus satisfaites et lui accordent une plus grande crédibilité que les autres familles. Elles s'en remettent davantage au personnel scolaire que les parents québécois de souche et ont tendance à entretenir envers leurs enfants des attentes élevées sur le plan de la persévérance et de la réussite scolaires[31] » (Conseil supérieur de l'éducation, 1994b : 16). Les problèmes vécus plus largement entre les différentes communautés culturelles et l'école sont de natures diverses et portent sur de nombreux points comme :

> Les difficultés de communication entre l'école et les parents des communautés culturelles liées à la barrière linguistique ou aux différences culturelles ; une parti-

---

29. Pour une description historique de la place des parents dans l'école québécoise francophone, on pourra consulter Picard (1983 : 73-125).
30. Selon Laperrière, chez les enseignants québécois de vieille souche, prédomineraient une vision assimilatrice de l'école et une perception de l'intégration à l'école qui en feraient une responsabilité des immigrants (Laperrière, 1983, dans Helly, 1996 : 346).
31. Dans certaines familles immigrantes, l'échec scolaire de l'enfant est vécu comme un déshonneur par les parents qui peuvent aller jusqu'à rejeter leur enfant (Noël-Gaudreault, 1990 : 93).

cipation plus faible des parents des communautés culturelles[32] aux diverses activités de l'école et/ou, en cas de participation, de la timidité et de l'hésitation à faire connaître leurs besoins et leurs opinions ; le manque de connaissance et de compréhension du système scolaire de la société d'accueil chez les parents des communautés culturelles ; les grandes différences de valeurs entre l'école et la communauté qui suscitent des conflits relativement à des dimensions comme les comportements parentaux dans la famille, la discipline et les orientations pédagogiques à l'école, le classement des élèves ainsi que le degré de multiculturalisme dans l'ensemble du système scolaire. (Mc Andrew, 1993 : 61).

Les visées de socialisation sont beaucoup plus fortes dans les écoles nord-américaines qu'européennes. Au Québec, et dans ces conditions, comme le souligne Hohl, la « priorité accordée aux objectifs de socialisation ressort tout particulièrement, à l'heure actuelle, quand on aborde la question de l'intégration des enfants immigrants : il existe chez les intervenants scolaires une tendance à sous-estimer la réussite scolaire telle qu'en témoignent les rendements scolaires et à retenir comme indices d'intégration l'acculturation des jeunes aux valeurs de la majorité et l'utilisation spontanée de la langue française dans les communications informelles » (Hohl, 1996b : 54).

En plus d'accorder une importance non négligeable à la fonction de socialisation, l'école québécoise a des attentes précises envers les parents qui se doivent d'être des soutiens au personnel enseignant, de partager les normes sociales et culturelles de l'école, de respecter les rendez-vous fixés par le personnel enseignant, d'investir les ressources et le temps nécessaires afin de corriger une situation difficile signalée par le personnel enseignant, d'être les principaux « motivateurs » de leurs enfants et responsables de leur volonté d'apprendre. Comme le souligne Hohl, la « conviction que l'école ne peut rien faire si le parent ne s'investit pas intensément, particulièrement avec un enfant en échec, est fortement ancrée dans les représentations des enseignants » (Hohl, 1996b : 60). Ce parent « idéal », auquel l'école voudrait s'associer, ne trouve pas écho chez les parents immigrants qui, pour un bon nombre, se sentent plutôt démunis face à l'école et à ses exigences.

Et la diversité ethnoculturelle chez le personnel enseignant

Face au nouveau défi de l'intégration, la société remet en question les différents mandats (instruction, qualification, etc.) des écoles montréalaises vivant le plus fortement la multiethnicité en raison de la mise en place de mesures d'ajustement et

---

32. Ce que confirme l'enquête de Montandon (1991) auprès de parents genevois. Les parents les moins mobilisés envers l'école sont les parents immigrants suivis des parents de milieux populaires. Selon d'autres chercheurs, la participation des parents à l'école varie en fonction du degré d'hétérogénéité sociale que l'on trouve dans l'école. Ainsi, dans les écoles où l'on trouve une clientèle hétérogène, les parents s'investissent peu ; dans un milieu homogène, ils s'investissent davantage (Henriot van Zanten, 1996 ; Henriot van Zanten, Payet et Roulleau-Berger, 1994).

d'adaptation (augmentation du temps d'accueil, cours d'appoint après la classe ou le samedi, etc.) afin de favoriser l'intégration des élèves allophones[33] (Mc Andrew et Jacquet, 1996 : 291).

Parmi les solutions avancées pour favoriser l'intégration des élèves allophones à l'école et à la société québécoises, on note une volonté d'augmenter la représentation des groupes ethniques dans la composition du personnel enseignant, suscitant de la sorte un rapport identitaire favorable dans la relation pédagogique. Pour ce faire, il semble que l'institution scolaire doit faire place en son sein à des pratiques innovatrices favorables à la mise en place d'une culture commune dans l'école et dans la société. Comme le soulignent Moisset *et al.*, qui reprennent les conclusions d'une enquête française :

> […] la présence dans l'école d'enseignantes et d'enseignants issus des communautés immigrantes et, de manière plus générale, l'ouverture de l'école sur les cultures immigrées, favorisent la participation des parents à la vie et aux projets pédagogiques de l'école, réduisent la distance entre celle-ci et la famille, rapprochent les élèves originaires du pays d'accueil et les élèves migrants et contribuent à l'intégration et à la réussite scolaire de ces derniers. (Moisset *et al.*, 1995 : 33).

La représentation des groupes ethniques dans le corps enseignant serait donc une des solutions avancées pour favoriser l'intégration des élèves immigrés. Or, il semble bien que la profession enseignante soit boudée par les membres des groupes ethniques, ce que confirme la quasi-absence de ceux-ci dans les programmes de formation des maîtres dans les universités québécoises, même à Montréal qui vit pourtant au cœur de la réalité multiethnique du Québec. Les raisons invoquées par les membres des différents groupes ethniques sont nombreuses pour justifier le choix de ne pas faire carrière dans l'enseignement, dont deux principalement retiennent l'attention :

1. Selon eux, la profession enseignante ne constitue pas un métier ayant une grande considération sociale et ne permet pas non plus une forte mobilité sociale (tant géographique qu'économique). Pour beaucoup d'entre eux, cette mobilité est essentielle, car elle donne plus de possibilités de migrer vers l'Ontario ou vers les autres provinces canadiennes.

2. Leur propre socialisation scolaire entre en conflit avec ce qu'ils perçoivent comme une relation pédagogique où le maître n'est plus respecté par les élèves. Pour un bon nombre d'entre eux, l'école était un lieu où s'exerçait une forte discipline et où le maître jouissait d'un respect fort important. Ce qu'ils ne pensent pas pouvoir obtenir dans les classes québécoises (Hohl, 1996c).

---

33. Est considéré comme allophone l'élève dont la langue maternelle n'est pas le français et qui doit passer par les classes d'accueil pour une période d'environ 10 mois avant d'être intégré en classe régulière afin d'acquérir les compétences de base dans la langue d'enseignement.

Dans les rapports des familles immigrantes à l'école et du personnel enseignant à ces mêmes familles, on note un chassé-croisé de représentations et de valeurs qui entrent en conflit dans de nombreuses situations. Selon Laperrière, autant les parents d'élèves immigrés que le personnel enseignant paraissent pour une bonne part éloignés de la réalité cosmopolite des enfants ; cela s'expliquerait par le fait que ni les parents d'élèves immigrants ni le personnel enseignant n'ont grandi et vécu dans un environnement pluriculturel (Laperrière *et al.*, 1991, citée dans Helly, 1996 : 346). À défaut de trouver des arrangements déjà tout faits sur les manières de se percevoir mutuellement et de vivre ensemble, il reste à chercher les moyens de favoriser une sensibilisation plus grande du personnel enseignant aux différentes réalités des communautés ethniques et des immigrants[34], tout en renforçant l'accueil et le soutien pour les élèves allophones dans les écoles et en fournissant une plus grande information à leurs parents ou aux agents de liaison qui font les liens entre l'école et les familles de ces élèves.

Résumé

Le système québécois d'éducation s'est constitué historiquement sur les droits et les privilèges des deux grands groupes de la population dans la province, soit les francophones et les anglophones qui forment dans la société québécoise d'alors deux solitudes. Dans cette société duale, le pluralisme joue essentiellement sur le plan de la langue, de la religion et de l'origine sociale. La diversité ethnique déjà présente au tournant du XIXe siècle au Québec ne soulève pas de difficultés majeures à ce moment, dans la mesure où l'immigration francophone et catholique est intégrée dans le réseau des écoles catholiques francophones alors que les « autres », c'est-à-dire les allophones et les non-catholiques, parlant différentes langues et pratiquant différentes religions, seront intégrés au réseau des écoles anglophones et protestantes. Cette dynamique de redistribution des populations immigrantes a très bien convenu tant aux francophones qui pouvaient ainsi préserver la pureté de leur langue et de leur religion, qu'aux anglophones qui ont compris très rapidement l'apport que constituaient les immigrés à leur communauté.

Avec l'avènement des années 60 et de la Révolution tranquille au Québec, les francophones de la province, qui s'étaient jusqu'alors perçus comme des minoritaires dans un Canada à majorité anglophone, redéfinissent leur identité, se percevant dorénavant comme un peuple majoritaire dans un Québec francophone. La religion qui avait servi à l'intégration des francophones à une nation depuis la conquête de 1759 est reléguée au second plan pour laisser place à l'affirmation du français dans

---

34. C'était d'ailleurs l'un des buts visés par le Parti québécois de 1977 à 1985, soit sensibiliser le personnel du secteur public aux besoins des minorités culturelles (Helley, 1996 : 448).

tous les domaines de la vie publique. Comme le confirme l'importance accordée à la Commission Parent au début des années 60, on veut faire jouer au système d'éducation québécois un rôle de premier ordre dans la nouvelle définition de l'identité québécoise. Toutefois, malgré son passage sous l'égide de l'État, le système d'enseignement québécois reste divisé en deux réseaux qui servent les intérêts des francophones catholiques et des anglophones protestants. Or, le maintien des privilèges des deux groupes constitue un obstacle aux changements et à l'ajustement du système d'éducation dans les années 70, 80 et 90. Deux phénomènes posent particulièrement des problèmes, soit les transformations démographiques dans les populations francophones et anglophones, et la forte concentration des immigrants dans la région montréalaise.

Devant la baisse du taux de natalité des francophones du Québec à la fin des années 60 (le nombre des naissances passe sous la barre des 100 000 en 1970) et la dépopulation de la communauté anglophone dans la même période, un nouvel enjeu autour de l'intégration des immigrants prend forme dans la mesure où ces derniers servent, entre autres, à compenser le déficit démographique de la communauté qui réussit à les intégrer. Dans ce contexte, le gouvernement du Québec instaure, au milieu des années 70, une politique linguistique (loi 101, votée en 1977) favorable à la majorité francophone et qui oblige les élèves non francophones et non catholiques à s'intégrer à l'école française. Cette législation à saveur nationaliste dérange autant les anglophones que bon nombre de communautés culturelles du Québec, qui voient dans cette action gouvernementale une tentative d'assimilation au groupe majoritaire francophone. Cette intégration des élèves immigrants à l'école francophone pose une double difficulté dans la mesure où cette école est demeurée la seule institution sociale qui ait gardé son caractère religieux, imposant ainsi aux immigrants une école qui ne répond pas toujours à leurs besoins en matière de religion et de projet éducatif.

La diversité croissante de la population scolaire et son intégration à l'école francophone catholique soulèvent notamment des problèmes dans la région de Montréal, là où certaines écoles connaissent, depuis les années 80, un phénomène de concentration ethnique et où apparaissent des écoles ethniques et clandestines. C'est en fait à partir de 1967, à Saint-Léonard, que la nouvelle dynamique de l'intégration des élèves des communautés culturelles à l'école francophone prend forme, créant ainsi de nombreuses tensions au Québec. L'intégration des élèves immigrants passe aussi par la création des classes d'accueil (créées en 1969, officialisées et développées à partir de 1981-1982) qui fourniront aux nouveaux venus au Québec les outils nécessaires à une intégration rapide à l'école francophone.

L'apport de l'école est donc jugé déterminant dans cette volonté de l'État québécois d'intégration des communautés culturelles et des immigrants à une culture commune francophone par l'entremise de l'institution scolaire. En fait, ce sont les agents de la socialisation scolaire qui deviennent, dans ce contexte, des acteurs fort importants dans la transmission de valeurs communes et dans la création d'un « vivre-ensemble » dans l'école. Or, ni les directions d'écoles ni le personnel enseignant ne semblent être en mesure de faire face au défi de l'intégration des élèves immigrants et de ceux qui sont issus des communautés culturelles en raison de la complexité de la tâche et d'un manque de préparation à cette tâche. Certes, on pointe du doigt les programmes de formation des maîtres qui seraient en retard sur la réalité de la pluriethnicité dans les écoles, mais aussi les représentations sociales de l'ethnicité des agents scolaires ; ces derniers éprouveraient de nombreuses difficultés à comprendre les différences culturelles des élèves immigrants et de leurs parents.

Les parents d'élèves immigrants éprouveraient aussi de grandes difficultés à saisir les attentes de l'école québécoise à leur égard. Ils souhaiteraient que l'institution scolaire serve premièrement à l'instruction de leurs enfants alors que le personnel enseignant insiste tout autant sur la mission de socialisation de l'école que sur celle de transmission des savoirs, ce qui occasionne un écart dans les attentes des uns envers les autres. Les directions d'école, pour une bonne part, participent à cette incompréhension mutuelle. Elles rendent responsables les familles immigrantes des difficultés scolaires de leurs enfants et se dégagent du problème en refusant de voir que les modes d'action au sein même de l'école sont peut-être pour quelque chose dans le problème lui-même. En somme, la logique d'intégration de l'école québécoise telle que l'a voulue l'État québécois ne semble pas aller de soi dans une société où la population se diversifie et où les rapports entre les groupes se complexifient grandement. L'idéal de la création d'une culture commune francophone par l'école semble se dérober dans une dynamique sociale de concurrence entre les groupes sociaux dans la société en général et dans l'école en particulier.

Conclusion

La diversité des populations scolaires du Québec oblige l'école à revoir sa façon de concevoir ses modes de fonctionnement et ses manières d'organiser l'action humaine. La vision mécaniste de l'organisation telle qu'elle fut présentée depuis les années 50, et qui a structuré en bonne partie nos représentations de l'école, ne tient plus devant la complexité des interactions qui se font maintenant dans toutes les organisations, y compris l'école. L'organisation ne peut plus être considérée comme quelque chose de donné d'avance et de défini par des intervenants extérieurs (comme les planificateurs, le législateur, etc.)

> [...] mais comme une construction sociale qui se transforme par le jeu des interactions des acteurs y participant. L'analyse du rapport au pouvoir s'inspirant d'une telle conception de l'organisation s'intéresse autant au processus d'élaboration des règles décisionnelles qu'à l'exercice du pouvoir dans les règles ainsi élaborées. Le partage du pouvoir constitue lui-même un enjeu majeur qui mobilise les

acteurs à redéfinir constamment les processus décisionnels et la place qu'ils y occupent. Les conflits résultant de ces interactions sont vus et analysés comme des processus de redéfinition des règles du jeu bien plus que comme des différends sur les décisions prises à l'intérieur de ces règles. (Fortin, 1995 : 394).

La diversification des modes de vie dans la société québécoise oblige en quelque sorte au dialogue afin de mettre en œuvre des pratiques sociales communes. L'école n'échappe pas à ce nouvel impératif. Comme le souligne Pagé (1995a), le « fonctionnement quotidien d'une école n'est plus fixé dans tous ses détails par une autorité s'appuyant sur des règles traditionnelles ; les enseignants, les parents et la direction délibèrent dans les comités institutionnels et dans leurs interactions pour s'entendre sur des normes qui assurent la cohésion de l'institution [...] » (Pagé, 1995a : 48). Dans ce contexte, les formes d'intégration habituelles au sein de l'institution laissent place à des formes d'arrangements mutuels négociés entre les différents acteurs de l'école. La négociation touchant les demandes de dérogation aux normes scolaires sont un exemple des efforts effectués afin de trouver des arrangements qui soient viables pour tous (Pagé, 1995a : 49).

Les faits montrent que l'école se définit de moins en moins comme une institution dans le sens strict du fonctionnalisme, c'est-à-dire comme l'intériorisation par les individus des valeurs, des normes et des rôles que la société voudrait leur inculquer et leur faire jouer. En d'autres mots, les fonctions de l'école (éducation, instruction, qualification) ne sont pas intégrées, ne forment pas un tout, n'amènent pas l'accord immédiat de tous les partenaires de l'école, que ce soient les parents, les élèves ou encore les enseignantes et les enseignants. En raison de son incapacité à institutionnaliser des valeurs et à intégrer toutes ses fonctions sociales, de plus en plus de spécialistes de l'école conçoivent dorénavant cette dernière en fonction de sa capacité à produire de l'action concertée.

En effet, la logique d'intégration représentée par les programmes et l'ensemble des mécanismes scolaires ne correspondent pas aux données empiriques. En fait, ces données font plutôt prendre conscience que les partenaires de l'école sont en interdépendance et en interaction dans des situations diverses où leurs intérêts réciproques sont en jeu : ils définissent alors leur situation selon leurs objectifs propres, les possibilités qui se présentent, les contraintes, etc. La logique stratégique explique en partie comment les acteurs arrivent à tirer leur épingle du jeu, à protéger leurs intérêts et leur tranquillité tout en participant de façon parfois minimale à l'ensemble. On voit le rôle important que peut jouer la logique stratégique dans la socialisation des jeunes par l'école : *pris souvent entre la liberté ou le contrôle, les jeunes essaient de sauvegarder ce qu'ils considèrent comme leur intérêt.*

C'est par l'interaction signifiante entre les acteurs de l'école que se réalise la socialisation et c'est de la qualité de cette interaction entre les acteurs que dépend l'incidence de l'école sur les jeunes. Cette réalité donne une profondeur et une perspective particulière au métier d'enseignant : construire une réalité sociale concrète qui soit signifiante pour les jeunes. Et c'est précisément la nature problématique de l'action collective que de construire cette coopération nécessaire pour rendre possibles ces interactions, bref pour construire de l'action concertée dans un contexte où les acteurs sont conscients de leur interdépendance réciproque.

QUESTIONS

1. L'école serait « culturellement non neutre » selon l'introduction du chapitre. Pourquoi ?

2. Par ailleurs, quels sont les trois rôles que l'école comme institution de socialisation devrait jouer face à l'intégration des immigrants ?

3. Relevez les caractéristiques de l'école québécoise francophone d'avant la réforme des années 60 qui en faisaient l'école « d'une société homogène ».

4. Décrivez le contexte qui a amené les francophones à prendre conscience du fait qu'ils sont majoritaires au Québec. Quelles en ont été les conséquences pour les « autres », qu'ils soient anglophones ou immigrants ?

5. En quoi l'intégration des immigrants constitue-t-elle un enjeu important dans le Québec des années 80, particulièrement à Montréal ?

6. Comment les dernières recommandations du Rapport Parent à propos de la confessionnalité constituaient-elles une ouverture au pluralisme ? Comment expliquer l'échec des efforts entrepris pour restructurer l'éducation sur une base autre que la religion ?

7. Quels sont les difficultés et les problèmes que posent à l'école, comme institution sociale démocratique et ouverte à tous, les caractéristiques confessionnelles du système d'éducation québécois en ce qui concerne les structures et les arrangements juridiques, l'école et les individus ? Croyez-vous personnellement jusqu'à ce jour que la confessionnalité scolaire pouvait poser des problèmes à l'égard de la liberté de conscience, de la discrimination, du respect de la diversité religieuse, etc. ?

8. Quels problèmes pose à l'école le fait qu'au Québec les catholiques ont droit à des privilèges auxquels n'ont pas droit les autres : choix entre l'enseignement moral ou l'enseignement religieux catholique et service de pastorale ? Quelle serait la solution ? Sur quels arguments la fondez-vous ?

9. Comment expliquez-vous que malgré la baisse de la pratique religieuse des parents et des familles, ces mêmes parents exigent que l'école soit reconnue comme catholique et qu'elle enseigne la religion à leurs enfants ? Si la logique d'intégration passe par l'intériorisation des valeurs par les acteurs en se conformant à des normes et en jouant des rôles en conséquence, alors le comportement des parents ne s'explique pas par cette logique. Comment s'explique-t-elle ?

10. Quelles sont les pratiques des enseignants du primaire en matière de choix de l'enseignement religieux ? Par quelle logique d'action s'expliquent de telles pratiques ? Ces pratiques entraînent-elles des problèmes pour les enseignants, pour l'école, pour l'Église ?

11. En prenant conscience de leur statut de majoritaires, les francophones du Québec se sont donné une politique linguistique. Quelles ont été les différentes étapes de la mise en place d'une véritable politique linguistique en vertu de laquelle maintenant les immigrants au Québec doivent fréquenter l'école française ? Cette politique a-t-elle donné des résultats ?

12. Quelles sont les difficultés que pose aux autorités scolaires de Montréal le défi de l'intégration des immigrants ?

13. À partir des recherches et des pratiques observées, décrivez les principaux problèmes que rencontrent les enseignants face au pluralisme. Croyez-vous que ce problème ne vous toucherait pas si vous enseigniez ailleurs qu'à Montréal ? Dites pourquoi.

14. Comment les directions d'école font-elles face à l'exigence du pluralisme dans leur école ?

15. Quelles sont les nouvelles compétences, établies par le Conseil supérieur de l'éducation, que doit développer le personnel enseignant relativement à la diversité culturelle ?

16. Quelles sont les pratiques des parents des élèves immigrants ? Comment les enseignants et les enseignantes considèrent-ils ces pratiques ?

17. Qu'entend-on par vision démocratique de la diversité culturelle en milieu scolaire ?

18. Qu'attendent, de l'école, les familles immigrantes qui sont établies depuis longtemps au Québec ?

19. Qu'attendent, de l'école, les parents immigrants de récente date ?

20. Quels sont les problèmes vécus entre les communautés culturelles et l'école ?

CHAPITRE 9

Les multiples rapports sociaux cachés dans la relation pédagogique

Table des matières

Sommaire

Ce chapitre

- explicite, à partir de multiples exemples tirés de la relation maître-élèves, les principales caractéristiques de la logique stratégique, en particulier : l'usage que l'acteur fait de son identité (individuelle ou collective) et de ses ressources pour poursuivre ses intérêts et agir selon ses préférences ; le fait de tenir compte des contraintes du système d'action tout en utilisant la marge de manœuvre qui lui permet de poursuivre ses objectifs et de profiter des possibilités de la situation et de ses rapports aux autres ; la compétition et la concurrence qui se développent entre des acteurs en interdépendance dans un contexte de ressources inégales et d'intérêts divergents ; le pouvoir, non pas comme attribut mais comme relation d'échange et de négociation des comportements ;

- décrit et analyse, à partir de recherches inspirées d'approches sociologiques dites interprétatives, c'est-à-dire qui analysent les phénomènes à partir des « subjectivités » des acteurs de la relation pédagogique, les conduites et les comportements des acteurs dans le registre de la stratégie : les comportements qui visent la sauvegarde de ses intérêts et de ses préférences ; l'utilisation de son identité et de ses ressources comme des atouts dans ses rapports aux autres ; l'aménagement d'une marge de manœuvre par rapport aux règles et aux modes d'action ; la recherche des possibilités qu'offrent les situations ; l'exploitation des zones d'incertitude des autres. Voilà autant de pratiques observables dans le contexte de la relation pédagogique et qui l'inscrivent dans les rapports sociaux de compétition, de rationalité économique, de sauvegarde des intérêts individuels et collectifs, etc. ;

- montre comment ces constats ont des répercussions concrètes sur la pratique du métier d'enseignant, sur les attentes réciproques des parents et du personnel enseignant et sur les rapports stratégiques des enseignants aux familles.

Les multiples rapports sociaux
cachés dans la relation pédagogique

> « Une action de formation ne peut pas se passer de valeur de référence. Elle ne peut pas se passer non plus d'une analyse stratégique de la réalité où elle doit prendre effet. »
>
> Françoise Henry-Lorcherie (1988).

L'école de la réforme scolaire n'a pas été en mesure de créer un consensus autour d'objectifs communs de socialisation scolaire comme l'avait souhaité l'État québécois. Par exemple, la volonté d'intégration de la politique de l'État touchant la langue d'enseignement dans les années 70 et les conflits concernant la confessionnalité des écoles ne rallient pas les différents groupes sociaux autour d'une école commune. Le réseau privé d'écoles, les écoles ethniques et clandestines sont là pour le prouver. La capacité de l'école à institutionnaliser des valeurs, à les transformer en normes de fonctionnement organisationnel et en rôles sociaux s'est fortement affaiblie face à la montée des consommateurs d'école comme les nomme Baillon (1982), c'est-à-dire ces parents et ces élèves qui exigent une éducation adaptée à leurs besoins de distinction sociale. De l'autre côté, des écoles développent des programmes et des cours agencés à des publics cibles, s'efforçant ainsi d'attirer les meilleurs élèves.

Les élèves qui se présentent aujourd'hui aux portes de l'institution scolaire ne ressemblent plus aux élèves de l'école de rang d'autrefois. Ces derniers étaient soumis à une intégration parfois dure aux règles de l'institution scolaire et du savoir-vivre valorisé en son sein. Le redressement (ortho) de l'enfant (pédie)[1] avait un sens à cette époque pour les instituteurs et les institutrices. Ils n'ont plus rien à voir également

---

1. Vulbeau (1993) a étudié le développement de l'orthopédie et de la pédagogie : « Au milieu du XVIIIe siècle, l'Orthopédie, à partir de la norme du droit, organise le discours du redressement qui se matérialisera dans des dispositifs médicaux, pénitentiaires et psychiatriques. À la fin du XIXe siècle, la Pédagogie, avec sa norme du mouvement, anime une idéologie de la mobilisation concrétisée dans la première période de massification des colonies de vacances. Les enfants seront ramenés dans l'ordre dont ils déviaient […] » (Vulbeau, 1993 : 10). L'orthopédagogie, qui nous intéresse beaucoup plus ici, est la fusion des deux systèmes normatifs que sont l'orthopédie et la pédagogie. Vulbeau précise qu'un « système normatif est un ensemble d'éléments interdépendants dont la référence est une norme générale de comportement » (ibid.). Cette norme est évidemment scolaire dans le cas de l'école.

avec ceux qui ont fréquenté les écoles dans les années 60 et 70, soumis non plus à l'orthopédie mais à une vision plus psychologique du développement de l'enfant, plus près de ce que les classes moyennes pensent de l'enfance à ce moment-là (Debarbieux, 1996 : 23). Le Conseil supérieur de l'éducation décrit ainsi la réalité des élèves du primaire aujourd'hui :

> Ils ont plus de stimulations extérieures mais ont moins de rapports humains significatifs ; ils sont plus précoces mais ont une identité plus complexe à construire ; ils doivent transiter entre de nombreux univers, sont plus libres mais aussi plus seuls. Par conséquent, ils exercent autrement leur métier d'élève, c'est-à-dire ils font moins de liens entre ce qu'ils savent, manifestent moins d'intérêt à l'école, ont des relations plus exigeantes avec les adultes, et surtout, constituent une population beaucoup plus hétérogène et diversifiée. (CSE, 1995b, cité dans Montpetit, 1995).

À l'instar de leurs cadets, la majorité des adolescents et des adolescentes du Québec (12-18 ans), même s'ils disent se sentir bien dans leur peau, bien s'entendre avec leurs parents et être à l'aise à l'école (Cloutier, 1991 : 1), demeurent confrontés aux mêmes difficultés de gestion des aspects de la vie. Et les nouveaux modes de vie proposés à ces jeunes ne sont pas sans conséquences sur leur rapport à l'école. Comme le souligne l'Organisation de coopération et de développement économique (OCDE) : « Avec l'universalisation des médias, les jeunes peuvent maintenant trouver leur inspiration, acquérir des connaissances, se forger des valeurs par bien d'autres voies qui ne sont pas toujours compatibles avec le climat de l'école et l'esprit de la salle de classe. [...] Les attitudes vis-à-vis du monde des adultes et de l'autorité des maîtres ont sans aucun doute changé elles aussi » (Organisation de coopération et de développement économique, 1990 : 110).

On observe des changements similaires chez les populations étudiantes qui définissent aujourd'hui leur expérience sociale et scolaire selon des paramètres bien différents des étudiants et des étudiantes des décennies précédentes. Selon une enquête du Conseil supérieur de l'éducation (CSE), effectuée en 1992 :

> [...] la nouvelle population étudiante ne semble plus tirer son identité et son statut du seul fait de se consacrer à des études, fussent-elles « supérieures », ni de son appartenance à une institution de haut savoir. Elle veut davantage être maître de l'organisation de son temps[2] et concilier les différentes dimensions d'une « vie

---

2. Le temps serait, semble-t-il, une ressource importante de nos jours. Aujourd'hui, le temps est moins vécu comme une question métaphysique que sous la forme « concrète » d'un problème permanent, bien réel, au cœur de la vie quotidienne dont il alimente les conversations. On juge que « le temps va de plus en plus vite » (!), que les rythmes de vie s'accélèrent, que la vie se résume de plus en plus à « une course contre la montre », que le temps manque toujours plus (Sue, 1994 : 11). Enfin, le temps fonctionne comme une ressource, c'est-à-dire que la maîtrise des enchaînements temporels (planification, programmation, projet) est une source importante de pouvoir et qu'organiser le temps des autres, c'est exercer un pouvoir sur eux. Le temps est donc un enjeu (Demailly, 1987 : 70-71).

normale » qui inclut la poursuite des études, la pratique d'un travail rémunéré et l'organisation de sa vie personnelle. Elle vit davantage dans le moment présent, tient à demeurer en contact avec la « vraie vie » et souhaite faire très tôt ses propres expériences. Elle attache également beaucoup d'importance à l'autonomie et au développement personnel, cherchant à concilier le plus possible dès maintenant la vie scolaire, la vie affective, la vie sociale et même la vie professionnelle. (Conseil supérieur de l'éducation, 1992c : 33).

De façon générale, selon Lévy et Zakhartchouk, les élèves et les étudiants des années 90 possèdent de nouveaux savoirs comme de « nouveaux modes de communications, une certaine culture informatique et une sensibilité à l'écologie ». Ils ont des comportements différents tels que l'inertie, la passivité, la violence, mais en même temps, « ils recherchent plus de liberté d'expression individuelle, de relations plus humaines [et] ont une forte demande affective ». Leurs façons d'envisager la relation entre le travail et l'école ont aussi changé :

> [...] ils ne veulent plus jouer le seul rôle d'élève ; ils veulent le droit de dire non, de s'investir ailleurs qu'à l'école et de se désinvestir de l'école. Ils sont moins curieux et adoptent des stratégies de calcul et d'évitement d'effort. Ils n'attendent plus de l'école qu'elle les aide à former des valeurs, de contribuer à leur épanouissement. La visée professionnelle l'emporte sur la visée culturelle. La réussite est un droit ; ils veulent une *garantie de résultats*, quels que soient les moyens employés. (Lévy et Zakhartchouk, 1993 : 12).

En ce qui concerne plus particulièrement l'école secondaire, deux études effectuées en 1992 par le Conseil permanent de la jeunesse du Québec ont fait ressortir quatre lacunes perçues par les jeunes dans leurs rapports à l'enseignement secondaire : 1) l'école secondaire est déshumanisée ; 2) le contenu de certains cours est trop théorique ou « décroché de la réalité » ; 3) l'aide est déficiente en matière d'information et d'orientation scolaire et professionnelle ; 4) l'hégémonie des sciences de la nature et des mathématiques démotive bien des élèves (Conseil permanent de la jeunesse, 1992a, 1992b).

L'analyse globalisante des faits éducatifs, qui a été longtemps l'analyse des modes d'intégration (fonctionnalistes) ou d'exclusion (théories conflictuelles de l'école) à la culture scolaire, perd de son pouvoir explicatif face à un monde qui ne se définit plus comme un système social, une institution, mais plutôt comme un monde où l'action se négocie dans et par les pratiques sociales. Dans ces conditions, l'étude des pratiques sociales concrètes des acteurs sociaux dans l'école constitue une manière plus efficace de lire et d'expliquer les situations sociales et scolaires. Cette nouvelle approche, celle notamment de la sociologie de l'éducation à la fin des années 70 et au début des années 80, impose d'autres façons d'observer et d'interpréter la pratique des acteurs sociaux dans l'école. Parmi les paradigmes des sciences sociales appliqués dorénavant à l'étude des faits éducatifs dans l'école, on note l'utilisation de la phénoménologie, de l'ethnométhodologie, de l'interactionnisme symbolique et de l'anthropologie culturelle (notamment américaine). Toutes ces approches se donnent comme objectif de décrire d'abord, d'expliquer ensuite et de comprendre enfin les conduites humaines au plus près de la quotidienneté, tout en postulant que les pratiques des acteurs sociaux sont constitutives de la société[3]. Elles tentent d'une certaine manière d'étudier la manifestation des rapports sociaux, c'est-à-dire la production et la reproduction des inégalités dans la quotidienneté de l'école et de la classe.

Cependant, il semble que les rapports sociaux ne se définissent pas ainsi dans les interactions en contexte organisationnel. En inventant socialement des institutions, les êtres sociaux n'ont plus besoin d'exprimer une domination pour qu'elle existe comme un terrain quasi naturel inscrit dans la division du travail, dans les filières scolaires, les textes de loi, etc. (Lahire, 1992 : 87). Dès lors, comment saisir les rapports sociaux qui caractérisent toute situation sociale ? Comment les repérer dans la classe ? C'est, entre autres, à travers les médiations institutionnelles constituées par la division du travail scolaire, les structures et les filières scolaires, les politiques et les règles de l'institution, les rites et les symboles, le temps et l'espace, etc., qu'il est possible de rendre visibles les rapports sociaux et les relations ou interactions sociales qui en découlent.

Malgré toutes les nouvelles responsabilités données à l'école ces dernières années, elle demeure l'« imposition d'une relation contrainte au nom de sa justification externe (savoir, diplôme, insertion sociale, etc.) » (Houssaye, 1996 : 175). Or, quand les savoirs scolaires deviennent un laboratoire pour didacticiens et planificateurs de programme, quand le diplôme prend la forme d'un passeport pour des lieux inconnus ou un avenir précaire, quand enfin l'insertion sociale connaît des ratés de plus en plus sévères chez les jeunes, que reste-t-il comme légitimité à l'école ? Que peut-elle offrir d'autre qui puisse lui procurer une raison d'être valable auprès des élèves ? Sur quelle légitimité institutionnelle peuvent se reposer les enseignants et les enseignantes dans la constitution de la relation pédagogique avec leurs élèves ou dans leurs relations avec les familles de ces élèves ?

Depuis vingt ou trente ans, le rôle des parents a radicalement changé, l'expérience de vie des élèves s'est beaucoup complexifiée, les rapports entre les familles et l'école a subi des transformations profondes. Les enseignantes et les enseignants ne peuvent donc plus se comporter dans l'école comme des agents de socialisation qui se conforment aux attentes de l'institution dans laquelle ils agissent. En effet, les parents interviennent beaucoup plus qu'auparavant dans le choix de l'établissement scolaire de leur enfant. Ils interfèrent, comme le souligne Delhaye, « dans le jeu scolaire en fonction de leur position sociale et suivant leur perception du processus de socialisa-

---

3. La théorie de la structuration de Giddens (1987), entre autres, permet d'observer et d'analyser la société à partir de cette approche épistémologique.

tion par l'école » (Delhaye, 1990 : 146). Devant la diversité des modes de vie, de faire et d'être dont sont porteurs aujourd'hui les élèves et leur famille, devant les arrangements que les enseignantes et les enseignants doivent aménager afin de faire face à la diversité des expériences des élèves, les agents de socialisation sont tenus de se transformer en acteurs de la socialisation scolaire.

La logique stratégique dans la relation pédagogique

On sait que les enfants, surtout les jeunes enfants, souhaitent s'intégrer aux groupes auxquels ils participent à l'école comme à l'extérieur de celle-ci. Dans ce monde où les enfants tirent l'essentiel des références des adultes qui en sont responsables, l'« obsession normative est la règle » (Dubet et Martuccelli, 1996b : 72). En vieillissant, les enfants apprennent par le jeu à transformer les règles du jeu ; ils prennent conscience que les contenus normatifs des situations dans lesquelles ils sont insérés peuvent être révisés. Le désir d'intégration fait place, sans toutefois disparaître, à un désir d'autonomie qui s'accompagne d'une volonté de ne rien devoir aux autres tout en prenant une distance du monde à la fois de l'enfance et des adultes : au conformisme de l'enfance font place graduellement les intérêts de l'adolescent et de l'adolescente qui apprennent vite que « leur intérêt » passe par la négociation avec « l'autorité » (parents, parenté, enseignants-enseignantes, etc.) et la création d'une marge de liberté face aux adultes. L'action stratégique et les stratégies (*voir l'encadré 9.1*) qui en découlent prennent donc une place plus grande dans leur vie sociale et scolaire.

Encadré 9.1
Le concept de stratégie chez Crozier et Friedberg

« Par ce concept central de *stratégie*, Crozier et Friedberg entendent souligner que le comportement de l'acteur dans l'organisation est un comportement actif, jamais totalement déterminé, sans que, cependant, l'acteur ait des objectifs parfaitement clairs et constants. Il changera d'objectifs au cours du temps, en découvrira de nouveaux, en raison même des résultats qu'il aura obtenus. Ce comportement a toujours un sens sans être abstraitement rationnel :

« […] il est rationnel, d'une part, par rapport à des opportunités et à travers ces opportunités au contexte qui les définit et, d'autre part, par rapport au comportement des autres, au parti que ceux-ci prennent et au jeu qui s'est établi entre eux. » (Crozier et Friedberg, 1977 : 47).

« Ce concept de stratégie permet de souligner que, dans le déroulement de leur activité au sein de l'organisation, les participants vont se conduire en acteurs, viser les objectifs liés aux opportunités qui se présentent à eux, viser le renforcement de leurs avantages et de leur capacité d'action. »

Extrait de Pierre Ansart,
Les sociologies contemporaines (1990 : 70).

Cependant, l'action stratégique n'a de sens dans l'école que dans la mesure où elle s'appuie sur la logique d'intégration. Il en va ainsi de toutes les situations où les acteurs sont engagés dans une concurrence. Le jeu d'échecs n'est possible que si les règles de départ sont connues et respectées par les participants ; une joute oratoire n'a de sens et ne peut durer que si les interlocuteurs connaissent et respectent la syntaxe langagière et le sens des mots ; les règles qui régissent les marchés économiques doivent être connues et respectées par tous les participants à ces marchés. Sans une intégration minimale, le jeu n'est pas possible. La concurrence et la compétition pourraient devenir conflit, guerre et anéantissement dans ces conditions. La classe où les élèves se retrouvent en moyenne vingt-sept heures par semaine participe à la même dynamique. Cette dernière prend forme dans la relation maître-élèves, dans cette relation pédagogique qui s'appuie sur une triple base : 1) l'intention de former ; 2) l'intention d'enseigner ; et 3) les interactions maître-élèves. Et cette relation pédagogique est aussi une relation sociale, car même si elle s'effectue dans le cadre fermé de la classe, elle ne peut se vivre en vase clos, elle demeure soumise d'une part au système d'action pédagogique et d'autre part aux influences sociales dont sont porteurs les différents publics scolaires.

Toute relation sociale (*voir l'encadré 9.2*) s'effectue au sein d'un système d'action qui la délimite et lui donne un sens. La relation pédagogique, pour sa part, est organisée à partir du système de travail pédagogique dans la classe. Ce dernier système présente les caractéristiques suivantes :

1) Un manque permanent de temps et de souplesse pour suivre des chemins de traverse, saisir des occasions, répondre à une demande ; 2) de fortes réticences ou difficultés à négocier avec les élèves, compte tenu des contraintes et du peu de degrés de liberté des professeurs ; 3) un recours permanent à des récompenses ou à des sanctions externes (notes, compétition, promotion, punitions) pour faire travailler les élèves ; ce qui induit un rapport utilitariste au travail, en fonction de la note et de la sélection plus que de la maîtrise de savoirs et savoir-faire valorisés comme tels ; 4) une faible différenciation de l'enseignement (horaires, espaces, plans d'études, moyens d'enseignement, formation des maîtres conçue pour un enseignement frontal) ; 5) le poids des tâches fermées, des exercices, des routines, par opposition aux recherches, aux situations ouvertes, aux projets, à la créativité (activités jugées trop lourdes, trop risquées, trop difficiles à évaluer) ; 6) l'omniprésence de la contrainte et du contrôle pour que les élèves viennent en classe et travaillent même sans envie ni intérêt : un contrat didactique basé souvent sur la peur du désordre et des tricheries, la méfiance, la loi du moindre effort ; 7) la place immense prise par l'évaluation formelle (succession des épreuves, pressions à la réussite, bachotage) au détriment du temps d'enseignement ; 8) des relations assez «bureaucratiques» entre maîtres et élèves, chacun son rôle, son métier, son territoire. (Perrenoud, 1994b : 14-15).

Encadré 9.2
Qu'est-ce donc que les relations sociales?

Touraine, sous forme de questions, définit les relations sociales comme suit: « Qu'est-ce donc que les relations sociales? Ce ne peut être seulement la stratégie d'un acteur à l'égard d'autres; une relation sociale échappe à l'acteur puisqu'elle contribue à définir son rôle. Elle ne peut pas être isolée d'un système dont elle fait partie, et, plus précisément, d'un système défini par une certaine intervention d'une collectivité sur elle-même. Pour qu'existe entre deux ou plusieurs acteurs une relation sociale, il faut qu'ils appartiennent au même ensemble [...]. » « Peut-on parler de la relation du père et du fils sans parler de la famille, du maître et de l'élève sans parler de l'école, du patron et du salarié sans parler de l'entreprise? » (Touraine, 1974: 34).

Dans ce contexte, être élève n'est pas naturel, c'est la conséquence d'un apprentissage. En effet, le métier d'élève consiste à acquérir les manières d'être et de faire qui permettent de vivre dans l'institution scolaire. Mettre en pratique son métier d'élève, c'est aussi apprendre à survivre dans l'école. Comme le souligne Houssaye, « Pour ce faire, [...] il faut devenir dissident ou dissimulateur, sauvegarder le plus souvent les apparences pour avoir la paix. [...] À l'école s'exerce la double vie de l'élève: si on accepte de paraître au moins acceptable, les adultes devraient être rassurés et permettre de dégager des marges » (Houssaye, 1996: 113).

Mais les élèves ne maîtrisent pas tous au même degré les règles et les consignes de l'école; ils ne possèdent pas tous les mêmes ressources face aux exigences de la scolarité; ils n'ont pas tous le même soutien de leur famille; ils ne sont donc pas égaux devant la culture scolaire. Ces différences sont importantes dans l'organisation de la classe, dans la création de la relation pédagogique, puisqu'elles obligent à concevoir cette classe non plus comme quelque chose de donné d'avance, mais comme un lieu où se négocie jour après jour la relation pédagogique, c'est-à-dire l'intention de former et d'enseigner par l'entremise d'interactions entre le maître et ses élèves.

Quand les ressources servent à la définition de l'identité

Aujourd'hui, l'image que l'on a de l'enfance peut différer selon sa propre expérience et les discours sur l'enfance véhiculés dans la société. Le plus souvent, cependant, cette image est idéalisée dans la mesure où le monde de l'enfance renvoie aux aspects ludiques de la vie et à l'innocence. L'amour des enfants nous commande aussi d'agir pour leur bien. Cependant, on imagine mal que nos enfants puissent ne pas vouloir ce que nous voulons pour eux, on imagine difficilement qu'ils puissent même refuser, par opposition, rejet, retrait ou mutisme ce que nous leur offrons pour leur bien. On les prive même, dans certaines situations, du droit de revendiquer selon ce qu'ils conçoivent comme leurs intérêts propres. Il en va ainsi généralement de la représentation que nous nous faisons du rapport de nos enfants à l'école.

Peut-on imaginer que nos enfants aillent à l'école de force, qu'ils ne s'y sentent pas bien, qu'ils puissent développer des stratégies d'évitement face à l'apprentissage? En fait, il nous est plus facile de considérer que tout enfant « normalement constitué » aime apprendre. De son côté, il est probablement difficile pour l'enfant de refuser l'école et l'apprentissage: « [...] l'envie d'éviter le pire suffit à expliquer qu'un enfant aille à peu près régulièrement à l'école, qu'il se plie en surface à la discipline, qu'il fournisse un effort dans le travail et qu'il accepte d'être évalué » (Houssaye, 1996: 111). Face à la légitimité de l'école aux yeux des parents, à la légitimité des savoirs scolaires pour les maîtres, à la légitimité culturelle contenue dans ces savoirs, les élèves ont peu de marge de manœuvre. En fait, il est peu probable qu'on puisse penser que dans l'école, les élèves agissent en dehors de ce qui est attendu d'eux, qu'ils puissent être acteurs et actrices de leur socialisation. Comme le souligne Perrenoud:

> Beaucoup d'adultes dénient aux élèves le droit de mener des stratégies, de défendre leur point de vue, de maintenir une façade, de dissimuler leurs « coulisses », de tenir un double discours, de tricher et de mentir pour protéger leurs intérêts. Pendant longtemps, on a refusé avec horreur l'idée que les enfants puissent avoir une sexualité. Aujourd'hui, on refuse encore de les considérer comme des acteurs sociaux à part entière, dont les intérêts réels pourraient, sur certains terrains, s'opposer à ceux de leurs parents ou de leurs maîtres. Les adultes se plaisent à croire qu'ils savent ce qui est bon pour les enfants. Toute opposition leur paraît perverse. (Perrenoud, 1988: 179).

Les élèves ont leurs points de vue sur l'école et sur la classe dans laquelle ils vivent une bonne partie de la semaine; ils s'en font une représentation plus ou moins claire dans laquelle le désir d'intégration et le besoin de liberté se côtoient. En fait, les élèves parlent de leur classe à la fois comme d'une communauté et comme un lieu de concurrence, où l'identité se construit tantôt par rapport au groupe, tantôt par rapport aux ressources que chacun peut mobiliser dans l'action. Comme le souligne Dubet, qui rend compte de la description que font les élèves de leur classe:

> D'un côté, les élèves décrivent une communauté qui assoit leur identité, un Nous opposé à d'autres classes et aux adultes. Cette logique d'intégration construit des représentations et des pratiques: boucs émissaires, pressions sur les « traîtres » qui « collaborent » avec les enseignants, services réciproques, rivalité intégratrice des filles et des garçons, chahuts unanimistes, chaînes des dons et des dettes... D'un autre côté, les mêmes enfants décrivent volontiers la classe comme un groupe en compétition permanente, un groupe déchiré par les hiérarchies et les classements et dans lequel chacun poursuit des intérêts « égoïstes ». Le plus souvent sourde, la compétition donne naissance à mille stratégies dans lesquelles les autres sont perçus comme des rivaux ou des moyens: il faut se placer près des meilleurs élèves,

obtenir de pouvoir copier, se faire remarquer par l'enseignant sans trahir la solidarité du groupe[4]. (Dubet, 1994 : 122).

L'élève navigue en bonne partie dans ces deux registres : il désire se conformer aux attentes du maître, en se fondant dans le groupe, en respectant les règles et les consignes *à la lettre*; il doit en même temps nager dans un univers compétitif où les notes, les évaluations et les classements sont une partie importante dans la construction de son expérience scolaire. C'est sur les résultats concrets de ces pratiques d'évaluation du travail scolaire et du comportement de l'enfant que les parents, par l'entremise du bulletin, jugent de ses efforts et de ses difficultés. Et ces élèves sont jugés plus sévèrement s'ils proviennent d'un milieu populaire où les parents vont accorder plus volontiers de la valeur à l'école et aux maîtres. Cette valorisation prend forme d'abord sur « une demande d'intégration sociale, de socialisation de l'enfance aux normes d'une société plus large que la famille » (Dubet et Martuccelli, 1996b : 100). Parallèlement, ce sont ces mêmes enfants qui éprouvent le plus de difficultés à l'école[5]. Pris entre les contraintes des parents et les contraintes scolaires, les enfants sont condamnés à des stratégies défensives qui, à défaut de leur assurer un certain contrôle sur leur vie, leur laisse la possibilité de s'aménager une expérience scolaire à peu près supportable. Certes, les enfants qui aiment l'école et qui s'y sentent bien n'ont pas besoin de déployer ce type de stratégies. Mais pour les autres, nombreux tout de même, pour qui l'école est une expérience pas toujours drôle, parfois franchement difficile, pour qui la possibilité d'un échec est toujours présente, le jeu avec les règles devient une nécessité[6].

La compétition comme mode d'interaction dans la classe

On a souvent de la difficulté à imaginer la classe comme un espace où la compétition joue régulièrement avec les tensions, les peurs et les angoisses qu'elle suscite. Comme le souligne Perrenoud, à partir de l'étude de classes primaires genevoises : « Les élèves sont placés dans une situation de compétition permanente qui empêche une véritable solidarité sur toute une série de thèmes, par exemple l'évaluation, la quantité de travail en classe ou à domicile, le rythme de progression dans le programme, l'aide apportée

---

4. Autant on peut apprécier le rôle de chouchou, autant la situation peut devenir franchement désagréable lorsqu'on est confronté au groupe de pairs. L'ostracisme lié au fait d'être identifié comme chouchou et la marginalisation qui peut en résulter constituent des éléments suffisants pour faire craindre d'être étiqueté comme tel. Voir sur le sujet Jubin (1991 : 105-121).

5. Mentionnons de plus qu'au primaire les garçons éprouvent plus de difficultés scolaires que les filles (26,9 % des garçons et 16,9 % des filles sont touchés par le phénomène du retard scolaire), les francophones plus que les anglophones (la prévalence scolaire est de 19 points en faveur des anglophones). Voir Brais (1992).

6. Pour les élèves en difficulté scolaire au primaire, et dans un registre pédagogique, les règles sont moins organisées « par une panoplie de sanctions en "prêt-à-appliquer" que par l'identification de ce qui, fondamentalement, discipline les élèves [...] ce qui [...] établit l'autorité du maître dans la classe, c'est la façon dont s'y jouent d'authentiques échanges de savoir » (Davisse, 1996 : 106).

par le maître aux uns et aux autres, ses exigences, le système disciplinaire » (Perrenoud, 1988 : 178). Devant les attentes des parents et les exigences du maître, la communauté des élèves se transforme en espace où les intérêts de chacun passent avant ceux de l'ensemble. Parmi les raisons de l'effort scolaire des élèves dans cette compétition, on note une équation de base : « […] plus on est bon, plus on est choyé par le maître, et plus on affirme sa valeur personnelle au sein du groupe » (Dubet et Martuccelli, 1996b : 87). Mais dans la compétition scolaire, tous ne sont pas égaux. Encore faut-il posséder les ressources nécessaires pour entrer dans la compétition.

Sur ce plan, l'origine sociale des élèves permet de voir des différences. Dans leurs études auprès d'enfants français, Dubet et Martuccelli montrent que la compétition scolaire joue plus fortement chez les élèves issus des couches moyennes de la population où l'encadrement des enfants est serré. Cet encadrement se fait par le sport, la musique, les sorties familiales mais également, en ce qui concerne les études, par la révision des exercices à la maison et un travail de surveillance et d'appui pour tout ce qui touche aux travaux scolaires. Il se crée de la sorte une continuité entre la famille et l'école, continuité qui « est articulée, selon les auteurs, sur le culte de la performance » (Dubet et Martuccelli, 1996b : 96).

Pour ces familles, le rapport à l'école et la demande de socialisation qui l'accompagne sont caractérisés par le souci de démarquage social ; elles veulent que l'école serve en quelque sorte à la construction de la réussite sociale de leur enfant. Et les enfants comprennent vite les attentes des parents, qu'ils traduisent par des pratiques concrètes dans leur scolarité : en fait, ils saisissent rapidement où se trouve leur intérêt. Le témoignage de ce jeune élève est éloquent à ce chapitre : « Quand on est habitué à avoir de bonnes notes, je me suis toujours mis un enjeu un peu plus haut […] Toujours plus haut, toujours faire plus, plus que les autres, et puis après chaque contrôle, on passe au moins cinq minutes à aller voir les autres, ceux à qui on sait qu'ils ont eu à peu près les mêmes notes que toi, on calcule les moyennes… » (Dubet et Martuccelli, 1996b : 96-97). Cette pression à la performance est une expérience stressante[7] pour nombre d'élèves qui éprouvent de la peur dès que se présente un petit fléchissement dans le rendement scolaire.

Chez les enfants de milieux populaires, la compétition n'est pas absente de leur expérience scolaire. Toutefois, elle est moins vive que chez les enfants de milieux plus aisés. Un certain nombre vivent l'école sur le mode des résistances qui « laissent apparaître un sentiment de violence et de domination qui ne se formule jamais directement mais s'exprime par la bande » (Dubet et Martuccelli, 1996b : 95-96). Les

---

7. Cette compétition ne tend pas à diminuer à mesure que les élèves montent d'un niveau scolaire à un autre, ce qui crée parfois des situations qui deviennent franchement angoissantes pour les jeunes, comme l'a souligné le Conseil consultatif canadien du statut de la femme dans son enquête de 1992 auprès d'élèves canadiens. Ces élèves parlent « en grand nombre du stress de la concurrence et des attentes des adultes » (Conseil consultatif canadien sur la situation de la femme, 1992 : 46).

objectifs visés par une part de ces élèves et leurs parents consistent moins à atteindre de nouveaux sommets dans les classements scolaires qu'à se maintenir afin de ne pas sombrer dans l'échec scolaire et la dévalorisation de soi. Pour ce faire, les parents de milieux populaires ajustent leurs ambitions en fonction de leurs chances objectives de mobilité sociale. Pour ces parents : « Les enfants doivent avoir une scolarité normale, ne pas être lâchés en route, mais il n'est pas nécessaire qu'ils fassent la course en tête et obtiennent des avantages décisifs comme le passage anticipé dans une classe » (Dubet et Martuccelli, 1996b : 115).

Le pouvoir du maître et celui des élèves

Dans son ouvrage *Autorité ou éducation*, Houssaye (1996) traite longuement des différences entre éducation et autorité. Il en conclut que l'autorité est une forme aliénée de la socialisation puisqu'elle se manifeste au détriment de l'éducation. Elle est, malgré la compétence, la tradition ou le charisme, un coup de force du maître qui ne peut qu'appeler la résistance des élèves ; le « concept d'autorité vise à légaliser un coup de force que les résistances ne cessent de dévoiler. [...] On ne s'étonnera donc pas de la prévalence et de la permanence des stratégies défensives et clandestines des élèves à l'école » (Houssaye, 1996 : 180). Le chahut traditionnel, la violence et parfois la révolte des élèves sont là pour témoigner de ces résistances à l'autorité du maître (Debarbieux, 1996 : 24-28).

Quelles sont les ressources dont dispose le maître afin de faire de la relation pédagogique une relation stable, qui ne risque pas d'être remise en cause à tout moment ? On croit généralement que l'autorité fait la force de la relation pédagogique. Il est indéniable que l'autorité a une grande part à jouer dans la stabilité de la relation pédagogique, mais ce constat explique peu de choses. En effet, on doit encore caractériser cette autorité. Si on la définit uniquement comme la capacité d'un individu d'obtenir d'un autre qu'il se soumette sans condition à sa volonté, l'autorité ne se différencie pas du pouvoir totalitaire. Si tel était le cas, la relation pédagogique ne serait qu'un pur rapport de force, ce qui, à l'évidence, n'est pas le cas. De toute évidence, il y a « autre chose » qui entre en jeu et qui permet d'établir un rapport de subordination entre l'enseignant et l'enseigné sans que ce rapport soit perçu comme tel par le subordonné.

Soumettons l'idée selon laquelle l'autorité trouve sa légitimité dans le mandat étatique dont le maître est porteur. Dans ce cas, la relation pédagogique serait légitimée parce que le maître est un agent de l'État. Il est certain que le mandat étatique constitue une source de légitimité sociale importante pour lui. Cependant, on voit mal comment de jeunes élèves pourraient faire une distinction claire entre la légitimité institutionnelle (celle que délivrent l'État et l'école) et la légitimité personnelle, celle qui compte pour eux dans le face-à-face quotidien avec le maître. On doit donc essayer de définir cette légitimité personnelle. Le maître obtiendrait le respect nécessaire à la stabilité de la relation pédagogique, *parce qu'il serait porteur d'un savoir que les élèves ne possèdent pas*. Roger Gentis fait une description éloquente de ce phénomène :

> Rappelez-vous, écrit-il dans son livre *Guérir la vie* où il dénonce avec force les contraintes institutionnelles, comment c'était l'école. Le maître était là avec son savoir, qui était un peu plus que son savoir, c'était le Savoir, le Savoir universel qui était là sur l'estrade. Le maître était là avec son autorité et pas seulement son autorité : l'autorité en général, celle des grandes personnes sur l'enfant, une autorité légitime, fondée sur une supériorité réelle, celle de celui qui possède le Savoir sur celui qui ne sait encore rien. (Gentis, 1973, cité dans Hirschhorn, 1993 : 145)

Expliquer le fondement de l'autorité dans la relation pédagogique par le décalage entre ce que le maître sait et ce que les élèves ont à découvrir vaut surtout pour les jeunes élèves qui sentent peser sur eux tout le poids des signifiants culturels et des symboles véhiculés par les savoirs scolaires dont ils ne possèdent pas la maîtrise[8]. Pour les élèves plus vieux, les adolescents et les adolescentes du secondaire qui ont appris à se dégager du conformisme qui caractérise le monde des jeunes élèves, la source de l'autorité dans la relation pédagogique, sa légitimité, est ailleurs.

Le comportement stratégique des élèves face aux exigences de l'école et du maître est une réponse au pouvoir (*voir l'encadré 9.3*) de l'école et du maître, aux règles du jeu, instituées et peu négociables, de ces derniers. C'est une résistance à une relation très asymétrique dans laquelle le maître possède un pouvoir énorme sur ce qui se dit et se fait dans la classe. C'est que les ressources des élèves semblent peu nombreuses devant celles du maître qui jouit de la légitimité institutionnelle, de celles que procure l'âge adulte, qui possède le Savoir, un ascendant certain sur un bon nombre de parents qui recevront comme plus légitimes ses jugements sur le travail de leur enfant que ceux de leur enfant sur le travail du maître. Face au pouvoir de l'école et aux exigences du maître, les élèves sont condamnés aux stratégies du pauvre, comme le mentionne Perrenoud (1988).

---

8. Dans cette perception du monde des adultes par l'enfant, on peut aussi observer une rupture un peu à la manière dont le fait Marcel Gauchet : « Apprendre à lire, ce n'est pas seulement entrer en familiarité avec l'univers utile des signes écrits, c'est se trouver happé par un monde qui existe tout armé avant vous et dont chaque recoin engage la cohérence globale, c'est se confronter à un ordre contraignant au travers duquel il y va des repères ultimes de la rencontre avec les autres et de l'insertion, dès le plus humble niveau, dans le registre de cette mise en forme successive de l'expérience humaine par le travail sur l'expression qu'il faut bien nommer culture au sens pour une fois plein et justifié du terme. [...] Pas d'accès à l'humanité, pas d'inclusion dans le réseau serré des symboles qui la représentent et la constituent, sans heurt avec l'extériorité violente d'une organisation dont la cohérence vous précède, sans désespérance quant à la possibilité de jamais rejoindre ce lieu qui à la fois vous enveloppe et vous échappe, sans passage par l'angoisse du décalage entre le peu que vous saisissez et la somme de ce qu'il vous faut maîtriser » (Gauchet, 1985 : 75-76).

Encadré 9.3
Le pouvoir dans la perspective stratégique

« Dans cette perspective stratégique, le pouvoir dans l'organisation ne saurait être considéré comme une propriété, un attribut des acteurs, c'est bien une relation mettant aux prises les acteurs dans l'accomplissement d'un objectif commun qui conditionne lui-même les objectifs personnels. Le pouvoir ne peut s'exercer qu'à travers des relations d'échange et d'adaptation et donc de négociation : "… le pouvoir est inséparablement lié à la négociation : c'est une relation d'échange, donc de négociation, dans laquelle deux personnes, au moins, sont engagées." (Crozier et Friedberg, 1977 : 56-57).

« Mais si le pouvoir est bien une relation d'échange, c'est aussi un rapport de force où les termes de l'échange sont plus favorables à l'une des parties en présence. C'est un rapport de force où l'une des parties peut obtenir davantage que l'autre, mais où nul n'est jamais totalement démuni. C'est dire que, dans ces relations de pouvoir, les possibilités d'action constituent un aspect essentiel et un enjeu.

« Chacun des partenaires possède une marge de liberté variable, la possibilité plus ou moins grande de refuser ce que l'autre demande. A le moins de pouvoir celui qui se trouve dans l'incapacité de refuser ce qui lui est demandé. L'un des objectifs stratégiques des acteurs sera de conserver sa marge de liberté, de maintenir ou d'étendre ses possibilités d'action et donc de rester maître de la zone d'incertitude qu'il contrôle. Ces relations peuvent donc être comparées à un jeu, c'est-à-dire à un ensemble de stratégies qui se déroulent à partir des ressources et des moyens, selon des règles organisationnelles, qui visent des enjeux et où les partenaires peuvent viser aussi à remanier, à leur avantage, les règles du jeu. »

Extrait de Pierre Ansart,
Les sociologies contemporaines, (1990 : 71-72).

Dans son analyse du travail scolaire des élèves du primaire, Perrenoud montre que l'organisation didactique de la classe règle la nature et l'intensité du travail à l'intention des élèves. Ce travail scolaire est *exigé*, exécuté *sous surveillance* et *évalué* par le maître. Or, face à cette organisation, « les élèves entretiennent avec les règles censées gouverner leur participation et leur travail un rapport stratégique […], ils tentent, avec un succès inégal, de négocier et de tourner les règles et les consignes » (Perrenoud, 1988 : 176), afin de se ménager un espace de liberté face aux exigences du maître. Cette marge de manœuvre recherchée par les élèves est le fait de ceux pour qui les tâches scolaires ne sont pas intéressantes ; pour les autres, les exigences du maître ne sont pas vécues sur le mode de la contrainte.

Perrenoud a relevé cinq stratégies qui vont du conformisme stratégique au conflit ouvert face aux exigences du maître :

- La première stratégie consiste à *boire le calice jusqu'à la lie*, c'est-à-dire à renoncer à se battre contre le système et à afficher une coopération sans vraiment s'investir, juste assez pour éviter de faire preuve de mauvaise foi.

- Une deuxième stratégie vise à faire *Vite! Vite! Vite!* pour se débarrasser le plus rapidement possible des tâches scolaires ; pour ce faire, l'élève peut bâcler ses exercices, réfléchir un minimum de temps et même copier sur un voisin.

- Une troisième stratégie, *Hâte-toi lentement*, permet de gagner du temps sans refuser ouvertement de faire le travail. Il s'agit, dans ce cas, de mettre en œuvre tous les petits trucs qui permettent de gagner du temps pour soi tout en ayant l'air occupé : par exemple, demander une explication, tailler son crayon, etc.

- Une quatrième stratégie vise à s'avouer incompétent. Le *J'y comprends rien* est une manière de justifier des moments d'inactivité en feignant l'incompétence ou les difficultés de compréhension. Ces moments d'inactivité peuvent être plus ou moins longs selon les disponibilités du maître.

- La cinquième stratégie est la *contestation ouverte* ; elle est généralement peu utilisée par les élèves, car elle est dangereuse. Elle consiste à refuser ouvertement de faire le travail demandé en prétextant le manque de motivation, la fatigue ou toute autre raison de cet ordre. Comme le souligne Perrenoud : « Peu d'élèves ont les moyens d'adopter régulièrement cette stratégie sans courir au-devant de graves ennuis disciplinaires ; c'est pourquoi c'est plutôt une stratégie occasionnelle ; ceux qui y recourent constamment n'ont en général plus grand-chose à perdre et mènent une guerre d'usure contre l'institution » (Perrenoud, 1988 : 185).

Ces stratégies ne sont pas analysées en fonction de l'origine sociale ou du sexe des élèves. Or, ces grands facteurs discriminants ont leurs rôles à jouer dans la capacité de faire face aux exigences de l'apprentissage scolaire ; ils sont d'une grande utilité pour comprendre sur quelle base se fait l'investissement scolaire des élèves et quels moyens ils peuvent engager afin de se ménager une expérience scolaire sinon valorisante, tout au moins supportable. Cette manière d'envisager l'expérience scolaire des élèves exige l'analyse des manifestations concrètes des rapports sociaux dans la classe elle-même.

Les rapports sociaux dans la classe

Faire l'étude des rapports sociaux oblige à déplacer le point de vue dans l'analyse de la classe. Un rapport social (*voir l'encadré 9.4*) doit être déchiffré dans les différents contextes où il se manifeste parce qu'il ne se présente que rarement comme un conflit, une opposition ou une domination. À ce titre, les méthodes d'analyse doivent délaisser l'étude des structures et des systèmes globaux et mettre l'accent sur le monde concret où se vivent quotidiennement les rapports entre les acteurs sociaux.

Dans cette perspective, on peut observer les rapports sociaux en contexte scolaire par l'entremise des approches dites compréhensives. Dans cette lignée, la sociologie de l'éducation des quinze dernières années a utilisé de manière particulière l'approche phénoménologique, l'anthropologie culturelle américaine et l'ethnométhodologie dans l'analyse de la manifestation des rapports sociaux en contexte scolaire. Plus précisément, les chercheurs ont scruté à la loupe les interactions dans la classe afin de mettre à jour la production et la reproduction des rapports sociaux.

Encadré 9.4
Qu'est-ce qu'un rapport social ?

Comme le souligne Ansart : « Les rapports sociaux sont donc des rapports marqués par l'inégalité ou, plus exactement, par des inégalités, selon la nature des biens que l'on considère. Dans nos sociétés, l'inégalité que l'on peut dire dominante est celle qui concerne le capital économique qui n'est pas sans donner des possibilités d'acquisition d'autres formes de capitaux [par exemple, symbolique, social, culturel]. » (Ansart, 1990 : 236).

Ces rapports inégalitaires entre groupes sociaux ont pour enjeu l'appropriation et la conservation par un des groupes de la majeure partie des ressources sociales produites par l'ensemble de la société. Cette domination d'un groupe sur un autre appelle souvent l'opposition des dominés, parfois le conflit et, dans des cas exceptionnels la révolution, afin de changer les règles du jeu. Touraine souligne à ce propos : « L'histoire de la modernité est celle de l'affirmation croissante de la conscience contre la loi du prince, la coutume, l'intérêt, l'ignorance et la peur. Il n'existe de mouvement social, de conduites collectives engagées dans le conflit pour la gestion de l'historicité, que si l'acteur possède la capacité de s'élever au-dessus des simples revendications et même des négociations politiques pour se reconnaître et s'affirmer comme producteur plus que comme consommateur de la situation sociale, comme capable de mettre celle-ci en question au lieu seulement de lui répondre. » (Touraine, 1984 : 38).

Chacune de ces méthodes d'analyse de la réalité scolaire se caractérise par une démarche de recherche propre, tout en rejoignant les autres sur de nombreux points.

L'approche de l'anthropologie culturelle de la classe

L'anthropologie culturelle de la classe, très développée aux États-Unis et en Grande-Bretagne, s'intéresse à deux grandes problématiques en ce qui concerne l'école. Dans un premier temps, on aborde la scolarisation comme un instrument de transmission culturelle et on tente de découvrir derrière le programme officiel ce qui est enseigné implicitement aux élèves, à leur insu, bref ce qui est appelé le programme caché. Dans un deuxième temps, on étudie les conflits culturels dans la classe même à travers les interactions du maître et des élèves d'origines ethniques diverses, et entre les élèves eux-mêmes (Sirota, 1987 : 35).

Les analyses de la classe dans une perspective d'anthropologie culturelle sont celles qui ont peut-être poussé le plus loin les tentatives d'interprétation d'une situation sociale comme la classe. À ce titre, mentionnons une des enquêtes la mieux connue, celle de McDermott, intitulée *Kids Make Sense : An Ethnographic Account of the Interactional Management of Success and Failure in one First-Grade Classroom*[9]. Cette

---

9. Thèse de doctorat, non publiée, Université de Standford, département d'anthropologie (1976). Au Québec, l'étude ethnographique dans une école primaire de Yuki Shiose (1995) s'inspire en bonne partie du courant de l'anthropologie culturelle.

enquête permet notamment de comprendre la dynamique de la production de l'iné-galité dans la classe à partir des différences culturelles et ethniques. Pour ce faire, McDermott décrit à l'aide de matériel vidéo les rapports pédagogiques entre Rosa, une jeune élève de classe primaire dont la langue maternelle est l'espagnol, et son enseignante, une Américaine. L'histoire va comme suit :

> Nous sommes au cours préparatoire, et c'est la leçon de lecture. Chaque élève demande son tour de lecture, ce qui est un élément essentiel de l'apprentissage. Nous savons qu'apprendre à lire est une condition de base pour les apprentissa-ges qui suivront. Ainsi, la lecture est une source d'égalité ou d'inégalité. À pre-mière vue, Rosa lutte pour obtenir son tour de lecture. Mais elle ne l'obtient jamais. Pourquoi ? Quand on interroge l'institutrice, elle répond qu'elle « ne peut atteindre Rosa ». Quant à Rosa, elle reste absolument muette quand on veut la faire parler de sa maîtresse. Apparemment, leurs relations sont mauvaises, mais il y a une logique sous-jacente qui peut être découverte si on examine de près les interactions. (Coulon, 1990 : 231).

En fait, que se passe-t-il quand Rosa lève le doigt pour avoir son tour de lecture ? Une analyse en profondeur du matériel vidéo montre qu'en dépit des appa-rences *Rosa conspire avec la maîtresse* pour ne pas obtenir son tour. Comment s'y prend-elle pour agir ainsi alors qu'elle désire apprendre l'anglais ? Certes, elle demande son tour de lecture, mais elle le fait de manière inhabituelle : a) elle vérifie que les autres enfants sont en train de lire et demande à lire ; b) elle attend que la maîtresse ait demandé à quelqu'un de lire pour demander son tour ; c) elle lève le doigt pour demander à lire mais détourne le regard en même temps.

Du côté de l'enseignante, il semble y avoir une complicité dans ce jeu de cache-cache : a) on découvre que l'enseignante attend ces messages non verbaux de Rosa pour interroger un autre enfant ; b) elle organise les tours de lecture au hasard, de telle sorte que Rosa n'est jamais tenue de lire, ce qui ne serait pas le cas d'une organisation systématique des tours de lecture ; c) le groupe des plus faibles en lec-ture, dont Rosa fait partie, est aussi celui qui dispose du moins de temps de lecture à haute voix.

Ainsi se développe le handicap, par l'entremise des procédés et des interactions dont l'enseignante n'a pas réellement la maîtrise puisqu'elle n'en perçoit pas la dyna-mique. Rosa et son enseignante communiquent mal, et Rosa prend du retard en lec-ture ; elle devient handicapée sur le plan scolaire. Ce qui n'était au départ qu'une légère difficulté (Rosa ne possédait pas le bon code interactionnel, et l'enseignante n'a pas été en mesure de décoder les signaux de Rosa) devient finalement une inégalité qui aurait pu être évitée si la dynamique de l'interaction avait été bien saisie. Cette inégalité qui s'est constituée petit à petit jusqu'à devenir un handicap influera donc sur la capacité de réussite scolaire de Rosa.

L'approche ethnométhodologique de la classe

L'approche ethnométhodologique[10] vise à comprendre comment les êtres humains, dans un contexte particulier, apprivoisent les règles tacites propres à ce contexte, celles qui ne sont inscrites nulle part mais qui sont toujours présentes dans les interactions entre les acteurs sociaux. Comme l'organisation sociale est continuellement créée, construite et négociée, selon Cinnamond (1992 : 16, dans Charest, 1994 : 743), il s'agit de décrire et de comprendre comment les acteurs sociaux font leurs ces règles et comment elles s'intègrent de façon routinière dans leur vie quotidienne. L'ethnométhodologie vise donc à analyser, comme le souligne Ansart, « comment les acteurs sociaux construisent, dans leurs pratiques quotidiennes, une situation sociale, à quelles méthodes et à quelles interactions symboliques ils recourent pour constituer leur réalité sociale » (Ansart, 1990 : 292). Appliquée à l'éducation, cette approche fait l'analyse des règles tacites de l'organisation sociale qui prennent forme dans la classe à travers la mise à jour et la description des routines de la vie quotidienne. Comme le souligne Sirota :

> Sont alors reconstitués, d'une part, le répertoire des procédures par lesquelles l'enseignant maintient l'ordre dans la classe (celui-ci résultant de la combinaison de stratégies d'improvisation et de procédures de distribution de la parole), et, d'autre part, parallèlement, l'acquisition de la compétence interactionnelle par les élèves dans la classe. [...] En effet, les règles de fonctionnement de la classe étant communiquées tacitement et implicitement, les élèves sont constamment engagés dans un travail interprétatif actif qui leur permet une participation compétente, c'est-à-dire d'être un « membre » compétent de la classe. Car pour réussir, l'élève doit produire des contenus académiquement corrects dans la forme interactionnelle appropriée. (Sirota, 1987 : 37).

L'étude de Coulon sur le métier d'étudiant universitaire est l'application la plus connue en langue française de cette approche. Pour Coulon, le problème pour les étudiants et les étudiantes universitaires n'est pas d'entrer à l'université, mais d'y rester (Coulon, 1993 : 165). En effet, il semble que la première année dans cette institution soit une période clef dans la réussite ou l'échec des études universitaires. Beaucoup d'étudiants et d'étudiantes ne vont pas au-delà de cette première année. Quel est le processus en cause ?

On ne devient pas étudiant universitaire en signant sa feuille d'inscription ou même en s'asseyant sur les bancs des salles de cours. En fait, il faut apprendre son

---

10. L'ethnométhodologie, qui est un courant de la sociologie américaine (Corcuff, 1995 : 61), est à la fois une approche intellectuelle et une perspective de recherche (Cinnamond, 1992, dans Charest, 1994 : 741). Harold Garfinkel (né en 1917), qui a été l'élève de Talcott Parsons, est à la source de cette perspective de recherche. En 1967, il fait paraître son ouvrage *Studies in Ethnomethodology*, qui est considéré comme le livre fondateur de ce courant de recherche (Corcuff, 1995 : 62-64). Si les études ethnométhodologiques sont nombreuses aux États-Unis, elles demeurent relativement rares en France et au Québec.

métier d'étudiant, mais encore il faut apprendre à devenir étudiant. Le passage à l'université est une initiation qui consiste à «s'approprier les allant de soi et les routines dissimulées dans les pratiques de l'enseignement supérieur» (Coulon, 1993 : 165). Cette initiation implique des enjeux de pouvoir, des rites, des sacrifices qui se présentent en trois temps :

1. «Le temps de l'étrangeté, au cours duquel l'étudiant entre dans un univers inconnu, dont les institutions rompent avec le monde familier qu'il vient de quitter» (Coulon, 1993 : 166). Par exemple, le passage du cégep à l'université est un temps de rupture en ce qui concerne les repères habituels (manière de se comporter, de dire les choses, etc.) et notre vision du monde (la manière de le penser et de le vivre dans la vie de tous les jours) qui se trouve momentanément ébranlée.

2. «Le temps de l'apprentissage, au cours duquel l'étudiant s'adapte progressivement et apprend à se conformer» (Coulon, 1993 : 166). C'est le moment de reconnaître les règles qui régissent le nouveau monde auquel on est confronté, de les classer selon leur importance (les sanctions explicites ou implicites rattachées à chacune d'elles).

3. «Le temps de l'affiliation enfin, qui est celui d'une maîtrise relative, qui se manifeste notamment par la capacité d'interprétation, voire de transgression, vis-à-vis des règles» (Coulon, 1993 : 166).

Réussit celui qui s'affilie. Cette affiliation se fait sur deux plans : 1) institutionnel et 2) intellectuel. Sur le plan institutionnel, l'affiliation consiste simplement à apprendre les règles du jeu, à se déplacer au sein de l'institution (par exemple la fabrication d'un emploi du temps individualisé, l'apprentissage de l'autonomie). Sur le plan intellectuel, c'est l'apprentissage des règles formelles pratiques telles que l'utilisation d'un certain vocabulaire, les interventions orales opportunes, la pratique de la lecture et de l'écriture et, enfin, la concentration. Respecter une règle n'est pas la comprendre mais la pratiquer. S'affilier, c'est donc naturaliser (intégrer, incorporer à son identité, faire sien, etc.) en les incorporant les pratiques et les fonctionnements universitaires. «Autrement dit, s'affilier, c'est s'être construit un habitus (des manières de faire, des routines) d'étudiant qui permette qu'on vous reconnaisse comme tel, c'est-à-dire qui vous agrège au même univers social et mental, avec des références et des perspectives communes, et, puisque la permanence de la catégorisation est la condition de tout lien social, avec la même façon de catégoriser le monde» (Coulon, 1993 : 168).

L'utilisation de l'approche ethnométhodologique pour appréhender les rapports sociaux dans le contexte de la classe prend différents visages et s'apparente souvent à une ethnographie de la classe, c'est-à-dire à une observation systématique des interactions entre les acteurs de la classe, afin de mettre au jour la manière dont les règles du jeu scolaire sont jouées par ces acteurs et comment se constitue, à travers ces multiples interactions, la réalité scolaire.

Les rapports sociaux de classe à l'école primaire

« Constituer le quotidien scolaire en fait social, c'est essayer de saisir le sens de l'insignifiant, dans ce contexte que représente une institution et plus précisément l'école primaire » (Sirota, 1989 : 79). C'est en ces termes que Sirota, sociologue française, aborde la classe. Pour Sirota, cette classe, lieu des pratiques scolaires, est une métaphore de l'ensemble des pratiques sociales d'un individu, pratiques qui s'autodéterminent dans l'interaction. Pour démontrer cette assertion, elle a effectué une enquête qui visait à mettre en rapport les comportements des élèves provenant de différentes classes socioprofessionnelles et la pratique enseignante dans la classe. L'hypothèse de départ était la suivante : la pratique enseignante, en tant qu'interaction sociale, crée un double réseau de communication : a) un réseau de communication principal, destiné à une partie de la classe, dans lequel les élèves seraient sujets de communication ; b) un réseau de communication illicite, touchant l'autre partie de la classe, dans lequel les élèves ne seraient ni intéressés ni valorisés.

Pour vérifier cette hypothèse, Sirota a élaboré des indicateurs de comportements rendant compte de l'intégration scolaire selon la catégorie socioprofessionnelle (CSP) d'origine des élèves. Quatre indicateurs furent retenus :

a) l'ensemble des demandes d'intervention ;

b) le total des demandes d'intervention reprises par l'instituteur ;

c) le total des demandes d'intervention insistantes ;

d) le total des demandes d'intervention de type spontané.

Ces indicateurs mis en rapport (corrélés) avec la catégorie socioprofessionnelle permettent de découvrir ce qui n'aurait pu être mis à jour autrement, c'est-à-dire l'échec ou la réussite se constituant dans l'interaction entre le maître et les élèves. Le tableau 1 montre que la fréquence des comportements d'intégration scolaire varie selon la catégorie socioprofessionnelle d'origine, les enfants issus de la catégorie des cadres moyens étant nettement avantagés par la pratique enseignante par rapport aux enfants des autres catégories.

Les enfants des classes populaires (PS, O, E) se caractérisent le plus souvent par des comportements de repli, de retrait et d'attente. Les enfants d'ouvriers adoptent un « conformisme actif » alors que les enfants d'employés montrent plus de facilité à jouer le jeu scolaire tout en respectant les règles, ce qui se traduit par un « conformisme passif ». *Les enfants d'artisans et de petits commerçants* (A) ont une attitude ambiguë à l'égard de l'école primaire, dans la mesure où leur système de valeurs et de vie respectif s'oppose à celui de l'école et des enseignants et enseignantes.

Tableau 1
Tableau des fréquences des comportements d'intégration scolaire selon la CSP d'origine des élèves

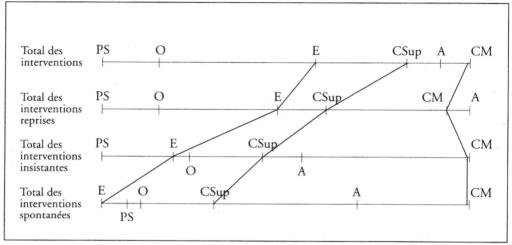

Les catégories sociales isolées sont : PS (Personnel de service) ; O (Ouvrier) ; E (Employé) ; CM (Cadre moyen) ; A (Petit commerçant/Artisan) ; CSup (Cadre supérieur). Comment lire le tableau ? Plus un groupe se retrouve à droite du tableau, plus son intégration au monde scolaire est forte. Ici, les enfants de cadres moyens (CM) sont les plus fortement intégrés.
Source : Régine Sirota (1989 : 81).

Les enfants de cadres moyens (CM) occupent une position bien à eux au sein de l'école primaire en adoptant le profil du bon élève. Leur système de valeurs est en symétrie avec celui de l'école primaire, c'est-à-dire qu'il y a une congruence entre les deux instances de socialisation que sont la famille et l'école. Comme le souligne Sirota : « Les enseignants tout comme les parents cadres moyens, se considèrent réciproquement comme partenaire idéal ; il n'y a ici ni démission [classes populaires] ni concurrence [artisans et petits commerçants] mais complémentarité et reconnaissance d'un même système de valeurs. C'est pourquoi, contrairement à certains de leurs discours, les instituteurs semblent entretenir une relation particulièrement gratifiante avec les enfants de cadres moyens » (Sirota, 1989 : 82). *Les enfants de cadres supérieurs/professions libérales* (CSup) ont aussi un rapport ambigu à l'école primaire ; ce rapport est à la fois facile et difficile. Ces élèves ayant déjà acquis en bonne partie ce que l'école est supposée leur inculquer et l'école primaire ne constituant pas pour les classes supérieures un enjeu, comparativement aux niveaux supérieurs, l'attitude des enfants de cette catégorie socioprofessionnelle se caractérise à la fois par le détachement et l'assurance qui ne sont pas sans créer un certain malaise chez les enseignants et les enseignantes (Sirota, 1989 : 81-82).

Les rapports sociaux selon le sexe à l'école secondaire

Être fille ou garçon influence notablement le comportement en classe et les probabilités de réussite ou d'échec scolaire, comme l'indique l'enquête effectuée par Felouzis (1993). Dans cette enquête, Felouzis met en évidence la dynamique de la relation pédagogique en classe selon le sexe du professeur. Le fait que le professeur soit un homme ou une femme influence le comportement des élèves. Le professeur masculin suscite des comportements d'attention comme regarder le tableau, prendre des notes, alors que le professeur féminin éveille plutôt des comportements chahuteurs comme les grimaces, les rires, et ce, autant chez les garçons que chez les filles.

Les filles sont aussi sensibles à l'autorité masculine que les garçons. Cependant, les professeurs masculins influencent le comportement des élèves dans des sens différents. Par exemple, le professeur masculin fait naître chez les filles des comportements de concentration, « les filles bavardent moins et sont moins apathiques avec un homme » (Felouzis, 1993 : 215) ; les garçons sont plus respectueux des normes comportementales avec un professeur masculin, ils font moins de choses sans la permission du professeur et seraient moins agités en classe. En somme, la relation pédagogique est plus fortement remise en cause lorsque le professeur est de sexe féminin et l'autorité de cette relation apparaît comme moins légitime chez une femme que chez un homme. Mosconi (1989) soulève le même problème et montre qu'affirmer son autorité pour une enseignante reviendrait à faire oublier sa féminité, ce qui rend bien compte de la faible légitimité accordée aux femmes dans la relation pédagogique (Mosconi, 1989 : 257).

On ne peut analyser la relation pédagogique en faisant l'économie d'une réflexion sur le rôle du sexe sur la réussite ou l'échec scolaire. On peut, avec Terrail (1992), se demander s'il n'y a pas un « effet Pygmalion » qui intervient dans les attentes des enseignants envers les élèves selon leur sexe. L'auteur souligne sur un ton quelque peu ironique que les attentes des enseignants et des enseignantes envers les élèves se font en fonction du sexe de ces derniers, créant de la sorte deux classes d'élèves face aux savoirs scolaires, soit les filles et les garçons, ces derniers étant nettement avantagés par les attentes du personnel enseignant[11]:

> Les attentes du maître dessinent des capacités générales distinctes selon le sexe : du côté des garçons, désinvolture et agitation, mais aussi capacité d'atteindre à l'intelligence des principes ; chez les filles, de la bonne volonté, de l'application, et des limites intellectuelles plus vite atteintes. Par le jeu bien connu de l'effet Pygmalion, ces attentes vont modeler le cursus des intéressés. [...] Cette opposition du

---

11. Il va sans dire que cette dynamique s'inscrit dans un rapport social de sexe comme l'ont montré nombre d'études. En effet, la classe n'est pas soustraite de la production et de la reproduction des inégalités en fonction du sexe. Voir, entre autres, Baudoux et Noircent (1993), Bouchard, St-Amant et Tondreau (à paraître), Felouzis (1993), Galland (1988), Subirats et Brullet (1988).

scolaire et du brillant se redouble d'une autre, et s'exprime en elle : l'opposition du littéraire et du scientifique, seuls les garçons pouvant véritablement, par leurs capacités de pénétration, réussir en maths. Quoiqu'il en soit, en réalité, de l'infériorité féminine en matière d'esprit mathématique, les enquêtes révèlent la forte intériorisation des attentes : les filles imputent leurs échecs dans les disciplines scientifiques à des capacités insuffisantes, les garçons à un manque de travail. (Terrail, 1992 : 667).

Si le sexe du professeur influence grandement la dynamique interactionnelle dans la classe même, on peut dire que le sexe de l'élève en fait tout autant. Une recension des études effectuées par le Centre de recherche et d'intervention sur la réussite éducative et scolaire (CRIRES) de l'Université Laval, portant sur *Les stéréotypes sexuels et l'abandon au secondaire* (1994), permet d'éclairer certains aspects liés aux interventions pédagogiques en classe selon le sexe des élèves. Ainsi, le personnel enseignant aurait plus d'échanges verbaux avec les garçons, que ces échanges soient positifs ou négatifs ; il pousserait plus les garçons que les filles à réussir. Les filles feraient plus facilement ce qu'on leur demande en classe et elles tenteraient de plaire davantage au personnel enseignant « car plaire et se faire aimer deviennent pour elles des objectifs liés aux apprentissages scolaires. À court terme, cette attitude peut contribuer à l'atteinte de meilleurs résultats scolaires pour les filles mais à long terme, cela peut nuire à leur faculté d'apprentissage, à leur développement intellectuel et à leur adaptation à la vie adulte » (Centre de recherche et d'intervention sur la réussite scolaire, 1994).

L'approche phénoménologique de la classe

L'approche phénoménologique est un courant de recherche à plusieurs dimensions[12]. Elle cherche à appréhender les modes de pensée construits par les acteurs dans leur contexte d'action, modes de pensée qui leur permettent d'interpréter ce monde. Dans une des ramifications de l'approche phénoménologique dans le champ sociologique, l'analyse porte sur les phénomènes de pouvoir, d'action stratégique, de négociation, de ressources et non pas sur les contraintes structurelles ou culturelles comme dans les approches fonctionnaliste et marxiste.

---

12. Le constructivisme phénoménologique de Peter Berger et Thomas Luckmann (1986) entre dans la catégorie des approches sociologiques influencées par la sociologie phénoménologique d'Alfred Schütz, ce dernier étant considéré comme celui qui a contribué le plus au développement de ce type de sociologie. Dans cette perspective, la réalité quotidienne serait constituée de schémas d'interprétation dans lesquels les autres sont « traités » dans les rencontres face-à-face. Même s'ils se présentent à nous déjà constitués, ces schémas font l'objet de négociations continuelles entre les acteurs dans la vie quotidienne. En somme, la signification des gestes que les gens posent et les buts qu'ils cherchent à atteindre ne sont pas donnés une fois pour toutes et sont redéfinis en fonction de la situation dans laquelle ils se trouvent. Sur la sociologie phénoménologique de Schütz, voir Schütz, Noschis et De Caprona (1987).

Les analyses effectuées dans l'ouvrage de Crozier et Friedberg, *L'Acteur et le Système* (1977), relèvent de ce type de démarche de recherche[13]. Dans ce livre, les auteurs montrent que les êtres humains ne s'intègrent jamais complètement aux objectifs et aux buts des organisations dans lesquelles ils agissent; ils n'acceptent jamais d'être traités comme des moyens au service des buts de l'organisation. De plus, et de manière générale, dans toute situation d'action organisée (ou systèmes d'action concrets comme on les nomme parfois), les êtres humains gardent toujours une certaine marge de liberté face aux devoirs et aux responsabilités que leur impose l'organisation : en même temps qu'ils travaillent à atteindre les buts fixés par l'organisation, ils tentent d'atteindre également leurs propres objectifs. En ce sens, ils sont toujours des acteurs sociaux (*voir l'encadré 9.5*).

Comme chacun possède cette marge de liberté, elle devient une source d'incertitude (pour les autres) qui peut être utilisée comme un pouvoir ou comme une monnaie d'échange servant dans la négociation lors du partage des ressources que

---

Encadré 9.5
Le concept d'acteur social

Le concept d'acteur se déduit de celui de rapport social. L'acteur social est en effet un des pôles, individuel ou collectif, d'un rapport social défini comme relation de coopération conflictuelle. Par conséquent, le concept d'acteur prend nécessairement deux dimensions définies l'une par la capacité de l'acteur à coopérer, l'autre par sa capacité d'infléchir la gestion de la production dans le cadre d'une relation conflictuelle.

1. **La dimension « coopération » : composantes et indicateurs**
Première composante : **les ressources.**
Deuxième composante : **la pertinence des ressources.**
Troisième composante : **la reconnaissance de la valeur d'échange.**
Quatrième composante : **l'intégration aux normes.**

Cinquième composante : **la compatibilité des valeurs et des finalités.**

2. **La dimension « conflit » : composantes et indicateurs**
Première composante : **la capacité de repérer les acteurs et les enjeux de leur rapport social.**
Deuxième composante : **la capacité de percevoir les règles du jeu.**
Troisième composante : **disposer d'un minimum de marge de liberté qui rend la revendication et la négociation possibles.**
Quatrième composante : **la capacité de gérer le conflit.**

Selon Raymond Quivy et Luc van Campenhoudt, *Manuel de recherche en sciences sociales* (1988 : 113-128).

---

13. Crozier et Friedberg signalent toutefois qu'ils se situent dans une approche phénoménologique limitée (Crozier et Friedberg, 1977 : 392).

fournit l'organisation pour l'atteinte de ses finalités. Ces négociations ne se font pas au hasard mais tiennent compte des règles propres à chaque organisation[14].

La mise en place des règles est généralement le fait d'un acteur collectif dominant, capable d'imposer sa vision des choses. Une fois les règles du jeu instituées, les acteurs tenteront de jouer dans le système et avec le système. Comme le mentionne Jean-Daniel Reynaud :

> Les règles ne sont pas données une fois pour toutes et elles ne sont pas immuables. Elles ne sont pas transcendantes à l'activité humaine, elles en sont au contraire le produit. Cependant, prises à un moment donné, elles exercent bien une contrainte et elles ont une stabilité. En termes plus corrects, elles ont une inertie : on ne les change pas sans effort et sans dépense d'énergie. On ne s'attaque pas à elles sans attendre une résistance ou une « réplique ». Les règles du jeu, incomplètes et provisoires, ne sont pas seulement le résultat des stratégies passées, mais aussi l'objet de stratégies en vigueur. Une part importante (nous serions tentés de dire : la part majeure) des conflits et des négociations concerne le maintien, la modification, le changement ou la suppression des règles. [...] Les règles deviennent l'objet principal de l'action des acteurs, et l'étude de leur nature et de leur formation l'objet principal de l'analyse. Ce qui assure la stabilité des règles [...], ce sont donc les stratégies des acteurs qui les utilisent et les construisent (Reynaud, 1989 : 25 et 32).

Ainsi, même si des règles – elles-mêmes issues des interactions entre acteurs – existent au départ, elles sont constamment renégociées, modifiées dans et par le jeu actuel des acteurs. Dans cette perspective, la classe est considérée comme une dynamique toujours renouvelée de négociations, parfois implicites, soulevant peu de confrontations, parfois conflictuelles et déstabilisantes, tant pour les élèves que pour le maître. Il s'agit pour l'observateur ou pour une des personnes impliquées dans une situation donnée au sein de la classe de découvrir les règles informelles qui sont sousjacentes aux négociations dans la classe. Toutes les stratégies des élèves pour retarder le cours de la leçon (par exemple, bavarder, flâner, demander inutilement des explications, provoquer, chahuter, décrocher) sont autant de manières de se ménager un espace de liberté face aux exigences du maître, notamment en ce qui concerne le travail scolaire. Comme le souligne Sirota, « parmi les procédures de négociation du travail scolaire seront [...] analysées les stratégies de survie de l'enseignant à travers les micro-décisions qu'il prend constamment, car, tant du côté de l'élève que de l'ensei-

---

14. Les différentes règles régissant l'action collective dans une organisation peuvent être classées en trois types selon Reynaud (1989) : 1) *les règles d'efficacité* : elles prescrivent les opérations à réaliser pour atteindre un objectif déterminé ; 2) *les règles de coopération et d'autorité* : « [Elles] portent sur les bonnes manières de travailler ou de décider collectivement, qu'il s'agisse de l'échange d'informations, de l'examen d'un problème ou de l'arrêt d'une solution. » ; 3) *les règles de hiérarchie, de division du travail et d'organisation* : « Elles impliquent une différenciation des rôles et précisent les ressources dont chacun dispose, elles touchent plus directement la répartition du pouvoir » (Reynaud, 1989 : 76).

gnant, il s'agit de faire face à la situation » (Sirota, 1987 : 30). L'analyse de la relation pédagogique est éclairante à ce sujet dans la mesure où cette relation en est une de pouvoir, c'est-à-dire une relation, comme le soulignent Nizet et Hiernaux, où « chacun des partenaires met en œuvre des moyens en vue d'amener chez l'autre des attitudes, des comportements qui sont dans la ligne de ses objectifs propres. [...] Elle implique que chacun des deux partenaires *poursuive des objectifs* dans la relation, c'est-à-dire qu'il cherche, en mettant en œuvre certains moyens, à atteindre un résultat qu'il valorise, et pour lequel il se mobilise affectivement » (Nizet et Hiernaux, 1984 : 31-32). Chacun des partenaires dans la relation pédagogique poursuit donc les objectifs qu'il valorise ou qu'il estime nécessaires. En ce sens, tous les partenaires sont en interdépendance.

« *Les contraintes sociales* » *dans la relation pédagogique*

Comme toutes les relations sociales dans une société, la relation pédagogique s'inscrit dans un système d'action qui lui est propre. La relation pédagogique est structurée en partie par les lois et les règlements du système scolaire, donc de l'extérieur. Elle est structurée également par tout ce que les élèves apportent avec eux en classe sur les plans social et culturel. Ces derniers sont de moins en moins soumis à l'autorité des enseignantes et des enseignants et ils peuvent engager plus de ressources dans la relation pédagogique. Dans ce contexte, les enseignantes et les enseignants sont de plus en plus confrontés à des formes de désordre : ces dernières « vont du bruit et de l'agitation quasi insoutenable à l'indifférence presque silencieuse d'un auditoire occupé à des tâches diverses et sans rapport avec l'activité du moment » (Hirschhorn, 1993 : 138). En même temps, les enseignantes et les enseignants disent que leur relation avec les élèves « est à la fois la source principale de la satisfaction professionnelle, en même temps que le lieu où le sentiment d'insatisfaction est le plus vif » (Tardif, 1996 : 216). Comment expliquer ce phénomène ? Il semble que l'autorité pédagogique est en cause, autorité qui est au fondement de la relation pédagogique. Commençons par définir la relation pédagogique. On peut, avec Coulon qui reprend la thèse de Waller (1967), définir cette relation comme une relation maître-élèves, soit :

> [...] une forme institutionnalisée de domination et de subordination. Le maître, c'est d'abord l'adulte, et c'est aussi celui qui impose les devoirs, qui inflige les punitions, il représente l'ordre social établi de l'école. À l'inverse, les élèves sont plus intéressés par leur propre monde, ils considèrent l'ordre de l'école comme « une superstructure féodale ». [...] L'autorité est du côté du maître, et c'est toujours lui qui gagne. Il le doit d'ailleurs s'il veut demeurer enseignant. Mais sa tâche, [...], est plutôt facile, car les élèves sont en général assez dociles face à la « machinerie » du monde adulte. [...] L'acceptation de la discipline ne peut être tolérée que parce qu'elle repose sur l'institutionnalisation de la distance sociale qui sépare non seulement l'enseignant de l'élève, mais aussi l'adulte de l'enfant, considéré comme non cultivé et sauvage (Coulon, 1993 : 71-72).

Ce langage, quelque peu désuet, ne semble plus rendre compte de la réalité de la relation pédagogique d'aujourd'hui. Néanmoins, si les punitions et l'autorité pure et dure ne se manifestent plus comme telles dans nos écoles primaires et secondaires, elles n'ont pas nécessairement disparu. En fait, elles ont pris d'autres formes, plus subtiles. La relation pédagogique demeure fondamentalement ce qu'elle est, c'est-à-dire une relation où les uns, les maîtres, ont plus de pouvoir que les autres, les élèves. À l'école, le maître doit enseigner, l'élève doit apprendre. La relation maître-élèves, ou enseignant-élèves, est donc *stricto sensu* une relation pédagogique ; elle présente, de ce fait, un certain nombre de caractéristiques :

- *1re caractéristique*   Il y a une dissymétrie entre les positions des partenaires, l'un devant détenir le savoir que l'autre, par définition, ne saurait posséder, sinon la relation perdrait son sens. À cette dissymétrie, s'ajoute celle de l'âge.

- *2e caractéristique*   Les exigences de l'apprentissage demandent que celui qui est en situation d'apprentissage adopte des comportements manifestes (écouter, répondre aux questions, effectuer une tâche…) et des attitudes mentales (rester attentif, chercher à comprendre, mémoriser…). Ces comportements ne sont pas naturels, ils doivent donc être imposés par celui qui a la responsabilité de transmettre le savoir et de permettre l'acquisition de savoir-faire. Autrement dit, un enfant n'est pas naturellement un élève ou, pour reprendre une formule de René de la Borderie : « Être élève n'est pas un état de nature, c'est un état de culture » (de la Borderie, 1991 : 11).

- *3e caractéristique*   La relation pédagogique s'effectue dans une institution, l'école, et plus précisément dans une classe, c'est-à-dire dans le face-à-face d'un enseignant avec un groupe d'individus. Les contraintes de ce face-à-face sont plus fortes au primaire où l'enseignant passe vingt-sept heures et demie avec les mêmes individus, et moins fortes à l'université où les groupes d'individus défilent devant un professeur qui les rencontre à raison de trois heures par semaine.

- *4e caractéristique*   La relation pédagogique a un caractère à la fois public et privé : elle est publique dans la mesure où les rôles de chacun des partenaires, les activités, les modes de comportement relèvent de l'institution ; privée, car le face-à-face avec le maître, l'enseignant ou l'enseignante, se fait dans une classe à l'abri des regards extérieurs (Hirschhorn, 1993 : 140).

- *5e caractéristique*   Les partenaires dans la relation pédagogique ne se sont pas choisis. Ni l'enseignant ni les élèves ne peuvent se choisir mutuellement. Toutefois, les parents, comme les enseignants et les enseignantes d'ailleurs, peuvent tenter de diriger leurs enfants vers un établissement de leur choix ou changer d'établissement s'ils ne sont pas satisfaits. Encore faut-il avoir les moyens de cette stratégie migratoire dans le réseau scolaire.

- *6e caractéristique*   La sixième caractéristique renvoie à l'obligation scolaire. Comme le souligne Hirschhorn : « De même que les élèves ne choisissent pas leurs enseignants, ils ne choisissent pas non plus d'aller à l'école du moins jusqu'à 16 ans, et au-delà de cette limite, la pression des familles, les difficultés de l'insertion professionnelle en l'absence d'un diplôme contribuent, pour un nombre croissant d'adolescents, à faire de la scolarisation moins un choix qu'une quasi-nécessité» (Hirschhorn, 1993 : 140).

Quel est l'intérêt de définir la relation pédagogique en ses diverses caractéristiques? À partir de ces dernières, il est possible de circonscrire les problèmes inhérents à l'acte pédagogique, à la pratique d'enseignement. Dans la mesure où l'apprentissage scolaire n'est possible que s'il y a un minimum de respect des normes et des objectifs de l'institution scolaire, ces normes et objectifs étant insérés dans un cadre contraignant (absence réciproque de choix, obligation scolaire), comment le personnel enseignant fait-il pour atteindre ce résultat avec les élèves dans une relation qui, par défaut, est fragile? (Hirschhorn, 1993 : 141). Le cas des élèves du secondaire est éclairant à ce chapitre.

Au cœur de la relation pédagogique

Les rapports enseignant-élèves demeurent plutôt harmonieux tant que le rapport au savoir ne devient pas problématique. Les jugements des élèves envers le personnel enseignant sont basés en partie sur ce rapport aux savoirs scolaires. Pour eux, l'efficacité du personnel enseignant et l'intérêt intellectuel qu'il stimule chez les élèves sont des conditions nécessaires afin d'accepter l'ordre de la classe. Et dans la mesure où ni l'efficacité ni l'intérêt intellectuel ne sont présents, la relation pédagogique se joue «à la relation» justement (Dubet, 1991 : 175). Et dans une relation qui n'est pas choisie – et apparaissant surtout comme une contrainte sociale –, les élèves peuvent adopter différentes stratégies de survie contre «les mauvais profs», allant du conflit ouvert au repli sur soi, en passant par la rébellion sourde et le faux-semblant (Perrenoud, 1994b : 15). Devant le mépris de certains «profs», le mépris des élèves est souvent le seul refuge. Mais ce mépris caractérise en même temps l'impossibilité d'adhérer à des valeurs scolaires (Dubet, 1991 : 237).

Les élèves du secondaire vont à l'école pour différentes raisons comme le goût d'apprendre, la volonté de décrocher un diplôme, les rencontres avec les amis, la pression des parents, etc.[15] Les attentes de ces élèves vis-à-vis de l'école prennent donc plusieurs formes et l'institution n'est pas toujours en mesure d'offrir à ces jeunes ce qu'ils souhaiteraient trouver. Le décalage entre ce que l'institution peut offrir et ce que les jeunes demandent constitue un des axes majeurs de tension dans la relation pédagogique. Et il semble que plus ce décalage est grand, plus apparaissent des

---

15. Les raisons pour lesquelles les jeunes vont à l'école et celles pour lesquelles ils décrochent de l'école ne sont pas tout à fait les mêmes selon le sexe des élèves, leur origine sociale et leur performance scolaire. Voir sur le sujet Bouchard, St-Amant et Tondreau (1996a).

réactions d'ennui, d'agressivité et de violence chez les jeunes. En sens inverse, quand le décalage est réduit, les comportements d'opposition et de rejet diminuent[16] (Nizet et Hiernaux, 1984 : 14).

Le décalage entre ce qui est attendu de l'école par les élèves et ce qu'elle peut offrir dans les faits varie beaucoup en fonction du milieu social et du sexe de ces élèves. À l'intérieur de ces deux grandes variables, qui modulent en grande partie le rapport à l'institution scolaire, certains jeunes se sentent plus près de l'école, d'autres plus éloignés. Prenons la situation limite des jeunes garçons issus de milieux ouvriers engagés dans une formation professionnelle. Pour ces jeunes, il y a un décalage énorme entre la formation qu'ils espèrent acquérir à l'école et ce que cette dernière peut leur donner. Selon Nizet et Hiernaux, qui ont interviewé un certain nombre d'élèves belges provenant de milieux ouvriers, les tensions dans la relation pédagogique entre ces jeunes et leurs enseignants montrent des écarts importants entre la conception que se font ces jeunes de la formation scolaire – que ceux-ci ne sont pas toujours prêts à accepter – et l'offre de formation de l'institution scolaire.

Pour ces jeunes garçons, le monde se divise en deux phases particulières, soit celle de l'enfance, associée au jeu, à l'amusement et à la dépendance, et celle de l'âge adulte, associée au sérieux, aux responsabilités et à l'autonomie. Selon ces jeunes, le passage de l'enfance à l'âge adulte se fait presque directement, sans passage par l'adolescence. Dans leur vision du monde, l'âge adulte est fortement valorisé, car il est une étape à laquelle on associe le travail, le salaire et l'indépendance économique qui l'accompagne, donc symboliquement l'autonomie. Pour eux, l'école est l'antithèse de ce qu'ils valorisent puisqu'elle est associée au monde de l'enfance et de la dépendance, où le travail effectué n'est pas rémunéré, donc ne procurant pas l'autonomie tant recherchée. En somme, dans leur système de valeurs, certaines oppositions prennent forme entre ce qui est valorisé par eux et ce que représente l'école à leurs yeux. (*Voir le tableau 2.*) Sous cet angle, la relation pédagogique est au centre d'un conflit de valeurs et si l'élève accepte malgré tout de jouer le jeu de la scolarisation et d'en accepter la contrainte, c'est qu'il y perçoit à long terme son intérêt d'acquérir un diplôme.

Toujours dans leur système de valeurs, le travail s'oppose à l'école pour de nombreuses raisons dont, entre autres, le fait que la formation en milieu de travail est jugée plus valable que la formation scolaire parce que la première serait réelle, pratique et d'une utilité immédiate alors que la seconde serait artificielle, théorique et d'utilité différée. Mais surtout, la formation scolaire les ampute d'une ressource

---

16. Un certain nombre d'enquêtes autres que celle de Nizet et Hiernaux font état du rapport différencié des jeunes du secondaire aux savoirs scolaires en particulier, et à l'école en général, en fonction de leur origine sociale (entre autres : Hardy, 1989, 1994 ; Felouzis, 1993 ; Dubet, 1991, 1994 ; Bouchard, St-Amant et Tondreau, à paraître).

Tableau 2
Système de valeurs des élèves de milieu ouvrier par rapport à l'école et au travail

Ce qui est valorisé	Ce qui n'est pas valorisé
âge adulte	enfance
travail	école
salaire	non-salaire
indépendance	dépendance

Source : Nizet et Hiernaux (1984 : 21).

importante dans la constitution de leur identité, à savoir un salaire. Enfin, les règlements et la surveillance dont ils sont l'objet accentuent le sentiment de dépendance qu'ils éprouvent sur les bancs de l'école.

Les enseignants en relation avec ces jeunes ont une tout autre conception de la formation en milieu scolaire. Il ne leur viendrait pas à l'idée d'associer un salaire à cette formation ou de faire de cette dernière une préparation à des tâches précises monnayables sur le marché du travail. Pour eux, la formation ne doit pas être que pratique ; elle doit aussi initier à la culture. Comme disait l'un d'entre eux, interviewé lors de cette enquête : « Leur faire apprécier une poésie, leur faire apprécier une chanson, c'est très, très difficile. » Face à ces jeunes aux attentes bien précises en matière de formation, les enseignants ont tendance à adopter des attitudes bien différentes.

Premièrement, ils adoptent une stratégie de la distance. L'enseignant, dès le début de l'année, s'affirme comme supérieur aux élèves, développant ainsi une relation asymétrique entre lui et ces derniers : « La discipline, c'est un problème, et c'est le départ qui compte ; tous les ans, en septembre, il faut pouvoir imposer ses conditions. » Ce type de stratégie consiste en somme à l'exercice de l'autorité et au recours aux règlements afin d'imposer la formation aux jeunes. Deuxièmement, ils peuvent adopter une stratégie de la proximité. L'enseignant tente de développer une relation symétrique avec les élèves, c'est-à-dire que la discipline est écartée autant que faire se peut pour laisser place au dialogue et à une meilleure connaissance mutuelle des attentes des uns et des autres.

Qu'ils utilisent une stratégie de la proximité ou une stratégie de la distance, les enseignants tirent la majeure partie de leur pouvoir, d'une part, des notes qu'ils accordent pour les travaux, les exercices et les examens et, d'autre part, de l'importance qu'accordent les élèves à la réussite et au diplôme. Si, pour les élèves, la réussite et le diplôme sont très importants, cela constitue pour l'enseignant une source de pouvoir considérable. Si, à l'inverse, la réussite et le diplôme n'ont que peu d'importance pour les élèves, alors l'enseignant voit sa marge de manœuvre réduite, car il ne pourra pas obtenir grand-chose contre le diplôme. En somme, comme le soulignent Nizet et Hiernaux : « Nous découvrons ici une loi générale de la théorie des rapports de pouvoir : les moyens dont un acteur dispose dans la relation sont efficaces s'ils contraignent l'autre acteur, s'ils l'empêchent d'atteindre ses objectifs dans la relation » (Nizet et Hiernaux, 1984 : 41).

Or, les élèves ont une attitude variable face à la formation et au diplôme, une minorité n'y accordant aucune importance. Pour des enseignants qui s'efforcent d'engager leurs élèves dans une démarche de formation, ces conditions sont peu favorables à l'établissement d'une relation pédagogique sereine. En fait, les élèves affichent des comportements d'opposition (chahut, agressivité, violence[17], etc.) et de retrait (ennui, passivité, relations informelles échappant à l'enseignant, etc.) face à des enseignants utilisant différentes stratégies pour engager les élèves. Ces comportements visent, dans l'ensemble, deux buts : 1) rejeter la formation scolaire mais seulement scolaire puisqu'ils accordent beaucoup de valeur à la formation sur le tas ; 2) amener les enseignants à réduire les exigences d'apprentissage pour ainsi s'aménager une expérience scolaire supportable. Les élèves qui réagissent ainsi ne remettent pas en cause leur volonté d'obtenir un diplôme même s'ils ne croient guère que celui-ci signifie l'acquisition d'une compétence.

Les comportements d'opposition apparaissent surtout dans les classes où les enseignants adoptent une stratégie de la distance par rapport aux élèves, c'est-à-dire une relation asymétrique entre les partenaires de la relation pédagogique. Toutefois, cette relation pédagogique est moribonde dans une classe où l'enseignant doit imposer la formation et où les élèves ne l'acceptent pas ou ne l'acceptent qu'en partie. Dans ces conditions, à défaut d'agir dans la partie pédagogique de la relation, la relation pédagogique se joue strictement « à la relation », c'est-à-dire sur le réglementaire et le disciplinaire. En somme, le contrôle des enseignants ne se fait pas sur la portion « instruction » de la relation pédagogique, ce qui est la source « normale » de leur pouvoir, mais sur la portion « éducation », là où les élèves détiennent une marge de manœuvre énorme, ne serait-ce que parce qu'ils peuvent former un groupe contre l'enseignant et lui rendre la vie impossible. D'autant plus que ce glissement dans la

---

17. On observe plus souvent le phénomène de la violence scolaire dans les écoles en milieux socio-économiques faibles sans qu'elle soit exclue des écoles en milieux socio-économiques plus favorisés. Selon Debarbieux (1996), cette violence est attribuable en partie au fait que l'école a, dans certains quartiers, le monopole de la rencontre entre les exclus de la société, ceux dont le présent et l'avenir sont flous, et les inclus, ceux pour qui les chances sont bonnes de se faire une place dans la société. Comme le souligne l'auteur : « Quand la déliaison entre promesse d'intégration et réalité sociale et scolaire est trop importante, alors se tient la violence » (Debarbieux, 1996 : 171). Autrement dit, ni la violence ni l'agressivité dans la relation pédagogique ne sont imputables au seul rapport au savoir. Cette violence et cette agressivité dont sont l'objet les enseignants et les enseignantes sont la manifestation du rapport social entre ceux qui peuvent espérer des lendemains meilleurs et ceux pour qui même l'espoir de s'en sortir est devenu un luxe coûteux.

relation pédagogique sera perçu comme une perte d'autorité. Comme le soulignent Nizet et Hiernaux, « à mesure que l'exigence [de l'enseignant] s'écarte des apprentissages scolaires, elle perd de sa légitimité, et gagne en arbitraire ».

Les comportements de retrait, pour leur part, apparaissent en bonne partie dans les classes où les enseignants utilisent une stratégie de la proximité, c'est-à-dire une relation symétrique dans leurs rapports aux élèves. Ce comportement de retrait, qui diffère de celui qui est observé dans les classes où l'enseignant utilise une stratégie de la distance, se comprend dans la mesure où il est bien adapté à la situation. En effet, les stratégies de la proximité ont pour but de jouer sur les intérêts et les désirs des élèves afin de les amener à s'engager dans une démarche d'apprentissage. Dans ces conditions, le retrait des élèves contrecarre les objectifs poursuivis par l'enseignant. Dans les comportements d'opposition, les élèves s'opposent par l'indiscipline au désir d'ordre de l'enseignant, ce qui, dans ce cas également, remet en question les objectifs de ce dernier[18]. Une des conclusions que tirent Nizet et Hiernaux de ces analyses indique qu'en situation de décalage de l'offre scolaire par rapport aux attentes des élèves les moyens qu'ont les enseignants pour engager les élèves dans la formation sont peu efficaces.

> Autrement dit, leur *pouvoir est relativement faible*. De plus, il semble que, de leur point de vue, la situation n'ait pas tendance à s'améliorer. Bien au contraire, bon nombre de moyens qu'ils mettent en œuvre se révèlent de moins en moins opérants. Par exemple, le fait que l'élève puisse passer la classe sans avoir obtenu une note suffisante dans certaines matières réduit l'efficacité de la manœuvre qui consiste à jouer sur les points, la réussite, le diplôme. Autre illustration : la crise et le chômage des jeunes compromettent l'efficacité de l'argument selon lequel tel savoir ou savoir-faire est indispensable pour la vie professionnelle future de l'élève. Non seulement donc on a l'impression que le pouvoir est faible, *il semble même qu'il s'affaiblisse de plus en plus*. (Nizet et Hiernaux, 1984 : 89).

Les exigences de la formation scolaire, les décalages entre les attentes des élèves et celles du personnel enseignant, la dissymétrie habituelle entre les élèves et l'enseignant dans la relation pédagogique, le face-à-face quotidien qui s'échelonne sur une longue période entre les partenaires de la relation pédagogique, son caractère

---

18. Sur les stratégies de retrait et d'opposition des élèves, on peut consulter l'étude de Bouchard, St-Amant et Tondreau (à paraître), qui décrit et analyse les ressources utilisées par de jeunes garçons de troisième secondaire, en difficulté scolaire et issus de milieux socio-économiques faibles, dans leurs relations avec les enseignants et les enseignantes. Par exemple, les garçons d'un des groupes ont exprimé clairement que « si les profs sont corrects avec nous, on va être corrects avec eux ; s'ils sont baveux, on l'est nous aussi ». Le personnel enseignant est jugé « correct » s'il réduit les exigences de travail académique et du travail scolaire à la maison et s'il laisse tranquille dans la classe un élève qui ne veut rien faire. Sur le rapport au savoir et aux travaux scolaires chez les élèves du secondaire en fonction du sexe, on peut consulter Bouchard, St-Amant et Tondreau (1996b).

contraint, constituent autant d'éléments qui font de la relation pédagogique une des relations sociales parmi les plus difficiles à entretenir. Ces difficultés s'ajoutent au fait que les publics scolaires sont de plus en plus diversifiés, créant parfois des tensions liées à la manifestation de multiples rapports sociaux dans la classe.

Les acteurs de la socialisation scolaire

Comme Gloton le soulignait déjà en 1974, le système scolaire laisse l'enseignante ou l'enseignant désarmé face aux difficultés du métier. Désarmé par un manque de formation scientifique dans de nombreux domaines comme la biologie, la psychologie et la sociologie, l'enseignante ou l'enseignant s'enfermerait dans l'empirisme des petites recettes et des spéculations. Désarmé aussi dans la mesure où il est isolé, seul avec les enfants dans la classe, généralement seul face à ses collègues, face aux familles qui ne se gênent pas pour le critiquer si leurs enfants éprouvent des difficultés. Enfin, il est seul face à l'administration qui ignore souvent le dialogue véritable (Gloton, 1974 : 134). Dans ces conditions, l'enseignante ou l'enseignant ne peut faire autrement que de protéger ses arrières face aux parents et à l'administration, tout en essayant de survivre dans la classe si, par malheur, il enseigne à des élèves plus ou moins intéressés par les apprentissages scolaires. Il doit devenir un acteur dans l'école même. Comme le souligne Tardif :

> Enseigner, c'est accepter de travailler en régime d'incertitude ; c'est reconnaître que l'expertise professionnelle, parce qu'elle a affaire à l'humain, ne peut pas se transformer en technologie, en maîtrise complète, en instrumentalité, qu'elle comporte au contraire dans son cœur même de l'indétermination. C'est pourquoi les enseignants ne peuvent pas se comporter uniquement comme des agents d'un système, en se contentant d'appliquer les règles définies d'avance ; au contraire, parce que les situations professionnelles qu'ils vivent quotidiennement comportent de l'indétermination, de l'incertitude, de l'hétérogène, ils font nécessairement une expérience d'acteur […]. (Tardif, 1996 : 217).

En fait, les enseignants et les enseignantes parlent moins aujourd'hui de leur rôle que de leur expérience d'enseignement, ils « sont moins les agents d'un système que les acteurs d'une pratique [ou plutôt ils et elles] sont des *agents* d'une organisation qui doivent se conduire en *acteurs* entrant dans des relations personnelles avec des élèves » (Tardif, 1996 : 214).

Les attentes parentales vis-à-vis du personnel enseignant

Les multiples attentes adressées au personnel éducatif aujourd'hui induisent des pressions qui sont vécues par les enseignantes et les enseignants comme des tensions devant être résolues. Par exemple, les parents de classes populaires attendent de l'école qu'elle favorise l'intégration de leurs enfants à la société ; ils souhaitent que les enfants apprennent les règles de la vie en société afin de s'intégrer à une culture autre que la culture de masse ou à celle de l'individualisme du marché. Les parents d'enfants immigrants souhaitent pour leur part que l'école mette l'accent sur la fonction d'instruction de l'école afin d'augmenter les chances de mobilité sociale de leurs enfants.

Le rôle attendu de l'école par les familles populaires diverge aussi passablement de celui attendu des classes moyennes pour qui l'école est un complément à l'éducation reçue dans la famille. Les parents des classes moyennes ne se reposent pas entièrement sur l'institution scolaire et cherchent plutôt à développer un rapport « contractuel » à l'école (Dubet et Martuccelli, 1996a : 110-111). Ils ont aussi tendance à demander à l'école qu'elle permette la réussite scolaire de leur enfant – par le jeu de la performance et de la compétition s'il le faut – afin d'assurer plus tard à leur progéniture la réussite sociale.

Les attentes formulées par les parents des classes plus aisées de la société sont particulières ; ils ont des exigences envers *leurs* écoles. Comme le souligne Delhaye, les « milieux favorisés développent une stratégie plus active en direction de l'école ; il s'agit alors de consolider les positions transmises ou de lutter contre la régression sociale ou, pour les classes montantes, de se focaliser sur les impératifs de l'ascension sociale » (Delhaye, 1990 : 146). Brassard nous fournit un exemple de cette stratégie plus active des familles provenant de milieux aisés :

> Dans une école primaire de Montréal, qui dessert un quartier où une bonne partie de la population appartient à un milieu relativement bourgeois, l'enseignante de sixième année fait face à un dilemme qui lui vient des attentes des parents. Un certain nombre de parents insistent très fortement sur la préparation des enfants aux examens d'entrée à l'école privée […] alors que plusieurs autres trouvent plus important, en cette dernière année du primaire et avant l'entrée au secondaire, que l'effort soit centré sur l'apprentissage de l'autonomie, de la créativité et de la capacité à œuvrer de façon coopérante […]. L'enseignante, qui prend très à cœur son travail, éprouve beaucoup de difficultés à résoudre ce problème éminemment pratique. (Brassard, 1986 : 52).

Il semble donc que dans les couches populaires de la société, les parents se tournent plutôt, mais pas exclusivement, vers la fonction d'*intégration* de l'école ; les parents des classes moyennes ont plutôt un rapport *stratégique* à l'école dans la mesure où cette dernière doit d'abord favoriser la réussite scolaire et sociale de leurs enfants ; les parents des classes aisées ont à la fois un rapport stratégique à l'école tout en lui demandant de travailler dans le registre de la *subjectivation*, c'est-à-dire faire de leurs enfants des sujets autonomes.

Le personnel enseignant et son rapport stratégique aux familles

Chez les élèves comme chez les parents, on note des changements dans les valeurs, dans les attitudes et dans les comportements qui obligent le personnel scolaire (direction, enseignantes et enseignants) à gérer les relations sociales dans l'école sous le mode de la négociation. Par exemple, Guy Lessard, président de la Fédération québécoise des directeurs et directrices d'établissement d'enseignement, explique ainsi ce changement chez les élèves :

> Les interventions deviennent de plus en plus complexes car les élèves ont développé des habitudes de négociation face à leurs parents d'abord, leurs amis et leurs enseignants. Rien ne peut être imposé simplement, « parce que ». Tout doit être expliqué ; le doute est toujours présent. Les élèves ont droit à leurs idées, à leurs goûts, à leurs décisions. Il ne nous reste très souvent qu'à leur montrer les conséquences de leurs gestes ou à les convaincre du bien-fondé de nos demandes. Très souvent également, ils reçoivent un appui inconditionnel de leurs parents. (Lessard, 1995 : 15).

Face à des populations scolaires plus diversifiées qu'auparavant, qui ne voient pas nécessairement l'utilité des apprentissages scolaires, et face à des parents qui ont très bien compris pour leur part que la scolarisation sans embûche constitue, sinon une garantie, du moins une possibilité fort avantageuse de réussite sociale pour leurs enfants, les enseignantes et les enseignants ne peuvent plus se reposer sur la légitimité institutionnelle que leur confère l'école dans leurs rapports aux familles.

En effet, les conséquences parfois désastreuses que représente aujourd'hui un échec scolaire pour un enfant font en sorte que les parents deviennent très exigeants et même agressifs dans leur demande. Par conséquent, les enseignants et les enseignantes adoptent des stratégies défensives, qui visent essentiellement à protéger leur territoire contre les intrusions des parents. Comme le soulignent Favre et Montandon : « Tout se passe comme si le territoire des uns et des autres ne faisait et ne pouvait faire l'objet d'aucun litige, comme s'il avait été défini une fois pour toutes le jour où a été instituée l'école obligatoire... » (Favre et Montandon, 1989 : 139). Les enseignants agissent-ils ainsi par crainte, par peur des parents ? Est-ce qu'il y a d'autres motifs qui peuvent rendre compte de leur action face aux parents ? Suivons encore un instant Favre et Montandon pour qui l'enseignant et l'enseignante s'insèrent dans des logiques et des systèmes d'action parfois très contraignants :

> Chaque enseignant fait face à la situation en fonction de son histoire et de ses expériences passées ; le contexte dans lequel il se trouve lui impose telle solution plutôt que telle autre, ouvre certaines voies et en ferme d'autres. Et cependant, chacun garde le sentiment d'une certaine maîtrise de la situation. Ou du moins, c'est ce que vise son action : les pratiques adoptées répondent de la part de l'enseignant à des nécessités qui, pour être purement pragmatiques, n'en sont pas moins déterminantes : s'assurer la maîtrise de la classe et permettre la réussite de tous les élèves ;

pour ce faire : obtenir le concours et l'appui des parents, faire la preuve de sa compétence et se protéger à temps et efficacement de toute contestation trop vive ou trop générale de ses méthodes ; attirer l'attention sur les risques d'échec et éviter que ne lui soit trop immédiatement ou trop systématiquement attribuée la responsabilité des difficultés de ses élèves ; de façon plus générale, faire en sorte non seulement de ne pas perdre la face mais d'être reconnu par les parents comme un professionnel auquel on peut faire confiance. (Favre et Montandon, 1989 : 28).

Les objectifs du personnel enseignant ne peuvent s'élaborer sans tenir compte des attentes des parents face à l'école. La coopération ou les conflits autour de l'enjeu de la socialisation et de l'instruction de l'enfant dépendent pour beaucoup des représentations que se font les familles du rôle de l'école. Cette coopération ou ses conflits sont aussi fonction de la diversité des points de vue de l'école sur les familles. Sur ce plan, on peut distinguer, avec Montandon, quatre visions différentes :

a) Les enseignants peuvent considérer les parents comme des *clients*. Dans ce cas, ils les perçoivent comme s'ils ne connaissaient rien en pédagogie et en gestion. Dans ces conditions, il suffit d'informer les parents sur des points mineurs.

b) Une deuxième vision possible est celle de la *caution*. Dans ce cas, les enseignants consultent surtout les parents pour avoir un feed-back sur leur travail : cela peut fournir une idée de l'écart entre ce que le personnel enseignant fait et ce que les parents veulent de l'école. C'est aussi une manière de se donner bonne conscience.

c) Les parents peuvent être perçus comme un *groupe de pression*. Dans ce cas, les enseignants et les autorités de l'école « attendent leurs revendications pour réagir ». Les parents se retrouvent, dans ces conditions, en position d'adversaires.

d) Enfin, une quatrième vision de l'école sur la famille serait possible. Ce serait celle de considérer les parents comme de véritables *partenaires*. « Selon cette vision, [...], les parents, sans prétendre devenir des professionnels de l'enseignement ou de la gestion, sont non seulement consultés, mais participent aux décisions. Cette conception, rarement réalisée, présuppose une volonté politique de modifier les rapports sociaux à l'intérieur du système scolaire » (Montandon, 1987 : 38).

Les multiples contraintes qui pèsent sur l'école obligent les parents et le personnel à modifier leurs pratiques respectives face à la socialisation de l'enfant, qui se fait alors dans un plus grand engagement des uns envers les autres. De plus en plus sollicités par les changements familiaux, les changements sociaux et les changements dans les programmes scolaires, les enseignants se trouvent débordés et font appel aux parents afin de suffire à la tâche. Écoutons le témoignage d'une enseignante québécoise sur le sujet :

Moi, ce que je fais depuis quelques années, j'ai des mères qui aident dans ma classe. Ça a l'air de rien, mais ça paraît pour moi. J'avais pas ça au début, j'ai essayé de développer une capacité de travailler avec certains parents en qui j'ai confiance. Je ne pourrais plus m'en passer. J'ai 3 mères qui viennent, deux le matin, une l'après-midi, et les enfants développent une relation avec elles [que moi-même j'ai pas toujours le temps de créer] parce que je leur fais faire du travail individuel avec les enfants. [...] Elles ne sont pas rémunérées, pas du tout. Puis elles me trouvent des idées, parfois elles ont des projets. Ça, c'est une ressource que j'utilise. Mais je sais qu'il y a d'autres personnes qui utilisent les personnes âgées. Il y a des personnes qui sont à la préretraite ou à la retraite, puis qui pourraient dans certains cas venir aider, venir faire lire les enfants. Ça coûte pas cher puis ces personnes-là, ça les valorise [...]. (Citée dans Dandurand Renée B. *et al.*, 1990 : 111).

La rapidité avec laquelle évoluent les modèles familiaux, les cultures médiatiques qui pénètrent l'univers des jeunes et des très jeunes élèves, la pauvreté qui gagne du terrain dans les grandes agglomérations urbaines et les problèmes de santé et de violence qu'elle engendre, l'insertion professionnelle plus difficile qu'auparavant avec le questionnement qu'elle suscite sur la valeur du diplôme en particulier et des études en général, sont parmi quelques-uns des grands problèmes auxquels l'école ne peut échapper. Par conséquent, plus de ressources devraient être injectées dans les écoles afin de contrer les difficultés et le décrochage scolaires des jeunes et des très jeunes élèves qui vivent les mutations sociales de manière critique dans leur vie de tous les jours. De plus, les enseignants et les enseignantes sont confrontés à une tâche qui s'alourdit considérablement à mesure qu'arrivent à l'école les nouvelles populations scolaires. Dans une conjoncture de compressions budgétaires qui n'en finissent plus, une des solutions envisageables pourrait consister à favoriser une plus grande coopération entre les familles et le personnel enseignant.

Résumé

Pendant longtemps, on a perçu l'école comme une institution vouée à l'intégration des jeunes à la culture de la société et aux savoirs valorisés par cette société. Cette fonction d'intégration qui demeure tout de même fort importante aujourd'hui – l'école est toujours la dépositaire légitime de la mission d'instruire que lui confère l'État – ne permet plus d'expliquer dans son ensemble les pratiques des différents acteurs dans l'école et en dehors de celle-ci, que ce soit celles des directions d'école, du personnel enseignant, des élèves ou de leurs parents. La représentation de l'école comme une institution transformant des valeurs (supposément communes et partagées) en normes sociales pour son fonctionnement, transformant, à leur tour, ces normes en rôles sociaux et en attentes réciproques encadrant l'action des agents, ne semble plus rendre compte de la réalité dans l'école et dans les classes.

De plus, l'idée de communauté qui caractérisait le groupe-élèves ne répond plus à ce que les élèves eux-mêmes disent de la dynamique de leur classe. En fait, en délaissant la vision classique de la classe, on découvre des élèves qui se « constituent » comme acteurs, capables de structurer et de négocier leurs rapports au maître et de s'engager dans les apprentissages scolaires tout en se ménageant une marge de manœuvre qui leur assure une expérience qui soit sinon agréable, tout au moins supportable. En fait, la classe ne se réduit pas à l'idée de communauté, elle est aussi espace de concurrence dans laquelle les élèves sont engagés de manière plus ou moins intense selon les ressources qu'ils peuvent mobiliser dans leur scolarité. Dans ces conditions, la relation maître-élèves ne peut plus être interprétée de la même façon. Cette dernière a été conçue et vécue pendant longtemps comme un système d'action pédagogique et réglementaire fort contraignant pour les élèves. Dans cette relation où l'autorité du maître avait force de loi, les élèves bénéficiaient d'une faible marge de manœuvre face aux exigences de l'école et du maître. Aujourd'hui, la relation pédagogique est vécue beaucoup plus sur le mode de la négociation que sur celui de l'imposition. La négociation suppose toutefois que l'on peut engager des ressources dans la situation afin de la faire tourner à son avantage ou éviter qu'elle ne soit défavorable à sa propre action. Or, les élèves ne possèdent pas tous le même bagage de ressources mobilisables dans la mesure où chacun est porteur d'éléments discriminants liés à l'origine sociale, le sexe ou l'ethnie, pour ne nommer que les plus évidents. En ce sens, l'interaction en classe entre l'enseignante ou l'enseignant et ses élèves, et la relation pédagogique qui structure ces interactions sont conditionnées par les rapports sociaux qui sont partie intégrante de l'expérience sociale des jeunes et du personnel enseignant.

Afin d'analyser concrètement l'expérience scolaire des élèves, il s'avère nécessaire de mettre de côté les grands récits de la sociologie pour se centrer sur les façons dont se manifestent concrètement les rapports sociaux (de classe, de sexe, etc.) dans la classe. Pour ce faire, les nouvelles approches des sciences sociales (phénoménologie, ethnométhodologie, interactionnisme, etc.) invitent à regarder comment ces rapports sociaux se produisent et se reproduisent dans le contexte concret de la classe. La relation pédagogique est au cœur de cette réflexion sur la construction des inégalités en contexte scolaire, car c'est à travers elle et les pratiques et interactions des acteurs que les grands facteurs discriminants tels que l'ethnie, l'origine sociale et le sexe se reproduisent. Plus précisément, c'est dans les interactions quotidiennes du maître et des élèves, et des élèves entre eux, que se construisent graduellement, presque toujours à l'insu des partenaires de la relation pédagogique, les inégalités scolaires.

Mais au-delà de l'autorité que confère l'État à l'école, la situation concrète dans laquelle se trouvent maître et élèves dans la relation pédagogique est une situation gouvernée par la confrontation : programmes, savoirs, méthodes et règles de fonctionnement mis en œuvre par le maître d'une part ; groupe d'élèves où chacun arrive avec son histoire, son expérience, son appartenance à un milieu donné, à une classe sociale, à une famille, à un genre d'autre part. Tous ces éléments structurent donc les rapports entre maître et élèves. Dans cette situation d'interdépendance, le maître possède des ressources supérieures aux élèves : il a, de son côté, la légitimité, l'autorité, les règles, qu'il utilise pour favoriser son travail d'enseignement et amener l'élève à apprendre. Il semble disposer d'un pouvoir très grand et même disproportionné. Hormis l'interdépendance présumée par l'enseignement et les gestes qui l'organisent – suivre un programme, assurer un minimum de discipline qui rend possible le travail intellectuel, savoir où l'on va et quelle compétence on veut développer – il faut, pour que se réalise concrètement l'apprentissage, une interaction significative entre le maître et l'élève. Or, cette interaction n'est possible que s'il existe un minimum de coopération entre les acteurs concernés.

On constate aisément que le désir de l'élève d'apprendre constitue une source d'incertitude que le maître ne peut prétendre maîtriser. Or, même en situation de coopération minimale, celle où au moins il n'y a pas de refus et de résistance à l'école et à l'action du maître, celle-ci repose en grande partie sur la capacité du maître d'entrer en relation significative, de négocier avec les élèves les périodes d'attention et celles de détente, les travaux exigés et la satisfaction qu'en retirent les élèves, l'intérêt qu'il suscite et l'attention qu'il appelle, l'effort gratuit et l'effort payé, etc. La relation pédagogique est caractérisée par la poursuite d'objectifs supposément communs, mais où chacun des partenaires, même dans une situation de coopération acceptée, cherche à sauvegarder ses intérêts et à protéger sa liberté, à utiliser ses atouts pour gagner l'adhésion de l'autre, à profiter des possibilités qu'offrent les situations et même à poursuivre d'autres objectifs qui ne sont pas directement reliés aux objectifs du maître et de l'école. La relation pédagogique nécessite donc une coopération nécessaire pour l'apprentissage dans un contexte d'interdépendance. L'imposition de l'autorité par les enseignants et les enseignantes dans la relation pédagogique et les comportements d'opposition et de retrait des élèves sont là pour témoigner que cette relation ne va pas de soi, qu'elle n'est pas donnée d'avance.

Le rapport des familles à l'école s'est également modifié au cours des dernières décennies. Les parents des différentes classes sociales de la société mettent l'accent sur un des rôles particuliers de l'école selon leur position dans la hiérarchie sociale. Par exemple, les parents des milieux populaires privilégient la fonction d'intégration de l'école ; les parents des classes moyennes ont plutôt un rapport stratégique à l'institution scolaire ; les parents des classes aisées ont un rapport stratégique à l'école tout en lui demandant de travailler dans le registre de la subjectivation. Dans ces conditions, le personnel enseignant ne peut plus se percevoir uniquement comme agent du système scolaire, mais il doit aussi devenir acteur dans l'école et dans les classes. Devant les interventions qui deviennent de plus en plus complexes avec les élèves, devant les exigences parfois contradictoires des parents face à l'école, les enseignantes et les enseignants doivent accepter de travailler en régime d'incertitude.

Conclusion

Le regard jeté sur l'école aujourd'hui nous la montre passablement différente de ce qu'elle était il y a trente ans. Certes, l'école demeure un lieu important d'intégration à la société par les valeurs et les savoirs qu'elle transmet, mais elle est aussi un espace où la concurrence prend place, que ce soit pour obtenir les meilleures notes, les meilleurs classements, bref ce qui ouvre les portes des meilleures écoles. L'analyse des pratiques concrètes des acteurs sociaux dans l'école renvoie à trois constats :

1. Les acteurs scolaires ne se laissent jamais complètement absorber par les objectifs de l'institution. Chacun à sa façon tente de se ménager une marge de manœuvre, de se décaler par rapport à ce qui est attendu de lui, donc de prendre une certaine distance par rapport à son rôle tout en cherchant à s'intégrer. La logique d'intégration de l'institution n'est donc jamais totale[19].

2. La capacité de chacun d'être autre chose que ce qui est attendu de lui dépend pour une bonne part des ressources qu'il peut mobiliser pour son expérience au sein de l'institution scolaire ; tous les partenaires de l'école en attendent quelque chose, que ce soit les parents, les élèves, le personnel enseignant ou le personnel de direction, chacun poursuit dans l'école et à travers elle des objectifs qu'il souhaite atteindre. En somme, les acteurs dans l'école sont en relation d'interdépendance, ce qui les insère *de facto* dans des relations de pouvoir où chacun n'est jamais totalement démuni. Dans ces conditions, la pratique des acteurs dans l'école vise l'intégration tout en s'insérant dans une logique stratégique.

3. Les stratégies mises en œuvre face à l'école sont de diverses natures. Certains acteurs visent à tirer leur épingle du jeu, d'autres développent des comportements d'opposition, de rejet ou même d'agressivité. En fait, la volonté des acteurs de se dégager plus ou moins des rapports sociaux de dépendance, de contrôle, de soumission, de domination dans la relation pédagogique les amène à se constituer comme sujet.

Mais ce sujet, qui se construit toujours contre une logique d'intégration, doit être d'abord et avant tout un acteur, c'est-à-dire une personne capable de comprendre les enjeux dans lesquels il se trouve enserré, les règles du jeu dans lequel il doit fonctionner, de connaître de façon minimale les objectifs que poursuivent les autres acteurs dans ces enjeux. Le sujet ne peut être pensé sans l'acteur (Touraine, 1992 : 332). Dans cette perspective, l'acteur devient sujet dans la distance face à ses rôles, distance qui est une attitude critique, un dégagement face aux logiques qui tendent à réduire les gens à leur désir d'intégration ou à leurs intérêts (Dubet, 1994 : 255).

---

19. Et c'est le cas de toutes les institutions, même celles que Goffman appelle les « institutions totales » comme les hôpitaux psychiatriques qu'il a étudiés. Dans son livre *Asile* (1977), il montre que les patients des hôpitaux psychiatriques ne sont pas complètement démunis face au pouvoir des médecins et du personnel infirmier.

Cependant, cette définition ne touche qu'un aspect du sujet social. Dans les faits, le sujet se constitue aussi à travers l'exclusion, l'aliénation et la domination : c'est le versant négatif de l'idée de sujet. Comme le souligne Dubet :

> Mais c'est surtout par le conflit que l'acteur devient sujet, quand il s'oppose à la domination qui fait obstacle à son autonomie et à son « authenticité », quand il oppose son individualité au « système ». C'est ce qui doit nous inviter à retrouver le thème de l'aliénation. [...] Les individus et les groupes dominés sont dépossédés de la capacité d'unifier leur expérience et de lui donner un sens autonome. Le travail par lequel ils parviennent à reconstruire leur expérience est beaucoup plus lourd et difficile que celui des dominants, qui bénéficient d'emblée de ressources culturelles et sociales leur permettant d'être des acteurs. Le cas de l'école est à cet égard exemplaire : non seulement les plus faibles sont exclus, mais ils sont « détruits », ils ne parviennent pas à comprendre ce qui leur arrive. (Dubet, 1994 : 256).

Et c'est peut-être dans l'analyse de l'échec scolaire que se manifestent avec le plus de clarté les difficultés des jeunes à intégrer différentes logiques dans une expérience sociale qui a un sens. Même si l'échec scolaire est un problème social, il est presque toujours vécu sur un plan individuel. L'échec scolaire ne montre pas seulement l'incapacité de s'intégrer à la culture scolaire, il indique aussi que les ressources manquent afin de jouer le jeu de la scolarisation. Devant la norme dominante de la réussite scolaire imposée par l'école à l'élève en difficulté scolaire, ce dernier peut vite se sentir aliéné, il peut devenir ce qu'on dit qu'il est, accepter le jugement de l'école sur lui et transformer ce jugement en honte, en haine ou en agressivité. À défaut de pouvoir se construire une identité à travers leur scolarité, un certain nombre d'élèves (plus les garçons que les filles, plus ceux des milieux socio-économiques faibles que des autres milieux sociaux) se retirent, lâchent prise et tentent de se construire une expérience sociale en dehors de l'école, même si cette expérience est le plus souvent vécue sur le mode de l'exclusion sociale (absence d'insertion professionnelle, absence d'un réseau de soutien, absence de possibilités d'affiliation, absence de ressources pour faire face aux imprévus, etc.).

L'analyse de l'échec scolaire (avec ses corollaires : l'absentéisme et l'abandon scolaires, ou avec son contraire : la réussite scolaire), faite par l'entremise de la notion de sujet, permet de comprendre le phénomène de l'échec scolaire sous un angle différent. Elle permet aussi de questionner autrement le rôle du personnel enseignant qui ne peut se contenter, devant ce problème, d'être de simples agents ou même des acteurs du système. Les enseignantes et les enseignants se doivent, devant l'échec et l'abandon scolaires, de prendre une distance critique face à leur propre pratique d'enseignement, de questionner leurs manières de faire et d'être dans la relation pédagogique afin de contrer la domination et l'aliénation qui s'imposent de manière latente dans la relation pédagogique, de penser d'autres moyens de faire de l'expérience scolaire des jeunes une expérience enrichissante, non une expérience aliénante. Ils sont donc aussi tenus de se constituer comme sujets de leur pratique, ce qui n'est évidemment pas facile dans un contexte où, d'une part, les ressources injectées dans le système d'enseignement sont revues à la baisse et, d'autre part, les populations scolaires se diversifient et se présentent à l'école en apportant avec elles des difficultés socio-économiques et culturelles de plus en plus aiguës.

QUESTIONS

1. Quelle est la réalité scolaire des élèves du primaire d'aujourd'hui ? Quelles sont les conséquences de cette réalité sur leur métier d'élève ?

2. Qu'est-ce qui caractérise les savoirs et les comportements des élèves et des étudiants et des étudiantes d'aujourd'hui ?

3. Que reproche-t-on à l'école secondaire ?

4. Comment se caractérisent les nouvelles approches sociologiques pour observer, décrire et comprendre ce qui se passe concrètement dans les écoles ? Quel est l'objet premier de ce travail d'analyse ? Que visent à découvrir les chercheurs à partir de leurs observations ?

5. Quelles conséquences les caractéristiques des nouvelles populations scolaires ainsi que les problèmes nouveaux de l'école ont-ils sur les enseignantes et les enseignants ?

6. Décrivez quelques-uns des comportements d'élève qui illustreraient une action stratégique. En quoi toute action stratégique s'appuie-t-elle sur une logique d'intégration ?

7. La relation pédagogique est une relation sociale organisée autour du travail pédagogique : quelles caractéristiques présente-t-elle alors ?

8. Pourquoi dit-on qu'être élève n'est pas naturel ?

9. Montrez, à partir de la description que les élèves font de leur situation, qu'ils jouent constamment sur deux registres : l'un correspondant à la logique d'intégration, l'autre à la logique stratégique.

10. Illustrez par des exemples que la concurrence et la compétition sont présentes dans les interrelations des acteurs dans la classe.

11. Les pressions que les rapports sociaux de compétition ou de concurrence exercent sur les jeunes sont-elles indépendantes de leur origine sociale ? Expliquez.

12. Quelles sont les attentes des parents de milieux populaires à l'égard de la performance scolaire de leurs enfants?

13. Est-ce que l'élève du primaire et l'élève du secondaire perçoivent l'autorité professorale de la même façon? Expliquez.

14. Quelle est la dynamique relative au pouvoir selon la perspective stratégique?

15. Quelles sont les cinq stratégies que peuvent adopter les élèves en réponse aux exigences de leur enseignant ou de leur enseignante? Quelle stratégie adoptiez-vous (et adoptez peut-être encore)?

16. En quoi consiste l'approche de l'anthropologie culturelle de la classe?

17. Que nous apprend le cas de Rosa à partir de l'observation des interactions entre elle et son enseignante? Quelles sont les conséquences pour Rosa? Ce genre d'étude a-t-il une utilité pour un enseignant ou une enseignante?

18. En quoi consiste l'approche ethnométhodologique de la classe?

19. Décrivez le métier d'étudiant universitaire selon la recherche de Coulon. Que vous apprend-elle de nouveau sur votre métier d'étudiant? Quelle contribution fait-elle à la compréhension du métier d'étudiant universitaire?

20. Décrivez la façon de procéder de Sirota dans sa recherche sur les interventions des élèves en classe. Que nous apprennent ces observations? Qu'attendent de l'école les parents et enfants: a) des classes populaires; b) des cadres moyens; c) des cadres supérieurs et des professions libérales? Quelles conclusions pouvez-vous en tirer pour interpréter le sens profond des interactions en classe? Qu'aurait donné une collecte de données sans hypothèse préalable? Quelle leçon pouvez-vous en tirer pour les observations que vous pourriez faire dans le contexte de vos stages?

21. Des chercheurs ont étudié aussi ce qui se passe en classe sous l'angle des rapports sociaux selon le sexe. Donnez les principaux résultats des recherches rapportées.

22. En quoi consiste l'approche phénoménologique de la classe?

23. La relation pédagogique peut se concevoir comme un système d'interdépendance où les acteurs cherchent à conserver une marge de manœuvre malgré les règles censées les régir. Illustrez par des exemples les types de comportements privilégiés par les acteurs sociaux (ici, les élèves et les maîtres).

24. Quelles sont les caractéristiques de la relation pédagogique conçue comme lieu de « contraintes sociales »? Est-ce là la façon habituelle que vous aviez de vous représenter la relation pédagogique? Quelles sont les conséquences de ces constats pour un futur enseignant ou une future enseignante?

25. Quelles sont les situations ou les circonstances de la vie scolaire des élèves ou des étudiants et des étudiantes qui rendent les rapports entre enseignants-élèves moins harmonieux? Explicitez ces aspects problématiques au «cœur de la relation pédagogique».

26. Décrivez les deux aspects apparemment antagonistes du concept d'acteur social (*voir l'encadré 9.5*). Quels liens pouvez-vous faire entre ces deux dimensions de l'acteur social et les logiques d'action? Illustrez, à l'aide d'exemples, les différents indicateurs du concept d'acteur social.

27. Décrivez les attentes variées que peuvent avoir les familles par rapport à l'école. Quelles en sont les conséquences pour le travail des enseignantes et des enseignants?

28. Parlant du rapport stratégique des enseignants aux familles, sur quel mode se jouent ces relations? Quelles sont les différentes façons pour les enseignants et les enseignantes de considérer les parents? Qu'entraîne chacune de ces représentations sur les interrelations réciproques enseignants-parents? Jugez de la pertinence sociale et éducative de chacune. Quelle serait votre attitude préférée et dites pourquoi.

CHAPITRE 10

La réussite et l'échec scolaires comme construction sociale :

les pratiques d'évaluation et d'enseignement

Table des matières

Sommaire

Ce chapitre

- décrit certaines contraintes de la logique de subjectivation, caractérisées d'une part, par :
    - les orientations culturelles dominantes dans notre société ;
    - un système de production, de consommation et de domination ;
    - l'importance des sciences, des mathématiques et de la technologie ;

    d'autre part, par :
    - l'exigence impérative d'une scolarité de niveau secondaire ;
    - la domination imposée par la course à l'excellence ;
    - la résistance et la distance critique des élèves ;
    - le conflit entre le système de valeurs individuelles et la société.

- analyse les pratiques de l'école face à l'enjeu de la réussite ou de l'échec conçus comme une construction sociale :
    - en montrant comment la réussite ou l'échec devient une ressource dans le débat politique des acteurs scolaires et sociaux ;
    - en explicitant comment l'école *fabrique l'échec scolaire* et *établit les règles du jeu de l'excellence* ;
    - en exposant le sens qu'ont l'école et le savoir pour les différents groupes d'élèves ;
    - en analysant comment les différentes catégories de jeunes résistent à l'école et cherchent parfois à s'en affranchir et à se réaliser ailleurs.

- propose aux candidats à l'enseignement une réflexion sur le rôle de médiation que jouent leurs représentations de l'élève et du savoir scolaire, et sur le sens de l'engagement des enseignants face à la réussite et à l'échec scolaires.

La réussite et l'échec scolaires comme construction sociale :

les pratiques d'évaluation et d'enseignement

> « Mieux comprendre les processus qui produisent la réussite ou l'échec scolaire nécessite de mieux comprendre quel sens les élèves donnent – compris à leur insu – à leur expérience scolaire. »
>
> Jean-Yves Rochex (1996).

Au Québec, dans les décennies 60 et 70, on poursuivait l'objectif d'une société juste et égalitaire ; à partir des années 80, on semble avoir choisi « la société productive ». Les changements dans le modèle culturel dominant ont également affecté la conception que l'on se faisait de l'école dans les décennies 60 et 70. De l'usage des critères d'équité, on passe à l'utilisation de critères de qualité (et de productivité) pour analyser et critiquer les politiques et les pratiques scolaires, tout au moins dans certains discours « sur l'éducation ». De nombreux aspects du système scolaire ont émergé sous un angle différent à partir du nouveau regard que l'on jette alors sur ce dernier. Hébert, sur un ton ironique, énumère une bonne partie des arguments qui sont à la base des discours des acteurs sociaux qui réclament régulièrement une réforme de l'éducation :

> [...] quand quelqu'un parle de réforme de l'Éducation, et on en parle de temps en temps, c'est souvent pour dire que le peuple « n'en a pas pour son argent », qu'il faudrait hausser les exigences, c'est-à-dire raidir la machine, pour en augmenter le rendement. L'industriel voudrait un secteur professionnel qui prépare de façon plus immédiate à la loi des marchés, ce qui n'empêche pas qu'il se félicite de trouver parmi ses recrues quelques personnalités. L'universitaire croit que le collégial n'est pas assez assujetti aux exigences des études supérieures. Bref, tout le monde cherche son bien, cependant qu'on oublie le bien de l'étudiant lui-même, sa « formation fondamentale ». (Hébert, 1994 : 33).

En effet, de tous les problèmes qui ont surgi en éducation au cœur des années 80, celui de la réussite scolaire (ou, à son opposé, de l'échec et du décrochage scolaires) occupe le devant de la scène, probablement par sa capacité à susciter un débat sur l'importance de la diplomation des jeunes pour leur survie dans une société imbue de productivité, de performances et de compétition. Sous l'effet combiné de l'usage qu'en a fait la CEQ et de la réponse stratégique qu'en a fait le ministre de l'Éducation du temps, Michel Pagé, le sujet devient objet privilégié de débats, de réflexions, de colloques, de plans d'action, d'éditoriaux. Assez ironiquement, c'est après les États généraux sur la qualité de l'éducation (en 1986), restés cependant un événement médiatique, qu'émergent les éléments majeurs du débat sur le décrochage scolaire.

Si, pour une majorité d'élèves, l'intégration dans le monde scolaire ne pose pas de problèmes particuliers, pour d'autres, l'école est une atteinte à leur identité. La réussite et l'échec scolaires sont une des principales clefs pour la compréhension de l'expérience scolaire des élèves, de leur difficulté à combiner différentes contraintes liées aux exigences scolaires, à la nécessité de faire face à la situation scolaire et à l'impératif de se produire soi-même. La socialisation scolaire n'étant pas totale, il y a toujours une part irréductible dans l'expérience sociale de ces jeunes. Comme le souligne Dubet : « La socialisation n'est pas totale, non parce que l'individu échappe au social, mais parce que son expérience s'inscrit dans des registres multiples et non congruents. C'est là ce qui fonde ce que l'on pourra considérer comme l'autonomie de l'individu » (Dubet, 1994 : 96). Cette autonomie de l'individu, même si elle n'est pas à l'abri de toutes déterminations, s'apparente à une capacité de redéfinir ces déterminations en fonction de sa propre volonté (Sader, 1988, dans Lavinas, 1993)[1]. C'est, en fait, s'intéresser « au monde qu'il se fait, à partir du monde que les autres lui font ».

L'identité sociale n'est pas donnée d'avance comme le suggèrent les pratiques des élèves qui souhaitent à la fois s'intégrer à l'école et à ses objectifs, et se ménager une marge de liberté dans la classe afin de vivre une expérience scolaire supportable, voire intéressante. Ils s'insèrent d'une part dans une *logique d'intégration* qui les mène à se fondre dans la communauté de la classe et, d'autre part, ils s'inscrivent dans une *logique stratégique* pour faire face à la compétition qui est aussi présente dans cette classe.

La même dynamique est présente chez les élèves plus vieux pour lesquels l'école est un lieu important d'intégration, notamment parce qu'elle est l'endroit par excellence pour rencontrer les amis et qu'elle est la dispensatrice du diplôme important pour l'insertion professionnelle. Cependant, l'expérience scolaire de ces jeunes n'est qu'une partie, très importante certes, mais une partie de l'expérience sociale de ces derniers. En effet, les jeunes doivent être en mesure de combiner plusieurs aspects de la vie qui ont tous leur importance, comme les études, le travail, les amis, la famille et les amours. Dans ce contexte, ils tentent de s'aménager un espace de liberté face aux exigences du travail scolaire (travaux, devoirs, leçons) et de l'école (présence

---

1. Comme le disait Chalvidan (1988), la liberté consiste moins à faire ce que l'on veut qu'à vouloir ce que l'on fait.

obligatoire en classe, respect des horaires). Ils sont appelés à construire leur identité avec l'école et à côté d'elle en même temps. Tous n'ont cependant pas le même rapport à l'école, aux savoirs scolaires et au diplôme. Certains vivent leur expérience scolaire de manière heureuse, d'autres la vivent dans la souffrance et l'aliénation, accumulant les échecs. Dans ces conditions, certains élèves tentent de se constituer une identité contre l'école (l'opposition), en dehors d'elle (le retrait) et parfois malgré elle (ceux et celles qui réussissent contre toute attente).

C'est à travers la logique de la subjectivation, c'est-à-dire cette capacité de se décaler par rapport aux normes scolaires, de ce qui est attendu de soi, que se constitue le sujet. Dans cette perspective, une analyse du phénomène de la réussite ou de l'échec scolaire incite à laisser de côté pour un moment les explications de type linéaire afin de mettre en évidence un aspect important de ce phénomène, soit le sens qu'en donnent les élèves. Sur ce point, Davisse dit que dans « le système scolaire, on a longtemps attribué le fait qu'un élève ne comprenne pas à un problème de moyens, décliné à travers divers concepts déterministes : dons, handicaps sociaux, rythmes ou formes d'intelligence. L'observation des réussites, des retournements de situation, donne à penser qu'il y a beaucoup à gagner à chercher plutôt du côté des raisons du sujet, de ses motifs d'agir (ou non), bref du sens qu'il attribue à l'activité scolaire qui lui est proposée » (Davisse, 1996 : 106). Ce décalage par rapport aux normes est à la fois une distance critique (se faire une idée de ce qu'est en fait l'école), une réflexivité (se situer par rapport à l'école et à ses exigences) et une justification (se donner de bonnes raisons de prendre une distance à l'école). Que ce soit pour les élèves ou pour tout autre acteur social, devenir sujet se présente de plus en plus aujourd'hui comme une condition nécessaire pour fonctionner dans une société qui n'offre plus, comme auparavant, des repères clairs et bien définis pour l'action sociale.

Les valeurs dominantes et la logique de subjectivation

Ce n'est pas d'aujourd'hui que les orientations culturelles de la société dominent les différentes sphères de l'action sociale. Pensons aux grands discours qui ont jalonné les différentes conjonctures sociales au Québec depuis quarante ans et la manière de penser l'école dans ces grands récits de la société. Résumées sous le terme de paradigme socioculturel (*voir l'encadré 10.1*), les orientations culturelles dominantes de la société prennent forme dans un modèle culturel qui consiste en « la manière de connaître, de vivre avec les "autres", de réfléchir, de valoriser, de faire, d'agir » (Bertrand et Valois, 1980 : 63).

La société québécoise a connu toutefois, au cours des quinze dernières années, des transformations majeures liées notamment à la mondialisation des marchés et à l'évolution technologique. Dans ce nouveau cadre social, les termes de performance, d'excellence et de productivité ont émergé comme des valeurs ordonnant une bonne

---

Encadré 10.1
Les orientations culturelles de la société québécoise

« Les orientations culturelles s'expriment par l'entremise d'un paradigme socioculturel qui se définit sur le plan conceptuel comme un ensemble de croyances, de conceptions ou généralisations et de valeurs comprenant une conception de la connaissance, une conception des relations personne-nature, un ensemble de valeurs-intérêts, une façon de faire, un sens global qui, d'une part sous forme d'exemples, définissent et délimitent pour un groupe social donné, son champ possible et sa pratique sociale et culturelle et qui, d'autre part, assurent par le fait même sa cohérence et sa relative unanimité. »

Extrait de Yves Bertrand et Paul Valois,
Les options en éducation (1980 : 63).

« Plus concrètement, le paradigme socioculturel dans lequel s'inscrit la société québécoise privilégie un *mode de connaissance* rationnel, développé et appliqué à travers la méthode scientifique tout en valorisant l'objectivité et le quantitatif. On *conçoit la personne* dans un mode de relation de subordination à la société, cette dernière étant considérée comme un agrégat d'individus. Les *valeurs et les intérêts* dans cette société montrent une domination des intérêts économiques et des valeurs méritocratiques. Dans cette société, l'accumulation, l'utilitarisme et les stratégies du marché sont des *façons de faire* privilégiées. Enfin, la croyance dans le progrès matériel, la rationalité scientifique et le développement économique et technologique, rend compte du *sens global* véhiculé dans cette société. »

Extrait de Yves Bertrand et Paul Valois,
Les options en éducation (1980 : 191).

---

partie des orientations des institutions sociales. Ces transformations et les discours qui les accompagnent ont eu leurs incidences sur les autorités politiques, économiques et aussi scolaires. Pensons, par exemple, aux répercussions des résultats des examens internationaux en mathématiques et en sciences notamment, menés par l'International Assessment of Educational Progress (IAEP) en 1990-1991, qui ne laissent pas indifférents les différents acteurs sociaux et particulièrement les acteurs scolaires qui se sentent directement interpellés par les résultats de ces examens comparatifs.

Dans ce contexte de changements accélérés, la mission de l'école a été redéfinie en partie en fonction des nouveaux impératifs de l'économie et de l'évolution technologique. Les organisations scolaires, comme le soulignent Bertrand et Valois, ont des objectifs et elles poursuivent l'une des trois finalités suivantes : 1) le maintien de l'ordre et la reproduction sociale (que l'on pourrait associer à la logique de l'intégration) ; 2) l'évolution et l'adaptation de la société (qui pourraient être associées à la logique stratégique) ; 3) la transformation radicale de la société (qui pourrait être associée à la logique de subjectivation) (Ryan, 1980, xviii). Dans les années 80, on a l'impression que l'école a plutôt favorisé l'adaptation de la société à la nouvelle donne économique tout en favorisant la reproduction sociale.

L'impératif de la scolarisation rend peut-être le mieux compte de l'effet des changements sur l'école qui s'est traduit par la nécessité de plus en plus forte d'obtenir le diplôme d'études secondaires pour pouvoir s'assurer un minimum d'insertion sociale. Ce nouvel impératif se présente en même temps que des changements importants sont enregistrés sur le plan des valeurs dites privées. Comme le souligne Lipovetsky : « Partout l'emporte l'exigence de moins dépendre des normes collectives, de se dégager des modèles stricts imposés du dehors, de sortir des encadrements autoritaires et disciplinaires, de vivre davantage selon ses volontés et ses désirs propres » (Lipovetsky, 1995 : 185). Davantage présentes chez les adolescents et adolescentes, ces nouvelles valeurs s'intègrent mal dans une société qui souhaite imposer de plus en plus un seuil minimum de scolarisation à ses jeunes.

Le modèle socioculturel dominant et le système éducatif

Il est difficile de faire les liens entre l'école, la mondialisation des marchés et le libre-échange, tellement ces réalités semblent être deux mondes séparés et complètement étrangers l'un à l'autre. Or, il y a bien, entre ces réalités, des liens qui provoquent des changements au sein même de l'école. Depuis le début des années 80, en fait depuis la grave crise économique de 1982, il ne se passe pas une semaine, quand ce n'est pas une journée, où les journaux, la télévision, les revues, les discours politiques ne nous montrent pas la nécessité impérieuse de faire du Canada et du Québec des nations plus productives et compétitives afin de relever le défi de la concurrence de plus en plus vive entre tous les pays producteurs qui sont pour leur part toujours plus nombreux. L'ensemble des valeurs portées par ces discours sociaux forme la base d'un modèle socioculturel qui s'impose à l'ensemble de la société tout en orientant les pratiques des acteurs dans toutes les dimensions de la vie. Cette médiatisation du problème n'est pas non plus sans effet sur l'école.

Des publications telles que *Bien apprendre... bien vivre* (1991), du Secrétariat de la prospérité, et *Les chemins de la compétence* (1992), du Conseil économique du Canada sont autant d'invitations à débattre des contraintes qui pèsent sur le Canada dans la nouvelle dynamique de la concurrence internationale. La Fédération canadienne des enseignantes et des enseignants circonscrit ainsi le problème :

> Dans son dernier rapport, le Conseil économique du Canada conclut qu'en général, les écoles canadiennes ont un piètre rendement. Différents auteurs et auteures trouvent des gens tout disposés à publier des études critiques sur le système scolaire, qu'elles soient ou non fondées. Une part importante de ces critiques repose sur l'incapacité apparente des élèves canadiens de mieux faire que leurs camarades d'autres pays en mathématiques, en sciences et en technologies, et sur l'incapacité apparente de nos écoles de produire assez de main-d'œuvre hautement qualifiée, prête à l'emploi. [...] il est un fait que les écoles élémentaires et secondaires n'ont jamais été établies pour servir de centres d'apprentissage pour des métiers réclamant beaucoup de connaissances. (Fédération canadienne des enseignantes et des enseignants, 1992 : 3-4).

Le système scolaire est sensible à ces discours sur la qualité de la formation de nos diplômés. Par exemple, une étude effectuée en 1989 par la Fédération des cégeps, intitulée *Les cégeps et le monde de l'entreprise*, montre bien la forte réceptivité du monde collégial aux attentes et aux humeurs des entreprises. Ces attentes sont mesurées à partir de sondages qui paraissent régulièrement sur la satisfaction ou l'insatisfaction face aux diplômés des cégeps ou bien encore, elles sont exprimées directement par les employeurs tels que le Centre d'adaptation de la main-d'œuvre aérospatiale du Québec ou par des associations d'employeurs comme l'Association des manufacturiers canadiens (AMC) ou le Conseil du patronat du Québec (CPQ). Par exemple, en 1988, un sondage du Conseil du patronat du Québec indiquait que 56 % des employeurs étaient insatisfaits des compétences des diplômés des cégeps. Les responsables de l'enseignement collégial sont intéressés au plus haut point par ces évaluations dans la mesure où ils considèrent n'avoir d'autres missions que de former les étudiants de manière à ce que leurs compétences répondent adéquatement aux besoins du marché du travail ou encore à leur donner les outils afin de poursuivre des études universitaires (Fédération des cégeps, 1989 : 7).

En somme, beaucoup d'organismes seraient en faveur d'un relèvement de la qualité de la formation à l'école de façon à former une main-d'œuvre plus apte à faire face au défi la concurrence, c'est-à-dire une main-d'œuvre capable de compétitivité, de productivité et d'adaptation aux changements technologiques rapides. Pour ce faire, on estime que les priorités dans les programmes scolaires devraient être changées.

Les nouveaux défis que l'on demande à l'école de relever ne touchent pas que l'enseignement postsecondaire. Les nouveaux objectifs politiques et économiques induisent des changements à tous les niveaux de l'enseignement, qui prennent la forme d'une insistance de plus en plus forte sur les sciences, les mathématiques et la technologie (SMT). Cette insistance prend une coloration politique particulière dans la mesure où ces matières font l'objet d'évaluation nationale et de comparaison internationale. La Fédération canadienne des enseignantes et des enseignants définit le problème en ces termes :

> À présent que les tendances à la « compétitivité » et à la « réorganisation des écoles » se doublent d'une politisation de la mesure des résultats scolaires, il semble certain que les SMT prendront un ascendant dans les programmes d'études, pour le meilleur et pour le pire. La majeure partie du temps et de l'argent consacrés à des examens standardisés au Canada ira à l'évaluation des résultats dans les matières les moins subjectives des programmes. [...] Quels que soient les principes qui soustendent les programmes-cadres, on continuera de faire pression sur les écoles pour que le rendement des élèves soit supérieur dans ces matières, alors que ce qui est moins « mesurable » sera relégué au second plan dans l'esprit des décideurs et dans les écoles. (Fédération canadienne des enseignantes et des enseignants, 1992 : 4).

La priorité mise sur les programmes SMT a une autre fonction déjà bien connue. En effet, ces matières sont généralement celles qui ouvrent les portes des programmes les mieux cotés dans les institutions d'enseignement postsecondaire tout en permettant de départager les excellents des médiocres sur le plan scolaire. Dandurand souligne sur ce point :

> Les études sociologiques ont montré à l'évidence que la réussite dans les matières comme les sciences et les mathématiques au niveau du secondaire départageait déjà ceux qui pourraient ou non poursuivre des études postsecondaires menant aux professions les plus prestigieuses et lucratives. Avoir un diplôme d'études secondaires compte, surtout s'il sanctionne une formation professionnelle longue. Mais ce qui devient encore plus déterminant, c'est la qualité de la réussite dans certaines matières (par exemple, sciences, mathématiques)[2] [...]. (Dandurand, 1993 : 203).

En écoutant les discours médiatiques (presses, radio, télévision), on se rend compte que les objectifs politiques et économiques du néo-libéralisme deviennent des valeurs soi-disant partagées par le plus grand nombre[3], que ces valeurs prennent forme dans le système d'éducation et qu'elles risquent de modifier en profondeur les contraintes qui pèsent sur l'école, sur la pratique enseignante, sur les standards de réussite scolaire et sur les attentes des familles face à l'école. Dans la mesure où l'école est de plus en plus jugée à l'aune des impératifs économiques et non sociaux, elle subit des changements qui l'incitent à transformer les pratiques des acteurs qui y œuvrent dans le sens souhaité et désiré par le politique et l'économique. En ce sens, on exerce une pression toujours plus forte sur les enseignantes et les enseignants afin de relever les nouveaux défis de la qualité.

Cette pression prend la forme d'une certaine critique dans tous les débats sur le savoir des enseignantes et des enseignants, sur leur capacité à produire de la réussite

---

2. Cette sélection n'est pas neutre, elle forme des individus rompus aux bonnes habitudes et au conformisme. En fait, ce type de sélection répond aux besoins des États modernes, comme nous le rappelle Arnaud Upinsky : « Le choix des mathématiques comme crible de sélection, par les États modernes, correspond à leur besoin de recruter des hommes bien calibrés à leurs besoins. Valeur militaire, esprit religieux ou naissance, chaque société identifie ses critères d'excellence et de cooptation. Dans l'État moderne, de quelles qualités a-t-on besoin ? Pour les hommes d'État, pour les technocrates, les apparatchiks, les fonctionnaires, les programmateurs en sciences sociales, il s'agit de se référer constamment à des règlements, à des décrets, à des instructions, en un mot à des règles (formules) qu'il faut appliquer. Dans ces conditions, quel meilleur critère de sélection imaginer pour les futurs hommes d'État (dans l'industrie, l'administration, les partis, etc.) que les mathématiques et plus précisément l'algèbre, matière dont l'esprit consiste précisément à se rapporter constamment et docilement à des théorèmes et à des règles ! [...] Ceux qui à l'école appliquent sans génie théorèmes ou formules ne se plieront-ils pas aveuglément, lorsqu'ils seront devenus adultes, aux rigueurs parfois absurdes des procédures administratives ? En un mot, l'algèbre est bien le meilleur critère de sélection de ces technocrates que nous vilipendons à longueur de journée. [...] les États modernes sont soumis à cette nécessité vitale de recruter des hommes d'appareil "raisonnables", c'est-à-dire calculables et programmables, prévisibles. La conséquence de cette sélection par l'algèbre est "le type d'individu qui reçoit un ordre sans le discuter". Des robots pour une société à commande numérique » (Upinsky, 1987 : 124).

3. Il en est ainsi, entre autres, car ceux et celles qui sont les plus touchés par les objectifs politique et économique du néo-libéralisme sont en même temps ceux et celles qui possèdent le moins de ressources pour se faire entendre.

scolaire et dans les appels au rendement, à la productivité, à la compétitivité. Il suffit de penser au palmarès des universités de *Maclean's*, celui des collèges de *L'actualité* et enfin celui des commissions scolaires du ministère de l'Éducation pour se rendre compte que la productivité, la compétitivité et le rendement sont maintenant des valeurs qui orientent le système d'éducation québécois et qui favorisent la constitution de hiérarchies basées sur l'excellence. Dans le discours cependant, la compétitivité, la productivité et le rendement prennent des visages positifs. En effet, on parlera plutôt, en ce qui a trait à l'école, de qualité et d'excellence.

Les obstacles à la liberté ou l'impératif de la scolarisation

L'école est une institution qui a une emprise plus grande aujourd'hui sur les destins individuels qu'il y a cinquante ou cent ans. L'obligation scolaire fut une étape majeure en ce sens (Hirschhorn, 1993 : 150). Maintenant, on parle plutôt de l'obligation de l'obtention du diplôme de cinquième secondaire comme un minimum nécessaire pour fonctionner dans une société technologique et de services (*voir l'encadré 10.2*). Cette réalité des années 80 et 90 constitue une nouvelle contrainte qui a de multiples effets dans le monde scolaire. Comme le rappelle Dandurand : « Le pouvoir d'exclusion de l'école est proportionnel à son pouvoir d'intégration. Et celui-ci s'est nettement affirmé au cours des 40 ou 50 dernières années. La diplomation, la certification scolaire sont devenues, dans la majorité des cas, le passage obligé – une condition nécessaire mais non suffisante – pour obtenir un poste sur le marché du travail » (Dandurand, 1993 : 202).

Cependant, ni l'échec ni l'abandon scolaire n'ont été des préoccupations aussi importantes par le passé. Théberge, dans l'une des premières enquêtes québécoises en 1976 sur l'abandon scolaire, soulignait que l'abandon scolaire n'était pas plus important quantitativement à ce moment qu'il ne l'était auparavant, que seulement la signification attribuée à l'abandon scolaire s'était modifiée à la suite de l'émergence de valeurs et d'aspirations nouvelles (Théberge, 1976, dans Berthelot, 1992a : 772). Les données disponibles sur le décrochage scolaire (*voir le tableau 1*) montrent que pour les années 70, le taux d'abandon scolaire est élevé alors que ce problème ne semble déranger ni les décideurs publics ni les principaux acteurs du système scolaire. Paradoxalement, c'est au moment où le taux de décrochage est à son plus bas, au milieu des années 80, que ce problème devient un enjeu majeur pour la société, l'école et tous les partenaires de l'éducation.

Le phénomène de l'abandon scolaire serait une réalité construite à partir d'un ensemble de valeurs, de normes et d'aspirations qui ont émergé au cours des vingt dernières années. De la même façon qu'il est difficilement envisageable de comprendre la socialisation scolaire sans la rattacher au contexte culturel où elle s'inscrit, il est tout aussi difficile de comprendre de façon claire le phénomène du décrochage sans le mettre en rapport avec les orientations culturelles d'une société à un moment

Encadré 10.2
L'impératif de la scolarisation

« À une époque pas si lointaine, un diplôme de septième année ouvrait les portes du marché du travail. Aujourd'hui, le diplôme d'études secondaires apparaît comme un minimum. C'est devenu le laissez-passer indispensable pour un jeune qui veut réussir. La raison en est que le monde d'aujourd'hui n'est plus celui d'hier, notamment dans le monde du travail. Il y a, bien sûr, les innovations technologiques qui ont transformé le travail lui-même. Mais il y a plus. Les communications supposent des connaissances accrues. Il en va de même quand on veut obtenir l'information nécessaire. Le monde du travail comporte donc des exigences nouvelles qui requièrent des jeunes qui veulent trouver un emploi davantage de connaissances et de formation et aussi une plus grande ouverture pour s'adapter aux changements qui se produisent et pour assimiler les nouvelles technologies. On sait comment la mondialisation de l'économie a précipité notre pays dans une rude concurrence, il faut être performant.

« Dans ces conditions, il est facile de comprendre que, pour obtenir un emploi et bien gagner sa vie, il faut un minimum de scolarité. D'autant plus que le marché du travail est moins ouvert qu'il ne l'a déjà été. Car c'est un fait que les possibilités d'emploi sont moindres. En ce sens que dans plusieurs secteurs, il y a moins d'offres d'emploi qu'il y a de jeunes qualifiés pour les postuler. En sorte qu'un jeune qui est peu formé a toutes les chances de se retrouver avec des emplois précaires et mal payés. »

Extrait de la *Revue Notre-Dame*,
« Entrevue avec Céline Genest » (1997 : 17).

donné de son histoire (ce qui est considéré important et qui constitue un enjeu social). Dans la conclusion à son article sur les aspects historiques de l'abandon scolaire, Berthelot brosse à grands traits l'évolution du phénomène de l'abandon scolaire qui nous permet de mieux cerner ces valeurs, normes et aspirations nouvelles :

> Au cours des vingt dernières années (1970-1990), les préoccupations pour l'abandon des études ont fluctué en fonction d'un ensemble de facteurs économiques et sociaux et les stratégies de lutte ont évolué. D'abord complètement ignoré, le phénomène de l'abandon fera l'objet d'une première prise en compte avec la généralisation de l'enseignement secondaire et la volonté affirmée du système éducatif d'assurer une véritable égalité des chances. C'est aux écoles secondaires de milieux dits défavorisés que s'adresseront les interventions de prévention. La grave récession de 1982 amènera le gouvernement péquiste à proposer le premier véritable plan de lutte contre l'abandon qui, cette fois, visera l'ensemble des écoles secondaires. [...] La récession de 1991 et la détérioration de la position concurrentielle du Canada et du Québec sur la scène internationale vont remettre la lutte contre l'abandon des études à l'ordre du jour. Il semble se dégager un consensus nouveau quant à la nécessité d'assurer au plus grand nombre une formation secondaire de qualité. Les groupes communautaires et syndicaux, le patronat, l'État, tous semblent désormais y voir une priorité sociale. (Berthelot, J., 1992a : 777-778).

Tableau 1
La probabilité d'abandonner les études secondaires avant l'obtention d'un diplôme, au Québec, de 1970-1971 à 1993-1994

Années	Taux	Années	Taux
1970-1971	54,0 %	1987-1988	35,8 %
1975-1976	47,9 %	1988-1989	35,7 %
1980-1981	37,4 %	1991-1992	32,2 %
1985-1986	27,2 %	1992-1993	35,0 %
1986-1987	35,3 %	1993-1994	33,0 %

Sources : Emploi et Immigration Canada (1993), *Après l'école, Résultats d'une enquête nationale comparant les sortants de l'école aux diplômés d'études secondaires âgés de 18 à 20 ans*, Ressources humaines et Travail Canada, septembre, pour les données de 1970-1971 ; Gilles Boudreault (1992), « La mesure de l'abandon scolaire », *Vie Pédagogique*, septembre-octobre, pour les données 1975 à 1989 ; ministère de l'Éducation, *Indicateurs sur la situation de l'enseignement primaire et secondaire*, Québec, le ministère, Direction des études économiques et démographiques, pour les données subséquentes.

Dans ce nouveau contexte où les savoirs prennent une place importante dans la capacité d'être compétitifs sur les marchés économiques, les diplômes deviennent un passeport pour les meilleurs emplois. De plus, devenant une norme dans un monde axé sur l'innovation technologique, la performance et l'excellence, le diplôme de cinquième secondaire, notamment, est la condition d'une insertion sociale minimum. Pour ceux qui abandonnent ou qui échouent, comme le souligne Jean-Michel Berthelot, c'est l'indice futur de l'exclusion sociale : « Échouer à l'école n'est plus seulement synonyme de relégation scolaire, mais devient de plus en plus l'instrument et l'indice d'une future exclusion sociale » (Berthelot, J.-M., 1993 : 9). Et dans les nouvelles orientations culturelles de notre société d'aujourd'hui, tous n'ont pas les mêmes moyens de jouer le jeu de la compétition et de l'excellence. En effet, les jeunes provenant des milieux socioéconomiques faibles sont plus touchés par le problème de l'abandon :

> Souvent issus de milieux défavorisés, les jeunes qui traînent des difficultés scolaires depuis le primaire ou le début du secondaire forment ainsi la majorité des décrocheurs[4]. Accumulant les mauvaises notes, les échecs et les retards scolaires, les élèves se démobilisent encore plus lorsqu'ils se voient obligés de reprendre une

4. Le mot « décrocheur » est chargé de multiples sens qui en font parfois une notion floue et ambiguë. Certains préfèrent parler de « sortant ». C'est le cas d'Emploi et Immigration Canada qui justifie l'emploi du terme « sortant » ainsi : « D'ordinaire, le qualificatif "décrocheurs" est employé pour désigner toutes les personnes qui abandonnent leurs études secondaires, quelles que soient les raisons ou les circonstances de leur départ. Le mot a une connotation péjorative et comporte même une note de blâme, comme s'il traduit un échec personnel. Or, les personnes qui abandonnent leurs études forment un groupe assez hétérogène ; leur profil ne correspond pas au stéréotype du décrocheur, surtout sur le plan des résultats scolaires » (Emploi et Immigration Canada, 1993 : 1).

ou plusieurs années d'études et de se retrouver avec des élèves plus jeunes. Il suffit alors, [...] d'un élément déclencheur, comme un professeur plus exigeant, des problèmes familiaux ou une offre d'emploi, pour que l'élève décide d'abandonner. Mais l'abandon est généralement l'aboutissement d'une escalade d'événements. C'est pour cette raison qu'au lieu de parler du décrochage comme d'un événement, les personnes qui interviennent auprès des décrocheurs le conçoivent le plus souvent comme un processus. (Lalonde, 1992 : 87).

L'obtention du diplôme de cinquième secondaire comme norme d'intégration sociale minimum s'explique par les transformations du système socioproductif, du chômage et de l'emploi. Dans des sociétés où le savoir se transforme en capacité de négociation d'un poste élevé et rémunérateur, il s'ensuit que ceux qui ne possèdent pas un diplôme de cinquième secondaire sont relégués dans les emplois subalternes et précaires, peu rémunérés, localisés dans les secteurs mous de l'économie. Ces emplois offrent peu de chances de sortir du cercle vicieux « emploi précaire, chômage et pauvreté ».

Lorsque l'on parle de réussite et d'échec scolaires, on peut dégager plusieurs facteurs afin de comprendre ces phénomènes. Toutefois, la pauvreté qui sévit de plus en plus fortement dans la société demeure un des éléments explicatifs de premier ordre. Comme le soulignent Toussaint et Brunet :

Les effets de la pauvreté se font de plus en plus cruellement sentir dans les écoles et particulièrement dans la grande région de Montréal. On remarque, chez un bon nombre de jeunes, des rendements scolaires inadéquats, des fonctionnements diminués que l'on associe pour certains aux carences alimentaires. Les problèmes de violence, de drogue, d'absentéisme sont quelques-unes des conséquences de la détérioration de la qualité de vie de bon nombre d'élèves[5]. (Toussaint et Brunet, 1995 : 26).

Pour Moreau (1995), la pauvreté et le décrochage scolaire font partie de la même spirale de l'exclusion sociale. La pauvreté influe fortement sur le rendement scolaire des élèves touchés et elle est susceptible de les influencer dans leur décision d'arrêter leurs études avant la fin du secondaire, donc la pauvreté trace le chemin vers le décrochage scolaire qui lui-même est à la source des nombreuses difficultés d'inser-

---

5. Les économistes du Conseil canadien de développement social font un constat similaire : « Une des conséquences regrettables pour les enfants vivant dans des familles à faible revenu est leur tendance accrue au décrochage scolaire. [...] Le taux plus élevé de décrochage scolaire est l'un des moyens de perpétuer le cycle de la pauvreté. Il y a plus de probabilités de trouver des enfants pauvres dans des familles qui n'ont pas un haut degré de scolarisation. Si ces enfants à leur tour décrochent des études, leur manque d'instruction diminue leurs chances de trouver un emploi et augmente leurs probabilités d'avoir un faible revenu une fois adultes » (Ross, Shillington et Lochhead, 1994 : 78). À Montréal, par exemple, le croisement de catégories de diplomation et de catégorie de « défavorisation » montre que les élèves qui fréquentent une école où la diplomation est faible proviennent en majorité de milieux défavorisés ; les élèves qui fréquentent une école où la diplomation est forte viennent de milieux favorisés (Moisan, 1996 : 11).

tion socioprofessionnelle. En définitive, le décrochage scolaire renvoie ces élèves à la case départ, c'est-à-dire à la pauvreté.

Les conséquences personnelles du décrochage scolaire se doublent des conséquences sociales, c'est-à-dire des effets sur la santé, la délinquance et l'économie. Selon les analyses de différents ministères du gouvernement du Québec, les jeunes décrocheurs ont plus de problèmes de santé et de moins bonnes habitudes de vie (ministère de la Santé et des Services sociaux) ; ils forment 70 % du groupe des jeunes contrevenants (ministère de la Sécurité publique), et le manque à gagner fiscal pour toute la vie des décrocheurs de 1991 au Québec est estimé entre 4 et 5 milliards de dollars (Moisset et Toussaint, 1992 : 54). Ces manques à gagner n'incluent pas les dépenses supplémentaires pour les soins de santé, la criminalité et le chômage (Fleury, 1995).

La domination, l'aliénation et l'engagement

L'institution scolaire – et les diplômes qu'elle distribue – constitue donc aujourd'hui un passage quasi nécessaire pour se garantir un minimum d'insertion sociale. Toutefois, pour des raisons d'ordres divers, les élèves ne partent pas égaux dans la course aux diplômes : certains sont plutôt nantis ; d'autres doivent se battre pour surnager dans l'école. Pour ces derniers, la culture, les formes de socialisation et les savoirs scolaires peuvent être vécus comme une expérience aliénante, c'est-à-dire comme « un sentiment de vivre une vie dépourvue de sens, sentiment de n'être jamais soi-même, impression d'"impuissance", sentiment de n'être que le spectateur de sa vie, crainte d'être "invisible" parce que réduit à un cliché » (Dubet, 1994 : 131). Ce sentiment d'aliénation prend forme à travers l'échec scolaire qui fait souvent du projet scolaire un projet impossible et transforme l'expérience scolaire en un vide scolaire.

Dans cette optique, l'un des rôles principaux de l'école est de former des « individus capables d'être des sujets (*voir l'encadré 10.3*) responsables, d'innover, de s'adapter au changement, de communiquer avec l'Autre, en même temps que de maîtriser les techniques nouvelles et de comprendre le monde dans lequel ils vivent, sa diversité, son passé, ses modes de transformation » (Touraine, 1995 : 90). Dans ces conditions, le travail de l'acteur vise à prendre une distance critique face à l'intégration, à ses intérêts : c'est le versant positif de la constitution du sujet, le versant de la réflexivité.

En somme, le sujet se définit soit dans la distance critique au système de domination (c'est le versant positif du sujet), soit dans le conflit par rapport à ce même système (c'est le versant négatif du sujet). La *distance* permet la réalisation d'une critique, le dégagement des formes de contrôle social, la capacité d'analyse et d'explication mobilisée par des acteurs qui refusent d'être réduits aux catégories de l'intérêt ou de l'intégration. L'individu développe son autonomie sur sa capacité de dissidence. Et

Encadré 10.3
Les figures du sujet social

« La référence au sujet n'est pas l'appel à un supplément d'âme ou à une moralité abstraite chargée de contenir les intérêts et la violence. [...] Le sujet n'a pas de nature, pas de principes [...] ; il est action dirigée vers la création de lui-même à travers des résistances qui ne peuvent jamais être complètement surmontées. [...] Le sujet ne s'affirme que par la négation des logiques impersonnelles, intérieures comme extérieures. [...] L'idée de sujet ne peut pas être séparée de celle d'acteur social. L'acteur, individuel ou collectif, agit pour faire pénétrer la rationalisation et la subjectivation dans un réseau de rôles sociaux qui tend à s'organiser selon la logique de l'intégration du système et du renforcement du contrôle qu'il exerce sur les acteurs. [...] Le Sujet ne peut être saisi qu'en situation sociale, en position de résistance et d'appel contre un ordre ou un pouvoir. Le Sujet ne se définit pas par des institutions ou des idéologies, mais à la fois dans les rapports sociaux et dans la conscience de soi [...]. »

Extrait de Alain Touraine,
Critique de la modernité (1992 : 324-334).

Bajoit et Franssen (1995) présentent l'affirmation du sujet comme refus d'assignation à résidence. Pour « rester sujets de leur histoire », les jeunes se construisent une vie à partir de « ressources » diverses (« la vie qu'ils se font à partir de celle qui leur est faite »). [...] François Dubet (1994) [...] propose un modèle d'analyse où la tentation de la socialisation parfaite n'apparaît plus. Dans un monde où les logiques d'action sont multiples et éclatées, l'expérience est ce qui remplace les rôles [...]. Le sujet est désormais tenu de combiner, d'articuler des logiques d'action hétérogènes (intégration, compétition, subjectivation) qui s'accordent difficilement entre elles et donc provoquent des tensions. [...] Cette capacité de construction de soi est bien entendu décisive dans une perspective de rapports sociaux : privé de cette capacité, le sujet éprouve un « sentiment de destruction de soi », une « souffrance » liée à « la perte de sens », et c'est par là notamment que se marquent les nouvelles formes de domination et d'aliénation...

Extrait de Jean-Pierre Delchambre, *Passe et impasse de la sociologie du sujet* (1996 : 120-121).

les rapports sociaux dans ce contexte ne sont pas seulement vécus sous la forme de l'anomie ou de l'exclusion, mais aussi comme la destruction de la capacité de se constituer comme sujet, d'être autonome par rapport au système de domination. Le *conflit* vient de l'opposition à la domination, de la résistance aux objectifs poursuivis par les systèmes de pouvoir qui font obstacle à l'authenticité. L'aliénation et la domination se manifestent comme la destruction de l'identité de l'autre pour lui substituer celle qui est voulue par les dominants (Dubet, 1994 : 256).

La réussite et l'échec scolaires : une construction sociale ?

La réussite et l'échec scolaires se définissent par rapport à ce qui est considéré comme souhaitable dans l'appropriation des savoirs à un moment donné dans la vie d'une société. Dans cette perspective, le taux d'abandon scolaire constitue une mesure de l'efficacité de l'école, son rendement sur l'investissement social consenti par l'ensemble de la population. Dans un contexte de restrictions budgétaires, de difficultés d'insertion professionnelle des jeunes, d'augmentation de la tâche chez le personnel enseignant, la tentation est forte de faire du taux de décrochage un thème politique.

À quelle norme renvoie le sens que l'on attribue à la réussite ou à l'échec scolaire ? Et qui (ou quoi) définit cette norme ? Selon Plaisance, faire référence à la réussite ou à l'échec scolaire par rapport à l'école consisterait à adopter le point de vue dominant selon lequel la poursuite des études à des niveaux élevés est très souhaitable : « La notion d'échec implique donc une appréciation sur le déroulement optimal de la scolarité, en l'occurrence une scolarité aspirée vers le haut, vers les études supérieures ou les hauts niveaux de qualification. Autrement dit, elle fait référence à une valeur socialement reconnue et qui a acquis force de loi » (Plaisance, 1989 : 230).

Sur le plan de l'expérience scolaire concrète des jeunes, l'échec et la réussite scolaires passent par un rapport aux savoirs scolaires. Cependant, on doit distinguer les savoirs scolaires de l'information et de la connaissance. L'information est constituée de faits et de commentaires reçus de l'entourage par la télévision, par la lecture, par la presse, etc. : elle est extérieure à la personne. L'information devient connaissance au moment où la personne la fait sienne, l'intègre à sa mémoire et en fait quelque chose de plus ou moins durable : la connaissance est intérieure à la personne. Le savoir constitue pour sa part une rupture par rapport à ses connaissances (Develay, 1996 : 41-42) ; il implique une restructuration de ses connaissances qui est en même temps une transformation de soi : savoir et identité sont intimement liés. Le savoir n'est pas personnel, il relève de l'intervention d'une communauté qui a voulu à un moment donné constituer une connaissance en savoir. Le rapport au savoir est à la fois celui d'une personne et celui du groupe duquel cette personne est issue. Et les groupes sociaux ne vivent pas tous le même rapport aux savoirs. Certains se tiennent loin des savoirs, car ils mettent en péril leur identité ; d'autres l'utilisent aux fins de distinction sociale, c'est-à-dire pour promouvoir leur identité[6] (Develay, 1996 : 41-44). Le rapport aux savoirs est donc un rapport social, ce que montre bien le rapport des élèves aux savoirs scolaires, qui peut être harmonieux ou s'insérer dans différentes formes de résistance plus ou moins fortes.

L'échec scolaire : le versant politique

Pour certains, le taux de décrochage est un indicateur stratégique du fonctionnement du système scolaire et une mesure à haute teneur politique ; d'autres parlent d'un « thème porteur » dans un contexte de compression budgétaire et de comparaison internationale du rendement des élèves. Si, pour l'élève, la note scolaire est la donnée

---

6. Sur le processus de distinction sociale tel que l'utilisent les différents groupes sociaux, on peut consulter l'ouvrage de Bourdieu (1979).

permettant d'évaluer son rendement, pour les écoles c'est le taux de décrochage qui constitue le bulletin de fin d'année. À en croire les données fournies et véhiculées par les différents acteurs sociaux, dont le ministère de l'Éducation, la CEQ, les médias, etc., en ce qui concerne le décrochage, qui atteindrait plus ou moins 35 % des membres d'une cohorte donnée, le système d'éducation québécois aurait à rougir de sa performance.

En évitant de considérer comme des décrocheurs tous ceux et toutes celles qui sortent de l'école secondaire sans diplôme, on peut établir un taux de décrochage plus bas et qui tient compte des conditions concrètes qui ont présidé au départ de l'école. Dans le tableau 2, on constate que pour le Canada, le taux de décrochage estimé pour 1990-1991 est de 32 % ; ce taux révisé à partir des résultats de l'enquête d'Emploi et Immigration Canada (1993) est évalué à 18 %. La marge est donc considérable. Pour le Québec, on retrouve le même phénomène puisque le taux de 1990-1991 était de 28 % et, après révision, de 22 %. Cette dernière donnée corrobore à peu de choses près les estimations du ministère de l'Éducation du Québec.

Selon Boudreault, de la Direction de la coordination des réseaux au ministère de l'Éducation, on considère comme décrocheur celui qui a quitté l'école sans

Tableau 2
Le taux de décrochage scolaire ou le bulletin de l'école

Pays et provinces	Taux 1970-1971	Taux 1990-1991	Nouveaux taux 1991
CANADA	48 %	32 %	18 %
Colombie-Britannique	46 %	34 %	16 %
Alberta	40 %	35 %	14 %
Saskatchewan	32 %	24 %	16 %
Manitoba	45 %	27 %	19 %
Ontario	38 %	34 %	17 %
Québec	**54 %**	**28 %**	**22 %**
Nouveau-Brunswick	38 %	15 %	20 %
Nouvelle-Écosse	ND	25 %	22 %
Île-du-Prince-Édouard	43 %	24 %	25 %
Terre-Neuve	62 %	25 %	24 %

Source : « Le vrai portrait du décrochage », *L'actualité* (1993 : 13).

diplôme. Pourtant, un certain nombre d'élèves retournent à l'école et d'autres ne pourront pas obtenir de diplômes :

> On peut considérer qu'un certain nombre d'élèves, parmi celles et ceux qui sont inscrits au secondaire, ne pourront pas, selon toute vraisemblance, obtenir leur diplôme. En fait, 1,7 p. 100 obtiendra une attestation de capacité par les programmes d'insertion sociale et professionnelle des jeunes (ISPJ) et 1,5 p. 100 n'obtiendra ni diplôme, ni attestation. D'autres (2,9 p. 100) passeront directement aux études collégiales sans diplôme secondaire. D'autres encore (9 p. 100), chez les jeunes qui ont abandonné leurs études, iront chercher un diplôme d'études secondaires à l'éducation des adultes. Ce dernier phénomène est en progression depuis quelques années. Par exemple, près du tiers (30 p. 100) de l'effectif adulte en formation générale serait âgé de moins de vingt ans. (Boudreault, 1992 : 13).

À peu de choses près, c'est en fait 20 % des élèves qui quittent les études secondaires sans diplôme. Or, malgré la mise au point sur le sens du terme faite par Boudreault, plusieurs acteurs continuent à utiliser abusivement les chiffres et les données sur le taux de décrochage scolaire. Examinons les données fournies par la Commission des écoles catholiques de Montréal en 1994 qui indiquent un taux de décrochage de 46 %. On sait que les données issues du contexte montréalais ne peuvent être généralisées à l'ensemble du Québec en raison de la forte concentration de la pauvreté et de l'immigration sur l'ensemble du territoire de la métropole. Pourtant, on présente ces données au grand public comme celles qui rendent compte du décrochage dans la province (Lafrance, 1995b). Toutefois, avant d'être une mesure statistique controversée, le décrochage scolaire est souvent le résultat d'un processus fait d'échecs scolaires cumulés à travers le temps par l'élève.

Comment fabrique-t-on de la réussite et de l'échec scolaires ?

L'importance de l'évaluation n'échappe pas aux élèves ; ils savent qu'elle constitue pour eux-mêmes, comme pour les enseignants, l'instrument d'appréciation indispensable pour la régulation des activités éducatives (La Borderie, 1991 : 149). Et surtout, les jeunes élèves ne manquent pas de lucidité ; ils sont à même de s'autoévaluer et de prendre acte de leur situation. Aucun enfant n'a besoin de l'évaluation de l'école pour comprendre que l'incapacité de lire à la fin du primaire constitue une situation grave (Inizan, 1992 : 119).

L'évaluation est un miroir qui renvoie à l'élève une image de lui-même qui inclut ses points forts et ses points faibles. En ce sens, la correction des devoirs, examens ou travaux, avec la notation et les remarques de l'enseignante ou de l'enseignant, contribuent à construire l'image que se fait l'élève de lui-même. Comme le souligne le Conseil supérieur de l'éducation, selon

> [...] qu'ils sanctionnent un succès ou un échec, les résultats entraînent chez lui [l'élève] des sentiments de fierté ou de découragement. Ils ont même le pouvoir

de modifier les performances ultérieures de l'élève [...]. D'eux découlent également des prises de décision : par exemple, classement, promotion, redoublement. Ils ont, par conséquent, une incidence importante sur l'orientation scolaire des élèves et sur leur cheminement professionnel ultérieur. (Conseil supérieur de l'éducation, 1992a : 41).

Si on replace l'évaluation dans le cadre de la violence symbolique définie par Bourdieu, c'est-à-dire comme une domination qui se présente sous un jour positif – et qui fait en sorte que les dominés acceptent d'une certaine façon l'ordre dominant tout en méconnaissant ses mécanismes et ses dimensions arbitraires –, on se rend compte que les jugements « objectifs » sur le travail scolaire des élèves par le personnel enseignant sont aussi une forme de rapport social entre personnes possédant des ressources culturelles inégales et insérées dans une relation de pouvoir inégale. Le processus de reconnaissance et de méconnaissance constitue le fondement de la violence symbolique dans la pratique d'évaluation. Comme le souligne Corcuff :

L'enseignant de français qui met « brillant » ou « lourd » dans la marge d'une de ses copies fait un geste renvoyant tendanciellement à une hiérarchie sociale (le « brillant » qualifiant souvent les détenteurs du capital culturel légitime et le « lourd » ceux qui en sont exclus), qui sera fréquemment *reconnu* par l'élève comme un jugement sur sa compétence personnelle en français et *méconnu* comme l'expression d'une domination sociale. (Corcuff, 1995 : 37).

L'école est un lieu où se manifestent les valeurs de la société. C'est par la médiation du personnel enseignant que ces valeurs deviennent vivantes et dynamiques dans les interactions en classe. Elles se manifestent essentiellement, mais pas uniquement, comme le souligne La Borderie, « dans les appréciations portées par les enseignants sur les pratiques et les travaux des élèves, au coin des copies, sur les bulletins trimestriels et les avis du conseil de classe » (La Borderie, 1991 : 39).

Les pratiques d'évaluation

À partir d'une analyse de Perrenoud dans *La Triple Fabrication de l'échec scolaire* (1989), on peut mettre en évidence que : 1) la réussite et l'échec scolaires sont des représentations fabriquées par le système scolaire selon ses propres critères et procédés d'évaluation ; 2) les jugements de réussite ou d'échec renvoient à des normes d'excellence ; 3) l'échec scolaire, c'est aussi l'échec de l'école.

Pour Perrenoud, ni la réussite scolaire ni l'échec scolaire ne doivent être associés aux compétences, aux performances et à la conduite d'un élève. La réussite comme l'échec sont construits par l'école : « [...] un élève réussit lorsque l'école le déclare suffisant, il échoue lorsqu'elle le déclare en échec ! » (Perrenoud, 1989 : 238). L'évaluation joue un rôle important dans cette dynamique, car elle permet de sélectionner ceux qui ont intégré les matières au programme et les autres. Perrenoud explique la chose ainsi :

L'évaluation, même si elle était une mesure parfaite des connaissances ou des compétences «réelles» des élèves, conserverait son arbitraire, qui ne tient pas tant à ses manques et à ses biais qu'au fait qu'*elle donne à voir certaines inégalités plutôt que d'autres, à certains moments du cursus plutôt qu'à d'autres.* À 7 ans, les inégalités de compétences sont certainement aussi fortes en musique qu'en lecture. Mais l'école ne met pas les premières en évidence, alors qu'elle dramatise les secondes, en choisissant de fonder l'essentiel de la sélection sur le savoir-lire à 6-7 ans, à un moment où les disparités sont les plus grandes; les inégalités de savoir-lire s'atténuent ensuite, mais l'école construit alors les hiérarchies d'excellence sur d'autres apprentissages, devenus à leur tour les plus sélectifs... (Perrenoud, 1989 : 239).

En somme, l'évaluation soulève ou met au jour des inégalités qui autrement n'auraient pas été perçues. La mise au jour des inégalités par l'entremise des hiérarchies et des normes d'excellence provoque pour un bon nombre d'élèves une dévaluation de soi et un sentiment de honte. Ces normes sont elles-mêmes solidaires d'un programme dont le contenu et la forme influent directement sur la nature et l'ampleur des inégalités. Tous ne sont pas égaux devant la culture scolaire. Ainsi, certains enfants réussissent mieux à l'école non pas parce qu'ils sont plus intelligents, mais parce que les codes culturels de leur classe sociale sont scolairement rentables. Certains enfants savent déjà avant d'entrer à l'école ce que l'école devrait leur apprendre. Pour d'autres élèves, pour qui les conditions objectives de vie sont beaucoup moins favorables, il en va tout autrement. La plus ou moins grande distance à la culture scolaire est un facteur de réussite pour les uns et un facteur d'échec pour les autres. En effet, comme le programme n'est pas différencié, il ne tient pas compte de ces différences.

L'école n'est pas seulement une instance d'évaluation. Selon Perrenoud : « [...] la fabrication de l'échec se joue dans la contradiction entre l'intention d'instruire et l'impuissance relative de l'organisation pédagogique à y parvenir. [...] L'échec scolaire à six ou sept ans, c'est l'échec de l'apprentissage de la lecture, donc aussi de son *enseignement*» (Perrenoud, 1989 : 237-238 et 241-242).

Le rôle du personnel enseignant dans la dynamique de stratification sociale (inégalités sociales instituées) engendrée par l'évaluation ne laisse pas de doute sur les difficultés de juger adéquatement le travail scolaire des élèves[7]. En fait, on s'attend à ce que l'école et les maîtres qui y œuvrent mesurent principalement des qualités intellectuelles, qui sont des qualités scolaires, compte tenu que la réussite scolaire est fonction de l'acquisition de savoirs transmis par l'institution. Or, l'évaluation du travail

---

7. On peut consulter, sur l'intention pédagogique et l'évaluation comme sélection sociale, l'article de Corsi (1996).

des élèves, qui est faite quotidiennement par le personnel enseignant, est à la fois la mesure de qualités scolaires et un jugement de valeurs sur le comportement des élèves. Avoir une écriture *lisible*, c'est aussi *s'appliquer, savoir se passer d'explication*, c'est *savoir se débrouiller*, etc. En sens inverse, les qualités morales d'un élève ont des effets sur ses qualités scolaires (intellectuelles). Être ordonné ou rangé, c'est aussi être rationnel, qualité hautement significative et valorisée dans le milieu scolaire (Lahire, 1995 : 49). En somme, on prend en compte un ensemble de variables contextuelles dans l'évaluation d'un élève à l'insu bien souvent de celui ou de celle qui évalue. Merle énumère certaines de ces variables contextuelles :

> Comportement de l'élève dans la classe, origine sociale de l'élève[8], rétribution positive ou négative du travail réalisé ou non, correction d'un éventuel « accident » qui trahirait la « vraie valeur » de l'élève ; modalités, socialement classées, des attentes respectives du professeur et de chaque élève… Ces variables contextuelles interfèrent avec l'évaluation chiffrée et participent à une sélection non verbale structurée notamment par un lien affectif professeur-élève dont les pôles antagonistes, la « répugnance » et l'« attirance », constituent des modes de reconnaissance occultes des origines socioprofessionnelles des élèves et de leur rapport au savoir et à l'institution scolaire. (Merle, 1991 : 289).

En suivant l'analyse de Lahire (1995) sur les rapports maître-élèves auprès d'élèves issus de milieux socio-économiques faibles, on peut analyser comment le comportement de l'élève constitue une base de l'évaluation utilisée par le personnel enseignant. En effet, pour Lahire, l'échec ou la réussite scolaire d'un élève n'est pas seulement la mesure des qualités intellectuelles de ce dernier mais aussi un jugement de valeur sur son comportement en classe. Et la manière dont nombre d'enseignants et d'enseignantes jugent les comportements des élèves relève pour une bonne part de leur volonté de garder un contrôle dans leur classe. Comme le souligne Lahire, « ce que ne cessent de dire les enseignants […] c'est que rien ne sert d'être intelligent si on n'exerce pas son intelligence dans les moments et, surtout, dans les formes scolaires » (Lahire, 1995 : 50), c'est-à-dire dans le cadre des comportements acceptés et voulus par l'institution scolaire. Ces comportements désirables, sans être nécessairement prescrits dans des règles et des règlements, n'en sont pas moins attendus comme le laissent voir et entendre les lois implicites de la vie scolaire.

Prenons l'exemple de l'autonomie. La dichotomie « autonomie » et « manque d'autonomie » revient régulièrement dans les entretiens effectués auprès des enseignants et des enseignantes lorsqu'il s'agit de décrire le comportement des élèves qui

---

8. Les enfants provenant de milieux sociaux favorisés sont mieux considérés que les enfants d'ouvriers immigrants (Zimmermann, 1982 : 106). Dans le même sens, les enfants de cadres supérieurs sont mieux notés, à niveaux de connaissances comparables, que les enfants d'ouvriers (Duru-Bellat et Mingat, 1988). Ces constats sont tirés de Merle (1991 : 289-290).

réussissent ou qui échouent. De fait, l'autonomie est très valorisée dans le système de valeurs propre au milieu scolaire. Or, c'est l'autonomie, comme le souligne Lahire, qui est «mise en question par les élèves qui n'ont pas fait leurs (*auto*) les lois (*nomos*) scolaires en tant que manières de se comporter et manières de penser» (Lahire, 1995 : 55). C'est d'ailleurs souvent le cas des élèves provenant de milieux sociaux défavorisés.

En effet, le champ de la socialisation scolaire est souvent très différent de celui de la socialisation des familles des enfants provenant de milieux défavorisés. Ces deux champs de la socialisation ne peuvent être harmonisés avantageusement par les enfants qui ressentent un écart important entre ce qui leur est demandé dans leur milieu familial et les exigences et les contraintes propres au milieu scolaire. Pour un certain nombre de ces enfants, le personnel enseignant doit leur apprendre à faire un travail soigné (selon les normes scolaires), à être attentifs, à respecter les consignes, à se débrouiller seuls ou à s'occuper seuls, ce qui pose vite, pour le personnel enseignant, le problème du manque d'autonomie chez ces élèves (Lahire, 1995 : 56).

Comme l'autonomie se traduit en milieu scolaire en qualités intellectuelles (scolaires), les enfants provenant de milieux défavorisés sont étiquetés graduellement comme des élèves ayant des difficultés proprement scolaires qui les orientent tout aussi graduellement vers une possibilité d'échec scolaire. En somme, pour reprendre les mots de Merle, «l'appréciation de l'échec ou de la réussite résulte [...] du degré d'adéquation entre les valeurs intériorisées par les enfants de milieux populaires et les normes comportementales valorisées par l'institution éducative» (Merle, 1996 : 146), ces dernières étant largement véhiculées par le discours et la pratique du personnel enseignant. Dans ce contexte, Lahire considère que l'autonomie tant valorisée par le personnel enseignant est à la fois un rapport au pouvoir et un rapport au savoir (Lahire, 1995 : 55).

Le jeu de l'excellence

Le poids de l'évaluation dans le contexte de la concurrence de marché qui a gagné le système éducatif depuis les années 80 oriente en partie les pratiques scolaires vers le jeu de l'excellence. Par exemple, depuis 1987, le ministère de l'Éducation du Québec publie les résultats des élèves de cinquième secondaire aux examens du ministère par commissions scolaires et, en 1988, il participe pour la première fois à une étude comparative internationale (Conseil supérieur de l'éducation, 1992a : 10). Les résultats de ces grandes campagnes nationales et internationales ne sont pas sans effets sur les gestionnaires de l'éducation.

Selon Traub, de l'Association canadienne d'éducation, les résultats moyens des élèves canadiens aux études internationales de rendement scolaire – ils se classent en dessous des élèves d'autres pays industrialisés – favoriseraient une utilisation plus grande de tests normalisés de rendement[9] dans les écoles : « [...] on en appelle à une plus grande responsabilisation des spécialistes de l'éducation et des systèmes qu'ils gèrent, et ces appels se traduisent souvent par un plus grand appétit pour les tests » (Traub, 1994 : 5). Ces tests sont distincts de ceux qui sont administrés dans l'ensemble du Québec par le ministère de l'Éducation et de ceux qui sont administrés dans le cadre d'une évaluation nationale et internationale, d'une part, et des programmes d'évaluation appliqués normalement dans les écoles, d'autre part. Selon les personnes qui doivent administrer ces tests, les inconvénients seraient, entre autres : de défavoriser certains élèves, particulièrement ceux qui ne savent pas passer des tests, qui ont de la difficulté à travailler sous pression ; de ne pas mesurer ce que l'on enseigne dans les programmes ; d'utiliser à tort ces tests pour classer les écoles ; de favoriser « l'enseignement pour les tests » seulement ; d'être une source de tension pour les élèves (Traub, 1994 : 38).

Les données tirées de ces tests servent, entre autres, à classer les écoles et les commissions scolaires entre elles selon leur niveau de performance ; elles servent également à comparer les systèmes d'éducation provinciaux entre eux ; elles sont utilisées pour renseigner le public sur les performances des écoles et font l'objet de temps à autre d'un traitement médiatique par les journalistes. Cependant, elles ne servent à peu près jamais à renseigner les élèves et leurs parents sur le cheminement scolaire de l'élève. En somme, pour une bonne part, ces tests servent le besoin d'efficacité des systèmes d'éducation tout en fournissant les données de base pour la constitution de hiérarchies d'excellence.

Les hiérarchies d'excellence et l'excellence en général conduisent à un ensemble d'effets pervers dans le système d'éducation[10]. Comme le soulignent Caouette et Bégin, tant que le rendement scolaire sera mesuré sous l'angle de la performance et non des compétences, on trouvera toujours des jeunes plus performants que d'autres (Caouette et Bégin, 1991 : 241). L'excellence prend forme dans des politiques, des

---

9. « Un test normalisé de rendement se définit [...] comme étant administré et évalué de la même manière quels que soient son lieu et sa date d'administration. La normalisation implique que les résultats de tous les élèves peuvent être comparés les uns aux autres de façon impartiale » (Traub, 1994 : 5). Au Québec, dans la période de 1989 à 1993, huit tests normalisés sont administrés chaque année aux élèves. Un test est destiné aux élèves de 3e année, trois à ceux de 6e année, un aux élèves de première secondaire, un aux élèves de deuxième secondaire et deux aux élèves de quatrième secondaire (Traub, 1994 : 23). Ces tests suscitent une opposition notamment par le personnel enseignant et, dans une moindre mesure, par les directions d'école (Traub, 1994 : 39).

10. Nous n'abordons l'excellence scolaire que sous un seul angle ici, mais elle peut prendre plusieurs formes en milieu scolaire. Par exemple, pour Perrenoud : « Être excellent, c'est alors savoir faire des calculs, résoudre des problèmes, compléter des exercices à trous, transformer des phrases ou mesurer des aires simplement parce que "c'est la consigne", sans que ces pratiques soient rattachées à un projet d'ensemble qui leur donnerait un sens. Être excellent, c'est encore savoir refaire avec succès ce qui a déjà été maintes fois exercé. L'excellence scolaire suppose donc beaucoup moins qu'on ne le prétend l'acquisition de compétences générales et transposables. Il suffit souvent de manifester de bonnes habitudes et une conformité suffisante à des modèles qui parfois n'ont cours qu'à l'école » (Perrenoud, 1987 : 99).

concours, des palmarès, des prix d'excellence qui ne profitent, selon les auteurs, qu'à une petite minorité qui n'a pas besoin, de surcroît, de ces renforcements extérieurs pour réussir. Cette course à la performance et à l'excellence conduit nombre de jeunes à développer du stress, des tendances dépressives et suicidaires, sans compter le « burn-out » subi par des enfants toujours plus nombreux et plus jeunes[11] (Caouette et Bégin, 1993 : 207). Les élèves ne sont pas les seuls à subir les pressions reliées à la course à l'excellence, les professeurs en ressentent également le contrecoup. Certes, les élèves

> [...] ont été les premiers touchés par les politiques du ministère de l'Éducation et des commissions scolaires portant directement sur l'évaluation des apprentissages et l'amélioration des performances académiques. Mais, désormais, il est clair que les enseignants étaient invités à travailler à améliorer *l'image publique* de leur école et de leur commission scolaire. Vues sous cet angle de l'image publique, les écoles publiques, pour garder leurs clientèles, et donc des postes d'enseignants correspondants, devaient surclasser les autres écoles publiques et devaient également rivaliser avec les écoles privées, continuant d'attirer des clientèles plus favorisées économiquement et souvent plus talentueuses, comme en font foi les listes d'excellence des cégeps et des écoles secondaires. L'enseignant, à qui on n'assurait pas de moyens pédagogiques additionnels ni de conditions plus favorables, avait donc pour mission de faire réussir le mieux possible tous les élèves et de rendre ceux-ci excellents. L'imagination créatrice aidant, on n'a pas tardé à recourir à toutes sortes de moyens, voire carrément à des tricheries évidentes, pour rehausser les notes moyennes et pour éliminer, des examens « qui comptaient », tous ceux qui baissaient la moyenne du groupe et de l'école ou qui *risquaient* de le faire. Les élèves « moins bons » étaient invités à se retirer de la course plutôt qu'à donner leur pleine mesure. (Caouette et Bégin, 1993 : 208).

Il y a donc différentes façons de fabriquer de l'échec scolaire. On peut rester indifférent aux différences et considérer l'échec comme un handicap en soi dont serait porteur l'élève ; on peut créer des hiérarchies d'excellence qui favorisent ceux qui sont déjà favorisés ; on peut enfin exclure carrément ceux qui ont une moins bonne performance scolaire de façon à ne pas faire diminuer la cote d'excellence de l'école et de la commission scolaire.

Les élèves et leurs rapports aux savoirs scolaires

L'évaluation joue un rôle important dans la réussite et l'échec scolaires. Cette dimension de la construction sociale de la performance scolaire constitue un aspect plutôt décisif dans la formation d'une identité positive ou négative chez les élèves. Mais

---

11. On peut consulter également l'étude de Poisson sur l'épuisement scolaire. On y affirme que « [les] jeunes sont de plus en plus fatigués, à un âge de plus en plus jeune, et la vie scolaire est une des grandes causes de leur condition » (Poisson, 1992).

cette identité est aussi le fruit d'une construction du sens de l'expérience scolaire, construction qui est tributaire en majeure partie du rapport qu'entretiennent les élèves aux différents savoirs que leur propose l'institution scolaire.

Le rapport aux savoirs scolaires est fortement contrasté par l'origine sociale des élèves, comme l'a amplement souligné la sociologie de l'éducation des vingt dernières années. Au-delà de cette variable explicative incontournable, les rapports aux savoirs des élèves se modulent en fonction de leurs performances scolaires. Les élèves qui ont de bonnes performances scolaires ont plutôt tendance à être à l'école pour ce qu'ils y apprennent, et les élèves en difficulté scolaire ont plutôt tendance à avoir une vision instrumentale des savoirs scolaires. En partant des données d'enquête de Rochex[12] (1996), on distingue trois registres du rapport aux savoirs scolaires chez les élèves et des processus cognitifs qui en découlent, en fonction de leur expérience scolaire :

1. Dans un premier registre, Rochex constate que le rapport aux savoirs scolaires est en partie conditionné par le sens et la valeur que les élèves donnent à ces savoirs. Les élèves en difficulté scolaire attribuent un sens à leur scolarité et aux apprentissages scolaires en fonction de l'avenir, dans le but d'avoir un bon métier. De leur point de vue, il semble que le sens de l'école n'a que peu à voir avec ce qu'on y apprend et que la scolarité se réduit à une course à obstacles. La référence au métier demeure elle-même floue et ne contribue que très peu à « conférer ou à restituer une valeur et un sens cognitifs et culturels aux activités d'apprentissage et à leurs contenus. Ceux-ci n'ont dès lors aucune légitimité propre et n'apparaissent que comme des obligations scolaires » (Rochex, 1996 : 98).

Chez les élèves qui ont de bonnes performances scolaires, le sens et la valeur accordés aux savoirs scolaires diffèrent substantiellement. Sans nier l'importance que revêt pour eux la scolarité dans leur future insertion professionnelle, ces élèves se construisent des raisons d'être à l'école pour ce qu'ils y apprennent. Dans leur représentation des savoirs scolaires, ces derniers peuvent être importants sans pour autant devoir être utiles. Ces élèves « donnent sens et valeur aux contenus et aux activités d'apprentissage pour leur valeur intellectuelle et culturelle ici et maintenant[13] » (Rochex, 1996 : 98).

---

12. Ces données proviennent d'une enquête réalisée par Rochex auprès d'élèves français scolarisés en Zone d'éducation prioritaire (ZEP), c'est-à-dire en milieu social où le taux d'échec scolaire des élèves est élevé, s'apparentant ainsi au taux des milieux défavorisés du Québec, à peu de choses près. Pour les détails méthodologiques de cette enquête, on peut consulter Rochex (1995).

13. On a observé le même type de rapport aux savoirs scolaires chez un groupe restreint d'élèves (48) de troisième secondaire au Québec lors d'une enquête qualitative. Dans cette enquête, les auteurs ont pu également remarquer que, quels que soient la provenance socio-économique ou le sexe d'un élève, on observe toujours le même type de rapport aux savoirs scolaires en fonction de la performance ou des difficultés scolaires. Voir sur le sujet Bouchard, St-Amant et Tondreau (à paraître).

2. Dans un deuxième registre, le rapport aux savoirs scolaires se joue sur le plan cognitif. Les élèves en difficulté scolaire contextualisent fortement les savoirs et les apprentissages scolaires, à savoir qu'ils les évoquent en référence à la situation où ils ont été acquis ou mis en œuvre. Les élèves qui connaissent de bonnes performances scolaires objectivent, décontextualisent, systématisent et globalisent plus facilement les apprentissages scolaires, les savoirs et leurs contenus. En objectivant les savoirs scolaires, les élèves performants prennent une distance par rapport à eux-mêmes et se constituent plus facilement comme sujets de leurs études.

3. Dans un troisième registre, les élèves en difficulté scolaire ont beaucoup de peine à percevoir la spécificité des disciplines scolaires (la grammaire, les mathématiques, etc.) qui va au-delà d'une vision du travail scolaire comme d'une succession d'exercices scolaires morcelés qui n'ont pas nécessairement de lien ou de sens entre eux. Les élèves performants sur le plan scolaire font une distinction nette entre exercices et objets d'apprentissages. Comme le souligne Rochex : ils « s'interrogent sur le sens des disciplines et le but des exercices et activités scolaires, cherchent à comprendre les principes qui les sous-tendent, et peuvent donner à leur activité un sens cognitif qui transcende la nécessité de s'acquitter de tâches morcelées, de routine ou d'exigences comportementales » (Rochex, 1995 : 99).

Pour Charlot, qui adopte une position critique face à certaines représentations du savoir dans notre société, il y aurait aujourd'hui une tendance à privilégier un rapport instrumental au savoir. Plus précisément, le savoir aurait du sens dans la mesure où il satisfait un désir humain, qui ne serait qu'un désir de consommation. Comme le souligne encore Charlot, en reprenant les propos tenus par des élèves fréquentant des écoles de banlieue : « Savoir permet d'avoir des diplômes, donc un bon métier, donc de l'argent, donc un bon avenir et une belle vie » (Charlot, 1995 : 55).

Résistance et subjectivation

Le décrochage est la conséquence d'un long processus qui s'est manifesté dans l'école par différentes voies. Comme le relèvent Caillat et Glassman : « L'absentéisme[14] reste probablement le premier signe de détresse (il devrait être mieux évalué) ; suivent ensuite la contestation passive ou active, les difficultés de se comporter comme les autres, le décrochage scolaire, les fugues et les désertions de l'école » (Caillat et Glassman, 1995 : 119). Le sens de l'école et de l'apprentissage n'est pas donné d'avance, il se construit dans l'interaction en situation concrète. L'école n'a de sens que dans la mesure où elle remplit son rôle lié à l'apprentissage. Et c'est dans le désir d'apprendre que les élèves donnent un sens aux savoirs scolaires. Develay signale à ce propos :

---

14. Un décrocheur potentiel manquerait en moyenne 45 jours de classe par année (Louis, 1997 : 4).

Trouver du sens à l'École, c'est construire un ensemble de repères, se fixer un ensemble de valeurs qui permettent de mettre son monde en ordre et de le partager avec autrui. Le sens se construit ainsi dans l'action consciente du sujet qui s'implique et qui parvient à regarder cette implication. Le sens est investissement et prise de distance à son égard. Le sens est dans le lien que le sujet établit entre l'implication et l'explication qu'il construit de ses actions. Le sens est au cœur de la construction de la personne. Donner un sens à son action, à sa vie, c'est se donner un dessein, une fin, un projet personnel et plus tard professionnel, c'est se construire une identité. (Develay, 1996 : 91).

Or, pour un certain nombre d'élèves, le sens de l'école et les savoirs qu'elle transmet ne vont pas de soi. Hardy (1994) montre, à partir d'une étude québécoise auprès de jeunes du secondaire, que la résistance (*voir l'encadré 10.4*) à l'école se vit plus fortement, à origine sociale similaire (ouvriers, agriculteurs et artisans[15]), chez les élèves qui se retrouvent dans les classes de relégation que chez ceux qui sont dans les classes régulières. Pour les premiers, les difficultés scolaires éprouvées face à l'appropriation des notions de français et de mathématiques les amènent à douter de leurs capacités personnelles, d'où une certaine répulsion face à l'ensemble de leur expérience scolaire. Pour les seconds, c'est le réalisme qui intervient, dans la mesure où ils ne cherchent pas à jouer le jeu de la performance sur le plan scolaire : tout au plus, visent-ils la maîtrise d'un savoir-faire négociable éventuellement lors de l'insertion socioprofessionnelle (Hardy, 1994 : 111-113).

Le rapport à l'autorité des élèves dans les classes de relégation est tendu. Un certain nombre de ces élèves vont fréquemment au bureau de la direction pour rendre compte de problèmes d'absences. On canalise une partie importante de l'énergie de ces élèves pour résister aux normes de la vie scolaire par l'entremise de diverses formes d'opposition, notamment dans les cours théoriques. Ces élèves investissent peu dans le travail scolaire à la maison, remettent en question la pertinence des connaissances inculquées par l'école et doutent de la valeur du diplôme de fin d'études. Toutefois, malgré les efforts que font ces élèves pour diminuer la charge de travail scolaire qu'il leur est demandée, ils attendent tout de même de l'école qu'elle les aide à établir les bases d'une identité professionnelle en leur donnant ce qui est nécessaire pour se projeter dans le monde du travail (Hardy, 1994 : 115-117). Chez les élèves en classes régulières, élèves dont les performances scolaires sont meilleures, l'expérience scolaire est vécue plus positivement. Hardy établit les distinctions entre les deux groupes de la façon suivante :

L'expérience d'appropriation du savoir scolaire différencie partiellement les élèves des filières de relégation de ceux des filières régulières. Chez les premiers, la

---

15. Les enfants provenant de ces milieux sociaux offrent, dans une plus grande proportion, une résistance plus forte à l'école que les enfants provenant des milieux des classes moyennes ou aisées et connaissent aussi plus de difficultés scolaires.

Encadré 10.4
La résistance à l'école

« La découverte fondamentale de Waller est la résistance des élèves face à l'école, qu'ils ne fréquentent que parce qu'ils y sont obligés par leurs parents. Il est donc normal que les relations sociales à l'intérieur de l'école soient fondées sur le conflit.

« Les interactions dans la classe sont souvent une lutte, elles peuvent même donner lieu à une véritable guerre, qui oppose en particulier les enseignants et les élèves. Waller décrit les chahuts organisés des élèves, leur peur panique parfois face à certains maîtres qui accumulent au fil des années l'hostilité de leurs élèves et finissent par les voir comme des ennemis.

« Cette résistance des élèves à l'école se manifeste de différentes façons : sur le plan de la discipline tout d'abord, où la désobéissance et la recherche active d'incidents à exploiter tiennent lieu de règle générale de conduite ; sur le plan du travail scolaire proprement dit ensuite, que beaucoup d'élèves refusent de faire. Les descriptions de situations scolaires qu'ont pu faire certains romanciers, déplore Waller, sont exactes : les plaisanteries des élèves à propos de l'enseignant fusent et ce dernier, en retour, est dur, sarcastique ; il réprime sans cesse et sans espoir, sauf s'il parvient à trouver des "mécanismes de conciliation". Il est frappant de constater, remarque Waller, que le vocabulaire utilisé dans les écoles est le vocabulaire classique qui caractérise l'hostilité et le conflit : "guerre, vengeance, litige, conflits d'idéaux, victoire, conciliation, compromis". Ces conflits ne sont pas toujours visibles, et bien des enseignants ne se reconnaîtraient pas dans cette présentation de la situation scolaire.

« Le conflit est d'ailleurs nécessaire au fonctionnement des institutions, aux rapports interpersonnels et au développement personnel. Si les enseignants ne voient pas le conflit, c'est parce que la notion de conflit[16] entre enseignant et élève viole leur conception d'une relation qu'ils croient fondamentalement constructive (…) Cependant, le conflit est un processus constructif, il crée autant qu'il détruit, unifie autant qu'il divise et constitue un facteur puissant d'unification du groupe. Nos relations les plus significatives sont souvent caractérisées par une coopération antagoniste. Le conflit préserve certaines relations de devenir intolérables, et, fondamentalement, il signifie la paix. (…) On pourrait dire que le conflit dans les écoles est l'aspect de la vie de l'école qui prépare le mieux les élèves à faire face à la vie.

« Soumis à l'autorité de leurs enseignants et aux pressions de leur famille, les élèves finissent par se rebeller, et on ne peut pas projeter de réforme éducative si l'on n'a pas compris cet aspect fondamental de la vie scolaire. Les notes, en particulier, sont l'objet d'une véritable "bataille" entre les élèves et leurs enseignants. Elles provoquent des réclamations incessantes et des disputes, si ce n'est de la rancœur, mais elles sont aussi à l'origine de fraudes, de plagiats et autres conduites qui ont toutes pour but de franchir l'obstacle des examens. Ces pratiques renforcent encore davantage les antagonismes entre enseignants et élèves, dans la mesure où elles révèlent qu'ils ne partagent pas le même code moral. »

Extrait de Alain Coulon,
Ethnométhodologie et éducation (1993 : 74-75).

---

16. Develay partage cette idée selon laquelle le conflit est important en éducation, et ce, sur deux plans au moins : « Conflit afin que l'École soit un lieu de débats, d'échanges, de discussion. La controverse est le moteur du développement. Si je pense comme vous et que vous pensiez comme moi, nous ne pourrons progresser ni l'un ni l'autre. C'est seulement parce que nous ne partageons pas le même point de vue que le doute pourra s'installer au cœur de nos certitudes et que l'un et l'autre pourrons commencer à nous interroger. Dans le domaine de l'éducation, on parle de conflit sociocognitif pour insister sur la double dimension du débat d'idées. » (Develay, 1996 : 116).

trajectoire d'appropriation du savoir les entraîne dans une succession d'échecs et d'expériences dévalorisantes qui les pousse dans un procès identitaire où priment l'inaptitude, l'impuissance et l'aliénation vis-à-vis de la maîtrise des savoirs proposés par les enseignantes et les enseignants, alors que leurs consœurs et confrères des filières régulières réussissent à satisfaire minimalement les exigences scolaires et parviennent à expérimenter un procès identitaire empreint d'un minimum de confiance dans l'efficacité de leurs habiletés cognitives devant les exigences de l'appropriation du savoir scolaire. (Hardy, 1994 : 121).

Bouchard, St-Amant et Tondreau (à paraître) sont arrivés à des conclusions similaires dans leur enquête auprès d'élèves de troisième secondaire de la région de Québec. Parmi les principales conclusions de cette recherche, on note que chez les élèves en difficulté scolaire provenant de milieux socio-économiques faibles, le rapport aux normes de la vie scolaire, la construction de l'identité et le rapport à l'avenir sont fortement contrastés selon le sexe de l'élève.

On note chez les garçons en difficulté scolaire une forte opposition aux règlements de l'école. Cela se traduit le plus souvent par une attitude très négative face à l'autorité formelle et une position de défi dans la relation pédagogique[17]. Ils se sentent d'ailleurs exclus de cette relation et cherchent d'une manière ou d'une autre à contrôler l'espace et le temps dans la classe. Leur rapport aux matières scolaires s'organisent selon deux axes : ils le vivent de manière positive si la matière implique peu de travail et laisse du temps de « loisir » ; ils le vivent de manière négative si la matière est trop exigeante et demande beaucoup d'investissement en effort. Ces garçons se sentent loin des savoirs scolaires et livresques et ils n'hésitent pas à stigmatiser les élèves qui ont de bonnes performances dans ce type de savoirs, c'est-à-dire les « bolés ». En fait, ils opposent travail manuel et travail intellectuel et préfèrent le premier auquel ils accordent plus de valeur. Ils ont une estime d'eux-mêmes peu développée et ironisent sur leurs faibles résultats scolaires.

Chez les filles en difficulté, l'expérience scolaire diffère quelque peu. Même si elles vivent l'école comme une obligation, elles ont tendance à se replier sur elles-mêmes plutôt que d'entrer dans un rapport d'opposition à l'école comme le font les garçons. Tout comme les garçons en difficulté scolaire, elles ne se sentent pas à l'aise dans la relation pédagogique mais n'adoptent pas une position de défi. Leur distance à l'école et aux savoirs qu'elle transmet ne s'exprime pas en une attitude empreinte

---

17. Plus précisément, on constate, sur la base des catégories d'analyse de Emler et St. James (1994), que le rapport à l'autorité formelle dans l'école varie en fonction du rendement scolaire des élèves, quels que soient le sexe ou la catégorie sociale d'origine. Ainsi, les élèves en difficulté scolaire ont une attitude défavorable envers l'autorité formelle, qui se manifeste de différentes manières dont le défi, le chahut, le chantage. Chez les élèves qui connaissent un bon rendement scolaire, se dessine une attitude favorable envers l'autorité formelle sans toutefois perdre leur sens critique face à certains effets pervers des règlements dans l'école. Voir sur le sujet Bouchard, St-Amant et Tondreau (à paraître).

d'agressivité, d'opposition ou de rejet de l'école, comme chez les garçons en difficulté, mais par un repli sur soi.

La façon dont ces filles et ces garçons construisent leur identité se fait en quelque sorte à côté de l'école. On note, chez les filles comme chez les garçons en difficulté scolaire, une vision plutôt fataliste de l'avenir qui prend deux formes : 1) une perspective dominante de conservation, qui résulte en une double orientation vers le marché matrimonial et le marché de l'emploi chez les filles et une orientation axée sur le marché du travail chez les garçons ; 2) un sentiment dominant d'insécurité qui s'actualise dans le désir d'un travail stable (pour les filles et les garçons), rémunérateur (pour les garçons) ou qui permet d'être à l'abri du besoin (pour les filles). Cette perspective dominante de conservation et ce sentiment dominant d'insécurité se doublent d'une certaine résignation face à l'avenir : filles et garçons s'appuient sur le destin ou sur la chance pour se projeter dans l'avenir. Cependant, si les garçons ont une vision idéalisée du marché du travail (ils ont l'impression qu'ils pourront se débrouiller quoiqu'il arrive, même s'ils n'ont pas le diplôme de cinquième secondaire), les filles ont une vision plutôt réaliste du marché matrimonial, c'est-à-dire qu'elles sont conscientes des difficultés qui y sont inhérentes (Bouchard, St-Amant et Tondreau, à paraître).

En somme, tous ces jeunes, garçons et filles, vivent une expérience scolaire difficile dans laquelle leur identité se construit dans l'aliénation, la dévalorisation de soi et le constat d'échec. Leur difficulté à s'approprier les savoirs scolaires les amène à remettre en question la relation pédagogique, le bien-fondé des savoirs scolaires et à douter de la valeur du diplôme dans certains cas. Éprouvant de nombreuses difficultés à se constituer une identité positive dans et à travers leur expérience scolaire, ces élèves lâchent prise et cherchent plutôt à se définir par rapport au marché du travail ou au marché matrimonial qui leur donne l'impression de pouvoir s'en sortir et de pouvoir se valoriser à travers des activités autres que scolaires.

En plus des difficultés d'appropriation des savoirs scolaires, les élèves provenant de milieux socio-économiques faibles ont le sentiment que l'école tente de leur imposer une autre identité, de les faire devenir « autres ». Leur expérience scolaire est vécue comme une acculturation à des valeurs et à des manières de faire qui ne leur sont pas familières. Dans cette expérience scolaire, l'impératif de changement devant lequel l'école place ces élèves constitue un véritable changement de peau. Dans une enquête auprès de jeunes élèves provenant de milieux socio-économiques faibles, Rochex montre à travers un témoignage tout l'enjeu de la scolarisation pour certains jeunes :

> Cette conscience que l'expérience scolaire est confrontation à une exigence de changement ne s'exprime nulle part aussi clairement que dans les propos tenus par Didier, en réponse à une question sur ce qui a été cause de son refus scolaire : "Leur manière de parler, comment ils veulent nous faire parler, notre façon de penser. Ils veulent tout nous changer quoi ! Changer notre personnalité. Je ne

veux pas qu'ils me changent. Ils peuvent m'instruire mais pas me changer."
(Rochex, 1996 : 101).

Le rôle du personnel enseignant est fort important dans un contexte où la relation pédagogique ne va pas de soi, où elle est remise en question quotidiennement par les élèves qui ne réussissent pas à s'approprier les savoirs scolaires pour différentes raisons. Comme le signale Hardy : « Les diverses manifestations de résistance scolaire sont particulièrement difficiles à gérer pour tous les enseignants parce qu'elles constituent une opposition plus ou moins ouverte aux objectifs professionnels et aux valeurs des enseignants et de l'école » (Hardy, 1989 : 202). Comment le personnel enseignant peut-il envisager ce problème ? Quels genres de difficultés soulève l'échec scolaire pour les enseignants et les enseignantes ? Le personnel enseignant possède-t-il la compétence requise pour faire face à ce problème ?

Les sujets de la socialisation scolaire

Dans la socialisation scolaire, les acteurs sociaux réels ne peuvent être réduits ni à des agents de socialisation qui favoriseraient la reproduction sociale (logique d'intégration), ni à des acteurs qui chercheraient à appuyer leur action sur des stratégies et des possibilités avec lesquelles ils viseraient à se ménager une marge de liberté dans l'ensemble des contraintes qui sont les leurs (logique de la stratégie). En fait, leur expérience sociale les invite à combiner « le passé et l'avenir, une mémoire culturelle et des projets économiques et professionnels. [...] Cette combinaison n'est possible que parce que le but de l'acteur est de se construire lui-même comme acteur, d'autogérer son existence, d'être libre, indépendant, responsable en tant qu'être particulier. Cette volonté d'individuation définit la subjectivation et [...] le désir d'être Sujet » (Touraine, 1996 : 302). Le sujet est donc celui ou celle qui prend une distance à la fois par rapport à ses rôles (logique d'intégration) et à ses intérêts (logique stratégique) comme le souligne Friedberg (Friedberg, Vidal et Dubet, 1996 : 83).

Dans le cas du personnel enseignant, l'engagement comme sujet dans la pratique enseignante peut prendre plusieurs formes. Une première forme consiste à prendre conscience que les représentations, dont sont porteurs les enseignantes et les enseignants par rapport aux élèves et aux savoirs, ont des incidences sur le rapport qu'entretiennent les élèves aux savoirs scolaires. Une deuxième forme d'engagement est de prendre position face à l'échec scolaire, de considérer ce problème non pas comme des déficiences, des handicaps ou des problèmes reliés aux capacités, bref sous l'angle individuel, mais comme un problème collectif appelant des solutions collectives qui passent en premier lieu par l'équipe école.

Toutefois, dans nombre de situations sociales, la cohérence du discours d'un groupe peut être en porte-à-faux avec les pratiques concrètes de ce même groupe. Par exemple, une recherche sur les enseignants du Québec faite par M. Berthelot (1992) montre que pour les deux tiers des enseignants du primaire et plus des trois quarts de ceux du secondaire, la qualité des apprentissages dépend avant tout de la compétence du personnel enseignant – cela montre sans doute l'engagement et la foi dans la transposition didactique. Toutefois, les enseignantes et les enseignants ne seraient pas, paradoxalement, responsables des échecs scolaires. Pour certains, la seule manière de sortir de ce paradoxe consisterait à responsabiliser davantage les enseignants et les enseignantes vis-à-vis de l'échec scolaire.

Le personnel enseignant et ses représentations de l'élève

En matière de « compétences sociales », les programmes de formation des maîtres ont tendance à occulter le niveau de formation générale, cet ensemble de connaissances précises, de savoir-faire et d'attitudes dont dispose le futur maître et qu'il pourra mobiliser le temps venu en situation d'intervention. Ces éléments de formation générale prennent souvent la forme de « représentations » (*voir l'encadré 10.5*) qui se développent tout au long de la formation initiale et constituent un réservoir de ressources intellectuelles qui jouent, les recherches le montrent, un rôle important dans l'acte d'enseigner. Ces représentations soit sous la forme de connaissances précises, soit sous la forme d'ensemble explicatif ou interprétatif, soit sous la forme de positions idéologiques ou même d'opinions, jouent un rôle de médiation entre les prescriptions du programme officiel et les caractéristiques du programme effectif. L'importance d'une analyse réflexive des enseignants sur leurs représentations pendant le programme de formation initiale est indiscutable.

En effet, si l'école prescrit certaines valeurs et normes culturelles à transmettre, ces normes et valeurs sont véhiculées à travers les programmes, les modes d'organisation de l'école, la répartition et l'importance des matières, les orientations pédagogiques et les valeurs véhiculées dans les manuels et surtout par les pratiques pédagogiques du maître. Or, les enseignants ne reproduisent pas nécessairement les prescriptions ou les finalités officielles de l'école ; ils réinterprètent toujours les valeurs que le système demande de transmettre selon les représentations qu'ils ont eux-mêmes de ces valeurs, de ces normes, selon aussi la conciliation qu'ils font entre les exigences du système et les contraintes de leur pratique. Ainsi, les représentations qu'ont les enseignants des valeurs communes à faire partager par les étudiants comme futurs citoyens ont non seulement un rôle important à jouer dans leurs pratiques pédagogiques, mais elles pourraient également, sous l'influence des contraintes de leur travail, prendre la forme d'une justification de leurs pratiques.

En somme, un grand nombre de questions se posent aux enseignants au sujet des dimensions sociales et culturelles du processus de scolarisation. Comme le souligne Marques Balsa : « Où se situe la spécificité sociale ou culturelle des populations scolaires ? Faut-il d'ailleurs se poser la question ? Ne doit-on pas plutôt se cacher la

Encadré 10.5
Qu'est-ce qu'une représentation sociale ?

« [...] la représentation sociale est un processus de construction du réel qui est en relation avec des modes de connaissance ordinaire, elle construit la plupart du temps ce qu'elle prétend décrire, elle est en un sens une véritable construction mentale de l'objet auquel elle s'applique. On pourrait dire que la représentation sociale est un élément de ce savoir ordinaire, des procédures, des considérations dont se servent les membres ordinaires de la société pour comprendre, s'y retrouver et agir dans les circonstances où ils se trouvent. [...] Nous ne visons pas la cohérence des représentations, mais nous utilisons des représentations pour agir, nos actions peuvent de ce fait apparaître comme contradictoires à un observateur extérieur qui s'exclut du jeu pour les décrire en termes de pure logique. »

Extrait de Patrick Watier,
*La Sociologie et les Représentations
de l'activité sociale* (1996 : 119-121).

« Les enseignants ont des représentations de la situation éducative, de leur rôle et de leur fonction. Les ignorer, en formation continue, mènerait à développer, chez eux, deux modes de fonctionnement spécifiques : l'un propre à la situation de formation et l'autre adapté à la pratique quotidienne, celle-ci restant hermétique aux apprentissages réalisés ailleurs. Une prise de conscience par les professeurs des représentations qu'ils véhiculent et des divergences entre celles-ci et l'objet de la formation, constituerait peut-être une condition nécessaire à la réussite de la formation. [...] Sur la base d'une étude de cas, Fullan (1982) a construit un modèle des représentations de l'enseignant à partir d'interviews et d'observations d'enseignants étalées sur plusieurs mois. Elle caractérise les représentations par cinq dimensions : 1) les représentations sont situationnelles. Elles sont articulées autour de situations dans lesquelles elles se sont avérées performantes ; 2) les représentations sont idiosyncrasiques. Elles sont plus un processus de construction qu'un produit ; 3) les représentations ont une composante sociale. Elles sont socialement conditionnées par la place occupée par l'enseignant dans les divers groupes ; 4) les représentations sont "expérientielles". Les représentations s'inscrivent dans le monde de l'enseignement, monde relativement fermé ayant ses frontières propres ; 5) les représentations ont un aspect théorique. L'enseignant véhicule des théories implicites qui donnent à ses représentations une dimension épistémologique. »

Extrait de Évelyne Chartier,
Planifier un cours, c'est prendre des décisions
(1989 : 80-82).

provenance de l'élève pour ne pas faire de discrimination ? Quel est l'impact de l'école sur le statut social des élèves ou sur son milieu ? Doit-on d'ailleurs s'interroger sur les effets que l'école a sur l'avenir social et culturel des élèves ? » (Marques Balsa, 1990 : 191). À travers le traitement de la diversité linguistique et culturelle des élèves et des représentations qu'ont les enseignants de cette diversité, c'est-à-dire la position qu'ils adoptent par rapport aux problèmes liés à cette diversité, il importe de saisir l'importance des dimensions sociales de l'acte d'enseigner. Pour ce faire, nous nous inspirerons d'une enquête effectuée par Marques Balsa auprès de 25 enseignants travaillant avec des élèves immigrés. Marques Balsa définit au départ le plan de l'analyse qui permet de situer les orientations de la pratique enseignante en croisant deux types d'information : 1) découvrir les enjeux de la pratique tels qu'ils apparaissent à travers les discours des enseignants (l'axe des enjeux) ; 2) situer le rapport au savoir qui marque de façon importante les représentations des enseignants sur les finalités de leur travail (l'axe du rapport au savoir).

L'axe des représentations des élèves

Les enjeux se polarisent autour de la conception que les enseignants ont des élèves, ces derniers pouvant être caractérisés selon trois statuts distincts : l'individu, l'élève, le citoyen. Certains enseignants considèrent l'élève d'après une norme individuelle qui ramène l'enfant à ses qualités et à ses défauts. Sur le plan scolaire, cette conception se traduit par un jugement sur l'intelligence ou la déficience de l'élève : l'élève est aux yeux de ces enseignants un *individu*. Pour d'autres enseignants, c'est la norme de la classe qui prévaut sur la norme individuelle. L'élève est alors perçu sous l'angle de ses possibilités de fonctionnement dans la classe. Ce qui importe pour ces enseignants, c'est l'esprit de classe qui se traduit par une certaine complicité : l'élève est aux yeux de ces enseignants un *élève*. Enfin, certains enseignants ne considèrent pas l'enfant seulement comme élève mais comme citoyen, passant ainsi d'un sentiment d'appartenance à un groupe à un sentiment d'appartenance à une société. Dans ce cas, l'action pédagogique des enseignants cherche à produire des effets sur les statuts qui marquent les élèves dans leurs différents rôles sociaux, qu'ils soient politique, professionnel, familial ou culturel. C'est la personne qui est visée dans ce cas : l'élève est aux yeux des enseignants un *citoyen*.

L'axe du rapport au savoir

L'axe des représentations qu'ont les enseignants des élèves se combine avec l'axe de la conception du savoir, c'est-à-dire la façon dont les enseignants se représentent les contenus scolaires et les modèles de transmission à partir desquels ils organisent leur enseignement. Dans ce cas-ci, Marques Balsa tente de saisir la conception du savoir enseignant à travers le rapport aux langues et aux cultures, rapport hautement significatif dans le cas d'enfants d'immigrants. Trois conceptions se dégagent nettement : 1) une conception du savoir normatif ; 2) une conception du savoir arbitraire ; 3) une conception du savoir impliqué.

Dans la conception du *savoir normatif*, les enseignants imposent une manière « légitime » de faire les choses. Pour eux, les savoirs obéissent à un ordre hiérarchisé et naturel qui impose les « bons » codes culturels dans tous les registres. Cette conception a une visée d'acculturation. Pour les enseignants qui partagent une conception du *savoir arbitraire*, les sources de légitimité du savoir peuvent être multiples. Les savoirs sont donc hiérarchisés de manière subjective et doivent être adaptés aux diverses situations pédagogiques. Le droit à la différence, les goûts différents font partie des critères qui peuvent favoriser la modification de la valeur d'un savoir. Enfin, les enseignants qui ont une conception du *savoir impliqué* estiment que le savoir légitimé par l'école peut coexister avec d'autres savoirs. Dans ce cas, on conçoit que les savoirs sont hiérarchisés socialement en fonction d'enjeux et que le projet pédagogique doit maîtriser ces enjeux.

Représentations de l'élève et du savoir : engagement et désengagement

L'acte d'enseigner est tributaire de la représentation que l'on a de l'élève et du savoir. Le croisement des trois conceptions de l'élève (individu, élève, citoyen) et des trois conceptions du savoir (normatif, arbitraire, impliqué) montre les implications d'une exclusion ou d'une inclusion des dimensions sociales des populations étudiantes dans le projet éducatif des enseignants. Par exemple, *les enseignants qui ont une conception du savoir normatif centré sur l'individu* se représentent la situation pédagogique en distinguant une situation de déficience d'une situation de normalité. Dans les deux cas, le problème pour l'enseignant, c'est toujours l'autre, c'est-à-dire l'élève. De là, deux orientations peuvent être envisagées pour l'action face aux élèves qui ne sont pas dans la norme : a) si c'est le plan individuel qui prédomine, l'élève est renvoyé aux spécialistes (psychologues, orthopédagogues, etc.) ; b) si c'est le plan lié aux origines culturelles et sociales, c'est le fatalisme qui s'installe comme en fait foi la déclaration de cet enseignant : « En général, quand on a affaire à une famille comme ça, je peux presque, dès le départ, mettre un grand point d'interrogation sur le dossier » (Marques Balsa, 1990 : 208).

À l'opposé, *les enseignants qui ont une conception du savoir impliqué centré sur l'élève* veulent aider les élèves à surmonter les antagonismes qui peuvent émerger de la confrontation entre les valeurs et les savoirs dont ils sont porteurs, et les valeurs et les savoirs qui sont transmis par l'école. Dans la classe, les savoirs portés par les élèves ont droit de cité. Dans cette conception, la dynamique de classe privilégiée inclut les aspects politiques et sociaux dans la relation pédagogique : « [...] le manque de pouvoir de l'élève (plutôt que son incapacité psychologique à "s'extérioriser") constitue l'un des enjeux importants des rapports qui se nouent au sein de la classe » (Marques Balsa, 1990 : 214). Marques Balsa ajoute que :

> Ce sont donc des finalités sociales, culturelles, politiques [...] de l'enseignement qui sont surtout valorisées dans ce type d'attitude. L'enseignant cherche à moduler les effets de son action sur les communautés à partir des orientations d'un projet politique, d'un engagement social, d'une sensibilité anthropologique [...], orientations qui ne pourront se concrétiser que si elles s'inscrivent dans une dynamique de changement. C'est dans ce sens que les enseignants, qui ont une conception discriminée et motivée des savoirs, s'opposent aux « normatifs » : ceux-ci, qu'ils orientent ou non leur action par un projet social explicite, visent, en tout premier lieu, le maintien du *statu quo*, d'une tradition établie. (Marques Balsa, 1990 : 214-215).

Aux questions : « Où se situe la spécificité sociale ou culturelle des populations scolaires ? Faut-il d'ailleurs se poser la question ? Ne doit-on pas plutôt se cacher la provenance de l'élève pour ne pas faire de discrimination ? Quel est le pouvoir de l'école sur le statut social des élèves ou sur son milieu ? Doit-on d'ailleurs s'interroger sur les effets de l'école sur l'avenir social et culturel des élèves ? » on peut répondre que l'acte d'enseigner ne s'effectue pas dans un vide social, que la classe n'est pas un lieu isolé du reste de la société, et cela, de deux manières : 1) les élèves en classe sont là avec les attitudes et les manières de leur classe sociale d'origine ; et 2) les enseignants sont eux-mêmes porteurs d'idéologies qui ne sont pas sans effets sur l'acte d'enseigner. Il importe donc à tout futur maître d'être en mesure de se situer par rapport à ses propres représentations de l'élève et du savoir.

L'engagement du personnel enseignant face à la réussite et à l'échec scolaires

L'enseignant occupe dans la classe une position ambiguë : « [...] investi dans la relation pédagogique, acteur impliqué dans l'acquisition de connaissances, il doit être en même temps capable d'être un juge objectif des progrès dont il est en partie responsable » (Gosling, 1992 : 11). Or, l'enseignant n'est pas qu'un juge objectif. Il est confronté à des contraintes qui l'obligent à faire des choix dans la classe qui peuvent être désavantageux pour certains élèves, avantageux pour d'autres. Mais surtout, l'enseignant regarde ses élèves en fonction de la représentation qu'il a de ces derniers, et cette représentation influence autant le comportement du maître que celui de l'élève, elle « n'a pas seulement des conséquences sur le comportement du maître vis-à-vis de l'élève ; elle a aussi – surtout – pour effet de modifier le comportement de l'élève lui-même, piégé par la représentation qu'on a de lui, ce qui vient "confirmer" la représentation du maître : c'est la prédiction qui se réalise » (Gosling, 1992 : 18). Dans cet univers de représentations de l'enseignant sur les élèves, l'échec et la réussite scolaires n'ont pas le même poids pour lui :

> Pour l'enseignant, l'échec n'est pas le négatif de la réussite : les raisons qui entraînent l'échec ne sont pas l'envers de ce qu'il observe chez l'élève qui réussit. Le noyau de la représentation de la réussite et de l'échec, c'est l'opposition entre sujet et objet. Les élèves qui réussissent accèdent en même temps au statut de sujet au sein de l'institution – et par là même à la possibilité d'une relation intersubjective avec l'enseignant. Ceux qui échouent deviennent, pour l'institution comme pour l'enseignant, un objet – et par là même l'objet de représentations, et particulièrement d'explications. Le clivage entre l'élève-sujet et l'élève-objet est ainsi la condition de possibilité de représentation de l'échec. Représenter, c'est en même temps mettre à distance. [...] Face à la réussite, les enseignants ont une attitude pédagogique ; face à l'échec, ils répondent par l'idéologie. Plus qu'une pratique, ils développent un discours. (Gosling, 1992 : 223-224).

Dans ces conditions, la responsabilité du personnel enseignant vis-à-vis de l'échec scolaire est particulièrement grande et elle incite à chercher des moyens de contrer les effets non voulus des représentations des enseignantes et des enseignants à propos des élèves. C'est en ce sens que pour Develay, la profession enseignante doit « passer d'une approche du métier d'enseignant en termes d'enseignement à une approche du métier en termes d'apprentissage, de s'intéresser à l'hétérogénéité davantage qu'à l'homogénéité, d'accepter une vision moins individuelle et plus collective du métier, de substituer à une courbe de Gauss une courbe de la réussite et de penser l'instruction au service de l'éducation » (Develay, 1994 : 49-50).

En effet, il semble que les explications liées à l'idéologie du don, du goût, des capacités ou des aptitudes pour rendre compte de la diversité des trajectoires scolaires des élèves (Merle, 1996 : 149) soient encore répandues chez les enseignantes et les enseignants. Plus encore, il semblerait que le personnel enseignant rejette rapidement la responsabilité sur les changements sociaux en général et sur la démission des parents en particulier pour rendre compte de leurs difficultés à instruire les jeunes aujourd'hui (Lessard et Tardif, 1996 : 266-268). Certes, nombre d'enseignantes et d'enseignants ne sont pas sans ignorer l'importance de la provenance sociale des enfants dans leur cheminement plus ou moins heureux au sein de l'école et de leur scolarité. Toutefois, comme le souligne Davisse :

> Il ne suffit pas de comprendre, même avec générosité, les difficultés sociales et économiques des élèves, encore faut-il de la compétence professionnelle pour cerner la nature des difficultés dans la classe, dans les processus d'apprentissage, et dans le champ de connaissance lui-même. Ainsi, on n'avance pas en se contentant de constats sur l'hétérogénéité des niveaux ou sur l'absence d'attitudes scolaires. Pour avoir prise professionnellement sur les difficultés scolaires des élèves, il faut d'autres outils de lecture des difficultés. (Davisse, 1996 : 104).

Parmi ces outils, mentionnons la responsabilité des enseignantes et des enseignants vis-à-vis de leurs élèves ; c'est d'ailleurs cette responsabilité qui fait la différence entre un métier et une profession selon Huberman[18] (1978). Cette responsabilisation n'est pas sans effets sur les pratiques pédagogiques et sur le rendement scolaire des élèves. Comme le relève Beckers, les études dans le domaine

> [...] mettent en évidence que les enseignants dont les élèves progressent le plus dans leurs apprentissages, et ce d'une manière stable d'une année à l'autre, sont convaincus du rôle actif qu'ils jouent dans l'évolution des élèves et leurs acquis. En cas d'échec, plutôt que de chercher des excuses, ces enseignants redoublent d'efforts, individualisent davantage leur enseignement, imaginent

---

18. Le Conseil supérieur de l'éducation va dans le même sens : « [...] enseigner est un acte professionnel, qui requiert des compétences spécifiques et comporte une responsabilité précise » (Conseil supérieur de l'éducation, 1992a : 42). Voir aussi Conseil supérieur de l'éducation (1991a).

d'autres démarches. Cette attitude volontariste est particulièrement prégnante chez les enseignants qui obtiennent d'excellents résultats avec des élèves de milieux socio-économiques défavorisés. (Beckers, 1995 : 335).

Développer une plus grande responsabilité vis-à-vis de l'échec scolaire, de ses effets sur la vie des jeunes confrontés graduellement à l'exclusion du monde scolaire, devrait constituer un des objectifs majeurs des programmes de formation des maîtres, des programmes de stage des futurs maîtres et de la formation continue pour les enseignants et enseignantes. Il semblerait que ce soit la condition *sine qua non* pour faire du métier d'enseignant une véritable profession.

Résumé

Les différentes conjonctures sociales au Québec depuis 1960 nous ont démontré que les orientations culturelles dominantes d'une société influencent en majeure partie, et déterminent même, le rôle que l'on attribue à l'école dans la société. Ce sont tout autant le mode de connaissance et la conception de la personne que les valeurs-intérêts et le sens global de l'action sociale qui sont touchés par le modèle culturel dominant de la société à un moment donné de son histoire. Dans le Québec des années 80 et 90, les idées de qualité, de performance, de rendement et de concurrence sont à l'origine des grandes orientations culturelles d'aujourd'hui. Les valeurs du marché et les intérêts des groupes semblent avoir pris le haut du pavé dans ces deux décennies sous l'impulsion des discours sur la mondialisation des marchés, la libéralisation des échanges et les changements technologiques rapides et importants dans cette période. L'école n'est pas à l'abri de ces transformations sociales.

Devant les coupures qui affectent tous les secteurs de la société au début des années 80, on entend les appels à une meilleure utilisation des ressources investies dans le système d'éducation, les hauts cris devant la performance plutôt moyenne des élèves canadiens dans les tests internationaux dans différentes matières scolaires, dont les sciences et les mathématiques. Des voix s'élèvent pour qu'on revoi à la hausse les exigences scolaires, pour qu'on mette davantage l'accent dans les programmes scolaires sur certaines matières (sciences, mathématiques et technologie). On veut ainsi mieux préparer les jeunes à s'insérer dans le marché de l'emploi où les exigences de qualifications et de compétence sont de plus en plus grandes, afin, semble-t-il, de répondre aux exigences de la concurrence mondiale.

On le répète haut et fort à ce moment, pour les jeunes qui n'auront pas obtenu le diplôme d'études secondaires, les dangers de marginalisation, voire d'exclusion sociale, sont particulièrement grands. La très grande majorité des jeunes entendent parfaitement les appels à une scolarisation plus poussée puisqu'ils sont conscients de l'importance du diplôme pour favoriser leur insertion professionnelle. Toutefois, pour diverses raisons, les jeunes ne sont pas tous égaux devant l'école, devant sa culture et ses savoirs. Certains vivent leur expérience scolaire sans trop de difficultés, voire avec aisance ; d'autres la vivent dans la souffrance et l'aliénation, accumulant les échecs. À ce titre, certains élèves cherchent à se construire une identité contre l'école (l'opposition) ou en dehors d'elle (le retrait), et parfois malgré elle (ceux et celles qui réussissent contre toute attente).

Le débat sur l'abandon scolaire dans les années 80, dans une conjoncture où le décrochage n'a jamais été aussi bas depuis la réforme des années 60, montre à quel point le diplôme d'études secondaires prend de l'importance dans un monde où le savoir, les compétences et la capacité d'adaptation deviennent des éléments importants pour l'insertion professionnelle. Entre l'usage stratégique que font certains groupes des données sur le décrochage scolaire et le taux de décrochage revu et corrigé à partir de la réalité concrète des jeunes, on note souvent de grands écarts. En fait, on peut comparer le taux de décrochage au bulletin de l'école. Dans ces conditions, certains gonflent les chiffres sur le décrochage scolaire afin de mieux justifier leur critique de l'école (les néo-conservateurs, par exemple) ; pour réclamer des réductions de la tâche des enseignantes et des enseignants (la CEQ) ; pour demander de l'aide financière supplémentaire du gouvernement (les écoles de Montréal) ; pour attirer l'attention, c'est le cas des écoles privées, sur le fait que le taux d'échec et d'abandon scolaires est très faible chez elles tout en omettant de dire que leurs élèves ont été sélectionnés sur la base de leur réussite scolaire. Mais au-delà de ces débats parfois fort houleux sur le décrochage scolaire, ce phénomène est d'abord et avant tout le résultat d'un long processus durant lequel les élèves ont été confrontés à de nombreux échecs qui ont des effets parfois dévastateurs sur leur estime de soi. En fait, avant de faire du décrochage scolaire un débat de nature statistique et politique, il importe d'insérer l'échec scolaire et ses répercussions sur la vie des jeunes dans une analyse du sens que ces derniers donnent à leur expérience scolaire.

L'expérience scolaire se construit à partir de l'image que les enseignantes et les enseignants renvoient à l'élève à travers l'évaluation qui est à la fois un jugement sur les qualités intellectuelles et un jugement sur les qualités morales des élèves. Elle se construit aussi à partir du rapport des élèves aux savoirs scolaires. Ces savoirs qui sont constitués socialement à partir des orientations culturelles dominantes et légitimées à travers l'institution scolaire s'imposent aux jeunes comme un passage obligé que certains ne souhaitent pas ou ne peuvent pas passer.

La résistance de nombreux jeunes aux règles et règlements de l'école, aux exigences scolaires et à la relation pédagogique trouve en partie sa genèse dans le rapport qu'ils entretiennent aux savoirs scolaires. En fait, il n'est pas aisé pour certains élèves de trouver un sens à l'école et de s'y construire une identité fière, parce que l'institution scolaire les met en demeure de se transformer sinon radicalement, du moins assez pour se sentir étrangers à eux-mêmes, c'est-à-dire en aliénant leur identité d'origine. Cette situation se vérifie avec acuité chez les jeunes issus des milieux populaires et des milieux socio-économiques moins favorisés qui se sentent étrangers à la culture scolaire, cette dernière répondant plus à la culture des classes moyennes et supérieures. Trouvant difficilement un sens à leur expérience scolaire, ces élèves investissent peu dans le travail scolaire à la maison, remettent en question la pertinence des connaissances inculquées par l'école et doutent de la valeur du diplôme de fin d'études jusqu'au jour où ils trouvent à justifier leur retrait volontaire de l'école, c'est-à-dire l'abandon de leurs études.

Ces résistances sont difficiles à gérer dans la classe concrète, car elles mettent en cause les objectifs professionnels du personnel enseignant. Au-delà de ce constat, l'échec scolaire est aussi fonction de la représentation que les enseignants et les enseignantes se font des élèves, de la réussite et de l'échec scolaires. Certains enseignants et certaines enseignantes se représentent l'élève comme un individu, et le savoir scolaire comme une norme devant s'imposer. Par conséquent, la pratique enseignante qui en résulte est peu sensible à l'expérience scolaire des élèves. D'autres enseignantes et enseignants conçoivent plutôt l'élève comme un citoyen, et le savoir scolaire sous l'angle de l'engagement, favorisant ainsi une pratique enseignante qui situe l'action pédagogique dans les rapports sociaux réels, donc plus soucieuse de l'expérience scolaire des élèves.

Ce sentiment de responsabilité face à ce que vivent les élèves sur le plan scolaire ferait une différence importante dans la pratique enseignante. En fait, un plus grand sentiment de responsabilité face à l'échec scolaire serait un des ingrédients nécessaires afin de développer une pratique d'enseignement et d'évaluation qui tient compte, dans la mesure du possible, des forces et des faiblesses des élèves. Ce serait aussi une condition *sine qua non* pour faire du métier d'enseignant une véritable profession.

Conclusion

Au terme des années 90, l'école n'est plus tout à fait ce qu'elle était dans les années 60. En fait, il n'est même pas certain qu'elle soit devenue ce que les instigateurs de la réforme scolaire voulaient en faire. D'institution centrale dans la construction du projet de société d'alors, l'école est aujourd'hui éclatée entre divers objectifs qu'elle doit poursuivre tout en étant concurrencée par d'autres formes d'enseignement et d'apprentissage. En fait, l'école est-elle encore une institution ? Voilà une des questions importantes qui interpellent dorénavant à la fois les analystes du système d'éducation, le personnel enseignant et tous les partenaires de l'école québécoise. D'emblée, la réponse semble évidente : l'école est *et* demeure une institution. Un regard plus soutenu montre en fait des failles importantes dans l'institution scolaire.

L'école des années 60 s'est voulue l'institution d'intégration par excellence à la société québécoise pour tous les enfants, quels que soient leur origine sociale et ethnique, leur sexe, leur langue. Ce grand idéal s'est estompé dans les années 70 alors que l'on prenait conscience de la persistance des inégalités scolaires. Dans ces conditions, la distance critique face à l'institution scolaire a été parfois grande comme en fait foi l'action de la CEQ dans cette décennie : la logique de subjectivation a prévalu le plus fortement dans cette période. Les assauts du néo-libéralisme et du néo-conservatisme dans les années 80 et 90 ont insufflé une nouvelle dynamique à l'institution scolaire, l'amenant à revoir ses manières de faire à l'aune des nouvelles valeurs qui émergent dans la société. La remontée du secteur privé, la diversification des programmes au secteur public pour contrer la concurrence du secteur privé, la course à la meilleure école sont des indices que l'institution scolaire est soumise aux différentes stratégies des groupes sociaux dans leur volonté de conserver et de perpétuer leurs privilèges.

L'école est-elle encore une institution ? Si une institution a pour première fonction de transformer des valeurs socialement très importantes en normes et plus loin en rôles sociaux qui circonscrivent et orientent l'action des individus dans un sens précis, conformément aux objectifs que poursuit l'institution, la réponse n'est pas tout à fait positive. Les débats aux États généraux sur l'éducation de 1995-1996, touchant les valeurs qui devraient être privilégiées dans la nouvelle mission que l'on entend faire jouer à l'école à ce moment, montrent que cette dernière est tenue de combiner un ensemble de demandes parfois fort différentes, tout en revoyant ces grands objectifs à l'instar d'autres institutions sociales fortement ébranlées par les changements sociaux rapides des dernières années (comme l'institution familiale, l'institution politique et l'institution juridique). Comme il est mentionné dans le rapport de synthèse des conférences régionales à ces États généraux :

> De nombreux participants ont signalé l'importance d'éduquer aux valeurs qui servent de fondement à la démocratie, soulignant que la Charte des droits et libertés de la personne pouvait fournir les repères nécessaires en la matière. L'estime de soi, le respect des autres, la créativité, la rigueur, le sens de l'effort, la dignité, la liberté, l'égalité, la coopération, la solidarité, la paix et le respect de l'environnement ont été mentionnés à maintes reprises. Dans quelques régions, on a fait allusion en termes plus explicites à la promotion de l'égalité entre les hommes et les femmes, celle-ci passerait par l'élimination du sexisme dans les manuels scolaires et les pratiques pédagogiques, par la sensibilisation des élèves aux carrières non traditionnelles ainsi qu'à l'accès des travailleurs à des postes de direction. Certains ont souligné que l'école pourrait servir non seulement de lieu de transmission des valeurs mais aussi d'espace de recherche et d'exploration sur les valeurs, d'autant plus que les consensus sociaux ne sont pas toujours acquis en ce domaine. (Commission des États généraux sur l'éducation, 1996b : 4).

Nous vivons dans une société où les savoirs deviennent essentiels à une adaptation aux conditions d'existence moderne et, dans ce cadre, l'école devrait tenir le haut du pavé. Pourtant, en de nombreux lieux et dans des temps divers, l'école se voit concurrencée, devancée, délogée de sa position privilégiée de dispensatrice des savoirs au profit d'entreprises pour lesquelles le savoir est avant tout un bien de consommation. En fait, il semble que la société soit sous l'effet d'une « pédagogisation du social » (Charlot, 1995 : 54), soit, vue sous un certain angle, l'emprise de plus en plus grande de la forme scolaire sur la société dans son ensemble ou encore, d'un autre point de vue, la perte de légitimité de l'école qui se voit concurrencée par d'autres formes d'enseignement et d'apprentissage. Charlot souligne sur ce point que les « lieux autres que l'école qui revendiquent d'être reconnus comme source de savoirs sont de plus en plus nombreux » (Charlot, 1995 : 54). L'expansion des cours particuliers comme soutien à la scolarité témoigne amplement de ce phénomène (Glasmann et Collonges, 1994).

L'école n'est pas la seule à se trouver interpellée par les changements sociaux. C'est le cas également des programmes de formation des maîtres, qui sont tenus de se modifier afin d'outiller les futurs maîtres des compétences nécessaires pour faire face aux défis de l'éducation dans les décennies à venir. Les questionnements autour de la formation des maîtres soulèvent le problème du rôle des enseignantes et des enseignants face à une école confrontée de plus en plus à la complexité, ce qui n'est pas sans effets sur les tâches et les responsabilités du personnel enseignant.

Devant les mutations sociales, les transformations des valeurs des jeunes, les demandes des familles, les exigences normatives des programmes, les enseignants et les enseignantes doivent trouver des moyens de construire ensemble, avec les partenaires de l'éducation, des modes de coopération et d'action collective. Si l'expérience scolaire des élèves relève de plus en plus d'une combinatoire entre différentes logiques d'action (intégration, stratégie et subjectivation), il en va tout autant de l'expérience des enseignantes et des enseignants qui se doivent de construire une action collective qui n'est jamais donnée d'avance. L'aptitude à travailler en contexte d'incertitude, l'aptitude à développer les compétences nécessaires à la structuration et la restructuration des contextes d'action dans lesquels l'enseignement et l'apprentissage ont lieu, comptent parmi les défis dans la construction du métier d'enseignant.

QUESTIONS

1. Dans l'introduction du chapitre, on affirme que, pour certains élèves, l'école semble constituer une atteinte à leur identité, qui rend problématique pour eux la scolarisation. Expliquez le sens de cette affirmation.

2. Qu'entend-on par orientations culturelles dominantes? Succinctement, quelles seraient-elles pour la société québécoise globalement?

3. Comment se manifestent – ces dernières années – ces orientations culturelles dominantes dans les institutions scolaires?

4. On a beau critiquer l'école, il semble cependant qu'elle devient de plus en plus nécessaire, et la scolarisation, impérative. Expliquez.

5. Face aux rapports sociaux de domination et d'aliénation, comment se manifeste concrètement le désir de l'acteur social d'y échapper? Décrivez et illustrez avec des exemples tirés de l'expérience scolaire des jeunes.

6. Dans quel sens peut-on parler de la réussite et de l'échec scolaires comme d'une construction sociale?

7. Si l'échec scolaire est un enjeu social important pour les élèves, les enseignants et les enseignantes et l'école globalement, illustrez comment les statistiques sur l'échec scolaire sont devenus un enjeu politique.

8. Montrez comment l'école, par ses pratiques d'évaluation, fabrique la réussite et l'échec scolaires.

9. Montrez comment l'école, par le jeu de l'excellence et les pratiques qu'il génère, fabrique l'échec scolaire. L'école peut-elle justifier ses orientations, ses décisions et ses pratiques sur une politique de l'excellence? Explicitez vos arguments.

10. Comment se différencient les élèves dans leurs rapports aux savoirs scolaires? Quelle réflexion ces constats vous inspirent-ils en tant que futurs enseignants?

11. Quels rapports peut-on faire entre le désir d'apprendre d'un étudiant et le sens qu'il attribue à l'école, aux savoirs et à l'expérience scolaires? Quelle réflexion ces rapports vous inspirent-ils pour votre métier actuel d'étudiant? Pour votre futur métier d'enseignant?

12. Comment se manifeste concrètement la résistance des élèves ou des étudiants à l'école?

13. Cette résistance est-elle la même chez toutes les catégories d'étudiants ? Précisez selon : les forts ou les faibles ; les garçons ou les filles ; les élèves des milieux défavorisés ; les élèves des milieux aisés.

14. Comment peut-on dire, contrairement au sens commun ou même aux valeurs pédagogiques fondamentales des enseignantes et des enseignants, que le conflit puisse être constructif ? Illustrez, à partir d'exemples tirés de votre expérience sociale ou scolaire, que « les relations les plus significatives sont souvent caractérisées par une coopération conflictuelle ».

15. On pourrait, du point de l'expérience sociale de toute personne, et par conséquent de l'enseignant ou de l'enseignante, dire qu'elle est à la fois un agent ou une agente, un acteur ou une actrice, et un sujet. Expliquez brièvement ce que signifient ces termes dans le cadre de l'expérience sociale. Illustrez avec des exemples de comportements et de conduites des enseignants.

16. À travers la pratique enseignante, quelles formes pourrait prendre l'engagement de l'enseignant comme sujet ?

17. L'enseignante ou l'enseignant est un médiateur, dit-on. Si les enseignants prennent une distance critique par rapport aux valeurs et aux savoirs de l'institution scolaire, à quoi se réfèrent-ils alors ? Qu'est-ce qu'une représentation sociale et comment se caractérisent les représentations sociales des enseignants selon le texte de Évelyne Chartier (*voir l'encadré 10.5*) ?

18. Selon la recherche de Balsa, les enseignants ont des représentations différentes de leurs élèves ou des savoirs. Décrivez-les.

19. Dans la pratique, lorsque se combinent ces représentations, que révèlent-elles des rapports des enseignants aux aspects sociaux (au sens large incluant les dimensions culturelles ou politiques) de l'éducation ?

20. Montrez comment les représentations des enseignants touchent au cœur même des réalités sociales de l'éducation. Que signifie l'assertion suivante : « l'acte d'enseigner ne se réalise pas dans un vide social » ?

21. Que signifierait concrètement l'engagement des enseignants envers la réussite de leurs élèves ? Quelles conséquences un tel engagement a-t-il sur la conception du métier d'enseignant et sur la préparation à ce métier ?

CHAPITRE II

Nouvelles demandes sociales et professionnalisation de l'enseignement

---

Table des matières

Sommaire

Ce chapitre

- formule les nouvelles attentes sociales des citoyens et des responsables du système d'éducation autour des enjeux que constituent les valeurs éducatives, les savoirs scolaires, les fonctions et responsabilités sociales de l'école, la qualité et le sens de l'éducation, particulièrement pour certains groupes sociaux comme les décrocheurs, les enfants en difficulté d'apprentissage, les handicapés, les enfants des immigrants, etc. ;

- met en lumière que ces demandes sont en compétition avec d'autres forces extérieures à la société qui se trouve ainsi coincée entre les attentes de ses citoyens et les pressions de l'économie mondiale ; que l'institution scolaire se trouve, par ce fait, ébranlée dans ses assises mêmes et se voit confrontée à de nouveaux défis éducatifs et sociaux ; et que ces demandes sociales d'éducation se traduisent toutes par un élargissement du rôle, des tâches et des responsabilités des enseignants ;

- explicite certains enjeux et défis d'une formation des maîtres qui s'inscrirait dans le mouvement de professionnalisation de l'enseignement, en particulier en précisant deux justifications opposées de ce mouvement, en montrant l'importance qu'y jouent une représentation adéquate du métier et des conditions de sa pratique, et finalement en soulevant le caractère problématique de l'issue de ce mouvement dans la conjoncture actuelle ;

- présente l'éducation et la formation en général (y compris celles du niveau universitaire) sous un double regard : celui des conditions qui préstructurent toute action éducative dans une institution scolaire et celui des aléas de la relation pédagogique ;

- montre que l'enseignement, malgré les vertus attribuées par les éducateurs à la relation pédagogique, présente toujours un caractère problématique, contingent et indéterminé ; que les antagonismes, les paradoxes et les contradictions surgissent du cœur même de l'action organisée et de la théorie ; et que c'est précisément pour ces raisons que les enseignants doivent être formés pour devenir des professionnels.

Nouvelles demandes sociales et professionnalisation de l'enseignement

> « Plus l'importance de l'éducation s'accroît pour la société dans son ensemble ou pour l'individu, plus on exige de l'enseignement. Au moment où l'on observe une dégradation du statut professionnel de l'enseignant et une certaine tendance à la déqualification de leur travail, on voit que les nouveaux objectifs de l'éducation, les nouvelles attentes que l'on a à son égard exigent des enseignants mieux formés et plus professionnels. »
>
> Ulf Lundgren (1987 : 109).

Les défis et enjeux nouveaux de l'éducation et de la société, auxquels l'école devrait contribuer, exigent un débat non seulement sur l'adaptation de l'école mais aussi et surtout sur le modèle de société que les citoyens veulent édifier et construire dans ce contexte. De par leur inscription dans la conjoncture, l'école comme les autres institutions sociales risquent d'être ballottées entre deux enjeux conflictuels : soit le maintien et le développement des institutions et des valeurs démocratiques, soit la subordination et la soumission de la société aux forces et aux agents du marché économique mondial.

Or, l'éducation et la formation doivent être considérées à la fois sous l'angle des objectifs économiques[1] *et* des valeurs sociales. En effet, l'école se voit aussi confier, en tant qu'institution sociale, des mandats importants relatifs à la transmission des valeurs et des savoirs. L'étude des rapports entre l'école, la culture et la socialisation sous l'angle des pratiques des acteurs de l'école et sous l'angle des rapports sociaux ou des logiques d'action dans lesquelles s'inscrivent ces pratiques, a permis précisément de révéler plusieurs enjeux qui prennent forme et se vivent au cœur même de l'école :

---

1. C'est la réponse donnée par la Commission européenne sur l'éducation et la formation, face aux critiques adressées à son livre blanc qui privilégiait peut-être trop les dimensions économiques au détriment des valeurs traditionnelles des systèmes éducatifs telles que l'humanisme, la culture ou la citoyenneté (*Le Magazine*, 1996 : 6).

c'est le cas de la problématique de la fonction d'intégration sociale de l'école face aux défis du pluralisme religieux, culturel, ethnique et linguistique ; c'est le cas aussi des enjeux relatifs à la relation pédagogique et aux tensions qu'elle crée chez ceux pour qui l'école a peu de sens à cause des conflits de valeurs et de culture ; c'est le cas, enfin, des enjeux relatifs aux rapports aux savoirs, aux pratiques d'évaluation et d'enseignement, et à la réussite et à l'échec scolaires. Ces enjeux sociaux de l'éducation renvoient alors aux attentes et demandes sociales de l'ensemble de la société et de ses populations qui, à leur tour, exercent des pressions importantes non seulement sur les missions de l'école, mais sur les défis qu'elles posent à la formation des maîtres.

Dans ce chapitre, nous décrivons quelques-unes des attentes et des demandes sociales qu'expriment les citoyens et les responsables de l'éducation face à l'école québécoise en en précisant les conséquences pour les enseignants et les enseignantes. Nous définissons également l'importance, pour les enseignants, de la capacité d'analyser les différents contextes d'action, qu'ils soient au niveau global de l'ensemble de la société, au niveau organisationnel ou précisément pédagogique. Et enfin, nous cernons certains éléments susceptibles d'influencer l'implantation des nouveaux programmes, leurs enjeux et les défis de la formation des maîtres.

Un élargissement du rôle des maîtres, de leurs tâches et de leurs responsabilités

L'école est une institution sociale et, à ce titre, elle a été particulièrement sollicitée et pressée de répondre à de nouvelles demandes et attentes sociales depuis le début des années 80. Qu'elles proviennent des responsables du système d'éducation, des revendications et exigences particulières des diverses populations, des critiques de ceux qui accusent l'école de mal faire son travail ou simplement de ceux qui sont prêts à faire de l'école le bouc émissaire des maux de la société, ces attentes s'exercent toutes dans le sens d'un élargissement du rôle des maîtres, de leurs tâches et de leurs responsabilités.

Chacun voudrait que l'école soit accessible à tous les citoyens, indépendamment de leur origine sociale, de leur sexe, de leur lieu de résidence, de leur ethnie, etc., comme l'institution sociale et démocratique qu'on se plaît à définir ; qu'elle permette au plus grand nombre de réussir et qu'elle offre une formation de qualité, à la fois cohérente et exigeante. Bref, on voudrait que l'école institutionnalise certaines valeurs communes et démocratiques et qu'elle réalise ses diverses missions d'instruire, d'éduquer et de préparer aux rôles sociaux divers, de façon efficace, harmonieuse et productive.

Depuis quinze ans, ces demandes sociales ont été analysées, résumées, révisées par plusieurs instances institutionnelles, en particulier par le Conseil supérieur de l'éducation (CSE, 1986 ; 1988b ; 1995a) dont l'une des tâches est précisément d'étudier l'état et les besoins de l'éducation dans la société québécoise. Elles ont aussi fait l'objet de débats considérables dont les derniers échos nous provenaient des États généraux sur l'éducation en 1995-1996.

Les nouvelles demandes sociales et les attentes des citoyens face à l'éducation et à la scolarisation touchent en premier lieu les enseignants. Or, en quoi cet élargissement du rôle des enseignants et des enseignantes se traduit-il en de nouvelles tâches et en de nouvelles responsabilités, et surtout comment affecte-t-il concrètement leurs conditions de travail, leur rémunération et surtout leur formation ?

En effet, de partout, semble émerger un accord unanime en théorie : les responsabilités du système d'enseignement et, par conséquent, celles des enseignants, ont considérablement augmenté ces dernières années et sont devenues plus complexes que par le passé, comme le souligne l'Organisation de coopération et de développement économique (OCDE) :

> On attend d'eux toujours plus, qu'ils contribuent à résoudre, sinon qu'ils résolvent eux-mêmes, tout un ensemble de problèmes économiques, sociaux et culturels, mais on n'hésite pas à accuser les enseignants et les écoles d'avoir échoué dans leur tâche lorsque ces problèmes tardent à disparaître. L'enseignant [...] se voit confier des responsabilités plus nombreuses et en même temps se trouve plus exposé aux critiques. (OCDE, 1990 : 110).

Il est donc proposé :

1. D'examiner, de façon sélective, certaines demandes et attentes relatives à l'école qu'ont exprimées les responsables de l'éducation, les citoyens et les groupes sociaux.

2. De préciser, à partir de ces illustrations, les nouvelles tâches et les nouvelles responsabilités que les citoyens, les gouvernements et les acteurs sociaux voudraient donner aux enseignantes et aux enseignants.

Des forces divergentes en matière de culture, de connaissances et de valeurs

Une fois de plus dans l'histoire récente de l'éducation au Québec, par la voix des États généraux, on exige plus de rigueur de la part des partenaires de l'éducation dans la fonction d'instruction de l'école. On propose même que l'instruction soit considérée comme fonction prioritaire de l'école. La même situation prévalait il y a vingt ans, lors de la parution des livres vert et orange, lorsqu'on tentait de « redresser » le système d'éducation. Cependant, dans la synthèse des audiences régionales des États généraux sur l'éducation de 1995-1996, les interlocuteurs ne s'entendent pas sur la proposition selon laquelle l'instruction soit l'axe central de la mission de l'école. Toutes les positions modérées y apparaissent.

Les enjeux sociaux liés à la transmission des savoirs et des valeurs par l'école sont multiples et influencés par l'évolution des nouvelles technologies, la mise en question et la dévalorisation du savoir, la dévaluation d'une partie des diplômes, la transformation des attentes des élèves et de leurs parents à l'égard de l'institution scolaire. Ces contraintes ont modifié considérablement les conditions d'exercice de l'activité professionnelle des enseignants. Dans ce nouveau contexte, leur autorité s'affaiblit et la relation pédagogique se transforme fréquemment en un simple rapport de pouvoir (Hirschhorn, 1993 : 191).

Le rapport aux savoirs

On attribue fondamentalement à l'école la mission d'enseigner, et on confie particulièrement à l'enseignant la transmission de la culture, de ses modes d'expression et des connaissances qui en sont issues. Avec l'accès généralisé aux médias et aux nouvelles technologies, existent pour les jeunes bien des façons d'acquérir des connaissances, de se forger des valeurs, façons qui ne sont pas toujours compatibles avec le climat de l'école et l'esprit de la salle de classe. On voudrait que l'école instruise dans un monde où l'accès à la culture et à la connaissance est largement généralisé hors de l'école par les médias, la radio et la télévision et surtout par les nouvelles technologies de l'information et de la communication. De plus, certains éléments de la culture scolaire comme l'écrit sont dévalorisés au profit d'autres moyens d'expression. Pensons aux ravages qu'auraient fait à la langue des pratiques scolaires qui valorisaient l'oral au détriment de l'écrit. Dans ce contexte, comment peuvent survivre l'école et surtout les enseignants face aux moyens dont disposent d'autres secteurs de la société comme la télévision, le cinéma, l'ordinateur et l'accès à l'autoroute électronique ?

Les technologies de l'information et de la communication

Les technologies de l'information modifient les processus de création du savoir, la transposition didactique et la diffusion de ce savoir, de même qu'elles influencent les changements de programmes, l'évaluation et les pratiques éducatives. Un exemple parmi tant d'autres de cette nouvelle réalité est la rapidité avec laquelle les écoles canadiennes se « branchent » sur l'autoroute électronique. Déjà 3000 écoles d'un bout à l'autre du Canada sont reliées aux différents réseaux de communication disponibles sur cette autoroute. Les enseignants et les enseignantes ne peuvent ignorer ce changement important, ne serait-ce que dans leur capacité à comprendre ce nouvel univers complexe de l'informatique intégré à toutes les sphères de la vie et auquel la jeune génération d'élèves s'intègre rapidement. En fait, on remarque une interdépendance de plus en plus grande entre la science, la technique et l'information. En conséquence, les individus doivent gérer des sommes toujours plus considérables d'informations dans divers contextes et notamment dans les milieux de travail, ce qui requiert une main-d'œuvre capable de s'adapter au développement accéléré des savoirs, à leurs applications technologiques et à leur diffusion massive (CSE, 1994c).

Les jeunes sont appelés à acquérir cette capacité d'adaptation aux nouveaux savoirs en grande partie à l'école. Quel sera le rôle des maîtres dans cette nouvelle conjoncture? Permettre l'intégration des savoirs chez les jeunes, comme l'affirme le Conseil supérieur de l'éducation, c'est

> [...] se recentrer sur l'élève, sur sa démarche d'apprentissage et de développement, sur son besoin et son désir d'apprendre. C'est aussi replacer l'élève au centre du système éducatif et éviter d'éteindre en lui la soif d'apprendre. C'est également accepter que l'activité éducative soit pour lui un acte significatif et lié à la vie, c'est-à-dire un acte qui réponde à un besoin profond de se développer et qui puisse contribuer à forger la conduite de tous les jours. (CSE, 1991b : 2).

Mais l'école n'est qu'une partie de l'univers des enfants et des adolescents et elle dispose de moyens plus restreints sur le plan des technologies que bien d'autres secteurs de la société.

De plus, le nombre et la complexité des différentes approches à l'utilisation scolaire des technologies de l'information dans l'enseignement exigent des attitudes et des aptitudes particulières chez les enseignants. Toutes demandent du temps à consacrer à l'initiation et à la maîtrise des outils, des approches et de leur utilisation intelligente dans un contexte qui reste largement une situation collective d'enseignement et d'apprentissage. Toutefois, ce domaine reste déconcertant à cause de la rapidité de l'évolution des équipements et des logiciels. En plus, comment, dans un contexte de contraintes budgétaires où on demande de faire mieux avec moins, pourra-t-on à la fois aider les enseignants et les enseignantes à choisir les meilleurs logiciels et à les utiliser adéquatement avant qu'ils ne deviennent déjà périmés? On ne pourra se reposer ici encore sur les seules capacités des enseignants, leur débrouillardise et leur intérêt (CSE, 1994c).

La multiplication et la complexification des connaissances

L'univers des connaissances et des disciplines n'est pas un univers ordonné et intégré. On comprend alors que les programmes de formation visent l'intégration des connaissances, comme cherche à le faire le nouveau programme de formation des maîtres. L'école, qui a pour mission la formation intellectuelle, privilégie certaines disciplines et doit faire des choix face aux limites des possibilités de la scolarisation obligatoire, même si le temps de fréquentation scolaire a tendance à s'allonger. La question se pose à l'égard de ces choix, de leur pertinence sociale, de leur caractère obligatoire.

De plus, comment, face à l'indétermination du champ culturel qui pousse aussi les personnes à faire des choix au hasard, arriver à donner aux personnes des outils de compréhension, de jugement et d'appréciation pour développer leur responsabilité individuelle en toute connaissance de cause? Comment préparer les enseignantes et les enseignants à la multiplication et à la complexification des connaissances, à l'expansion et à l'interdépendance des savoirs, à la multiplicité des lieux de savoir et à la diversité des moyens de communication ?

L'incapacité de l'école à faire apprendre ou le doute à propos des savoirs des enseignants

L'école prétend enseigner, donc instruire, mais n'y parvient pas avec un certain nombre de jeunes qui ne tirent pas profit de la culture et des connaissances véhiculées par l'école, qui n'y trouvent ni sens ni intérêt, bref qui ne s'y retrouvent pas chez eux. Et nous voilà replongés dans les litiges à propos de la culture scolaire qui ne conviendrait pas à certains groupes sociaux, ou à propos de jeunes dont la socialisation primaire familiale prépare mal à la scolarisation. C'est le problème auquel nous sommes confrontés depuis l'accès massif des jeunes à l'école, où la sélection prend place au cours du cheminement scolaire et non avant, comme c'était le cas dans le temps où l'école s'adaptait bien à la stratification sociale, créant alors l'école adaptée aux inégalités existantes : une école pour les élites, une autre pour les pauvres ; une école pour les garçons, une autre pour les filles ; etc. À travers certains échos qui nous parviennent des États-Unis, semble se profiler un retour à ces pratiques d'antan.

Les enseignantes et les enseignants eux-mêmes sont touchés par la mise en question du savoir. Les problèmes endémiques de l'enseignement, en particulier les nombreux changements de programmes, de méthodes et des affectations dans des secteurs où ils n'avaient que peu de préparation, les ont obligés à enseigner des contenus et à mettre en œuvre des méthodes qu'ils ne connaissaient pas. Une bonne partie des difficultés éprouvées dans leurs pratiques pédagogiques s'expliquent par ces situations.

Le rapport aux valeurs

On demande aussi à l'école d'institutionnaliser des valeurs sociales supposément communes et partagées. Les normes à partir desquelles sont opérationnalisées ces valeurs deviennent les critères pour établir les règles de conduites et de comportements. Le processus de socialisation est constitué de cet ensemble de mécanismes par lesquels l'école cherche à faire intérioriser des valeurs dans les conduites et comportements des partenaires de l'école, en particulier les étudiants.

Or, il n'y a plus de consensus sur les valeurs. Dans les sociétés pluralistes, le consensus porte sur des règles de procédures, les formes de gestion, les méthodes de résolution de conflits plutôt que sur des valeurs substantives reconnues comme principes régulateurs supérieurs des institutions. Quel rôle peuvent alors jouer les programmes de formation des maîtres pour donner aux enseignants la capacité de naviguer entre les dangers de la désintégration des personnalités par hyper-relativisme et les affrontements inutiles par incompréhension et intolérance ? Comment arriver à donner aux personnes, a fortiori à l'enseignante et à l'enseignant, l'armature axiologique qui assurera leur orientation et la cohérence à leur existence, tout en les préparant à affronter la divergence et la contradiction (Ladrière, 1990 : 33) ?

On demande aux enseignants d'amener les jeunes à aborder l'avenir avec confiance, de le construire eux-mêmes de façon responsable et déterminée. On leur demande de contribuer au développement de la jeunesse, d'aider tout un chacun à comprendre et à maîtriser dans une certaine mesure le phénomène de la mondialisation, de favoriser la cohésion sociale. On demande aussi aux enseignantes et aux enseignants de contribuer à former de bonnes attitudes face à l'étude, d'éveiller la curiosité, de développer l'autonomie, d'encourager la rigueur intellectuelle et de créer les conditions nécessaires au succès de l'éducation formelle et de l'éducation permanente. Mais plus encore, on veut que le personnel enseignant favorise la compréhension mutuelle et la tolérance qui constituent un besoin d'une grande urgence (Delors, 1996 : 157).

Ces attentes à propos de l'école et des enseignants marquent souvent un irréalisme désespérant que Berthelot souligne en affirmant que le défi de la réussite est beaucoup plus global et dépasse les discours :

> Il concerne la culture de notre société dans son ensemble. Une culture qui accorde au profit vite fait la première place et relègue la connaissance et l'effort au dernier rang, ou presque. Dans ce contexte, demander à l'école de constituer une île où la curiosité, la soif de connaître et l'effort deviendraient tout à coup des valeurs premières, relève de l'inconscience ou de la mauvaise foi. (Berthelot, 1992a : 777).

Certains n'interprètent-ils pas de façon abusive les responsabilités que doivent assumer l'école et le personnel enseignant ? On leur demande de s'engager à s'acquitter de leurs tâches et d'assumer des responsabilités que d'autres n'ont pas eu le courage d'assumer. En effet, comment interpréter autrement ces invitations faites aux écoles de changer le monde et aux enseignantes et aux enseignants de se faire des agents de changement ?

> Les nationalismes étroits devront faire place à l'universalisme, les préjugés ethniques et culturels à la tolérance, à la compréhension et au pluralisme, le totalitarisme devra être remplacé par la démocratie dans ses diverses manifestations, et un monde divisé, où la haute technologie est l'apanage de certains, par un monde technologiquement uni. (Delors, 1996 : 158).

Ainsi, l'enjeu premier est fondamental et met au premier plan les valeurs morales. Comment préparer les maîtres à faire de l'école un lieu plus attirant pour les élèves et leur fournir les clefs d'une compréhension véritable de la société de l'information, face aux multiples autres lieux de savoir et aux multiples moyens d'accès ? À quel héritage culturel l'école doit-elle intégrer les étudiants ? Quelles en sont les valeurs fondamentales ? Sont-elles partagées ? Quel pouvoir reste-t-il à l'école d'intégrer socialement les jeunes face aux valeurs conflictuelles qui les sollicitent? La pédagogie peut-elle offrir des ressources aux enseignants et aux enseignantes pour répondre à ces questions? Et pourtant les préoccupations des citoyens envers l'école dépassent la transmission des savoirs et des valeurs et rejoignent des besoins nouveaux des familles.

Une école à laquelle on veut confier plus de responsabilités de garde et de socialisation

Les États généraux sur l'éducation ont beau proposer que l'instruction soit la mission prioritaire de l'école, tout indique néanmoins que les familles, les églises, les communautés locales et les citoyens confient de plus en plus à l'école des responsabilités en matière de garde et de socialisation. L'analyse se limitera ici aux transformations de la famille et aux problèmes sociaux de toutes sortes qu'on demande à l'école de régler.

De nouveaux rapports entre la société, l'école et la famille

Les transformations familiales modifient le jeu des relations traditionnelles entre l'école et la famille, et affectent la répartition des rôles dans la mise en œuvre des modalités de socialisation des jeunes. En fait, c'est tout à la fois la garde et la socialisation de l'enfant qui sont modifiées par les nouveaux rapports entre familles et école.

Devant la crise de légitimité dont la famille a été l'objet depuis les vingt dernières années, la libéralisation du divorce, l'entrée massive des femmes sur le marché du travail et l'augmentation du nombre de familles monoparentales, les sociétés modernes ont confié au système d'enseignement de plus en plus de responsabilités en matière de garde et de protection, de prévention et de socialisation de l'enfant. Le phénomène serait appelé à prendre de l'ampleur puisqu'on enregistre une portion croissante de familles dont les deux parents travaillent à l'extérieur, une augmentation du taux de divorce et de familles monoparentales. Par exemple, on a noté au Québec, en ce qui concerne:

- *Le taux d'activité des femmes*: il a augmenté régulièrement entre 1975 et 1989, passant de 40,1 % à 53,4 %. La croissance la plus marquée du taux d'activité des femmes est observable dans le groupe d'âge 25-44 ans, âges où elles sont le plus susceptibles d'élever de jeunes enfants (Langlois, 1990 : 143). Alors qu'en 1976 seulement 28 % des mères de jeunes enfants (d'âge préscolaire) étaient actives sur le marché du travail, c'était le cas de 56 % d'entre elles en 1987 (Dandurand, Renée B. *et al.*, 1990 : 102-103).

- *Le nombre de divorces*: de 1969 à 1987, le nombre de divorces est passé de 2947 à 19 315 pour un indice de divortialité allant de 8,7 % à 44,8 % en progression (Langlois, 1990 : 141).

- *Le nombre de familles monoparentales*: si, en 1951, 7,6 % des familles avec enfants de moins de 25 ans étaient monoparentales, ce pourcentage est resté à peu près constant jusque vers la fin des années 60 et s'est mis rapidement à augmenter par la suite, atteignant 20,8 % des familles en 1986 (Langlois, 1990 : 135).

Ces changements ont plusieurs répercussions sur la formation des maîtres, dont la moindre est un changement de représentation face aux modèles familiaux. Sur ce point, l'enquête du MEQ sur *L'École primaire face aux changements familiaux* est claire :

> Quand une société vit des changements rapides, tous ses membres n'arrivent pas à accepter au même rythme les réalités nouvelles. Les transformations accélérées de la famille en sont un bel exemple. Souvent, pour les personnes qui n'acceptent pas les mentalités nouvelles, les changements familiaux sont la source de beaucoup de problèmes. À cet égard, les milieux scolaires ne sont pas différents du reste de la société. Il n'est pas rare que les enfants soient décrits en des termes non équivoques. On dira de lui que « c'est un monoparental », ou « un cas de monoparental », et encore « un cas de divorcé ». L'utilisation d'un tel lexique, afin de parler d'enfants qui vivent des changements familiaux peut être un indice qui montre que seule la famille nucléaire constitue, dans l'esprit de plusieurs personnes, le bon modèle de famille, la norme acceptable, respectable. Cette mentalité a une incidence sur la manière dont certaines intervenantes perçoivent les enfants, donc sur l'aide qu'elles considèrent souhaitable de leur offrir. (Dandurand, Renée B. *et al.*, 1990 : 102-103).

En conséquence, les enfants qui vont à l'école aujourd'hui sont différents des enfants qu'ont connus plusieurs enseignantes et enseignants au début de leur carrière. Si les enfants d'aujourd'hui arrivent à l'école en meilleure santé, plus éveillés, plus précoces, circulant dans des univers multiples et jouissant d'une plus grande liberté, ils sont aussi moins accompagnés, ont une identité plus complexe à construire et poursuivent une quête de sens sans précédent. Pour les enfants d'aujourd'hui, l'exercice du métier d'élève est singulièrement plus compliqué ; il faudrait que l'école soit un lieu d'intégration et de médiation des savoirs, qu'elle change ses modes de travail et son organisation, que soient plus diversifiés les services et les approches éducatives. On imagine ce qu'impliquent tous « ces ajustements » pour les enseignants : leur rôle, leurs tâches et leurs responsabilités sont modifiés, complexifiés, particulièrement en matière de rapports avec les partenaires extérieurs de l'école et non seulement des familles (CSE, 1995b).

Un des phénomènes les plus marquants de cette évolution est sans doute la pression de plus en plus grande pour ouvrir l'école à la petite enfance comme le proposent d'ailleurs les États généraux sur l'éducation de 1995-1996. Un deuxième phénomène est la généralisation des services de garde qui existent déjà dans 822 écoles primaires du Québec. Des services comme l'aide aux devoirs, l'accès aux activités sportives dans l'école se constituent, mais certains parents demandent que le service de garde se prolonge jusqu'à vingt et une heures et qu'il soit ouvert durant les fins de semaine !

L'école fourre-tout

L'école est écrasée sous le poids de l'évolution sociale et des demandes des citoyens et des systèmes scolaires. On demande à l'école bien autre chose que d'instruire : les pressions pour que l'école éduque et socialise viennent de partout au point où un débat existe depuis longtemps à propos d'une école qui ne se consacrerait pas à l'essentiel, l'école fourre-tout[2].

Les contenus de l'école sont liés aux caractéristiques des sociétés, aux identités reconnues et aux nouvelles demandes sociales qui prennent alors la forme de la « thérapie sociale » par l'école : éducation relative à l'environnement, éducation anti-drogue et prévention de la toxicomanie, éducation sexuelle, éducation antiraciste, éducation pour la connaissance et l'utilisation des dialectes locaux (pluriethnicité et pluralisme culturel au Canada), éducation relative à la télévision, éducation pour l'Europe, éducation nutritionnelle, éducation antitabac, éducation pour la défense des animaux, éducation en matière de population. Le débat surgit de nouveau entre la course « aux ajouts » dans les contenus éducatifs de l'école et la centration sur l'éducation, basée sur les savoirs, les connaissances et les instruments intellectuels (Grozzer, 1990).

Baby croit que l'école écope de beaucoup de mandats parce que d'autres groupes et organismes ne prennent pas leurs responsabilités. Et on demande alors à l'école d'assumer non seulement plusieurs formes d'éducation, l'éducation religieuse, l'éducation à l'hygiène, l'éducation à la consommation, l'éducation à la conduite automobile et à la sécurité routière, l'éducation sexuelle et préventive, mais :

> [...] encore lui demande-t-on, par exemple, d'être le lieu par excellence d'une lutte efficace contre le sexisme, la violence, la drogue, le sida et les MTS, le racisme, le suicide, le chômage, le bien-être social, le décrochage, l'itinérance, et j'en passe... c'est à se demander si l'école ne serait pas devenue avec le temps le site d'enfouissement sanitaire par excellence des problèmes de société. La cour de l'école est pleine à ras bord. (Baby, 1994 : 15).

Toutes ces demandes mettent en lumière un double paradoxe :

> [...] on attend des écoles qu'elles se chargent de l'éducation des jeunes, mais en même temps, les parents et la collectivité exigent qu'elles leur rendent des comptes ou veulent participer plus activement à leur gestion. On attend toujours plus des enseignants et cela, au moment même où leur rôle est remis en question et où leur liberté d'action est de plus en plus compromise par des interventions extérieures. (OCDE, 1990 : 110).

---

2. Déjà les assises des États généraux sur la qualité de l'éducation tenues en avril 1986 avaient abordé ce thème alors populaire dans l'un de ses ateliers.

Des stratégies de réforme centrées sur des groupes cibles

Quelques faits

Notre système d'éducation, qui favorise l'accessibilité de tous à une école publique et à une éducation de qualité tout en visant la réussite du plus grand nombre, est confronté aux dures réalités de l'échec et de l'abandon scolaires à un moment où le diplôme d'études secondaires devient un minimum vital et une condition nécessaire mais non suffisante contre l'exclusion sociale. Or, de tout temps, et les faits le confirment quotidiennement depuis l'accès de tous à l'éducation, ce ne sont pas les enfants des gens riches, instruits et en bonne santé qui ont des difficultés de réussite à l'école. Ainsi, pour améliorer la réussite, c'est vers des groupes cibles que se sont souvent portés les efforts et les ressources du système d'éducation, même si, dans la foulée du courant néo-libéral du début des années 80, la demande d'une formation de qualité et l'idéologie de l'excellence ont amené les mêmes autorités du système d'éducation à proposer des stratégies pour aider ceux qui étaient alors, du point de vue de certains, considérés comme les négligés du système, c'est-à-dire les étudiants doués. Le Conseil supérieur de l'éducation est même allé jusqu'à proposer « que dans la nouvelle Loi sur l'enseignement primaire et secondaire public et, d'ici sa mise en vigueur, dans les régimes pédagogiques actuels, le ministre de l'Éducation fasse inscrire clairement les droits des élèves doués à des services éducatifs appropriés » (CSE, 1985 : 24).

Depuis que l'attention a été portée sur les taux élevés d'échec et d'abandon scolaires au milieu des années 80, les débats sur la réussite scolaire ont permis d'amorcer une réflexion nouvelle sur l'éducation. Dans ce contexte, la mobilisation de la CEQ a finalement amené le gouvernement à proposer un plan d'action, intitulé *Chacun fait ses devoirs* (1992), qui visait à favoriser dans les écoles secondaires des projets précis pour diagnostiquer le problème de l'échec et de l'abandon scolaires et pour proposer des voies de solutions. De cette mobilisation est né aussi le Centre de recherche et d'intervention sur la réussite scolaire (CRIRES).

Depuis la fin des années 70, le système d'éducation a adopté une politique d'intégration en classes régulières non seulement des élèves en difficulté d'apprentissage, mais aussi des enfants présentant des problèmes cognitifs et de socialisation de même que les élèves handicapés. Cette nouvelle exigence d'égalité (notamment à la faveur de la Charte des droits et libertés) augmente de façon substantielle la tâche des enseignantes et des enseignants. Le fardeau est d'autant plus lourd que les quotas d'élèves par classe sont demeurés les mêmes et que les ressources psychoéducationnelles sont peu élevées. Écoutons une enseignante sur le sujet :

> Moi, comme enseignante, ce que je souhaiterais, ça serait un moins grand nombre d'élèves. Premièrement, pour avoir le temps de s'en occuper. Que les MSA (mésadaptés socio-affectifs) soient retirés des classes. C'est l'intégration qui a tout chambardé depuis trois ans […]. On nous a laissé des MSA, intégrés

dans les classes, et on ne donne plus de support en psycho-éducation. (Dandurand, Renée B. *et al.*, 1990 : 120-121).

Pour ce qui est des politiques d'immigration, elles provoquent l'afflux de clientèles scolaires jeunes et adultes en provenance d'univers culturels diversifiés, caractérisées par des pratiques linguistiques et des antécédents scolaires et sociaux qui les distancent très fortement du milieu scolaire qui les accueille, et elles entraînent une remise en cause des pratiques et des politiques scolaires. Dans la mesure où l'indice de fécondité québécois (nombre d'enfants par femme nubile) reste faible et semble vouloir continuer à décroître, il y aura augmentation de l'immigration. En effet, l'indice de fécondité est passé de 3,85 en 1951 à 1,52 en 1989. Le niveau minimal de remplacement de la population se situant à 2,1 enfants, le Québec doit donc compenser par un solde migratoire positif (le nombre d'immigrants doit être plus élevé que le nombre d'émigrants).

Le solde migratoire interprovincial du Québec est depuis longtemps négatif, notamment depuis le milieu de la Révolution tranquille, et le Québec, dans ces conditions, doit augmenter le nombre d'immigrants. Les écoles et les maîtres devront être en mesure de reconnaître et de s'adapter à la réalité socioculturelle des enfants d'immigrants qui se présentent à l'école parce que la réussite éducative, selon la plupart des enseignantes et des enseignants, dépend en bonne partie de la connaissance de l'élève. Or, selon Meirieu (1992 : 18), il y a un danger que cette conception de la réussite éducative ne se traduise chez les maîtres par une « inquisition bienveillante » ou la « direction de conscience ». Pour lui, c'est le non-savoir sur l'« autre » qui laisse place à de « l'ouvert », à un désir de connaître et de faire connaître. Meirieu pose toutefois cette question intéressante :

> Comment concilier, alors, la nécessité de connaître nos élèves pour leur proposer des médiations qui leur permettent de s'approprier les savoirs que nous sommes chargés de leur transmettre [...] avec l'impératif éthique du non-savoir qui nous permet de respecter en eux un Autre irréductiblement autre, une liberté en puissance ? Certes, on peut concevoir – et je le crois largement – qu'à partir du moment où l'enseignant ne cherche pas à connaître l'élève de l'extérieur, mais implique l'élève lui-même dans cette recherche et le met en situation de réfléchir sur ses apprentissages, la contradiction est partiellement levée. (Meirieu, 1992 : 20).

Et ces élèves immigrants sont de plus en plus nombreux, notamment à Montréal. Le phénomène d'immigration n'est évidemment pas nouveau au Québec (mentionnons l'immigration irlandaise, italienne et grecque du XIXᵉ au XXᵉ siècle), mais n'a jamais touché autant le système d'éducation que depuis la mise en place de la loi 101 en 1977. En effet, le gouvernement du Québec pouvait dès lors imposer l'école française aux nouveaux arrivants, à l'exception des enfants dont l'un des deux parents avait déjà fréquenté l'école anglaise au Québec (CSE, 1993b : 13).

Un défi de taille pour l'école publique

Les groupes dits minoritaires ou en difficulté d'intégration scolaire, les enfants en difficulté, les handicapés, de même que les immigrants ne maîtrisant pas la langue et les coutumes, se retrouvent pour la plupart dans l'école publique ayant obligation de les recevoir. De ce fait précisément, la réussite constitue un défi de taille pour l'école publique qui fait le plein de problèmes sociaux de toutes sortes.

L'Exposé de la situation des États généraux sur l'éducation en 1995 utilise des termes empruntés au langage du néo-libéralisme ambiant, quand les commissaires exigent que l'école s'adapte mieux aux besoins de ces groupes cibles en disant qu'après tout « ces enfants et leurs parents étaient les premiers clients de l'école ». Mais cette approche marchande de l'école reflète surtout des pratiques bien concrètes. En effet, l'existence d'écoles privées subventionnées, la justification de ces écoles sur la base du droit des parents de choisir « leur école », et même l'obligation qu'aurait le gouvernement de les subventionner, les demandes de certains groupes minoritaires (ethniques et religieux en particulier) de créer leur propre école, les pratiques des commissions scolaires de créer des écoles à vocations spécialisées telles que les projets arts-études, sciences-études, sports-études, programme international, sont des réalités qui diluent beaucoup le pouvoir intégrateur de l'école au Québec.

Nous sommes loin des intentions intégratrices de l'école polyvalente qui avait pour raison d'être d'accueillir tous les élèves et de leur offrir à la fois un programme commun et adapté à chacun. Il faut aussi convenir que certains groupes sociaux appartenant aux classes moyenne et bourgeoise n'ont jamais accepté cette école et ont eu le privilège d'envoyer leurs enfants à l'école privée, avec l'appui de l'État dès le début de la réforme, bénéficiant par ailleurs d'une subvention pouvant aller jusqu'à 80 % du coût du secteur public. Les associations des établissements privés d'enseignement ont d'ailleurs cherché à baser leurs revendications sur le préambule de la loi 60[3], proposé par les évêques comme compromis de leur acceptation de la création du ministère de l'Éducation en 1964. On lisait dans ce préambule que les parents avaient le droit de choisir l'école qui correspond à leurs convictions. Les campagnes récentes pour promouvoir l'enseignement privé ont travesti l'argument des convictions religieuses en droit des parents-consommateurs de choisir leur école.

Mais précisément, dans le contexte de la prédominance des valeurs issues du marché économique et du libre choix autorisé aux parents notamment, le système scolaire est confronté à l'éclatement. En effet, on y observe des tendances incompatibles : on ne peut d'un côté vouloir que l'école publique soit la seule école avec l'obligation d'intégrer tout le monde et particulièrement les enfants en difficulté, les

---

3. La loi 60 institue le ministère de l'Éducation en 1964. Une première version avait été proposée en 1963 mais devant la résistance des évêques du Québec, elle est retirée, modifiée et présentée à nouveau à l'Assemblée nationale en 1964.

handicapés, les nouveaux immigrants, etc., et d'un autre côté, autoriser l'existence d'écoles privées qui n'ont pas ces obligations, ou l'existence d'écoles ethniques ou religieuses, de surcroît financées en partie par l'État. En outre, l'école publique, depuis le début des années 80, a modifié ses propres pratiques pour contrer effectivement une concurrence injuste avec l'école privée. Les commissions scolaires y ont favorisé le développement d'écoles internationales, d'écoles à projets pédagogiques précis et spécialisés ou des classes spéciales pour étudiants doués ; les étudiants admis dans ces écoles ou ces projets éducatifs sont soumis à des conditions d'admission où la note scolaire ou les aptitudes particulières constituent un critère de sélection. Ces pratiques contribuent donc à augmenter le niveau des problèmes des écoles publiques restantes, qui se retrouvent ainsi avec une très forte concentration d'élèves confrontés à des problèmes sociaux auxquels l'école doit répondre et qui affectent considérablement son fonctionnement et ses résultats.

On peut affirmer sans se tromper que la réponse aux besoins divers des populations scolaires est plus institutionnelle que pédagogique. On pourrait dire, à cet égard, que nous passons de l'école polyvalente à la création d'écoles spécifiques. Il s'agit là d'une diversification institutionnelle plutôt qu'une différenciation pédagogique !

Problèmes pour les enseignants

Les stratégies orientées vers la solution des problèmes posés par le pluralisme culturel, la politique d'égalité des chances entre garçons et filles, l'intégration des enfants handicapés ou des élèves en difficulté d'apprentissage, présentent comme caractéristiques communes de vouloir remédier aux désavantages dont souffrent diverses catégories d'élèves : ce qui constitue un objectif éducatif louable. Mais il faut aussi réaliser que ces mesures prises en vue de répondre à des « besoins spéciaux » s'ajoutent aux programmes plutôt que s'y intègrent ; plus encore, on étend souvent les objectifs de ces programmes à tous les élèves, on n'a qu'à penser ici à l'éducation interculturelle.

Pour les enseignantes et les enseignants, il s'agit d'un double défi à relever : le nombre de considérations stratégiques et de programmes ciblés qui entrent dans le quotidien de leur tâche s'accroît sans cesse. De plus, chacun de ces secteurs en est venu à être défini de façon plus ambitieuse depuis dix ans, de sorte qu'en bout de ligne et dans la politique québécoise d'intégration des élèves dans les classes régulières, le travail de tous les enseignants et de toutes les enseignantes s'en trouve affecté.

En ce qui concerne la diversité des populations scolaires, les écoles et le personnel enseignant éprouvent d'énormes difficultés à trouver des solutions satisfaisantes face aux demandes qui vont de la mise en place de conditions éliminant la discrimination à celles qui favoriseraient l'affirmation de l'identité et de la culture des différents groupes. Ici encore, on demande aux enseignantes et aux enseignants d'être le lien vivant entre l'école, les familles, la communauté culturelle et la société, alors qu'il serait peut-être plus réaliste de favoriser un recrutement des maîtres issus de ces nouvelles communautés culturelles.

Le Conseil supérieur de l'éducation s'est intéressé aux défis de la pluralité (1987b), de même qu'à l'accueil et à l'intégration des élèves des communautés culturelles (1995b). On y soulève toujours une préparation inadéquate du personnel scolaire et on y propose d'investir dans la formation des futurs enseignants.

La différence de réussite scolaire des garçons et des filles, de même que leurs attitudes différentes face à l'école, constitue des éléments d'un débat où certains exigent pour les candidats en enseignement au primaire une politique de discrimination positive qui rendrait possible une plus grande présence des hommes à l'école! Et que dire du rôle que joueraient les stéréotypes sexuels dans la réussite scolaire[4]?

Enfin, l'intégration des handicapés et des enfants en difficulté d'apprentissage selon la formule d'intégration inconditionnelle considérée comme souhaitable touche tous les aspects du fonctionnement de l'école, comme le souligne l'OCDE :

> [...] une refonte complète de l'organisation scolaire, l'adoption de méthodes systématiques et efficaces pour associer les parents des élèves nécessitant une attention spéciale à l'éducation de leurs enfants, la mise au point de mécanismes bien adaptés pour évaluer les progrès des élèves et de la classe, ainsi que des structures et des moyens d'appui suffisants. (OCDE, 1990 : 117).

En conclusion, il apparaît évident, même à partir des exemples évoqués, que les citoyens et le système d'éducation voudraient voir l'élargissement du rôle du personnel enseignant du système public et voudraient en conséquence lui confier de nouvelles tâches et de nouvelles responsabilités. Ces quelques exemples appellent quelques commentaires.

Les citoyens perçoivent l'école comme une institution importante non seulement pour eux individuellement, mais aussi pour la société dans son ensemble. Même si, sur le plan de l'analyse sociologique, le concept d'institution « en prend large », on peut toutefois retenir certains critères qui nous permettent de mieux circonscrire le rôle des institutions dans la vie sociale.

On peut parler d'institution chaque fois que :

- la pratique d'une population donnée se stabilise autour de certaines formes. En ce sens, on dit que certaines façons d'agir deviennent « normales » et plus tard normatives ;

---

4. Une récente recherche de Pierrette Bouchard et de Jean-Claude St-Amant, *Garçons et filles, stéréotypes et réussite scolaire* (1996) montre comment l'adhésion à des stéréotypes constitue une constante qui différencie garçons et filles par rapport à la réussite scolaire.

— lorsque ces formes, plus ou moins régularisées, définissent différents rôles ;

— lorsque les membres d'une société commencent à se reconnaître dans ces rôles ;

— et s'attribuent des devoirs en conséquence. (Taylor, 1988 : 49).

Les rôles se vivent à l'intérieur d'une pratique (être prof, c'est enseigner) dans laquelle l'enseignant partage avec les autres le sens de ce qui est à faire et de ce qui est à éviter. C'est en somme une vision de la vie humaine, de ce qui est bien et de ce qui est mal, bref une réalité morale avec ses normes qui se définit dans cette pratique et qui définit par la même occasion une certaine identité.

Conséquemment, une institution peut être vue comme la formalisation de la pratique (les pratiques des acteurs). Elle n'est pas l'endroit où s'applique une morale définie ailleurs, mais le milieu primaire où cette morale s'élabore. En ce sens, elle est un lieu important d'identification pour ceux qui y participent. À mesure que l'institution prend de l'importance, les pratiques sont de plus en plus exprimées à travers des règles et des normes qui seront ultérieurement enchâssées dans un code qui pourra être imposé au besoin par la société (les politiques d'institution). On ne s'étonnera guère qu'on demande à l'école d'institutionnaliser des valeurs, ou, en d'autres mots, de faire en sorte qu'à travers les normes et les règles mises en place dans l'école, les jeunes et les adultes développent des comportements et des conduites, bref des pratiques sociales qui témoignent à la fois de leur capacité de jouer certains rôles (enseigner ou étudier) et de s'identifier à certaines valeurs (la vérité, le respect des autres, etc.).

Toutefois comme l'accès aux savoirs, à la culture et aux valeurs n'est pas exclusif à l'école, vouloir, dans ce nouveau contexte, élargir le rôle de l'école et accroître les tâches et les responsabilités des enseignants pour y arriver ne va pas sans se poser la question de savoir jusqu'à quel point cet élargissement du rôle des enseignants a été reconnu, et si on a modifié en conséquence leurs conditions de travail, leur rémunération, leur recrutement et leur formation.

Une des façons de répondre partiellement à cette question est d'examiner quel moyen les établissements de formation des maîtres ont pris pour assurer une meilleure formation des enseignants lors de la révision récente des nouveaux programmes de formation des maîtres. Or, les institutions de formation des maîtres ont répondu qu'ils espéraient voir les futurs maîtres capables d'assumer de nouvelles tâches et responsabilités face aux demandes sociales nouvelles en se reposant sur l'idée selon laquelle le futur maître doit être un professionnel. Ainsi elles montent à leur tour dans le train du mouvement en faveur de la professionnalisation de l'enseignement déjà amorcé depuis plusieurs années aux États-Unis et plus récemment en France et en Suisse.

Les défis et les enjeux des nouveaux programmes de formation des maîtres

La révision des programmes de formation des maîtres au Québec a pris plus d'une décennie pour trouver sa voie et connaître son dénouement. Dans le sentiment d'urgence partagé par les partenaires de l'éducation, elle s'est alors réalisée très vite autour de grands consensus dont le plus déterminant portait sur la volonté des établissements universitaires de favoriser la professionnalisation du métier d'enseignant. (*Voir l'encadré 11.1.*)

Au préscolaire et au primaire, le programme se présente aussi comme un programme foncièrement professionnel, orienté vers l'action et l'acquisition d'habiletés propres à un métier spécialisé. Ses grandes composantes incluent une formation pédagogique, une formation dans les disciplines, dans les contenus à enseigner et dans leur didactique, une formation fondamentale, une formation générale ou culturelle et enfin une formation pratique (faculté des sciences de l'éducation, Université Laval, 1994).

Encadré 11.1
De grandes orientations s'imposent

Dans la section « Pertinence sociale du programme », le comité d'élaboration du programme du baccalauréat d'enseignement secondaire (BES) de l'Université Laval retient les éléments suivants :

a) La formation doit être ancrée dans les besoins d'une formation générale ou fondamentale de tous les jeunes citoyens et citoyennes du Québec, qui les amènerait à : prendre en main leur croissance personnelle et à se donner un projet de vie réaliste et stimulant ; apprendre à agir en citoyens responsables et à participer à la vie démocratique, économique et culturelle de leur milieu ; interagir positivement avec l'environnement et comprendre les relations avec le milieu, notamment l'environnement technologique et ses enjeux pour la personne, la société et la culture ;

b) Le programme doit être un programme de formation professionnelle au même titre qu'un autre, préparer à l'enseignement de plus d'une matière et favoriser l'intégration des dimensions théoriques et pratiques ;

c) Le programme doit permettre aux candidats en enseignement de relever de nouveaux défis, en partie reliés aux diversités familiales, culturelles, ethniques et socio-économiques des élèves, et aussi permettre aux enseignants de prendre en main des problèmes constants de motivation et d'engagement dans l'effort intellectuel pour bon nombre de jeunes ;

d) Le programme de formation doit permettre aussi de tenir compte de demandes sociales telles l'intégration d'élèves en difficulté d'apprentissage et d'adaptation, la lutte contre l'abandon des études, la sensibilisation aux valeurs de l'interculturel, de la non-discrimination et de la tolérance, « tout en subissant trop souvent, dans le quotidien de la classe, les effets perturbateurs de situations endémiques de pauvreté ou de problèmes sociaux de tous ordres ».

D'après le Comité d'élaboration du programme de baccalauréat en enseignement secondaire (1993 : 9-11).

Ainsi, tous les partenaires majeurs semblaient d'accord (faculté des sciences de l'éducation, Université Laval, 1994) : les nouveaux programmes devaient avoir une orientation professionnelle et donc faire une part beaucoup plus importante à l'articulation « théorie-pratique » par les stages et les activités de formation pratique, tout en favorisant une meilleure formation fondamentale (intellectuelle et personnelle), une conscience plus aiguisée des enjeux sociaux, une maîtrise du français et, pour le secondaire, une formation plus polyvalente incluant la préparation à au moins deux disciplines d'enseignement. Les nouveaux programmes se présentent alors comme un cheminement unique, intégrant formation disciplinaire, formation pédagogique et formation pratique et passant à une durée de quatre ans. Ces orientations des nouveaux programmes s'appuyaient sur un courant maintes fois observé aux États-Unis et en Europe en faveur d'une plus grande professionnalisation de l'enseignement.

Cette formation devrait permettre à la fois aux candidats et aux candidates d'atteindre un développement personnel et professionnel satisfaisant, aux acteurs et aux actrices des facultés des sciences de l'éducation de mieux réaliser leur mission universitaire et sociale, et aux autres partenaires, enseignantes et enseignants associés, responsables de formation pratique, de développer chez les stagiaires l'émergence d'une pratique réfléchie du métier tout en contribuant à l'amélioration de la formation des jeunes dans les écoles primaires et secondaires.

Une réflexion sur les moteurs de la professionnalisation

Le mouvement de professionnalisation est le cadre de référence à peu près général auquel se rattachent les nouveaux programmes de formation des maîtres du préscolaire, du primaire et du secondaire au Québec. En décrivant la professionnalisation simplement comme une évolution structurelle du métier, réelle ou souhaitée, Perrenoud (1993a) rattache ce mouvement soit à l'évolution du travail dans des sociétés à forte dominance du tertiaire[5] et des nouvelles classes moyennes, soit aux politiques de l'éducation et à l'évolution d'un système éducatif confronté à de nouveaux publics et à de nouveaux défis.

Le premier cas correspond au mouvement de professionnalisation américain qui est fortement enraciné dans l'idéologie de domination propre à ce grand pays : pour maintenir son statut de pays riche et productif face à la compétition internationale actuelle, il doit être à la fine pointe des recherches et des technologies et disposer des ressources intellectuelles et scientifiques que peuvent procurer l'enseignement et l'éducation. Dans ce contexte, l'école doit disposer des ressources et des expertises appropriées, et seuls des professionnels peuvent arriver à former les jeunes qui sauront maintenir la société américaine compétitive et prospère dans le nouveau contexte

---

5. Le tertiaire renvoie aux emplois de service tels que l'éducation ou les soins de santé.

international. Les clivages sociaux et économiques de la société américaine se répercutent à leur tour sur l'école, qui est l'objet de toutes les tensions possibles.

Dans le deuxième cas, on reconnaîtra un peu plus la situation du Québec et du Canada et de plusieurs pays européens, dont les systèmes d'éducation sont confrontés à de nouveaux publics, de nouvelles demandes sociales, de nouveaux défis d'intégration sociale et de réussite éducative. Dans ce cadre, le mouvement de professionnalisation en vue de revaloriser le métier d'enseignant participe à la fois aux constats de la mise en question du savoir des enseignants, de l'incapacité de l'école, centrée d'abord et avant tout sur la rationalité scientifique d'amener tous les jeunes à apprendre, et de l'importance que joue, dans le développement professionnel, le savoir construit par les enseignantes et les enseignants eux-mêmes à partir de la réflexion sur leur pratique.

Les systèmes éducatifs doivent alors faire preuve de plus d'efficacité pour permettre aux citoyens de faire face aux défis nouveaux auxquels ils sont confrontés dans des ensembles politiques de plus en plus vastes, complexes, multiculturels, interdépendants, tout en conduisant simplement leur vie quotidienne et en préservant leur marge d'autonomie face à l'informatique, aux maladies, aux lois, aux gouvernements, aux assurances, etc. Il ne suffit plus à l'école d'instruire ceux qui ont toutes les chances de leur côté, il faut atteindre tout le monde, les réfractaires, les non-motivés, les décrocheurs potentiels, ceux qui arrivent à l'école sans un capital intellectuel et familial et des habitus qui correspondent aux modes de fonctionnement de l'école.

Pourquoi faudrait-il aujourd'hui disposer de compétences nouvelles et plus étendues pour enseigner? Perrenoud répond:

> Pour donner réellement au plus grand nombre l'occasion d'apprendre [...] pour lutter contre l'échec scolaire et les inégalités sociales devant l'école, pour élever le niveau d'éducation [...] Parce que les conditions d'exercice du métier changent, de même que les publics scolaires et la nature des objectifs pédagogiques, bref, c'est pour lutter contre l'échec scolaire, c'est pour s'adapter à la diversité et au changement. (Perrenoud, 1993b : 62-66).

Voici bien campé un des moteurs les plus importants du mouvement de la professionnalisation du métier d'enseignant; il correspond, sans risque d'erreur, aux multiples demandes et attentes sociales exprimées par les citoyens et les citoyennes et les systèmes d'éducation, que nous avons analysées dans la première partie de ce chapitre.

Le métier d'enseignant est-il en voie de professionnalisation?

Depuis l'existence du métier d'enseignant, on n'a cessé de définir ce qui en constituait les éléments essentiels. Les travaux sur le maître idéal ou plus récemment sur les savoirs des enseignants (Mellouki, 1991a) nous donnent une idée des tentatives pour définir ce métier. Perrenoud (1993b ; 1993d ; 1993i) préfère parler d'un métier complexe, Cifali (1986) en parle comme d'un métier impossible parce que les compétences techniques ou les gestes professionnels ne constituent en rien une garantie de succès. En effet, ces deux derniers éléments sont des conditions nécessaires mais non suffisantes à la production des résultats qui dépendent d'une autre volonté, d'une autre liberté que celle du professionnel.

L'enseignement devient un métier en voie de professionnalisation quand il dépasse l'application stricte de méthodes et construit des démarches didactiques orientées globalement par les conditions particulières de la pratique, tels les objectifs du cycle d'étude, la diversité des élèves, leur niveau, par un mode de collaboration possible avec les parents, par la nature de l'équipe pédagogique et la division du travail entre enseignants (Perrenoud, 1993b : 60). (*Voir l'encadré 11.2.*)

La professionnalisation a aussi d'autres corollaires. En effet, elle :

a) met l'accent sur le contrôle et la supervision par des pairs, de même formation, voire de même statut, par opposition au contrôle par des supérieurs hiérarchiques étrangers à la profession ;

b) suppose une capacité collective d'auto-organisation de la formation continue et sa prise en charge par une corporation ;

c) va de pair avec davantage d'autonomie, mais aussi de responsabilités et de risques assumés personnellement, ce qui implique donc l'existence d'une éthique ;

d) exige une capacité de reconstruire et de négocier une division du travail souple avec d'autres professionnels, donc de savoir travailler en équipe ou en concertation ;

Encadré 11.2
Qu'est-ce donc qu'une profession ?

Selon Lemosse, profession s'oppose à occupation et présente les caractérisques suivantes :

« a) l'exercice d'une profession implique une activité intellectuelle qui engage la responsabilité individuelle de celui qui l'exerce ;

b) c'est une activité savante, et non de nature routinière, mécanique ou répétitive ;

c) elle est pourtant pratique, puisqu'elle se définit comme l'exercice d'un art plutôt que purement théorique et spéculative ;

d) sa technique s'apprend au terme d'une longue formation ;

e) le groupe qui exerce cette activité est régi par une forte organisation et une grande cohésion internes ;

f) il s'agit d'une activité de nature altruiste au terme de laquelle un service précieux est rendu à la société. »

Extrait de Maxime Lemosse,
*Le « professionnalisme » des enseignants :
le point de vue anglais* (1989 : 57).

e) passe par la mise à jour constante des savoirs et des compétences, sur la base d'une auto-évaluation et grâce à des capacités d'apprendre, par la remise en question, l'accumulation de l'expérience, la théorisation de sa pratique ;

f) donne les moyens d'une certaine distance au rôle, d'un rapport stratégique à l'organisation ;

g) construit une identité professionnelle claire, alimentée par une culture intellectuelle commune (au-delà de l'esprit de corps et du partage de trucs et d'attitudes) (Perrenoud 1993b : 66).

Deux issues possibles à l'insatisfaction des citoyens

Ainsi, l'insatisfaction par rapport aux prestations des praticiens est le point de départ d'un processus de professionnalisation de ces praticiens : ce serait le cas actuellement des enseignants. Aussi longtemps que l'on s'accommode d'un taux élevé d'échecs scolaires, qu'on accepte le fait qu'un nombre considérable de jeunes arrivent sur le marché du travail sans préparation ou mal équipés intellectuellement pour faire face à la complexité sociale actuelle, on comprend mal pourquoi il faudrait professionnaliser le métier d'enseignant. Par ricochet, les forces dominantes de la société n'y voient un progrès que dans la mesure où l'élévation du niveau d'instruction des générations est devenue suffisamment prioritaire pour qu'on y mette le prix (Perrenoud, 1993b : 61). Au vu des compressions budgétaires imposées à l'éducation et des priorités des gouvernements en regard de l'assainissement des dépenses publiques, cette condition de la professionnalisation est pour le moins problématique dans la plupart des pays industriels avancés.

Plusieurs chercheurs (Perron *et al.*, 1993 ; Perrenoud, 1993i) considèrent que le métier d'enseignant pourrait, selon les choix et les stratégies et les forces des acteurs en présence, évoluer (!) en deux directions presque opposées : la prolétarisation serait la voie où les enseignants seraient dépossédés par rapport aux spécialistes de toutes sortes, l'autonomie serait alors assez réduite ; par contre, la professionnalisation serait la voie par laquelle les enseignants deviendraient de véritables professionnels, tournés vers les situations et problèmes concrets à résoudre, capables de travailler en équipe et en interaction les uns avec les autres et de gérer leur propre formation continue.

Malgré les attentes des sociétés vis-à-vis de l'école et le désir de voir les écoles devenir plus efficaces, rien ne garantit dans la conjoncture actuelle que l'on veuille améliorer l'éducation dans le sens de la démocratisation, c'est-à-dire en faisant en sorte que le plus grand nombre profite des avantages de l'école et non seulement certains groupes privilégiés. Le retour à l'égalité des chances comme principe de base de notre système d'éducation, préconisé par les États généraux sur l'éducation de 1995-1996, a suscité un tel débat et une levée de bouclier si grande chez ceux qui voyaient leur école spécialisée ou leur école privée menacée qu'on comprend très bien que la démocratisation de l'enseignement menace la transmission des privilèges, dans la mesure où elle accroît la concurrence scolaire au détriment des enfants issus de milieux favorisés. Une partie des nantis ont donc de bonnes raisons de la combattre et de dénoncer l'égalitarisme, la baisse de niveau d'une politique d'égalité des chances. Les politiques de perpétuation d'une position familiale et de reproduction d'un ordre social n'ont nullement disparu. Ainsi, les heures qui ont suivi le dépôt du rapport final des commissaires des États généraux sur l'éducation en octobre 1996 ont transmis longtemps les échos de l'argument «du nivellement par la base» qu'apporterait la diminution progressive du financement de l'école privée.

Il n'est pas simple pour les partenaires de l'éducation publique, puisqu'ils en ont la responsabilité morale, de convaincre les dirigeants politiques et les responsables des systèmes d'éducation de même que leurs concitoyens et concitoyennes qu'une politique trop conservatrice d'éducation serait néfaste pour l'ensemble de la société. En effet, pour maintenir la croissance et ses privilèges, une classe dirigeante doit puiser dans les «gisements de talents», investir dans la formation du plus grand nombre, afin de renforcer la contribution des travailleurs, des consommateurs et des électeurs à l'effort de modernisation et de compétition économiques (Perrenoud, 1993i : 4).

Les différents partenaires de l'éducation doivent donc prendre conscience du moteur premier de la professionnalisation, soit l'exigence de mieux répondre aux attentes et aux demandes sociales en faveur du plus grand nombre. Si cette prise de conscience n'est pas là et si elle ne donne pas lieu à un consensus partagé, à un engagement social clair, ni les candidats à l'enseignement, ni les enseignants, ni les formateurs, ni les responsables d'établissements scolaires, ni les spécialistes, ne verront le bien-fondé de la professionnalisation et la pertinence de payer le prix qu'elle requiert. On risque alors de conforter l'idée insidieuse selon laquelle l'école doit faire plus et mieux avec moins, ou de légitimer le statu quo sous prétexte qu'il ne faut pas changer «ce qui marche bien».

Bref, rien n'est gagné en faveur de la professionnalisation, et les universités ont aussi là une première responsabilité en manifestant une volonté concrète de changement qui se reflète dans les budgets, la valorisation de l'enseignement, la reconnaissance des professeurs en formation des maîtres, l'amélioration des programmes et de leurs conditions de réalisation, le rapport à une recherche orientée vers la pratique éducative (à commencer par la leur) et le développement de leur corpus de connaissances.

Les partenaires de l'éducation n'ont pas que la responsabilité de construire concrètement dans les pratiques des acteurs un processus viable et réaliste de professionnalisation. Ils doivent aussi en clarifier les enjeux et contribuer ainsi à faire pencher la balance vers les bons choix de société. En effet, le moteur premier de la professionnalisation est social, et son choix par les gouvernements et les dirigeants dépend de l'équilibre entre des perspectives à long terme, comme l'élévation du niveau de formation pour tous les citoyens et toutes les citoyennes, la démocratisation, l'égalité des chances et l'emploi, d'une part, et des perspectives à court terme, comme la recherche de l'équilibre budgétaire, la défense des intérêts acquis ou la valorisation de la logique marchande, d'autre part.

Tous les acteurs collectifs ont donc une part de responsabilité et de pouvoir pour faire pencher la balance dans le sens désiré. Mais les partenaires de l'éducation peuvent surtout contribuer à négocier des représentations et des stratégies à long terme qui, dépassant les petites réformes qui ne tiennent jamais leurs promesses, construisent par la professionnalisation du métier d'enseignant et d'enseignante et l'évolution des établissements les bases solides du changement de l'école et de l'apprentissage de ses partenaires vers une gestion plus coopérative (Perrenoud, 1993c : 14).

Au-delà des discours et des débats, le virage professionnel ne s'effectuera que s'il se réalise à la fois sur le terrain même des pratiques de formation que sur celui des enseignants en exercice.

Le changement devra donc se construire à partir de ces pratiques qui ont pourtant comme caractéristiques premières de se perpétuer et de se réguler à partir d'acteurs qui réalisent à la fois leur intérêt individuel ou collectif et une contribution reconnue à l'ensemble.

Dans ce contexte, c'est tout le problème de l'action organisée qui se pose aux partenaires de l'éducation pour rendre possibles à la fois l'émergence d'un professionnalisme nouveau et de nouvelles capacités collectives chez les acteurs des établissements scolaires, y compris les facultés des sciences de l'éducation.

Les acteurs et les enjeux de l'action organisée

L'éducation, la formation, l'enseignement, l'apprentissage sont des processus qui s'inscrivent dans des contextes d'action spécifiques conditionnant et délimitant à la fois les finalités, les processus et les contenus de la formation concernée. Ainsi, la formation des maîtres s'inscrit dans deux grands ensembles interreliés : d'une part, une société, incarnée concrètement par un État et ses organismes et acteurs responsables, prend note des transformations sociales et des lacunes de l'école-institution face aux besoins éducatifs de la population concernée, propose des politiques éducatives et précise des orientations aux programmes et aux activités en collaboration avec les principaux partenaires ; d'autre part, les institutions de formation (du niveau primaire au niveau universitaire), en interaction avec les organismes responsables de l'État, élaborent les programmes, précisent les objectifs généraux et spécifiques et déterminent la mise en œuvre des activités de formation dans le cadre de normes, de règles et de rôles définis. Les éléments évoqués ici sont souvent décrits comme des éléments du contexte dans lequel s'inscrirait l'enseignement aux élèves et aux étudiants au sein des établissements scolaires.

Une représentation des processus présents dans ces contextes d'action risque souvent de réduire dangereusement la complexité de ces processus ou de réifier les relations sociales qui y sont présentes. Néanmoins, le schéma 1 a l'avantage de mettre en relation la structure sociale, l'institution scolaire et la formation des étudiants. Toutefois, pour éviter de simplifier à outrance la complexité des processus visés, il faut atteindre plus profondément les dynamiques d'action qui s'y construisent, surtout lorsque, au-delà des politiques éducatives et des programmes d'études, c'est la situation concrète d'enseignement qu'il faut chercher à comprendre.

Schéma 1

Une représentation ou une modélisation de la situation d'enseignement

LES FACTEURS

Les transformations sociales ;
les orientations du ministère ;
les objectifs de premier cycle ;
les ressources universitaires ;
le règlement des études ;
les capacités intellectuelles des étudiants.

qui influencent et structurent

LES SITUATIONS D'APPRENTISSAGE

proposées par le professeur, dans les différentes disciplines
et activités du programme et par lesquelles
les étudiants s'approprieraient les différents savoirs.
Ces situations sont caractérisées par les interactions entre trois éléments :
les interventions pédagogiques du professeur ;
les stratégies cognitives des étudiants ;
les caractéristiques des savoirs universitaires.

devant

LES EFFETS ESCOMPTÉS, en ce qui concerne
L'APPRENTISSAGE,
LES HABILETÉS,
LES ATTITUDES,
LES CONNAISSANCES
chez le candidat à l'enseignement.

Il est alors possible de mettre en évidence : 1) dans un regard par le haut, certains éléments de la complexité du champ de l'éducation avec sa variété considérable d'acteurs qui ont déjà structuré la situation d'enseignement-apprentissage au moment où un professeur l'aborde avec son groupe-classe au début de l'année scolaire ; 2) dans un regard par le bas, le caractère prégnant du substrat social dans lequel se construit la relation pédagogique considérée par plusieurs comme le cœur même de l'exercice du métier d'enseignant.

Un regard par le haut : une préstructuration de la situation d'enseignement-apprentissage

La révision de tout programme de formation, y compris celui de la formation des maîtres, ne se déroule pas de façon linéaire et cumulative, à partir du constat des organismes compétents. De même, l'élaboration détaillée des plans de cours des professeurs ne se réduit pas à un acte de simple conformité aux objectifs et standards élaborés par l'appareil politique et mis en œuvre par les décisions des comités de programme (d'exploration, d'élaboration, d'implantation, de gestion) des institutions universitaires.

En effet, des processus complexes président au passage des valeurs éducatives qui inspirent un programme de formation en normes, en règles, en rôles à occuper et en tâches à assumer, pour mettre en œuvre la logique de socialisation universitaire professionnelle de la formation des maîtres.

Or, lorsqu'on se représente la révision des programmes et lorsqu'on essaie de comprendre les rapports existant entre les éléments de cette situation complexe, on semble oublier l'élément dynamique essentiel, à savoir le nombre considérable d'acteurs individuels et collectifs impliqués dans les décisions à tous les niveaux. Chacun de ces acteurs applique ses propres choix à chaque niveau de décision dans son champ d'action, tout en essayant d'influencer ceux des autres acteurs selon ses propres visions, ses valeurs et ses intérêts.

En ce qui a trait aux politiques de formation à l'enseignement secondaire, par exemple, plusieurs organismes sont concernés et deviennent alors des partenaires obligés de l'appareil politique et administratif. Mentionnons le ministère de l'Éducation, les universités, la CEQ, les diverses associations professionnelles d'enseignants, les commissions scolaires, les directions d'école, etc. On comprend que l'agenda politique d'une telle entreprise ne se crée pas spontanément et que la révision des programmes ait pu mettre quinze ans à se réaliser.

Dans les établissements universitaires, pensons aux décisions prises par les comités d'élaboration des programmes concernant les cours et les contenus, leur nombre de crédits et leur place dans le programme. À l'Université Laval, par exemple, sept facultés et treize départements différents sont impliqués dans le programme de formation pour le secondaire. On peut aisément se faire une idée du nombre potentiel d'intervenants individuels ou collectifs qui se considéraient partie prenante de ces décisions, de l'importance des débats suscités et des stratégies utilisées par les acteurs au cours des processus de révision du programme.

Une analyse plus fine des stratégies des acteurs concernés aurait pu mettre à jour les rapports de pouvoir en jeu dans ces décisions, les ressources dont disposaient les acteurs pour faire valoir leurs objectifs, leurs intérêts ou leurs valeurs dans les décisions concernant les finalités du programme, les normes ou les règles à respecter, les contraintes à satisfaire, les structures à mettre en place, les rôles de chacun et les contenus, etc. Et dans ce cadre, chaque partenaire entre dans le processus en apportant avec lui ses ressources, ses idées, ses idéologies, sa perception de la formation des maîtres et la définition des situations dans lesquelles il est engagé.

Ainsi, au moment de l'élaboration de son cours, le professeur doit tenir compte de plusieurs éléments qui structurent et influencent déjà les conditions dans lesquelles il réalisera son enseignement. Mais en même temps, tout reste à construire de façon « concrète » à partir de ses priorités, des objectifs qu'il poursuit comme formateur, des caractéristiques des étudiants qu'il recevra, etc.

Un regard par le bas : au-delà des apparences de la relation pédagogique

Les enseignants des niveaux primaire et secondaire et même des professeurs d'université se plaignent souvent que, malgré un travail soigneux de préparation de leur cours et une prestation apparemment bien réussie en classe, leurs étudiants n'ont rien appris. Il n'est pas nécessaire d'être un expert en pédagogie pour savoir que l'apprentissage des étudiants n'est pas nécessairement consécutif au travail de l'enseignant ou de l'enseignante ; qu'il ne suffit pas de préparer un bon cours, qu'il soit bien « donné » et que tout fonctionne à merveille pour que les étudiants apprennent effectivement. Toute une série de conditions nécessaires mais non suffisantes doivent être mises en place pour que l'étudiant apprenne, en plus de toutes celles qui ne dépendent pas de l'enseignant mais qui marqueront néanmoins le résultat de son enseignement.

Nous sommes ici au cœur de ce qui fait le caractère construit, contingent et donc imprévisible de l'action éducative, et qui contribuerait aussi à faire du métier d'enseignant un métier impossible (Cifali, 1986), c'est-à-dire « un métier dans lequel, aussi excellente soit-elle, la formation du professionnel n'est pas garante d'une réussite élevée et régulière de ses gestes professionnels » (Perrenoud, 1993d : 7), tout en en constituant cependant une condition nécessaire.

C'est le cas de tous les métiers de la prise en charge des personnes, qui se heurtent aux limites de l'influence d'un sujet sur un *autre* sujet, d'un acteur social sur un *autre* acteur social. En éducation, ces limites tiennent à la singularité de l'apprenant, à ses résistances, à ses mécanismes de défense et à sa disposition à coopérer et à remettre temporairement et partiellement sa liberté et son autonomie à la liberté d'un autre ; à la singularité, aux ambivalences et aux incertitudes du maître ; à la singularité de la relation intersubjective, mais aussi interculturelle qui se noue entre deux personnes (Perrenoud, 1993d : 7-9). Cette interaction de « singularités » est complexe parce qu'elle favorise l'apparition des antagonismes au cœur même de phénomènes supposément organisés et des paradoxes et contradictions au cœur même de la théorie (Morin, 1977 : 379). Cette situation, l'enseignant ne peut pas la simplifier, car il n'a aucun contrôle sur la vie des autres et sur le sens que ces derniers accordent spontanément à la relation dite pédagogique ; il peut tout au plus la comprendre et tenter d'y faire face.

Perrenoud illustre bien ce fait quand il énonce certains dilemmes et contradictions dans lesquels se joue, jour après jour, la pratique pédagogique (*voir l'encadré 11.3*).

Antagonismes, contradictions et paradoxes de la pratique enseignante

D'après les enseignants (Berthelot, 1992a), c'est à l'enseignant et à la relation pédagogique que l'on peut attribuer la réussite des jeunes. Cependant, si on leur demande s'ils sont responsables de l'échec de leurs étudiants, ils donnent alors un ensemble d'explications qui puisent justement dans ces rapports sociaux conflictuels qui seraient à la base de l'échec scolaire. Une réflexion sur le caractère contradictoire et ambigu de

---

Encadré 11.3
Les contradictions de la relation pédagogique

« Dans la pratique pédagogique se jouent et se rejouent chaque jour des contradictions impossibles à dépasser une fois pour toutes : m'oublier pour l'autre ou penser à moi ? Privilégier les besoins de l'individu ou ceux de la société ? Respecter l'identité de chacun ou la transformer ? Avancer dans le programme ou répondre aux besoins des élèves ? Fabriquer des hiérarchies ou pratiquer une évaluation formative ? Développer l'autonomie ou le conformisme ? S'impliquer personnellement dans la relation ou rester aussi neutre que possible ? Imposer pour être efficace ou négocier longuement pour obtenir l'adhésion ? Sacrifier l'avenir ou le présent ? Mettre l'accent sur les savoirs, les méthodes,

l'instruction, ou sur les valeurs, l'éducation, la socialisation ? Valoriser la compétition ou la coopération ? Donner à chacun l'impression qu'il est compétent ou pousser à la plus grande lucidité ? Préférer la structuration de la pensée et de l'expression ou encourager la créativité et la communication ? Mettre l'accent sur une pédagogie active ou une pédagogie de maîtrise ? Respecter l'équité formelle ou offrir à chacun selon ses besoins ? Aimer tous les élèves ou laisser parler ses sympathies et antipathies ? »

Extrait de Philippe Perrenoud, « La formation au métier d'enseignant : complexité, professionnalisation et démarche clinique » (1993d : 9-10).

l'éducation comme phénomène organisé et sur le caractère non intégré, non prédéfini, non préfabriqué des savoirs disponibles pour y faire face s'impose donc. Pour utiliser une expression connue, il n'y aurait pas, à la disposition du maître et dans les différents contextes de son action pédagogique, de solution « clef en main ».

Bien sûr, toute activité de formation est conditionnée par les objectifs qu'on lui a assignés, par les normes d'organisation de l'enseignement, par les pratiques de formation qui prévalent dans l'établissement scolaire (y compris l'université), par les règles et les mécanismes qui régissent les responsabilités mutuelles des acteurs concernés. Tous ces éléments contribuent aussi à influencer et à structurer le temps et l'espace dans lesquels s'inscriront les activités et les interactions entre enseignants et étudiants, mais jamais ils ne détermineront de façon certaine leurs interactions ou les résultats qui en découleront. L'action pédagogique (comme toute action organisée) est toujours problématique en ce qu'elle suppose une coopération qui n'est pas donnée et qui est irrémédiablement contingente, c'est-à-dire largement indéterminée quoique dépendant de l'ensemble des éléments du contexte de l'action.

La composition des singularités intersubjectives de la relation pédagogique évoquée plus haut est un des effets de ce que les acteurs concernés apportent avec eux dans la classe. En effet, chacun y arrive avec son histoire, son expérience, son appartenance à un milieu donné, à une classe sociale, à une famille, à un genre : ces éléments structurent et conditionnent les rapports de chacun à cet espace-temps particulier que constitue chaque situation éducative.

En effet, si les objectifs d'apprentissage de la langue française demeurent les mêmes pour un niveau d'enseignement donné, la mise en place d'un dispositif efficace ne représente pas le même défi pour le maître selon qu'il reçoit des élèves déjà sensibilisés à l'importance de la langue, qui en ont appris les bases dans une famille valorisant les communications verbales comme instrument de compréhension mutuelle, ou selon qu'il reçoit des élèves qui ne voient dans l'apprentissage de la langue aucun intérêt et qui se considèrent eux-mêmes aliénés par la culture savante de l'école. Si la finalité de l'action pédagogique est la même, les contextes d'action diffèrent ; ils exigent du maître la création de systèmes d'action (certains diraient une relation éducative) appropriés, adaptés à la situation, porteurs de signification, de motivation et d'efficacité et qui répondent aux exigences particulières de la situation.

Ainsi, plusieurs éléments du contexte (classe, école et société), comme les appellent plusieurs professeurs en formation des maître préstructurent la situation d'apprentissage. Or, dans l'exemple présent, ni la classe ni l'école ni la société changent le contexte de l'action pour le maître, mais une disposition générale de l'étudiant (que certains désignent comme un habitus) face à l'école, et qui traverse à la fois son appartenance à la classe, à l'école, à la société et qui constitue un élément de son identité personnelle et sociale mais impossible à isoler physiquement ou contextuellement. Cette disposition semble entraîner chez l'élève une attitude d'étrangeté et d'aliénation face à la culture scolaire. Le maître a beau suivre le programme, planifier son enseignement, préparer son cours, valoriser la communication verbale, vouloir le bien de l'étudiant et sa réussite, s'il n'a pas réussi à lever l'obstacle à la coopération indispensable de l'étudiant à son apprentissage, c'est peine perdue. En d'autres mots, avant d'être pédagogique, la relation entre le maître et l'élève est d'abord sociale. Il s'agit d'un acteur tentant d'influencer un autre acteur par sa demande de se plier de bonne grâce à une activité qui parfois rebute ce dernier. En effet, l'élève pourrait ne pas trouver de sens à une activité, et en conséquence, à tort ou à raison, ne pas trouver d'intérêt à coopérer de lui-même. Il est alors spontanément en situation de conflit avec le maître et avec la culture scolaire : voilà un obstacle de taille à la finalité même de la relation pédagogique, c'est-à-dire l'apprentissage scolaire.

Dans les chapitres précédents sur la socialisation scolaire, nous avons fait ressortir le fait que l'étudiant comme le maître se trouvent dans une situation de coopération conflictuelle face à la relation pédagogique.

Supposer la collaboration spontanée des partenaires de la relation pédagogique est souvent une présomption dangereuse. Et au-delà de l'interdépendance postulée par l'enseignement et les gestes qui l'organisent – suivre un programme, assurer un minimum de discipline qui rend possible le travail intellectuel, savoir où l'on va et quelle compétence on veut développer, utiliser un matériel pertinent, etc. –, il faut, pour que se réalise concrètement l'apprentissage, une interaction significative entre le maître et l'élève. Or, celle-ci n'est possible que s'il existe un minimum de coopération entre les acteurs concernés : c'est l'aspect problématique de l'action organisée du fait que cette coopération n'est pas donnée la plupart du temps. Ainsi, l'univers complexe des rapports humains et de l'interaction sociale est toujours potentiellement instable et conflictuel, et le premier défi de l'action organisée est d'arriver à construire la coopération et la coordination indispensables entre les initiatives, les actions et les conduites des intéressés (Friedberg, 1993 : 10). Conflit et coopération sont donc des antagonismes issus du caractère organisé de l'action éducative.

Ce problème inhérent à toute action collective tient à la diversité des valeurs, des objectifs et des intérêts des acteurs en présence dans toute situation d'interaction sociale, surtout dans le cadre d'une institution sociale qui impose une contrainte et une coercition, qui, dans le cas de l'école, prennent la forme de la fréquentation scolaire obligatoire jusqu'à seize ans. La coopération entre les acteurs constitue donc le problème premier et le plus important de toute action organisée, mais il n'existe pas de solution unique, commune et magique à ce problème. La solution à ce problème de coopération est toujours spécifique à cause de la spécificité même des contextes d'action dans lesquels s'inscrit la relation pédagogique : les personnes ont des histoires particulières, des objectifs différents et parfois opposés, des expériences humaines et sociales différentes, etc. On ne peut régler ce problème une fois pour toutes, ni « le faire disparaître en utilisant des règles et des processus techniques : il renaît sans cesse des processus d'interaction concrets à travers lesquels les intéressés cherchent à retrouver un minimum d'initiative et de capacité d'action autonome. Il est et reste au cœur de l'action collective des hommes » (Friedberg, 1993 : 10).

Pour le maître, élaborer un dispositif d'apprentissage, susciter une interaction significative et une coopération effective entre lui et l'élève constituent toujours une solution spécifique pour régler « leur coopération conflictuelle et pour gérer leur interdépendance stratégique » (Friedberg, 1993 : 19).

La diversité des populations étudiantes (les enfants en difficulté, les enfants handicapés, les décrocheurs éventuels, les jeunes qui présentent des troubles de comportement et d'adaptation) constitue un des éléments les plus importants du contexte de l'action pédagogique, à preuve toutes ces stratégies d'action ministérielles qui ciblent sur elle les efforts d'amélioration de l'éducation des jeunes et les difficultés du défi que doivent relever les enseignants pour permettre la réussite du plus grand nombre. On peut regrouper des situations pour mieux comprendre une catégorie de problèmes, mais on ne peut réduire la complexité des situations et leur spécificité. En effet, pour chaque situation, la solution envisagée par l'enseignante ou l'enseignant pour susciter cette adhésion commune à ses objectifs demeure toujours contingente, c'est-à-dire indéterminée. Cette interaction significative souhaitée avec ses étudiants dépend toujours des politiques scolaires, des programmes d'études, des modes particuliers de fonctionnement, des contraintes spécifiques de l'établissement et des rapports entre les membres du personnel, qui en quelque sorte influencent et structurent le contexte global de l'enseignement. Mais en même temps, cette interaction significative avec ses étudiants est irréductible à cette première structuration : elle est toujours une construction arbitraire et aléatoire. Ainsi, le système englobant « préstructure » la situation d'enseignement, tandis que les intéressés (maître et étudiants) structurent le système dans lequel ils agissent directement. Et ce jeu des acteurs concernés dans ce contexte spécifique, « aucune loi universelle, aucun déterminisme et aucun principe abstrait ne peuvent en expliquer la forme et la dynamique spécifique. Cette explication ne peut qu'être elle-même locale, c'est-à-dire fondée sur la connaissance empirique des conduites réelles des acteurs et des conditions spécifiques de leur coopération prévalant dans ce contexte particulier » (Friedberg, 1993 : 20).

N'est-ce pas pour cette raison que les nouveaux programmes de formation des maîtres insistent sur la nécessité d'aller sur le terrain, de mettre le stagiaire en situation concrète d'observation ? N'est-ce pas aussi pour aider le stagiaire à développer l'art et la méthode nécessaires à la structuration et la restructuration des contextes d'action dans lesquels se produisent l'enseignement et l'apprentissage des étudiants et qui constituent le cœur du métier d'enseignant ?

La spécificité des situations éducatives exige du maître une capacité non seulement à comprendre ce qui se passe dans ces situations (ce que visent à rendre possible les observations réalisées par les stagiaires), mais aussi à structurer des solutions ou des dispositifs qui rendront possible la coopération initiale qu'exigent la relation pédagogique et les multiples restructurations qu'elle subira tout au long des jours et des mois avec ses groupes d'étudiants. C'est sans doute ce caractère problématique, contingent et irréductible de la relation pédagogique et de sa construction sociale concrète qu'évoque Perrenoud quand il dit que :

> Chaque enseignant est condamné à reconstruire chaque jour, à son échelle, de façon plus ou moins intuitive : a) une politique de l'éducation ; b) une éthique de la relation ; c) une épistémologie des savoirs ; d) une transposition didactique ; e) un contrat pédagogique ; f) une théorie de l'apprentissage. Là est la complexité. Elle n'est pas technique ou logique. Elle tient aux compromis fragiles à (re)construire constamment entre des valeurs et des théories contradictoires, des compromis auxquels nul n'échappe et pour lesquels nul ne peut définitivement s'abriter derrière une norme institutionnelle ambiguë, qui prête à diverses interprétations. (Perrenoud, 1993d : 10-11).

Voilà ce qui fait la complexité du métier d'enseignant ou d'enseignante et voilà aussi pourquoi les enseignants doivent être des professionnels, c'est-à-dire capables de créer ces solutions adaptées, inédites, originales, appropriées aux situations concrètes de l'enseignement primaire et secondaire contemporain.

Au-delà du discours de la professionnalisation : de nouvelles capacités collectives à construire

Une des préoccupations qui doit être au centre de l'évaluation de la qualité de la formation est sa correspondance aux éléments du discours sur la professionnalisation de l'enseignement, la complexité du métier et les conditions de sa pratique, l'importance de la pratique dans la formation des enseignants, le virage réflexif et son effet présumé sur la maîtrise du métier. Tous ces éléments du discours nouveau sur la formation des enseignants touchent concrètement en amont : la conviction des partenaires de l'éducation, à commencer par les universitaires, qu'ils sont des professionnels et à se percevoir comme tels, à rendre vraisemblable l'idée que les étudiants qu'ils forment seront des professionnels ; la maîtrise d'œuvre des processus de recrutement, de sélection, de formation, d'insertion et de reconnaissance sociale du métier ; le développement par tous les acteurs de la formation, y compris les étudiants, de nouvelles capacités collectives, de nouveaux modes de collaboration, de négociation et de concertation.

En effet, les contradictions, les paradoxes et les antagonismes ainsi que les rapports problématiques entre théorie et pratique n'émergent pas uniquement de l'action proprement éducative. Ces problèmes existent à tous les niveaux de l'action sociale. Les rapports sociaux des acteurs sont toujours vécus dans des relations de coopération conflictuelle : ils sont inhérents à l'action organisée et à son élaboration. Ils sont au cœur des jeux qui structurent les rapports entre les acteurs sociaux, qu'il s'agisse :

- de l'ensemble des rapports sociaux dans lesquels émergent la nouvelle professionnalité souhaitée et la mise en place de processus appropriés de recrutement, de sélection, de formation et de pratique qui en découlent ;

- des rapports privilégiés entre les partenaires de la formation universitaire dans le développement des processus identitaires, des compétences professionnelles et de l'exercice de la profession enseignante ;

- de la complexité de la relation pédagogique à l'école primaire et secondaire ou même à l'université, et des rapports interpersonnels engagés dans ces relations.

On ne peut donc parler d'éducation et de formation, de scolarisation et de socialisation sans poser le problème du passage de l'action individuelle à l'action collective, non pas à la façon d'une addition des comportements individuels ou de leur multiplication, mais de telle manière que soit reconstitué un ordre social toujours local et spécifique dans lequel s'inscrit l'action des acteurs en interaction signifiante. Les partenaires sont constamment confrontés aux défis que pose l'action organisée à son caractère problématique, construit, contingent et imprévisible.

On comprendra alors mieux les enjeux que révèlent la mise en place de nouvelles pratiques de formation et la construction de nouveaux partenariats tant à l'intérieur qu'à l'extérieur des facultés des sciences de l'éducation.

Contradictions et paradoxes de l'implantation des programmes

Comment concilier l'interdisciplinarité postulée par le champ d'étude et la transdisciplinarité souhaitée pour l'ensemble du programme avec la culture prévalante de l'université ?

Comment amener des étudiants et des étudiantes à développer des attitudes positives envers le travail collectif, à apprendre à échanger, à expérimenter, à se questionner et à réfléchir sur leur pratique sans que leurs professeurs à l'université ne fassent eux-mêmes la preuve que de tels objectifs de formation sont réalisables et que l'université peut y contribuer ?

Pourquoi faut-il toujours aller « dans le milieu scolaire » en dehors de l'université pour réfléchir sur la pratique de l'enseignement, comme si l'enseignement n'était pas aussi une réalité et une tâche de l'université, et une mission importante surtout pour les professeurs des sciences de l'éducation en formation des maîtres ?

Ces attentes ne cadrent pas avec la culture et les modes d'organisation universitaires. Il s'agit effectivement d'un problème d'intégration, non pas des savoirs, mais des personnes dans des parcours et des cheminements de formation qui permettent une articulation nouvelle et orientée des savoirs savants et des savoirs d'expérience.

De nouveaux partenariats ?

On associe souvent le défi de la concertation à celui de la mise en place de nouveaux partenariats, à l'intérieur de l'université comme à l'extérieur. À l'interne, Claude Lessard parle précisément des capacités collectives à développer dans les institutions universitaires face à la perte d'autonomie des universités et à l'apprentissage de nouvelles capacités de coopération avec des partenaires internes et externes sans abandonner sa mission et son expertise :

> Cela suppose d'apprendre à transiger, reconnaître le bien-fondé du point de vue des divers publics, et surtout de leurs critiques qu'on aura naturellement tendance à estimer injustes… ! Cela suppose aussi apprendre à formuler clairement son modèle de formation, et convaincre ses partenaires de sa valeur et de son potentiel d'efficacité ; cela aussi exige de leur montrer, sans faire trop de mystère, la maison de formation qu'on habite – finis les secrets de fabrication ! –, avec ses possibilités et ses réalisations, mais aussi ses contraintes, ses contradictions, ses difficultés. C'est cela une réelle ouverture, celle qui change les parties ainsi rapprochées et les force à traverser leurs défenses usuelles pour tenter de construire, dans le respect de chacun, de nouveaux rapports […] avec un engagement clair et un désir affiché d'être pris en compte et respecté, bref, prendre sa place autour de la table, pas toute la place, mais la sienne propre. (Lessard, 1996 : 5-6).

À propos du partenariat externe, Lessard suggère que la relative absence des formateurs universitaires dans les milieux de pratique pose la question de la capacité d'intégrer mieux la formation. En effet, comment arriver à cette intégration sans la présence des universitaires dans le milieu pour faire avancer à la fois la théorie et la pratique. Ainsi, l'un des enjeux de la réforme actuelle est sans doute l'intégration de la formation universitaire et la formation sur le terrain. Et Claude Lessard se demande « s'il est utile et nécessaire de confier à l'université la formation pratique des maîtres, si dans les faits ce sont les enseignants chevronnés, donc du personnel non universitaire et à l'emploi des commissions scolaires, qui pour l'essentiel la réalisent ? » (Lessard, 1996 : 10).

Le discours sur la professionnalisation a amené avec lui plusieurs courants de recherche qui se concentrent très souvent sur la composante personnaliste, artisanale, caractéristique de la recherche-action : la recherche pour l'éducation et non sur l'éducation, l'enseignant-chercheur, la recherche collaborative, une approche clinique de la formation, une approche dite de pratique réflexive, la prise en compte de la personne de l'enseignant, l'enseignement comme praxis, la formation continue par les collègues et centrée sur le partage des savoirs d'expérience et des savoirs pratiques, le mentorat. Claude Lessard affirme, parlant des professeurs des facultés des sciences de l'éducation engagés dans la formation des maîtres, que le grand danger qui les guette est de voir sombrer le projet de professionnalisation du métier d'enseignant dans le courant néo-libéral ou dans une réduction simpliste de la production d'une identité professionnelle à l'élaboration de savoirs pratiques (Lessard, 1996 : 19).

Pour passer d'un discours sur la professionnalisation à des pratiques de formation qui contribuent à la construction d'une pédagogie théorique apte à éclairer ce que Clermont Gauthier appelle la délibération du praticien, Lessard propose donc que les professeurs des sciences de l'éducation assument leur rôle d'intellectuel du champ de l'éducation ; que les orientations professionnelles du programme se concilient avec la production d'un savoir critique ; que les rapports entre l'université et les milieux de pratique atteignent un équilibre tout en évitant l'autocensure (Lessard, 1996 : 20).

Laisser les praticiens ne réfléchir qu'à partir de leur expérience et de leur action, c'est accepter l'idée saugrenue que l'action peut se transformer en pratique sociale productrice sans repères, sans balises, sans concepts, sans théories. Les universitaires détiennent donc une part importante de la responsabilité : ils sont appelés à produire ce savoir, à le débattre et à le diffuser. Cet équilibre est au cœur de l'identité des sciences de l'éducation (Lessard, 1996 : 21).

Résumé

Depuis quinze ans, la société québécoise, suivant en cela une tendance générale de plusieurs pays occidentaux, assiste à une augmentation impressionnante des demandes et des attentes de ses citoyens et des responsables de son système d'éducation, face aux missions que l'école doit assumer. Ces demandes s'expriment à travers : les rapports problématiques, ambigus et conflictuels à la culture, aux connaissances ou aux valeurs de plusieurs segments de la population ; les besoins des familles et les désirs de plusieurs organismes de voir l'école augmenter sa part de responsabilité en matière de garde et de socialisation ; enfin, les réformes ciblant des populations scolaires particulièrement à risque. Mais dans tous les cas, elles ont pour effet global un élargissement du rôle des maîtres, de leurs tâches et de leurs responsabilités.

Pendant la même période, les partenaires de la formation des maîtres, le ministère de l'Éducation, les universités, les syndicats et les associations d'enseignants et d'enseignantes, les commissions scolaires et les directions d'école ont soulevé de nombreuses critiques quant à la qualité de la formation des enseignants et des enseignantes et ont entrepris, à la fin des années 80, une révision des programmes de formation. Tant au primaire qu'au secondaire, le discours est à la professionnalisation du métier qui constitue l'enjeu le plus important des nouveaux programmes. Parmi les changements les plus considérables apparaissent le caractère unifié du programme du secondaire, le passage à quatre ans du temps de formation suivi de l'entrée en fonction, la poursuite simultanée de la formation disciplinaire, de la formation pédagogique et de la formation pratique, qui devient l'axe fondamental du programme.

Plusieurs enjeux de taille vont se jouer dans les universités, et particulièrement dans les facultés des sciences de l'éducation qui deviennent les maîtres d'œuvre des nouveaux programmes, dont les principaux concernent la professionnalisation du métier, la qualité de la formation générale et professionnelle des futurs enseignants et des futures enseignantes, l'articulation réussie de la théorie et de la pratique, l'équilibre pour les enseignants du secondaire entre la formation disciplinaire et la formation pédagogique.

C'est la période d'implantation des programmes qui constituera le moment stratégique déterminant, car elle devra permettre : la mise à l'épreuve des choix proposés en matière d'orientation professionnelle de la formation et de conception du métier et de ses conditions de pratique ; la mobilisation de toutes les ressources humaines disponibles avec ce qu'elle exige de nouveaux compromis et d'apprentissages collectifs à réaliser ; l'engagement des forces vives du monde de l'éducation envers le modèle de professionnalisation du métier avec ce qu'il suppose de débats publics et de pressions sur les gouvernements pour les convaincre que l'éducation du plus grand nombre de citoyens est encore la meilleure garantie à long terme de prospérité, de solidarité sociale et de démocratie.

Au moment de planifier un cours, l'enseignante ou l'enseignant doit tenir compte de plusieurs éléments qui préstructurent et influencent déjà les conditions dans lesquelles il se réalisera. Mais en même temps, tout reste à construire de façon « concrète » à partir de ses priorités, des objectifs poursuivis, des caractéristiques des étudiants, etc.

Dans l'enseignement, qui fait partie de ces métiers impossibles, la formation professionnelle n'est pas garante de l'efficacité des gestes posés. L'enseignante ou l'enseignant se heurte alors aux limites de l'influence d'un sujet sur un *autre* sujet, d'un acteur social sur un *autre* acteur social. Et cette interaction de « singularités » est complexe parce qu'elle favorise l'apparition d'antagonismes au cœur même de phénomènes supposément organisés et de paradoxes et contradictions au cœur de la théorie.

En effet, la collaboration spontanée des partenaires de la relation pédagogique ne peut être perçue que comme une présomption dangereuse. Avant d'être pédagogique, la relation entre le maître et l'élève est d'abord sociale en ce qu'elle s'inscrit dans un contexte où un acteur tente légitimement d'influencer un autre acteur en lui demandant de se plier de bonne grâce à une activité qui parfois rebute ce dernier. Ainsi, l'élève pourrait ne pas trouver de sens à une activité et, en conséquence, à tort ou à raison, ne pas trouver d'intérêt à y coopérer spontanément. Il est alors en situation de conflit avec le maître et avec la culture scolaire : voilà un obstacle de taille à la finalité même de la relation pédagogique, c'est-à-dire l'apprentissage scolaire.

Conflit et coopération sont donc des antagonismes au cœur de l'action (pédagogique) organisée. Chaque situation éducative est spécifique et exige que les enseignants créent des solutions adaptées, inédites, originales, appropriées aux diverses situations de leur pratique. C'est d'ailleurs pour cette raison que les enseignants doivent être des professionnels.

Conclusion

Arriver à modifier, pour les formateurs universitaires, à l'intérieur du système universitaire de formation des maîtres, la conception du métier d'enseigner, les modèles de formation, les logiques d'action, les modes de fonctionnement des acteurs individuels et collectifs, en particulier la division du travail et l'articulation « théorie-pratique » ; réussir, pour les enseignants en exercice, à changer la pratique enseignante dans les écoles et les classes, de sorte que soient valorisés des stratégies de travail collectif, un nouveau partage des tâches et du pouvoir, et que soit enfin atteint un objectif comme une réussite pour la presque totalité des étudiants ; parvenir, pour les universitaires et les enseignants et les enseignantes du milieu scolaire travaillant en partenariat, à créer de nouveaux rapports à la connaissance, à travailler de façon complémentaire et nouvelle, à définir les conditions et les façons appropriées d'enseigner et d'éduquer pour faire face aux problèmes actuels de l'école et réaliser ses objectifs les plus ambitieux ; réaliser, pour les partenaires de l'insertion professionnelle des nouveaux enseignants, les accords nécessaires à la responsabilité partagée en matière d'engagement, de soutien, d'encadrement et de certification des nouveaux enseignants ; bref, arriver à professionnaliser ce métier complexe qu'est l'enseignement n'est pas l'affaire de quelques années, mais de quelques décennies. Alors, cela vaut la peine de faire l'effort de réflexion en profondeur et d'investissement requis par tout travail valable de recherche et de développement.

Il faut donc jeter les bases d'un nouveau système de formation. Que peut-on et que doit-on faire en priorité pour assurer un développement durable d'un processus véritable et efficace de professionnalisation, et en particulier de son chaînon si important qu'est la formation initiale ?

Il n'y a pas de réponse simple et univoque à une question si générale. Cependant, si les partenaires universitaires, y compris ceux des sciences de l'éducation, veulent relever le défi de la professionnalisation, ils devront, en matière de formation initiale, faire chez eux ce qu'ils considèrent bon et souhaitable chez les autres, enseignants et enseignantes et stagiaires : centrer la formation sur les apprentissages de leurs étudiants et étudiantes en enseignement, situer ces apprentissages dans une vaste démarche clinique des parcours, des cheminements et des activités proposés ; mobiliser toutes les ressources disponibles ; favoriser un apprentissage collectif en créant les conditions d'une pratique réflexive de l'enseignement et de l'apprentissage ; enfin, construire une culture commune indispensable à la construction de l'identité et de la compétence professionnelles d'un métier en voie de professionnalisation.

QUESTIONS

1. Comment s'expriment dans l'institution scolaire les tensions et les divergences à propos de la culture, des connaissances et des valeurs ? Ces tensions sont-elles aussi présentes dans un programme de formation universitaire de formation des maîtres ? Explicitez.

2. Comment s'expriment et se manifestent dans l'école les nouvelles attentes des familles et de la société ? Quels problèmes posent-elles pour l'école et pour les enseignants ? Quelles sont vos attitudes face à toutes ces demandes ?

3. Quels sont les groupes qui font l'objet de préoccupations particulières ? En quoi constituent-ils des défis particuliers pour l'école publique ? Quelles sont les conséquences pour le personnel enseignant ?

4. Le mouvement de la professionnalisation de l'enseignement pourrait se justifier par deux argumentations opposées. Explicitez et indiquez celle qui vous paraît la meilleure, et dites pourquoi.

5. Quelles sont les caractéristiques d'une profession ? À quels signes, selon Perrenoud, reconnaîtrons-nous que l'enseignement devient un métier en voie de professionnalisation ?

6. Comment pourriez-vous illustrer que l'enseignement est une activité préstructurée, mais jamais déterminée ni dans son déroulement ni dans son résultat ?

7. Pourquoi dit-on de certains métiers, y compris de celui de l'enseignement, qu'ils sont des « métiers impossibles » ? Montrez comment et en quoi les paradoxes et les contradictions du métier surgissent précisément de « l'action » (pourtant organisée et structurée) et des théories.

8. L'action organisée ou l'action collective est un défi particulièrement difficile à relever en éducation, et cela, à tous les niveaux. Expliquez.

9. Comment peut-on, au sein même des établissements responsables de la formation des maîtres, passer du discours à la pratique à propos de la professionnalisation de l'enseignement ?

Conclusion

S'engager dans la conclusion de ce manuel consiste à prendre une distance face à ce qui a été fait, à s'éloigner pour un moment des préoccupations précises reliées au contenu de l'ouvrage. Conclure, c'est aussi prendre le temps d'évaluer le chemin parcouru afin de dégager ce qui n'a pu être fait compte tenu des contraintes qu'impose tout projet d'écriture, et ce qui pourrait être réalisé dans l'avenir. Certaines questions guident, dans ce contexte, le contenu de la conclusion. Quelles étaient nos intentions de départ, que voulions-nous faire de ce manuel? Qu'avons-nous fait concrètement, avons-nous atteint nos objectifs? Qu'est-ce qui pourrait être fait dans l'avenir afin de donner suite à ce travail? En somme, il nous faut interroger le passé de ce projet, analyser les conditions de sa réalisation dans le présent pour en nourrir l'avenir.

Ce que nous voulions faire ?

Le premier des constats à la base de l'écriture de ce manuel d'analyse sociale de l'éducation est celui d'un manque de ressources actualisées à l'analyse des problèmes de l'école d'aujourd'hui pour la formation des maîtres. Certes, on pouvait trouver sur le marché certains documents relatifs à l'analyse sociale de l'éducation à l'usage des étudiants en formation des maîtres. Pour la plupart toutefois, ils dataient d'une quinzaine voire d'une vingtaine d'années. En définitive, ils étaient peu adaptés à la situation actuelle de l'éducation qui a connu de nombreux changements depuis le milieu des années 80. On peut nommer, entre autres, les problèmes reliés à la pluriethnicité de la population scolaire notamment dans la région de Montréal, le phénomène de l'échec scolaire, la déconnexion entre les diplômes et les emplois disponibles, qui se traduit par un taux de chômage substantiel même chez ceux et celles qui ont atteint un niveau élevé de formation, la conversion graduelle du secteur public aux lois du néo-libéralisme, etc.

Le deuxième constat qui nous a incités à écrire ce manuel tient dans le fait que les ressources disponibles en analyse sociale de l'éducation relevaient de l'univers de la sociologie, de l'économie et de la politique, rarement de l'analyse sociale de l'éducation comme telle. En fait, ces ressources, qui puisaient allègrement dans les théories sociologiques, économiques et politiques, ne répondaient que très peu aux besoins de la clientèle en formation des maîtres, qui souhaite avant tout acquérir des outils lui permettant d'observer, de questionner et d'intervenir dans les milieux scolaires et plus particulièrement dans les classes. Or, ce qui était offert le plus souvent aux candidats à l'enseignement consistait en un amalgame de concepts théoriques, certes intéressants mais d'un usage limité dans le cadre d'un programme de formation des maîtres. C'est dans ce contexte que des efforts ont été faits depuis la fin des années 80 afin de rendre l'enseignement et les contenus des cours d'analyse sociale de l'éducation plus propices à une initiation aux aspects sociaux de l'éducation, tout en fournissant les outils favorables au développement d'une pratique réflexive chez les étudiants et les étudiantes. De plus, le «devenir enseignant» était abordé dans ces nouvelles conditions à la fois comme une pratique sociale et comme un objet d'étude.

Le troisième constat ayant fourni les justifications à la base de ce projet est le manque d'intégration des ressources disponibles en analyse sociale de l'éducation dans une démarche pédagogique. En fait, il était particulièrement paradoxal que dans un cours destiné à des futurs maîtres du primaire et du secondaire, on ne trouve pas des contenus systématiquement accompagnés de préoccupations pédagogiques et intégrés dans une démarche pédagogique. Si, dans ce cadre, nous n'avons pu aller aussi loin que nous l'avions espéré, il n'en demeure pas moins que le contenu du manuel relève d'une démarche intégrée où théorie et pratique s'organisent ensemble dans un texte, de manière cohérente. Certes, il aurait été pertinent d'offrir tous les outils pédagogiques qui ont servi à la structuration et à l'écriture des chapitres de ce manuel, en particulier du chapitre 6, mais les contraintes liées à la logique de leur présentation ne laissaient pas entrevoir cette possibilité. En fait, le chapitre 6 constituait la base du développement et de l'orientation de la démarche pédagogique du manuel ; cette démarche pédagogique visait à favoriser le développement chez les étudiantes et les étudiants d'une capacité accrue d'analyse propice au développement d'une pratique réflexive.

Ce que nous avons fait ?

Trois grandes intentions ont donc guidé la rédaction de ce manuel destiné à la formation des maîtres. Il s'agissait de sensibiliser d'abord, et d'intéresser ensuite, des étudiants et des étudiantes – qui ne sont pas d'emblée très attirés par l'analyse sociale – aux enjeux et aux débats sur l'éducation dans le Québec d'aujourd'hui. Il importait également de leur permettre d'approfondir l'analyse des débats et des enjeux qui ont façonné le système d'éducation depuis 30 ans au Québec, à travers les grilles d'analyse de la sociologie, de l'économie et de la politique. Enfin, il s'agissait de leur fournir des outils de réflexion et d'analyse des pratiques scolaires concrètes dans l'école d'aujourd'hui. En fait, ces trois moments du manuel visaient de manière prioritaire à donner à tous ceux et celles intéressés par le monde de l'éducation des instruments favorables d'une part à l'observation et à l'étude des pratiques scolaires et, d'autre part, au discernement et à la critique des modes d'action dans l'école et dans la classe. Précisons ces quelques éléments.

D'abord, nous voulions permettre aux étudiants et aux étudiantes dans les programmes de formation des maîtres de prendre conscience des grands enjeux de l'école aujourd'hui. Les États généraux sur l'éducation de 1995 nous ont amplement indiqué qu'après trente ans de réformes plus ou moins importantes de notre système d'éducation il était temps de revoir la situation de l'école et d'analyser de nouveau ses missions premières que sont l'éducation, l'instruction et la préparation au marché du travail, à l'aune des nouvelles réalités de la société québécoise. Peu d'écrits ont fait un tour d'horizon systématique de ces nouvelles réalités de la société québécoise qui affectent grandement l'école dans sa mission, son fonctionnement et dans les idéaux dont elle est porteuse depuis la réforme scolaire des années 60. Ce manuel entendait combler cette lacune.

Ensuite, nous voulions permettre aux étudiantes et aux étudiants en formation des maîtres d'examiner méthodiquement l'évolution de l'école depuis une centaine d'années et plus particulièrement depuis quarante ans. On le constate régulièrement, les arguments avancés par les différents groupes impliqués dans les débats et les enjeux de l'éducation sont souvent issus des enjeux qui avaient cours une ou plusieurs décennies auparavant. Dans ces conditions, il importe de pouvoir situer la provenance des discours utilisés par les acteurs de l'éducation, ce qui suppose une connaissance des grands enjeux de l'éducation tels qu'ils se présentent dans les différentes conjonctures au Québec depuis une quarantaine d'années. Les idéaux issus de la réforme scolaire des années 60 ont toujours leur place dans la société d'aujourd'hui. Comment ces idéaux ont-ils pris forme au moment de la Révolution tranquille au Québec ? Quelles répercussions ont-ils eues sur l'évolution de l'école dans la suite des choses ? Autant de questions auxquelles il faut répondre afin de bien comprendre les enjeux actuels de l'éducation. Dans ces conditions, un enseignement destiné à la formation des maîtres ne peut faire l'économie d'une prise de conscience et d'une analyse socio-historique de l'éducation.

Enfin, nous voulions fournir aux étudiantes et aux étudiants en formation des maîtres les outils de réflexion et d'analyse pour scruter en profondeur les pratiques scolaires de l'école d'aujourd'hui. Pour ce faire, il fallait pouvoir entrer dans les classes par le biais d'études ayant fait une analyse minutieuse des pratiques scolaires. Or, malgré un nombre intéressant d'études québécoises portant sur les pratiques scolaires, peu d'entre elles étaient mises à profit pour élaborer une analyse sociale de l'éducation. En fait, le matériel utilisé généralement pour ce type d'analyse est tiré des études américaines, françaises et britanniques. Il fallait aussi pouvoir sortir des modes d'analyse des grandes théories explicatives du rôle de l'école pour adopter des points de vue sociologiques plus préoccupés de rendre compte de ce qui se passe concrètement dans les écoles et dans les classes.

Ce qui reste à faire ?

L'analyse sociale de l'éducation est un domaine beaucoup trop vaste pour espérer en faire le tour dans le cadre d'un manuel. Dans la mesure où certains sujets sont ancrés plus profondément dans les enjeux actuels de l'éducation, ils doivent être traités avec plus de diligence. Cela n'exclut pas d'emblée tous les autres sujets relatifs à l'éducation, mais ils n'ont pu faire l'objet d'un traitement particulier dans le cadre de ce manuel. En fait, certaines analyses pourraient ou devraient être faites afin d'atteindre une compréhension plus élevée du rôle de l'école dans la société québécoise actuelle. Ces analyses portent essentiellement sur les grands défis qui attendent l'école dans les prochaines années.

Le premier défi de l'école, peut-être son plus grand d'ailleurs, consiste à retenir en ses murs des jeunes pour qui les savoirs scolaires semblent avoir peu d'utilité sociale et pour qui la rentabilité du diplôme décroît dans une conjoncture où le chômage demeure élevé. De plus, comment l'école d'aujourd'hui peut-elle faire pour intéresser des jeunes aux savoirs scolaires alors que ces derniers se voient offrir de plus en plus d'occasions d'apprendre en dehors de l'institution scolaire et dans des conditions qui leur conviennent beaucoup plus ?

Le deuxième défi de l'école est de créer les conditions nécessaires à la mise en place et à la stabilité de la relation pédagogique entre des publics scolaires plus hétérogènes qu'auparavant et un personnel enseignant pas toujours préparé à faire face à cette diversité. Cette situation est particulièrement difficile dans le cas où les enseignantes et les enseignants doivent faire face à des jeunes qui sont à l'école seulement pour ne pas être socialement disqualifiés. Cette situation est aussi difficile dans le cas des élèves qui sont à l'école pour des raisons strictement utilitaristes, qui calculent leurs moindres efforts, qui ne perdent pas de temps, pour qui rien ne peut être fait gratuitement, surtout pas le travail scolaire.

Le troisième défi de l'école touche à sa capacité de demeurer une institution démocratique. L'accès quasi généralisé à l'école primaire et secondaire aujourd'hui nous amène à se représenter cette école comme l'une des institutions les plus démocratiques dans la société. Ce point de vue sur l'école en cache un autre, plus critique celui-là, sur les fonctions concrètes de l'institution scolaire. En fait, le pouvoir d'inclusion de l'école est certes dorénavant très fort – n'est-elle pas un passage obligé ? –, mais ce pouvoir d'inclusion s'accompagne d'un pouvoir d'exclusion proportionnel. Et c'est sur ce point que les questions doivent être posées, car il est maintenant bien établi que ceux qui sont exclus de l'école sont des candidats potentiels à l'exclusion sociale. L'école peut-elle continuer à « produire » au-delà de 20 % d'exclus de ses rangs sans qu'on lui demande des comptes ? Dans une société démocratique – ou qui se présente comme telle – l'école peut-elle impunément créer les conditions propices à l'exclusion d'une part importante de la population ?

Le quatrième défi de l'école pour les années à venir concerne sa capacité à favoriser l'action concertée en son sein. Or, nous nous représentons encore bien souvent l'école comme une institution dont les modes d'organisation vont de soi, dont les acteurs deviennent partenaires à part entière en y mettant le pied. Cette image idyllique de l'organisation ne tient plus devant les effets pervers de l'action organisée que l'on observe dans l'école d'aujourd'hui. Pour changer cette représentation inexacte des phénomènes organisationnels de l'école, davantage d'études devront être faites afin de mettre au jour les multiples mécanismes et processus qui bloquent l'action et empêchent l'école de rendre à terme son mandat, c'est-à-dire la réussite scolaire et éducative des élèves quels que soient leur origine sociale, leur sexe, leur ethnie, leur langue et leur religion. Pour cela, il faudra penser à l'élaboration d'autres avenues dans la constitution d'une action commune et concertée.

En fait, ne pouvant plus se rattacher à des objectifs définis une fois pour toutes, ne pouvant plus être assurés que les modes d'action de demain seront ce qu'ils sont aujourd'hui, sommés de s'adapter aux changements auxquels est confrontée l'institution scolaire, les acteurs de l'école sont dorénavant tenus de générer de l'action concertée où la négociation, la redéfinition et l'anticipation tiennent une place importante. Cela demande à la base une volonté de travailler ensemble à atteindre des objectifs communs. Et l'équipe pédagogique a, dans ce contexte, un rôle majeur à jouer dans l'école et plus précisément dans la réussite de tous et de toutes.

Enfin, le dernier défi de l'école renvoie non pas à l'école comme telle mais à l'institution qui a la responsabilité de former les enseignantes et les enseignants de demain. L'université et plus particulièrement les facultés des sciences de l'éducation ont un rôle important à jouer dans le devenir de la profession enseignante. L'intelligence avec laquelle nous formons les futurs maîtres constitue une des meilleures garanties pour l'avenir. Les gens que nous formons aujourd'hui formeront nos enfants demain. Accepterions-nous de laisser nos enfants entre les mains de personnes qui ne les connaissent pas ? C'est pourtant ce que nous faisons quand nous confions des élèves à des maîtres sans que ces derniers soient pleinement conscients que ces jeunes sont le produit d'une culture d'abord, d'un milieu familial ensuite, d'une expérience sociale enfin. Pour bâtir une école de la réussite, il nous faudra des maîtres qui ont pour premier principe de leur éthique professionnelle la réussite de tous à l'école.

Bibliographie

ACCARDO, Alain (1983), *Initiation à la sociologie de l'illusionnisme social*, Bordeaux, Éditions le Mascaret.

ALLAIRE, André, Jean RENAUD et Paul BERNARD (1981), « Scolarité et revenu en début de carrière : une relation inflationniste », *Recherches sociographiques*, vol. XXII, n° 3, septembre-décembre, 361-378.

ALLAIRE, André, Paul BERNARD et Jean RENAUD (1979), « Qui s'instruit s'enrichit ? », *Possibles*, vol. 3, n°ˢ 3-4, printemps-été, 13-33.

ALTHUSSER, Louis (1970), « Idéologie et appareils idéologiques d'État : notes pour une recherche », *La Pensée*, 151, mai-juin, 3-38.

ANADON, Marta (1989), *L'École québécoise : jeux et enjeux des forces sociales*, 1970-1980, Québec, Université Laval, Laboratoire de recherches sociologiques, Département de sociologie.

ANADON, Marta, Catherine GARNIER et Pauline MINIER (1994), « Relations entre parents et enseignants : étude des représentations sociales », *Vie pédagogique*, n° 89, mai-juin, 44-49.

ANSART, Pierre (1990), *Les Sociologies contemporaines*, Paris, Seuil.

ARENILLA, Louis (1976), « Compte rendu de l'ouvrage de Basil Bernstein, *Langage et classes sociales* », *Cahiers internationaux de sociologie*, vol. LXI, 367-369.

ARON, Raymond (1959), « La société américaine et sa sociologie », *Cahiers internationaux de sociologie*, vol. XXVI, 1959, 55-68.

ASSELIN, Pierre (1985), « L'école d'aujourd'hui cherche encore une place pour ses "doués" », *Le Soleil*, 20 octobre.

AUDET, Louis-Philippe (1964), *Histoire du Conseil de l'Instruction publique*, Montréal, Éditions Léméac.

AUDET, Louis-Philippe (1968), « Le premier ministère de l'Instruction publique au Québec, 1867-1875 », *Revue d'histoire de l'Amérique française*, 1968, 171-222.

AUDET, Louis-Philippe (1969), *Bilan de la réforme scolaire au Québec, 1959-1969*, Montréal, Université de Montréal.

AUDET, Louis-Philippe (1971), *Histoire de l'enseignement au Québec, 1840-1971*, Montréal, Holt, Rinehart et Winston, tomes 1 et 2.

AUDET, Michel et Jacques GRISÉ (1995), « La gestion continue du changement », dans Alain Martel et Muhittin Oral (dirs.), *Les Défis de la compétitivité. Bilan et solutions*, Montréal, Éditions Publi-Relais, 59-72.

BABY, Antoine (1986), « École et pluralisme », dans *Les Actes des États généraux sur la qualité de l'éducation*, tenus à Montréal les 2, 3, 4 et 5 avril, s.l., s.é., 26-30.

BABY, Antoine (1992), « L'échec et l'abandon scolaires observés depuis la face cachée de la lune », dans Roland Ouellet *et al.*, *Pour favoriser la réussite. Réflexions et pratiques*, Québec, CEQ et Éditions Saint-Martin, 27-37.

BABY, Antoine (1994), *L'École, les jeunes et les nouvelles réalités sociales*, Communication donnée dans le cadre du Colloque pédagogique régional, 14 et 15 avril, Les Etchemins, Charny.

BACHELARD, Gaston (1969), *La Formation de l'esprit scientifique. Contribution à une psychanalyse de la connaissance objective*, 6ᵉ édition, Paris, Librairie Philosophique J. Vrin.

BAILLON, Robert (1982), *Les Consommateurs d'école*, Paris, Stock.

BAJOIT, Guy et Abraham FRANSSEN (1995), *Les Jeunes dans la compétition culturelle*, Paris, Presses universitaires de France.

BALTHAZAR, Louis et Jules BÉLANGER (1989), *L'École détournée*, Montréal, Boréal.

BARBER, Bernard (1957), *Social Stratification: A Comparative Analysis of Structure and Process*, New York, Harcourt, Brace & World.

BARIL, Daniel (1995), *Les Mensonges de l'école catholique. Les insolences d'un militant laïque*, Montréal, VLB Éditeur, collection « Partis pris actuels ».

BAUDELOT, Christian et Roger ESTABLET (1971), *L'école capitaliste en France*, Paris, Maspero.

BAUDELOT, Christian et Roger ESTABLET (1979), *L'école primaire divise… : un dossier*, Paris, Maspero.

BAUDOUX, Claudine et Albert NOIRCENT (1993), « Rapport de sexe dans les classes du collégial québécois », *Revue canadienne de l'éducation*, 18, 2, printemps, 150-167.

BEAUCHEMIN, Mario (1991), *La Centralité de l'État-Providence dans le mode de vie des étudiants-es universitaires au Québec : 1950-1985. Contribution à l'étude de la stratification sociale*, Thèse (M.A.), Université Laval, décembre.

BEAUCHESNE, André et Hélène HENSLER (1987), *L'École française à clientèle pluriethnique de l'île de Montréal*, Québec, Les publications du Québec, Dossiers du Conseil de la langue française, nᵒ 25.

BEAUDOIN, Jean (1986), « École et pluralisme », dans *Les Actes des États généraux sur la qualité de l'éducation*, tenus à Montréal les 2, 3, 4 et 5 avril, s.l., s.é., 31-40.

BEAUDOIN, Louise (1972), *L'Évolution des structures de l'État québécois 1940-1970*, Québec, Institut supérieur des sciences humaines, Université Laval.

BEAUDRY, Lucille et Lizette JALBERT (1987), « Le néo-libéralisme, signification et portée politique », dans Lizette Jalbert et Lucille Beaudry (direction), *Les Métamorphoses de la pensée libérale : sur le néo-libéralisme actuel*, Sillery, Presses de l'Université du Québec, 9-28.

BEAULIEU, Pierre (1975), *Les Éditorialistes montréalais et la Restructuration scolaire, 1966-1972*, Montréal, Conseil scolaire de l'île de Montréal.

BEAULNE, Pierre (1982), « Les restrictions dans les dépenses de santé et d'éducation au Québec : nature et incidence », dans Gilles Dostaler (présentation), *La Crise économique et sa gestion*, Montréal, Boréal Express, 211-225.

BECKER, Gary S. (1964), *Human Capital : A Theoretical and Empirical Analysis, with Special Reference to Education*, New York, Columbia University Press.

BECKER, Gary S. (1967), *Human Capital and the Personal Distribution of Income : An Analysis Approach*, Woytinski Lecture, University of Michigan.

BECKERS, J. (1995), « Les futurs enseignants se sentent-ils une responsabilité vis-à-vis de l'échec scolaire ? », *Éducation et recherche*, vol. 17, nᵒ 3, 334-350.

BÉDARD, Robert (1981), « Pertinence et utilité sociales de la recherche A.S.O.P.E. », dans Les cahiers d'A.S.O.P.E., *Le Projet A.S.O.P.E. : son orientation, sa méthodologie, sa portée sociale, et ses réalisations*, volume VII, Québec/Montréal, Université Laval et Université de Montréal, 87-161.

BÉLAND, François *et al.* (1973), « Présentation », *Sociologie et sociétés*, vol. V, nᵒ 1, mai, 3-7.

BÉLAND, Paul (1978), « L'école privée et la démocratisation : sélection et processus », *Revue des sciences de l'éducation*, vol. IV, nᵒ 2, printemps, 249-264.

BÉLANGER, Maurice (1996), « Les écoles à domicile et les écoles à charte : deux courants alternatifs au sein de l'éducation américaine », dans Richard Pallascio, Louise Julien et Gabriel Gosselin, *L'École alternative : un projet d'avenir*, Laval, Éditions Beauchemin, 185-208.

BÉLANGER, Pierre W. *et al.* (1978), « Commentaires critiques sur le Livre vert », *Prospectives*, février-avril, 9-26.

BÉLANGER, Pierre W. et Guy ROCHER (1975a), « Avant-propos », dans Pierre W. Bélanger et Guy Rocher (textes choisis et présentés par), *École et société au Québec*, Montréal, Hurtubise HMH, première édition 1970, 11-13.

BÉLANGER, Pierre W. et Guy ROCHER (1975b), « Éléments d'une sociologie de l'éducation », dans Pierre W. Bélanger et Guy Rocher (textes choisis et présentés par), *École et société au Québec*, Montréal, Hurtubise HMH, première édition 1970, 19-32.

BÉLIARD, Lita (1990), « Reflet de l'intégration sociale et scolaire des jeunes dans la structure familiale », dans Elca Tarrab, Ginette Plessis-Bélair et Yves Girault (éds.), *Les Communautés culturelles au Québec et la Recherche en éducation*, Montréal, Université de Montréal, Faculté des sciences de l'éducation, 87-92.

BELL, Daniel (1976), *Vers la société post-industrielle*, Paris, Robert Laffont, première édition en anglais, 1973.

BELL, Daniel (1979), *Les Contradictions culturelles du capitalisme*, Paris, Presses universitaires de France, première édition en anglais, 1976.

BERGER, Peter et Thomas LUCKMANN (1986), *La Construction sociale de la réalité*, Paris, Méridiens-Klincksieck, première édition, 1966.

BERNIER, Gérald et Gérard BOISMENU (1983), « Présentation », dans *Crise économique, transformations politiques et changements idéologiques*, Montréal, Association canadienne-française pour l'avancement des sciences (ACFAS), Actes du colloque de la Société québécoise de science politique, 9-16.

BERNIER, Léon (1979), « Quand les penseurs de la CEQ veulent faire croire qu'ils ont oublié Poulantzas », *Possibles*, vol. 3, nos 3-4, printemps-été, 37-54.

BERNSTEIN, Basil (1971), « On the Classification and Framing of Educational Knowledge », dans Michael F.D. Young (ed.), *Knowledge and Control*, London, Collier-Macmillian, 47-69.

BERNSTEIN, Basil (1975), *Langage et classes sociales. Codes sociolinguistiques et contrôle social*, Paris, Éditions de Minuit.

BERTHELOT, Jean-Michel (1993), *École, orientation, société*, Paris, Presses universitaires de France, Collection « Pédagogie d'aujourd'hui ».

BERTHELOT, Jocelyn (1988), *L'école privée est-elle d'intérêt public ?*, Québec, Centrale de l'enseignement du Québec.

BERTHELOT, Jocelyn (1991), *Apprendre à vivre ensemble. Immigration, société et éducation*, Québec et Montréal, Centrale de l'enseignement du Québec et Éditions Saint-Martin.

BERTHELOT, Jocelyn (1992a), « L'abandon des études : un coup d'œil historique », *L'Action nationale*, vol. LXXXII, no 6, juin, 770-780.

BERTHELOT, Jocelyn (1992b), « Les exigences d'une école de la réussite », dans *Pour favoriser la réussite scolaire, Réflexions et pratiques*, Québec et Montréal, Centrale de l'enseignement du Québec et Éditions Saint-Martin, 77-88.

BERTHELOT, Jocelyn (1994), *Une école de son temps*, Québec et Montréal, Centrale de l'enseignement du Québec et Éditions Saint-Martin.

BERTHELOT, Michèle (1992), « Le personnel enseignant et la réussite scolaire », dans *Pour favoriser la réussite scolaire : Réflexions et pratiques*, Québec et Montréal, Centrale de l'enseignement du Québec et Éditions Saint-Martin, 230-238.

BERTRAM, Gordon W. (1975), « L'éducation et la croissance économique », dans Pierre W. Bélanger et Guy Rocher (textes choisis et présentés par), *École et société au Québec*, Montréal, Hurtubise HMH, première édition 1970, 153-173.

BERTRAND, Yves et Paul VALOIS (1980), *Les Options en éducation*, Québec, Ministère de l'Éducation, Secteur de la planification, Service de la recherche.

BISSERET, Noëlle (1971), « Notion d'aptitude et société de classe », *Cahiers internationaux de sociologie*, cahier double, juillet-décembre, 317-342.

BISSONNETTE, Lise (1981), « Le vrai référendum : oui ou non à l'école », *L'actualité*, mars.

BISSONNETTE, Lise (1988), « Le droit à l'éducation », dans Vincent Lemieux (dir.), *Les Institutions québécoises : leur rôle, leur avenir*, Québec, Presses de l'Université Laval, 115-125.

BOIVIN, Dominique (1984), *Le Lobbying ou le Pouvoir des groupes de pression*, Montréal, Éditions du Méridien.

BOUCHARD, Pierrette (dir.) (1994), *La Recherche qualitative*, Québec, Université Laval, Les cahiers du LABRAPS (Laboratoire de recherche en administration et politique scolaires), Série Études et Recherche, vol. 6.

BOUCHARD, Pierrette et Jean-Claude ST-AMANT (1996), *Garçons et filles : stéréotypes et réussite scolaire*, Montréal, Les Éditions du remue-ménage.

BOUCHARD, Pierrette, Jean-Claude ST-AMANT et Jacques TONDREAU (1996a), « Les filles réussissent mieux, pourquoi ? », *Options CEQ*, nº 14, printemps, 151-165.

BOUCHARD, Pierrette, Jean-Claude ST-AMANT et Jacques TONDREAU (1996b), « Socialisation sexuée, soumission et résistance chez les garçons et les filles de troisième secondaire au Québec », *Recherches féministes*, vol. 9, nº 1, 105-133.

BOUCHARD, Pierrette, Jean-Claude ST-AMANT et Jacques TONDREAU (à paraître), *Les Expériences scolaires des élèves au secondaire : rapports sociaux de sexe et de classe*.

BOUCHARD, Roméo (1969), « L'école, qu'ossa donne ? », *Le Quartier latin*, vol. 52, nº 1, 17 septembre.

BOUDON, Raymond (1973a), *L'Inégalité des chances ; la mobilité sociale dans les sociétés industrielles*, Paris, Armand Colin.

BOUDON, Raymond (1973b), « Éducation et mobilité », *Sociologie et sociétés*, vol. V, nº 1, 111-125.

BOUDON, Raymond (1975), *Communication présentée lors de la réunion du comité de recherche sur la stratification sociale de l'Association internationale de sociologie*, Genève, non publiée.

BOUDON, Raymond (1976), « Comment on Hauser's Review of *Education, Opportunity and Social Inequality* », *American Journal of Sociology*, vol. 81, nº 5, 1175-1187.

BOUDON, Raymond (1977), *Effets pervers et ordre social*, Paris, Presses universitaires de France.

BOUDON, Raymond (1979), *La Logique du social*, Paris, Hachette.

BOUDON, Raymond (1988), « Individualisme ou holisme : un débat méthodologique fondamental », dans Henri Mendras et Michel Verret, *Les Champs de la sociologie française*, Paris, Armand Colin, 31-45.

BOUDON, Raymond (1990), « Les causes de l'inégalité des chances scolaires », *Commentaire*, vol. 13, nº 51, automne, 533-542.

BOUDON, Raymond et François BOURRICAUD (1982), *Dictionnaire critique de la sociologie*, Paris, Presses universitaires de France.

BOUDREAULT, Gilles (1992), « La mesure de l'abandon scolaire », *Vie Pédagogique*, L'école de la réussite, nº 80, septembre-octobre.

BOURDIEU, Pierre (1966), « L'école conservatrice : les inégalités devant l'école et la culture », *Revue française de sociologie*, VII, 3, 325-347.

BOURDIEU, Pierre (1972), *Esquisse d'une théorie de la pratique*, Genève, Droz.

BOURDIEU, Pierre (1979), *La Distinction : critique sociale du jugement*, Paris, Éditions de Minuit.

BOURDIEU, Pierre et Jean-Claude PASSERON (1964), *Les Héritiers*, Paris, Éditions de Minuit.

BOURDIEU, Pierre et Jean-Claude PASSERON (1970), *La Reproduction : éléments pour une théorie du système d'enseignement*, Paris, Éditions de Minuit.

BOURDONCLE, Roger (1990), « De l'instituteur à l'expert. Les IUFM et l'évolution des institutions de formation », *Recherche et formation*, nº 8, 57-72.

BOURGEAULT, Guy (1993), « Entre nous… et avec les autres. À propos de quelques modèles de rapports interculturels chez des enseignants », *Repères*, nº 15, Montréal, Université de Montréal, 15-25.

BOURGEAULT, Guy (1994), « Démocratisation de l'école, recherche de l'excellence, pratiques de pédagogie différenciée... par-delà les slogans », dans *L'Égalitarisme en question*, Fides, *Cahiers de Recherche Éthique*, nº 18, 147-165.

BOURRET, André (1987), *Le Bon d'étude dans la perspective québécoise*, Sainte-Foy, Fédération des commissions scolaires catholiques du Québec.

BOURRICAUD, François (1975), « Contre le sociologisme : une critique et des propositions », *Revue française de sociologie*, vol. XVI, 583-603.

BRAIS, Yves (1992), *Retard scolaire au primaire et risque d'abandon scolaire au secondaire*, Québec, Ministère de l'Éducation, Direction de la recherche.

BRASSARD, André (1986), « L'école : un fourre-tout ? », dans *Les Actes des États généraux sur la qualité de l'éducation*, tenus à Montréal les 2, 3, 4 et 5 avril, s.l., s.é., 50-55.

BRAUD, Philippe (1992), *Manuel de sociologie politique*, Paris, Librairie générale de droit et de jurisprudence.

BRETON, S. (1993), *Le Vécu de l'intégration du personnel caissier : le cas particulier d'une expérience de qualité de service*, Sherbrooke, Université de Sherbrooke, Faculté d'éducation, Mémoire de maîtrise.

CAILLAT, Marie-France et Dominique GLAS-MAN (1995), « École-formation. Quel recours pour quelle réussite ? », dans Gilbert Berlioz et Alain Richard (dirs.), *Les 15-25 ans, acteurs dans la cité*, Paris, Syros, 117-120.

CAMILLERI, Carmel (1986), « Identité et changements sociaux : point de vue d'ensemble », dans *Identités collectives et changements sociaux* (sous la direction de Pierre Tap), Paris, Sciences de l'homme, Privat, 331-342.

CANIVEZ, Patrice (1992), « La formation des enseignants », dans *Universalia 1992, La Politique, les connaissances, la culture en 1991*, Encyclopædia Universalis, Éditeur à Paris, 153-159.

CAOUETTE, Charles E. et Huguette BÉGIN (1991), « Les effets pervers de l'excellence et l'urgence de nouveaux défis en éducation »,

Apprentissage et socialisation, vol. 14, nº 4, décembre, 239-246.

CAOUETTE, Charles E. et Huguette BÉGIN (1993), « Effets pervers et nouveaux défis : l'excellence en éducation », *Relations*, septembre, nº 593, 207-210.

CAPPON, Paul (1974), *Conflit entre les néo-Canadiens et les francophones de Montréal*, Québec, Presses de l'Université Laval.

CARNOY, Martin (1978), *The Limits of Educational Reform*, New York, London, Longman.

CASTORIADIS, Cornelius (1975), *L'Institution imaginaire de la société*, Paris, Seuil.

CENTRALE DE L'ENSEIGNEMENT DU QUÉBEC (1972), *L'École au service de la classe dirigeante*, Québec, La Centrale.

CENTRALE DE L'ENSEIGNEMENT DU QUÉBEC (1974), *École et luttes de classe au Québec*, Québec, La Centrale.

CENTRALE DE L'ENSEIGNEMENT DU QUÉBEC (1975), *Pour une journée d'étude au service de la classe ouvrière*, « Manuel du 1er mai », Québec, La Centrale.

CENTRALE DE L'ENSEIGNEMENT DU QUÉBEC (1978), *Pour une école de masse à bâtir maintenant. Proposition d'école*, Québec, La Centrale.

CENTRALE DE L'ENSEIGNEMENT DU QUÉBEC (1979), *Un pas en avant... deux pas en arrière : position de la CEQ sur l'École québécoise du MEQ*, Québec, La Centrale.

CENTRALE DE L'ENSEIGNEMENT DU QUÉBEC (1989), *Mémoire concernant les orientations gouvernementales en matière d'aide financière aux étudiantes et aux étudiants dans les années 1990*, Québec, La Centrale.

CENTRE DE RECHERCHE ET D'INTERVENTION SUR LA RÉUSSITE ÉDUCATIVE ET SCOLAIRE (1994), *Les Stéréotypes sexuels et l'Abandon au secondaire*, Québec, Université Laval, Centre de recherche et d'intervention sur la réussite éducative et scolaire (CRIRES), nº 4, mars.

CHALVIDAN, Pierre-Henri (1988), « Quand l'individualisme se fait religion, un parcours dans la pensée moderne », dans Josiane Attuel (dir.),

L'Individualisme: permanence et métamorphoses, Paris, Presses universitaires de France, 319-343.

CHAREST, Pauline (1994), « Ethnométhodologie et recherche en éducation », *Revue des sciences de l'éducation*, vol. XX, nº 4, 741-756.

CHARLAND, Jean-Pierre (1982), *Histoire de l'enseignement technique et professionnel*, Québec, Institut québécois de recherche sur la culture (IQRC).

CHARLAND, Jean-Pierre (1987), « Le réseau d'enseignement public bas-canadien, 1841-1867 : une institution de l'État libéral », *Revue d'histoire de l'Amérique française*, vol. 40, nº 4, 505-535.

CHARLOT, Bernard (1995), « La signification du savoir dans la société d'aujourd'hui », *Éducations*, Janvier, 53-55.

CHARTIER, Évelyne (1989), *Planifier un cours, c'est prendre des décisions*, Bruxelles, De Boeck Université, Paris, Éditions Universitaires.

CHENARD, Pierre et Mireille LÉVESQUE (1992), « La démocratisation de l'éducation : succès et limites », dans Gérard Daigle (direction) et Guy Rocher (collaboration), *Le Québec en jeu. Comprendre les grands défis*, Montréal, Presses de l'Université de Montréal, 385-422.

CHERKAOUI, Mohamed (1986), *Sociologie de l'éducation*, Paris, Presses universitaires de France.

CHOPART, Jean-Noël (1988), « Notes de lecture sur l'ouvrage d'Alain Minc, *La Machine égalitaire* », dans *Les Cahiers de la recherche sur le travail social*, nº 14, *Le Social à l'épreuve du néolibéralisme*, Caen, Université de Caen, Centre de recherche sur le travail social, 133-137.

CHORNEY, Harold, Marguerite MENDELL et Philip HANSEN (1987), « Les sources de la Nouvelle Droite américaine », dans Lizette Jalbert et Lucille Beaudry (dirs.), *Les Métamorphoses de la pensée libérale : sur le néo-libéralisme actuel*, Sillery, Presses de l'Université du Québec, 87-123.

CHRITEN, Yves (1982), *Le Dossier Darwin. La sélection naturelle, l'eugénisme, la sociobiologie, le darwinisme social*, Paris, Éditions Copernic.

CIFALI, Mireille (1986), « L'infini éducatif : mise en perspectives », dans Michel Fain *et al.* (éd.),

Les Trois Métiers impossibles, Paris, Les Belles Lettres, Confluents psychanalytiques.

CINNAMOND, J. (1992), *The Development of Intersubjective Trust: Rules and Practices*, Thèse de doctorat, University Microfilms International, 5032.

CLEAVER, Roseline *et al.* (1976), *École et société : continuité ou rupture ? Les attentes de la société à l'égard de l'enseignement collégial*, Québec, Gouvernement du Québec, Conseil supérieur de l'éducation.

CLÉMENT, Werner (1988), « Pour un renouveau du paradigme du capital humain », *Éducation permanente*, juin, 21-31.

CLERC, Denis (1981), « Ordre social et dictature du marché », *Le monde diplomatique*, mai, 12-13.

CLOUTIER, Renée (1983), « L'école et la culture », dans Renée Cloutier, Jean Moisset et Roland Ouellet (dirs.), *Analyse sociale de l'éducation*, Montréal, Boréal Express, 71-86.

CLOUTIER, Renée, Jacques LA HAYE et Danielle MORNEAU (1991), « Les cheminements universitaires au premier cycle au Québec : une mosaïque à explorer », dans Miala Diambomba, Madeleine Perron, Claude Trottier (dirs.), *Les Cheminements scolaires et l'insertion professionnelle des étudiantes et des étudiants de l'université. Éléments d'un bilan d'études au Québec*, Québec, Université Laval, Les cahiers du LABRAPS, 11-91.

CLOUTIER, Richard (1991), *Les Habitudes de vie des élèves du secondaire*, Québec, Ministère de l'Éducation, Direction de la recherche.

COHEN-ÉMERIQUE, Margalit (1985), « La formation des praticiens en situations interculturelles, le choc culturel : méthode de formation et outil de recherche », *L'Interculturel en éducation et en sciences humaines*, Toulouse, Université de Toulouse-le-Mirail, Services des publications, 279-294.

COLEMAN, James S. *et al.* (1966), *Equality of Educational Opportunity*, Washington D.C., United States, Department of Health, Education and Welfare, Government Printing Office.

COMITÉ D'ÉLABORATION DU PROGRAMME DE BACCALAURÉAT EN ENSEIGNEMENT SECONDAIRE (1993), *Projet de programme de baccalauréat en enseignement secondaire*, Québec, Université Laval, 15 mars.

COMMISSION D'ÉTUDE SUR LES UNIVERSITÉS (1979), *Les Étudiants à l'université*, Québec, Gouvernement du Québec, Comité d'étude sur l'organisation du système universitaire, Rapport, mai.

COMMISSION DES ÉCOLES CATHOLIQUES DE MONTRÉAL (CECM) (1987), *Une école centrée sur l'apprentissage. Plan d'action*, Document de consultation.

COMMISSION DES ÉTATS GÉNÉRAUX SUR L'ÉDUCATION (1996a), *L'Exposé de la situation – Les états généraux sur l'éducation. 1995-1996*, Québec, Gouvernement du Québec.

COMMISSION DES ÉTATS GÉNÉRAUX SUR L'ÉDUCATION (1996b), *Rapport de synthèse des conférences régionales*, Québec, Gouvernement du Québec.

COMMISSION EUROPÉENNE D'ÉDUCATION ET DE FORMATION (1996), *Le Magazine*, n° 5.

CONEN-HUTHER, Jacques (1984), *Le Fonctionnalisme en sociologie : et après ?*, Bruxelles, Université de Bruxelles.

CONSEIL CONSULTATIF CANADIEN SUR LA SITUATION DE LA FEMME (1992), *J'ai des choses à dire... Écoutez-moi ! Sondage auprès d'adolescentes du Canada*, Ottawa, Le Conseil, mars.

CONSEIL DES COMMUNAUTÉS CULTURELLES ET DE L'IMMIGRATION DU QUÉBEC (1993), *Gérer la diversité dans un Québec francophone, démocratique et pluraliste. Principes de fond et de procédure pour guider la recherche d'accommodements raisonnables*, Québec, Le Conseil, 1993.

CONSEIL ÉCONOMIQUE DU CANADA (1992), *Les Chemins de la compétence : éducation et formation professionnelle au Canada*, Ottawa, Le Conseil.

CONSEIL PERMANENT DE LA JEUNESSE (1992a), *« Raccrocher » l'école aux besoins des jeunes*, Québec, Le Conseil.

CONSEIL PERMANENT DE LA JEUNESSE (1992b), *Une « cure » de jeunesse pour l'enseignement collégial*, Québec, Le Conseil.

CONSEIL PERMANENT DE LA JEUNESSE (1995), *Le Régime d'aide financière aux étudiants : maintenir le cap malgré la tourmente*, Québec, Le Conseil, février.

CONSEIL SUPÉRIEUR DE L'ÉDUCATION (1981), *La Confessionnalité scolaire*, Québec, Le Conseil.

CONSEIL SUPÉRIEUR DE L'ÉDUCATION (1983), *L'Éducation interculturelle. Avis au ministre de l'Éducation*, Québec, Le Conseil.

CONSEIL SUPÉRIEUR DE L'ÉDUCATION (1984a), *La Condition enseignante. Avis au ministre de l'Éducation*, Québec, Le Conseil.

CONSEIL SUPÉRIEUR DE L'ÉDUCATION (1984b), *La recherche de la qualité : les personnes qui font l'école secondaire – Avis au ministre de l'Éducation*, Québec, Le Conseil.

CONSEIL SUPÉRIEUR DE L'ÉDUCATION (1984c), *Vers des aménagements de la formation et du perfectionnement des enseignants du primaire et du secondaire. Commentaires sur un projet ministériel. Avis au ministre de l'Éducation*, Septembre, Le Conseil.

CONSEIL SUPÉRIEUR DE L'ÉDUCATION (1985), *Par-delà les écoles alternatives : la diversité et l'innovation dans le système scolaire public, Avis au ministre de l'Éducation*, Québec, Le Conseil.

CONSEIL SUPÉRIEUR DE L'ÉDUCATION (1986), *L'Éducation aujourd'hui : une société en changement, des besoins en émergence*, Rapport annuel 1985-1986 sur l'état et les besoins de l'éducation, Québec, Le Conseil.

CONSEIL SUPÉRIEUR DE L'ÉDUCATION (1987a), *La Qualité de l'éducation, un enjeu pour chaque établissement*, Rapport 1986-1987, Québec, Le Conseil.

CONSEIL SUPÉRIEUR DE L'ÉDUCATION (1987b), *Les Défis éducatifs de la pluralité*, Québec, Le Conseil.

CONSEIL SUPÉRIEUR DE L'ÉDUCATION (1987c), *Rapport 86-87 sur l'état et les besoins de l'éducation. La qualité de l'éducation : un enjeu pour chaque établissement*, Québec, Le Conseil.

CONSEIL SUPÉRIEUR DE L'ÉDUCATION (1988a), *Le Rapport Parent, vingt-cinq ans après*, Rapport annuel 1987-1988 sur l'état et les besoins de l'éducation, Québec, Le Conseil.

CONSEIL SUPÉRIEUR DE L'ÉDUCATION (1988b), *Propositions et politiques sur l'école : principales interventions des dix dernières années*, Québec, Le Conseil, Collection « Études et documents », n° 6.

CONSEIL SUPÉRIEUR DE L'ÉDUCATION (1988c), *Rapport annuel sur l'état et les besoins de l'éducation. Le Rapport Parent vingt-cinq ans après*, Québec, Le Conseil.

CONSEIL SUPÉRIEUR DE L'ÉDUCATION (1991a), *La Profession enseignante : vers un renouvellement du contrat social*, Rapport annuel 1990-1991, Québec, Le Conseil.

CONSEIL SUPÉRIEUR DE L'ÉDUCATION (1991b), *L'Intégration des savoirs au secondaire : au cœur de la réussite éducative*, Québec, Le Conseil.

CONSEIL SUPÉRIEUR DE L'ÉDUCATION (1991c), *Une pédagogie pour demain à l'école primaire*, Québec, Le Conseil.

CONSEIL SUPÉRIEUR DE L'ÉDUCATION (1992a), *Évaluer les apprentissages au primaire : un équilibre à trouver. Avis au ministre de l'Éducation*, Québec, Le Conseil.

CONSEIL SUPÉRIEUR DE L'ÉDUCATION (1992b), *La Gestion de l'éducation : nécessité d'un autre modèle*, Québec, Le Conseil, Rapport annuel 1991-1992 sur l'état et les besoins de l'éducation.

CONSEIL SUPÉRIEUR DE L'ÉDUCATION (1992c), *Les Nouvelles Populations étudiantes des collèges et des universités : des enseignements à tirer*, Québec, Le Conseil.

CONSEIL SUPÉRIEUR DE L'ÉDUCATION (1993a), *Le Défi d'une réussite de qualité*, Québec, Le Conseil.

CONSEIL SUPÉRIEUR DE L'ÉDUCATION (1993b), *Pour un accueil et une intégration réussis des élèves des communautés culturelles*, Québec, Le Conseil.

CONSEIL SUPÉRIEUR DE L'ÉDUCATION (1994a), *Des conditions pour faire avancer l'école. Avis du Conseil supérieur de l'éducation et de la science*, Québec, Le Conseil.

CONSEIL SUPÉRIEUR DE L'ÉDUCATION (1994b), *Être parent d'élève du primaire : une tâche éducative irremplaçable. Avis au ministre de l'Éducation*, Québec, Le Conseil.

CONSEIL SUPÉRIEUR DE L'ÉDUCATION (1994c), *Les Nouvelles Technologies de l'information et de la communication : des engagements pressants*, Rapport annuel 1993-1994 sur l'état et les besoins de l'éducation, Québec, Le Conseil.

CONSEIL SUPÉRIEUR DE L'ÉDUCATION (1995a), *Pour la réforme du système éducatif – Dix années de consultations et de réflexion*, Québec, Le Conseil.

CONSEIL SUPÉRIEUR DE L'ÉDUCATION (1995b), *Pour une école primaire pour les enfants d'aujourd'hui*, Québec, Le Conseil.

CONSEIL SUPÉRIEUR DE L'ÉDUCATION (1995c), *Vers la maîtrise du changement en éducation*, Rapport annuel 1994-1995 sur l'état et les besoins de l'éducation, Québec, Le Conseil.

CORCUFF, Philippe (1995), *Les Nouvelles Sociologies*, Paris, Nathan, collection « Sociologie », 128.

CORMIER, Roger A. *et al.* (1981), *Les Enseignantes et enseignants du Québec. Une étude sociopédagogique*, vol. 4, *Valeurs éducationnelles*, Québec, Gouvernement du Québec, Ministère de l'Éducation, Service de la recherche.

CORPORATION DES ENSEIGNANTS DU QUÉBEC (1967), *La Crise scolaire au Québec*, Québec, Corporation des enseignants du Québec.

CORPORATION DES ENSEIGNANTS DU QUÉBEC (1971), *Premier plan. Livre blanc sur l'action sociopolitique de la CEQ*, Québec, Corporation des enseignants du Québec, juin.

CORSI, Giancarlo (1996), « Sélection ou éducation ? Sur la forme du système éducatif », *Recherches sociologiques*, 2, 81-98.

COT, Jean-Pierre et Jean-Pierre MOUNIER (1974), *Pour une sociologie politique*, Paris, Seuil.

CÔTÉ, Albert (1995), *Principales langues des élèves de l'île de Montréal*, Montréal, Conseil de l'île de Montréal.

COULON, Alain (1990), « Ethnométhodologie et éducation », dans *Sociologie de l'éducation : dix ans de recherches*, Paris, Institut national de recherche pédagogique (INRP) et l'Harmattan.

COULON, Alain (1993), *Ethnométhodologie et éducation*, Paris, Presses universitaires de France, collection « L'Éducateur ».

CRESPO, Manuel et Guy PELLETIER (1985), « Performance scolaire, intégration sociale et "classe d'accueil" francophone pour jeunes immigrants. Analyse diachronique d'une expérience montréalaise (1974-1983) », dans Manuel Crespo et Claude Lessard, *Éducation en milieu urbain*, Montréal, Presses de l'Université de Montréal, 185-200.

CROZIER, Michel (1981), *Le Mal américain*, Montréal, Éditions Sélect.

CROZIER, Michel et Erhard FRIEDBERG (1977), *L'Acteur et le Système*, Paris, Seuil.

CUIN, Charles-Henry (1993), *Les Sociologues et la mobilité sociale*, Paris, Presses universitaires de France.

CUMMING-POTVIN, Wendy, Claude LESSARD et Marie Mc ANDREW (1994), « L'adaptation de l'institution scolaire québécoise à la pluriethnicité : continuité et rupture face au discours officiel », *Revue des sciences de l'éducation*, vol. 20, n° 4, 679-696.

DANDURAND, Pierre (1990), « Démocratie et école au Québec : bilan et défis », dans Fernand Dumont et Yves Martin (dirs.), *L'Éducation 25 ans plus tard ! et après*, Québec, Institut québécois de recherche sur le culture (IQRC), 37-60.

DANDURAND, Pierre (1991), « Accélération des mouvements de professionnalisation et de normalisation de la tâche chez les universitaires québécois francophones, 1976-1990 », dans Claude Lessard, Madeleine Perron et Pierre W. Bélanger (dirs.), *La Profession enseignante au Québec : enjeux et défis des années 1990*, Québec, Institut

québécois de recherche sur la culture (IQRC), 135-162.

DANDURAND, Pierre (1993), « Exclusion et marginalisation à l'école : corriger le tir », *Relations*, septembre, n° 593, 202-206.

DANDURAND, Pierre et Émile OLLIVIER (1987), « Les paradigmes perdus. Essai sur la sociologie de l'éducation et son objet », *Sociologie et sociétés*, vol. XIX, n° 2, 87-101.

DANDURAND, Pierre et Émile OLLIVIER (1991), « Centralité des savoirs et éducation : vers de nouvelles problématiques », *Sociologie et sociétés*, vol. XXIII, n° 1, printemps, 3-23.

DANDURAND, Pierre, Marcel FOURNIER et Léon BERNIER (1980), « Développement de l'enseignement supérieur, classes sociales et luttes nationales au Québec », *Sociologie et sociétés*, XII, 2, 101-131.

DANDURAND, Renée B. *et al.* (1990), *L'École primaire face aux changements familiaux. Enquête exploratoire dans cinq écoles primaires québécoises auprès du personnel scolaire et des parents*, Québec, Institut québécois de recherche sur la culture et Ministère de l'Éducation, septembre.

DARRAS (Colloque de) (1966), *Le Partage des bénéfices, expansion et inégalités en France*, Paris, Éditions de Minuit.

DAVID, Guy (1975), *La Situation de l'enseignement privé au Québec*, Québec, Centrale de l'enseignement du Québec.

DAVIES, Christie (1982), « Ethnic Jokes, Moral Values and Social Boundaries », *The British Journal of Sociology*, vol. 33, n° 3, 383-403.

DAVIS, Kingsley et W. E. MOORE (1945), « Some Principles or Stratification », *American Sociological Review*, vol. 10, n° 2, 242-249.

DAVISSE, Annick (1996), « La règle et le sens : le dur métier d'élève », *Panoramiques, Les jeunes en difficulté*, n° 26, 103-108.

DEBARBIEUX, Éric (1996), *La Violence en milieu scolaire*, Paris, ESF Éditeur.

DE CLOSETS, François (1996), *Le bonheur d'apprendre et comment on l'assassine*, Paris, Seuil.

DE LA BORDERIE, René (1991), *Le Métier d'élève*, Paris, Hachette.

DELCHAMBRE, Jean-Pierre (1996), « Passe et impasse de la sociologie du sujet », *Recherches sociologiques*, n° 3, 115-130.

DELHAYE, Guy (1990), « Acteurs, institutions, changement dans le champ pédagogique. Contribution à l'élaboration d'un cadre d'analyse générateur d'hypothèses de travail », *Recherches sociologiques*, n° 2, 143-156.

DELORS, Jacques (1996), *L'éducation, un trésor est caché dedans*, Rapport à l'UNESCO de la Commission internationale sur l'éducation pour le vingt et unième siècle, Paris, Éditions Unesco et Éditions Odile Jacob.

DENAILLY, Lise (1987), « Questions de temps : temps, pouvoir et relations de travail dans les établissements scolaires », *Études et recherches*, tome 1, n° 1, 63-75.

DENAILLY, Lise (1988), « La difficile émergence d'un modèle pédagogique et professionnel dans les collèges français », *Éducation permanente*, n° 96, 91-98.

DENISON, Edward F. (1962), *The Sources of Economic Growth in the United States and the Alternative Before Us*, Supplementary Paper n° 13, Committee for Economic Development, January.

DEROUET, Jean-Louis (1988), « La profession enseignante comme montage composite », *Éducation permanente*, n° 96, 61-71.

DEVELAY, Michel (1992), *De l'apprentissage à l'enseignement*, Paris, ESF Éditeur, 3e édition.

DEVELAY, Michel (1994), *Peut-on former les enseignants ?*, Paris, ESF éditeur.

DEVELAY, Michel (1996), *Donner du sens à l'école*, Paris, ESF éditeur, Collection « Pratiques et enjeux pédagogiques ».

DEVEREUX, George (1970), *Ethnopsychanalyse complémentaire*, Paris, Flammarion.

DION, Léon (1966), *Le Bill 60 et le Public*, Montréal, Institut canadien d'éducation des adultes.

DION, Léon (1967), *Le Bill 60 et la Société*, Montréal, Éditions HMH.

DIONNE, Andrée (1994), *Étude sur la dette accumulée par les bénéficiaires de l'aide financière aux étudiants*, Québec, Gouvernement du Québec, Ministère de l'Éducation, Direction générale de l'aide aux étudiants.

DOSTALER, Gilles et Diane ÉTHIER (dirs.) (1988), *Friedrich Hayek. Philosophie, économie et politique*, Montréal, Association canadienne-française pour l'avancement des sciences (ACFAS).

DROLET, Michèle (1992), « L'enseignement en milieu socio-économique faible : des pratiques pédagogiques ajustées aux caractéristiques socioculturelles », dans Roland Ouellet *et al.*, *Pour favoriser la réussite. Réflexions et pratiques*, Québec et Montréal, Centrale de l'enseignement du Québec et Éditions Saint-Martin, 104-119.

DRUCKER, Peter (1989), *Les Nouvelles Réalités. De l'État-providence à la société du savoir*, Paris, Interéditions.

DUBAR, Claude (1991), *La Socialisation. Construction des identités sociales et professionnelles*, Paris, Colin.

DUBET, François (1991), *Les Lycéens*, Paris, Seuil, Collection « Points Actuels ».

DUBET, François (1994), *Sociologie de l'expérience*, Paris, Seuil, Collection « La couleur des idées ».

DUBET, François et Danilo MARTUCCELLI (1996a), « Les parents et l'école : classes populaires et classes moyennes », *Lien social et Politiques – RIAC*, n° 35, printemps, 109-121.

DUBET, François et Danilo MARTUCCELLI (1996b), *À l'école, sociologie de l'expérience scolaire*, Paris, Seuil, Collection « L'épreuve des faits ».

DUBOIS, Jean-François (1991), *Intégration linguistique dans les écoles multiethniques de Montréal*, Québec, Ministère de l'Éducation, Direction générale de la recherche et du développement.

DUFOUR, André (1996), *Tous à l'école. État, communautés rurales et scolarisation au Québec de 1826 à 1859*, Montréal, Hurtubise HMH, Cahiers du Québec, Collection « Psychopédagogie ».

DUMONT, Fernand (1987), *L'Institution de la théologie. Essai sur la situation du théologien*, Montréal, Fides, collection « Héritage et projet », n° 38.

DUMONT, Fernand et Jean-Charles FALARDEAU (1960), « Pour la recherche sociographique au Canada français », *Recherches sociographiques*, 1, n° 1, 3-5.

DUMONT, Micheline (1986), « L'instruction des filles avant 1960 », *Interface*, vol. 7, n° 3, mai-juin, 26-27.

DUPUIS, Jean-Pierre (1988), « L'individu libéral cet inconnu : d'Adam Smith à Friedrich Hayek », dans Catherine Audard (dir.), *Individu et justice sociale. Autour de John Rawls*, Paris, Seuil, 73-125.

DURAND, Jean-Pierre, Robert WEIL et Philippe BERNOUX (1989), *Sociologie contemporaine*, Paris, Vigot.

DURAND-PRINBORGNE, Claude (1992), *L'Éducation nationale. Une culture, un service, un système*, Paris, Nathan-Université.

DURKHEIM, Émile (1963), *Les Règles de la méthode sociologique*, Paris, Presses universitaires de France.

DURU-BELLAT, Marie et Alain MINGAT (1988), « Le déroulement de la scolarité : le contexte fait des différences », *Revue française de sociologie*, XXIX, n° 4.

EICHER, Jean-Claude (1973), « L'éducation comme investissement : la fin des illusions ? », *Revue d'économie politique*, juin, n° 3, 407-432.

EMLER, Nicholas et Angela ST. JAMES (1994), « Carrières scolaires et attitudes envers l'autorité formelle », *L'Orientation scolaire et professionnelle*, 23, n° 3, 355-367.

EMPLOI ET IMMIGRATION CANADA (1993), *Après l'école. Résultats d'une enquête nationale comparant les sortants de l'école aux diplômés d'études secondaires âgés de 18 à 20 ans*, Ottawa, Le Ministère, Septembre.

ESCANDE, Claude (1973), *Les Classes sociales au cégep. Sociologie de l'orientation des étudiants*, Montréal, Parti pris.

ETZIONI, Amitai (1971), *Les Organisations modernes*, Gembloux, Duculot.

FACULTÉ DES SCIENCES DE L'ÉDUCATION (1994), *Comité de révision du baccalau-réat en enseignement au préscolaire et au primaire (BEPP), rapport final*, Québec, Université Laval, 21 septembre.

FAHMY-EID, Nadia (1978), « Éducation et classes sociales : analyse de l'idéologie conservatrice-cléricale au Québec au milieu du 19e siècle », *Revue d'histoire de l'Amérique française*, vol. 32, n° 2, 159-179.

FALARDEAU, Michel (1994), *Évolution des droits de scolarité dans les universités canadiennes de 1989-1990 à 1993-1994*, Québec, Gouvernement du Québec, Direction générale des affaires universitaires et scientifiques, mars.

FAVRE, Bernard et Cléopâtre MONTANDON (1989), *Les Parents dans l'école*, Genève, Service de la recherche sociologique, Cahier n° 30.

FÉDÉRATION CANADIENNE DES ENSEIGNANTES ET DES ENSEIGNANTS (1992), *Liens entre la catégorie de sexe, la culture, les sciences et les écoles*, Ottawa, Le cahier d'idées améliorées.

FÉDÉRATION DES CÉGEPS (1989), *Les Cégeps et le Monde de l'entreprise*, Études et recherches, Service des communications et de la documentation, La Fédération.

FELOUZIS, Georges (1993), « Interactions en classe et réussite scolaire. Une analyse des différences filles-garçons », *Revue française de sociologie*, n° 34, 199-222.

FISCHER, Gustave-Nicolas (1987), *Les Concepts fondamentaux de la psychologie sociale*, Paris et Montréal, Dunod et Presses de l'Université de Montréal.

FLEURY, Robert (1995), « Un rapport entre la pauvreté et le décrochage. Un manque à gagner fiscal de plusieurs milliards de dollars », Québec, *Le Soleil*, B2.

FOLCO, Raymonde (1990), « L'école et la recherche en éducation », dans Elca Tarrab, Ginette Plessis-Bélair et Yves Girault (éds.), *Les communautés culturelles au Québec et la Recherche en éducation*, Montréal, Université de Montréal, Faculté des sciences de l'éducation, 49-57.

FORQUIN, Jean-Claude (1989), *École et culture. Le point de vue des sociologues britanniques*, Bruxelles, De Boeck-Wesmael.

FORQUIN, Jean-Claude (1990), « La sociologie des inégalités d'éducation : principales orientations, principaux résultats depuis 1965. Inégalités d'éducation et disparités socioculturelles », dans *Sociologie de l'éducation*, Paris, L'Harmattan.

FORQUIN, Jean-Claude (1993), « Savoirs et pédagogie : faux dilemmes et vraies questions », *Recherche et formation*, n° 13, 9-24.

FORTIN, Denis (1988), *Riches contre pauvres, deux poids, deux mesures ou de l'aide sociale aux plus démunis à l'assistance cachée pour les bien-nantis : au passage de l'État-providence à l'État-Provigo*, Québec, Éditions Autogestionnaires.

FORTIN, Gérald (1966), « Transformation des structures de pouvoir », *Recherches sociographiques*, VII, 1-2, 96.

FORTIN, Gérald et Marc-Adélard TREMBLAY (1964), *Les Comportements économiques de la famille salariée du Québec*, Québec, Presses de l'Université Laval.

FORTIN, Gilles (1974), « L'école publique et l'école privée : les dés sont pipés », *La revue scolaire*, avril, XXIV, n° 8, 3-4.

FORTIN, Régent (1995), « Mise en perspective et en prospective de la gestion de la diversité », dans Pierre Toussaint et Régent Fortin, *École et gestion de la diversité*, Québec, Université Laval, Les cahiers du LABRAPS (Laboratoire de recherche en administration et politique scolaires), vol. 19, Série « Études et Documents », 389-398.

FORUM ENTREPRISES-UNIVERSITÉS (1987), *Du mécénat au partenariat. Le soutien des entreprises aux universités*, Montréal, L'Organisme.

FOURASTIÉ, Jean (1979), *Les Trente Glorieuses ou la Révolution invisible de 1946 à 1975*, Paris, Fayard.

FOURNIER, Marcel (1989), « Mai 1968 et après », *Possibles*, vol. 13, n° 1 et 2, hiver, 179-196.

FRANSSEN, Abraham (1996), « Le sujet de la sociologie », *Recherches sociologiques*, n° 3, 99-113.

FRIEDBERG, Erhard (1993), *Le Pouvoir et la Règle – Dynamiques de l'action organisée*, Paris, Éditions du Seuil.

FRIEDBERG, Erhard, Daniel VIDAL et François DUBET (1996), « Symposium sur *Sociologie de l'expérience* », *Sociologie du travail*, n° 1, 81-100.

FULLAN, M. (1982), *The Meaning of Educational Change*, London, Teachers College Press.

GAGNON, Lysiane (1977), *L'École privée : pourquoi ?*, Montréal, Éditeur La Presse.

GAGNON, Nicole et Jean HAMELIN (1979), *L'Homme historien*, Saint-Hyacinthe, Edisem, Paris, Maloine.

GALARNEAU, Claude (1978), *Les Collèges classiques au Canada français*, Montréal, Fides.

GALLAND, Olivier (1988), « Représentation du devenir et reproduction sociale : le cas des lycéens d'Elbeuf », *Sociologie du travail*, 3, 399-417.

GARNEAU, Marc (1986), *Notes pour l'allocution du Capitaine Marc Garneau*, Ouverture des États généraux sur la qualité de l'éducation, 2 avril.

GARON, Muriel (1979), « Éditorial », *Possibles*, vol. 3, n° 3-4, printemps-été, 7-12.

GATTO, John Taylor (1992), « 12 ans pour apprendre de mauvaises habitudes », *Guide ressources*, janvier-février, 40-45.

GAUCHET, Marcel (1985), « L'école à l'école d'elle-même. Contraintes et contradictions de l'individualisme », *Le Débat*, 37, 55-86.

GAUTHIER, Clermont et Claude BELZILE (1993), « Culture et idéologies dans les programmes scolaires : évolution des représentations », *Vie pédagogique*, mai-juin, 26-30.

GAUTHIER, Madeleine (1994), *Une société sans les jeunes*, Québec, INRS-Culture.

GÉLINAS, Louis-Georges (1976), *L'Enseignement polyvalent : pivot de la réforme scolaire de 1964 au Québec au niveau secondaire*, Suisse, Université de Fribourg.

GENTIS, Roger (1973), *Guérir la vie*, Paris, Maspero.

GÉRIN, Léon (1892), « L'éducation », *La Minerve*, 31 octobre.

GÉRIN-LAJOIE, Paul (1963), *Pourquoi le Bill 60*, Montréal, Éditions du jour.

GÉRIN-LAJOIE, Paul (1989), *Combats d'un révolutionnaire tranquille. Propos et confidences*, Montréal, Centre éducatif et culturel.

GIDDENS, Anthony (1987), *La Constitution de la société : éléments de la théorie de la structuration*, Paris, Presses universitaires de France.

GILLY, Michel (1993), « Les représentations sociales dans le champ éducatif », dans Denis Jodelet, *Les représentations sociales*, Presses universitaires de France, Collection « Sociologie d'aujourd'hui », 363-386.

GLASMAN, Dominique et Georges COLLONGES (1994), *Cours particuliers et construction sociale de la scolarité*, Paris, Centre national de documentation pédagogique.

GLOTON, Robert (1974), *L'Autorité à la dérive*, Paris, Casterman, Collection « Orientation/E3 » (Enfance – Éducation – Enseignement).

GODBOUT, Jacques T. (1992), *L'Esprit du don*, Paris, La Découverte.

GOSLING, Patrick (1992), *Qui est responsable de l'échec scolaire ?*, Paris, Presses universitaires de France.

GOUPIL, Georgette et Michelle COMEAU (1983), « Le statut sociométrique des élèves handicapés de la vue intégrés dans les classes régulières du Québec », *Canadian Journal of Education*, n° 8, vol. 4, 362-372.

GOUVERNEMENT DU QUÉBEC (1979), *L'École québécoise*, Québec.

GOUVERNEMENT DU QUÉBEC (1982), *Le Virage technologique. Bâtir le Québec – Phase 2. Programme d'action économique 1982-1986*, Québec, Développement économique.

GRANJON, Marie-Christine (1985), *L'Amérique de la contestation. Les années 60 aux États-Unis*, Paris, Presses de la Fondation nationale des sciences politiques.

GROULX, Richard (1987), « La gouvernabilité en crise : fin de l'État-providence ou émergence d'un État disciplinaire du néolibéralisme », dans Lizette Jalbert et Lucille Beaudry (dirs.), *Les Métamorphoses de la pensée libérale : sur le néo-libéralisme actuel*, Sillery, Presses de l'Université du Québec, 193-223.

GROZZER, Giovanni (1990), « Éducation et problèmes de société », *Perspectives*, vol. XX, n° 1, 73-84.

HALLAK, Jacques (1974), *À qui profite l'école ?*, Paris, Presses universitaires de France.

HALLAK, Jacques (1991), *La Planification de l'éducation : quelques réflexions rétrospectives et prospectives*, Paris, UNESCO, Institut international de planification de l'éducation.

HAMEL, Thérèse (1991), *Le Déracinement des écoles normales. Le transfert de la formation des maîtres à l'université*, Québec, Institut québécois de recherche sur la culture (IQRC), Document de recherche, n° 31.

HAMEL, Thérèse *et al.* (1994), « Évolution et typologie des écoles d'agriculture au Québec (1926-1969) », *Revue d'histoire de l'éducation*, vol. 6, printemps, 45-70.

HAMELIN, Jean et Jean PROVENCHER (1981), *Brève histoire du Québec*, Montréal, Boréal Express.

HANNOUN, Hubert (1996), *Les Paris de l'éducation*, Paris, Presses universitaires de France.

HARDY, Marcelle (1989), « Résistance à l'école et au savoir scolaire ou difficulté à apprendre : défi pour les enseignants », *Repères*, Université de Montréal, n° 11, 189-204.

HARDY, Marcelle (1994), « Appropriation différentielle du savoir et soumission/résistance à la forme scolaire », dans Guy Vincent (dir.), *L'Éducation prisonnière de la forme scolaire ? Scolarisation et socialisation dans les sociétés industrielles*, Lyon, Presses universitaires de Lyon, 109-124.

HAROUEL, Jean-Louis (1994), *Culture et contre-cultures*, Paris, Presses universitaires de France.

HARVEY, Valérien (1975), « Rentabilité de l'investissement en éducation au Québec », dans Pierre W. Bélanger et Guy Rocher (textes choisis et présentés par), *École et société au Québec*, Montréal, Hurtubise HMH, première édition 1970, 187-218.

HEAP, Ruby (1986), *L'Église, l'État et l'enseigne-ment primaire public catholique au Québec, 1897-1920*, Thèse de doctorat, Département d'histoire, Université de Montréal.

HÉBERT, Bruno (1994), «L'éducation dans l'ombre des gestionnaires», *Les Cahiers de Cap-Rouge*, 15-33.

HELLY, Denise (1989), «La perception de l'immigration au Québec, 1880-1985 : contexte général de la mise en place d'une politique», Montréal, CFR-GIERF-UQAM, *Ancrages féministes*, Cahiers de recherche, 71-91.

HELLY, Denise (1996), *Le Québec face à la pluralité culturelle 1944-1977. Un bilan documentaire des politiques*, Québec, Institut québécoise de recherche sur la culture (IQRC) et Presses de l'Université Laval.

HENDERSON, R., P. MIESZKOWSKI et Y. SAUVAGEAU (1976), *L'Influence du groupe sur les fonctions de production du système scolaire*, Ottawa, Conseil économique du Canada.

HENRIOT VAN ZANTEN, Agnès (1996), «Stratégies utilitaristes et stratégies identitaires des parents vis-à-vis de l'école : une relecture critique des analyses sociologiques», *Lien social et Politiques – RIAC*, n° 35, printemps, 125-135.

HENRIOT VAN ZANTEN, Agnès, J.-P. PAYET et L. ROULLEAU-BERGER (1994), *L'École dans la ville. Accords et désaccords autour d'un projet politique*, Paris, L'Harmattan.

HENRY-LORCHERIE, Françoise (1988), «Éducation interculturelle et changement institutionnel : l'expérience française», dans Fernand Ouellet (dir.), *Pluralisme et école. Jalons pour une approche critique de la formation interculturelle des éducateurs*, Québec, Institut québécois de recherche sur la culture (IQRC), 223-270.

HERPIN, Nicolas (1973), *Les Sociologues et le Siècle*, Paris, Presses universitaires de France.

HESS, Rémi et Gabriele WEIGARD (1994), *La Relation pédagogique*, Paris, Armand Colin, Collection «Bibliothèque des sciences de l'éducation».

HEYNEMAND, Jacques (1995), «Le virage réflexif en formation des maîtres», dans Céline Garand *et al.*, *Nouveaux défis pour la formation des maîtres*, Actes du quatrième colloque de l'Association québécoise universitaire en formation des maîtres (AQUFOM), Éditions CRP, 175-194.

HIRSCHHORN, Monique (1993), *L'Ère des enseignants*, Paris, Presses universitaires de France.

HOHL, Janine (1980), «Les politiques scolaires à l'égard des milieux défavorisés et l'émergence d'un nouveau mode de production pédagogique», *Sociologie et sociétés*, vol. XII, n° 1, avril, 133-154.

HOHL, Janine (1985), «Les "milieux socio-économiquement faibles" analyseurs de l'école», dans Manuel Crespo et Claude Lessard (dirs.), *Éducation en milieu urbain*, Montréal, Presses de l'Université de Montréal, 75-103.

HOHL, Janine (1993), «Le "choc culturel", instrument de connaissance et de communication interculturelle», *Repères*, Montréal, Université de Montréal, n° 15, 27-46.

HOHL, Janine (1996a), «La résistance à la diversité culturelle dans les institutions scolaires», dans France Gagnon, Marie Mc Andrew et Michel Pagé, *Pluralisme, citoyenneté et éducation*, Paris, L'Harmattan, 337-348.

HOHL, Janine (1996b), «Qui sont "les parents" ? Le rapport des parents immigrants analphabètes à l'école», *Lien social et Politiques – RIAC*, n° 35, printemps, 51-62.

HOHL, Janine (1996c), *La Diversité culturelle et religieuse dans les écoles : impacts sur la formation et le perfectionnement des enseignants*, Québec, Université Laval, conférence prononcée dans le cadre des conférences du CREFPE (Centre de recherche sur la formation et la profession enseignante), le 10 décembre.

HOULE, François (1987), «Du libéralisme classique au néolibéralisme : la soumission de l'État aux lois du marché», dans Lizette Jalbert et Lucille Beaudry (dirs.), *Les Métamorphoses de la pensée libérale : sur le néo-libéralisme actuel*, Sillery, Presses de l'Université du Québec, 29-63.

HOULE, R., C. MONTMARQUETTE, M. CRESPO et S. MAHSEREDJIAN (1985), « L'impact des interventions éducatives en milieu économiquement faible : le programme de l'Opération Renouveau », dans Manuel Crespo et Claude Lessard (éds.), *Éducation en milieu urbain*, Montréal, Presses de l'Université de Montréal, 31-54.

HOUSSAYE, Jean (1991), « Valeurs : les choix de l'école », *Revue française de pédagogie*, n° 97, octobre-novembre-décembre, 31-51.

HOUSSAYE, Jean (1992), *Les Valeurs à l'école. L'éducation aux temps de la sécularisation*, Paris, Presses universitaires de France.

HOUSSAYE, Jean (1996), *Autorité ou éducation ?*, Paris, ESF éditeur.

HUBERAC, Jean-Pierre (1995), *L'Homme gaspillé – Enquête aux sources du chômage et de l'exclusion*, Paris, L'Harmattan.

HUBERMAN, Michael (1978), « L'évolution de la formation américaine. Une approche contextuelle de la formation des enseignants aux États-Unis et quelques points de comparaison avec l'Europe francophone », dans M. Debesse et G. Mialaret (éds.), *Traité des sciences pédagogiques*, vol. 7, *La Formation des maîtres*, Paris, Presses universitaires de France.

HUBERMAN, Michael (1993), « Enseignement et professionnalisme : des liens toujours aussi fragiles », *Revue des sciences de l'éducation*, vol. XIX, n° 1, 77-86.

ILLICH, Ivan (1971), *Une société sans école*, Paris, Seuil.

ILLICH, Ivan (1972), « Inverser les institutions », *Esprit*, mars, 324-366.

ILLICH, Ivan (1973), *La Convivialité*, Paris, Seuil.

INIZAN, André (1992), « L'échec scolaire, un drame banalisé, évitable », dans Blaise Pierre-Humbert (dir.), *L'Échec à l'école : échec de l'école ?*, Lausanne, Delachaux et Niestlé, 115-166.

JACQUET, Marianne (1993), « La représentation de l'altérité ethnoculturelle dans le matériel d'éducation interculturelle au primaire », *Repères*, Montréal, Université de Montréal, n° 15, 121-140.

JENCKS, Christopher *et al.* (1972), *Inequality. A Reassessment of the Effect of Family and Schooling in America*, New York, Basic.

JONES, Alan W. (1982), « Les anglophones et l'enseignement jusqu'à 1964 », dans Gary Caldwell et Éric Waddel, *Les Anglophones du Québec de majoritaires à minoritaires*, Québec, Institut québécois de recherche sur la culture (IQRC), 93-107.

JUBIN, Philippe (1991), *Le Chouchou ou l'Élève préféré*, Paris, ESF éditeur.

KEDDIE, Neil (1971), « Classroom Knowledge », dans Michael F. D. Young (ed.), *Knowledge and Control*, London, Collier-Macmillian, 133-160.

KRISTOL, Irving (1987), *Réflexions d'un néo-conservateur*, Paris, Presses universitaires de France.

L'ACTUALITÉ (1993), « Le vrai portrait du décrochage scolaire », vol. 18, n° 12, 1er août.

LA BORDERIE, René (1991), *Le Métier d'élève*, Paris, Hachette Éducation.

LADRIÈRE, Jean (1990), « La formation, quelles finalités ? quelles valeurs ? », *Les Défis de la formation, Quelle personne ? Pour quelle société ?*, Semaines sociales de France, Paris, ESF éditeur.

LAFERRIÈRE, Michel (1983), « L'éducation des enfants des groupes minoritaires au Québec. De la définition des problèmes par les groupes eux-mêmes à l'intervention de l'État », *Sociologie et sociétés*, vol. XV, n° 2, octobre, 117-132.

LAFLAMME, Claude (1996), « Inflation des diplômes et insertion professionnelle des jeunes : situation des diplômés du secondaire professionnel et du cégep technique sur le marché de l'emploi », *Revue des sciences de l'éducation*, vol. XXII, n° 1, 47-72.

LAFORCE, Louise et Alain MASSOT (1983), « Les inégalités sociales dans l'école québécoise des années soixante-dix », dans Renée Cloutier, Jean Moisset et Roland Ouellet (dirs.), *Analyse sociale de l'éducation*, Montréal, Boréal Express, 157-185.

LAFRANCE, Louis (1995a), « Les écoles spéciali-sées : des écoles se cherchent une marque de commerce », *Le Devoir*, 4 avril, cahier B.

LAFRANCE, Louis (1995b), « Pas si décrocheurs les jeunes. Le taux de décrochage du Québec se compare avantageusement à ceux des pays déve-loppés », *Le Devoir*, 19 décembre, B1.

LAGUEUX, Maurice (1988a), « "Ordre spontané" et darwinisme méthodologique chez Hayek », dans Gilles Dostaler et Diane Éthier (dirs.), *Frie-drich Hayek. Philosophie, économie et politique*, Montréal, Association canadienne-française pour l'avancement des sciences (ACFAS), 87-103.

LAGUEUX, Maurice (1988b), *Le Néo-libéralisme comme programme de recherche et comme idéolo-gie*, Montréal, Université de Montréal, Faculté des arts et des sciences, Cahiers du département de philosophie, n° 8811.

LAHIRE, Bernard (1992), « Précisions sur la manière sociologique de traiter du "sens" : Quel-ques remarques concernant l'ethnométhodolo-gie », *Langage et société*, n° 59, mars, 71-89.

LAHIRE, Bernard (1993), « L'inégalité devant la culture scolaire : le cas de l'"expression écrite" à l'école primaire », *Sociétés contemporaines*, n°s 11-12, 167-187.

LAHIRE, Bernard (1995), *Tableaux de familles*, Paris, Gallimard et Le Seuil, collection « Hautes Études ».

LALONDE, Daniel (1992), « Les jeunes entre le travail et les études », *Le Marché du travail*, Juillet, 9-10 et 81-90.

LANE, Frédéric C. (1985), *Venise*, Paris, Flamma-rion.

LANGLOIS, Simon *et al.* (1990), *La Société québé-coise en tendances, 1960-1990*, Québec, Institut québécois de recherche sur la culture (IQRC).

LAPASSADE, Georges (1971), *Le Livre fou*, Paris, Épi.

LAPERRIÈRE, Anne *et al.* (1991), *Éduquer ses enfants en milieu multiethnique francophone*, Québec, Institut québécois de recherche sur la culture (IQRC).

LAPIERRE, J. W. (1977), « Systémisme ? Oui. Fonctionnalisme ? Non », *Sociologie du Sud-Est*, n° 11, janvier-mars.

LAPLANTE, R. (1973), « Participer, mais avec quels moyens ? », *Le Devoir*, 2 mars.

LAROCQUE, Marie-Josée (1991), *Impact de la législation linguistique du Québec sur l'inscription des étudiants et étudiantes allophones dans les cégeps francophones*, Université Laval, Thèse (M.A.).

LATHER, Patti (1986), « Research as Praxis », *Har-vard Educational Review*, vol. 56, n° 3, August, 257-277.

LATIF, Georges (1986), « École et pluralisme », dans *Les Actes des États généraux sur la qualité de l'éducation*, tenus à Montréal les 2, 3, 4 et 5 avril, s.l., s.é., 45-48.

LAURIN, Camille (1981), *L'Avenir des universités québécoises. Vers une politique des universités*, Qué-bec, Gouvernement du Québec, Ministère de l'Éducation.

LAURIN-FRENETTE, Nicole (1978), *Classes et pouvoir. Les théories fonctionnalistes*, Montréal, Presses de l'Université de Montréal.

LAUTREY, Jacques (1980), *Classe sociale, milieu familial, intelligence*, Paris, Presses universitaires de France.

LAVINAS, Lena (1993), « Identité de genre : une catégorie de la pratique », dans Marie-France Labrecque (dir.), *Développement international : L'étude des rapports sociaux de sexe*, Laboratoire de recherches anthropologiques, Documents de recherche.

LEBUIS, Pierre (1988), « Le difficile apprentissage du pluralisme », dans Marcel Aubert, Micheline Milot et Réginald Richard (dirs.), *Le Défi de l'enseignement religieux – Problématique et pers-pectives*, Les Cahiers de recherches en sciences de la religion, vol. 9, Université Laval, 209-226.

LEBUIS, Pierre (1996), « La religion à l'école : un exemple de rapports ambigus entre les Églises et l'État », *Nouvelles pratiques sociales*, vol. 9, n° 1, 59-77.

LEFEBVRE, Henri (1971), *Le Matérialisme dialec-tique*, Paris, Presses universitaires de France.

LE GALL, Didier, Claude MARTIN et Marc-Henry SOULET (1988), « Éditorial », dans *Les Cahiers de la recherche sur le travail social*, n° 14, *Le Social à l'épreuve du néolibéralisme*, Caen, Université de Caen, Centre de recherche sur le travail social, 5-9.

LEMEL, Yannick (1991), *La Stratification et la Mobilité sociale*, Paris, Armand Colin.

LEMELIN, Clément (1982), *Le Financement des services sociaux au Québec et ses effets redistributifs ; l'exemple de l'éducation*, Montréal, Université du Québec à Montréal, Laboratoire de recherche sur l'emploi et la répartition et la sécurité du revenu, Cahier 8201.

LEMELIN, Clément (1988), « Bilan critique des recherches en économie de l'éducation », *Revue des sciences de l'éducation*, XIV, 2, 165-182.

LEMOSSE, Maxime (1989), « Le "professionnalisme" des enseignants : le point de vue anglais », *Recherche et formation*, 6, 55-66.

LESEMANN, Frédéric (1988), *La Politique sociale américaine. Les années Reagan*, Paris, Éditions Syros, Montréal, Éditions Albert Saint-Martin.

LESSARD, Claude (1991), « Le travail enseignant et l'organisation professionnelle de l'enseignement : perspectives comparatives et enjeux actuels », dans Claude Lessard, Madeleine Perron et Pierre W. Bélanger (dirs.), *La Profession enseignante au Québec : enjeux et défis des années 1990*, Québec, Institut québécois de recherche sur la culture (IQRC), 15-40.

LESSARD, Claude (1996), *Continuités et ruptures en formation des maîtres : à la recherche d'un point d'équilibre*, Québec, Université Laval, Conférence prononcée dans le cadre du congrès de l'AQUFOM, 1er novembre.

LESSARD, Claude et Maurice TARDIF (1996), *La Profession enseignante au Québec 1945-1960. Histoire, structure, système*, Québec, Les Presses de l'Université Laval.

LESSARD, Claude, Maurice TARDIF et Louise LAHAYE (1991), « Pratique de gestion, régulation du travail enseignant et nouvelle professionnalité », dans Claude Lessard, Madeleine Perron et Pierre W. Bélanger (dirs.), *La Profession ensei-gnante au Québec : enjeux et défis des années 1990*, Québec, Institut québécois de recherche sur la culture (IQRC), 69-92.

LESSARD, Guy (1995), « Problématique », dans Pierre Toussaint et Régent Fortin, *École et gestion de la diversité*, Québec, Université Laval, Les cahiers du LABRAPS (Laboratoire de recherche en administration et politique scolaires), vol. 19, Série « Études et Documents », 11-21.

LÉTOURNEAU, Jocelyn (1996), *Des années sans guide*, Montréal, Boréal.

LÉVESQUE, Mireille, (1979), *L'Égalité des chances en éducation. Considérations théoriques et approches empiriques*, Québec, Gouvernement du Québec, Conseil supérieur de l'Éducation, Direction de la recherche.

LÉVESQUE, Mireille et Danielle PAGEAU (1990), *La Persévérance aux études : la conquête de la toison d'or ou l'appel des sirènes*, Québec, Ministère de l'Enseignement supérieur et de la Science, Direction générale de l'enseignement collégial.

LÉVY, Monica et Jean-Michel ZAKHART-CHOUK (1993), « Nouveaux, nouveau ? ... » *Cahiers pédagogiques*, n°s 314-315, mai-juin.

LIEBERMAN, Myron (1986), « Privatization and Public Education », *Phi Delta Kappan*, June, 731-734.

LINTEAU, Paul-André *et al.* (1989), *Histoire du Québec contemporain. Le Québec depuis 1930*, tomes I et II, Montréal, Boréal.

LIPOVETSKY, Gilles (1995), « Les jeunes et les métamorphoses de l'individualisme contemporain », dans Gilbert Berlioz et Alain Richard (dirs.), *Les 15-25 ans, acteurs dans la cité*, Paris, Syros, 185-198.

LOUIS, Sylvie (1997), « Les jeunes quittent l'école », *Revue Notre-Dame*, n° 2, février, 1-13.

LUNDGREN, Ulf (1990), « Les nouveaux défis pour les enseignants et leur formation », Strasbourg, Conférence permanente des ministres européens de l'Éducation, 1987, dans Organisation de coopération et de développement économique (OCDE), *L'Enseignant aujourd'hui : fonctions, statut, politiques*.

MAHEU, Louis et Martin ROBITAILLE (1990), «Identités professionnelles et travail réflexif: un modèle d'analyse du travail enseignant au collégial», dans Claude Lessard *et al.*, *La Profession enseignante au Québec. Enjeux et défis des années 1990*, Québec, Institut québécois de recherche sur la culture (IQRC), 93-111.

MARCUSE, Herbert (1968), *L'Homme unidimensionnel: essai sur l'idéologie de la société industrielle avancée*, Paris, Éditions de Minuit.

MARCUSE, Herbert (1970), *Vers la libération: au-delà de l'homme unidimensionnel*, Paris, Denoël-Gonthier.

MARQUES BALSA, Casimiro (1990), «Les représentations des enseignants en rapport avec les dimensions sociales de l'acte d'enseigner», *Recherches sociologiques*, n° 2, 1990, 191-217.

MARTEL, Alain et Muhittin ORAL (dirs.) (1995), *Les Défis de la compétitivité. Bilan et solutions*, Montréal, Éditions Publi-Relais.

MARTIN, Yves (1989), «Concurrence et monopoles en éducation», dans Francine Séguin, Maurice Lemelin et Roland Parenteau, *La Concurrence dans le secteur public*, Montréal, Éditions Agence d'ARC, 79-86.

MARX, Karl et Friedrich ENGELS (1954), *Manifeste du Parti communiste*, Paris, Éditions sociales.

MASSELOT, Laure (1994), «La construction de l'identité professionnelle des enseignants débutants», *Utinam*, n°s 10-11, 113-131.

MASSOT, Alain (1979), «Destins scolaires des étudiants de secondaire V. Une analyse comparative des secteurs français et anglais», *Recherches sociographiques*, vol. XX, n° 3, septembre-décembre, 383-402.

MASSOT, Alain (1981), *Cheminements scolaires dans l'école québécoise après la réforme*, Québec, Université Laval, Les Cahiers d'A.S.O.P.E., vol. 5.

Mc ANDREW, Marie (1988), *Les relations école/communauté en milieu pluriethnique montréalais*, Montréal, Conseil scolaire de l'île de Montréal.

Mc ANDREW, Marie (1991), *L'Enseignement des langues d'origine à l'école publique en Ontario et au Québec (1977-1989): politiques et enjeux*,

Montréal, Université de Montréal, Les publications de la Faculté des sciences de l'éducation.

Mc ANDREW, Marie (1993), «L'impact pédagogique de la présence des minorités ethniques et "raciales" au sein du personnel scolaire: mythes et réalités», *Repères*, n° 15, Montréal, Université de Montréal, 47-74.

Mc ANDREW, Marie (1993), «Pluralisme et éducation: perspectives québécoises», *Repères*, n° 15, Montréal, Université de Montréal, 5-11.

Mc ANDREW, Marie et Marianne JACQUET (1996), «Le discours public des acteurs du monde de l'éducation sur l'immigration et l'intégration des élèves des minorités ethniques», *Recherches sociographiques*, XXXVII, n° 2, 279-299.

Mc MURTRY, John (1983), «Fascism and Neo-Conservatism», *Canadian Forum*, novembre, 7-10.

MEIRIEU, Philippe (1990), *Enseigner, scénario pour un métier nouveau*, Paris, ESF éditeur.

MEIRIEU, Philippe (1992), «Éloge de l'ignorance», *Cahiers pédagogiques*, n° 302, mars, 18-20.

MELLOUKI, M'hammed (1983), «Stratification, classes sociales et fonction de l'école», dans Renée Cloutier, Jean Moisset et Roland Ouellet (dirs.), *Analyse sociale de l'éducation*, Montréal, Boréal Express, 129-155.

MELLOUKI, M'hammed (1989), *Savoir enseignant et idéologie réformiste. La formation des maîtres (1930-1964)*, Québec, Institut québécois de recherche sur la culture (IQRC), Document de recherche n° 20.

MELLOUKI, M'hammed (1991a), «Rhétorique universitaire et savoir enseignant», dans M'Hammed Mellouki, Maurice Tardif et Clermont Gauthier, *Le Savoir des enseignants: unité et diversité*, Montréal, Éditions Logiques, 207-231.

MELLOUKI, M'hammed (1991b), «La qualification des enseignants, un enjeu et ses acteurs», dans Claude Lessard, Madeleine Perron et Pierre W. Bélanger (dirs.), *La Profession enseignante au Québec: enjeux et défis des années 1990*, Québec,

Institut québécois de recherche sur la culture (IQRC), 43-67.

MELLOUKI, M'hammed et Manuel Ribeiro (1983), «L'éducation: facteur de mobilité ou de reproduction sociale?», dans Renée Cloutier, Jean Moisset et Roland Ouellet (dirs.), Analyse sociale de l'éducation, Montréal, Boréal Express, 108-155.

MERLE, Pierre (1991), «La pratique évaluative en classe terminale: consensus et illusion», *Sociologie du travail*, n° 2, 227-292.

MERLE, Pierre (1996), «Compte rendu de l'ouvrage de Bernard Lahire *Tableaux de famille. Heurs et malheurs scolaires en milieux populaires*», *Revue française de sociologie*, janvier-mars, XXXVII, n° 1, 145-149.

MERLLIÉ, Dominique et Jean PRÉVOT (1991), *La Mobilité sociale*, Paris, La Découverte.

MIGULEZ, Roberto (1993), *L'Émergence de la sociologie*, Ottawa, Presses de l'Université d'Ottawa.

MILLS, C. Wright (1967), *L'Imagination sociologique*, Paris, Maspero.

MILOT, Micheline (1989), *De la transmission de la religion. Rapports famille – école*, Québec, Université Laval, Thèse de doctorat.

MILOT, Micheline (1991a), «L'enseignement religieux à l'heure du pluralisme. Une distinction nécessaire entre "contenus" et "processus"», dans F. Ouellet et M. Pagé (dirs.), *Pluriethnicité, éducation et société: construire un espace commun*, Québec, Institut québécois de recherche sur la culture (IQRC).

MILOT, Micheline (1991b), *Une religion à transmettre? Le choix des parents*, Sainte-Foy, Presses de l'Université Laval.

MINC, Alain (1987), *La Machine égalitaire*, Paris, Grasset.

MINGAT, A. et J.C. EICHER (1982), «Higher Education and Employment Markets in France», *Higher Education*, vol. 11, n° 2, 211-220.

MINGUÉ, Jean-Luc et Richard MARCEAU (1989), *Le Monopole public de l'éducation*, Sillery, Presses de l'Université du Québec.

MINISTÈRE DE L'ÉDUCATION DU QUÉBEC (1985a) *Enseigner au Québec, Formation et titula-risation*. Énoncé de politique, Décembre, Québec, Gouvernement du Québec, Le Ministère.

MINISTÈRE DE L'ÉDUCATION DU QUÉBEC (1985b), *Les Élèves doués et talentueux: état et développement*, Québec, Gouvernement du Québec, Le Ministère.

MINISTÈRE DE L'ÉDUCATION DU QUÉBEC (1991), *Les écoles non légalement reconnues. Guide à l'intention des responsables des directions régionales et des commissions scolaires*, Québec, Gouvernement du Québec, Le Ministère, Direction de la coordination des réseaux.

MINISTÈRE DE L'ÉDUCATION DU QUÉBEC (1992a), *Chacun fait ses devoirs – Plan d'action sur la réussite éducative*, Québec, Gouvernement du Québec, Le Ministère.

MINISTÈRE DE L'ÉDUCATION DU QUÉBEC (1992b), *Réussite éducative, enseignement primaire et secondaire, 1992-1993. Les indicateurs: bâtiments des commissions scolaires selon la région*, Québec, Gouvernement du Québec, Le Ministère, Direction de la coordination des réseaux.

MINISTÈRE DE L'ÉDUCATION DU QUÉBEC (1995), *Répertoire révisé des projets de formation spécialisée (arts-études et concentration en arts)*, Québec, Gouvernement du Québec, Le Ministère, Direction de la formation générale des jeunes, septembre.

MINISTÈRE DE L'ENSEIGNEMENT SUPÉRIEUR ET DE LA SCIENCE (1989), *L'Aide financière aux étudiants dans les années 90. Orientations gouvernementales*, avril, Québec, Gouvernement du Québec, Le Ministère.

MOISAN, Gilbert (1996), *L'École montréalaise et son milieu: quelques points de repère. Étude statistique*, Québec, Gouvernement du Québec, Conseil supérieur de l'éducation.

MOISSET, Jean (1983), «Système d'éducation et système économique», dans Renée Cloutier, Jean Moisset et Roland Ouellet (dirs.), *Analyse sociale de l'éducation*, Montréal, Boréal Express, 225-248.

MOISSET, Jean et Pierre TOUSSAINT (1992), «Pourquoi faut-il combattre l'abandon scolaire? Une perspective socio-économique», dans *Pour favoriser la réussite scolaire, Réflexions et pratiques*, Québec et Montréal, Centrale de l'enseignement du Québec et Éditions Saint-Martin.

MOISSET, Jean *et al.* (1995), *Les Jeunes des communautés culturelles du Québec et leur rendement scolaire*, Québec, Université Laval, Centre de recherche et d'intervention sur la réussite scolaire (CRIRES), Études et recherches, vol. 2, nᵒ 4.

MOLINER, Pascal (1992), *La Représentation sociale comme grille de lecture – Étude expérimentale de sa structure et aperçu sur ses processus de transformation*, Publications Université de Provence.

MONIÈRE, Denis (1977), *Le Développement des idéologies au Québec : des origines à nos jours*, Montréal, Éditions Québec/Amérique.

MONTANDON, Cléopâtre (1987), « L'essor des relations famille-école », dans Cléopâtre Montandon et Philippe Perrenoud, *Entre parents et enseignants : un dialogue impossible ? Vers une analyse sociologique des interactions entre la famille et l'école*, Berne, Éditions Peter Lang, Collection « Exploration », Série « Cours et contribution pour les sciences de l'éducation ».

MONTANDON, Cléopâtre (1989), « Les incertitudes de la culture scolaire. Discours polarisés, discours utopiques », *Éducation et recherches*, 11ᵉ année, nᵒ 1, 92-108.

MONTANDON, Cléopâtre (1991), *L'École dans la vie des familles*, Genève, Département de l'instruction publique, Service de la recherche sociologique, Cahier nᵒ 32.

MONTMARQUETTE, Claude et S. MAHSEREDJIAN (1986), *Does School Matter? A Two-Way Error Component Model Analysis*, Montréal, Université du Québec à Montréal, Département des sciences économiques, Cahier nᵒ 8628.

MONTPETIT, Caroline (1995), « Après l'accessibilité, l'excellence. Le Conseil supérieur de l'éducation souhaite une amélioration du taux de réussite scolaire », *Le Devoir*, 12 décembre, B-1.

MONTPETIT, Édouard (1917), « Notre avenir », *Revue trimestrielle canadienne*, février.

MOREAU, Lisette (1995), *La Pauvreté et le Décrochage scolaire ou la spirale de l'exclusion*, Québec, Gouvernement du Québec, Ministère de la Sécurité du revenu.

MORIN, Edgar (1977), *La Nature de la nature*, Paris, Seuil.

MOSCONI, Nicole (1989), *La Mixité dans l'enseignement secondaire : un faux-semblant ?*, Paris, Presses universitaires de France.

MOSCOVICI, Serge (1961), *La Psychanalyse, son image et son public*, Paris, Presses universitaires de France.

MULKAY, M.J. (1988), *On Humour : Its Nature and its Place in Modern Society*, Cambridge, Polity Press.

NATIONAL COMMISSION ON EXCELLENCE IN EDUCATION (1983), *A Nation at Risk : The Imperative for Educational Reform*, United States, May.

NIZET, Jean et Jean-Pierre HIERNAUX (1984), *Violence et ennui. Malaise au quotidien dans les relations professeurs-élèves*, Paris, Presses universitaires de France.

NOËL, Pierre (1984), *Rapport sur la problématique des tensions raciales et du racisme dans le milieu scolaire*, Montréal, Commission des écoles catholiques de Montréal (CECM).

NOËL-GAUDREAULT, Monique (1990), « Compte rendu de l'atelier sur la famille », dans Elca Tarrab, Ginette Plessis-Bélair et Yves Girault (éds.), *Les Communautés culturelles au Québec et la Recherche en éducation*, Montréal, Université de Montréal, Faculté des sciences de l'éducation, 93-98.

ORGANISATION DE COOPÉRATION ET DE DÉVELOPPEMENT ÉCONOMIQUE (1990), *L'Enseignant aujourd'hui : fonctions, statut, politiques*, Paris, L'Organisation.

ORGANISATION DE COOPÉRATION ET DE DÉVELOPPEMENT ÉCONOMIQUE (1996), *Apprendre à tout âge – réunion du Comité de l'éducation au niveau ministériel, 16-17 janvier*, Paris, L'Organisation.

OSSIPOW, William (1982), « Le néo-libéralisme, expression savante de l'imaginaire marchand », dans Paul Bacot et Claude Journès, *Les Nouvelles Idéologies*, Lyon, Presses universitaires de Lyon, 13-30.

OUELLET, Fernand (1988), « Quelques enjeux d'un virage interculturel en éducation », dans Fernand Ouellet (dir.), *Pluralisme et école. Jalons pour une approche critique de la formation interculturelle des éducateurs*, Québec, Institut québécois de recherche sur la culture (IQRC), 107-124.

PAGÉ, Michel (1988), « L'éducation interculturelle au Québec : bilan critique », dans Fernand Ouellet (dir.), *Pluralisme et école. Jalons pour une approche critique de la formation interculturelle des éducateurs*, Québec, Institut québécois de recherche sur la culture (IQRC), 271-300.

PAGÉ, Michel (1995a), « La culture civique de la démocratie pluraliste dans l'école pluriethnique », dans Karin Gürttler, Mia Berr-Toker et Anna-Maria Folco, *Culture ou cultures ? L'école québécoise : enjeux et perspectives*, Montréal, Université de Montréal, Centre des langues patrimoniales, Centre d'études ethniques, 45-58.

PAGÉ, Michel (1995b), « Pluralité des cultures et éducation au pluralisme », dans Karin Gürttler, Mia Berr-Toker et Anna-Maria Folco, *Culture ou cultures ? L'école québécoise : enjeux et perspectives*, Montréal, Université de Montréal, Centre des langues patrimoniales, Centre d'études ethniques, 83-125.

PAPADOPOULOS, George S. (1994), *L'OCDE face à l'éducation, 1960-1990*, Paris, Organisation de coopération et de développement économique.

PAQUAY, Léopold (1993), « Quelles priorités pour une formation initiale des enseignants ? », *Pédagogies*, n° 6, 113-151.

PARSONS, Talcott (1949), *The Structure of Social Action*, New York, The Free Press.

PARSONS, Talcott (1955), *Éléments pour une sociologie de l'action*, traduit par François Bourricaud, Paris, Plon.

PARSONS, Talcott (1959), « The School as a Social System : Some of its Fonction in American Society », *Harvard Educational Review*, 29, Autumn, 297-318.

PARSONS, Talcott (1970), « Equality and Inequality in Modern Society », *Sociological Inquiry*, vol. 40, n° 2, Spring, 13-72.

PERRENOUD, Philippe (1978), « Les limites de l'individualisme méthodologique », *Revue française de sociologie*, vol. XIX, n° 3, juillet-septembre, 442-454.

PERRENOUD, Philippe (1986), « Vers un retour du sujet en sociologie de l'éducation ? Limites et ambiguïtés du paradigme stratégique », dans Anne Van Haecht, *Socialisations scolaires – Socialisations professionnelles : nouveaux enjeux, nouveaux débats*, Actes du Colloque de Bruxelles, Association des sociologues belges de langue française, Bruxelles, Éditions de l'Institut de sociologie de Bruxelles, 20-36.

PERRENOUD, Philippe (1987), « Anatomie de l'excellence scolaire », *Autrement, L'excellence : une valeur pervertie. De l'école à l'entreprise, les mirages de la réussite*, 95-100.

PERRENOUD, Philippe (1988), « Nouvelles didactiques et stratégies des élèves face au travail scolaire », dans Philippe Perrenoud et Cléopâtre Montandon (textes réunis par), *Qui maîtrise l'école ? Politiques d'institutions et pratiques des acteurs*, Lausanne, Éditions Réalités sociales, 175-195.

PERRENOUD, Philippe (1989), « La triple fabrication de l'échec scolaire », *Psychologie française*, nos 34-44, décembre, 237-245.

PERRENOUD, Philippe (1990), « Culture scolaire, culture élitaire », *Coordination*, n° 37, mai, 21-33.

PERRENOUD, Philippe (1991), « Le rôle d'une initiation à la recherche dans la formation de base des enseignants », dans *La Place de la recherche dans la formation des enseignants*, Paris, Institut national de recherche pédagogique (INRP), 91-121.

PERRENOUD, Philippe (1992a), « Formation des maîtres et recherche en éducation : apports respectifs», dans François Audigier et Gilles Baillat (éds.), *Analyser et gérer les situations d'enseignement-apprentissage*, Paris, Institut national de recherche pédagogique (INRP), 339-354.

PERRENOUD, Philippe (1992b), «Regards sociologiques sur la communication en classe», Actes du Colloque *Éducation et communication*, Lausanne, Université de Lausanne, Institut des sciences sociales et pédagogiques, 37-48.

PERRENOUD, Philippe (1993a), «Curriculum: le formel, le réel, le caché», dans Jean Houssaye (éd.), *La Pédagogie: une encyclopédie pour aujourd'hui*, Paris, ESF éditeur, 61-76.

PERRENOUD, Philippe (1993b), «Formation initiale des maîtres et professionnalisation du métier», *Revue des sciences de l'éducation*, vol. XIX, n° 1, 59-76.

PERRENOUD, Philippe (1993c), «Former les maîtres primaires à l'Université, à partir des sciences de l'éducation? Les perspectives à Genève», paru dans Breiträge zur Lehrerbildung, numéro spécial en français *La formation des enseignants en Suisse romande et au Tessin, 13-27.*

PERRENOUD, Philippe (1993d), «La formation au métier d'enseignant: complexité, professionnalisation et démarche clinique», dans Association québécoise universitaire en formation des maîtres (AQUFOM), *Compétence et formation des enseignants?*, Trois-Rivières, La Coopérative universitaire de Trois-Rivières, 3-36.

PERRENOUD, Philippe (1993e), «Sens du travail et travail du sens à l'école», *Cahiers pédagogiques*, n°s 314-315, mai-juin, 23-27.

PERRENOUD, Philippe (1993f), *Compétences, habitus et savoirs professionnels*, Genève, Université de Genève, Faculté de psychologie et de sciences de l'éducation et Service de la recherche sociologique.

PERRENOUD, Philippe (1993g), «Former les maîtres primaires à l'université: modernisation anodine ou pas décisif vers la professionnalisation?» in Hensler, H. (ed.) *La recherche en formation des maîtres. Détour ou passage obligé sur la voie de la professionnalisation?* Sherbrooke (Canada), Editions du CRP, 111-132.

PERRENOUD, Philippe (1993h), «L'école face à la complexité», texte d'une conférence prononcée dans le cadre du *Séminaire de la conférence romande et tessinoise des chefs d'établissements secondaires* (CROTCES), *Directeur d'établissement scolaire: un métier complexe*, Bellinzona.

PERRENOUD, Philippe (1993i), *Le Métier d'enseignant entre prolétarisation et professionnalisation: deux modèles du changement*, Genève, Université de Genève, Faculté de psychologie et de sciences de l'éducation et Service de la recherche sociologique.

PERRENOUD, Philippe (1994a), *Du maître de stage au formateur de terrain: formule creuse ou expression d'une nouvelle articulation entre théorie et pratique?* Genève, Faculté de psychologie et de sciences de l'éducation et Service de la recherche sociologique.

PERRENOUD, Philippe (1994b), *Métier d'élève et sens du travail scolaire*, Paris, ESF éditeur.

PERRENOUD, Philippe et Cléopâtre MONTANDON (1988), «Les transformations de l'école: entre politiques d'institutions et pratiques des acteurs», dans Philippe Perrenoud et Cléopâtre Montandon, *Qui maîtrise l'école? Politiques d'institutions et pratiques des acteurs*, Lauzanne, Réalités sociales, 13-35.

PERRON, Madeleine, Claude LESSARD et Pierre W. BÉLANGER (1993), «La professionnalisation de l'enseignement et de la formation des enseignants: tout a-t-il été dit?», *Revue des sciences de l'éducation*, volume XIX, n° 1, 5-32.

PETITAT, André (1982), «École et reproduction: le paradigme de la reproduction et ses limites», *Revue européenne des sciences sociales*, tome XX, n° 63, 5-27.

PIAGET, Jean (1973), *Biologie et connaissance*, Paris, Gallimard, Collection «Idées».

PIAGET, Jean, A. JONCKHEERE et B. MANDELBROT (1958), *La Lecture de l'expérience*, (études d'épistémologie génétique V), Paris, Presses universitaires de France.

PICARD, Jean-Pierre (1983), *Les Parents dans l'école... Du rêve au défi*, Montréal, Éditions Ville-Marie, Collection «Le défi éducatif», n° 2.

PLAISANCE, Éric (1989), « Échec et réussite à l'école : l'évolution des problématiques en sociologie de l'éducation », *Psychologie française*, vol. 34, nº 4, décembre, 229-235.

POISSON, Annie (1992), *L'Épuisement scolaire : (le « burn-out » des jeunes)*, Mirabel, Les Éditions E=MC².

POPCORN, Faith (1994), *Le Rapport Popcorn : comment vivrons-nous l'an 2000*, Montréal, Éditions de l'homme, première édition en version originale anglaise 1991.

POULANTZAS, Nicos (1974), *Les Classes sociales dans le capitalisme aujourd'hui*, Paris, Seuil.

POUTIGNAT, Philippe et Jocelyne STREIFF-FENART (1995), *Théories de l'ethnicité*, Paris, Presses universitaires de France.

PRADERIE, Michel et Denis PLASSE (1995), *La Question de l'emploi – Les enjeux de la formation*, Paris, RETZ.

PROTECTEUR DU CITOYEN (LE) (1995), *Pour un système d'aide financière aux étudiants, souple, accessible, crédible et efficace*, Mémoire au Groupe de travail sur le régime d'aide financière aux étudiants, Québec, L'Organisme, février.

PROULX, Jean-Pierre (1988), « L'école confessionnelle – Du sable dans l'engrenage », *Revue Notre-Dame*, nº 10, novembre.

PROULX, Jean-Pierre (1990), « Organisation scolaire et diversité culturelle : une équation à plusieurs inconnues », dans Yves Martin et Fernand Dumont (dirs.), *L'Éducation 25 ans plus tard ! et après ?*, Québec, Institut québécois de recherche sur la culture (IQRC), 87-101.

PROULX, Jean-Pierre (1993), « Le pluralisme religieux dans l'école québécoise : bilan analytique et critique », *Repères*, Montréal, Université de Montréal, 157-210.

QUIVY, Raymond et Luc van CAMPENHOUDT (1988), *Manuel de recherche en sciences sociales*, Paris, Dunod.

RACETTE, Geneviève (1981), *Financement des universités et accessibilité à l'enseignement supérieur*, Montréal, Syndicat des professeurs de l'Université du Québec à Montréal, avril.

RAPPORT COPEX (1976), *L'éducation de l'enfance en difficulté d'adaptation et d'apprentissage au Québec*, Québec, MEQ, Service général des communications.

RAPPORT PARENT (1963-1966), *Rapport de la Commission royale d'enquête sur l'enseignement dans la province de Québec*, Québec, Gouvernement du Québec.

RAPPORT RIOUX (1968), *Rapport de la Commission royale d'enquête sur l'enseignement des arts au Québec*, Québec, L'Éditeur officiel du Québec.

REBELLO, François (1996), « À la source de l'inégalité des chances », dans Collectif, *D'espoir et d'éducation*, Montréal, Les Éditions des intouchables.

REBOUL, Olivier (1991), « Nos valeurs sont-elles universelles ? », *Revue française de pédagogie*, nº 97, octobre-novembre-décembre, 5-11.

REDPATH, L. (1992), *The Causes and Consequences of Education-Job Mismatch. A Study of Underemployment Among Canadian University Graduates*, 1985-1987, Calgary, Université d'Alberta, Département de sociologie, Thèse de doctorat.

REISSMAN, Léonard (1963), *Les Classes sociales aux États-Unis*, Paris, Presses universitaires de France.

RENAUD, Jean, Paul BERNARD et Monique BERTHIAUME (1980), « Éducation, qualification et carrière au Québec », *Sociologie et sociétés*, vol. XII, nº 1, avril, 23-52.

RÉSEAU D'ACTION ET D'INFORMATION POUR LES FEMMES (1990), *Prêts-bourses*, Sillery, L'Organisme.

REVUE Notre-Dame (1997), « Entrevue avec Céline Genest », *Revue Notre-Dame*, nº 2, février, 16-27.

REYNAUD, Jean-Daniel (1989), *Les Règles du jeu : L'action collective et la régulation sociale*, Paris, Armand Colin.

RICARD, François (1992), *La Génération lyrique. Essai sur la vie et l'œuvre des premiers-nés du baby-boom*, Montréal, Boréal.

RICHMOND, Anthony (1983), « Ethnic Nationalism and Post-Industrialism », dans Léonard Eliot (éd.), *Two Nations, Many Cultures, Ethnic Groups in Canada*, Scarborough, Prentice-Hall, 315-316.

RICŒUR, Paul (1990), *Soi-même comme un autre*, Paris, Seuil.

ROBERGE, Pierre (1979), *Le Nombril vert et les Oreilles molles : l'entrée des jeunes Québécois dans la vie active dans le second tiers des années 70*, Québec, Université Laval, A.S.O.P.E.

ROCHER, Guy (1972), *Talcott Parsons et la sociologie américaine*, Paris, Presses universitaires de France.

ROCHER, Guy (1989), *Entre les rêves et l'histoire. Entretiens avec Georges Khal*, Montréal, VLB Éditeur.

ROCHER, Guy (1995), « La sociologie anglo-saxonne de la culture : aperçus sur une évolution récente », dans Simon Langlois et Yves Martin, *L'Horizon de la culture. Hommage à Fernand Dumont*, Sainte-Foy, Presses de l'Université Laval et Institut québécois de recherche sur la culture (IQRC), 361-372.

ROCHEX, Jean-Yves (1995), *Le Sens de l'expérience scolaire*, Paris, Presses universitaires de France.

ROCHEX, Jean-Yves (1996), « Difficultés et réussites scolaires », *Panoramiques*, Les jeunes en difficulté, n° 26, 97-102.

ROCHON, Gaétan (1979), *Politique et contre-culture*, Montréal, Cahiers du Québec/Hurtubise HMH, Collection « Science politique ».

ROSS, David P., E. Richard SHILLINGTON et Clarence LOCHHEAD (1994), *Données de base sur la pauvreté au Canada*, Ottawa, Conseil canadien de développement social.

ROSZAK, Theodore (1980), *Vers une contre-culture : réflexions sur la société technocratique et l'opposition de la jeunesse*, Paris, Stock, première édition 1970.

ROUILLARD, Jacques (1989), *Histoire du syndicalisme québécois*, Montréal, Boréal.

ROYER, Égide *et al.* (1995), *L'ABC de la réussite scolaire*, Québec et Montréal, Centrale de l'enseignement du Québec et Éditions Saint-Martin.

RUIMY, Huguette et Léon Van DROMME (1978), « Opération Renouveau. Revue critique du projet et de la documentation », *Revue des sciences de l'éducation*, vol. IV, n° 1, hiver, 3-17.

RYAN, Claude (1986), *Le Gouvernement et l'Avenir des universités : intervention de Claude Ryan à la séance d'ouverture des travaux de la Commission parlementaire de l'éducation sur les orientations et le financement des universités*, Québec, Ministère de l'Enseignement supérieur et de la Science, le 16 septembre.

RYAN, Normand (1980), « Présentation », dans Yves Bertrand et Paul Valois, *Les Options en éducation*, Québec, Gouvernement du Québec, Ministère de l'Éducation, Secteur de la planification, Service de la recherche, xv-xx.

SADER, E. (1988), *Quando novos personagens entram em cena. Paz e terra*, Sao Paulo, Brésil.

SAINSAULIEU, Renaud (1985), *L'Identité au travail*, Paris, Fondation nationale de sciences politiques, Collection « Références ».

SCHIFF, Michel (1992), *L'Homme occulté*, Paris, Éditions ouvrières, Collection « Portes ouvertes ».

SCHÖN, Donald (1995), *Le Praticien réflexif. À la recherche du savoir caché dans l'agir professionnel*, Traduit par Jacques Heynemand et Dolorès Gagnon, Montréal, Les Éditions Logiques, Collection « Formation des maîtres ».

SCHULTZ, Theodore W. (1959), « Investment in Man : An Economist's View », *Social Service Review*, vol. 33.

SCHULTZ, Theodore W. (1961), *Education and Economic Growth*, Illinois, Chicago Press.

SCHÜTZ, Alfred, Kaj NOSCHIS et Denys De CAPRONA (1987), *Le Chercheur et le Quotidien : phénoménologie des sciences sociales*, Paris, Méridiens-Klincksieck.

SECRÉTARIAT DE LA PROSPÉRITÉ DU CANADA (1991), *Bien apprendre... bien vivre*, Ottawa, Gouvernement du Canada, Service de la correspondance.

SÉNÉCHAL, Gilles (1987), *Les allophones et les anglophones inscrits à l'école française : sondage sur*

les attitudes et les comportements linguistiques, Québec, Conseil de la langue française.

SHIOSE, Yuki (1992), *Les loups sont-ils québécois?: l'inclusion et l'exclusion culturelles dans la salle de classe au Québec*, Thèse (Ph.D.) en science politique, Université Laval.

SHIOSE, Yuki (1995), *Les loups sont-ils québécois? Les mutations sociales à l'école primaire*, Québec, Presses de l'Université Laval.

SIMARD, Jean-Jacques (1979), *La Longue Marche des technocrates*, Montréal, Éditions Saint-Martin.

SIMARD, Jean-Jacques (1982), « Détournement de mineurs. L'éducation québécoise à l'heure de la bureaucratie scolaire », *Recherches sociographiques*, vol. XXIII, n° 3, septembre-décembre, 405-427.

SIMARD, Miryam (1993), *L'Enseignement privé : 30 ans de débats*, Montréal, Éditions Thémis.

SIROTA, Régine (1987), *L'École primaire au quotidien*, Paris, Presses universitaires de France.

SIROTA, Régine (1989), « Classe moyenne et école primaire », dans Éric Plaisance, *L'Échec scolaire : nouveaux débats, nouvelles approches sociologiques*, Paris, Centre national de la recherche scientifique.

SNYDERS, Georges (1976), *École, classe et lutte des classes*, Paris, Presses universitaires de France, Collection « Pédagogie d'aujourd'hui ».

SOCIÉTÉ QUÉBÉCOISE DE DÉVELOPPEMENT DE LA MAIN-D'ŒUVRE (1995), *L'Emploi au Québec*, Direction de la recherche, des études et de l'évaluation, janvier.

SOROKIN, Pitrim (1927), *Social Mobility*, New York, Harper and Brothers.

ST-GERMAIN, Claude (1988), *Les Résultats des élèves aux épreuves uniques du secondaire selon la langue maternelle*, juin 1987, Québec, Ministère de l'Éducation.

STATISTIQUE CANADA (1974), *La Rentabilité économique de l'éducation au Canada*, Ottawa, L'Organisme, Division des analyses de conjoncture.

SUBIRATS, Marina et Cristina BRULLET (1988), « Le sexisme dans l'enseignement primaire. Interactions verbales dans des classes en Catalogne », *Recherches féministes*, 1, 1, 47-59.

SUE, Roger (1994), *Temps et ordre social*, Paris, Presses universitaires de France.

TARDIF, Jean-Claude (1990), *Contribution à l'histoire de la CEQ*, Québec, Centrale de l'enseignement du Québec, novembre.

TARDIF, Maurice (1993), « Éléments pour une théorie de la pratique éducative : actions et savoirs en éducation », dans M'hammed Mellouki, Maurice Tardif et Clermont Gauthier, *Le Savoir des enseignants : unité et diversité*, Montréal, Éditions Logiques, 28-48.

TARDIF, Maurice (1996), « Essai critique sur *Sociologie de l'expérience* », *Revue canadienne de l'éducation*, vol. 21, n° 2, 207-218.

TAYLOR, Charles (1988), « Les institutions dans la vie nationale », dans Vincent Lemieux (dir.), *Les Institutions québécoises : leur rôle, leur avenir*, Actes du colloque du cinquantième anniversaire de la faculté des sciences sociales de l'Université Laval, Québec, 12-14 octobre, 49-62.

TERRAIL, Jean-Pierre (1992), « Destins scolaires de sexe : une perspective historique et quelques arguments », *Population*, 3, 645-676.

THÉBERGE, André (1976), *Les Abandons scolaires. Importance quantitative du phénomène*, Québec, Ministère de l'Éducation du Québec, Direction générale de la planification.

THIVIERGE, Nicole (1980), *Écoles ménagères et instituts familiaux : un modèle féminin traditionnel 1882-1970*, Québec, Institut québécois de recherche sur la culture (IQRC).

THUROW, Lester (1973), « Education and Economic Inequality », *The Public Interest*, été, 66-81.

TONDREAU, Jacques (1993), « Le sujet comme mouvement social ou la critique de la modernité : entrevue avec Alain Touraine », *Aspects sociologiques*, vol. 1, n° 3, novembre, 26-29.

TOURAINE, Alain (1965), *Sociologie de l'action*, Paris, Seuil.

TOURAINE, Alain (1974), *Pour la sociologie*, Paris, Seuil.

TOURAINE, Alain (1984), *Le Retour de l'acteur*, Paris, Fayard.

TOURAINE, Alain (1992), *Critique de la modernité*, Paris, Fayard.

TOURAINE, Alain (1995), *Lettre à Lionel, Michel, Jacques, Martine, Bernard, Dominique... et vous*, Paris, Fayard.

TOURAINE, Alain (1996), « Faux et vrais problèmes », dans Michel Wieviorka (dir.), *Une société fragmentée ? Le multiculturalisme en débat*, Paris, Éditions La Découverte, 291-319.

TOUSSAINT, Pierre et Jean-Pierre BRUNET (1995), « La diversité à l'école secondaire : émergence d'une nouvelle vision », dans Pierre Toussaint et Régent Fortin (dirs.), *École et gestion de la diversité*, Québec, Université Laval, Les cahiers du LABRAPS (Laboratoire de recherche en administration et politique scolaires), vol. 19, Série « Études et Documents », 25-51.

TRAUB, Ross (1994), *Les Tests normalisés au Canada*, Toronto, Association canadienne d'éducation.

TREMBLAY, Arthur (1955), *Contribution à l'étude des problèmes et des besoins de l'enseignement dans la province de Québec*, Annexe 4 du rapport de la Commission royale d'enquête sur les problèmes constitutionnels.

TREMBLAY, Arthur (1969), *Dix ans de réforme scolaire au Québec : un bilan et un avenir*, Conférence prononcée à Toronto le 3 juin 1969 au congrès de la Société canadienne d'éducation comparée et internationale.

TREMBLAY, Arthur (1989), *Le Ministère de l'Éducation et le Conseil supérieur : antécédents et création, 1867-1964*, Québec, Presses de l'Université Laval.

TREMBLAY, Diane-Gabrielle (1990), *Économie du travail. Les réalités et les approches théoriques*, Montréal et Québec, Éditions Saint-Martin et Télé-Université.

TRIPP, David, H. (1984), *Action Research and Professional Development*, Discussion paper for the Australian College of Education Project, 1984-1985, Murdock, Australia, Murdock University.

TROTTIER, Claude R. (1983), « Le processus de socialisation à l'école », dans Renée Cloutier, Jean Moisset et Roland Ouellet (dirs.), *Analyse sociale de l'éducation*, Montréal, Boréal Express, 87-104.

TROTTIER, Claude R. (1987a), « La "nouvelle" sociologie de l'éducation en Grande-Bretagne : un mouvement de pensée en voie de dissolution ? », *Revue française de pédagogie*, n° 78, janvier-février-mars, 5-20.

TROTTIER, Claude R. (1987b), *La « Nouvelle » Sociologie de l'éducation*, Québec, Université Laval, les cahiers du LABRAPS (Laboratoire de recherche en administration et politique scolaires), série « Études et Documents ».

TUMIN, Melvil Marvin (1967), *Social Stratification : The Forms and Functions of Inequality*, Gembloux, Duculot.

TURCOTTE, Paul-André (1988), *L'Enseignement secondaire public des frères éducateurs (1920-1970) : utopie et modernité*, Montréal, Bellarmin.

UNIVERSITÉ LAVAL (1995), *Règlement du premier cycle*, Édition du 1er septembre.

UPINSKY, Arnaud (1987), « La sélection du pouvoir par la perversion des meilleurs », *Autrement, L'Excellence : une valeur pervertie. De l'école à l'entreprise, les mirages de la réussite*, 121-129.

VALLIÈRES, Pierre (1990), « 1970, une année charnière. Question nationale et projet de société », *Vie ouvrière*, n° 226, septembre-octobre, 14-21.

VAN DE GEJUCHTE, Isabelle (1993), « L'humour comme discours », *Revue de l'Institut de sociologie*, 1-4, 399-411.

VAN DE MOORTELE, Marie et Georges LARIVIÈRE (1995), *Analyse des projets Sports-études des écoles secondaires au Québec*, Rapport remis au ministre de l'Éducation, mai.

VAN HAECHT, Anne (1990), *L'École à l'épreuve de la sociologie. Questions à la sociologie de l'éducation*, Bruxelles, De Boeck Université, Collection « Ouvertures sociologiques ».